# Kotler & Dubois

## Delphine Manceau

# MARKETING MANAGEMENT

11ᵉ édition

# Kotler & Dubois

Édition française réalisée par

## Delphine Manceau

PEARSON
Education

Le présent ouvrage a été traduit et adapté à partir de *Marketing Management* Eleventh Edition, publié par Prentice-Hall, Inc., a Pearson Education Company, Upper Saddle River, NJ, États-Unis.

ISBN : 2-7440-7008-4

Ce livre est dédié à la mémoire
de Bernard Dubois.

# Table
# des matières

## Première partie
## Comprendre le marketing

Table
des matières

## 2 Adapter le marketing à l'économie numérique  39

## 3 Satisfaire et fidéliser le client grâce à la valeur   65

## Deuxième partie
## Analyser le marché

## 4 Conquérir le marché grâce à la planification stratégique   97

Table
des matières

## 5   Mesurer la demande et gérer l'information    135

**Qu'est-ce qu'un système d'information marketing moderne ?    136**

**Les états comptables et commerciaux    138**
Le cycle commande-livraison-facturation    138
Les relevés de vente    138
Les bases de données    138

**Le système d'intelligence marketing    140**

## 7   Comprendre la consommation et le comportement d'achat 195

## 8   Comprendre la clientèle d'entreprise et son comportement d'achat   229

## 9 Se confronter à la concurrence 255

# Troisième partie
# L'élaboration d'une stratégie marketing

## *11* Positionner et différencier l'offre sur son cycle de vie     321

# Quatrième partie
# Construire l'offre de marché

## 14 Définir la stratégie de produit et de marque                     425

# Cinquième partie
# Gérer les plans d'action marketing

## 17  Choisir et animer les circuits de distribution et les partenariats  517

## *18* Gérer le commerce de gros, de détail et la logistique commerciale     547

# Avant-propos

Récemment, le PDG d'une grande entreprise confiait à Philip Kotler qu'il continuait de consulter la première édition de *Marketing Management* qu'il avait achetée au cours de ses études. Pourtant, datée de 1967, cette édition paraît dépassée à plus d'un titre. Le concept d'orientation vers le marché y était mentionné, mais pas la segmentation, ni le ciblage ou le positionnement. Bien sûr, Internet, les cartes bancaires, les téléphones portables et l'euro n'existaient pas, pas plus d'ailleurs que le marketing expérientiel, l'hyperconcurrence, l'analyse de la valeur du client, le CRM ou le marketing viral.

Les marchés ont profondément changé. Et ces évolutions s'accélèrent. Du côté des clients, Internet a élargi les modes d'achat. Du côté des entreprises, les axes de développement se sont diversifiés. Les canaux de vente et de distribution se sont multipliés. La concurrence s'est élargie et émane de pays où l'on fabrique à moindre coût pour une qualité équivalente. Du fait de l'explosion des moyens de communication, la publicité de masse paraît de moins en moins efficace. Les entreprises tentent de réduire leur force de vente (qui constitue souvent la méthode de vente la plus chère) et incitent leurs clients à recourir à des canaux moins coûteux, comme la commande par téléphone ou le commerce électronique. Tous les secteurs font face à une hyperconcurrence. Les marges diminuent. Le pouvoir passe entre les mains des clients qui, de plus en plus souvent, indiquent aux entreprises quelles caractéristiques ils souhaitent pour leurs produits, quelles animations commerciales ils apprécient et quel prix ils acceptent de payer.

En réponse à ces bouleversements, les entreprises font évoluer leur approche du management, passant de la gestion du portefeuille de produits à la gestion du portefeuille de clients. On se focalise aujourd'hui sur la gestion de la relation client, plus connue sous le nom de *Customer Relationship Management* ou CRM. Les firmes cherchent à fidéliser leurs clients et à intensifier leurs relations avec eux plutôt qu'à en conquérir de nouveaux. Elles compilent les bases de données afin de mieux comprendre les consommateurs et d'élaborer des offres et des messages personnalisés. La standardisation des produits et des services laisse place à des stratégies de niche et d'individualisation. Le monologue de l'entreprise est remplacé par un dialogue avec le consommateur. On sait mieux mesurer la rentabilité du client et sa valeur à vie. On essaie d'évaluer le retour sur investissement des opérations marketing et leur impact sur la valeur perçue par l'actionnaire. On appréhende mieux la position de l'entreprise dans une longue chaîne de valeur qui met en relation les clients, les employés, les fournisseurs, les distributeurs et les détaillants. Les systèmes intranet améliorent la communication interne et extranet la communication avec les partenaires.

Le marketing change lui aussi. Il ne s'agit plus d'un service spécifique chargé d'un nombre limité de tâches, telles que la publicité, le marketing direct, le service au client ou la prospection. Le marketing est devenu l'affaire de l'entreprise tout entière. Il doit déterminer sa mission et ses plans stratégiques. Il lui revient de définir quels clients l'entreprise souhaite avoir, quels besoins satisfaire, quels produits et services offrir, quels prix adopter, quelles communications émettre et recevoir, quels canaux de distribution utiliser, quels partenariats développer.

Le marketing gère le processus d'entrée sur les marchés, l'établissement de positions concurrentielles rentables et la construction de relations durables avec les clients. Toutes ces opérations ne peuvent réussir que si tous les services de l'entreprise travaillent ensemble : si les ingénieurs conçoivent les bons produits, les responsables financiers procurent les fonds nécessaires, les acheteurs acquièrent des matériaux de qualité, les responsables de la production fabriquent des produits fiables dans les délais prévus, et les services comptables mesurent la rentabilité des différents clients, produits et zones géographiques. Cet ouvrage ne s'adresse donc pas seulement aux responsables marketing actuels et futurs, mais également à toutes les personnes exerçant des responsabilités dans l'entreprise ou étant en passe de le faire et susceptibles, par conséquent, de collaborer avec les services marketing.

## La onzième édition

Le marketing peut porter sur des produits, des services, des individus, des lieux, des événements, des informations, des idées ou des organisations. Cette onzième édition a pour ambition d'aider les entreprises, les groupes et les individus à adapter leur approche marketing au développement des nouvelles technologies et de la globalisation. Elle met l'accent sur les questions suivantes :

1. Internet, son utilisation et ses conséquences.
2. La chaîne de la demande et la chaîne d'approvisionnement.
3. La gestion de la relation clientèle (CRM) et la gestion des partenariats.
4. Les divers moyens d'accéder au marché.
5. La construction de la marque et le management du capital-marque.

En parallèle, cette onzième édition s'inscrit dans la continuité des éditions antérieures et conserve les cinq grandes orientations privilégiées précédemment, à savoir :

**1. Une orientation vers la prise de décision.** L'ouvrage est consacré à l'étude des principales décisions que doivent assumer le responsable marketing et la direction générale à la recherche d'une cohérence entre, d'une part, les objectifs et les ressources de l'entreprise et, d'autre part, les possibilités offertes sur le marché.

**2. Une démarche analytique.** L'ouvrage ne fournit pas tant des recettes que des manières d'analyser les problèmes marketing les plus courants. De nombreux exemples et encadrés présentent la manière dont les principes, les stratégies et les tactiques évoqués sont mis en œuvre concrètement.

**3. Un appel aux disciplines de base.** *Marketing Management* puise largement dans les fondements de l'économie, des sciences humaines, de la sociologie des organisations et des mathématiques pour définir les concepts et les outils fondamentaux utilisés en marketing.

**4. Une approche diversifiée.** L'ouvrage examine le rôle du marketing dans de nombreux contextes : produits tangibles et services, marchés industriels et de grande consommation, industries de fabrication et activités de distribution, multinationales et PME, organisations à but non lucratif et entreprises commerciales, secteurs traditionnels et de hautes technologies.

**5. Un souci d'équilibre.** Comparé à d'autres ouvrages, *Marketing Management* évite de se consacrer en priorité à la stratégie, à la tactique ou aux aspects administratifs du marketing. La place accordée à ces domaines différents est proportionnelle aux connaissances requises pour assumer une responsabilité marketing dans l'environnement actuel.

# Les innovations de cette édition

Cette édition a été allégée sur certaines thématiques, complétée sur d'autres, l'objectif étant de mieux étayer les concepts essentiels tout en approfondissant les pratiques et les notions les plus récentes.

## De nouveaux thèmes et une nouvelle structure

Le chapitre 2, entièrement nouveau, est consacré à l'adaptation du marketing à l'économie numérique. Il analyse comment Internet a modifié les comportements des consommateurs et les pratiques des entreprises. Quelles sont les principales caractéristiques de l'économie numérique ? En quoi affecte-t-elle les pratiques en matière de management et de marketing ? Comment les responsables marketing utilisent-ils Internet, les bases de données consommateurs et le marketing relationnel ? Ce nouveau chapitre étudie ces questions de manière conceptuelle et illustrée. Puis, dans les chapitres ultérieurs, la thématique est analysée par rapport aux sujets évoqués. Par ailleurs, les deux anciens chapitres relatifs, d'une part, à la publicité, à la promotion des ventes et aux relations publiques et, d'autre part, au marketing direct et en ligne, ont été fusionnés car ils traitent tous deux des outils communication.

## De nouveaux concepts

Cette nouvelle édition intègre les dernières avancées du marketing tel qu'il est pratiqué dans les entreprises. Par exemple : la gestion de la relation client et le CRM, les méthodes permettant de développer le capital-marque, le marketing expérientiel des points de vente, le marketing viral, le marketing des produits high-tech, la convergence intersectorielle, l'adaptation indidivualisée des produits aux besoins des clients, la valeur à vie du client, le datamining, le m-commerce ou encore les conséquences du passage à l'euro sur les prix. Sur chacun de ces sujets, nous présentons de nombreux exemples et analysons les résultats des recherches les plus récentes.

## Des illustrations et des données d'actualité

L'ensemble des données chiffrées et des illustrations ont été adaptées ou remplacées en fonction de leur actualité. Les nouveaux exemples portent sur les approches marketing adoptées par des marques et des entreprises aussi diverses que Castorama, Bridel, Hewlett-Packard, La Redoute, Gap, Lu, Intel, SFR, Leclerc, Pampryl, Accor, Motorola, E-bay, Nike, le PSG, *Psychologies magazine*, Lego, Yop, Alfa Romeo, Pampers, Siebel, DuPont de Nemours, Kodak, Mc Donald's, Le Club des Créateurs de Beauté, Gallimard Jeunesse, Volvo, Hollywood Chewing Gum, Absolut Vodka ou Optic 2000.

## Une mise en page facilitant la lecture

La mise en page a été aménagée pour faciliter la lecture : les exemples, les résumés et les définitions sont mieux mis en évidence ; des pictogrammes différents permettent de distinguer, parmi les encadrés, les points de développement théoriques et les illustrations tirées des pratiques des entreprises.

# Remerciements de Philip Kotler

Cette onzième édition a bénéficié du concours de nombreuses personnes. Mes collègues du département marketing de l'Université de Northwestern continuent d'avoir une grande influence sur ma réflexion. Il s'agit de : James C. Anderson, Robert C. Blattberg, Bobby J. Calder, Gregory S. Carpenter, Alex Chernev, Anne T. Coughlan, Dawn Iacobucci, Dipak C. Jain, Robert Kozinets, Lakhsman Krishnamurti, Angela Lee, Ann L. McGill, Vincent Nijs, Christie Nordhielm, Mohanbir S. Sawhney, John F. Sherry Jr., Louis W. Stern, Brian Sternthal, Alice M. Tybout et Andris A. Zoltners. La famille S.C. Johnson doit être également remerciée pour sa générosité, de même que l'ancien doyen de la J.-L. Kellogg Graduate School of Management, Donald P. Jacobs, et le doyen actuel, Dipak Jain, pour leurs constants encouragements.

Je suis également reconnaissant à plusieurs de mes anciens collègues qui ont beaucoup influencé ma pensée, en particulier Richard M. Clewett, Ralph Westfall, Harper W. Boyd et Sidney J. Levy. Je tiens également à remercier Gary Amstrong pour notre travail en commun sur l'ouvrage *Principles of Marketing*.

Je tiens à souligner l'aide précieuse que m'a apportée pour cette édition Kevin Lane Keller, professeur à Dartmouth College, l'un des spécialistes de la gestion de la marque et qui non seulement a relu attentivement mon manuscrit mais m'a suggéré de nombreux exemples et de nouvelles idées qui ont considérablement amélioré cette édition. Je souhaite également exprimer ma reconnaissance à mes collègues d'autres universités qui ont relu le texte et formulé de très utiles suggestions : Brent Cunningham, Ralph Gaedeke, Bill Gray, Ron Lennon, Kenneth P. Mead, Hank Pruden, Scott D. Roberts, Alex Sharland, Michael Swenson et Dr R. Venkatesh. Je remercie également Whitney Blake, Bruce Kaplan et Wendy Craven, ainsi que toute l'équipe de Prentice Hall pour leur aide très efficace.

Je tiens enfin à exprimer toute ma gratitude à mon épouse, Nancy, pour son soutien permanent. Cet ouvrage est véritablement le nôtre.

PHILIP KOTLER
S. C. Johnson Distinguished Professor of International Marketing
J.-L. Kellogg Graduate School of Managernent
Northwestern University
Evanston, Illinois, USA

# Remerciements de Delphine Manceau

La réactualisation d'un tel ouvrage est un exercice délicat, surtout lorsque l'on ne peut, hélas, solliciter l'avis de l'auteur français des éditions précédentes. Mes premières pensées vont donc à Bernard Dubois qui a accompli avec tant de brio ce travail pendant de nombreuses années. Je remercie également très chaleureusement Philip Kotler pour ses précieux conseils.

Je souhaite exprimer ma gratitude à tous ceux qui m'ont incitée à me lancer dans ce projet et qui m'ont prodigué leurs encouragements tout au long de la rédaction, et en particulier à Élisabeth Tissier-Desbordes, Emmanuelle Le Nagard-Assayag, Hervé Laroche, Gilles Laurent, Marianne Conde-Salazar, Jérôme Bon, Alain Chevalier et Anne-Marie Schlosser.

Ce travail a bénéficié de l'aide précieuse de plusieurs personnes qui m'ont suggéré des exemples, fourni des données et qui ont, pour certains, relu quelques passages de ce texte, en particulier Sophie Changeur, Simone Darmon, Oriane La Sagna, Héléna Magis, Valérie Moatti et Yves Séchaud. Je suis également très reconnaissante à Gaëlle Severin, assistante au département marketing, et à Aurélie Hémonnet, ancienne étudiante à l'ESCP-EAP, pour leur aide si efficace.

Mes remerciements chaleureux vont à Annie Médina, doyen du corps professoral de l'ESCP-EAP, et Franck Bancel, doyen associé à la recherche, pour leur soutien sans faille. Mes collègues du département marketing m'ont eux aussi beaucoup encouragée et se sont montrés très compréhensifs face à ma faible disponibilité pendant plusieurs mois. Le personnel de la bibliothèque de l'ESCP-EAP, dirigé par Chantal Gueudar-Delahayes, a contribué par son efficacité à enrichir ce manuscrit. Je tiens également à exprimer ma reconnaissance à toute l'équipe de Pearson Education, notamment à Geoffrey Staines et Pascale Pernet qui m'ont fait confiance en me confiant la responsabilité de cette édition, ainsi qu'à Antoine Chéret pour son travail éditorial minutieux et constructif.

Enfin, j'ai une pensée émue pour mon époux, Vincent, et mes enfants, Matthieu et Juliette, qui ont, chacun à leur manière, fait preuve d'une immense patience me permettant de mener à bien la réalisation de cet ouvrage. Juliette a l'âge de cette édition. Le chapitre 5 a été terminé la veille de sa naissance.

DELPHINE MANCEAU
ESCP-EAP
Paris, France

# PREMIÈRE PARTIE

# COMPRENDRE
# LE MARKETING

# Le marketing au 21ᵉ siècle

DANS CE CHAPITRE,
NOUS NOUS POSERONS
LES QUESTIONS SUIVANTES :

■ Quel est le rôle du marketing dans l'économie d'aujourd'hui ?

■ Quels sont les principaux concepts et outils du marketing ?

■ Quelles optiques peut adopter l'entreprise dans sa relation au marché ?

■ Comment les entreprises et les responsables marketing relèvent-ils les défis actuels ?

*« Le futur n'est pas devant nous.
Il s'est déjà produit.
Malheureusement,
il est inéquitablement réparti
entre les entreprises, les secteurs
et les pays. »*

On a beaucoup glosé sur la nouvelle économie. Au delà du terme parfois décrié, les évolutions de l'environnement économique sont indiscutables. Il s'agit en particulier de la globalisation des activités et des entreprises, de l'accélération de la transmission des informations, de l'hyper-concurrence entre les firmes, des technologies de «disruption» qui modifient radicalement l'activité dans de nombreux secteurs, et du pouvoir accru des consommateurs.

Autrefois, l'activité économique était essentiellement tournée vers la fabrication de produits et structurée par des règles héritées de la Révolution Industrielle. La standardisation de la production permettait de bénéficier d'économies d'échelle. Les entreprises avaient tendance à reproduire les mêmes procédures et les mêmes politiques d'un marché géographique à l'autre. Elles recherchaient l'efficience et adoptaient pour cela des organisations hiérarchiques pyramidales.

L'économie actuelle, par contraste, repose sur le management de l'information et la révolution numérique. L'information a un certain nombre de caractéristiques spécifiques : elle peut être différenciée, adaptée, personnalisée à l'infini ; elle peut atteindre un grand nombre d'individus en un temps record ; parce qu'elle est publique et accessible, elle améliore la capacité des acheteurs potentiels à faire des choix pertinents. Ces évolutions ont donné de nouvelles possibilités aux consommateurs et aux entreprises.

Aux *consommateurs*, d'abord :

♦ *Un pouvoir accru lors du processus d'achat.* On peut comparer les caractéristiques et les prix des produits en un clic et à domicile. La recherche d'information et la comparaison sont beaucoup moins coûteuses en temps et en énergie que par le passé. Certains sites Internet comparent même les prix de différents offreurs. Les acheteurs en entreprises peuvent recourir aux enchères descendantes dans lesquels les vendeurs en concurrence baissent progressivement leurs prix pour gagner le contrat. Les acheteurs peuvent également s'associer pour agréger leurs volumes d'achat et obtenir des prix plus compétitifs.

♦ *La diversité des produits et services.* On peut pratiquement tout acheter sur Internet. Amazon se présente comme la librairie la plus grande du monde, avec 3 millions d'ouvrages en catalogue, chiffre auquel aucune librairie physique ne peut prétendre. En outre, Internet permet de commander des produits de nombreux pays du monde dès que les conditions de livraison sont assurées.

♦ *Une grande quantité d'information sur tous les sujets.* On peut lire sur Internet les journaux du monde entier. L'accès aux encyclopédies et aux dictionnaires, aux sites d'information médicale, aux commentaires des consommateurs et à de nombreuses sources d'informations modifie la nature des relations entre consommateurs et entreprises.

♦ *La facilité de commande.* Les clients peuvent passer commande de leur domicile, de leur lieu de travail ou grâce à leur téléphone portable 24 heures sur 24 et 7 jours sur 7. Le produit sera livré rapidement à l'endroit qu'ils souhaitent.

♦ *L'accès aux commentaires sur les produits et services.* Les sites d'information et surtout les forums de discussion spécialisés permettent d'échanger des informations avec d'autres consommateurs de manière à connaître leur avis sur de nombreux produits, services, loisirs et problèmes de la vie quotidienne.

En parallèle, les nouvelles possibilités offertes aux *entreprises* sont nombreuses :

♦ *L'accès à de nouveaux circuits d'information et de vente* leur permet d'élargir leur champ d'activité géographique et leur capacité de communication. Sur son site Internet, une entreprise peut décrire ses produits et services, son histoire, sa démarche, sa politique de ressources humaines... Contrairement aux brochures et aux publicités qui exigent la sélection des messages à faire passer, Internet permet la transmission d'informations en nombre quasiment infini.

♦ *La collecte de nombreuses informations sur les marchés, les clients, les prospects et les concurrents.* Internet est désormais utilisé pour réaliser certaines études de marché, comme moyen d'accès aux informations déjà publiées, comme outil d'organisation de réunions de groupe ou d'entretiens individuels, et même comme instrument de collecte d'information via des questionnaires en ligne.

♦ *Un outil de communication interne.* Les systèmes Intranet facilitent et accélèrent la communication aux employés et entre eux. Certaines informations peuvent être téléchargées à tout moment par le personnel qui en aurait besoin.

♦ *Une communication à double sens avec les clients et les prospects.* L'interactivité du web permet aux clients d'envoyer des messages e-mail à l'entreprise et de recevoir des réponses rapides. De plus en plus de firmes développent des systèmes Extranet avec leurs fournisseurs et leurs distributeurs de manière à rendre plus efficaces l'échange d'information, la transmission des commandes et le paiement des transactions.

♦ *La transmission de publicités, de bons de réduction, d'échantillons et d'informations aux clients* qui les ont demandés ou qui ont donné l'autorisation à l'entreprise de le faire.

♦ *La personnalisation des produits et services.* Les entreprises peuvent désormais savoir combien de personnes ont consulté leur site Internet et connaître leur fréquence de visites et leur parcours sur le site. En entrant ces informations dans une base de données et en les mettant en relation avec les caractéristiques de chacun (achats réalisés, historique des relations avec l'entreprise, caractéristiques socio-démographiques, centres d'intérêt), elles peuvent personnaliser les messages envoyés et les produits proposés.

♦ *L'amélioration des processus d'achat, de recrutement, de formation et de communication interne et externe.* Toutes les entreprises achètent et vendent. En tant qu'acheteuses, elles bénéficient des avantages évoqués au paragraphe précédent. Les modalités de recrutement du personnel ont également changé avec l'avènement du web, de même que les modalités de formation du personnel, des distributeurs et des agents commerciaux ont été affectées par le développement de l'enseignement à distance.

♦ *L'amélioration des fonctions logistiques* résulte à la fois de la baisse des coûts d'achat, de l'accélération des processus et de l'amélioration de la qualité du service. Internet permet d'envoyer et de recevoir les informations, les commandes et les paiements de manière plus fiable et plus rapide. Cela se traduit par une efficacité accrue dans les relations que les entreprises entretiennent avec leurs partenaires et leurs clients.

Ces nouvelles possibilités modifient progressivement les pratiques des entreprises. Dans cet ouvrage, nous analyserons en quoi le marketing est affecté par ces nouveaux phénomènes et nous étudierons la manière de l'appréhender dans l'environnement économique actuel.

Mais qu'est-ce que le marketing et en quoi est-il concerné par ces questions ? Le marketing a pour rôle d'identifier puis de répondre aux besoins des hommes et de la société, comme le révèle l'une de ses définitions les plus courtes : « satisfaire des besoins de façon rentable ». Qu'il s'agisse de Procter & Gamble qui, constatant que beaucoup de gens trouvent leur poids excessif et voudraient une nourriture aussi appétissante mais moins grasse, a inventé l'Olestra ; de Camax qui, ayant remarqué que les acheteurs d'automobiles d'occasion veulent être rassurés sur ce qu'ils achètent, a créé un nouveau mode de vente ; ou encore d'Ikea qui, notant que le marché souhaite acheter de bons meubles à un prix raisonnable, a choisi de les vendre « à plat » ; ces exemples illustrent comment on peut tirer parti d'un besoin individuel ou collectif pour en faire une activité économique rentable.

La pratique du marketing est toutefois délicate. Certaines entreprises autrefois prospères comme Levi's, Kodak, Xerox ou General Motors ont dû repenser leur mode de fonctionnement pour faire face au pouvoir accru des clients et à l'émergence de nouveaux concurrents. Les firmes les plus menacées sont celles qui négligent l'étude constante de leurs clients et de leurs concurrents et oublient d'améliorer leur offre en permanence. De nombreuses entreprises définissent mal le marché visé ou la proposition faite aux clients. Elles compensent ces défaillances en dépensant des sommes colossales pour attirer de nouveaux clients qui, déçus, les abandonnent aussitôt après le premier achat. Cette approche à court terme s'avère incapable de satisfaire les actionnaires, les employés, les fournisseurs, les distributeurs et bien-sûr les clients.

## Le rôle du marketing

Un livre récent, *Radical Marketing*, couronne des entreprises comme Harley-Davidson, Virgin ou Boston Beer qui ont réussi en prenant le contre-pied de toutes les règles habituelles du marketing[1]. Au lieu d'investir en coûteuses études de marché, de consacrer beaucoup d'argent à la publicité, et de gérer de lourds services marketing, ces sociétés ont tiré parti de leurs maigres ressources en vivant à proximité de leurs clients et en créant des solutions adaptées à leurs besoins. Elles ont créé des clubs d'acheteurs, imaginé de séduisantes opérations de relations publiques et concentré leurs efforts sur des produits de haute qualité propres à engendrer la fidélité de la clientèle (voir encadré 1.1).

À l'analyse, on peut distinguer trois stades d'évolution des pratiques marketing :

1. *Le marketing entrepreneurial.* La plupart des entreprises sont créées par des individus qui croient à leur génie. Ils ont une vision et frappent à toutes les portes pour lui donner une réalité. Jim Koch, fondateur de la société Boston Beer, dont la bière Samuel Adams est devenue le grand succès des bières « artisanales », a commencé en 1984 par livrer des bouteilles de Samuel Adams de bar en bar en persuadant les tenanciers de l'adopter. Il les suppliait d'ajouter Samuel Adams à leur menu. Pendant dix ans, il ne put se permettre la moindre dépense publicitaire, et vendit sa bière en direct, à l'aide d'opérations concrètes de relations publiques. Aujourd'hui, son chiffre d'affaires dépasse 210 millions de dollars, faisant de son entreprise la n° 1 des brasseries artisanales.

2. *Le marketing codifié.* Avec le succès, les PME cherchent à codifier leurs pratiques marketing. Boston Beer dépense aujourd'hui des sommes importantes en publicité télévisée, en force de vente et en études de marché sophistiquées. L'entreprise a compris que la persistance du succès exige la mise en place d'un département marketing compétent.

3. *Le marketing intrapreneurial.* De nombreuses grandes entreprises s'enlisent dans le marketing codifié, ergotant sur les derniers chiffres Nielsen, examinant à la loupe les résultats d'étude, et s'efforçant de peaufiner leurs relations commerciales et leurs messages publicitaires. Ces sociétés ont perdu la créativité et la passion qui caractérisent la guérilla marketing au début du stade entrepreneurial[2]. Leurs chefs de produit et de marque ont besoin de sortir de leur bureau et de côtoyer les clients en imaginant de nouvelles façons de leur améliorer la vie.

## Les dix règles du marketing radical

Dans leur récent ouvrage, Sam Hill et Glenn Rifkin font un certain nombre de recommandations pour la mise en œuvre d'un marketing radical.

1. Confier la responsabilité de la fonction marketing… au PDG. Celle-ci ne doit pas être déléguée.

2. S'assurer que le département marketing demeure petit et horizontal. Afin de maintenir l'implication du PDG dans la fonction marketing, il importe d'éviter la multiplication des niveaux hiérarchiques susceptibles de l'éloigner du marché.

3. Rencontrer personnellement ceux qui comptent le plus : les clients. Cette recommandation fait figure de litanie dans certaines entreprises.

4. Utiliser avec prudence les études de marché car elles indiquent ce que souhaite le client «moyen». On privilégiera plutôt des méthodes de terrain fondées sur la rencontre personnelle avec certains clients.

5. Embaucher des missionnaires passionnés plutôt que de simples professionnels du marketing.

6. Aimer et respecter ses clients en tant qu'individus et non en tant qu'indicateurs chiffrés dans des tableaux.

7. Créer des clubs de clients de façon à ce qu'ils se considèrent comme un groupe ayant beaucoup en commun, avec la marque comme élément fédérateur.

8. Repenser le mix marketing en ayant recours à des techniques différentes des approches classiques (par exemple des campagnes de publicité courtes et ciblées plutôt que de larges opérations de communication).

9. Glorifier le bon sens. Les PME disposant de moyens limités ne peuvent espérer concurrencer les grandes entreprises sans de nouvelles idées. Certaines, par exemple, limitent la distribution de leurs produits de manière à favoriser la fidélité et l'implication des détaillants et des clients.

10. Être sincère sur la marque en se préoccupant en permanence de sa qualité.

*Source* : Sam Hill et Glenn Rifkin, *Radical Marketing* (New York : HarperCollins, 1999), pp. 19-31.

---

Finalement, il apparaît que le marketing peut efficacement prendre de nombreux visages. Il y aura toujours une tension entre le marketing codifié et le marketing intuitif. Il est plus facile d'apprendre le premier, sur lequel nous nous concentrerons dans ce livre. Mais nous verrons aussi que la créativité et la passion ont leur place dans l'entreprise et que les managers, aujourd'hui et demain, ne doivent pas les négliger.

## Le champ du marketing

On considère en général que le marketing a pour tâche de créer, de promouvoir et de livrer des biens et services aux consommateurs et aux entreprises. Les responsables marketing doivent stimuler la demande pour les produits de leur société. De façon plus générale, ils sont responsables de la gestion de la demande, ce qui implique d'influencer son niveau, son moment d'expression et sa structure afin de la faire coïncider avec les objectifs de l'entreprise. Le tableau 1.1 identifie huit situations de demande et le rôle attribué au marketing dans chacune d'entre elles.

En fait, le marketing s'applique à dix sortes d'entités : *les biens, les services, les expériences, les événements, les personnes, les endroits, les propriétés, les organisations, l'information* et *les idées*.

| | | |
|---|---|---|
| **TABLEAU 1.1**<br>Situations<br>de demande<br>et rôle<br>du marketing | **1.** *Demande négative* | Loin d'être attirés par le produit, les clients potentiels cherchent à éviter d'y penser. C'est par exemple le cas des soins dentaires ou des assurances décès. Le rôle du marketing consiste alors à étudier les sources de résistance et à tenter d'inverser la tendance. |
| | **2.** *Absence de demande* | La clientèle est ignorante du produit ou n'éprouve aucun intérêt à son égard. Par exemple, les écoliers face à une nouvelle réforme scolaire. Le marketing doit alors démontrer les avantages procurés par le produit en regard des besoins et centres d'intérêt de l'individu. |
| | **3.** *Demande latente* | De nombreux clients éprouvent un désir pour un produit qui n'existe pas encore : une cigarette inoffensive pour la santé, un café soluble ayant l'arôme du moulu, etc. Le marketing doit évaluer le marché potentiel et faciliter le lancement des produits et services correspondants. |
| | **4.** *Demande déclinante* | Toute entreprise ou organisme connaît un jour un déclin de son produit. C'est par exemple aujourd'hui le cas du fax (concurrencé par Internet) ou du magnétoscope (concurrencé par les lecteurs DVD). Il faut alors analyser les raisons du déclin et déterminer si la demande peut être relancée en s'adressant à de nouveaux clients, en modifiant les caractéristiques du produit ou en changeant la communication. |
| | **5.** *Demande irrégulière* | De nombreux produits sont consommés irrégulièrement dans l'année, la saison ou même la journée. Par exemple, le train est davantage utilisé pendant les week-ends et les vacances scolaires, et les glaces sont davantage achetées en été. Pour mieux utiliser la capacité disponible, il faut convaincre les acheteurs d'étaler leurs achats, par exemple à l'aide de réductions ou de services supplémentaires. On parle alors de *synchromarketing*. |
| | **6.** *Demande soutenue* | On pourrait croire qu'une situation de demande soutenue n'exige aucun effort marketing particulier. Pourtant, il faut maintenir le niveau et le rythme d'achat et mesurer en continu la satisfaction des clients de manière à résister aux attaques de la concurrence. |
| | **7.** *Demande excessive* | Certaines entreprises sont parfois confrontées à une demande excessive, par exemple les sociétés d'autoroutes les jours de grands départs. Un effort de découragement, par exemple par Bison futé, doit être mis en place. Les jours d'affluence, on pourra accroître les prix pratiqués, réduire le niveau de service offert ou tenter de dissuader les fractions de demande les moins rentables. |
| | **8.** *Demande indésirable* | Enfin, certains produits, par exemple la drogue, sont jugés néfastes. On décourage alors systématiquement leur consommation à l'aide de mesures répressives ou bien d'efforts de communication. |

*Source :* Pour une présentation détaillée, voir Philip Kotler, «Marketing et contremarketing», *Le Management direction*, juin-juillet 1974, pp. 42-47. Voir également Bernard Dubois et Yves Evrard, «Marketing ou démarketing», *Revue Française de Marketing*, janvier-février 1974, pp. 41-56.

**LES BIENS** ❖ Ils constituent l'essentiel de la production d'un pays et de ses échanges commerciaux. Bon an, mal an, la France produit 30 millions de tonnes de blé, 60 millions d'hectolitres de vin, 20 millions de tonnes d'acier, et plus de 3 millions de voitures. Dans les pays en voie de développement, les biens constituent l'essentiel de l'économie.

**LES SERVICES** ❖ Avec le développement économique, une proportion croissante d'activités se déplace vers les services. En France, ils représentent plus de 70 % du PIB et occupent plus de deux personnes actives sur trois. Les services comprennent de nombreux domaines : transports, banques, hôtels, location de voiture, coiffure et soins de beauté, entretien et réparation, gardiennage, ainsi que de nombreuses professions libérales : experts-comptables, avocats, médecins, consultants, etc. La plupart des *offres* comprennent à la fois des produits et des services. La prestation d'un psychiatre qui écoute son patient ou celle d'un quartette qui joue du Mozart sont de purs services ; un appel téléphonique, quant à lui, est rendu possible par un gigantesque investissement en réseau et équipement ; un service encore plus tangible est un établissement de restauration rapide où le client consomme à la fois des biens et des services.

**LES EXPÉRIENCES** ❖ En «orchestrant» divers biens et services, on peut créer, mettre en scène et commercialiser des expériences. Le parc Disneyland Paris est une expérience : on y visite un royaume féerique, un bateau de pirates, un vaisseau sidéral et une maison hantée. Un repas au Hard Rock Café, un week-end à Center Parc ou la visite d'un Nike Town relèvent aussi de cette catégorie[3].

**LES ÉVÉNEMENTS** ❖ De grands événements comme le Mondial de football, les Jeux olympiques, les anniversaires d'entreprise, les foires et salons professionnels, les tournois sportifs et les représentations artistiques jalonnent le calendrier. C'est devenu un métier à part entière que de produire de tels événements et de les gérer jusque dans les moindres détails.

**LES PERSONNES** ❖ Le marketing des célébrités est devenu une véritable activité. Autrefois, une personne en quête de notoriété louait les services d'une attachée de presse pour obtenir des articles dans les journaux et les magazines. Aujourd'hui, toute star qui se respecte a un agent, un impresario et utilise les services d'une agence de relations publiques. Les artistes, les musiciens, les présidents, les savants et les avocats de renom sollicitent, avec d'autres, les services des «marketers de la célébrité»[4]. Dans le monde de l'art, Andy Warhol a clairement tiré parti des principes du marketing entrepreneurial pour devenir célèbre. Le consultant Tom Peters, lui-même expert dans la gestion de sa célébrité, recommande à toute personne de se voir comme «une marque».

**LES ENDROITS** ❖ Les endroits – villes, états, régions, nations – entrent en concurrence pour attirer touristes, usines, sièges d'entreprises et nouveaux résidents[5]. Stratford, dans l'état canadien de l'Ontario, était une ville délaissée connue seulement par son nom et sa rivière, l'Avon. C'est en organisant un festival annuel sur Shakespeare qu'elle devint objet d'attraction touristique. L'Irlande a fort bien réussi son marketing, attirant plus de 500 entreprises qui y installèrent leurs usines. Elle a créé l'Irish Development Board, l'Irish Tourist Board et l'Irish Export Board responsables, respectivement, de l'investissement industriel, des touristes, et des exportations. Les spécialistes de cette forme de marketing sont très divers : experts économiques en développement, agents immobiliers, banques, associations locales, agences de publicité et de relations publiques.

**LES PROPRIÉTÉS** ❖ La propriété est un droit intangible sur un bien immobilier (bâti ou non) ou mobilier (actions et obligations). Les propriétés sont achetées et vendues et nécessitent donc un effort de marketing. Les agents immobiliers agissent pour le compte de propriétaires ou de clients concernés par des biens résidentiels ou commerciaux. Les sociétés d'investissement et les banques commercialisent des valeurs auprès de clients privés et institutionnels.

**LES ORGANISATIONS** ❖ Les organisations s'efforcent de jouir d'une image forte et positive aux yeux du public. Elles mettent en place des campagnes de *communication institutionnelle* pour accroître leur notoriété et améliorer leur image. Renault a ainsi choisi le slogan «Créateur d'automobiles». Les magasins Body Shop attirent l'attention en s'intéressant aux grandes causes. D'autres sociétés doivent leur visibilité à un leader comme Richard Branson pour Virgin ou, en France, Alain Afflelou. Des universités ou des musées élaborent des programmes d'amélioration de leur image, afin d'attirer davantage d'étudiants, d'audience et de fonds.

**L'INFORMATION** ❖ L'information peut être produite et commercialisée comme un véritable produit. Les éditeurs font du marketing pour leurs encyclopédies et leurs dictionnaires. Les magazines spécialisés comme *Auto Plus* ou *01 Informatique* le font aussi pour leurs marchés respectifs. Le public achète des CD-Rom et utilise Internet pour s'informer. La production, le conditionnement, et la distribution de l'information sont devenus un secteur d'activité à part entière[6].

**LES IDÉES** ❖ Toute offre s'articule autour d'une idée de base. Charles Revson, de Revlon, disait «À l'usine, nous fabriquons des cosmétiques ; en magasin, nous vendons de l'espoir». Celui qui achète une perceuse achète en réalité des trous. Les produits et services ne sont que des supports pour véhiculer une idée ou un avantage. Le marketing social promeut des grandes causes comme la sécurité routière, la lutte contre le SIDA ou la prévention contre la drogue.

## Les décisions marketing

Les responsables marketing sont confrontés à une multitude de décisions, des plus stratégiques (le choix des caractéristiques d'un nouveau produit, la détermination de la taille de la force de vente, l'allocation du budget publicitaire) aux plus tactiques (le choix du graphisme ou des couleurs d'un nouvel emballage). L'encadré 1.2 dresse la liste des questions qui préoccupent le plus les responsables marketing et auxquelles nous nous efforcerons de répondre dans ce livre.

Ces questions varient selon la nature du marché : grande consommation, industriel, global ou à but non lucratif.

**LES MARCHÉS DE GRANDE CONSOMMATION** ❖ Les sociétés qui vendent des produits de grande consommation – boissons, pâte dentifrice, téléviseurs, voyages aériens, etc. – consacrent beaucoup d'énergie à construire une image de marque attractive. Pour cela, il faut clairement identifier sa cible et les besoins que le produit (bien ou service) remplit ; il faut ensuite communiquer le positionnement choisi de façon créative et persuasive. La force d'une marque dépend pour une large part de la supériorité du produit et de son emballage, de la qualité du service l'accompagnant et de la communication dont elle fait l'objet. La distribution joue également un rôle essentiel pour permettre l'accès au produit.

**LES MARCHÉS BUSINESS TO BUSINESS** ❖ Les entreprises qui vendent des biens et services à d'autres entreprises sont confrontées à des acheteurs professionnels bien formés et bien informés qui sont experts dans l'art de comparer des offres concurrentes. Ils achètent les produits pour leur capacité à contribuer à la fabrication ou à la vente de leur propre produit. Ils achètent en fait une source de profit. On doit donc leur démontrer de quelle manière les produits achetés leur permettront d'atteindre leurs objectifs. La publicité joue son rôle mais le devant de la scène appartient à la force de vente, à la tarification pratiquée et à la réputation de fiabilité et de qualité de l'entreprise.

**LES MARCHÉS GLOBAUX** ❖ Les sociétés vendant leurs produits et services à l'échelle internationale sont confrontées à des défis et problèmes supplémentaires. Elles doivent décider quels pays pénétrer ; comment y pénétrer (en tant qu'exportateur, que franchiseur, qu'associé, que fabricant sous contrat ou en solo) ; jusqu'où adapter les caractéristiques de leurs produits et services dans chaque pays ; comment fixer les prix de façon à éviter des importations parallèles ; et jusqu'où adapter leurs communications aux différentes pratiques culturelles. Les décisions doivent être prises dans divers contextes réglementaires ; à travers des styles de négociations variés ; face à des besoins d'acquisition et de consommation diversifiés ; avec des monnaies pouvant fluctuer ; et en tenant compte, entre autres, de conditions locales de favoritisme politique ou de corruption.

**LES MARCHÉS PUBLICS OU À BUT NON LUCRATIF** ❖ Les entreprises qui vendent leurs biens à des organismes à but non lucratif comme les églises, les universités, les associations caritatives ou les ministères doivent tarifer leur offre avec soin face à un pouvoir d'achat souvent limité. Des prix plus bas entraîneront souvent une qualité de l'offre moindre. Par ailleurs, de nombreuses procédures spécifiques doivent être respectées lorsqu'on vend à l'État, les marchés publics se faisant souvent par appel d'offres.

# Les concepts et les outils du marketing

Le marketing comporte de nombreux concepts et outils. Nous les décrirons après avoir proposé une définition.

## Une définition

Il existe deux sortes de définitions du marketing. Celles qui mettent l'accent sur le rôle sociétal et celles qui optent pour une orientation managériale. Notre définition sociétale est la suivante :

❖ Le *marketing* est le mécanisme économique et social par lequel individus et groupes satisfont leurs besoins et désirs au moyen de la création et de l'échange avec autrui de produits et services de valeur.

Dans sa dimension managériale, le marketing a souvent été assimilé à «l'art de vendre». Mais certains découvrent avec surprise que l'aspect le plus important du marketing n'est pas la vente, qui ne représente que la partie émergée de l'iceberg. Comme l'explique Peter Drucker, un grand théoricien du management :

> *« On aura toujours besoin, on peut le supposer, d'un effort de vente. Mais le but du marketing est de rendre la vente superflue ; il consiste à connaître et comprendre le client à un point tel que le produit ou le service lui conviennent parfaitement et se vendent d'eux-mêmes. Dans l'idéal, le marketing devrait avoir pour résultat un client prêt à acheter. Tout ce dont on a alors besoin est de rendre le produit ou service disponible[7]. »*

Lorsque Sony a conçu le walkman, Nintendo son jeu Mario, et Toyota sa gamme Lexus, les commandes affluèrent car les produits étaient «justes», et soutenus par un marketing performant. L'American Marketing Association définit ainsi le marketing :

❖ *Le marketing* consiste à planifier et mettre en œuvre l'élaboration, la tarification, la communication, et la distribution d'une idée, d'un produit, ou d'un service en vue d'un échange mutuellement satisfaisant pour les organisations comme les individus[8].

Gérer des échanges demande beaucoup de travail et de talent. Le marketing management apparaît dès lors qu'une des parties cherche activement à obtenir la réponse qu'elle souhaite des autres parties à l'échange. Finalement, selon nous :

❖ *Le marketing management*, c'est la science et l'art de choisir ses marchés-cibles et d'attirer, de conserver, et de développer une clientèle en créant, délivrant et communiquant de la valeur.

## Les concepts-clé du marketing

On peut mieux comprendre ce qu'est le marketing en identifiant ses principaux concepts.

**LE MARCHÉ-CIBLE ET LA SEGMENTATION** ❖ Un responsable marketing ne peut satisfaire l'ensemble du marché. Tous les gens n'aiment pas forcément les mêmes boissons, hôtels, restaurants, automobiles et films. Il faut donc procéder à une *segmentation du marché*. Segmenter consiste à identifier des groupes distincts de clients qui réagiront de la même façon à l'offre de l'entreprise. Les segments peuvent être définis à partir des caractéristiques socio-démographiques, psychographiques ou comportementales de leurs membres. L'entreprise doit choisir les segments qui représentent le meilleur potentiel pour elle, c'est-à-dire ceux qu'elle peut satisfaire de façon particulièrement efficace. Ces segments-là constituent sa *cible*.

Pour chaque marché-cible visé, l'entreprise élabore une *offre*. Cette offre est *positionnée* dans l'esprit des acheteurs à partir d'un ou plusieurs avantages essentiels. Par exemple, Volvo a choisi de s'adresser en priorité aux automobilistes pour qui la sécurité est une priorité. L'entreprise positionne donc ses voitures comme les plus sûres du marché.

À l'origine, le terme de marché décrivait *l'endroit* où acheteurs et vendeurs se rencontrent pour échanger leurs marchandises. Aujourd'hui, pour les économistes, la notion de marché fait référence à l'ensemble des vendeurs et acheteurs concernés par l'échange d'un produit ou d'un service. Ainsi, le marché du roman se compose de firmes telles qu'Hachette, Gallimard, Grasset et de tous les acheteurs de ce type de livre. En marketing, on utilise le mot *secteur* pour décrire l'offre et on réserve le terme de *marché* à la demande. La figure 1.1 illustre la relation entre l'offre et le marché. L'entreprise émet des produits, des services et des communications à destination du marché qui lui renvoie de l'argent et de l'information. La boucle intérieure correspond à des échanges de produits tangibles tandis que la boucle extérieure traduit des échanges d'informations.

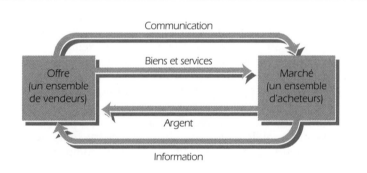

**FIGURE 1.1**
Un système marketing élémentaire

**MARCHÉ PHYSIQUE, MARCHÉ VIRTUEL ET MÉTAMARCHÉ** ❖ Le terme de «marché» est souvent suivi d'un qualificatif qui le caractérise : le marché du tourisme est un *marché de besoin*. Celui de la chaussure, un *marché de produit*, tandis que le marché des jeunes est un *marché démographique* et le marché belge un *marché géographique*. On parle également du *marché du travail* ou du *marché électoral*.

La figure 1.2 présente les principaux types de marché dans une économie moderne, où règne la division du travail, ainsi que les relations qui les unissent. Les fabricants acquièrent ce dont ils ont besoin sur le *marché des ressources* (matières premières, main-d'œuvre...) qu'ils transforment en produits et services vendus aux intermédiaires, qui les commercialisent auprès des consommateurs. Ceux-ci échangent leur force de travail contre une rémunération qui leur sert à acquérir biens et services. L'État achète des biens avec les ressources que lui procurent les impôts, pour les transformer en services publics. L'économie d'un pays de même que l'économie mondiale, se présentent ainsi sous la forme d'un ensemble de marchés, lieux de rencontre de courants d'échange.

**FIGURE 1.2**
Les flux d'échange
dans une économie
moderne

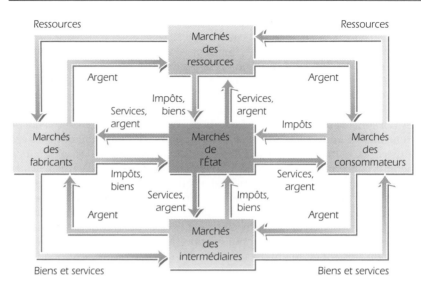

On distingue aujourd'hui *marché physique* et *marché virtuel*. Un marché physique implique de se rendre dans un endroit pour acheter, par exemple dans un magasin. Un marché virtuel est numérique, par exemple lorsqu'on achète sur Internet. Certains observateurs pensent que de plus en plus d'achats se feront en dehors de tout marché physique[9].

Mohanbir Sawhney propose d'utiliser le mot *métamarché* pour décrire un ensemble de produits et services complémentaires qui sont liés dans l'esprit du consommateur mais correspondent à différents secteurs d'activité. Le métamarché automobile comprend ainsi les constructeurs, les concessionnaires et revendeurs, les sociétés de financement, les compagnies d'assurance, les réparateurs, les vendeurs de pièces détachées, les centres de service, les magazines spécialisés, les petites annonces de vente d'auto, et les sites automobiles d'Internet. En décidant d'acheter une voiture, un client sera confronté à de nombreuses composantes de ce métamarché. Il entrera peut-être en contact avec des *métaintermédiaires* qui lui proposeront une aide dans la relation avec ces professionnels, physiquement dispersés. Par exemple, sur le site Edmund's (www.edmunds.com), on peut trouver les caractéristiques et les prix de différentes voitures et se voir indiquer d'autres sites de vente à bas prix, de vente d'occasion ou de financement. Les métaintermédiaires peuvent intervenir simultanément sur plusieurs marchés comme l'immobilier, la garde d'enfants ou même le mariage[10].

**LES MARKETERS ET LES PROSPECTS** ❖ Un marketer est quelqu'un qui cherche à obtenir une réponse (sous forme d'attention, d'achat, de vote, de don) d'une autre partie appelée *prospect*. Si les deux parties cherchent chacune à vendre quelque chose à l'autre, elles sont toutes deux marketers.

**LES BESOINS, LES DÉSIRS ET LA DEMANDE** ❖ Un marketer doit comprendre les besoins et désirs du marché. Les *besoins* correspondent à des éléments nécessaires à la survie : nourriture, air, eau, vêtements, abri. L'individu a également fortement besoin de se divertir, de s'éduquer et de s'amuser. Ces besoins deviennent des désirs lorsque leur correspondent des objets spécifiques. Un consommateur américain *a besoin* de nourriture mais *désire* un hamburger, des frites et un coca. Un Mauricien a également besoin de se nourrir mais désire une mangue, du riz, des lentilles et des haricots. Les désirs sont façonnés par la société.

Une *demande* apparaît lorsqu'il y a vouloir et pouvoir d'achat. De nombreuses personnes souhaitent s'acheter un bijou en or. Seul un Français sur sept y parvient chaque année. Une entreprise ne doit pas seulement étudier les désirs, mais les apprécier à travers les filtres des ressources économiques et des attitudes.

La distinction entre besoin et désir permet de répondre à l'accusation si souvent proférée selon laquelle « le marketing crée des besoins » ou bien encore « le marketing force les gens à acheter des produits dont ils n'ont pas besoin ». Le marketing ne crée pas de besoins ; ceux-ci préexistent. Le marketing, par contre, de concert avec d'autres forces sociales, influence les désirs. Il suggère au consommateur qu'une Mercedes peut servir à satisfaire un besoin d'estime. Il ne crée pas ce besoin mais propose un moyen de le satisfaire[11].

**L'OFFRE, LES PRODUITS ET LES MARQUES** ❖ Les entreprises répondent aux besoins en élaborant une *proposition de valeur*, c'est-à-dire un ensemble de bénéfices offerts aux clients. Cette proposition intangible se concrétise sous la forme d'une offre composée de produits, de services, d'information et/ou d'expériences.

Une *marque* est une offre dont la source est identifiée. Un nom de marque comme McDonald's évoque certaines idées dans l'esprit des gens : les hamburgers, l'amusement, les enfants, la restauration rapide. Toutes ces associations forment l'image de marque. Toute société cherche à construire une image forte, c'est-à-dire puissante et positive.

**LA VALEUR ET LA SATISFACTION** ❖ Un produit ne connaîtra le succès que s'il procure valeur et satisfaction à son acquéreur. Un acheteur choisit entre différentes offres en fonction de la valeur qu'il perçoit en elles. La valeur résulte de la triade qualité/service/prix : elle s'accroît avec les deux premiers et diminue avec le prix.

Plus précisément, la valeur correspond au rapport entre ce que le client obtient et ce qu'il donne. Le client bénéficie *d'avantages* mais supporte des *coûts*. Les avantages peuvent être fonctionnels ou émotionnels. Quant au coût, ils comprennent les dépenses, la perte de temps et d'énergie, ainsi que le tracas lié à l'achat et à l'utilisation du produit. La valeur se déduit de l'équation suivante :

$$\text{Valeur} = \frac{\text{Avantages}}{\text{Coûts}} = \frac{\text{Avantages fonctionnels} + \text{avantages émotionnels}}{\text{Dépenses} + \text{perte de temps} + \text{perte d'énergie} + \text{tracas}}$$

Un responsable marketing peut accroître la valeur de l'offre proposée au client de plusieurs manières :

1. Accroître les avantages.

2. Réduire les coûts.

3. Accroître les avantages ET réduire les coûts.

4. Accroître les avantages encore plus que les coûts.

5. Réduire les avantages mais moins que les coûts.

Le client qui doit choisir entre deux offres $V_1$ et $V_2$ étudiera le rapport $V_1/V_2$. Il choisira $V_1$ si le ratio est supérieur à 1 et $V_2$ dans le cas contraire. Les deux offres lui apparaîtront équivalentes si le ratio vaut 1.

**LES ÉCHANGES ET LES TRANSACTIONS** ❖ On peut se procurer un produit de quatre manières. Un homme peut assouvir sa faim en chassant, en pêchant ou en ramassant des fruits. Il peut aussi s'emparer de la nourriture d'autrui. Il peut encore s'approcher de quelqu'un et l'implorer pour obtenir de la nourriture sans rien offrir en contrepartie. Il peut enfin aborder quelqu'un qui a de la nourriture et lui offrir en échange quelque chose de valeur.

Le marketing se concentre sur cette dernière approche : celle de *l'échange*, c'est-à-dire l'acte qui consiste à obtenir quelque chose de quelqu'un en contrepartie d'autre chose. Un échange suppose cinq conditions :

1. Il existe au moins deux parties.
2. Chaque partie possède quelque chose qui peut avoir de la valeur pour l'autre.
3. Chaque partie est susceptible de communiquer et de livrer ce qui est échangé.
4. Chaque partie est libre d'accepter ou de rejeter l'offre de l'autre.
5. Chaque partie considère l'échange comme une solution adaptée à son problème.

Que l'échange ait réellement lieu dépend de la possibilité pour les deux parties de s'entendre sur des termes d'échange qui les laissent en meilleure (ou, en tout cas, pas moins bonne) position qu'avant. Ainsi peut-on définir l'échange comme un processus créateur de valeur.

Deux parties échangent lorsqu'elles *négocient* en vue d'un accord. Si un accord intervient, on dira qu'une *transaction* a eu lieu. A donne X à B et reçoit Y en retour. Dupont vend à Durand un téléviseur pour la somme de 300 euros. Il s'agit ici d'une *transaction monétaire*. Mais toutes les transactions ne le sont pas. Dans un *troc,* on échange certains biens contre d'autres, par exemple lorsqu'un électricien répare l'installation d'un médecin qui l'a examiné.

Une transaction comporte différents éléments : deux choses de valeur, et un accord sur les termes, le moment et le lieu de l'échange. En général, un système réglementaire (le droit des contrats) encadre les transactions afin de limiter les conflits.

Une transaction diffère d'un *transfert* pour lequel il n'y a pas de contrepartie. Les dons et les subventions sont des transferts. Même s'il n'y a pas transaction, il y a quand même échange car le don ou le cadeau s'accompagnent en général d'un sentiment de gratitude ou de reconnaissance de la part de celui qui reçoit. Le marketing a élargi son spectre d'étude afin de s'intéresser également à cette forme d'échange.

À un niveau plus général, le responsable marketing attend de son partenaire dans l'échange une *réponse comportementale* : un achat, dans le cas d'une entreprise ; un vote, pour un candidat ; une pratique régulière, pour une congrégation religieuse ; et un soutien passionné, pour une organisation caritative. Le marketing englobe toutes les actions entreprises pour obtenir les réponses souhaitées.

Un professionnel du marketing désireux de mener à bien un échange étudie en détail les attentes de l'autre partie. On peut représenter une situation d'échange limitée à deux parties en explicitant leurs attentes et leurs offres. Supposons que la société Renault Trucks souhaite accroître ses ventes de bennes aux entreprises de travaux publics. Elle étudie les besoins correspondant à un prospect type. Ils sont indiqués dans la partie supérieure de la figure 1.3. Le prospect souhaite un équipement fiable et maniable sur route et sur les chantiers, un prix raisonnable, des délais respectés, un plan de financement adéquat et un service après-vente attentif. De tels *souhaits* n'ont pas forcément tous la même importance et peuvent varier d'un client à un autre. Renault Trucks doit alors déterminer le poids relatif de chacun de ces facteurs.

En même temps, Renault Trucks a ses propres exigences, également identifiées sur la figure 1.3. La société préfère des tarifs qui lui assurent une bonne rentabilité, un paiement rapide et un bouche-à-oreille favorable. Si les deux listes ont suffisamment de points de convergence, une transaction devient possible. La tâche de l'entreprise consiste à définir une *offre* de nature à pousser le prospect à acheter le matériel offert. Si le prospect fait une contre-proposition, il s'ensuit un processus de *négociation* qui débouche soit sur une transaction acceptable par les deux parties, soit sur un constat de désaccord.

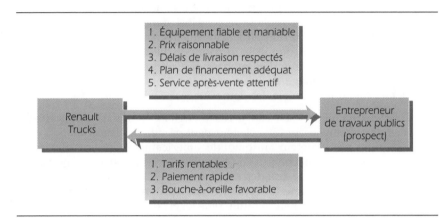

**LES RELATIONS ET LES RÉSEAUX** ❖ La notion de transaction peut être étendue à celle de *marketing relationnel.* Le marketing relationnel a pour but de construire des relations satisfaisantes avec les autres acteurs du marché – clients, fournisseurs, distributeurs – afin de gagner leur préférence et leur confiance à long terme[12]. Pour y parvenir, il faut élaborer et échanger des produits et services de haute qualité à des prix acceptables. Le marketing relationnel s'appuie sur les liens économiques, technologiques et sociaux entre les parties. Il réduit les coûts et les temps de transaction. Dans les cas les plus favorables, les transactions ne sont plus négociées au coup par coup mais traitées en continu.

Le stade ultime du marketing relationnel est la construction d'un *réseau.* Un réseau marketing comprend toutes les parties prenantes à l'activité d'une entreprise (clients, employés, fournisseurs, distributeurs, revendeurs, agences prestataires de service, chercheurs, etc.) avec lesquelles des liens ont été tissés au fil du temps. Aujourd'hui, la concurrence n'est plus entre entreprises mais entre réseaux. Il importe donc de construire un réseau efficace avec les partenaires-clé[13].

**LES CIRCUITS MARKETING** ❖ Pour atteindre le marché-cible, le responsable marketing dispose de trois sortes de circuits : d'abord, les *circuits de communication* qui diffusent et reçoivent les messages destinés ou en provenance des acheteurs. Ils comprennent les journaux, les magazines, la radio, la télévision, le courrier, le téléphone, les affiches, les posters, les prospectus, les CD, les cassettes, les DVD et Internet. En outre, les expressions faciales, les codes vestimentaires, l'étalage des magasins, ainsi que beaucoup d'autres médias, servent de véhicules de communication. Il y a également les *circuits interactifs* (messagerie électronique, numéros verts) qui viennent compléter les médias unidirectionnels (comme la publicité).

En second lieu, on trouve les *circuits de distribution* qui servent à montrer, vendre et transporter le produit ou le service jusqu'à son utilisateur. Ils intègrent les distributeurs, grossistes, détaillants et agents commerciaux. On trouve également les *circuits de service* qui incluent les entrepôts, les sociétés de transport, ainsi que les banques et les compagnies d'assurance qui facilitent les transactions. À l'évidence, les responsables marketing ont un problème de gestion de circuits : il leur faut choisir la meilleure configuration de circuits de communication, de distribution et de service pour leur offre.

**LA CHAÎNE D'APPROVISIONNEMENT** ❖ Alors que les circuits marketing relient l'entreprise à ses marchés, la chaîne d'approvisionnement englobe tout ce qui est nécessaire au produit fini vendu à l'acheteur final, des matières premières et composants jusqu'à la vente. Ainsi, dans le cas de la maroquinerie pour femmes, la chaîne d'approvisionnement comprend les peaux, le tannage, la coupe, la production et la distribution. Elle constitue un *système de gestion de valeur,* où nombre d'entreprises occupent chacune un rôle, correspondant à un pourcentage de la valeur totale. Lorsqu'il y a intégration en amont, en aval ou horizontale, les pourcentages se modifient.

**LA CONCURRENCE** ❖ La concurrence englobe toutes les offres rivales, actuelles ou potentielles, qu'un acheteur peut prendre en considération. Supposons qu'un constructeur automobile américain ait besoin d'acier. La figure 1.4 révèle différents niveaux de concurrence. Le constructeur peut acheter directement auprès de grandes aciéries comme US Steel ou bien d'entreprises plus petites comme Nucor, plus compétitives ; il peut aussi, pour certaines pièces, préférer l'aluminium, plus léger ; ou encore le plastique, par exemple pour les pare-chocs.

À l'évidence, la société US Steel serait bien myope si elle ne s'intéressait qu'aux autres aciéries. À terme, ce sont les substituts qui représentent probablement la menace la plus importante. US Steel peut envisager de produire elle-même ces substituts ou bien au contraire décider de se limiter aux applications où l'acier offre une supériorité.

**Figure 1.4**
La vision radar
de la concurrence :
le cas de
la sidérurgie

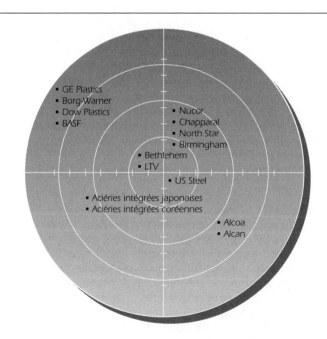

*Source :* Adrian Slywotzky, *La Migration de la valeur* (Paris : Village Mondial, 1999), p. 118.

On peut, à l'analyse, distinguer quatre niveaux de concurrence, selon le degré de substituabilité :

1. *La concurrence de marque.* L'entreprise considère alors tous ceux qui offrent un produit (ou service) semblable, dans la même zone de prix. Ainsi pour Kronenbourg les concurrents immédiats s'appellent 33 Export, Kanterbräu, etc. mais ni Carlsberg ni Valstar.

2. *La concurrence de produit.* L'entreprise élargit sa concurrence à toutes les sociétés fabriquant le même produit. Kronenbourg s'oppose alors à toutes les marques de bière.

3. *La concurrence de besoin.* L'entreprise peut également étendre la concurrence à toutes les firmes satisfaisant le même besoin (la soif). Kronenbourg intègre dans ses analyses les marques de jus de fruit, de cidre, de vin, d'eau minérale, etc.

4. *La concurrence générique.* Enfin, l'entreprise englobe dans la notion de concurrence tous les produits alimentaires achetés par les consommateurs (appartenant au même poste budgétaire du ménage).

**L'ENVIRONNEMENT MARKETING** ❖ La concurrence ne représente que l'une des forces agissant dans l'environnement de l'entreprise. Il faut en réalité distinguer *l'environnement du secteur d'activité* et *le macroenvironnement*.

L'environnement du secteur d'activité comprend tous les acteurs impliqués dans la production, la distribution, et la promotion de l'offre. Il s'agit de l'entreprise, des fournisseurs, des distributeurs, des concurrents et des clients. Parmi les fournisseurs, on trouve ceux qui approvisionnent l'entreprise en produits mais aussi en services (sociétés d'études de marché, agences de communication, banques et assurances, transporteurs et opérateurs de télécommunications). Parmi les distributeurs, on trouve les revendeurs, les agents, les détaillants, les courtiers, les vendeurs et tous ceux qui sont en relation commerciale avec les clients.

Le macroenvironnement comporte six dimensions : la démographie, l'économie, les ressources naturelles, la technologie, la socio-culture et le contexte politico-légal. Toutes ces forces peuvent avoir un impact majeur sur le secteur d'activité, aussi doit-on déceler toute tendance significative et ajuster la stratégie marketing en conséquence.

**LE PROGRAMME D'ACTIONS MARKETING** ❖ Le responsable marketing élabore un programme d'actions afin d'atteindre les objectifs de l'entreprise. C'est ici qu'intervient la notion fondamentale de *mix marketing*[14] :

❖ Le *mix marketing* correspond à l'ensemble des outils dont l'entreprise dispose pour atteindre ses objectifs auprès du marché-cible.

McCarthy a proposé de regrouper ces variables en quatre catégories, qu'il a appelées les « 4 P » : le *produit*, son *prix*, sa *mise en place* ou distribution, et sa *promotion* ou communication[15]. Une répartition des principales variables d'action marketing en fonction des « 4 P » est présentée à la figure 1.5.

Toutes ces décisions doivent être prises à la fois pour les intermédiaires et le consommateur final. La figure 1.6 différencie le *mix de l'offre* (produits, services, prix) et le *mix des communications* (publicité, promotion, force de vente, relations publiques, marketing direct) destinés aux cibles de distribution et de consommation.

À court terme, il n'y a guère que le prix, la taille de la force de vente et la politique de communication que la société puisse modifier. Pour agir sur ses produits et son système de distribution, il faut en général plus de temps. De ce fait, les modifications du mix marketing d'une année sur l'autre sont en nombre beaucoup plus restreint que la diversité de variables le laisserait supposer.

**Figure 1.5**
Les 4 composantes
du mix marketing

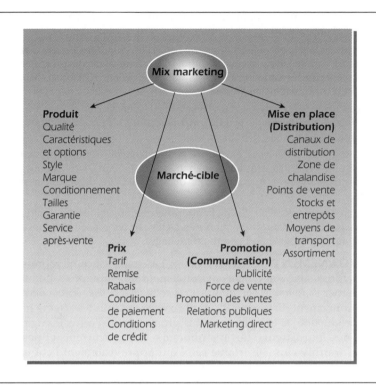

**Figure 1.6**
La stratégie du mix
marketing

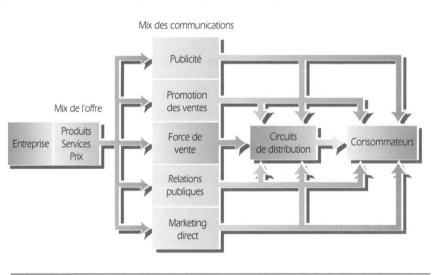

À noter que les 4 P correspondent à l'optique du fabricant face à son marché. Du point de vue de l'acheteur, toute action marketing doit se traduire par un avantage client. Lauternborn a suggéré les équivalences suivantes qu'il appelle les 4 C[16] :

| Les 4 P | → | Les 4 C |
|---------|---|---------|
| *Produit* | → | Client |
| *Prix* | → | Coût |
| *Mise en place* | → | Commodité |
| *Promotion* | → | Communication |

Les entreprises performantes sont celles qui satisfont les besoins et désirs des clients de façon économique et pratique et à l'aide d'une communication efficace.

# Les optiques de gestion de l'échange avec le marché

Le marketing management a été défini comme l'effort accompli en vue d'obtenir les échanges souhaités avec les marchés visés. Mais quelle philosophie sous-tend cet effort ? En particulier, quels poids respectifs doit-on accorder aux intérêts souvent divergents de l'entreprise, des consommateurs et de la société en général ?

■ L'AFFAIRE DE LA DIOXINE. En juin 1999, les ventes de poulets puis de viande de bœuf et de porc ont dû être interdites en Belgique pendant plusieurs semaines. On avait découvert de la dioxine dans ces aliments. Dans un souci de rentabilité, les farines animales utilisées dans l'alimentation avaient été fabriquées avec des résidus contaminés. Plusieurs consommateurs furent intoxiqués tandis que beaucoup d'autres décidaient de s'approvisionner dans les pays voisins.

À l'évidence, l'activité marketing doit être menée en accord avec les principes d'une philosophie d'action efficace mais aussi socialement responsable.

Il existe six optiques à la disposition des entreprises dans la conduite de leurs activités d'échange : l'optique production, l'optique produit, l'optique vente, l'optique marketing, l'optique client et l'optique du marketing sociétal.

## L'optique production

C'est une approche traditionnellement utilisée par beaucoup d'entreprises :

❖ *L'optique production* suppose que le consommateur choisit les produits en fonction de leur prix et de leur disponibilité.

Le rôle prioritaire du gestionnaire est alors d'accroître la capacité de production, compte tenu des priorités supposées du client. L'optique production semble appropriée dans deux cas : d'une part, lorsque la demande est massive et peu fortunée (comme dans de nombreux pays en voie de développement) ; d'autre part, lorsque le coût élevé du produit doit être abaissé substantiellement si l'on veut étendre le marché.

■ INTEL. En 1965, Gordon Moore, co-fondateur d'Intel, énonça la loi de Moore selon laquelle la densité des transistors au centimètre carré inclus dans un microprocesseur double tous les 18 mois. Plus le nombre de transistors est élevé, plus le microprocesseur est puissant. Afin de rester en phase avec cette loi, Intel a beaucoup investi en recherche et en technologie, tout en construisant de nouvelles usines dédiées aux générations successives de produits. En 35 ans, les volumes de production ont considérablement augmenté alors que les prix baissaient. Les microprocesseurs Intel sont désormais présents dans plus de 80 % des ordinateurs personnels de par le monde[17].

Les sociétés de service adoptent également l'optique production lorsqu'elles se soucient avant tout d'améliorer le rendement. C'est le réflexe de certaines professions libérales, par exemple les laboratoires d'analyse médicale qui cherchent à augmenter le nombre d'actes. Il peut s'ensuivre une certaine banalisation des actes et une absence de sensibilité aux véritables problèmes du consommateur.

## L'optique produit

Cette deuxième approche a également été souvent adoptée dans le passé :

❖ *L'optique produit* repose sur l'idée que le consommateur préfère le produit qui offre les meilleures performances.

L'entreprise doit, dans ce cas, se consacrer en priorité à améliorer la qualité de sa production. Le risque, dans une telle approche, est de tomber amoureux du produit que l'on fabrique au point de sous-estimer les réactions du marché ou ne plus chercher à les comprendre. Cette approche est illustrée par les déclarations du Président de la chaîne Arte au moment du lancement de la chaîne :

■ **ARTE.** « "Laissez-vous déranger" est notre slogan. Nous n'avons pas l'intention de suivre les suggestions de M. Audimat et Mme Part de Marché. Même si un tout petit nombre de téléspectateurs décide de regarder un opéra à 20 h 40, nous aurons gagné. » Un mois après, le nombre d'auditeurs n'avait toujours pas atteint le million et le temps moyen d'écoute était de... 2 minutes !

L'optique produit qui représente une forme de «myopie»[18] se rencontre dans de nombreux domaines, notamment ceux où la technologie est traditionnellement dominante. Depuis la bande vidéo Betamax jusqu'à l'avion supersonique Concorde, l'histoire commerciale est remplie d'innovations technologiques extrêmement performantes qui ont dépéri faute d'un nombre d'acheteurs suffisant.

Les organismes à but non lucratif font souvent preuve d'une orientation tournée vers le produit. Ils sont convaincus que leur cause est juste et ne comprennent pas que le public s'en désintéresse. Les professions artistiques et culturelles adoptent également souvent cette optique, au moins dans leurs discours. La romancière à succès Mary Higgins Clark déclare ainsi dans une interview à un magazine grand public que «l'écriture doit venir du cœur et de l'inspiration du moment et en aucun cas des règles de marketing»; ce qui ne l'empêche pas de révéler au cours du même entretien, qu'elle cherche toujours à vérifier que les noms des restaurants et boîtes de nuit qu'elle cite dans ses ouvrages sont bien les plus «branchés» du moment.

## L'optique vente

L'optique vente est la troisième approche traditionnellement utilisée par les entreprises dans la conduite de leurs activités d'échange :

❖ *L'optique vente* présuppose que le consommateur n'achètera pas de lui-même suffisamment à l'entreprise à moins que celle-ci ne consacre beaucoup d'efforts à stimuler son intérêt pour le produit.

Il s'agit donc de vendre le plus possible au plus grand nombre de clients possibles, sans forcément se préoccuper de l'utilité réelle du produit pour les acheteurs et donc des chances de les fidéliser. Appliquée à l'extrême, cette optique peut donc provoquer des insatisfactions après la consommation du produit ou du service.

L'optique vente est fréquemment employée pour les produits non souhaités par les consommateurs comme les polices d'assurance ou les encyclopédies. Elle se rencontre également dans les organisations à but non lucratif. Un exemple courant est le parti politique à la recherche de suffrages pour son candidat. Le candidat et ses supporters font campagne dans les circonscriptions électorales dès l'aube jusque tard dans la nuit, serrant des mains, embrassant des enfants, se promenant sur les marchés, et lançant des formules à effet. Des sommes importantes sont dépensées en publicité, affiches, tracts, etc. Toute faiblesse du candidat est minimisée et même dissimulée, car l'objectif est de remporter la vente. Une fois vainqueur, le nouvel élu continue à adopter l'optique vente dans ses rapports avec les citoyens : on ne mesure guère ce que le public désire mais on multiplie les efforts destinés à lui faire accepter la politique choisie[19].

La plupart des firmes qui adoptent l'optique vente sont en situation de surcapacité. Leur but est de *vendre ce qu'elles produisent plutôt que de produire ce qu'elles pourraient vendre*. Dans un marché dominé par les acheteurs tel que nous le connaissons dans une économie moderne, le problème majeur est de trouver des clients. Ceux-ci sont donc bombardés de messages publicitaires de toutes sortes les incitant à acheter. Il est, dans ces conditions, peu surprenant que le marketing soit souvent assimilé à la publicité et à la vente.

L'optique vente comporte naturellement un certain nombre de risques, surtout celui de détruire le marché, le vendeur ne trouvant plus de client qui lui accorde sa confiance. Pour que l'optique vente puisse réussir sur une période de temps prolongée, il faudrait que : 1) les clients insatisfaits oublient vite leur mécontentement ou le rationalisent ; 2) qu'ils soient peu enclins à parler de leur mésaventure aux autres ; et 3) qu'il y ait sur le marché un tel nombre de clients potentiels que l'entreprise ne dépende pas d'achats répétés. Ces hypothèses se vérifient rarement. En fait, une étude a montré que les clients mécontents en parlent à au moins dix personnes de leur entourage ; sur Internet, ce type d'informations circule encore plus vite et plus largement[20].

## L'optique marketing

L'optique marketing, qui a émergé dans les années 1950, se préoccupe avant tout des clients en cherchant à analyser leurs souhaits et à y répondre. Face à l'optique vente qui « chasse » le client, il s'agit ici de « cultiver » la relation avec lui. On ne cherche pas à identifier les bons clients pour son produit, mais les bons produits pour ses clients. L'approche des relations d'échange est donc radicalement différente des trois optiques précédentes[21] :

❖ L'*optique marketing* considère que, pour réussir, une entreprise doit, plus efficacement que la concurrence, créer, délivrer et communiquer de la valeur auprès des clients qu'elle a choisi de servir.

Certains slogans représentent, parfois de façon lapidaire, cette idée :
« Satisfaire des besoins de façon rentable. »
« Trouvez des besoins et servez-les. »
« Aimez le client, pas le produit. »
« Nous fabriquons du sourire » (Accor).
« Vous êtes le patron » (United Airlines).
« Créer ce qui vous change la vie » (Vivendi).

Theodore Levitt, professeur à Harvard, a exprimé de belle manière le contraste entre vente et marketing :

> *La vente se concentre sur les besoins du vendeur ; le marketing sur ceux de l'acheteur. La vente se préoccupe de convertir le produit du vendeur en argent liquide ; le marketing, de satisfaire les désirs du client à l'aide du produit et de tout ce qui est associé à sa création, sa distribution, et finalement sa consommation[22].*

L'optique marketing inverse la logique de l'optique vente (voir figure 1.7) ; au lieu de partir des produits de l'entreprise et de les promouvoir afin d'engendrer un chiffre d'affaires (approche centrifuge), elle part des clients, de leurs besoins et désirs, puis élabore un ensemble de produits et de programmes destinés à servir ces besoins, tirant ses bénéfices de la satisfaction du client. L'encadré 1.3 montre à quel point une telle optique a pénétré le secteur de l'emballage. Réduite à l'essentiel, *l'optique marketing* s'appuie sur quatre idées : 1) un choix de marché ; 2) une orientation centrée sur le client ; 3) un marketing coordonné visant à obtenir : 4) la rentabilité. Examinons chacun de ces points.

**FIGURE 1.7**
L'optique vente et l'optique marketing

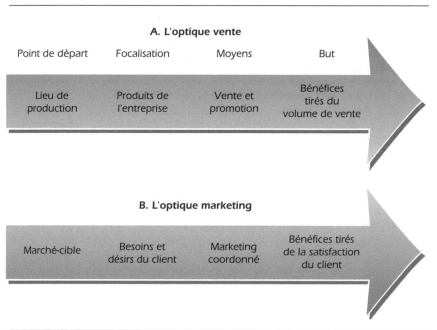

**UN CHOIX DE MARCHÉ** ❖ Aucune entreprise ne peut intervenir sur tous les marchés ni chercher à satisfaire tout le monde. L'optique marketing suppose un réel effort de ciblage, de nature à orienter l'ensemble des activités de la firme :

■ **PLEINE VIE** est le leader des périodiques français destinés aux seniors. «Notre démarche, explique Jean-François Lopez, directeur de marketing et du développement du magazine, est celle du prisme : faire comprendre sans l'exprimer, surtout en couverture, que le contenu s'adresse à des gens de plus de 50 ans. Ainsi, dans les pages "Droit" ou "Vie Pratique", on traite de sujets directement "prismés" : donation, droits de succession, héritage... Notre objectif est d'atteindre les 100 000 ventes en kiosque et un million au total, avec les abonnés.»[23]

## Emballage : le consommateur impose sa loi

Après avoir longtemps offert une seule option pour l'emballage du lait, la société suédoise Tetra Pak en propose désormais sept, de 20 cl à 2 litres. Cette évolution reflète une demande des consommateurs qui exigent des produits qui leur facilitent la vie, compacts et pratiques à ouvrir.

Maggi a dû, pour ses potages, abandonner le classique format d'un litre au profit d'un petit pot en plastique. Nescafé a opté pour des doses individuelles, en sticks cylindriques. Les fabricants de détergents et de produits d'hygiène ont lancé, sous la pression des consommateurs, l'emballage rechargeable, ce qui réduit de moitié le poids et le prix du produit. Yoplait a conçu Zap, un yoghourt en tube mangé sans cuillère pour satisfaire les enfants. Pour se différencier, L'Oréal a choisi un tube de rouge à lèvres qui, en s'ouvrant, déclenche une sensation auditive en harmonie avec le produit et son image. Certains fabricants de soft drink utilisent des emballages qui dégagent une sensation de froid, en accord avec les attentes des consommateurs. Par exemple, le brasseur anglais Whitebread a choisi une bouteille en aluminium brut.

Le consommateur veut des emballages en phase avec le produit contenu. Désormais, satisfaire ses attentes est devenu une obsession pour les fabricants d'emballage travaillant dans l'univers de la grande consommation.

*Source :* « Emballage : le consommateur impose sa loi », *Les Echos*, 18 novembre 1998, p. 50.

**UNE ORIENTATION CENTRÉE SUR LE CLIENT** ❖ Une entreprise peut définir correctement sa cible mais se tromper sur la nature des besoins des clients. Ainsi :

> Une entreprise chimique inventa une nouvelle substance aussi dure que le marbre. À la recherche d'une application, le département marketing de l'entreprise décida d'attaquer le marché des salles de bains. Il créa plusieurs modèles et les présenta à divers salons, espérant convaincre les fabricants d'utiliser ce nouveau matériau. Bien que ceux-ci trouvèrent les modèles attrayants, aucun contrat ne fut signé. La raison fut rapidement découverte. Utiliser ce nouveau matériau aboutirait à un prix de baignoire supérieur à 2 000 € contre 500 € actuellement. Pour le même prix, un client pouvait avoir du marbre ou de l'onyx. De plus, les baignoires étaient si lourdes qu'il fallait renforcer les sols.

Comprendre les besoins et désirs des consommateurs n'est pas simple. Certains clients n'ont pas conscience de leurs besoins ou ne peuvent les exprimer clairement. Ou bien, le client utilise des mots qui ont besoin d'être interprétés. Que veut-il dire, par exemple, quand il parle d'une voiture « bon marché », d'une tondeuse à gazon « puissante » ou d'un maillot de bain « élégant » ? On peut en fait distinguer cinq types de besoins :

1. les besoins exprimés (ce que le client dit) ;
2. les besoins réels (ce qu'il veut dire) ;
3. les besoins latents (ce à quoi il ne pense pas) ;
4. les besoins rêvés (ce dont il rêverait) ;
5. les besoins profonds (ce qui le motive secrètement).

Par exemple, si le besoin exprimé est une voiture bon marché, le besoin réel peut correspondre à une voiture peu coûteuse à l'usage (et non pas seulement à l'achat) et le besoin latent à un service de qualité de la part du concessionnaire ; un système de guidage électronique peut faire partie des besoins rêvés, tandis que le désir d'être perçu comme un acheteur malin et averti par ses amis relève d'un besoin profond.

Une difficulté majeure du marketing réside dans le fait que de nombreux consommateurs ne savent pas ce qu'ils attendent d'un produit, surtout lorsqu'il est très novateur. Les consommateurs ne savaient pas grand chose des téléphones portables lorsque ceux-ci ont été lancés. Ils étaient en situation d'apprentissage. Ce sont les entreprises qui ont structuré leurs attentes et leurs perceptions à travers les produits proposés et les politiques marketing adoptées. Comme l'indique Carpenter, «répondre aux besoins des clients ne suffit plus; il faut les aider à savoir ce qu'ils souhaitent»[24]. A fortiori, concentrer ses efforts sur les besoins exprimés peut s'avérer improductif. On propose de façon précipitée une solution alors qu'on n'a pas encore compris le problème.

Il faut en fait distinguer trois formes de marketing : *le marketing réactif, le marketing anticipatif, et le marketing créatif*. Le marketing réactif consiste à identifier un besoin exprimé et à le satisfaire. Le marketing anticipatif se préoccupe de ce dont le client pourrait avoir besoin dans un avenir proche. Le marketing créatif imagine et met en place des solutions auxquelles le client n'avait pas songé mais qu'il plébiscite. Hamel et Prahalad pensent que les entreprises ne doivent pas se contenter de demander aux consommateurs ce qu'ils veulent. Selon eux :

> «*Les clients font rarement preuve d'imagination. Combien d'entre nous auraient, il y a quinze ans, exprimé un désir pour un téléphone mobile, un fax, une photocopieuse à domicile, un lecteur de CD, un ordinateur embarqué de navigation automobile, ou bien encore une antenne parabolique personnelle?[25]*»

■ **SONY.** En choisissant pour slogan «Vous en avez rêvé, Sony l'a fait», cette entreprise exprime une philosophie de marketing créatif. Akio Morita, son fondateur, est d'ailleurs formel à ce sujet : «Nous ne servons pas des marchés, nous les créons»[26]. L'exemple désormais classique du walkman illustre bien cette démarche. À la fin des années 1970, Akio Morita travaillait sur sa marotte, un produit susceptible de révolutionner la manière d'écouter de la musique : un lecteur de cassettes portable qu'il appela Walkman. Les ingénieurs de Sony lui expliquaient que la demande pour un tel produit était minime, mais Morita ne les écouta pas. En 20 ans, l'entreprise en vendit plus de 250 millions répartis en une centaine de modèles[27].

De même, une PME française comme Decayzac qui commercialise des foies gras, va au-delà du slogan habituel en proposant «Enchanté ou remboursé». Aujourd'hui, de plus en plus d'entreprises cherchent non plus simplement à satisfaire mais à «émerveiller» leurs clients.

■ **FORD** a récemment changé son optique en faveur d'une véritable orientation vers les clients. Son rapport annuel de 1999 soulignait que cette approche exige un effort permanent : l'entreprise «doit écouter ses clients, trouver des moyens de répondre à leurs besoins et analyser en permanence dans quelle mesure elle parvient à les satisfaire». Elle souhaite faire en sorte que les clients «aient confiance en l'entreprise, aiment ses marques et adorent ses prestations de service». Ford a rencontré certaines difficultés dans la mise en œuvre de cette stratégie, notamment la nécessité de renvoyer en usine certains modèles et la rupture avec son fournisseur de pneus Firestone en 2001, mais elle maintient le cap[28].

Pourquoi est-il si important de satisfaire les clients visés? Parce que les clients satisfaits sont à la base du développement du marché. Les ventes de l'entreprise dépendent en effet, à tout moment de deux groupes : les nouveaux clients et les clients habituels. On a estimé qu'il était cinq fois plus coûteux de conquérir un nouveau client que de fidéliser[29] et il peut coûter jusqu'à seize fois plus d'atteindre, avec le nouveau client, le niveau de rentabilité d'un client acquis. C'est donc la *rétention* de la clientèle et non la *conquête*, qui est essentielle.

UN MARKETING COORDONNÉ ❖ Les salariés d'une entreprise ne se sentent pas toujours au service du client. Un ingénieur se plaint souvent des «exigences coûteuses de la clientèle qui désorganisent la production». Un financier juge les coûts de stockage d'une trop grande variété de produits «excessifs». Un acheteur redoute les «petites commandes» qui, pour satisfaire une demande d'urgence, l'empêchent de bénéficier de conditions favorables. Pour être efficaces, les efforts marketing doivent donc être coordonnés au niveau de l'ensemble de l'entreprise. Ce n'est pas toujours le cas.

Ainsi, le directeur marketing d'une compagnie aérienne européenne souhaitait accroître sa part de trafic. Sa stratégie consistait à accroître la satisfaction en améliorant le service à bord, en élargissant les sièges et en baissant les prix. Pourtant il n'avait pas autorité sur ces sujets. C'est le service de catering qui choisissait les repas ; le service de maintenance qui s'occupait du nettoyage ; le service du personnel qui recrutait les hôtesses et le service finance qui élaborait les tarifs. Du fait que chacun de ces services cherchait à optimiser ses propres coûts, le directeur marketing ne pouvait mettre en place de plan d'action marketing intégré.

La coordination s'opère à deux niveaux. Elle concerne d'abord l'harmonisation des différentes variables d'action commerciale : force de vente, publicité, opérations promotionnelles, etc. Toutes ces activités doivent refléter une même stratégie définie à partir des besoins des clients.

À un second niveau, le marketing doit s'intégrer aux autres services de l'entreprise. En fait, l'esprit marketing doit se diffuser à l'ensemble du personnel depuis la standardiste jusqu'au président. Chez Xerox, toutes les définitions de fonction (plus de 4 000) expliquent en quoi chaque poste affecte la clientèle. De cette façon, la mission du département marketing est autant interne qu'externe.

Alors que le *marketing externe* s'occupe des marchés extérieurs à l'entreprise, le *marketing interne* prend en charge le recrutement, la formation et la motivation de ceux qui ont pour charge de servir les consommateurs. En fait, le marketing doit être interne avant d'être externe. Il ne sert à rien de faire des promesses que l'on ne peut tenir.

En outre, le manager qui considère le client comme le seul véritable «centre de profit» de l'entreprise rejette l'organisation traditionnelle – représentée à la figure 1.8 a au profit de la «pyramide inversée», illustrée à la figure 1.8 b. C'est alors le client et non le patron qui est au sommet de la pyra-

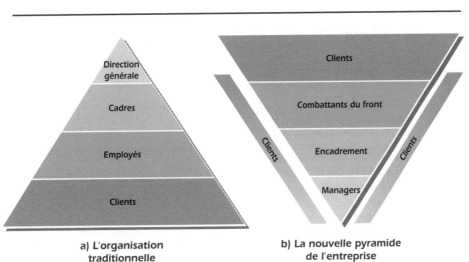

FIGURE 1.8
Visions
traditionnelle
et moderne
de l'entreprise

a) L'organisation traditionnelle

b) La nouvelle pyramide de l'entreprise

mide. Viennent ensuite les « combattants du front », c'est-à-dire tous ceux qui sont au contact direct du client. Suit le personnel d'encadrement : chefs de service, responsables de bureau, et enfin les managers qui doivent motiver les cadres. Nous avons ajouté les clients des deux côtés de la pyramide pour rappeler que toute l'entreprise est, en définitive, au service de la clientèle.

**LA RENTABILITÉ** ❖ L'activité marketing ne constitue pas une fin en soi mais sert les objectifs d'une organisation. Pour une entreprise privée, l'objectif poursuivi est généralement le profit ; dans le cas d'une association ou d'une administration, ce peut être l'intérêt général ou le service public. Dans l'optique marketing, le profit est la résultante de la satisfaction du client. Certaines entreprises l'ont remarquablement compris. Considérons le cas suivant :

■ **EVIAN.** Quoi de plus banalisé que l'eau plate ? Avec 1,5 milliard de litres vendus chaque année dans le monde (deux fois plus qu'il y a quinze ans), Evian est devenue la première marque mondiale d'eau minérale. Alors que la marge opérationnelle moyenne du Groupe Danone, auquel Evian appartient, est d'environ 9 %, celle d'Evian est, selon les analystes financiers, deux fois supérieure. Comment Monseigneur Cachat, propriétaire d'une fontaine située sur la commune d'Evian et connue dès le 18e siècle pour ses effets bienfaisants, aurait-il pu imaginer un tel essor ? À l'époque de son rachat par BSN, Evian est une entreprise provinciale vivant sur une rente de situation : le marché des bébés. 500 millions de litres sont alors vendus exclusivement en pharmacie. Antoine Riboud en fera un produit de grande consommation avec un chiffre d'affaires estimé aujourd'hui à 480 millions d'euros. Derrière ce phénoménal succès, un marketing exemplaire, reposant sur deux piliers : l'innovation [Evian a été la première marque à remplacer le verre par le PVC (1969), puis à lancer le conditionnement d'1,5 l (1978), les petits formats de 50 et 33 cl (1982), le bouchon à vis (1984), la poignée sur les packs (1988), la bouteille compactable (1995) et enfin le code-barre détachable des paquets (2001)] et la communication (grâce à ses nombreuses campagnes centrées sur la pureté et la légèreté, Evian est devenue l'une des vingt marques mondiales les plus connues)[30].

Combien d'entreprises pratiquent véritablement le marketing ? Encore trop peu. En Europe, quelques sociétés émergent : Ikea, Bang & Olufsen, Electrolux, Nokia, ABB, Lego ou encore Unilever. En France, outre le Groupe Danone, on peut citer L'Oréal ou le Club Méditerranée. Ces entreprises ne se contentent pas de croire à la souveraineté du client mais s'organisent en conséquence. L'équipe marketing est étoffée et les autres départements reconnaissent sa préséance. La culture marketing se diffuse dans l'ensemble de l'organisation.

La plupart des entreprises n'ont pas atteint ce stade de maturité. Beaucoup *croient* faire du marketing en créant un département du même nom. Mais la structure ne suffit pas à créer la fonction. En fait, pour qu'une entreprise adopte une démarche marketing, il faut que certaines raisons l'y conduisent. À l'analyse, cinq facteurs peuvent jouer un rôle de catalyseur :

♦ *Le déclin des ventes.* C'est le cas de figure le plus courant. Certains éditeurs de journaux par exemple, ayant constaté une baisse de leur diffusion, due en grande partie à la concurrence de la télévision, se sont rendus compte qu'ils ne connaissaient pratiquement rien de leur audience, de ses attentes et motivations de lecture. Ils ont alors entrepris des études de marché et, au vu des résultats, ont modifié la présentation et le contenu de leurs titres de façon à les rendre plus attrayants. Ils proposent également des sites sur Internet.

♦ *Le ralentissement de la croissance.* Certaines entreprises atteignent rapidement leur potentiel maximum dans leur secteur d'origine et doivent diversifier leurs horizons en s'attaquant à d'autres marchés. Le marketing les aide à détecter, évaluer et choisir leurs nouveaux terrains d'action. Des sociétés comme Bic, Géant Vert ou Vivendi ont dû investir en études de marché avant de se lancer sur de nouveaux créneaux.

## Pourquoi adopter l'optique marketing?

L'argumentation tient en six points :

1. La valeur de la firme est subordonnée à l'existence d'une clientèle.

2. L'objectif prioritaire de l'entreprise est donc d'obtenir et de conserver des clients.

3. C'est en offrant des produits et services à la hauteur de ses promesses que l'entreprise peut attirer et conserver sa clientèle.

4. La mission du marketing consiste à définir des promesses appropriées et à faire en sorte que les clients soient satisfaits.

5. La satisfaction du client dépend cependant aussi de la performance des autres services de l'entreprise.

6. Il est donc naturel que le marketing influence ou contrôle ces services afin d'assurer la satisfaction de la clientèle.

♦ *L'évolution du marché.* De nombreuses sociétés se trouvent confrontées à des marchés de plus en plus évolutifs. Elles doivent rester à l'affût de toute modification dans les habitudes ou les motivations d'achat et de consommation de façon à maintenir leurs activités en phase avec le marché. Les produits informatiques destinés au grand public ont ainsi connu de profonds bouleversements au cours des dernières années.

♦ *L'agressivité de la concurrence.* Des marchés peuvent se trouver soudainement investis par des concurrents qui obligent les autres à se doter de structures marketing modernes. C'est le cas en France des télécommunications et des compagnies aériennes.

♦ *L'inflation des budgets commerciaux.* Les ressources consacrées par l'entreprise à la publicité, la promotion des ventes, les études de marché ou le service après-vente peuvent s'accroître inconsidérément. L'introduction du marketing est alors l'occasion d'un audit et d'un système de contrôle plus rigoureux[31].

À l'épreuve des faits, une entreprise convertie au marketing rencontre trois écueils sur sa route : 1) la résistance organisée ; 2) la lenteur de l'apprentissage ; et 3) la rapidité de l'oubli.

**La résistance organisée.** Lorsqu'une entreprise développe son infrastructure marketing, les autres départements réagissent. Les financiers aussi bien que les ingénieurs considèrent souvent le marketing comme une menace pour leur statut et leur pouvoir dans l'entreprise.

Le caractère expansionniste du marketing se trouve illustré à la figure 1.9. Au début, la fonction commerciale est envisagée comme l'une des quatre principales fonctions contribuant, à part égale, à l'équilibre global de l'entreprise (fig. 1.9 a). Une insuffisance de demande conduit les responsables marketing à considérer que leur fonction est plus importante que les autres (fig. 1.9 b). Certains, emportés par leur enthousiasme, voient même en lui la fonction primordiale de l'entreprise, puisque ce sont les clients qui permettent à cette dernière d'exister. Le marketing devient alors, selon eux, le noyau d'activité de la firme, toutes les autres fonctions gravitant autour de lui (fig. 1.9 c). Le directeur du marketing doit alors expliquer qu'en fait, c'est le client et non le marketing, qui est au centre de l'affaire (fig. 1.9 d). Il prône ainsi une philosophie d'action qui fait de la valeur créée pour la clientèle l'objectif suprême de l'activité managériale. Enfin, certains soutiennent qu'afin d'interpréter correctement et de satisfaire efficacement les besoins des clients, le marketing doit occuper une place privilégiée (fig. 1.9 e). Leur argumentation est résumée dans l'encadré 1.4.

FIGURE 1.9
L'évolution des
conceptions relatives
au rôle du marketing
dans l'entreprise

**a) le marketing est l'une des
quatre fonctions essentielles**

**b) le marketing est plus
important que les autres
fonctions**

**c) le marketing est
la fonction primordiale**

**d) le client est au centre
de l'entreprise**

**e) le client est au centre
de l'entreprise et le marketing
est la fonction intégratrice**

En même temps, le marketing se heurte toujours à une hostilité dans certains secteurs, notamment l'industrie lourde, la santé ou les services culturels. Dans l'audiovisuel par exemple, on se méfie du marketing à qui l'on reproche de tout mercantiliser et soumettre à la «tyrannie des sondages», même si on le pratique parfois sans le dire (voir encadré 1.5). Pour certains, seule la fonction de création est noble, sa commercialisation ne pouvant être qu'avilissante.

**La lenteur de l'apprentissage.** En dépit de ces résistances, toujours plus nombreuses sont les entreprises qui finissent par entrouvrir leurs portes au marketing. Le PDG donne son feu vert ; de nouveaux postes sont créés ; des actions de formation sont entreprises ; des budgets accordés et des procédures mises en place. Mais il faut du temps pour tout cela. La sensibilité au marketing se développe très progressivement.

**La rapidité de l'oubli.** Une fois que le marketing s'est implanté dans l'entreprise, ses dirigeants doivent s'efforcer de ne point oublier ses préceptes. Or, il est facile de les laisser de côté une fois le succès obtenu.

■ DISNEYLAND PARIS, anciennement Eurodisney, a d'abord tenté de reproduire les méthodes qui avaient fait leurs preuves outre-atlantique. Bien que le nombre de visiteurs attendus fût à peu près respecté, les recettes restèrent très en deçà des prévisions. Le taux de fréquentation des hôtels resta inférieur aux objectifs mais surtout les dépenses effectuées sur place furent moindres que prévu. Cela s'explique, en partie, par des habitudes culturelles différentes. Surchargés aux heures des repas, les restaurants étaient déserts le reste de la journée. De même, il semblerait que les Européens tolèrent beaucoup moins les files d'attente que les Américains[32]. Le groupe avait négligé la règle d'or du marketing : «Connaissez votre marché afin de savoir le satisfaire». L'entreprise a, depuis, revu sa politique marketing.

## Les paradoxes actuels du marketing

Le marketing, en tant que discipline de la gestion, fait l'objet de nombreux débats. Bernard Pras a récemment souligné plusieurs paradoxes qui constituent autant de sujets de réflexions pour les praticiens.

1. *Le paradoxe du concept.* Alors que l'optique marketing a été définie dès les années 1950, il semble qu'elle n'ait jamais autant été d'actualité qu'aujourd'hui. En effet, elle suppose un effort intégré et coordonné du marketing avec les autres fonctions de l'entreprise (finance, production, recherche et développement, etc.). Or ce n'est que depuis les années 1990 que certaines entreprises développent des structures transversales et se rapprochent, dans le cadre de l'orientation marché, de l'essence même du concept marketing. Auparavant et pendant de nombreuses décennies, un grand nombre d'entreprises avaient mis en place un département marketing centralisé au siège, responsable de l'analyse des besoins des clients et de la conception des produits en conséquence ; cette pratique non transversale du marketing-management ne mettait que très partiellement en œuvre le concept marketing.

2. *Le paradoxe de l'objet.* Certains analystes critiquent le projet de satisfaction des besoins des consommateurs en le jugeant peu conforme à la réalité des économies modernes et des pratiques actuelles. Le terme même de marketing est souvent décrié et associé à une finalité marchande. Pourtant, de nombreuses organisations pratiquent le marketing sans le nommer (par exemple les institutions culturelles ou à but non lucratif).

3. *Le paradoxe de la post-modernité.* Alors que certains spécialistes jugent que le courant post-moderne remet en cause les valeurs de la modernité et les fondements mêmes du marketing, Pras considère qu'il en constitue le meilleur avocat en ce sens qu'il repose sur l'interprétation des tendances et justifie les multiples fondements théoriques de l'analyse du comportement du consommateur. La focalisation sur l'ici et le maintenant, sur l'affectif et les émotions, sur l'imaginaire et sur les facettes multiples de l'individu est prise en compte dans l'approche marketing.

4. *Le paradoxe de la technologie.* Comme nous l'avons souligné dans l'introduction de ce chapitre, les évolutions technologiques ont une influence déterminante sur la pratique du marketing. Alors que le concept marketing souligne l'influence du marché, il est lui-même fortement modifié par les développements technologiques.

En conclusion, Bernard Pras souligne l'importance accrue de l'éthique dans le marketing d'aujourd'hui. Si cette question a été soulevée de longue date, l'essor du marketing relationnel fondé sur la confiance des clients lui confère une actualité renforcée.

Source : Bernard Pras, «Les paradoxes du marketing», *Revue Française de gestion*, septembre-octobre 1999, pp. 99-110.

■ **INTEL.** En juin 1994, les techniciens de l'entreprise découvrirent un problème dans le dernier Pentium. Le problème survenait rarement, mais la direction d'Intel décida d'en informer ses clients. La nouvelle, parue dans la presse, suscita l'inquiétude de nombreux détenteurs d'ordinateurs équipés de Pentium. Intel proposa de remplacer leur microprocesseur aux clients qui avaient expérimenté le problème, ce qui engendra des réactions extrêmement négatives. Intel décida finalement de remplacer le produit de tous les clients qui le souhaitaient. Comme le souligna Andy Grove, Intel avait provoqué la défiance de ses clients en n'optant pas immédiatement pour cette solution, commettant ainsi une «erreur majeure». L'entreprise réussit finalement à enrayer le départ des clients et la détérioration de son image en remplaçant les produits, en embauchant plusieurs centaines de personnes pour répondre aux questions et aux plaintes des clients, et en diffusant à la presse un document explicatif – le tout pour un coût de 475 millions de dollars.

## L'optique client

Certaines entreprises vont aujourd'hui au-delà de l'optique marketing pour adopter une optique client, représentée dans la figure 1.10. Alors que l'optique marketing est appliquée au niveau des segments de marché, il s'agit ici d'élaborer des produits, des services et des messages distincts pour chaque client individuel. On collecte des informations sur les achats antérieurs du client, ses caractéristiques socio-démographiques et psychologiques, ainsi que ses habitudes en matière d'exposition aux médias et de fréquentation des points de vente. L'objectif est d'obtenir une part croissante des achats du client en développant sa fidélité sur le long terme.

**FIGURE 1.10**
L'optique client

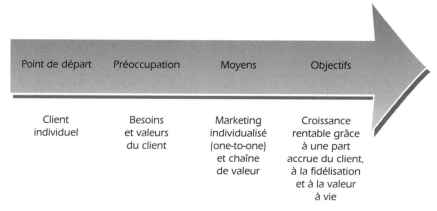

| Point de départ | Préoccupation | Moyens | Objectifs |
|---|---|---|---|
| Client individuel | Besoins et valeurs du client | Marketing individualisé (one-to-one) et chaîne de valeur | Croissance rentable grâce à une part accrue du client, à la fidélisation et à la valeur à vie |

Cette évolution résulte des progrès techniques permettant aujourd'hui l'adaptation individualisée des produits dans les usines, la composition de bases de données clientèle extensives et la construction de relations interactives avec chaque individu (notamment à l'aide d'Internet). Cependant, le marketing « one-to-one » n'a pas vocation à être appliqué par toutes les entreprises : il faut que les investissements en collecte de données et en systèmes d'information soient susceptibles d'être rentabilisés. Cette optique est donc plutôt destinée aux entreprises qui peuvent vendre de nombreux produits au même client, dont l'offre est coûteuse et achetée fréquemment.

## L'optique du marketing sociétal

Au cours de ces dernières années, on s'est demandé si l'optique marketing était encore bien adaptée à une époque marquée par la détérioration de l'environnement, les pénuries de ressources et l'explosion démographique. Le problème est de savoir si une entreprise qui identifie, sert et satisfait parfaitement les désirs du client, agit nécessairement dans l'intérêt des consommateurs et de la société en général. L'optique marketing sous-estime les conflits latents entre les désirs des consommateurs, leurs intérêts et le bien-être collectif.

■ **LES FAST-FOODS.** Ils satisfont les désirs des consommateurs pour une nourriture rapide et bon marché mais proposent des produits gras et, pour les frites, riches en féculents. En outre, le hamburger est d'abord enveloppé dans un papier-tissu, puis placé dans une boîte en carton destinée à le garder au chaud. Tout cela a pour conséquence un énorme gaspillage de papier et d'argent pour le client. En répondant aux désirs des consommateurs, ces restaurants ne favorisent ni leur santé, ni le respect de l'environnement.

De telles situations ont poussé certains analystes à réexaminer, voire remplacer, l'optique marketing et à proposer les concepts de «marketing humaniste» ou de «néo-marketing». Nous voudrions, pour notre part, proposer «l'optique du marketing sociétal» :

❖ *L'optique du marketing sociétal* reconnaît que la tâche prioritaire de l'entreprise est d'étudier les besoins et les désirs des marchés visés et de faire en sorte de les satisfaire de manière plus efficace que la concurrence, mais aussi d'une façon qui préserve ou améliore le bien-être des consommateurs et de la collectivité.

L'optique du marketing sociétal se différencie de l'optique marketing classique en incorporant deux idées. D'abord, elle invite le responsable marketing à prêter attention aux intérêts des clients plutôt qu'à leurs seuls désirs. Ensuite, elle propose de prendre en compte le bien-être collectif. Considérons le cas suivant :

■ BODY SHOP. En 1976, Anita Roddick a ouvert son premier magasin à Brighton, en Angleterre. Elle en gère aujourd'hui plus de 1 500 dans 47 pays. Son entreprise fabrique et commercialise des cosmétiques à base de produits naturels, conditionnés dans des emballages recyclables. Tous les produits sont élaborés sans tests animaliers et un pourcentage des recettes est versé à des organisations caritatives. Beaucoup de clients se rendent chez Body Shop parce qu'ils soutiennent, de même que les employés, les objectifs sociétaux de l'entreprise. «Je pense, dit Roddick, qu'il est très important que mon entreprise ne se limite pas à la recherche de meilleurs produits mais se sente concernée par l'environnement et la société dans laquelle nous vivons[33]». Même si aujourd'hui ses bénéfices se sont réduits, Anita Roddick tient bon en expliquant que «toute société qui va à contre-courant de l'establishment doit se préparer à faire face à des situations extrêmes».

Une société comme Body Shop pratique ce que l'on peut appeler le *marketing d'une cause*. Pringle et Thomson le définissent comme une «activité par laquelle, à travers une image, un produit ou un service, une entreprise sert une ou plusieurs causes en vue d'un échange mutuellement satisfaisant[34].» Ils considèrent cette forme de marketing comme une chance pour l'entreprise d'améliorer sa réputation, sa notoriété, la fidélité de ses clients, les ventes et la couverture de presse. Ils pensent que le marché accorde de plus en plus d'importance à l'image de «bon citoyen» d'une entreprise. Les firmes qui le comprennent se dotent d'une identité supérieure qui va au-delà des promesses fonctionnelles et émotionnelles.

## *L'évolution du marketing*

On peut dire avec certitude que «le marché n'est plus ce qu'il était». Il évolue désormais rapidement sous l'effet du progrès technologique, de la globalisation et de la dérégulation. Une telle évolution est riche d'implications :

◆ Les *clients* s'attendent à des produits et services de plus en plus performants et personnalisés. Ils voient de moins en moins de différences dans l'offre et leur fidélité s'effrite. Grâce à Internet, ils peuvent obtenir beaucoup d'informations sur les projets qui les intéressent et donc «acheter malin». Ils sont enfin de plus en plus sensibles au rapport qualité/prix.

◆ Les *fabricants* sont soumis à une concurrence extrêmement vive entre marques, qui a pour effet d'accroître les dépenses en communication et de réduire les marges. Ils sont en outre confrontés à des distributeurs de plus en plus puissants qui contrôlent l'espace de vente et promeuvent activement leurs propres marques.

♦ Les *détaillants* souffrent de la saturation de l'appareil commercial. Les petits détaillants sont étouffés par les grandes surfaces, spécialisées ou non. Les magasins subissent la concurrence des catalogues, de la vente directe, du téléachat et du commerce électronique. De ce fait, leurs marges s'amenuisent. En réaction, les détaillants les plus dynamiques comme Extrapole ou la Fnac enrichissent l'atmosphère de leurs points de vente en y ajoutant café, restaurants, conférences et autres «événements». Ils ne proposent plus seulement un assortiment mais une «expérience».

Stimulées par ces évolutions, les entreprises font preuve d'imagination et les meilleures d'entre elles mettent en place de nombreuses innovations relatives à leur mode d'organisation et de management. Nous les décrirons dans le prochain chapitre.

De son côté, le marketing repense sa philosophie, ses concepts et ses outils. Les thèmes majeurs d'aujourd'hui sont :

♦ *Le marketing relationnel* qui va au-delà des transactions pour forger des relations à long terme, privilégiant les clients, les produits et les circuits les plus rentables.

♦ *La valeur à vie du client* qui, au lieu de s'appuyer sur le bénéfice réalisé sur chaque transaction, prend en compte la durée de vie du client. Certaines sociétés choisissent d'offrir un approvisionnement en continu à un prix d'autant plus attractif qu'il s'appuie sur la fidélité du client.

♦ *La part du client.* Au lieu de prendre en compte la part de marché, on se préoccupe de la part que l'on représente dans la totalité des achats du client. On peut l'accroître en élargissant l'assortiment et en favorisant les ventes croisées et la montée en gamme.

♦ *Le ciblage.* Au lieu de vendre à tous, on s'efforce d'être le meilleur pour les segments que l'on s'est choisi. Le ciblage des communications est aujourd'hui facilité par la prolifération des magazines d'intérêt spécifique, des chaînes de télévision thématiques et des groupes de discussion sur Internet.

♦ *La personnalisation.* Au lieu de vendre le même objet de la même façon à tous les membres de la cible, on individualise l'offre et la communication.

♦ *Les bases de données clients.* Au-delà des données de vente, on élabore de véritables *entrepôts de données* recensant les achats, les préférences, les caractéristiques et la rentabilité de chaque client. On peut alors utiliser des techniques de «forage de données» pour découvrir de nouveaux segments et de nouvelles tendances.

♦ *Les communications marketing intégrées.* Au lieu de concentrer ses efforts sur un seul outil de persuasion comme la publicité ou la force de vente, on élabore un «cocktail» d'actions de communication visant à véhiculer un message cohérent sur la marque, à chaque occasion de contact avec le client.

♦ *Les distributeurs-partenaires.* Plutôt que de considérer les distributeurs comme des clients, on les traite comme des partenaires dans la création de valeur auprès du consommateur final.

♦ *Le marketing interne.* Au lieu de réserver le marketing à un département spécialisé, on considère que tout employé doit être «orienté-client».

♦ *Les supports d'aide à la décision.* Plutôt que de toujours s'en remettre à l'intuition, on fonde ses décisions sur des éléments d'information précis intégrés à un modèle décrivant le fonctionnement du marché.

Tous ces thèmes seront développés tout au long de ce livre afin d'aider les entreprises à naviguer dans les eaux turbulentes mais prometteuses de ce nouveau millénaire. Les entreprises performantes seront celles qui feront évoluer leur marketing aussi rapidement que le marché.

# *Résumé*

1. L'entreprise est aujourd'hui confrontée à un triple défi : la globalisation, le progrès technologique et la déréglementation.

2. Le marketing consiste à créer, promouvoir et distribuer des biens et services de valeur pour autrui. Il peut prendre de nombreuses formes : entrepreneurial, codifié ou intrapreneurial. Et il peut concerner de nombreuses entités : biens, services, expériences, événements, personnes, endroits, propriétés, organisations, informations et idées.

3. Le marketing a pour rôle de réguler la demande, c'est-à-dire d'influencer son niveau, son moment d'expression et sa structure. Pour y parvenir, un responsable marketing est amené à prendre de nombreuses décisions qui concernent divers types de marché (les consommateurs, les industriels, les marchés étrangers et les institutionnels).

4. Sur chaque marché-cible, l'entreprise propose une offre positionnée autour de bénéfices offerts aux clients. Le marketing s'efforce de comprendre les besoins, désirs et exigences de la demande. C'est la valeur perçue et la satisfaction engendrée qui témoigneront de son succès. Sous le nom de marché, on désigne divers types de configurations : marchés physiques, espaces virtuels et métamarchés.

5. L'échange implique l'obtention d'un produit par quelqu'un qui offre quelque chose en retour. Une transaction est un échange de valeurs entre deux ou plusieurs parties. Elle implique au moins deux éléments de valeur et un accord sur les conditions, le moment et le lieu de l'échange. Au sens le plus générique, le marketing s'efforce d'obtenir une réponse comportementale : un achat, un vote, une participation active, l'adoption d'une cause.

6. Le marketing relationnel a pour but d'établir des relations de long terme mutuellement satisfaisantes entre les principaux acteurs d'un marché – clients, fournisseurs, distributeurs – afin d'engendrer et de conserver la préférence commerciale. Le but ultime est d'aboutir à un réseau, véritable actif de l'entreprise.

7. Le marketing atteint ses marchés à travers différents circuits – de distribution, de communication et de service. Il opère dans un secteur d'activité et dans un macroenvironnement. Il est confronté à une concurrence actuelle et potentielle. L'ensemble des outils dont il dispose pour obtenir du marché les réponses souhaitées constitue le mix marketing.

8. Il existe six orientations possibles pour une entreprise dans la gestion de ses activités : l'optique production, l'optique produit, l'optique vente, l'optique marketing, l'optique client et l'optique du marketing sociétal. Les trois premières sont d'une utilité relativement limitée aujourd'hui. L'optique marketing soutient que la clé de la réussite réside dans l'identification et la satisfaction des besoins et désirs du marché, de façon plus efficace que la concurrence. Elle s'appuie sur une démarche en quatre temps : choix de la cible, détection de ses besoins, coordination de toutes les activités ayant un impact sur le client et recherche de la rentabilité à travers la satisfaction du client. L'optique client traite les besoins individuels de chaque client dans l'objectif de favoriser sa fidélité et de capitaliser sur sa valeur à vie.

9. L'optique du marketing sociétal soutient que le rôle d'une entreprise est de déterminer et de satisfaire les besoins, désirs et intérêts du marché-cible plus efficacement que la concurrence mais de le faire d'une manière qui améliore le bien-être du consommateur et de la société dans son ensemble. Ce concept vise à trouver un juste équilibre entre la rentabilité, la satisfaction du client et l'intérêt général.

# Notes

1. Sam Hill et Glenn Rifkin, *Radical Marketing* (New York : HarperBusiness, 1999).

2. Jay Conrad Levinson et Seth Grodin, *The Guerilla Marketing Handbook* (Boston : Houghton Mifflin, 1994).

3. Voir Philip Kotler, « Dream Vacations : The Booming Market for Designed Experiences », *The Futurist*, oct. 1984, pp. 7-13 ; Patrick Hetzel, *Planète conso : marketing expérientiel et nouveaux univers de consommation* (Paris : Éditions d'organisation, 2002) ; Joseph Pine et James Gilmore, *The Experience Economy* (Boston : Harvard Business School Press, 1999) et Bernd Schmitt, *Experience Marketing* (New York : Free Press, 1999).

4. Voir Irving Rein, Philip Kotler et Martin Stoller, *High Visibility* (Chicago : NTC Publishers, 1998).

5. Voir Philip Kotler, Irving Rein et Donald Haider, *Marketing Places : Attracting Investment, Industry, and Tourism to Cities, States, and Nations* (New York : Free Press, 1993) et *Marketing Places Europe* (London : Financial Times Prentice-Hall, 1999).

6. Voir Carl Shapiro et Hal Varian, « Versioning : The Smart Way to Sell Information », *Harvard Business Review,* nov-déc. 1998, pp. 106-14.

7. Peter F. Drucker, *La Nouvelle pratique de la direction des entreprises,* (Paris : Éditions d'Organisation, 1975), p. 86. Voir aussi, du même auteur, *L'Avenir du management* (Paris : Village Mondial, 1999).

8. *Dictionary of Marketing Terms*, 2ᵉ éd. Peter D. Bennett (Chicago : American Marketing Association, 1995).

9. Voir Jeffrey Rayport et John Sviokla, « Managing in the Marketspace », *Harvard Business Review,* nov-déc. 1994, pp. 141-50. Voir aussi « Exploring the Virtual Value Chain », *Harvard Business Review,* nov-déc. 1995, pp. 75-85.

10. Extrait d'une conférence de Mohanbir Sawhney, Kellogg Graduate School of Management, Northwestern University, 4 juin 1998.

11. Pour une discussion du rôle du marketing, voir plusieurs articles de la *Revue Française de Gestion* de septembre-octobre 1999, en particulier : Bernard Pras, « Les paradoxes du marketing » pp. 99-111 ; Gilles Marion, « La nouvelle crise des modèles rationalisateurs du marketing » pp. 81-90 ; et Jean-Paul Flipo, « Pouvoir et Marketing revisité », pp. 112-127.

12. Voir Evert Gummeston, *Total Relationship Marketing* (Boston : Butterworth Heinemann, 1999) ; Tim Ambler, « Le marketing relationnel », *Les Echos – L'art du Management*, 21 février 1997, pp. VII - X. Regis McKenna, *Relationship Marketing* (Reading, MA : Addison-Wesley, 1991) ; Martin Christopher, Adrian Payne et David Ballantyne, *Relationship Marketing : Bringing Quality, Customer Service, and Marketing Together* (Oxford, GB : Butterworth-Heinemann, 1991).

13. Voir James Anderson, Håkan Håkansson et Jan Johanson, « Dyadic Business Relationships Within a Business Network Context », *Journal of Marketing*, 15 oct. 1994, pp. 1-15.

14. Voir Neil Borden, « The Concept of the Marketing Mix », *Journal of Advertising Research*, n° 4, pp. 2-7. Dans un autre cadre, voir George Day, « The Capabilities of Market-Driven Organizations », *Journal of Marketing*, 58, n° 4 (oct. 1994), pp. 37-52.

15. E. Jerome McCarthy, *Basic Marketing : A Managerial Approach*, 9ᵉ édition (Homewood, III. : Richard D. Irwin, Inc. 1981), p. 39 (1ʳᵉ édit. 1960). Deux autres classifications sont dignes d'intérêt : Frey propose de regrouper tous les éléments du marketing mix en deux catégories : 1) *l'offre* (le produit, l'emballage, la marque, le prix et le service) et 2) *les méthodes et techniques* (canaux de distribution, la force de vente, la publicité, la promotion des ventes, les relations publiques). Voir Albert W. Frey, *Advertising*, 3ᵉ édit. (New York : The Ronald Press Company, 1961), p. 30 ; Lazer et Kelley ont suggéré une classification en trois catégories : 1) *le mix des biens et services ;* 2) *le mix de la distribution* et 3) *le mix des communications*. Voir Williams Lazer et Eugene J. Kelley, *Managerial marketing : Perspectives and Viewpoints*, nouv. édit. (Homewood, III. : Richard D. Irwin, Inc. 1962), p. 413.

16. Robert Lauternborn, « New Marketing Litany », *Advertising Age*, 1ᵉʳ oct. 1990, p. 26.

17. *Fortune*, « Intel's Amazing Profit Machine », 17 février 1997, pp. 60-63.

18. Voir le désormais classique article de Theodore Levitt « Marketing Myopia », *Harvard Business Review*, juil.-août 1960, pp. 43-56.

19. Voir Bruce Newman, *The Marketing of the President* (Thousand Oaks : Sage Publications, 1993) ; voir également Marc Charlot, *La Persuasion politique* (Paris : A. Colin, 1970) et Denis Lindon, *Marketing politique* (Paris : Dalloz, 1986).

20. Voir Karl Albrecht et Ron Zemke, *Service America !* (Homewood : Dow Jones-Irwin, 1985), pp. 6-7.

21. Voir John McKitterick, « What is the Marketing Management Concept ? » *The Frontiers of Marketing Thought and Action* (Chicago : American Marketing Association, 1957), pp. 71-82 ; Fred Borch, « The Marketing Philosophy as a Way of Business Life ». *The Marketing Concept : Its Meaning to Management*, Marketing series, n° 99 (New York : American Management Association, 1957), pp. 3-5 ; et Robert Keith « The Marketing Revolution », *Journal of Marketing*, janv. 1960, pp. 35-38.

22. Levitt, *op. cit.*, p. 50.

23. « Pleine vie, une nouvelle jeunesse », *La Revue des Marques*, 1ᵉʳ juil. 1998, pp. 6-21.

24. Propos tenus lors d'une conversation avec Philip Kotler. Voir aussi sur le sujet G. Carpenter et K. Nakamoto, « Consumer Preference Formation and Pioneering Advantage », *Journal of Marketing Research*, 26 août 1989, pp. 285-298.

25. Gary Hamel et C. K. Prahalad, «Seeing the Future First», *Fortune,* 5 sept. 1994, pp. 64-70.

26. Akio Morita, *Made in Japan* (Paris : Laffont, 1986).

27. *The Guardian,* «The Private World of the Walkman», 11 octobre 1999.

28. *Business Week,* «Ford : Why It's Worse Than You Think», 25 juin 2001 ; Rapport annuel 1999 de Ford ; *The Globe an Mail,* «Six Degrees of Perfection», 20 décembre 2000.

29. Frederick Reichheld, *L'Effet loyauté* (Paris : Dunod, 1996).

30. «Evian, la source miraculeuse de Danone», *Capital,* 1er août 1998, pp. 28-30.

31. Thomas Bonoma et Bruce Clark, *Marketing Performance Assessment* (Boston : Harvard Business School Press, 1988).

32. Voir le cas «Eurodisney : Un Américain à Paris», dans Christopher Lovelock et Denis Lapect, *Marketing des services* (Paris : Publi-Union, 1999, pp. 177-191).

33. Voir Anita Roddick, *Body and Soul* (New York : Crown Publishing Group, 1991).

34. Voir Hanish Pringle et Marjorie Thompson, *Brand Soul : How Cause-Related Marketing Builds Brands* (New York : John Wiley & Sons, 1999) ; Richard Earle, *The Art of Cause Marketing* (Lincolnwood : NTC, 2000).

CHAPITRE 1
Le marketing
au 21e siècle

*Adapter
le marketing
à l'économie
numérique*

DANS CE CHAPITRE,
NOUS ÉTUDIERONS
LES QUESTIONS SUIVANTES :

- Quels phénomènes caractérisent l'économie numérique ?

- En quoi Internet modifie-t-il les pratiques en matière de management et de marketing ?

- Comment les responsables marketing utilisent-ils Internet, les bases de données consommateurs et le marketing relationnel ?

*« Internet remet en cause
les positions concurrentielles :
certaines entreprises
en profiteront,
d'autres disparaîtront. »*

Les entreprises doivent aujourd'hui remettre en cause leur approche marketing. Nous utilisons dans ce livre le terme d'«économie numérique» pour décrire l'ensemble des facteurs apparus au cours des dix dernières années et qui remettent en cause les pratiques en matière de management et de marketing. L'économie actuelle associe des phénomènes anciens avec des tendances nouvelles. Voici quelques pratiques d'actualité dans un certain nombre d'entreprises :

♦ *La sous-traitance (outsourcing)* consiste à faire faire plutôt qu'à faire soi-même, dès que cela s'avère plus rentable. De plus en plus d'entreprises externalisent certaines activités dès lors que d'autres peuvent les prendre en charge plus efficacement et à moindre coût, pour ne maintenir en interne que le cœur de métier.

♦ *Le benchmarking* consiste à s'améliorer en étudiant les pratiques d'autres entreprises particulièrement performantes dans un domaine, qu'elles appartiennent ou non au même secteur d'activité.

♦ *Les partenariats* avec les fournisseurs et les distributeurs les plus importants sont de plus en plus étroits.

♦ *Les équipes transversales plurifonctionnelles* sont de plus en plus utilisées afin de gérer les processus-clés, ce qui remet en cause les organisations traditionnelles par départements.

♦ *La création de nouveaux avantages concurrentiels* devient une préoccupation croissante des entreprises, qui ne peuvent plus s'appuyer sur leurs avantages existants.

♦ *La valeur boursière* des entreprises provient désormais en grande partie d'actifs intangibles et, en particulier, des marques, de la clientèle, des employés, des relations avec les distributeurs et les fournisseurs, ainsi que du capital intellectuel.

♦ *Les systèmes d'information* font l'objet d'investissements croissants car ils permettent de réduire les coûts et d'améliorer la compétitivité.

♦ *L'orientation clients* conduit les entreprises à structurer leurs activités autour des segments de clientèle et non plus seulement autour des produits.

De nombreuses pratiques anciennes en matière de marketing, comme la publicité dans les grands médias, les visites des représentants aux clients ou la promotion des ventes, continueront d'avoir cours. Elles soulèvent toutefois des interrogations. Dépense-t-on trop en publicité média et pas assez dans la communication individualisée avec les clients ? A-t-on besoin d'une force de vente aussi importante qu'avant, maintenant que les clients disposent de nouveaux moyens pour se renseigner sur les produits, notamment *via* Internet ? Doit-on limiter les opérations ponctuelles de promotion pour privilégier des prix bas et constants ? Nous décrirons dans ce chapitre les principales caractéristiques de l'économie actuelle avant d'examiner les évolutions des pratiques marketing[1]. Nous étudierons en particulier l'utilisation d'Internet, le recours aux bases de données consommateurs et la mise en œuvre du marketing relationnel (*customer relationship management* ou CRM).

# Les principales caractéristiques
# de l'économie actuelle

Les progrès technologiques, la globalisation et la dérégulation des marchés modifient l'économie mondiale. Nous nous concentrerons ici sur quatre phénomènes récents : l'avènement du numérique et des capacités de connection, la désintermédiation et la réintermédiation des secteurs, la personnalisation de l'offre pour chaque client et la convergence sectorielle.

## L'avènement du numérique
## et les capacités de connection

Autrefois, de nombreux appareils et systèmes, comme le téléphone ou la musique pré-enregistrée, fonctionnaient par information analogique. Ils opèrent aujourd'hui par information numérique, qui convertit le texte, les données, les sons et les images en une série de zéros et de uns (les bits). Les logiciels et les systèmes d'information sont, en réalité, des instructions numériques. Mais ces systèmes ne fonctionnent que si des appareils séparés peuvent être reliés entre eux, d'où l'importance d'une communication en réseau. Internet, l'« autoroute de l'information », transmet les informations à une vitesse record d'un ordinateur à l'autre, partout dans le monde. D'autres appareils permettent aujourd'hui de se connecter au Web (voir encadré 2.1). Lorsque les personnes connectées appartiennent à la même entreprise, on parle d'*Intranet*; lorsqu'une entreprise communique avec ses fournisseurs ou ses distributeurs, on parle d'*Extranet*.

## Désintermédiation et réintermédiation

Les possibilités offertes par les nouvelles technologies ont incité des milliers d'entrepreneurs à travers le monde à créer des *start-ups* fondées sur Internet. L'immense succès des premières d'entre elles, tels AOL, Amazon ou Yahoo, a, dans un premier temps, inquiété de nombreux fabricants et distributeurs établis de longue date. Par exemple, Compaq a eu du mal à capitaliser sur les opportunités stratégiques offertes par Internet à cause de son réseau de distributeurs, tandis que Dell se développait grâce à la vente en ligne et à l'interaction directe avec les clients.

De nombreux détaillants disposant d'un réseau de points de vente se sont interrogés sur leur avenir, tandis qu'une part croissante des ventes se faisait directement sur Internet. Ils craignaient, à juste titre, d'être victimes de la *désintermédiation*. En parallèle, sont apparus de nouveaux intermédiaires fournissant des services Internet aux entreprises et aux consommateurs : la *réintermédiation* a eu lieu à grande échelle.

❖ La *désintermédiation* correspond à la disparition des intermédiaires, tandis que la *réintermédiation* correspond à l'apparition de nouveaux intermédiaires.

Le développement d'Internet a donc provoqué un triple phénomène : l'apparition de nouveaux intermédiaires venant se substituer aux anciens, tout en offrant à peu près les mêmes fonctions (comme Alapage ou Amazon dans la vente de livres); la suppression des intermédiaires entre le fabricant et le client (comme dans le cas de Dell); l'apparition d'intermédiaires d'un nouveau type (comme Priceline)[2].

# Les nouvelles opportunités liées au m-commerce

Les consommateurs et les responsables d'entreprises n'ont plus besoin d'utiliser un ordinateur pour envoyer ou recevoir de l'information. Il leur suffit de disposer d'un téléphone portable ou d'un agenda électronique. En connectant ces appareils à Internet, ils pourront bientôt connaître le cours des actions en bourse, la météo ou les résultats sportifs, envoyer ou recevoir des messages e-mail, ou encore commander des produits. On incorpore aujourd'hui aux tableaux de bord des voitures et des camions des ordinateurs connectés à Internet. On multiplie les applications à domicile, sans fil, pouvant être utilisées depuis la maison ou à proximité.

De nombreux experts se montrent très optimistes quant à l'avenir de ce que l'on appelle désormais le m-commerce (*m* pour mobile). S'il est encore peu développé aux États-Unis et en Europe, il connaît d'ores et déjà un grand succès au Japon, où deux millions d'adolescents utilisent leur téléphone pour visionner des mangas, lire des haïkus ou échanger des messages avec leurs amis. Ils ont également accès aux catalogues d'un millier d'entreprises et peuvent passer commande. Une personne souhaitant acheter des chaussures de sport peut consulter le catalogue chaussures, puis celui de la marque Nike, puis les styles et les tailles, avant d'enregistrer sa commande. Son adresse étant incorporée au système, ses chaussures seront envoyées à un magasin proche de chez elle ou de son lieu de travail.

Le client pourra les récupérer dans le magasin ou se les faire livrer à domicile. Chaque mois, la facture envoyée par NTT (Nippon Telephone & Telegraph) inclut l'abonnement, le coût des communications et le montant des transactions effectuées.

Selon IDC, une entreprise d'étude des nouvelles technologies, le marché mondial pour ce type de services pourrait avoisiner 5 milliards d'euros en 2004. Voici quelques possibilités réalisables dans le futur :

♦ Acheter une cannette de boisson dans un distributeur automatique en le connectant à son téléphone. Au moment où la bouteille tombe, le montant d'achat correspondant est automatiquement débité du compte bancaire du propriétaire du téléphone.

♦ Utiliser son téléphone pour identifier un restaurant proche du lieu où l'on se trouve et correspondant aux critères recherchés.

♦ Procéder à des transactions boursières, tout en étant installé au restaurant.

♦ Utiliser son téléphone pour régler la facture du repas, le téléphone portable remplaçant la carte de crédit.

♦ Rentrer chez soi et ouvrir sa porte en composant un code sur son téléphone.

Pour favoriser le développement du m-commerce, il reste à trouver des solutions au problème de rapidité de la transmission de l'information par Internet sur les mobiles et à multiplier les applications susceptibles de motiver les clients potentiels. Certains experts s'inquiètent en outre du respect de la vie privée dans de tels systèmes.

*Source :* Douglas Lamont, *Conquering the Wireless World : the Age of m-Comerce* (New-York : Wiley, 2001).

■ **PRICELINE.COM** permet à l'internaute d'indiquer le prix qu'il est prêt à payer pour un billet d'avion, une nuit d'hôtel, une voiture, etc. Dans ce dernier cas, par exemple, Priceline faxe les informations sur l'achat potentiel à des concessionnaires et indique en réponse à l'internaute la meilleure affaire qu'il peut réaliser. Celui-ci confirme sa commande en retour. Les clients paient ce service 25 dollars, contre 75 dollars pour le concessionnaire.

# La personnalisation des produits et des approches marketing

Le système économique hérité de la révolution industrielle rassemble des entreprises de fabrication à grande échelle, qui standardisent la production, les produits et les processus de fabrication, et bénéficient ainsi d'économies d'échelle. Elles consentent des investissements importants dans la construction des marques qui mettent en valeur ces offres standardisées.

À l'opposé de ce modèle, l'économie numérique repose sur l'échange d'informations qui facilitent la différenciation et la personnalisation. Au fur et à mesure que les entreprises collectent de nombreuses informations sur les clients individuels et sur les partenaires (fournisseurs, distributeurs, détaillants), et que les usines sont conçues pour une plus grande flexibilité, les entreprises deviennent capables d'individualiser les produits, les messages et les médias. Comme l'indique la définition ci-après, cette évolution rassemble deux phénomènes.

❖ La *personnalisation* combine à la fois l'adaptation opérationnelle des produits aux souhaits des clients et la construction d'une relation individualisée avec eux par l'adaptation des outils marketing employés.

Internet a permis aux entreprises de demander aux consommateurs de concevoir leur propre produit : ils sont devenus coproducteurs. L'entreprise fournit l'atelier que chaque client utilise pour fabriquer le produit désiré. Par exemple, Dell propose à chaque client de définir les caractéristiques de l'ordinateur qu'il veut acheter, puis en assure la livraison en quelques jours. Sur son site, Laguiole permet de choisir le manche, la lame et la gravure du couteau désiré. Procter & Gamble, sur www.reflect.com, permet à chacun d'indiquer ses besoins en matière de shampooing, après quoi est fabriqué ce produit spécifique. Ces approches inversent la séquence chronologique classique entre fabrication et vente.

En parallèle, l'entreprise peut désormais interagir avec chaque client et construire avec lui une relation spécifique composée de messages, de services, de circuits de distribution et de niveaux de prix spécifiquement adaptés. Se développe ainsi une véritable relation interactive et personnalisée, habituellement désignée sous le terme d'approche *one to one*[3].

La personnalisation présente quelques limites. Elle ne s'applique pas aux produits complexes, comme les voitures, et peut augmenter les coûts dans des proportions inacceptables pour les clients. En outre, les clients ne savent pas toujours quelles caractéristiques précises ils souhaitent pour leurs produits, tant qu'ils ne les ont pas vus. Or ils ne peuvent évidemment pas annuler une commande *a posteriori*, si l'entreprise a déjà commencé à fabriquer le produit sur mesure.

# La convergence intersectorielle

Les frontières entre secteurs deviennent de plus en plus floues. Les laboratoires pharmaceutiques développent désormais des activités de biogénétique, dans l'objectif d'élaborer de nouveaux médicaments, des cosmétiques et même des produits alimentaires. Shiseido, entreprise de cosmétiques japonaise, commercialise des médicaments dermatologiques. Des fabricants de pellicules comme Kodak évoluent vers des activités électroniques afin de numériser les images. Disney ne limite plus ses activités aux dessins animés et aux parcs d'attraction, mais produit des films, accorde des licences sur ses personnages, gère des magasins, des hôtels et mêmes des infrastructures éducatives. Dans tous ces cas de figure, les entreprises ont identifié de nouvelles opportunités à l'intersection des anciens secteurs. Y répondre exige toutefois de développer des connaissances sur de nouveaux marchés et de nouveaux concurrents, tout en multipliant les synergies entre des parties dissociées de l'activité.

## Les réponses des entreprises à ces évolutions

Les évolutions technologiques et économiques évoquées ci-dessus ont radicalement modifié les pratiques des entreprises (voir tableau 2.1). Examinons successivement ces évolutions.

**TABLEAU 2.1**
Comparaison entre économie traditionnelle et économie actuelle

| Économie traditionnelle | Économie actuelle |
|---|---|
| Organisation par unité de production | Organisation par segment de marché |
| Focalisation sur la rentabilité des transactions | Focalisation sur la valeur à vie du client |
| Intérêt pour les indicateurs financiers | Prise en compte aussi des indicateurs marketing |
| Intérêt pour les actionnaires | Intérêt pour tous les acteurs de l'entreprise |
| Marketing pris en charge par le département marketing | Marketing pris en charge par l'ensemble de l'entreprise |
| Construction des marques à travers la publicité | Construction des marques à travers la performance |
| Intérêt pour la conquête du client | Intérêt pour la fidélisation du client |
| Absence de mesure de la satisfaction du client | Mesure de la satisfaction et du taux de fidélité du client |
| Tendance à sur-promettre et à offrir moins | Tendance à sous-promettre et à offrir plus |

**L'ADOPTION D'UNE ORGANISATION PAR SEGMENT DE MARCHÉ** ❖ Traditionnellement, une entreprise qui fabrique plusieurs produits désigne des responsables de produits ou de divisions chargés de leur gestion. Aujourd'hui, de plus en plus de firmes constituent des groupes marketing en charge des groupes de clients qui se caractérisent par des besoins et des processus d'achats distincts.

**LA FOCALISATION SUR LA VALEUR À VIE DU CLIENT** ❖ Dans l'économie traditionnelle, les entreprises cherchent à faire en sorte que chaque transaction soit rentable. Dans l'économie numérique, on s'intéresse davantage à la valeur à vie du client, en concevant une offre et des prix susceptibles de rentabiliser la relation à long terme. Concrètement, on pourra donc parfois réduire les prix, dans l'objectif d'attirer de nouveaux consommateurs ou de garder certains clients que l'on espère retenir sur le long terme.

**LA PRISE EN COMPTE DES INDICATEURS MARKETING** ❖ La plupart des dirigeants évaluent la performance de leur entreprise en fonction des indicateurs financiers mentionnés dans le compte de résultat et le bilan. Dans l'économie numérique, ils prennent également en compte des indicateurs marketing, tels que les évolutions des parts de marché (et non plus seulement des chiffres d'affaires), la satisfaction et les taux de défection des clients, la qualité comparée du produit avec celle de ses concurrents, etc. L'analyse des indicateurs marketing permet souvent d'anticiper les résultats financiers à venir.

**LA PRISE EN COMPTE DE TOUS LES ACTEURS DE L'ENTREPRISE** ❖ Traditionnellement, les dirigeants d'entreprises considèrent que leur première attribution consiste à générer des profits pour les actionnaires. Les autres acteurs sont perçus comme secondaires. On traite l'activité de l'entreprise comme un jeu à somme nulle, dans lequel on génère davantage de profits en réduisant les coûts associés aux employés, aux fournisseurs, aux distributeurs et aux clients. Dans l'économie actuelle, on est davantage sensibilisé à l'importance de créer de la valeur en commun. On définit donc avec soin les acteurs à prendre en compte et on développe des stratégies visant à équilibrer les revenus de chacun.

**LA PRISE EN CHARGE DU MARKETING PAR L'ENTREPRISE TOUT ENTIÈRE** ❖ De nombreuses entreprises ont créé un département marketing chargé de créer de la valeur pour les clients. Malheureusement, cela incite souvent les autres services à se désintéresser des prestations fournies aux clients. Or, comme le soulignait David Packard de Hewlett-Packard, «le marketing est bien trop important pour être uniquement confié aux responsables marketing». Tout employé influence la prestation fournie. Chacun doit donc considérer le client comme étant à l'origine des ressources de l'entreprise. Cette approche, souvent appelée «orientation marché», correspond à l'essence même de l'optique marketing telle que nous l'avons décrite au premier chapitre.

**LA CONSTRUCTION DES MARQUES PAR LA PERFORMANCE** ❖ Pendant longtemps, les entreprises ont massivement investi dans la publicité afin de construire la notoriété et l'image de leurs marques. Pourtant, la valeur accordée aux marques repose davantage sur l'expérience qu'en a faite chaque client et sur le bouche-à-oreille. D'où l'importance de diversifier les outils de communication utilisés et d'y intégrer l'organisation d'événements, le sponsoring ou les relations publiques.

**L'IMPORTANCE ACCORDÉE À LA FIDÉLISATION DES CLIENTS** ❖ Les entreprises ont longtemps cherché à se développer à partir de la conquête de nouveaux clients. En conséquence, les vendeurs avaient moins de temps à consacrer à la satisfaction des clients actuels, ce qui provoquait le départ de certains d'entre eux. Aujourd'hui, les entreprises se préoccupent davantage de la fidélisation puisque attirer un nouveau client peut coûter, semble-t-il, cinq fois plus cher que de retenir un client actuel.

**L'ADOPTION D'INDICATEURS VISANT À MESURER LA SATISFACTION DE LA CLIENTÈLE** ❖ Pendant longtemps, rares furent les entreprises cherchant à réaliser un suivi chiffré de la satisfaction de leurs clients et à analyser les facteurs susceptibles de l'influencer. Elles fondaient leurs analyses sur des informations ponctuelles, souvent peu fiables, comme les plaintes de certains clients. Aujourd'hui, un nombre croissant d'entreprises font de la satisfaction une de leurs priorités. Par exemple, IBM mesure systématiquement la satisfaction de chaque client après sa rencontre avec un vendeur et utilise cet indicateur pour calculer les primes touchées par les représentants.

**LA TENDANCE À SOUS-PROMETTRE ET À OFFRIR DAVANTAGE** ❖ Autrefois, pour emporter une commande, les vendeurs faisaient souvent des promesses excessives sur la qualité ou les conditions de livraison, et ce, sans se préoccuper des conséquences. Certaines publicités surévaluaient systématiquement les performances des produits. On sait aujourd'hui que la satisfaction du client résulte d'une comparaison entre ses attentes à l'égard du produit (résultant en particulier des promesses réalisées) et la performance réelle de celui-ci. En conséquence, les entreprises cherchent à coordonner promesses et prestations. Certaines choisissent même de sous-évaluer le produit dans leurs promesses, afin de provoquer une bonne surprise chez le client lorsqu'il le reçoit ou l'utilise. Cette tendance est encouragée par le pouvoir accru des consommateurs dans leurs relations avec les entreprises et l'extrême rapidité du bouche-à-oreille électronique dans l'économie numérique.

**UNE ÉCONOMIE HYBRIDE** ❖ La plupart des entreprises réunissent les caractéristiques de l'économie traditionnelle et celles de l'économie numérique. Elles doivent associer les compétences qui se sont avérées efficaces dans le passé et la compréhension des évolutions récentes. Les marchés comprennent des consommateurs traditionnels qui n'achètent pas en ligne, des cyber-consommateurs qui achètent beaucoup sur Internet, et des consommateurs hybrides qui associent les deux modes d'achat[4]. Ceux-ci achètent leurs produits alimentaires en hypermarché parce qu'ils veulent voir les fruits et légumes, choisissent certains vêtements en magasin après les avoir essayés, sélectionnent leurs parfums en parfumerie afin de les sentir et d'interagir avec les vendeuses. Pour d'autres produits ou d'autres occasions d'achat, ils ont recours à Internet qui leur fait gagner du temps. Les entreprises doivent analyser les avantages de chaque type d'achat et repenser l'ensemble de leur stratégie en conséquence. Dans les pages suivantes, nous examinerons deux nouvelles pratiques adoptées par les entreprises : l'e-business et la gestion de la relation client.

## L'e-business

Le développement d'Internet et de l'économie numérique a provoqué l'apparition de nouvelles activités économiques et la transformation de nombreuses activités existantes.

❖ Le terme *e-business* désigne l'ensemble des pratiques des entreprises, qui reposent sur des moyens et des plates-formes électroniques.

Grâce à Internet, les entreprises peuvent aujourd'hui conduire leurs activités de manière plus rapide, plus précise et à moindre coût, tout en personnalisant leurs offres et en élargissant leur horizon temporel et spatial. L'e-business passe par la création de sites Internet divulguant des informations sur les produits et services offerts, de systèmes Intranet facilitant la communication entre et avec les employés, et de systèmes Extranet permettant d'échanger des informations et de conclure des transactions avec les principaux fournisseurs et distributeurs.

La plupart des sites Internet se contentent aujourd'hui de fournir des informations sans permettre l'achat. Le commerce électronique, qui constitue une partie de l'e-business, consiste à proposer la vente de produits en ligne. Le marketing électronique désigne une pratique plus large et, décrit les efforts de l'entreprise pour informer, promouvoir et éventuellement vendre ses produits et services sur Internet.

On distingue quatre grands domaines au sein de l'e-business et du commerce électronique : les activités des entreprises destinées aux consommateurs individuels (*business to consumers* ou *b-to-c*), les activités destinées à des entreprises clientes (*business to business* ou *b-to-b*), la communication de consommateur à consommateur (*consumers to consumers*) et la communication des consommateurs aux entreprises (*consumers to businesses*). Nous n'examinerons pas dans les paragraphes suivants les relations intégrant l'État et les organismes publics.

## Les activités Internet à destination des consommateurs individuels (*b-to-c*)

Fin 2001, on comptait en France environ 12 millions d'internautes[5] qui, chaque mois, se connectaient en moyenne une vingtaine de fois à Internet et visitaient une cinquantaine de sites[6]. Les achats en ligne ne correspondent qu'à une partie de ces connexions. Ils concernent principalement : les voyages, les transports et l'hôtellerie (44 % du chiffre d'affaires du commerce électronique en 2001), l'informatique et le multimédia (13 %), l'alimentation et les boissons (12 %), le mobilier et l'électroménager (9 %), les produits culturels (8 %), et l'habillement (6 %)[7].

L'achat sur Internet est particulièrement prisé pour les produits caractérisés par une grande facilité de commande et des prix limités. Il se développe également lorsque l'acheteur prend sa décision en fonction d'informations précises et objectives sur les caractéristiques des produits et sur les prix (voitures, ordinateurs). Internet semble moins utile lorsque l'achat exige d'examiner les produits. Il existe cependant quelques exceptions, tels la vente de fleurs (avec des sites comme Aquarelle) ou le bricolage (avec un site comme Castorama). Ainsi, la vente de bijoux, de fleurs et de cadeaux a représenté en 2001 un chiffre d'affaires de 13 millions d'euros, soit 2 % du commerce en ligne à destination des particuliers.

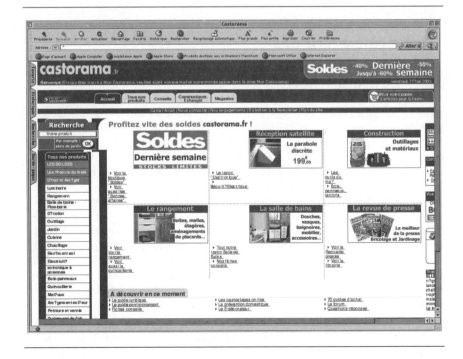

■ CASTORAMA a ouvert dès 1998 un site de conseils. Ensuite, l'entreprise a créé des forums permettant aux bricoleurs d'échanger leurs «tuyaux», puis elle a mis en ligne des séminaires de formation. Le numéro un du bricolage est finalement passé à la vente en ligne en 2001 : on peut désormais se faire livrer une gouttière, un rabot ou un tournevis sur tout le territoire français. Cependant, faire de l'e-commerce dans ce secteur est délicat : il faut présenter de manière simple des objets souvent techniques et répondre aux questions spécifiques des clients. Le site www.castorama.fr repose sur une ergonomie simple, avec un moteur de recherche placé en évidence sur la page d'accueil, l'affichage des produits connexes au produit en cours d'examen, et la possibilité de poser des questions à un expert par e-mail. Castorama a choisi de limiter le nombre de références mises en ligne à 5 000 (soit moins de 10 % de l'offre de ses magasins), de facturer à la livraison et d'adopter une politique de prix réaliste en imputant au client une partie des coûts de livraison[8].

Les acheteurs en ligne sont en général plus jeunes, plus aisés et d'un niveau d'études supérieur à celui de l'ensemble de la population. Cependant, au fur et à mesure que l'usage d'Internet se répand, leur profil tend à s'homogénéiser avec celui de la population française. Quant au sexe des internautes, en septembre 2001, 59 % d'entre eux étaient des hommes[9], chiffre qui semble relativement stable même si, dans d'autres pays, la répartition des internautes entre hommes et femmes a tendance à s'équilibrer.

Avec le développement d'Internet, les consommateurs contrôlent davantage les processus d'échange. Les entreprises doivent désormais attendre que les clients les invitent à participer à un échange d'informations ou à une transaction. Même une fois le processus d'échange commencé, ce sont les consommateurs qui définissent les règles en choisissant les informations auxquelles ils ont accès et les offres qu'ils consultent (voir encadré 2.2).

---

**2.2**

### Le rôle accru des consommateurs à l'heure d'Internet

Christopher Locke, Rick Levine, Doc Searls et David Weinberger considèrent qu'Internet introduit un changement profond dans la nature des relations entre les entreprises et les consommateurs. Ils soulignent la nécessité, pour les entreprises, d'agir en conséquence et de changer leur manière d'appréhender leurs clients et leurs politiques marketing.

Ils ont publié un ouvrage autour de 95 idées phares, parmi lesquelles : «les marchés sont des conversations» ; «les marchés sont composés d'êtres humains et non de groupes démographiques» ; «les marchés deviennent plus intelligents, mieux informés et mieux organisés» ; «les individus en réseau ont compris qu'ils obtiennent davantage d'information et d'aide en communiquant les uns avec les autres plutôt qu'avec des vendeurs» ; «lorsqu'ils obtiennent une information, qu'elle soit bonne ou mauvaise, ils la transmettent largement» ; «les consommateurs ne se satisfont plus de brochures ou de sites Internet multicolores, s'ils ne contiennent pas suffisamment d'informations» ; «si une entreprise souhaite que les consommateurs s'adressent à elle, elle doit leur transmettre des informations intéressantes».

L'ouvrage souligne que les entreprises sont trop bureaucratiques et qu'elles pratiquent trop souvent la manipulation dans des communications à sens unique. D'où l'importance de reconnaître qu'aujourd'hui, les marchés sont des conversations à double sens entre l'entreprise et les clients.

---

*Source* : Christopher Locke, Rick Levine, Doc Searls et David Weinberger, *Liberté pour le Net, le manifeste Cluetrain* (Paris : Village Mondial, 2001). www.cluetrain.com

# Les activités Internet
# à destination des entreprises (*b-to-b*)

Bien que la presse rende surtout compte des activités Internet destinées aux particuliers, la plupart des achats en ligne sont réalisés par une clientèle d'entreprises. En 2000, en France, la vente en ligne aux entreprises a représenté un chiffre d'affaires de 716 millions d'euros[10], soit trois fois plus qu'en 1999. Selon Forrester et Gartner, deux sociétés d'études spécialisées, le commerce en ligne à destination des entreprises représente des montants dix à quinze fois plus élevés que celui concernant les particuliers.

Le commerce électronique en ligne modifie en profondeur les relations entre client et fournisseur (voir figure 2.1). Concrètement, il peut prendre plusieurs formes, depuis le troc et la transaction ponctuelle jusqu'à la construction de réseaux Extranet visant à coordonner plus efficacement les relations avec des fournisseurs partenaires.

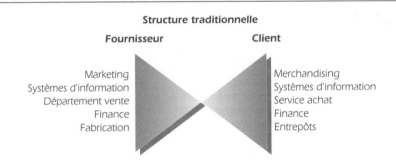

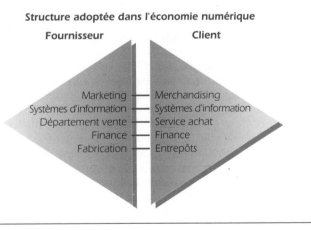

**FIGURE 2.1**
La relation client-fournisseur dans une structure traditionnelle et dans le cadre d'un échange sur Internet.

L'achat de produits de commodité standardisés peut désormais être réalisé sur des carrefours d'affaires électroniques (*e-marketplaces*) qui rassemblent un grand nombre d'acheteurs et de vendeurs. Cependant, les services achats des entreprises hésitent souvent à finaliser les transactions en ligne, en particulier lorsqu'elles impliquent des acteurs qu'ils connaissent mal et avec lesquels ils n'ont encore jamais conclu de transaction. Ils préfèrent donc identifier un vendeur prometteur sur Internet avant d'entamer une négociation en face-à-face ou par téléphone. Aujourd'hui, les places de marché sur Internet connaissent des difficultés et leur utilisation semble limitée aux transactions sans risque perçu pour l'acheteur[11]. Certains fournisseurs dénoncent la pression accrue sur les prix, non compensée, selon eux, par l'augmentation modeste du nombre de clients potentiels contactés. Certains carrefours d'affaires sont largement ouverts.

- ■ **FREEMARKETS** est un réseau de commerce en ligne qui rassemble plus de 150 000 fournisseurs et une centaine d'acheteurs industriels du monde entier, pour plus de 165 catégories de produits et de services. Depuis sa création en 1995, cette entreprise a organisé plus de 10 000 ventes aux enchères dans plus de 13 pays.

D'autres carrefours d'affaires font l'objet d'une spécialisation sectorielle.

- ■ **PLASTICSNET.COM.** Ce site du secteur plastique attire chaque mois environ 90 000 visiteurs intéressés par les quelque 200 fournisseurs référencés. Il facilite les transactions en ligne, propose un annuaire des fournisseurs et inclut des descriptifs de matériel, une analyse sectorielle et une liste de programmes de formation, d'ouvrages et de séminaires relatifs à l'industrie plastique.

Dans certains secteurs, plusieurs entreprises ont conclu des alliances d'achat afin d'accroître les volumes achetés et d'abaisser les prix consentis par les fournisseurs. Ainsi, General Motors, Ford et DaimlerChrysler ont formé le groupe Covisint, qui leur permet de combiner leurs achats et d'économiser 1 200 euros par voiture. Coca-Cola, Sara Lee, Kraft et d'autres entreprises de grande consommation ont constitué le groupe Transora, pour réaliser des économies sur l'achat de matières premières et d'équipement logistique. De telles initiatives sont délicates à concrétiser mais, lorsqu'elles fonctionnent, elles accroissent la pression sur les fournisseurs.

Enfin, certaines entreprises ont investi dans des systèmes d'achat sur Internet, comme General Electric qui demande à tous ses partenaires de rejoindre son réseau d'achat en ligne intitulé *The Trading Process Network* (TPN), initiative qui pourrait lui permettre d'économiser 200 millions d'euros par an à partir de 2003. Il s'agit donc, ici, d'optimiser les processus d'achats réguliers et de faire baisser leur coût de traitement, en liaison avec les fournisseurs avec lesquels l'entreprise a l'habitude de travailler.

Ces sites d'achat interentreprises visent à rendre les marchés plus efficients. Autrefois, les services achats des entreprises devaient consentir des efforts importants pour collecter l'information sur les fournisseurs potentiels. Avec Internet, l'accès à une information beaucoup plus large est facilité par : 1) les sites Internet des fournisseurs ; 2) les *infomédiaires*, tiers qui rassemblent l'information sur les alternatives existantes ; 3) les *faiseurs de marché*, tiers qui mettent en relation les acheteurs et les vendeurs ; 4) les communautés de clients, qui diffusent des informations sur les produits et les services des fournisseurs[12]. Ces différents mécanismes accroissent la transparence des prix. Enfin, et peut-être surtout, le recours aux réseaux Internet et Extranet permet de baisser considérablement les coûts de traitement des achats.

## Les échanges entre consommateurs
### (*consumers to consumers*)

Si le canal de communication électronique le plus utilisé entre consommateurs reste l'e-mail, Internet permet également la communication en ligne autour d'une infinie variété de sujets. Ainsi, AOL intègre environ 14 000 forums de discussion sur des sujets aussi divers que l'alimentation et la santé, les soins à apporter à un bonsaï ou les séries télévisées. Le site vient aussi de créer des «listes de copains» (*buddy-lists*) dont les membres sont alertés dès que l'un d'entre eux est connecté, afin de favoriser l'échange instantané de messages.

De nombreuses communautés virtuelles de consommateurs se constituent aujourd'hui sur le web autour de passions communes. Véronique et Bernard Cova citent l'exemple de «Furbyville», un forum de discussion créé sur e-Bay par les passionnés de Furby, petite créature électronique en peluche qui parle et réagit à ce que l'on fait avec elle. L'émotion partagée est si forte que «certains membres vont jusqu'à dire que leurs meilleurs amis se trouvent à Furbyville. Car, au-delà des discussions axées sur leur monde imaginaire, les membres de Furbyville échangent des conseils sur tout : santé, problèmes d'ordinateur et même ennuis financiers. [...] Furbyville devient ainsi une communauté de soutien social pour ses membres, notamment lorsqu'ils affrontent un événement difficile ; ils y trouvent une réponse et un appui instantanés[13] ».

L'échange sur Internet consiste à faire circuler des informations mises à disposition par les entreprises, mais aussi créées par les consommateurs eux-mêmes. Il implique donc un contrôle bien moindre que les modes de communication fondés sur les médias de masse. Le bouche-à-oreille électronique va très vite, surtout lorsqu'il est négatif. Enfin, les échanges entre consommateurs peuvent consister en des transactions à travers les sites de troc ou d'enchères.

■ **E-Bay** est une communauté commerciale qui intègre plus de 23 millions d'utilisateurs inscrits. Le site Internet accueille chaque mois plus de 2 millions de ventes aux enchères dans plus de mille catégories de produits, depuis les bijoux, les timbres et les meubles anciens jusqu'à l'électronique grand public. E-bay est aujourd'hui implantée dans de nombreux pays, notamment aux États-Unis, au Japon, en France, au Royaume-Uni et en Allemagne.

## La transmission d'informations des consommateurs aux entreprises (*consumers to businesses*)

Les consommateurs, de leur côté, jugent qu'il est aujourd'hui plus facile de communiquer avec les entreprises. Celles-ci invitent les prospects et les clients à envoyer leurs questions, leurs suggestions et leurs réclamations par e-mail. Certains sites incluent même un bouton d'appel : si le client clique dessus, son téléphone sonne immédiatement et il a au bout du fil un représentant de l'entreprise prêt à répondre à ses questions. Malgré les possibilités offertes par la technologie, de nombreuses entreprises pèchent par la lenteur avec laquelle elles répondent aux messages électroniques de leurs clients. Les entreprises les plus performantes se caractérisent par leur rapidité de réponse, l'envoi de lettres d'information électroniques, l'offre personnalisée de produits ou de promotions en fonction de l'historique des achats de chacun, et les rappels individualisés relatifs au renouvellement des garanties et des services (voir encadré 2.3).

## Les entreprises présentes sur Internet

On distingue les entreprises 100 % Internet («pur clic»), qui n'existaient pas avant le lancement de leur site, et les entreprises préexistantes, qui ont ajouté à leurs activités antérieures un site d'information et/ou de vente («brique et clic»).

# Exemple d'un site de commerce en ligne adossé à un centre d'appel téléphonique : Laredoute.fr

Les ventes en ligne de La Redoute reposent sur neuf sites destinés aux clients français, européens et américains, pour un chiffre d'affaires de 59 millions d'euros en 2001 (3,8 % du CA total). Le site français accueille chaque mois 400 000 visiteurs et affiche un taux record de transformation : 10 % des visiteurs procèdent à un achat, pour un panier moyen de 150 euros.

Cette bonne performance résulte d'une politique prudente, fondée sur la fidélisation du client à travers un site ergonomique, des fiches techniques détaillées, des conseils d'achat, des conditions de livraison fiables et rapides correspondant à celles de la vente par correspondance classique, et une politique promotionnelle attractive. De nombreuses opérations sont présentées exclusivement sur Internet, comme « le mois du high tech » réalisé en partenariat avec de grandes marques.

Le site est adossé à une plate-forme téléphonique spécifiquement dédiée à la vente en ligne, qui répond aux questions que les clients posent par e-mail, par téléphone (dans un mode *call-back*) ou sur des forums de discussions. Pour Jean-Marie Boucher, directeur e-commerce, cette plateforme a une vocation totalement différente de celle dédiée à la vente par correspondance, qui enregistre les transactions et constitue un canal de commande : « Dans le cas d'Alloweb, nous avons un outil qui permet de gérer la relation complète avec un client », et de répondre non seulement aux sollicitations qui précèdent l'achat mais aussi à celles qui suivent la vente. Premier *Web Call Center* créé en France en 1999, Alloweb gère 20 000 contacts par mois, portant sur le suivi des commandes et les échanges de produits (40 %), des questions commerciales et générales (30 %), des interrogations techniques sur les produits (20 %), des problèmes techniques et des réparations (10 %). L'objectif est de répondre à toutes les demandes dans la journée. Pour 80 % des questions, les huit conseillers de clientèle sont en mesure de répondre directement ; pour les 20 % restants, ils font appel à des spécialistes internes. Parallèlement à l'extension du site, l'entreprise développe une bibliothèque de réponses et accroît la part de celles qui sont automatisées.

*Source : LSA*, «La redoute.fr en pleine forme», 18 avril 2002, p. 30 et «La Redoute.fr mise sur une relation client sur mesure», 10 mai 2002, p. 58.

**LES ENTREPRISES 100 % INTERNET** ❖ Il existe plusieurs catégories d'entreprises de ce type : les moteurs de recherche, les prestataires de service en ligne, les sites de vente en ligne, les sites de transaction, les sites de contenu, et les sites dont la vocation n'est pas de fournir des services mais d'aider les gens à trouver eux-mêmes des solutions en leur fournissant, par exemple, du matériel et des logiciels. Les sites portails, comme Yahoo ou Alta Vista, ont démarré leur activité comme des moteurs de recherche, puis ont multiplié les services offerts, en y incluant des informations sur l'actualité, la météo, les cours de la Bourse ou les loisirs et en cherchant à s'imposer comme le point d'entrée sur Internet. Certains d'entre eux, tel AOL, proposent l'accès à Internet et à l'e-mail moyennant un abonnement. Les sites de commerce en ligne vendent toutes sortes de produits (livres, CD, jouets, produits d'assurance, vêtements, placements financiers, etc.). Parmi les plus connus, on trouve Amazon, Alapage ou Marcopoly qui vend des produits d'électroménager et d'électronique grand public. Les sites de transaction, comme les sites d'enchères du type e-Bay, touchent une commission sur chaque transaction effectuée sur leur site. Les sites de contenu, enfin, comme Le Journal du Net ou l'Encyclopedia Britannica proposent des informations.

Les entreprises 100 % Internet ont atteint un niveau de capitalisation astronomique à la fin des années 1990, dépassant parfois la valeur boursière de grandes entreprises traditionnelles comme Pepsi-Cola. Elles étaient considérées comme une réelle menace pour les entreprises classiques jusqu'à l'e-crash de 2000. De nombreuses start-ups Internet ont alors fait faillite. Plusieurs raisons expliquent les échecs rencontrés : l'absence de business-plan précis et susceptible de générer des profits ; des sites mal conçus, trop complexes et trop lents ; des infrastructures insuffisantes pour livrer les produits dans de bonnes conditions ou pour répondre aux demandes des clients ; une arrivée précipitée sur le marché sans étude préalable.

En effet, on considérait généralement que les premières entreprises à s'implanter dans une catégorie deviendraient leaders car elles pourraient exploiter les externalités de réseau, c'est-à-dire le fait que, pour chaque internaute, l'intérêt de se connecter à un site est souvent proportionnel au nombre de personnes qui l'utilisent déjà[14]. Cette croyance généralisée en l'avantage du pionnier sur Internet a incité certaines entreprises à ouvrir leur site trop rapidement et à dépenser des sommes extrêmement élevées en publicité de masse pour se faire connaître et attirer les internautes. Elles se sont consacrées à l'acquisition de nouveaux clients au lieu de travailler leur relation avec des clients susceptibles d'être fidélisés. L'absence de barrières à l'entrée pour les concurrents, associée à la facilité avec laquelle les clients peuvent changer de site pour obtenir de meilleurs prix, ont forcé ces start-ups à baisser leurs prix et à rogner sur leurs marges.

Cependant, de nombreuses start-ups Internet ont non seulement survécu mais aussi prospéré. Certaines enregistrent encore des pertes, mais leurs modèles économiques sont fondamentalement sains.

**LES ENTREPRISES ALLIANT INTERNET ET DES ACTIVITÉS TRADITIONNELLES** ❖ Les entreprises traditionnelles disposant de points de vente classiques ont d'abord attendu de voir si les start-ups Internet allaient disparaître. Elles ont ensuite ouvert des sites Internet pour y présenter leurs produits, mais sans y proposer d'achat en ligne, de crainte des conflits avec leur réseau de distribution traditionnel. Dans un troisième temps, elles ont permis l'achat de leurs produits sur Internet, du moins en partie. Une certaine prudence prévaut encore dans de nombreuses entreprises, afin de ne pas mécontenter les gérants de magasins et les revendeurs. Certaines sociétés limitent les gammes proposées sur Internet, comme Devernois qui propose sur son site 42 modèles parmi les 1 000 référencés dans ses magasins, ou Décathlon qui ne commercialise sur son site que les produits de ses marques propres[15]. D'autres enseignes rassurent leurs réseaux traditionnels en recourant à divers arguments :

♦ Elles maintiennent une parité des prix entre les magasins et Internet, pour lequel il faut parfois ajouter les coûts de livraison.

♦ Elles montrent la complémentarité de clientèle entre les deux réseaux, que ce soit en termes géographiques (par exemple, Princesse Tam Tam vend en ligne dans plusieurs pays d'Europe alors que les magasins sont limités à l'Hexagone), ou en termes de profil : Internet permet de capter de nouveaux consommateurs qui n'ont ni le temps ni le désir de venir en magasin.

♦ Certaines font remarquer que la majeure partie des connections sur leur site visent à collecter des informations sur les produits et sont suivies d'un achat en magasin[16].

■ GAP.COM attire plus d'un million de visiteurs par mois. Le site met en avant l'image fonctionnelle des magasins Gap et semble coexister sans tension avec le réseau traditionnel. Les achats en ligne peuvent être rapportés à n'importe quelle boutique. Les magasins mentionnent le site Internet sur les reçus et les sacs donnés aux clients. On peut y trouver des tailles et des couleurs qui ne sont pas disponibles dans les magasins. Le site propose également des rappels par e-mail sur les cadeaux à effectuer et propose au consommateur d'enregistrer la liste des cadeaux qu'il souhaite.

Paradoxalement, les entreprises associant la vente sur Internet et la vente en magasins traditionnels remportent souvent plus de succès en ligne que leurs concurrentes 100 % Internet. Ainsi, en France, le premier site de commerce électronique est celui de la Fnac, suivi par celui de la SNCF.

Une des raisons majeures du succès de ces entreprises tient à la renommée de leur nom de marque, qui rassure les consommateurs. On a calculé au Canada que le coût d'acquisition d'un client sur Internet est de 12 dollars pour une entreprise comme Compaq ou Barnes & Noble, contre 82 dollars pour les détaillants exerçant uniquement leur activité en ligne[17]. En outre, les entreprises ayant un double circuit de distribution disposent souvent de ressources financières plus importantes que les start-ups. Enfin, ce type d'entreprise possède une connaissance approfondie du secteur, une véritable expérience industrielle et logistique, d'excellentes relations avec les fournisseurs et une base de clientèle étendue.

## *La conception d'un site Internet*

La conception d'un site Internet soulève de nombreuses questions, présentées dans l'encadré 2.4. Elles trouveront une réponse dans les différents chapitres de cet ouvrage. Le paragraphe qui suit en examinera deux : comment concevoir un site Internet attrayant et comment construire un modèle économique générant chiffre d'affaires et rentabilité ?

### Concevoir un site Internet attrayant

Le site doit être attrayant dès la première visite afin d'encourager les visites futures. Les premiers sites Internet, essentiellement fondés sur du texte, sont

# Les questions-clés à se poser lors de l'ouverture d'un site Internet

**Attirer et garder les visiteurs**

Comment faire pour que les prospects connaissent et visitent le site ?

Comment favoriser le bouche-à-oreille ?

Comment transformer les visiteurs occasionnels en visiteurs fidèles ?

Comment faire de la visite du site une expérience agréable ?

Comment construire une véritable relation avec les clients ?

Comment construire une communauté de clients ?

Comment constituer une base de données clients et comment l'utiliser pour favoriser les achats répétés et plus coûteux, et pour diversifier les catégories de produits achetées ?

Combien investir dans l'élaboration et la promotion du site ?

**Faire de la publicité sur Internet**

Quels sont les différents moyens de communication sur Internet ?

Comment choisir les sites dans lesquels insérer ses bannières ?

**Collaborer avec les détaillants**

Comment faire de la vente directe sans mécontenter les détaillants ?

Comment coordonner le commerce en ligne avec la vente et les services en magasin ?

Dans quelle mesure les ventes en magasin seront-elles pénalisées par les ventes en ligne et par celles réalisées sur d'autres sites Internet ?

**La réalisation et la rentabilisation du site**

Comment choisir et gérer les fournisseurs et les partenaires ?

Faut-il élaborer le site en interne ou faire appel à un prestataire extérieur ?

Comment impliquer les responsables de l'entreprise ?

Comment réagir à la pression accrue s'exerçant sur les prix pratiqués sur Internet ?

Quel modèle économique construire afin de générer des ventes et des profits ?

*Source* : www.customers.com

---

aujourd'hui remplacés par des sites sophistiqués incluant son et animations. Sept éléments doivent être pris en compte lors de la conception d'un site[18] :

- la présentation ;
- le contenu : texte, images, son, vidéo…
- la communauté : dans quelle mesure le site permet-il une communication entre visiteurs ?
- la personnalisation, qui correspond à la capacité du site de modifier lui-même son contenu en fonction des caractéristiques du visiteur ou de permettre à chacun de le personnaliser ;
- la communication du site à l'internaute et/ou de l'internaute au site ;
- les liens avec d'autres sites ;
- le commerce : vente en ligne ou non.

Les deux premiers facteurs sont déterminants pour favoriser des visites répétées. Les visiteurs d'un site l'évaluent en fonction de son contenu, de sa facilité d'utilisation et de sa présentation. Le contenu doit être intéressant, utile et changer fréquemment. La facilité d'utilisation repose sur trois éléments : le téléchargement rapide du site, la facilité de compréhension de la page d'accueil, ainsi que la rapidité et la facilité de navigation vers les autres pages. La présentation du site, quant à elle, est d'autant plus attrayante que les pages sont sobres et aérées, les caractères faciles à lire, les couleurs et le son utilisés de manière appropriée.

- ■ CLINIQUE.COM fournit d'excellentes informations sur les cosmétiques, les astuces de beauté, les nouveaux produits et les prix de vente. Le site permet de connaître son type de peau. Il propose un guide à destination des futures mariées et des commentaires ponctuels émanant d'experts. Il permet également d'acheter des produits en ligne.

Les distributeurs qui décident de faire du commerce en ligne, ne peuvent transposer sur Internet le mode de présentation de leur assortiment utilisé dans les points de vente. Ils doivent tenir compte des différences de comportement des consommateurs en magasin et sur Internet, tout en exploitant les opportunités spécifiques au web. La conception d'un site exige une analyse approfondie des attentes des consommateurs, de leurs processus d'achat et de leurs objectifs (recherche d'informations ou de distractions)[19]. En outre, Internet offre d'autres possibilités[20] : les distributeurs peuvent y multiplier les implantations d'un même produit dans des rayons différents (ce que les contraintes d'espace rendent difficile dans les magasins réels) ; diversifier les clés d'entrée en rayon, en permettant au client de faire son choix sur de multiples critères ; adapter la présentation du produit aux caractéristiques du client ; lui rappeler ses choix antérieurs et encourager ainsi la répétition ; indiquer les produits complémentaires de ceux qui ont été achetés, afin de favoriser la vente croisée.

Aujourd'hui encore, le design des sites est trop souvent négligé au profit des aspects techniques. Cela limite la dimension agréable et ludique de la navigation sur Internet et sa capacité à transmettre de l'imaginaire autour des marques[21]. On y privilégie les préoccupations utilitaires, lesquelles sont essentiellement tournées vers la recherche d'informations sur les produits et les prix.

Toute entreprise doit régulièrement évaluer l'attrait et l'utilité de son site Internet. Pour cela, elle peut soit analyser sa fréquentation[22] (nombre de visiteurs, durée des visites, fidélisation, pages visitées), soit recourir à des experts dans la conception de sites, soit demander leur avis aux utilisateurs : qu'apprécient-ils le plus dans le site ? Qu'apprécient-ils le moins ? Que modifieraient-ils, s'ils en avaient la possibilité ?

## Construire un modèle économique générateur de chiffre d'affaires et de rentabilité

Les entreprises présentes sur Internet doivent montrer à leurs investisseurs qu'elles réaliseront des profits. Il leur faut donc construire un modèle économique précisant les principales sources de chiffre d'affaires et les montants en jeu, les niveaux de coûts, ainsi que les profits espérés. Les revenus obtenus sur Internet peuvent avoir diverses origines :

- ♦ *La publicité* : la vente de bannières peut constituer une source substantielle de revenus, notamment pour les sites portails bénéficiant d'une large audience, comme Yahoo ou Voila.

- ♦ *Le sponsoring* : une entreprise peut proposer à des partenaires de sponsoriser une partie de son contenu (une rubrique par exemple), notamment lorsqu'elle contient des informations ou des services très appréciés des internautes.

- ♦ *Les alliances* : une entreprise peut proposer à des partenaires de partager les coûts de conception de son site et leur offrir en contrepartie de la publicité gratuite.

- *Les adhésions* : certains sites proposent une adhésion payante : les membres reçoivent un mot de passe qui leur permet d'accéder au site. De nombreux journaux en ligne, comme *Les Echos*, le *Wall Street Journal* ou le *Financial Times*, permettent la consultation ouverte d'une partie des informations mais réservent certains services à leurs adhérents.

- *Les bases de données* : les sites Internet qui ont accumulé des informations individuelles sur leurs visiteurs peuvent vendre leur base de données, à condition d'en avoir reçu la permission des principaux intéressés. Se développent cependant des codes de bonne conduite qui dissuadent les entreprises de commercialiser les informations relatives à leurs clients.

- *La vente de produits et services* : les sites de commerce en ligne tirent une partie substantielle de leurs ressources de la vente.

- *Les commissions sur des transactions* : certaines entreprises qui favorisent les transactions entre tiers prennent une commission, à l'instar d'e-Bay qui touche entre 1,25 et 5 % sur chaque vente aux enchères réalisée sur son site.

- *La vente d'informations* : certaines entreprises facturent leurs services d'informations. Aux États-Unis, par exemple, LifeQuote propose une comparaison des tarifs adoptés par une cinquantaine de compagnies d'assurance vie, moyennant une commission de 50 % de la valeur versée la première année sur le contrat souscrit.

- *Les orientations* : certaines entreprises tirent des revenus de l'orientation de certains clients vers d'autres sites. Certains moteurs de recherche facturent le référencement des sites. En encourageant un visiteur à se rendre sur un autre site, ils offrent une prestation au site conseillé qui, en contrepartie, leur verse une rémunération.

Les difficultés enregistrées par de nombreuses start-ups provenaient d'une surévaluation de leurs revenus, associée à une sous-estimation des coûts de démarrage et de maintien de l'activité. Combien d'entreprises Internet sont rentables aujourd'hui ? Le cabinet McKinsey & Co, après avoir étudié plus de 200 entreprises d'e-business à destination des consommateurs, estime que 20 % d'entre elles sont aujourd'hui rentables. Les plus performantes sont les sites de transaction, devant les sites de média et de contenu[23].

■ ENCYCLOPEDIA BRITANNICA constitue un acteur historique des encyclopédies, présentées à l'origine en plusieurs volumes. Suite au développement d'Internet, l'entreprise a complètement revu son modèle économique, et ce, à plusieurs reprises. Entre 1990 et 1994, elle a vu ses ventes chuter de moitié du fait de la diffusion des micro-ordinateurs et du cédérom dans les foyers : les consommateurs lui préféraient des encyclopédies sous forme numérique, comme Microsoft Encarta. En réaction, l'entreprise a licencié l'ensemble de sa force de vente aux particuliers, décidé de commercialiser son encyclopédie sous la forme d'un cédérom, et proposé d'y accéder en ligne pour 150 dollars par an puis pour trois fois moins. En 1999, elle a proposé un accès gratuit en tirant ses revenus de la publicité présente sur son site. En 2000, elle s'est transformée en site portail, en proposant des informations sur la météo et les cours de la Bourse. En 2001, elle est revenue à un modèle de souscription payante. Aujourd'hui, les revenus de l'entreprise proviennent principalement des souscriptions à son site permettant l'accès aux articles en ligne (10 dollars par mois ou 60 dollars par an), de la publicité en ligne des annonceurs, des liens marchands et de la vente de services complémentaires[24].

# Le marketing relationnel

Parallèlement à l'extension du marketing électronique, les entreprises développent des compétences dans la construction de relations à long terme avec leur clientèle et dans la gestion de bases de données.

❖ Le *marketing relationnel* consiste à offrir d'excellents services aux clients grâce à l'utilisation d'informations individualisées, avec pour objectif la construction d'une relation durable avec chacun d'entre eux.

En fonction des données dont elles disposent sur chaque client, les entreprises peuvent personnaliser les produits, les services, les actions marketing, les messages et/ou les médias.

Le marketing relationnel repose sur l'idée que l'un des principaux vecteurs de la rentabilité des entreprises réside dans la valeur agrégée de leur portefeuille de clientèle[25]. Les entreprises performantes sont particulièrement efficaces dans l'acquisition de nouveaux clients, dans leur fidélisation et dans l'intensification des relations nouées avec eux. En réalité, il existe différentes manières d'accroître et de rentabiliser son portefeuille de clients : réduire leur taux de défection ; accroître la durée de la relation avec chaque client ; augmenter le panier d'achat moyen à travers la vente croisée de produits et la montée en gamme des achats ; rendre plus rentables les clients à faible valeur ajoutée ou cesser avec eux toute relation ; accorder la priorité aux clients à forte valeur ajoutée.

Le tableau 2.2 dresse la liste des principales différences entre le marketing classique (de masse) et le marketing personnalisé, fondé sur la relation avec le client et l'interactivité. Don Peppers et Martha Rogers ont identifié les quatre principes fondateurs d'un marketing personnalisé :

♦ Identifier précisément ses prospects et ses clients : il ne faut pas chercher à conquérir tous les types de clientèle, mais opérer un ciblage précis.

♦ Opérer une distinction entre les clients en fonction de leurs besoins et de leur valeur pour l'entreprise. L'entreprise consent à faire des efforts particuliers pour les clients à la plus forte valeur. Celle-ci correspond à la valeur actuelle nette des profits futurs émanant des achats et de la mise en relation avec d'autres clients, desquels on soustrait les coûts associés aux prestations de services fournies.

♦ Interagir avec les clients individuellement, dans l'objectif d'en savoir plus sur leurs besoins et d'intensifier les relations avec eux.

♦ Personnaliser les produits, les services et les messages.

| **TABLEAU 2.2** Marketing de masse et marketing personnalisé | **Marketing de masse** | **Marketing personnalisé** |
|---|---|---|
| | Client moyen | Client individuel |
| | Client anonyme | Client profilé |
| | Produit standard | Offre personnalisée |
| | Production en série | Production sur mesure |
| | Distribution de masse | Distribution personnalisée |
| | Publicité média | Messages individuels |
| | Promotion standard | Stimulants personnalisés |
| | Messages à sens unique | Messages interactifs |
| | Économies d'échelle | Économies de champ |
| | Part de marché | Part de client |
| | Large cible | Niche rentable |
| | Conquête de clientèle | Fidélisation de la clientèle |

*Source :* adapté de Don Peppers et Martha Rogers, *Le One to One en pratique* (Paris : Éditions d'organisation, 1999).

# Les bases de données marketing

Afin de connaître chaque client et de construire avec lui une relation personnalisée, l'entreprise doit collecter un certain nombre d'informations dans sa base de données.

❖ Une *base de données clients* est un ensemble structuré d'informations accessibles et opérationnelles sur la clientèle et les prospects, que l'on utilise pour obtenir ou qualifier des pistes, vendre un produit ou un service, ou encore maintenir une relation commerciale. Un *marketing de base de données* consiste à construire, consolider et utiliser des bases de données à des fins de prospection, de transaction, et de construction de la relation client.

Nombre d'entreprises confondent bases de données et fichier clients. Un fichier clients n'est qu'une liste de noms et d'adresses. Une base de données est beaucoup plus riche. Elle rassemble des informations collectées au cours des transactions passées et des démarches des clients pour collecter des informations, ainsi qu'à travers les cookies et toutes les interactions du client avec l'entreprise. En grande consommation, la base de données contiendra des informations sur les achats antérieurs de chaque client, sur son profil sociodémographique (âge, revenus, composition de la famille, date de naissance), son profil psychographique (activités, centres d'intérêt et opinions), ainsi que sur ses habitudes de fréquentation des médias. Dans l'univers industriel, la base de données renseignera sur les produits achetés, les prix payés, les interlocuteurs-clés qui participent au processus de décision, les autres fournisseurs référencés, l'état des contrats en cours et les forces et faiblesses de l'entreprise. Ainsi, Novartis dispose d'une base de données sur 100 000 agriculteurs argentins, qui indique leurs achats d'insecticides et les répartit en segments de marché.

■ ALPHA-LAVAL FRANCE a mis en place une base de données concernant l'ensemble de la clientèle actuelle et potentielle de ses principales divisions (thermique, marine, etc.). Pour chaque client, de nombreuses informations sont disponibles, concernant notamment les personnes rencontrées, les contacts récents, le suivi des propositions... La base de données est régulièrement enrichie par les commerciaux qui, à partir de leur ordinateur portable, peuvent en retour obtenir de précieux renseignements pour leur travail de terrain : édition de listes des prospects à contacter dans la semaine, adressage et envoi d'invitations à l'occasion de salons professionnels, etc.

# L'utilisation des bases de données

Les bases de données peuvent soit être constituées en interne par les entreprises lors de chaque contact avec les clients, soit être achetées à des sociétés spécialisées (voir encadré 2.5). Le *data-mining* consiste à en extraire ensuite l'information utile sur les individus, les tendances, et les segments. Il repose sur des techniques statistiques sophistiquées, comme les réseaux neuronaux[26].

En fait, une base de données marketing s'utilise dans cinq cas de figure :

1. *La prospection.* De nombreuses entreprises développent leur base de données à partir d'un message publicitaire invitant au contact. Toute réponse est intégrée à la base qui, ultérieurement, sert à sélectionner les meilleurs profils qui seront ensuite contactés par courrier ou par téléphone. C'est ainsi que sont constituées la plupart des bases de données propriétaires. Les bases de données achetées à l'extérieur constituent également un moyen privilégié d'établir un contact direct avec des prospects.

2. *Le ciblage d'une opération marketing.* L'entreprise définit d'abord les caractéristiques idéales de sa cible pour cette opération. Ensuite, elle recherche dans sa base de données les clients qui se rapprochent le plus de ce profil. En

# D'où viennent les données des bases de données marketing ?

Comment les responsables marketing obtiennent-ils leurs données ? De nombreuses informations parviennent spontanément à l'entreprise, à l'occasion d'un contact téléphonique, d'un encaissement, d'un envoi de catalogue ou, plus couramment, de la participation à une promotion ou à une enquête. Par ailleurs, certaines données (bordereaux de logement, listes électorales, bans de mariage, etc.) sont disponibles dans les registres publics.

En France, en dehors des grandes bases de données marketing privées monomarques (IBM, Club Med, Schweppes, Nouvelles Frontières) et multimarques (Danone, Nestlé, Unilever), Claritas et Consodata sont les principaux prestataires en grande consommation.

Claritas possède une banque de 3 millions d'adresses de ménages (plus de 10 % de la population française), qualifiées selon près de 1 000 modalités sur les cibles choisies. Les données sont recueillies par un questionnaire comportant plus de 160 questions réparties en 11 sections (loisirs, habitudes d'achat, courses, boissons, animaux, assurances, voitures, beauté/soins, produits d'entretien, vous et votre foyer, informations générales). Les répondants sont re-merciés à l'aide de bons de réduction. Claritas propose aux entreprises toute une série de services, parmi lesquels la location d'adresses mais aussi le *Customer Profile Analysis* qui permet, par exemple, de définir des segments de prospection par similarité avec les clients actuels.

Consodata, émanation des centrales d'achat d'espace et des régies, propose également des données sur 3 millions de ménages qualifiés sur 2 300 critères représentant 90 % des dépenses des ménages. Les données sont recueillies principalement par questionnaires reproduits dans la presse ou transmis par courrier dans les zones de chalandise des hypermarchés. Les services offerts sont assez semblables à ceux de Claritas.

Pour les produits vendus d'entreprise à entreprise (*business-to-business*), les bases de données les plus connues sont celles que gèrent la Chambre de commerce et d'industrie de Paris (Delphes, Téléfirm et Firmexport), Euredir (Europages qui recense 150 000 entreprises exportatrices en Europe, est accessible sur Internet), Kompass (Scopedisk et Ekod), et SCRL (Astrée et MapInfo).

*Sources :* Joëlle Brohier et Francis Salerno, « Bases et mégabases de données : la nouvelle force des marques », *Décisions marketing,* n° 7, janvier-avril 1996, pp. 37-45 ; « Bases de données : une mine à exploiter », *Enjeux,* 1er septembre 1998, pp. 67-71 ; « Quand les mégabases deviennent giga-utiles pour le micromarketing », *CB News,* 21 septembre 1998, pp. 68-70.

enregistrant les taux de remontée, on améliore le ciblage au fil du temps. On enregistre également l'évolution des contacts avec chaque client : une semaine après la transaction, on peut envoyer des remerciements ; cinq semaines plus tard, faire une nouvelle offre ; dix semaines plus tard (si le client n'a pas répondu), le contacter par téléphone et lui proposer une promotion spéciale.

3. *La construction de la fidélité.* Une entreprise peut entretenir la fidélité de ses clients en leur envoyant des cadeaux appropriés, des offres spéciales, des coupons de réduction ou encore des brochures s'inscrivant dans leur sphère d'intérêt. Par exemple, la division de Masterfood spécialisée dans l'alimentation féline a édité un livret sur « Comment assurer le bien-être de son chat ? » Tous les propriétaires souhaitant recevoir ce livret devaient envoyer une demande en mentionnant le nom et la date de naissance de leur animal. Depuis, Masterfood envoie une carte d'anniversaire à chaque propriétaire, assortie d'échantillons de ses nouveaux produits et d'offres spéciales.

4. *La réactivation des achats.* Certaines entreprises ont mis en place des programmes d'envoi automatique qui, à l'occasion d'événements publics (fêtes, vacances, rentrée) ou privés (anniversaires), éditent des messages personnalisés, destinés à raviver l'intérêt du consommateur pour les produits de l'entreprise.

5. *L'identification de certaines erreurs.* En reprenant contact avec des clients qui ont cessé toute relation avec l'entreprise, on peut parfois identifier des erreurs de communication ou d'approche du client et, ainsi, éviter de les répéter.

Le marketing des bases de données présente quelques inconvénients. Le premier d'entre eux porte sur les gros investissements qui doivent être réalisés en matériel informatique, logiciels, programmes d'analyses et en personnel compétent pour construire et entretenir une base de données. La collecte d'informations est complexe, surtout si l'on veut profiter de toutes les occasions d'interagir avec le client. En conséquence, la construction d'une base de données n'est pas rentable si : 1) le produit est acheté de manière très occasionnelle (comme un piano) ; 2) si les clients sont peu fidèles aux marques dans la catégorie de produit ; 3) si l'unité d'achat est très faible (comme pour la confiserie) ; 4) si le coût de la collecte des informations est trop élevé.

Le deuxième inconvénient majeur réside dans le fait qu'il est difficile d'impliquer l'ensemble du personnel de l'entreprise dans la mise en œuvre d'une orientation vers le client et l'utilisation systématique des informations disponibles. Il est plus facile de maintenir les pratiques habituelles de marketing classique que de passer au marketing relationnel.

Le troisième inconvénient provient du fait que tous les clients ne souhaitent pas construire des relations avec l'entreprise. Certains apprécient peu que l'on rassemble de nombreuses informations personnelles à leur sujet. Les responsables marketing doivent être sensibilisés à l'attitude évolutive des clients à l'égard de la collecte d'informations à caractère privé[27]. American Express a fait l'objet de vives critiques après l'annonce d'un partenariat avec une société de bases de données appelée KnowledgeBase Marketing, par le biais duquel 175 millions d'Américains auraient pu être contactés par les commerçants acceptant les cartes American Express. Face aux critiques, American Express a dû renoncer. Les entreprises ont intérêt à prendre de nombreuses précautions dans ce domaine et à refuser la transmission d'informations personnelles à des tiers. Les réglementations européennes et françaises évoluent d'ailleurs dans ce sens.

Il apparaît donc que le marketing de bases de données n'est pas adapté à tous. Il est surtout utilisé dans les activités destinées aux entreprises (*business-to-business*) et dans les services (hôtellerie, banque, transport aérien) dans lesquelles les entreprises peuvent collecter facilement un grand nombre d'informations sur les clients. Il est moins utilisé pour les produits de consommation courante, bien que certaines sociétés comme Kraft aient développé des bases de données pour certaines marques[28]. Dans le secteur de la distribution, la multiplication des cartes de fidélité associées au géomarketing a favorisé, depuis quelques années, le développement d'un marketing relationnel fondé sur les bases de données.

## *Résumé*

1. L'émergence de l'économie numérique modifie en profondeur les pratiques marketing. Les quatre principaux facteurs d'évolution sont l'avènement du numérique et la croissance des capacités de connection, la désintermédiation et la réintermédiation, la personnalisation des produits et des approches marketing, ainsi que la convergence intersectorielle.

2. L'économie numérique modifie les pratiques marketing traditionnelles en favorisant l'organisation par segment de marché (à la place d'une organisation par produit ou unité de production), la focalisation sur la valeur à vie des clients (au lieu de la rentabilité ponctuelle des transactions), la prise en compte d'indicateurs marketing (et non plus seulement financiers) et celle de tous les acteurs de l'entreprise (et non plus seulement des actionnaires), l'implication de tous les services dans la mise en œuvre du marketing (et non plus seulement du département marketing), la construction des marques à travers le comportement de l'entreprise dans son ensemble (et non plus seulement par la publicité), l'intérêt pour la fidélisation du client (au lieu de la conquête de nouveaux clients), la mesure de la satisfaction de la clientèle, ainsi que la tendance à promettre moins et à offrir davantage (au lieu de sur-promettre et d'offrir moins).

3. On distingue quatre grands domaines au sein de l'e-business et du commerce électronique, qui correspondent à des pratiques et des enjeux distincts : les activités des entreprises destinées aux consommateurs individuels (*b-to-c*), les activités destinées à des entreprises clientes (*b-to-b*), la communication de consommateur à consommateur et la communication des consommateurs aux entreprises.

4. L'adoption d'un marketing électronique et interactif soulève de nombreuses questions, notamment sur la manière de concevoir un site Internet attrayant et sur la construction d'un modèle économique générateur de chiffre d'affaires et de rentabilité.

5. Un certain nombre d'entreprises développent des compétences dans la construction d'un marketing relationnel, centré sur la réponse personnalisée aux besoins individuels des clients à la plus forte valeur. Cette nouvelle pratique passe par la construction d'une base de données clientèle et par l'analyse de cette base de données pour identifier des tendances, des segments et des besoins individuels.

# Notes

1.  Voir Jean-Marc Lehu, *strategiesdemarque.com : concevoir, protéger et gérer la marque sur l'Internet* (Paris : Éditions d'organisation, 2001) ; Christophe Bénavent, « Les NTIC, le marketing stratégique et le jeu concurrentiel », *Revue française de gestion*, juin-juillet-août 2000, pp. 91-100 ; Pierre-Louis Dubois et Éric Vernette, « Contribution et pistes pour la recherche en e-marketing », éditorial du numéro spécial de *Recherche et Applications en Marketing* consacré à l'e-marketing, vol. 16, n° 3, 2001, pp. 1-8 ; le numéro spécial de la *Revue française du marketing* consacré à « Marketing et Internet », coordonné par Julien Lévy, n° 177/178, 2000 ; George Day et David Montgomery, « Charting New Directions for Marketing », *Journal of Marketing*, numéro spécial de 1999, pp. 3-13 ; Donna Hoffman « The Revolution Will Not Be Televised : Introduction to the Special Issue on Marketing Science and the Internet », *Marketing Science*, hiver 2000, pp. 1-3.

2.  Voir Frédéric Jallat, « Désintermédiation et stratégie sur Internet : recomposition des filières, nouveaux acteurs et réintermédiation », *Revue française du marketing*, n° 177/178, 2000, pp. 69-82 ; voir aussi, du même auteur, « Nouvelle économie et principes d'organisation des marchés : du marketing comme mode de conduite stratégique et projet collectif », *Décisions marketing*, n° 23, mai-août 2001, pp. 43-52.

3.  Yoram Wind et Vijay Mahajan avec Robert Gunther, *Convergence Marketing : Strategies for Reaching the New Hybrid Consumer* (Upper Saddle River : Prentice Hall, 2002).

4.  Wind, Mahajan et Gunther, *op. cit.*

5.  *Source* : SCA TMO, cité par *Le Journal du Net* (www.lejournaldunet.com).

6.  Connexions à domicile. *Source* : Nielsen/Net-Ratings, cité par *Le Journal du Net* (www.journaldunet.com).

7.  *Source* : Benchmark Group, juillet 2001, cité par *Le Journal du Net*.

8.  *Management*, « Castorama passe à l'e-commerce en limitant les risques », octobre 2001, pp. 24-28.

9.  *Source* : NetValue, novembre 2001, (www.journaldunet.com).

10. *Source* : Benchmark Group, 1er trimestre 2001 (www.journaldunet.com).

11. Voir Bernard Cova, « Les *eMarketplaces* à l'épreuve de la réalité des échanges *b-to-b* », *Décisions marketing*, n° 24, septembre-décembre 2001, pp. 67-73.

12. Ralph Oliva, « Nowhere to Hide », *Marketing Management*, juillet-août 2001, pp. 44-46.

13. Véronique et Bernard Cova, *Alternatives marketing* (Paris : Dunod, 2001), chap. 4 « Émergence de l'Internet et marketing des passions », pp. 171-206 ; Sur les communautés fondées sur un intérêt de nature économique voir Christine Bitouzet et Serge Soudoplatoff, « Les communautés d'intérêt à l'heure d'Internet, ou les barbares contre les ren-

tiers », *Revue française du marketing*, n° 177/178, 2000, pp. 119-134.

14. Voir Delphine Manceau et Emmanuelle Le Nagard, « L'avantage du pionnier sur Internet : pépite d'or ou poignée de sable ? », Actes du congrès de l'Association française du marketing (AFM), Lille, mai 2002 ; sur les externalités de réseau : Emmanuelle Le Nagard (1999), « Le concept d'externalité de réseau et ses apports au marketing », *Recherches et applications en marketing*, vol. 14, n° 3, pp. 59-78.

15. Voir Marie-Laure Gavard-Perret, « Impact du commerce électronique sur les choix marketing », *Décisions marketing*, à paraître, 2003.

16. Dans une interview, Jean-Christophe Hermann, PDG de Fnac Direct, indiquait ainsi qu'environ 60 % des visiteurs du site www.fnac.com déclarent qu'ils achèteront en magasin (interview au *Journal du Net*, 13 février 2002).

17. Timothy Hunt, « Beyond Point and Click », *Financial PostCanada*, 1er mai 2001.

18. Jeffrey Rayport et Bernard Jaworski, *e-commerce* (New York : McGraw-Hill, 2001), p. 116.

19. Voir Jean-Claude Dandouau, « Recherche d'information sur Internet et expérience de consultation », *Recherches et Applications en Marketing*, vol. 16, n° 3, 2001, pp. 9-23 et Agnès Helme-Guizon, « Le comportement du consommateur sur un site marchand est-il fondamentalement différent de son comportement en magasin ? Proposition d'un cadre d'appréhension de ses spécificités », *Recherche et Applications en Marketing*, vol. 16, n° 3, 2001, pp. 25-38.

20. Pierre Volle, « Du marketing des points de vente à celui des sites marchands : spécificités, opportunités et questions de recherche », *Revue française du marketing*, n° 177/178, 2000, pp. 83-101.

21. *Marketing magazine*, « e-commerce : le design peut attendre » 1er mai 2001, pp. 1-7 ; pour un plaidoyer en faveur de l'utilisation d'Internet comme vecteur de l'imaginaire des marques, voir Jean-François Variot, *La Marque postpublicitaire* (Paris : Village Mondial, 2001).

22. Pour une proposition de méthode d'analyse du trafic, voir Jean-Marc Ferrandi et Éric Boutin, « Application de l'analyse réseau à la modélisation de la visite d'un site Web », *Recherches et Applications en Marketing*, vol. 16, n° 3, 2001, pp. 79-94.

23. Tilman Kemnder, Monika Kubicovà, Robert Musslewhite, et Rodney Prezeau, « E-Performance : The Good, the Bad, and the Merely Average », mckinseyquarterly.com, 2001.

24. Pour une étude approfondie de cet exemple et, au delà, une analyse générale des conséquences de l'économie numérique sur les politiques d'offre des entreprises, voir Julien Lévy, « Impact et enjeux de la révolution numérique sur la politique d'offre des entreprises », *Revue française du marke-*

*ting*, n° 177/178, 2000, pp. 13-28 ; sur l'exemple d'Encyclopedia Britannica, voir aussi *The Industry Standard*, «Look under M for Mess», 9 avril 2001, pp. 56-57.

25. George Day, «Capabilities for Forging Customer Relationships», *Working Paper Series, Marketing Science Institute,* Report n° 00-118, 2000.

26. Voir Christian Dussart, «La technologie des réseaux neuronaux au cœur du marketing interactif», *Décisions Marketing*, janvier-avril 1996, n° 7, pp. 95-97 ; Romuald Boné, Jean-Pierre Asselin de Beauville et Monique Zollinger, «Les réseaux de neurones artificiels : un apport potentiel aux études marketing», *Recherche et applications en marketing*, 1996, vol. 11, n° 2, pp. 63-82 ; A. Ainslie et Xavier Drèze, «Le *data-mining* et l'alternative modèles classiques/réseaux neuronaux», *Décisions Marketing*, n° 7, 1996, pp. 77-86.

27. Voir Francis Salerno, «Web-marketing : obtenir la confiance du consommateur», *Revue française de gestion*, juin 2001, pp. 66-80 ; voir aussi *Les Echos*, «Le rôle délicat du *chief privacy officer*, caution morale du marketing», 27 novembre 2001, p. 4.

28. Kraft utilise Internet pour cibler le très petit nombre de consommateurs qui génère des ventes très élevées, notamment au travers de clubs Web autour de la cuisine interactive par exemple. Voir Christian Dussart, «Internet et l'avenir des marques», *Décisions Marketing*, n° 23, mai-août 2001, pp. 85-90.

# Satisfaire et fidéliser le client grâce à la valeur

DANS CE CHAPITRE, NOUS NOUS POSERONS LES QUESTIONS SUIVANTES :

■ Qu'est-ce que la valeur et la satisfaction et comment s'organiser pour les construire ?

■ Qu'est-ce qui explique la performance de certaines entreprises en la matière ?

■ Comment une entreprise peut-elle attirer des clients et les conserver ?

■ Comment peut-on améliorer la rentabilité des clients et de l'entreprise ?

■ Comment peut-on favoriser la qualité totale ?

*« Il ne suffit plus désormais de satisfaire les clients. Il faut les enthousiasmer. »*

La concurrence n'a jamais été aussi intense. Nous avons vu, dans le premier chapitre, que l'on pouvait affronter la concurrence dans de meilleures conditions lorsqu'on adoptait l'optique marketing, plutôt que l'optique production ou l'optique vente. Nous avons souligné, dans le chapitre 2, la nécessité pour les entreprises de s'adapter aux caractéristiques de l'économie numérique pour construire un avantage concurrentiel. L'objectif de ce chapitre est de montrer comment une entreprise peut se développer en répondant aux attentes des consommateurs. Seule l'orientation client permet de développer un marché, et pas seulement un produit.

Trop de sociétés pensent qu'il incombe au seul département marketing/vente de trouver des clients et de les gérer. Pourtant, quelle que soit sa compétence, le département marketing ne peut vendre un produit mal conçu ou pallier un service déficient. Il ne peut être efficace que dans un effort collectif de l'entreprise pour créer de la valeur pour les clients. Ce chapitre présente les principes sous-jacents au marketing de la valeur et leurs modalités d'application[1]. Considérons l'exemple suivant :

■ **McDONALD'S.** Les 45 millions de clients quotidiens ne plébiscitent pas l'entreprise aux 29 000 restaurants (répartis dans 121 pays) à cause de la qualité du hamburger, parfois meilleur ailleurs, mais en raison du système mis en place, un système que McDonald's résume en quatre lettres : QSPV (qualité, service, propreté et valeur). McDonald's vaut finalement ce que valent ses fournisseurs, managers, employés et tous ceux qui concourent à la performance du « système McDo[2] ».

## *Valeur et satisfaction*

Il y a déjà près de quarante ans, Peter Drucker affirmait que l'objectif suprême d'une entreprise est de « créer une clientèle ». Mais pour conquérir durablement un client, il faut d'abord bien connaître ses besoins et ses modes d'achat.

D'une façon générale, nous pensons qu'un client cherche parmi les produits et services offerts, celui qui lui procure le maximum de *valeur*. Dans les limites de ses efforts, de son information, de sa mobilité et de son revenu, il cherche à maximiser cette valeur. Lorsque le produit acheté délivre effectivement la valeur qu'il en attendait, naît la *satisfaction*. Définissons ces deux concepts essentiels.

### La valeur perçue par le client

On peut définir la *valeur perçue par le client* comme :

♦ la différence entre la *valeur globale* et le *coût total* (voir figure 3.1). La *valeur globale* correspond à l'ensemble des avantages que le client tire du produit ou du service. Le *coût total* comprend l'ensemble des coûts monétaires, fonctionnels et psychologiques que le client supporte dans l'évaluation, l'acquisition, l'utilisation et l'abandon de cette offre (voir figure 3.1).

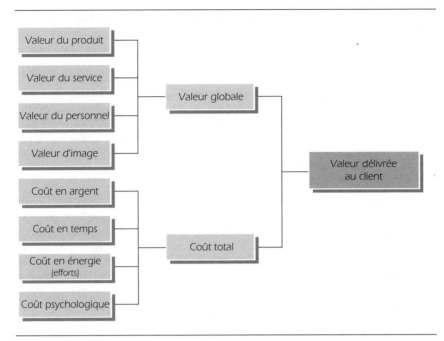

FIGURE 3.1
Les déterminants
de la valeur délivrée
au client

Illustrons ces notions par un exemple. L'acheteur d'une entreprise de BTP a décidé de remplacer un bulldozer. Deux fournisseurs se présentent : Caterpillar et Komatsu.

L'acheteur a en tête un certain contexte d'utilisation (construction urbaine) et a défini un ensemble de spécifications (niveau de fiabilité, de durabilité, de performance, et valeur de revente).

Après analyse des matériels existants selon ces critères, la « valeur produit » du Caterpillar ainsi que les services offerts (délais, entretien), le personnel (expertise, assistance) et l'image de l'entreprise lui semblent supérieurs. Va-t-il acheter cette marque ? Pas obligatoirement, car la *valeur globale* doit être comparée au *coût total*, qui va au-delà du débours monétaire. Comme Adam Smith le pressentait il y a déjà deux siècles, « la peine à acquérir un produit fait partie de son prix ». Le coût total comprend donc aussi le *coût en temps* et *en effort* ainsi que le *coût psychologique*. Notre acheteur doit maintenant comparer le coût des bulldozers en regard de leur valeur. Il choisira celui qui dégage le plus fort différentiel (valeur perçue).

Comment la société Caterpillar peut-elle accroître ses chances d'être choisie ? Trois possibilités : 1) accroître la valeur globale en améliorant le produit, les services, le personnel ou l'image ; 2) réduire les coûts non monétaires associés à l'acquisition du produit et 3) baisser ses prix.

Supposons que Caterpillar interroge la clientèle et conclue à l'existence d'une valeur de 20 000 €. Si le prix de revient d'un bulldozer est de 14 000 €, la *valeur ajoutée totale* dégagée est de 6 000 €. Le problème consiste à choisir un prix de vente. Un prix inférieur à 14 000 € ne couvrirait pas les coûts. Un prix supérieur à 20 000 € excéderait la valeur. Il faut donc décider du mécanisme de partage avec le client. Un prix de vente de 17 000 € par exemple signifierait un partage à 50-50. Bien sûr, plus le prix augmente, plus la valeur délivrée au client diminue et donc sa motivation d'achat. Pour conclure la vente, il faut offrir une valeur supérieure à celle de Komatsu[3].

On peut critiquer le caractère rationnel de cette approche et invoquer des contextes d'achat différents. Supposons que le Komatsu soit finalement préféré.

CHAPITRE 3
Satisfaire
et fidéliser
le client grâce
à la valeur

Pourquoi le client n'a-t-il pas acheté le produit qui lui procurait le plus de valeur? Au moins trois explications possibles:

1. L'acheteur a obéi à une directive qui lui imposait d'acheter le produit le moins cher. Le vendeur de Caterpillar n'a pas réussi à alerter l'entreprise sur les conséquences à long terme d'un achat dicté par le prix d'acquisition.

2. L'acheteur va quitter l'entreprise et ne se soucie guère des conséquences à long terme de son choix. Il préfère le Komatsu parce qu'acheter moins cher démontre son efficacité. Il aurait fallu que le vendeur de Caterpillar contacte d'autres personnes participant au processus de décision.

3. L'acheteur a une relation privilégiée avec le représentant Komatsu. Il aurait fallu le sensibiliser à la réaction des utilisateurs lorsqu'ils constateront les imperfections du produit choisi.

À l'évidence, un acheteur opère sous contraintes et fait parfois passer son intérêt avant celui de son entreprise. La décomposition de la valeur délivrée au client n'en fournit pas moins un cadre d'analyse fécond pour interpréter de nombreuses situations d'achat. Elle invite le vendeur à identifier les sources de valeur de son offre face à la concurrence. En situation défavorable, il doit soit accroître la valeur globale, soit réduire son coût total en abaissant son prix, en simplifiant le processus de commande ou de livraison, ou encore en limitant le risque associé à l'achat (au moyen d'une garantie par exemple)[4].

## La satisfaction

On peut définir la satisfaction comme:

❖ Le jugement d'un client vis-à-vis d'une expérience de consommation ou d'utilisation résultant d'une comparaison entre ses attentes à l'égard du produit et ses performances perçues.

La satisfaction est parfois considérée comme une émotion, parfois comme une appréciation rationnelle[5]. Dans tous les cas, elle est fonction d'une différence. Trois situations peuvent apparaître: les performances sont en deçà des attentes (mécontentement), à leur niveau (satisfaction) ou au-delà (enthousiasme)[6].

La satisfaction du client favorise sa fidélité. Cependant, la relation n'est pas linéaire[7]. En cas de mécontentement, il est probable que le client abandonne l'entreprise et diffuse un bouche-à-oreille négatif. En cas de satisfaction moyenne, il peut changer de fournisseur s'il trouve une offre plus intéressante. En revanche, un client très satisfait est moins enclin au changement. Un enthousiasme pour la marque crée en effet un attachement émotionnel qui va au-delà de la préférence rationnelle. Chez Xerox, on estime ainsi qu'un client très satisfait vaut dix fois plus qu'un client simplement satisfait, du fait qu'il reste fidèle beaucoup plus longtemps.

Comment un client forge-t-il ses attentes à l'égard du produit? À partir de son expérience passée, des contacts avec son entourage, et des promesses des vendeurs et de la publicité. Si les promesses sont disproportionnées, la déception est courante. Il y a quelques années, la chaîne Holiday Inn avait lancé une campagne: «Chez nous, aucune surprise». Certains clients étant néanmoins mécontents, la société dut abandonner ce slogan. Inversement, si les promesses sont insuffisantes, elles ne parviendront pas à capter l'attention mais les rares acheteurs seront satisfaits[8].

**L'AMÉLIORATION DE LA SATISFACTION** ❖ Les sociétés les plus performantes accroissent corrélativement leurs promesses et leur niveau de performances. Xerox, par exemple, a mis en place un programme de «satisfaction totale» et remplace aux clients mécontents leur équipement dans un délai de trois ans. La société japonaise Alpine qui fabrique des autoradios haut de gamme déclare dans ses brochures : « Nous souhaitons qu'un produit Alpine déclenche l'enthousiasme de son utilisateur. » En agissant ainsi, ces entreprises réduisent le risque d'infidélité en élevant le niveau de performance. Certaines sociétés sont passées maîtres dans l'art de mesurer et gérer la satisfaction :

■ **LA FNAC** est, depuis l'origine, extrêmement attentive au degré de satisfaction de ses clients. Elle conduit de façon périodique des enquêtes-mystère en utilisant des enquêteurs du même âge (18-25 ans) et du même profil que la clientèle-cible. La société qui réalise l'enquête (A2C) utilise jusqu'à 250 critères de satisfaction qui sont validés au fur et à mesure que s'affirme leur pertinence. Enfin, un micro-trottoir auprès des clients est réalisé à la sortie de l'établissement afin de favoriser la liberté d'expression. Selon le directeur de la société enquêtrice, « l'objectif est de mettre en relation le ressenti des clients et la perception des vendeurs pour mesurer le décalage. Nous comparons les résultats à ceux de la concurrence et nous formulons des préconisations. » Généralement, les performances situées au-dessus de la moyenne ne font l'objet d'aucune action particulière, alors que des recommandations sont élaborées pour résorber les contre-performances[9].

La clé d'une fidélité élevée réside dans la valeur délivrée au client. Dans son ouvrage *Delivering Profitable Value*, Michael Lanning explique que, pour réussir, une entreprise doit à la fois développer une *proposition de valeur* supérieure à la concurrence ainsi qu'un *système de transmission de cette valeur* plus performant[10]. La proposition de valeur va bien au-delà du positionnement car elle englobe la totalité de *l'expérience* résultant pour le client de l'acquisition et l'utilisation du produit. La marque correspond alors à une promesse concernant cette expérience. Ainsi, le positionnement de Volvo est la sécurité ; la promesse associée à la marque porte certes sur une voiture sûre, mais aussi fiable pendant de longues années et associée à un service de qualité. Le fait que la promesse soit ou non tenue dépend en grande partie du *système de transmission de la valeur* mis en place par l'entreprise, qui inclut tous les outils et circuits qui communiquent et délivrent cette valeur.

Dans leur livre *Competing on Value*, Simon Knox et Stan Maklan expriment la même idée lorsqu'ils estiment que trop d'entreprises laissent s'instaurer un écart entre la *valeur de la marque* et la *valeur perçue par le client*[11]. La plupart des entreprises parviennent à différencier leur marque à l'aide d'un slogan (Actimel, le geste santé du matin), d'une proposition unique de vente (la blancheur Email Diamant) ou bien en rehaussant la valeur du produit à l'aide de services (chambre non fumeur sur simple demande). Mais elles ne réussissent pas toujours à fournir la valeur promise au client lorsque le département marketing n'exerce pas une influence suffisante sur les processus de réalisation du produit par l'entreprise toute entière.

Au-delà du suivi des attentes et de la satisfaction des clients, les entreprises doivent également se soucier de la performance des concurrents sur ce terrain. Ainsi, un président qui s'enorgueillissait d'un taux de satisfaction de sa clientèle de 80 % fut-il dépité d'apprendre que non seulement son concurrent principal atteignait 90 % mais projetait même d'obtenir 95 %.

Pour une entreprise orientée-client, la satisfaction de la clientèle est à la fois *un objectif et un outil de marketing*. Les sociétés qui atteignent des taux de satisfaction élevés communiquent cette information à leur cible. Ainsi, chaque année, Sécodip organise auprès des consommateurs français un concours qui désigne les « produits élus » dont les ventes, une fois la récompense obtenue, s'accroissent souvent sensiblement. De même, Dell ne se prive pas d'indiquer dans sa communication son rang de numéro 1 en matière de satisfaction clientèle.

CHAPITRE 3
Satisfaire
et fidéliser
le client grâce
à la valeur

69

**LA MESURE DE LA SATISFACTION** ❖ Il s'agit toujours d'une opération délicate. Lorsqu'on demande à un client de mesurer la performance d'une entreprise sur un critère tel que, disons, les délais de livraison, il faut admettre que la signification attachée à la notion de délai de livraison puisse varier d'un client à un autre. Pour certains, une livraison anticipée est un avantage, pour d'autres non. Deux clients peuvent également se déclarer satisfaits pour des raisons très différentes.

En outre, les attentes des clients évoluent dans le temps en fonction des prestations de l'entreprise et de ses concurrents. Au fur et à mesure que le service s'améliore (par exemple, le confort à bord des avions), les clients deviennent plus exigeants et un niveau de confort qui leur convenait quelques années plus tôt ne suffit plus à les satisfaire.

Une entreprise doit également savoir que le personnel, y compris le management, essaie souvent de manipuler les résultats d'une enquête de satisfaction, par exemple en redoublant d'efforts juste au moment de l'enquête, ou même en excluant de l'échantillon les clients grincheux. Un autre danger est lié au client lui-même. S'il sait qu'une enquête de satisfaction est en cours, il peut exagérer son mécontentement, afin d'obtenir davantage de concessions.

L'encadré 3.1 évoque quatre méthodes fréquemment utilisées pour mesurer la satisfaction, tandis que l'encadré 3.2 présente un extrait de questionnaire distribué par Air France à ses passagers pour évaluer leur satisfaction.

## Les conditions d'un niveau de performance élevé

Certaines entreprises évitent ces écueils de la mesure et de l'amélioration de la satisfaction et parviennent à délivrer une forte valeur à leurs clients. Nous les appelons des « entreprises à haute performance ». La société Arthur D. Little a identifié pour ces firmes quatre facteurs de performance[12], présentés dans la figure 3.2. Examinons-les.

**FIGURE 3.2**
L'entreprise à haute performance

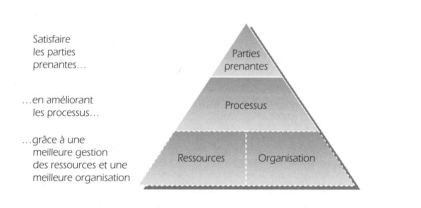

Source : Tamara Erickson et Everett Shorey, « Business Strategy. New Thinking for the 90's », *Prism*, quatrième trimestre 1992, p. 2.

# Les méthodes de mesure et de suivi de la satisfaction

## Les boîtes à suggestions et livres de réclamation

Une entreprise orientée vers le client doit inviter sa clientèle à formuler suggestions et critiques. De nombreux hôtels et restaurants tiennent ainsi un registre où l'on peut consigner ses remarques. Les hôpitaux et cliniques remettent un livret d'accueil et demandent parfois à l'un de leurs employés d'être le porte-parole des malades. Les réclamations ne révèlent pas le niveau général de satisfaction des clients, mais les principales causes d'insatisfaction. Elles donnent beaucoup d'idées de nouveaux produits.

## Les enquêtes de satisfaction

Les clients satisfaits s'expriment rarement. Plus encore, 95 % des clients mécontents n'expriment pas spontanément leur opinion. Ils se contentent de changer de marque ou de produit, sans que l'entreprise en comprenne la raison. Pour connaître le niveau général de satisfaction et suivre son évolution dans le temps, il est donc essentiel d'effectuer des mesures au moyen d'enquêtes périodiques auprès d'un échantillon représentatif de la clientèle (et non pas seulement des individus qui se manifestent spontanément).

Ces enquêtes reposent en général sur un questionnaire administré par courrier ou par téléphone, dans lequel on demande aux personnes interrogées d'exprimer leur avis sur le dernier produit ou service consommé. Pour mesurer la satisfaction et non l'image générale de l'entreprise, on se focalise sur une expérience d'achat et de consommation donnée. Il est également utile de poser des questions similaires sur les concurrents. La satisfaction se mesure soit directement (« Indiquez votre niveau de satisfaction en cochant la case appropriée ») soit indirectement (à travers les attentes, les problèmes rencontrés ou les améliorations à suggérer). On peut la mesurer globalement ou bien pour chaque élément de l'offre. On peut alors isoler les critères importants des facteurs secondaires.

Il est également utile de mesurer *l'intention de réachat* qui normalement devrait être liée à la satisfaction, de même que la *volonté de recommander* l'entreprise ou la marque à des amis et connaissances.

## Le client mystère

Une autre technique, courante dans les services et la distribution, consiste à faire appel à quelqu'un pour jouer, incognito, le rôle d'un client en lui demandant de noter toutes ses impressions, positives et négatives. Parfois, ces *clients mystères* simulent des situations problématiques permettant de tester la capacité de réaction du personnel. Par exemple, un client mystère peut se plaindre à haute voix dans un restaurant afin de voir comment la situation est prise en main. En fait, une entreprise ne devrait pas se contenter d'employer des clients mystères mais exiger de ses managers qu'ils jouent de temps à autre le rôle de client afin d'avoir une expérience de terrain sur la façon dont un client est traité.

En Europe, une chaîne comme Holiday Inn a mis en place un programme systématique d'évaluation de ses hôtels par des clients mystères portant sur 14 domaines d'activité (accueil, enregistrement, chambre, restaurant...) mesurés chacun à l'aide d'un grand nombre d'indicateurs.

## L'analyse des clients perdus

Une entreprise devrait enfin systématiquement contacter les clients qui ont changé de fournisseur afin d'en connaître les raisons. Lorsque IBM perd un client, un effort de vaste envergure est entrepris pour en expliquer les causes : prix trop élevé, service déficient, fiabilité insuffisante des produits, etc. IBM ne se contente pas de conduire des entretiens avec les *clients perdus* mais mesure également les *taux de perte* qui, lorsqu'ils progressent, révèlent une défaillance de l'entreprise.

CHAPITRE 3
Satisfaire
et fidéliser
le client grâce
à la valeur

71

# La mesure
# de la satisfaction
# chez Air France

Madame, Monsieur,

Votre présence à bord de ce vol Air France est, pour nous, l'occasion de mieux vous connaître et de savoir ce que vous pensez du service que nous vous proposons. C'est pourquoi nous effectuons une enquête sur chacun de nos vols, en interrogeant quelques-uns de nos passagers.

Nous vous invitons, aujourd'hui, à remplir le questionnaire suivant. Vos réponses nous permettront de faire évoluer nos produits dans le sens que vous souhaitez.

Par avance, nous vous remercions.

## VOTRE OPINION SUR CE VOL
**Comment jugez-vous le vol que vous effectuez aujourd'hui ?**

( ? ) = je n'ai pas remarqué, je ne sais pas.

| | a | b | c | d | e | f |
|---|---|---|---|---|---|---|
| • Le vol dans son ensemble | a | b | c | d | e | f |
| • La ponctualité | a | b | c | d | e | f |
| • La prévenance du personnel de bord | a | b | c | d | e | f |

Et s'il vous a été servi...

| | a | b | c | d | e | f |
|---|---|---|---|---|---|---|
| • Le petit déjeuner | a | b | c | d | e | f |
| • Le repas ou la collation | a | b | c | d | e | f |
| • Les boissons | a | b | c | d | e | f |
| • Le confort global de votre fauteuil | a | b | c | d | e | f |
| • L'espace disponible en largeur | a | b | c | d | e | f |
| • L'espace disponible pour vos jambes | a | b | c | d | e | f |
| • L'état de la cabine | a | b | c | d | e | f |
| • La propreté des toilettes | a | b | c | d | e | f |
| • Les lectures | a | b | c | d | e | f |
| • Les annonces et les informations sur ce vol | a | b | c | d | e | f |

# Les parties prenantes

Le point de départ de l'analyse consiste à identifier les *parties prenantes*. Traditionnellement, on pense, pour une entreprise privée, aux actionnaires. Mais les clients, les employés, les fournisseurs et les distributeurs affectent directement les performances de l'entreprise. Il faut donc essayer de les satisfaire tous. Au moins jusqu'à un certain stade. Une entreprise peut ainsi chercher délibérément à favoriser une satisfaction très élevée chez ses clients, assez élevée chez ses employés et juste suffisante pour ne pas provoquer de mécontentement chez ses fournisseurs. Elle doit toutefois veiller à ne pas donner à certains le sentiment d'être maltraités par rapport aux autres. En choisissant un niveau pour chaque partie prenante, l'entreprise doit également tenir compte des synergies et des interactions[13]. Par exemple, un niveau élevé de satisfaction du personnel peut aboutir à un service amélioré, lui-même générateur de satisfaction client. Si les clients sont satisfaits, ils continueront d'acheter à l'entreprise, ce qui accroîtra les ventes, les bénéfices, les dividendes versés aux actionnaires et, au bout du compte, permettra d'améliorer encore un peu plus les conditions de travail.

## Les processus

Une entreprise ne peut espérer réussir si elle n'optimise pas ses processus. L'entreprise performante focalise son attention sur les processus les plus importants, comme le développement de nouveaux produits et services, la conquête et la fidélisation des clients, ou le traitement des commandes. On remet en cause les organisations traditionnelles en départements pour créer des équipes multifonctionnelles déterminées à partir des savoir-faire nécessaires et des compétences existantes. Elle procède alors à un «reengineering» de ses activités[14]. Xerox, ATT, Polaroid, Motorola ou ABB ont ainsi réorienté avec succès leurs opérations.

## Les ressources

Pour mettre en œuvre les savoir-faire, l'entreprise a besoin de *ressources* en énergie, en matières, en hommes, en machines, et en informations. On peut posséder, emprunter ou louer ces ressources. Jadis, l'entreprise cherchait à acquérir tout ce dont elle avait besoin. Aujourd'hui, on découvre que les ressources que l'on contrôle ne sont pas nécessairement aussi performantes que celles obtenues en externe. L'entreprise performante *sous-traite* ses ressources secondaires tandis qu'elle consolide ses ressources essentielles, celles qui relèvent du cœur même de son activité. Ainsi, Nike ne fabrique pas ses chaussures, montées en Asie du Sud-Est, mais conserve le contrôle du design et du merchandising, ses deux *compétences-clés*. Une compétence est appelée «clé» si : 1) elle contribue fortement aux avantages du produit aux yeux des clients ; 2) elle a un riche réservoir d'applications ; et 3) elle est difficile à imiter par la concurrence[15].

L'avantage concurrentiel tient également aux *compétences distinctives* de l'entreprise. Alors que les compétences-clé concernent des processus bien spécifiques, souvent techniques, les compétences distinctives concernent des aptitudes managériales plus vastes. Par exemple, Wal-Mart, le géant de la distribution américaine désormais présent en Europe possède une compétence distinctive dans le réassortiment des produits, elle-même assise sur plusieurs compétences-clé en matière informatique et logistique. George Day estime que les entreprises à haute performance excellent dans trois domaines : *sentir le marché, se lier aux clients,* et *gérer les circuits de distribution*[16]. Au final, l'avantage concurrentiel dépend de la capacité de l'entreprise à associer ses compétences-clés et ses compétences distinctives dans un «système d'activités» étroitement liées, souvent difficile à imiter.

## L'organisation

La *dimension organisationnelle* de l'entreprise comprend sa structure, ses politiques et sa culture, éléments tous menacés d'obsolescence rapide. Tandis que la structure et les politiques se modifient, souvent avec difficulté, la culture

CHAPITRE 3
Satisfaire
et fidéliser
le client grâce
à la valeur

73

offre davantage de résistance. Pourtant, c'est souvent l'élément décisif. Par *culture d'entreprise*, il faut entendre « les valeurs, normes, expériences et croyances qui caractérisent la firme. »

■ MICROSOFT a une culture profondément marquée par la personnalité de son fondateur, Bill Gates. En apparence décontractée, comme en témoignent les tenues vestimentaires du personnel, elle est en même temps centrée sur la compétition, la domination et le cours de l'action. Les employés possèdent un tiers de l'entreprise et intègrent plus de millionnaires qu'aucune firme au monde[17].

Les sociétés « visionnaires » ont souvent une culture forte et des valeurs explicites (voir encadré 3.3). Il faut en permanence vérifier la bonne adéquation de la culture d'entreprise aux exigences de l'environnement externe. Il en va ainsi de Nouvelles Frontières :

■ NOUVELLES FRONTIÈRES a bien grandi depuis l'époque où, au début des années 1960, Jacques Maillot organisait pour ses amis scouts de la banlieue parisienne des voyages au Maroc à des prix défiant toute concurrence. Pourtant l'« esprit boy scout » n'a jamais disparu, transparaissant à la fois dans la politique sociale de l'entreprise et le marketing relationnel mis en place auprès des clients. « Je m'attache à créer des relations sociales détendues », expliquait le patron de l'entreprise, ancien militant de gauche qui a toujours essayé de mettre sa gestion en conformité avec ses idées. Pendant toutes les années où il est resté à la tête de l'entreprise, Jacques Maillot préservait une très grande disponibilité, n'hésitant pas à téléphoner lui-même à un client mécontent et s'efforçant de rester très proche de son personnel. Il faisait chaque samedi une incursion à l'improviste dans l'une de ses agences : « C'est ainsi que je sens l'ambiance, l'état d'esprit du personnel et les desiderata de la clientèle. Aucune note de mes collaborateurs ne pourra remplacer la richesse de ces contacts directs[18]. »

L'origine des hautes performances de certaines entreprises a été étudiée par Collins et Porras qui ont consigné leurs six années d'investigation dans *Bâties*

---

**3.3**

## Pourquoi existez-vous et quelles valeurs défendez-vous ?

Pour connaître le dessein d'une organisation, livrez-vous à cet exercice :

Commencez par vous décrire : « Nous faisons tels produits », « Nous commercialisons tels services ». Puis demandez-vous « En quoi est-ce important ? », en répétant cinq fois cette question. Avec la cinquième réponse, vous découvrez le but profond de votre entreprise : par exemple « Nous faisons du béton » devient « Nous aidons les hommes à mieux vivre en améliorant la solidité des structures qu'ils construisent ». Pour identifier les valeurs-clé de l'entreprise :

1. Demandez-vous sans relâche et sans détour quelles valeurs sont réellement importantes.

2. Si vous en trouvez cinq ou six, recommencez. Vous confondez probablement valeurs et activités managériales.

3. Après avoir réduit votre liste, posez-vous à chaque fois la question suivante : « Si les circonstances se modifiaient au point de nous affecter négativement du fait de cette valeur, continuerions-nous à y croire ? »

4. Si vous ne pouvez en toute honnêteté répondre oui à la question précédente, alors la valeur en question n'est pas centrale pour vous. Ce ne sont pas les marchés qui influencent les valeurs mais l'inverse.

Source : Adapté de J.C. Collins et J.L. Porras, « Building your Company's Vision », *Harvard Business Review*, septembre-octobre 1996, p. 65.

*pour durer*[19]. Les deux chercheurs ont choisi dans 18 secteurs, deux entreprises : l'une qu'ils considéraient comme «visionnaire» et l'autre qui servait de standard de comparaison. Les entreprises visionnaires étaient reconnues et admirées comme des firmes leader : leurs objectifs étaient ambitieux, partagés par le personnel, et allaient au-delà de la rentabilité. L'écart avec la moyenne était saisissant : General Electric, Hewlett-Packard et Boeing face à Westinghouse, Texas Instruments et McDonnel Douglas.

Les deux chercheurs identifièrent trois points communs aux 18 sociétés visionnaires. D'abord, elles adhéraient toutes à un petit nombre de valeurs qui guidaient en permanence leur action. Ainsi, IBM était attaché au respect individuel, à la satisfaction du client et au souci constant d'amélioration[20]. Johnson & Johnson déclarait qu'elle était responsable d'abord devant ses clients, puis devant ses employés, puis devant la société dans son ensemble, et enfin devant ses actionnaires. En deuxième lieu, les entreprises visionnaires exprimaient leurs missions en termes de défi. Xerox veut améliorer «la productivité du travail de bureau» et Monsanto «contribuer à combattre la faim dans le monde». Selon Collins et Porras, de tels desseins ne sauraient être confondus ni avec les objectifs et les stratégies de management ni avec les gammes de produit. Enfin, les entreprises visionnaires avaient une vision claire de leur avenir et des moyens de s'y préparer. IBM souhaitait ainsi devenir le leader des sociétés de réseaux et pas seulement le plus gros fabricant d'ordinateurs.

Une société performante doit savoir forger sa stratégie. Traditionnellement, cette tâche était dévolue à l'équipe dirigeante. Cependant, Gary Hamel pense que les idées stratégiques créatives existent à tous les niveaux de l'organisation[21] ; le rôle de la direction générale consiste donc à identifier et encourager ces idées, qu'elles proviennent d'employés opérant loin du siège, de jeunes employés ou bien de nouveaux venus dans le secteur bénéficiant d'un œil neuf.

L'élaboration d'une stratégie consiste à choisir parmi différentes visions de l'avenir. Le groupe Shell a depuis de nombreuses années développé *l'analyse de scénarios*, qui consiste à expliciter plusieurs versions de l'avenir de l'entreprise à partir d'hypothèses faites sur les différents acteurs du marché et leur mode d'évolution. Le management doit alors, pour chaque scénario, se poser la question : «Que doit-on faire s'il se réalise?» Il doit ensuite choisir le scénario le plus probable et se doter des éléments de diagnostic qui permettront, au fil du temps, de le confirmer, ou au contraire, de l'invalider[22].

Dans tous les cas, le succès dépend de la capacité de l'entreprise à maîtriser la valeur créée pour le client et la satisfaction qui en résulte.

## Gérer la valeur et la satisfaction

Compte tenu de leur importance, comment gérer valeur et satisfaction de façon efficace? Pour répondre à cette question, il nous faut introduire les notions de *chaîne de valeur* et de *système de gestion de la valeur*.

### La chaîne de valeur

Le professeur Michael Porter a introduit la notion de *chaîne de valeur* pour faciliter l'identification des modes de création de valeur[23]. Toute société remplit un ensemble de fonctions pour créer, fabriquer et commercialiser ses produits. La chaîne de valeur décortique ces activités autour de neuf pôles qui sont à la fois centres de coût et sources de valeur. Les neuf pôles comportent cinq activités de base et quatre activités de soutien (voir figure 3.3).

CHAPITRE 3
Satisfaire
et fidéliser
le client grâce
à la valeur

75

**FIGURE 3.3**

La chaîne
de valeur

**Activités
de
soutien**

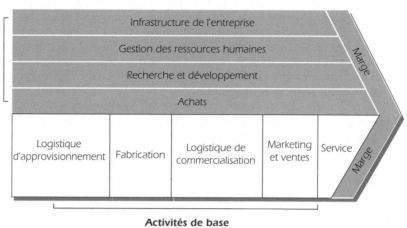

**Activités de base**

Source : Porter, L'Avantage concurrentiel (Paris : InterÉditions, 1996), p. 37.

Les activités de base s'articulent autour de la séquence : approvisionne-ment-fabrication-commercialisation-marketing-service. Les activités de sou-tien apportent l'appui nécessaire. Les achats concernent toutes les ressources dont l'entreprise a besoin. La recherche et développement s'occupe essentiel-lement de l'innovation technologique. La gestion des ressources humaines intéresse tous les départements. Enfin, l'infrastructure comprend la direction générale, la planification, la finance, la comptabilité, et l'assistance juridique.

L'entreprise examine alors ses coûts et ses performances dans tous les com-partiments en recherchant des améliorations. Elle estime également les coûts et performances des concurrents. À partir du moment où elle détecte un écart en sa faveur, elle jouit d'un avantage concurrentiel. Plus encore, l'entreprise peut étudier les pratiques des meilleurs dans chaque domaine, même s'ils appartiennent à d'autres secteurs, et s'en inspirer[24]. C'est ce que l'on appelle le «benchmarking».

Au-delà de la façon dont chaque département remplit ses activités, le suc-cès dépend aussi de la qualité de leur coordination. Trop souvent, un dépar-tement cherche à optimiser sa propre logique au détriment de l'ensemble. Pour s'attaquer à ce problème, il faut que l'entreprise analyse en profondeur ses *savoir-faire* fondamentaux, notamment dans les domaines suivants[25] :

♦ *la compréhension du marché*, qui concerne toutes les activités s'articulant autour de la collecte d'informations sur le marché et sa diffusion dans l'entreprise ;

♦ *le développement des nouveaux produits*, qui rassemble tous les efforts d'identifi-cation, de recherche, de développement et de lancement de nouvelles activités ;

♦ *la conquête de nouveaux clients*, à travers la définition des marchés-cibles et la prospection ;

♦ *la gestion de la relation client* : toutes les activités consacrées à une meilleure compréhension des clients, à l'intensification des relations avec eux et à l'éla-boration d'offres personnalisées ;

♦ *l'exécution des commandes*, qui comprend leur réception, l'envoi des produits dans les délais, l'émission et l'encaissement des factures.

Les entreprises performantes sont celles qui développent leurs compé-tences dans chacun de ces domaines-clés. Une entreprise obtenant un avan-tage concurrentiel à ce niveau jouit d'un atout stratégique décisif[26].

## Les systèmes de gestion de valeur

L'entreprise a besoin de construire ses avantages concurrentiels au-delà de sa propre chaîne de valeur, en incorporant ses fournisseurs, ses intermédiaires et, en bout de chaîne, ses clients. De plus en plus d'entreprises constituent ainsi autour d'elles un réseau de compétences : Procter & Gamble a ainsi plus d'une vingtaine d'employés travaillant au siège de ses distributeurs les plus importants. De même la division autobus de Renault a créé un poste au sein même de la RATP, son principal client.

La figure 3.4 illustre le réseau mis en place par Lévi-Strauss, la célèbre marque de blue-jeans. Aux États-Unis, l'un de ses clients majeurs est Sears. Tous les soirs, à travers les systèmes d'échange de données informatiques (EDI), Levi-Strauss prend connaissance des tailles et styles de tous les blue-jeans vendus chez Sears. Le lendemain, l'entreprise passe commande du textile nécessaire auprès de Milliken, son principal fournisseur. Milliken, à son tour, commande la fibre à Du Pont. De cette façon, tous les membres de la chaîne bénéficient des dernières informations disponibles sur la demande. Dans ce système, toute l'activité de la filière est donc tirée par la demande et non par l'offre.

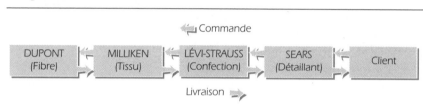

**FIGURE 3.4**
Le système
de gestion de valeur
de Lévi-Strauss

Jadis, fournisseurs et clients se jugeaient adversaires alors qu'aujourd'hui des réseaux de partenariat se mettent en place pour optimiser l'efficacité de l'ensemble. La concurrence subsiste mais se déplace. Elle n'oppose plus des entreprises mais des réseaux : dans notre cas le «système Lévi-Strauss» contre le «système Wrangler». Les entreprises les plus performantes sont celles qui construisent autour d'elles le meilleur réseau de partenariats.

# Attirer et conserver le client

Les entreprises ne cherchent pas seulement à améliorer leurs relations avec leurs partenaires mais également à consolider les liens qui les unissent à la clientèle. Cette démarche correspond à la gestion de la relation client (*Customer Relationship Management* ou CRM). Il s'agit de rassembler des informations précises sur les clients individuels et de gérer avec soin tous les moments de rencontre avec eux afin de favoriser leur fidélité. Selon Gitomer, la tâche primordiale n'est plus de satisfaire les clients mais de les rendre enthousiastes et fidèles[27].

## Attirer les clients

Une société à la recherche d'une croissance rentable doit consacrer beaucoup d'efforts à la conquête de nouveaux clients. Pour identifier des pistes, les entreprises passent des publicités dans les médias, envoient des messages écrits et téléphoniques et demandant à leurs vendeurs de participer aux foires et salons. Toutes ces activités aboutissent à une liste de *prospects* qu'il faut ensuite quali-

CHAPITRE 3
Satisfaire
et fidéliser
le client grâce
à la valeur

77

fier en les interrogeant et en vérifiant leur solidité financière. La force de vente contacte en priorité les prospects à plus fort potentiel et essaie de les convertir en clients.

## Les coûts des clients perdus

L'entreprise doit ensuite surveiller de très près la défection de sa clientèle et en réduire le plus possible l'amplitude. En quatre temps. D'abord, il faut définir et mesurer le *taux de fidélité*. Pour un magazine, ce peut être le taux de réabonnement ; pour un établissement d'enseignement privé, le pourcentage de réinscriptions.

En second lieu, il faut connaître les différentes *raisons d'abandon* et identifier celles auxquelles on peut porter remède. Si les non-réinscriptions scolaires sont dues à des déménagements ou à des mutations géographiques, un établissement d'enseignement n'y peut pas grand-chose. En revanche s'il y a mécontentement du fait de la qualité des services rendus ou des tarifs pratiqués, il faut réagir[28].

On doit ensuite estimer le *profit perdu* par client parti. Dans le cas d'un non-réabonnement, on peut l'estimer à partir de la *durée de vie «commerciale»* du client, liée au nombre d'années pendant lesquelles il aurait continué à acheter le magazine (estimé d'après la moyenne des autres clients). Dans le cas d'un segment de clientèle, un transporteur l'a calculé ainsi :

*L'entreprise a 6 400 clients.*

*Chaque année, 5 % de clients mécontents quittent l'entreprise, soit 320 clients.*

*La perte moyenne par client est de 3 000 € de chiffre d'affaires, d'où une réduction totale de 960 000 € (320 ×3 000).*

*La marge bénéficiaire est de 10 %. On a donc perdu 96 000 €.*

Finalement, l'entreprise doit calculer à combien cela reviendrait de réduire les défections. Dans notre exemple, le transporteur peut dépenser jusqu'à 96 000 € dans ce but.

## La nécessité de conserver sa clientèle

Hélas, la théorie marketing a surtout examiné la conquête des nouveaux marchés. Les analyses ont porté sur les activités préparatoires à la vente plutôt que sur l'après-vente. Toutefois, un nombre croissant d'entreprises se préoccupent aujourd'hui de fidéliser leurs clients, et ce dans des secteurs très divers.

■ **SFR.** Longtemps, les opérateurs de téléphonie mobile se sont essentiellement focalisés sur la conquête de nouveaux clients. Ils ont multiplié les grandes campagnes de publicité, adopté des politiques de prix agressives et offert des téléphones mobiles. Aujourd'hui, la croissance du taux d'équipement s'est ralentie et les opérateurs se sont rendu compte que les marges sont plus élevées sur les clients fidèles. D'où un intérêt croissant pour la fidélisation. Alors qu'un client sur cinq change d'opérateur dans l'année, il s'agit d'éviter les départs, de convertir les clients aux nouveaux usages du mobile, et surtout, de développer les revenus sur le parc d'abonnés existant. SFR a été le premier opérateur à élaborer un dispositif récompensant la fidélité : la garantie Carré Rouge offre chaque mois des points cumulables et convertibles en services gratuits, en crédit de communication ou en conditions avantageuses pour changer de mobile. En outre, l'opérateur envoie chaque mois à ses abonnés un mini-magazine décliné par gamme (Pro, Perso, Carte). Le même type de politique est également appliqué par Orange et Bouygues Telecom[29].

■ **NESTLÉ.** Chaque année, la division de la diététique infantile parvient à persuader 40 % de jeunes mamans de s'inscrire dans un programme qui s'étale sur 15 mois. En leur distillant des promotions et conseils sur l'alimentation des bébés, Nestlé a contribué à faire progresser ce marché de 30 % ces dernières années. «En fait, explique le directeur marketing, la fidélisation de la clientèle fonctionne d'autant mieux que la cible est bien identifiée, impliquée dans la consommation du produit et demandeuse d'information[30].»

La clé de la fidélité réside dans la satisfaction. En effet, un client très satisfait reste fidèle plus longtemps, achète davantage lorsque l'entreprise lance de nouveaux produits ou améliore les gammes existantes, recommande les produits à son entourage, est moins sensible à la concurrence et au prix, donne plus volontiers son avis à l'entreprise, et coûte moins à cette dernière du fait que les transactions deviennent automatiques.

Une entreprise devrait donc systématiquement mesurer le degré de satisfaction de sa clientèle, par exemple en téléphonant aux récents acheteurs et en leur demandant s'ils sont très satisfaits, satisfaits, neutres, insatisfaits ou très insatisfaits. Certaines entreprises pensent avoir une idée de la satisfaction de la clientèle en dénombrant les réclamations. Mais 95 % des insatisfaits ne réclament pas ; ils achètent autre chose[31]. Au-delà des mesures de satisfaction, il est donc du devoir de l'entreprise de faciliter la réclamation à travers des boîtes à idées ou des numéros verts. La société 3M attend avec impatience les réclamations des clients. Deux idées sur trois d'amélioration de produit en sont directement issues.

Écouter n'est pourtant pas suffisant. Il faut réagir rapidement et de façon constructive :

*Parmi les clients qui déposent une réclamation, entre 54 et 70 % resteront fidèles si leur problème est résolu. Ce pourcentage s'élève à 95 % si la résolution intervient rapidement. En outre, un client dont on a résolu le problème parlera favorablement de son expérience à au moins cinq personnes de son entourage[32].*

Dans cette optique, IBM demande à tous ses vendeurs de rédiger un rapport sur chaque client perdu et les mesures qui ont été prises pour le satisfaire[33]. Regagner la confiance des clients mécontents est une mission essentielle du marketing, et cela coûte souvent moins cher que de conquérir un nouveau client.

Une entreprise qui met depuis longtemps l'accent sur la satisfaction de la clientèle est le vépéciste L.L. Bean, spécialisé dans le textile et l'équipement pour la vie au grand air. Cette société a mis en place un habile mélange de marketing externe et interne. À ses clients, elle promet[34] :

*Tous nos produits sont garantis pour vous donner 100 % de satisfaction. Renvoyez-nous la marchandise si ce n'est pas le cas. Nous vous l'échangerons ou vous rembourserons, à votre convenance. Nous ne voulons pas vous livrer quelque chose qui ne vous donne pas entièrement satisfaction.*

À son personnel, L.L. Bean déclare sur des affiches placées ostensiblement dans tous les bureaux :

*Qu'est-ce qu'un client ?*

- *Un client est la personne la plus importante présente dans ce bureau.*
- *Un client ne dépend pas de nous. Nous dépendons de lui.*
- *Un client n'est pas un embarras dans notre travail. Il en est la raison d'être. Nous ne lui rendons pas service. C'est lui qui nous rend service en nous demandant quelque chose.*
- *Il ne sert à rien de se disputer avec un client. Personne n'a jamais gagné contre un client.*
- *Un client nous parle de ses besoins. C'est à nous de les satisfaire, à son plus grand profit en même temps qu'au nôtre.*

CHAPITRE 3
Satisfaire
et fidéliser
le client grâce
à la valeur

79

Aujourd'hui, de plus en plus d'entreprises s'efforcent de conserver leurs clients. Le portefeuille de clients constitue en effet le capital relationnel de l'entreprise et contribue à sa valeur boursière. Il apparaît que[35] :

♦ Acquérir un nouveau client coûte cinq fois plus cher que satisfaire et fidéliser les clients actuels.

♦ En moyenne, les entreprises perdent chaque année 10 % de leurs clients, mais il existe de grandes variations selon les secteurs et les entreprises.

♦ Une entreprise peut améliorer sa rentabilité de 25 à 85 % en réduisant son taux de défection de 5 %

♦ La rentabilité d'un client tend à augmenter avec l'ancienneté de sa relation avec l'entreprise.

À l'inverse, quelques spécialistes soulignent les dangers d'une fidélisation excessive[36]. D'abord parce que tous les clients ne sont pas bons à garder : ceux qui ont tendance à rechercher systématiquement la meilleure affaire et à changer de marque sont très coûteux à fidéliser ; d'autres exigent un temps et une attention démesurés par rapport à leur volume d'achat et à leur rentabilité. Ensuite, parce qu'une fidélisation non assortie de conquête de nouveaux clients conduit au vieillissement de la clientèle. En conséquence, la politique de fidélisation doit porter sur les clients les plus importants et les plus rentables dans le présent ou l'avenir. De nombreuses entreprises dégagent une fois et demi leurs bénéfices à partir d'un tiers de leurs clients, parviennent à leur niveau de rentabilité avec le tiers intermédiaire et subissent des pertes substantielles avec le dernier tiers[37]. Les actions de fidélisation doivent donc être différenciées par segment de clientèle.

## La mesure de la valeur à vie du client

Pour déterminer quels clients fidéliser et combien investir dans cet objectif, on utilise le concept de valeur à vie du client.

❖ La *valeur à vie d'un client* correspond à la valeur actuelle des profits réalisés sur ce client lors des achats qu'il effectuera auprès de l'entreprise tout au long de sa vie. On l'évalue en actualisant les revenus futurs espérés, déduits des coûts de conquête, de vente et de service à ce client.

Prenons un exemple :

*Supposons qu'une entreprise industrielle calcule ainsi le coût de conquête d'un nouveau client dans un segment donné :*

| | |
|---|---|
| *Coût moyen d'une visite commerciale (salaires, commissions et charges)* | *300 €* |
| *Nombre de visites nécessaires pour convertir un prospect* | *4* |
| *Coût de conquête d'un nouveau client* | *1 200 €* |

*Ce coût est probablement sous-estimé car il ignore les frais de publicité, de promotion, ainsi que les frais administratifs. Il néglige en outre le fait que seule une partie des prospects rencontrés deviennent effectivement clients.*

*Supposons maintenant que l'entreprise calcule ainsi la valeur d'un client du segment :*

| | |
|---|---|
| *Chiffre d'affaires annuel moyen par client* | *5 000 €* |
| *Fidélité moyenne (en années)* | *2* |
| *Marge bénéficiaire de l'entreprise* | *10 %* |
| *Valeur à vie du client (avant actualisation)* | *1 000 €* |

À l'évidence, notre entreprise dépense davantage pour conquérir des clients qu'elle n'en tire de bénéfice. À moins de trouver un moyen de modifier en sa faveur l'un quelconque des éléments du calcul, par exemple en réduisant les coûts de visite commerciale, en accroissant l'achat annuel moyen ou la durée de fidélité moyenne, elle court à sa perte.

Il existe deux principaux moyens de favoriser la fidélité de ses clients. Le premier est d'accroître les barrières à la sortie. Par exemple, certaines banques fait payer à leurs clients des frais de fermeture de compte. Plus subtilement, d'autres multiplient les prestations, par exemple en liant plusieurs comptes entre eux, ce qui rend le départ du client compliqué pour lui et peut le dissuader de changer d'établissement. La seconde approche consiste à mettre en place un système de gestion de la relation client visant à le satisfaire et à le fidéliser.

## La gestion de la relation client

La gestion de la relation client est souvent désignée sous le terme de CRM. Son objectif est de créer un fort capital client.

❖ Le *capital client* est la somme des valeurs à vie actualisées des clients de l'entreprise. Plus la fidélité de la clientèle est forte, plus la valeur du capital client est élevée.

Rust, Zeithaml et Lemon ont identifié trois déterminants du capital client[38] :

♦ La *valeur perçue de l'offre* correspond à la perception qu'a le client de la valeur globale déduite des coûts totaux. Elle dépend de la qualité perçue, des prix, de la facilité d'achat et d'utilisation. La valeur perçue est d'autant plus importante que les produits sont différenciés et complexes.

♦ La *marque* dépasse la valeur objective de l'offre en lui conférant une valeur subjective et intangible. Elle peut jouer un rôle important dans la fidélisation du client, surtout lorsque les produits sont peu différenciés et contiennent une forte dimension émotionnelle. On peut accroître sa valeur aux yeux du client en ayant recours à la publicité et aux autres moyens de communication.

♦ La *relation* est la tendance du client à être fidèle à l'entreprise au-delà de son évaluation de la valeur de l'offre et de son attachement à la marque. On peut construire des relations à travers les programmes de fidélisation, l'identification des clients, les bases de données individualisées sur les attentes et les achats passés, ou encore la construction de communautés de clientèle. Cette dimension est particulièrement importante lorsqu'une relation de confiance individualisée est nécessaire au choix du produit ou du service.

En fonction de son secteur d'activité et de sa situation, chaque entreprise doit identifier lequel de ces trois leviers est le plus efficace.

La figure 3.5 présente les principales étapes de conquête et de fidélisation des clients. Au départ, il y a le *suspect*, toute personne susceptible d'acheter le produit. L'entreprise le qualifie ou non en *prospect* selon son profil et/ou sa solvabilité. Elle encourage alors le *premier achat* puis le *réachat* afin d'en faire un *client fidèle*, si possible un *adepte*, voire un *ambassadeur*, qui non seulement achète les produits de l'entreprise mais les recommande aux autres, et enfin éventuellement un *partenaire*. À tout moment, le client peut devenir *inactif* et doit alors être réactivé par l'entreprise, par exemple à travers des programmes de *re-fidélisation*.

CHAPITRE 3
Satisfaire
et fidéliser
le client grâce
à la valeur

81

**FIGURE 3.5**
Le processus
de développement
d'un client

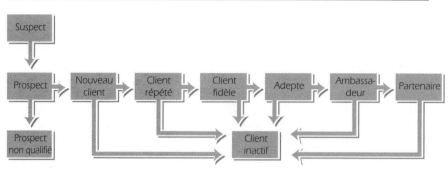

*Source :* Jill Griffin, *Customer Loyalty : How to Earn it, How to Keep it*
(New York : Lexington Books, 1995) p. 36 ; voir également Murray Raphel et Neil Raphel,
*Up the Loyalty Ladder : Turning Sometime Customers into Full-Time Advocates of Your Business*
(New York : HarperBusiness, 1995).

Combien faut-il investir pour conquérir et fidéliser une clientèle ? Il faut en fait distinguer cinq niveaux de relation :

♦ *le niveau de base :* le vendeur vend le produit mais ne recontacte jamais l'acheteur ;

♦ *le niveau réactif :* le vendeur encourage l'acheteur à le contacter pour tout problème éventuel ;

♦ *le niveau responsable :* le vendeur téléphone au client après l'achat pour vérifier que le produit le satisfait. Toute suggestion d'amélioration ou tout mécontentement est enregistré ;

♦ *le niveau proactif :* le vendeur appelle le client de temps en temps pour s'enquérir de ses réactions et de ses suggestions quant à l'utilisation du produit ;

♦ *le partenariat :* l'entreprise est en contact permanent avec l'acheteur pour l'aider à améliorer sa productivité.

**FIGURE 3.6**
Les cinq niveaux
de marketing
relationnel
(en fonction de
la marge bénéficiaire
et du nombre
de clients)

|  |  | MARGE BÉNÉFICIAIRE | | |
|---|---|---|---|---|
|  |  | **Faible** | **Moyenne** | **Forte** |
| **NOMBRE DE CLIENTS** | **Élevé** | Responsable | Réactif | Basique |
|  | **Moyen** | Proactif | Responsable | Basique |
|  | **Faible** | Partenariat | Responsable | Réactif |

La plupart des entreprises se limitent en fait au premier niveau. Par exemple, Danone ne va pas téléphoner à chacun de ses consommateurs pour s'enquérir de leurs réactions. Au mieux, l'entreprise sera réactive en mettant en place un service clientèle doté d'un numéro vert. À l'inverse, lorsqu'une entreprise a affaire à un tout petit nombre de clients, le partenariat est de rigueur. Ainsi, Airbus Industries est en relation permanente avec chacun de ses clients. Entre ces deux extrêmes, toutes les autres formes de marketing relationnel se rencontrent en fonction du nombre de clients et des marges qu'ils procurent (voir figure 3.6).

La gestion de la relation client est souvent guidée par la technologie de l'information (bases de données, centres d'appel, messagerie électronique, sites web, etc.)[39]. Par exemple :

■ AMERICAN EXPRESS FRANCE enrichit en permanence sa base de données de nouvelles informations permettant d'affiner encore les actions et de valoriser le capital-client. «Nous pouvons aujourd'hui, explique le directeur général, estimer la probabilité qu'un individu a de nous quitter ou de devenir un gros client et déclencher les actions marketing qui s'imposent[40]».

■ ACCOR a décidé de «faire du client un partenaire» en développant un marketing relationnel interenseigne. Dans le passé, les entreprises clientes du groupe hôtelier voyaient défiler les commerciaux de Sofitel, Novotel, Mercure et Ibis et les clients accumulaient des points dissociés dans chaque enseigne. Aujourd'hui, des cartes multienseignes permettent de gagner des points transformables en chèques cadeaux utilisables dans tous les hôtels du groupe. Les cartes d'abonnement, payantes, vont plus loin : elles s'adressent aux clients à fort potentiel et offrent des tarifs réduits, des services spécifiques (par exemple obtenir une chambre avant midi ou la possibilité de quitter jusqu'à 16 heures), et surtout la garantie de disposer d'une chambre si l'on contacte le groupe trois jours avant sa venue (et ce même si l'hôtel affiche complet)[41].

■ SONY. En obtenant le budget de marketing relationnel de la Playstation, l'agence JWT se donna plusieurs missions. La première fut d'identifier les 20 % de consommateurs qui réalisent 80 % des achats de jeux. La seconde eut pour but de fidéliser les plus gros acheteurs de Playstation et de jeux en les protégeant d'une attaque des concurrents. La dernière, qui visait à optimiser la satisfaction, prit la forme d'un club permettant à ses membres de recevoir sept fois par an des CD démos avec incitation à l'achat et questionnaire d'évaluation[42].

Aujourd'hui le téléphone est systématiquement utilisé pour prospecter ou fidéliser la clientèle (voir encadré 3.4).

## Les moyens de nouer des liens forts avec les clients

Les principes de base pour nouer des liens forts avec les clients sont les suivants : faire participer tous les départements de l'entreprise à la gestion de la satisfaction et de la fidélité ; prendre en compte la voix du client dans chaque décision ; proposer des produits, des services et des expériences de qualité au marché-cible ; élaborer et rendre accessible une base de données sur les besoins, les préférences, les contacts, la fréquence d'achat et la satisfaction de chaque client ; permettre au client de contacter facilement le personnel de l'entreprise pour lui exprimer ses besoins, ses impressions et ses motifs de plainte ; valoriser les employés les plus performants.

Berry et Parasuraman vont au-delà de ces principes et proposent trois moyens de favoriser la fidélité : les stimulants financiers, les stimulants sociaux et les liens structurels[43].

LES STIMULANTS FINANCIERS ❖ Les deux stimulants les plus couramment pratiqués sont les programmes de fidélisation et les clubs (voir l'encadré 3.5). Ainsi, toutes les compagnies aériennes ont, les unes après les autres, mis en place des programmes offrant des avantages à leurs clients réguliers. De même, pour les chaînes d'hôtels, les loueurs de voitures et de nombreux commerçants. Ces programmes sont cependant faciles à imiter et différencient peu l'offre de l'entreprise.

CHAPITRE 3
Satisfaire
et fidéliser
le client grâce
à la valeur

# Du télémarketing au téléservice : l'essor des centres d'appel

«Bouygues Telecom, bonjour». Casque sur les oreilles, yeux rivés sur leur écran, les 700 téléagents installés à Issy-les-Moulineaux et Boulogne-Billancourt reçoivent jusqu'à 26 000 appels par jour. Ils informent, assistent, ouvrent de nouvelles lignes aux abonnés, répondent aux réclamations et vendent des services additionnels...

La France compte près de 2 000 centres d'appel, loin derrière les États-Unis (250 000) et le Royaume-Uni (4 200), mais avec une croissance de 20 % par an.

Il existe plus de cinquante types de centres d'appel différents. Un call center qui gère des appels de vérification ou de relances commerciales (appels sortants) ne sera pas conçu comme un centre qui gère des prises de commandes (appels entrants).

La création d'un centre d'appel permet non seulement d'optimiser les communications («avant, nous perdions un appel sur deux en Ile-de-France», explique un responsable de Maaf Assurances), mais également de rationaliser la distribution. Au Crédit du Nord, on a ainsi divisé par trois le coût de vente d'une carte bancaire en passant des agences à un centre d'appel centralisé (60 postes en tout).

Plus qu'un service téléphonique, le centre d'appel est un puissant outil qui permet aux entreprises de cibler les clients les plus rentables, d'accroître les taux de réachat, de fidéliser les clients, et de dynamiser les ventes.

«Le montant moyen des commandes par téléphone est supérieur de 20 % aux commandes par courrier», explique-t-on chez Damart. Les téléopératrices peuvent vanter les promotions du moment ou proposer un autre coloris si celui que les clients demandent n'est pas disponible.

De son côté, Danone a remplacé ses seize numéros d'appels par un numéro azur pour toutes ses marques. Jeux, promotions, conseils diététiques... toutes les occasions sont bonnes pour fidéliser les clients. De même, Modes et Travaux propose à ses abonnés un numéro d'appel baptisé «Entre eux» où ils peuvent obtenir les conseils de spécialistes en couture, broderie, cuisine ou beauté. L'enseigne Décathlon, quant à elle, joue sur la complémentarité entre son centre d'appel central et les points de vente qui sont contactés directement par les clients locaux. Elle gère ainsi 60 000 appels et 16 000 e-mails par an, visant à demander des informations sur les produits et leur disponibilité en magasin, à réagir aux campagnes de communication ou à faire part de réclamations après un achat.

Il y a quelques années, on avait pensé que le développement d'Internet nuirait à celui des centres d'appel, mais aujourd'hui des solutions intégrant les deux technologies ont été développées : un simple clic met en communication avec un téléopérateur.

Les centres d'appel sont fortement créateurs d'emplois, notamment en province. Le développement d'un centre d'appel coûte quelques dizaines de millions d'euros et les entreprises se partagent entre celles qui les créent en interne et celles qui les sous-traitent à des sociétés spécialisées.

Source : «Centres d'appel : le service au bout du fil», *Enjeux*, 1er octobre 1998, pp. 98-100 ; voir également : «Le marketing téléphonique à l'heure de l'informatique», *Le Figaro*, 25 mai 1998, p. 101 ; «La bonne école du marketing téléphonique», *Le Figaro*, 16 novembre 1998, p. 118 et «Décathlon se mobilise autour du client», *LSA*, 11 avril 2002, pp. 68-69.

1re PARTIE
Comprendre
le marketing

# Les stratégies de fidélisation de la clientèle : clubs et marketing relationnel

À mesure qu'elles évoluent d'un marketing transactionnel vers un marketing relationnel, les entreprises mettent en place des programmes destinés à fidéliser leur clientèle. L'objectif est de choyer le cœur de cible en le traitant de façon privilégiée, soit à travers des programmes de fidélisation, soit à travers des clubs.

## Les programmes de fidélisation

Ils sont destinés à récompenser les clients qui achètent souvent et beaucoup. La revue spécialisée *Colloquy* les définit comme «un moyen d'identifier, de maintenir et d'accroître l'activité des meilleurs clients à travers des relations de long terme, interactives et créatrices de valeur.» Le marketing de fidélisation concrétise ainsi l'équilibre de Pareto : 20 % des clients assurent 80 % du chiffre.

Air France a mis en place en 1992 le programme Fréquence Plus, à la suite de nombreuses compagnies aériennes. Le principe est simple : chaque vol procure au passager un certain nombre de «miles» qui, accumulés, permettent d'obtenir des surclassements, des excédents de bagage et des billets gratuits.

Dans le domaine de la distribution, certaines enseignes décident d'élargir l'audience de leurs programmes en se rapprochant d'autres commerçants. Ainsi Casino et Shell se sont associés à Euromaster et à l'opérateur de téléphonie Kertel.

En général, la première société à proposer un programme de fidélité jouit d'un avantage concurrentiel, surtout si la concurrence est lente à réagir. Lorsque tous les concurrents le pratiquent, ce système finit par coûter cher car il n'engendre plus de gain de parts de marché. Il faut alors compléter le programme par d'autres avantages, distinctifs et attrayants.

Une critique souvent émise à l'encontre de tels programmes est qu'ils réduisent la capacité de l'entreprise à bénéficier d'une image supérieure, puisque l'attraction se fait sur la base d'un stimulant économique.

## Les clubs

De nombreuses entreprises ont créé des clubs autour de leurs activités. L'appartenance au club est obtenue dès l'achat du premier produit ou contre paiement d'un droit d'entrée.

Le magazine *Le Point* fut ainsi l'un des premiers périodiques français à créer un club exclusif «Le Cercle» qui permet aux abonnés de bénéficier de nombreux services (places de concerts, d'opéra) et d'offres préférentielles (produits de luxe notamment). Christian Millau, auteur de guides gastronomiques, a mis en place le Club des gourmets, qui propose des vins sélectionnés, tout au long de l'année, contre l'engagement d'acheter au moins une caisse par an. Une revue, *Cahiers des Gourmets*, identifiant les meilleurs crus est également envoyée chaque trimestre. Harley-Davidson a créé le Harley Owners Group (HOG) qui comporte plus de 600 000 membres. Un magazine, des guides, une assurance spécifique, des discounts hôteliers et des programmes de location sont proposés aux membres.

La mise en place d'un club ou d'un programme de fidélisation soulève sept questions. D'abord, l'*objectif* : s'agit-il d'accroître la taille moyenne d'une commande, de minimiser les départs des clients, d'instaurer de bonnes relations avec eux, d'attirer de nouveaux clients ? Le choix du mode d'opération dépend de l'objectif visé.

*Ensuite, la* cible. American Express réserve sa carte Platine aux meilleurs clients. De même le Service Fréquence Plus d'Air France comporte trois couleurs : le gris pour la carte de base, le bleu pour les passagers qui totalisent chaque année au moins 40 000 miles et le rouge, réservé aux voyageurs qui doublent ce montant. Seuls ces derniers ont accès aux salons privés d'Air France dans les aéroports.

Troisièmement, il faut définir la *configuration d'avantages* qui sera proposée : seront-ils «soft» (surclassements, accès aux salons, priorités de réservation) ou «hard» (tickets gratuits, réductions, etc.) ? Les titulaires d'une carte bleue ou rouge Fréquence Plus bénéficient ainsi des avantages suivants : ligne directe et priorité de réservation,

CHAPITRE 3
Satisfaire
et fidéliser
le client grâce
à la valeur

85

comptoirs d'enregistrement séparés, livraison prioritaire et franchise supplémentaire de bagages, magazine, dépannage financier à l'étranger, réductions sur les frais de parkings et sur les locations de voiture.

Quatrièmement, il faut mettre en place la *stratégie de communication correspondante*. Elle peut être massive ou sélective (télémarketing), ne s'adressant qu'à certains groupes de clients.

Cinquièmement, il faut choisir les *conditions d'accès* au programme. Un droit d'entrée est-il requis ? Faut-il un système de parrainage ?

Sixièmement, il faut *former le personnel nécessaire* à la mise en route et au suivi du programme.

Enfin, il faut *mesurer les performances obtenues*, en vérifiant que le programme a bien atteint ses objectifs, tout en respectant ses coûts. À l'évidence, les entreprises soucieuses de mettre en place un club ou un programme de fidélisation, continueront à faire preuve d'imagination, surtout dans les secteurs (transports, hôtels, jeux et jouets) où la concurrence fait rage.

---

*Source :* Pour d'autres exemples de programmes de fidélisation, voir «Cartes de fidélité : les clés de la réussite», *LSA*, 1er octobre 1998, pp. 46-51. Voir également C. Bénavent et D. Crié, «Mesurer l'efficacité des cartes de fidélité», *Décisions marketing*, sept.-déc. 1998, no 15, pp. 83-90.

**LES STIMULANTS SOCIAUX** ❖ L'idée consiste ici à se rapprocher des clients en individualisant les relations avec eux. Ainsi, certaines sociétés personnalisent tous les contacts avec la clientèle (voir tableau 3.2). Donnelly, Berry et Thompson établissent une distinction entre clients et bons clients : les clients peuvent être anonymes, pas les bons clients ; les bons clients sont appréhendés différemment de la masse des consommateurs ; ils sont traités individuellement. Un simple client peut être servi par n'importe qui. Un bon client a souvent son vendeur attitré[44].

**TABLEAU 3.2**
Quelques éléments qui affectent les relations avec les clients

| EN POSITIF | EN NÉGATIF |
|---|---|
| Prendre l'initiative d'appeler | Se contenter de répondre aux appels |
| Émettre des suggestions | Se justifier |
| Utiliser un langage simple | Utiliser un langage d'expert |
| Téléphoner | Écrire |
| Remercier | Laisser l'incompréhension s'amplifier |
| Se mettre dans la peau du client | Utiliser un langage «vous-nous» |
| Aller au-devant des problèmes | Attendre que les problèmes surviennent |
| Prendre en compte les problèmes personnels | Ignorer les problèmes personnels |
| Parler de l'avenir | Se réfugier dans le passé |
| Reconnaître s'être trompé | Déplacer la responsabilité |

*Source :* Theodore Levitt, *L'Imagination au service du marketing* (Paris : Economica, 1985).

**LES LIENS STRUCTURELS** ❖ Il s'agit d'équiper ses clients de dispositifs qui permettent de passer des commandes, de gérer des factures, etc. Les constructeurs automobiles ont ainsi investi des centaines de millions dans des systèmes d'échange de données informatiques (EDI) avec leurs équipementiers. Les relations entre sociétés textiles et confectionneurs comportent également souvent ce genre d'accord.

Lester Wunderman fait les recommandations suivantes pour l'établissement de liens structurels avec les clients[45] :

♦ favoriser des contrats de long terme qui, si possible, se prolongent par tacite reconduction ;

♦ baisser les prix facturés aux clients qui achètent en grande quantité ou acceptent des livraisons régulières ;

♦ transformer un produit tangible en service de long terme. Daimler-Chrysler envisage de vendre des kilomètres plutôt que des voitures en permettant aux clients d'utiliser un véhicule différent selon l'objet de leur déplacement (une petite voiture en semaine, une plus grosse pour partir en week-end). De même, les opérateurs téléphoniques substituent progressivement des services de messagerie aux répondeurs[46].

## La rentabilité d'un client et de l'entreprise

Réduit à l'essentiel, l'objectif du marketing est de conquérir et de fidéliser des *clients rentables*. Pourtant, les entreprises découvrent souvent qu'entre 20 et 40 % de leurs clients ne le sont pas. Selon James Putten d'American Express, les plus gros clients dépensent 16 fois plus que la moyenne pour leurs achats en magasins, 13 fois plus au restaurant, 12 fois plus en voyages aériens et 5 fois plus en hébergement hôtelier[47]. Sherden suggère de transformer la règle des 20/80 en 20/80/30 : 20 % des clients engendrent 80 % du profit, lequel est réduit de moitié du fait des 30 % de clients non rentables[48]. En outre, les clients les plus rentables sont plus rarement les gros que les moyens. Les premiers exigent en effet des discounts élevés et un service attentif qui finit par coûter cher. Les petits clients paient le prix fort pour un service minimum mais occasionnent des frais de gestion élevés. Les clients situés à mi-chemin, en revanche, dégagent souvent une forte rentabilité et c'est pour cela que de plus en plus d'entreprises cherchent à les conquérir.

Mais qu'est-ce qu'un client rentable ? Nous le définissons ainsi :

❖ Un *client rentable* est un individu, un ménage ou une entreprise qui rapporte au fil des années davantage qu'il ne coûte à attirer, convaincre et satisfaire.

Notons que l'horizon est à moyen terme, au-delà d'une transaction particulière et porte sur la valeur à vie du client que nous avons déjà évoquée.

La plupart des entreprises ne savent pas mesurer la rentabilité de leur clientèle. Les banques, par exemple, considèrent que c'est difficile parce qu'un client achète de multiples services à de nombreux départements. Pourtant, un effort de répartition des coûts montre souvent que près d'un client bancaire sur deux n'est pas rentable. Il n'est guère surprenant que les institutions financières cherchent aujourd'hui à tarifer le moindre de leurs services.

La figure 3.7 présente un schéma d'analyse de rentabilité[49]. Les clients apparaissent en colonne et les produits en ligne. On coche d'une ou plusieurs croix les produits qui dégagent un profit pour un client particulier. Ainsi le client n° 1 est très rentable, du fait qu'il achète P1, P2 et P4. Le client n° 2 est plus contrasté. L'un des deux produits qu'il achète est rentable, l'autre non. Le client n° 3, quant à lui, achète en majorité des produits peu rentables. Comment procéder avec les clients 2 et 3 ? L'entreprise peut soit augmenter le prix de vente de ses produits, soit les supprimer de sa gamme, soit inciter les clients à acheter des produits rentables. En fait, à chaque fois qu'une entreprise se débarrasse d'un client non rentable, elle gagne de l'argent. L'idéal serait même de l'envoyer chez le concurrent !

CHAPITRE 3
Satisfaire
et fidéliser
le client grâce
à la valeur

87

FIGURE 3.7
Analyse
de rentabilité
de la clientèle
par produit

| | | CLIENTS | | |
|---|---|---|---|---|
| | | Très rentable | Mitigé | Non rentable |
| **PRODUITS** | | **C1** | **C2** | **C3** |
| Très rentable | **P1** | ++ | | + |
| Rentable | **P2** | + | + | |
| Non rentable | **P3** | | − | − |
| Mitigé | **P4** | + | | − |

L'analyse de la rentabilité du client peut être conduite à travers les outils comptables de la méthode ABC (*Activity-Based Costing*, ou comptabilité fondée sur les coûts). On évalue l'ensemble des revenus générés par le client et on déduit tous les coûts : coûts de fabrication et de distribution des produits et des services, coûts de traitement des appels téléphoniques du client, coûts de visite au client, cadeaux, etc. Lorsque l'on dispose de ces informations pour chaque client, on peut les classer en quatre catégories : les clients les plus rentables, les clients assez rentables, les clients peu rentables mais désirables, et les clients non rentables et indésirables (voir figure 3.8). L'entreprise doit essayer de faire progresser d'une catégorie les clients des groupes 2 et 3. Quant aux clients non rentables et indésirables, elle doit soit les abandonner, soit les rendre rentables en augmentant les prix ou en abaissant les coûts supportés pour les servir.

FIGURE 3.8
L'allocation des
investissements
marketing
en fonction
de la valeur
des clients

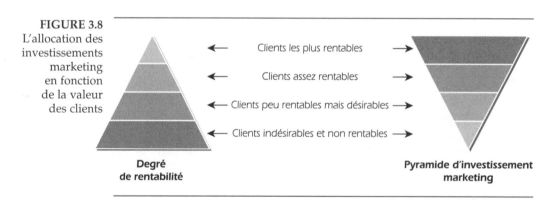

Finalement, la rentabilité de l'entreprise croîtra avec la *capacité à créer de la valeur* et avec la force de son *avantage concurrentiel*. L'avantage concurrentiel doit être valorisé par le client. Par exemple, une grande rapidité de livraison ne constitue un avantage concurrentiel que si les clients apprécient cette caractéristique. La capacité à créer de la valeur, quant à elle, dépend avant tout de la qualité des produits et services vendus, un sujet que nous examinons dans ce qui suit.

# La mise en œuvre de la «Qualité Totale»

Aujourd'hui, l'amélioration des produits et des services représente une priorité absolue pour de nombreuses firmes car la plupart des clients n'acceptent plus une qualité simplement moyenne. Selon Welch, le patron de General Electric (GE) : «La qualité est notre meilleure source de fidélité clientèle, notre principal atout vis-à-vis de la concurrence étrangère et le seul axe possible pour préserver notre croissance et notre rentabilité[50]. »

Il s'ensuit que de nombreuses entreprises poursuivent aujourd'hui un programme de «Qualité Totale» que l'on peut définir comme :

❖ un effort entrepris au niveau de l'ensemble de l'entreprise pour sans cesse améliorer produits, services, et procédures.

Pour matérialiser les progrès accomplis, plusieurs pays ont créé des prix et des récompenses. À côté du Deming Prize japonais et du Malcolm Baldrige National Quality Award américain, l'Europe a ainsi mis en place, en 1993, le Prix européen de la qualité décerné par la Fondation Européenne pour la Qualité en Management et par l'Organisation Européenne de la Qualité. Les critères pris en compte sont : le leadership, la gestion des ressources humaines, la politique et la stratégie, les ressources, les procédures, la satisfaction du personnel, la satisfaction de la clientèle, l'impact sociétal et les résultats. C'est également en Europe qu'ont été mises en place les normes ISO 9000 qui fournissent un cadre de référence pour la détermination de la qualité des produits et services vendus. La certification ISO 9000 s'obtient à l'issue d'un audit de qualité effectué tous les six mois par un auditeur agréé par l'Organisation des standards internationaux[51].

Il existe un lien étroit entre la qualité de l'offre, la satisfaction de la clientèle et la rentabilité. Un niveau supérieur de qualité entraîne en général une satisfaction plus forte et autorise en même temps un prix plus élevé. C'est pourquoi les entreprises qui mettent en place un «programme qualité» accroissent souvent leurs bénéfices. Les célèbres études du PIMS ont mis en évidence une corrélation significative entre qualité et rentabilité[52].

Mais comment définir la qualité ? Certains l'ont conçue comme «une conformité aux spécifications», «une absence d'écart», une «adaptation parfaite à l'usage», etc.[53] L'Association américaine du contrôle et de la qualité en donne la définition suivante, adoptée aujourd'hui mondialement :

❖ La *qualité* englobe l'ensemble des caractéristiques d'un produit ou d'un service qui affectent sa capacité à satisfaire des besoins, exprimés ou implicites.

Cette définition est formulée dans une optique résolument marketing. Les clients ont des besoins et des attentes. La qualité existe à partir du moment où ces attentes sont satisfaites. On peut dire d'une entreprise qu'elle pratique la qualité lorsque la plupart de ses clients sont la plupart du temps satisfaits (pour un exemple de modèle dans l'industrie du service, voir l'encadré 3.6). Il faut toutefois distinguer la *qualité de conformité* de la *qualité de performance*. À l'évidence, une Mercedes Classe C a une qualité de performance supérieure à une Fiat Panda. Pourtant la qualité de conformité peut être identique si les clients sont dans les deux cas satisfaits. Une voiture à 10 000 € plébiscitée par son marché-cible est une voiture de qualité tandis qu'une voiture de luxe qui ne tient pas ses promesses ne l'est pas.

Le management de la qualité totale (en anglais Total Quality Management ou TQM) est un ingrédient essentiel de la valeur et de la satisfaction client.

CHAPITRE 3
Satisfaire
et fidéliser
le client grâce
à la valeur

# Un modèle explicatif de l'évaluation de la qualité d'un service bancaire

On essaie souvent de comprendre quels facteurs influencent la manière dont les clients perçoivent la qualité des produits et des services. Nha Nguyen s'est intéressé aux services bancaires et a montré l'influence de cinq éléments : l'image de l'entreprise, la performance du personnel de contact, la nature de l'environnement physique, le mode d'organisation interne et la satisfaction du client.

Ce modèle a été testé et vérifié auprès d'une population de 1 300 clients d'une banque populaire et à partir d'un questionnaire comportant 46 variables correspondant aux cinq facteurs précités. Le schéma ci-dessous reproduit les corrélations essentielles.

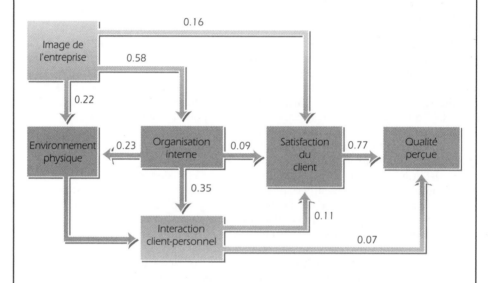

*Source* : Adapté de Nha Nguyen, « Un Modèle explicatif de l'évaluation de la qualité d'un service : une étude empirique » *Recherche et Applications en marketing*, 1991, n° 2, pp. 83-98.

Tout comme le marketing, la qualité totale est l'affaire de tous. Daniel Beckham a clairement exprimé cela :

*Le responsable marketing qui ne se familiarise pas avec la problématique de l'amélioration de la qualité, la production sans défaut, etc. devient aussi obsolète que le fouet de diligence. Le marketing fonctionnel n'existe plus. On ne peut plus se définir comme publicitaire, spécialiste des études, merchandiser, ou stratège. On doit tous se considérer comme des garants de la satisfaction du client, responsables de l'ensemble du processus[54].*

Le marketing a, dans les entreprises orientées vers la qualité totale, une double tâche. D'abord, il participe à la formulation des stratégies et des pratiques permettant d'atteindre l'excellence en terme de qualité. Ensuite, il doit lui-même délivrer de la qualité dans l'ensemble des activités marketing : études de marché, publicité, service au client, etc.

Le marketing a une lourde responsabilité vis-à-vis de la qualité. C'est à lui de détecter et de qualifier les besoins et attentes des clients. Ensuite, il doit transmettre ces attentes aux responsables de la conception et de la fabrication des produits. Troisièmement, il doit vérifier que les commandes des clients sont convenablement traitées et que les délais sont respectés. Quatrièmement, il doit vérifier que les clients ont bien reçu les instructions de montage et d'utilisation du produit, les formations associées et l'assistance technique nécessaire. Cinquièmement, il doit rester en contact avec la clientèle afin de s'assurer d'une satisfaction continue. Enfin, il doit collecter auprès des clients les idées susceptibles de déboucher sur des améliorations de produit ou de service et les communiquer au reste de l'entreprise.

Il s'ensuit que le département marketing n'a pas seulement un rôle *externe* mais également *interne* à jouer. De même qu'il représente l'entreprise aux yeux du client, il doit être le porte-parole du client dans l'entreprise. Sa responsabilité est de veiller à ce que la clientèle reçoive toujours la solution la plus adaptée à ses problèmes.

## Résumé

1. Les clients recherchent la plus grande valeur possible. L'entreprise doit donc identifier les déterminants de cette valeur. La valeur perçue par le client correspond à la différence entre la valeur globale et l'ensemble des coûts. L'entreprise qui souffre d'un déficit de valeur doit donc soit améliorer son offre (produits, services, image, personnel), soit en réduire le coût (prix, mode de distribution, service après-vente).

2. La satisfaction d'un acheteur résulte d'un jugement selon lequel les performances de l'entreprise atteignent et vont même au-delà des attentes. Un client satisfait reste fidèle plus longtemps, achète davantage, se détermine moins à partir des prix et s'exprime favorablement sur l'entreprise. C'est pourquoi de plus en plus d'entreprises se préoccupent aujourd'hui de mesurer et d'améliorer la satisfaction de leur clientèle. La satisfaction est à la fois un objectif et un outil de marketing.

3. Une société efficace acquiert une grande maîtrise dans les processus-clés affectant sa performance, notamment le management de l'innovation, le contrôle des stocks, ainsi que la conquête et la fidélisation des clients. Pour y parvenir, elle doit constituer puis gérer un réseau de coopération avec toutes les parties impliquées dans la chaîne de fabrication et de commercialisation. Aujourd'hui, la concurrence n'est plus entre les entreprises mais entre leurs réseaux.

4. La perte des clients rentables affecte grandement les résultats d'une firme. Conquérir un prospect coûte cinq fois plus cher que fidéliser un client actuel. Une fidélisation efficace passe par la gestion de la relation client. Les solutions choisies dépendent de la valeur à vie du client ainsi que des coûts nécessaires pour le fidéliser.

5. On considère aujourd'hui la qualité totale comme une pièce maîtresse de la satisfaction de la clientèle et de la rentabilité de l'entreprise. Celle-ci doit comprendre comment le client définit et perçoit la qualité. Il faut alors s'efforcer d'offrir un niveau de qualité supérieur à la concurrence. Cela suppose un programme de mobilisation du personnel et des mécanismes de mesure et de récompense explicites.

6. Le marketing a un rôle essentiel à jouer dans cette recherche permanente de la qualité. Il doit, d'une part, participer à l'élaboration de la politique globale de qualité de l'entreprise et, d'autre part, garantir la qualité du marketing ce qui nécessite une étroite collaboration avec tous les autres départements.

CHAPITRE 3
Satisfaire
et fidéliser
le client grâce
à la valeur

91

# Notes

1. Voir « Value Marketing : Quality, Service, and Fair Pricing are the Keys to Selling in the 90's », *Business Week*, 11 nov. 1991, pp. 132-140.

2. « La machine McDonald's », *Capital*, septembre 1999, pp. 48-72.

3. Irwin Levin et Richard Johnson, « Estimating Price-Quality Tradeoffs Using Comparative Judgments », *Journal of Consumer Research*, juin 1984, pp. 593-600. La valeur délivrée au client peut s'analyser comme une différence (la valeur réelle moins les coûts) ou comme un ratio valeur/prix qui doit être supérieur à 1. Dans notre exemple, un prix de 17 000 euros conduit à un ratio de 20 000 / 17 000 = 1,18.

4. Sur la valeur perçue pour le client, voir David Swaddling et Charles Miller, *Customer Power* (Dublin, OH : The Wellington Press, 2001).

5. Voir Joëlle Vanhamme, « La satisfaction des consommateurs spécifique à une transaction : définition, antécédents, mesures et modes », *Recherche et applications en marketing*, vol. 17, n° 2, 2002, pp. 55-86.

6. Pour une analyse provocatrice du sujet, voir Susan Fournier et David Glenmick, « Rediscovering Satisfaction », *Journal of Marketing*, octobre 1999, pp. 5-23.

7. Voir Paul Valentin Ngobo, « Satisfaction des clients et parts de marché de l'entreprise : un réexamen au regard des récentes avancées théoriques », *Recherche et applications en marketing*, vol. 15, n° 2, 2000, pp. 21-42 ; Thomas Jones et Earl Sasser, « Why Satisfied Customers Defect », *Harvard Business Review*, novembre-décembre 1995, pp. 88-99.

8. Pour une analyse intéressante des effets selon les différents types d'attentes, voir William Boulding, Ajay Kalra, et Richard Staelin, « The Quality Double Whammy », *Marketing Service*, vol. 18, n° 4, 1999, pp. 463-484.

9. Voir « Les outils de mesure de la satisfaction », *Action commerciale*, n° 188 bis, mai 1999, p. 16.

10. Michael J. Lanning, *Delivering Profitable Value* (Oxford : Capstone, 1998).

11. Simon Knox et Stan Maklan, *Competing on Value: Bridging the Gap Between Brand and Customer Value* (Londres : Financial Times, 1998) ; voir aussi Simon Knox, « Le bon client est un client fidèle », *L'Expansion Management Review*, juin 1999, pp. 29-42, ainsi que Richard A. Spreng, Scott MacKenzie et Richard Olshawsky, « A Reexamination of the Determinants of Customers Satisfaction », *Journal of Marketing*, juillet 1996, pp. 15-32.

12. Voir Tamara Erickson et Everett Shorey, « Business Strategy: New Thinking for the 90's, » *Prism*, 4e trimestre 1992, pp. 19-35.

13. Voir Robert Kaplan et David P. Norton, *The Balanced Scorecard: Translating Strategy Into Action* (Boston : Harvard Business School Press, 1996) pour une présentation d'un système de suivi de la satisfaction des parties prenantes.

14. Voir Jon Katzenbach et Douglas Smith, *The Wisdom of Teams: Creating The High Performance Organization* (Boston : Harvard Business School Press, 1993) et Michael Hammer et James Champy, *Le Reengineering* (Paris : Dunod, 1993).

15. C. K. Prahalad et Gary Hamel, « The Core Competence of the Corporation », *Harvard Business Review*, mai-juin 1990, pp. 79-91.

16. George Day, « The Capabilities of Market-Driven Organisations », *Journal of Marketing*, octobre 1994, p. 38.

17. *The Economist*, « Business : Microsoft's Contradiction », 31 janvier 1998, pp. 65-67 ; *Atlanta Constitution*, « Microsoft Pushes Forward, Playing to Win The Market », 24 juin 1998, p. D12.

18. « Les patrons vus par eux-mêmes : Jacques Maillot, le boy scout devenu manager », *L'Entreprise*, juillet-août 1999, pp. 14-17.

19. J. C. Collins et J. L. Porras, *Bâties pour durer* (Paris : First, 1996).

20. F. G. Rodgers et R. L. Shook, *The IBM Way: Insights Into the World's Most Successful Marketing Organization* (New York : Harper & Row, 1986).

21. G. Hamel, « Strategy as Revolution », *Harvard Business Review*, juillet-août 1996, pp. 69-82.

22. P. H. Shoemaker, « Scenario Planning: A Tool for Strategic Thinking », *Sloan Management Review*, hiver 1995, pp. 25-40.

23. Michael Porter, *L'Avantage concurrentiel* (Paris : InterÉditions, 1986).

24. Robert Hiebeler, Thomas Kelly et Charles Ketteman, *Best Practices : Building Your Business with Customer-Focused Solutions* (New York : Simon and Schuster, 1998).

25. Hammer et Champy, *Le Reengineering* (Paris : Dunod, 1993).

26. Voir George Stalk, « Competing on Capability: The New Rules of Corporate Strategy », *Harvard Business Review*, mars-avril 1992, pp. 57-69 et Benson P. Shapiro *et al.*, « Staple Yourself to an Order », *Harvard Business Review*, juil.-août 1992, pp. 113-122.

27. Voir J. Gitomer, *Customer Satisfaction is Worthless* (Austin : Bard Press, 1998).

28. Frederick F. Reichheld et W. Earl Sasser Jr., « Zero Defections: Quality Comes to Services », *Harvard Business Review*, sept.-oct. 1990, pp. 301-307 ; et Frederick F. Reichheld, « Learning from Customer Defections », *Harvard Business Review*, mars-avril 1996, pp. 56-69.

29. *CB News*, « Le mobile parie sur les services », n° 713, 2 septembre 2002, pp. 40-42.

30. « Le client, *persona non grata* », *Les Echos*, 3 août 1998, pp. 39-40.

31. Voir F. F. Reichheld, *L'Effet loyauté* (Paris : Dunod, 1996).

32. K. Albrecht et R. Zemke, *Service America!* (Homewood, Ill. : Dow-Jones Irwin, 1985), pp. 6-7.

33. Voir « Chez IBM et PPG, les commerciaux sont devenus une mine d'information », *Les Echos*, 2 février 1999, p. 44.

34. Documents L. L. Bean, Freeport, Maine.

35. Voir F. F. Reichheld, *L'Effet loyauté* (Paris : Dunod, 1996).

36. Jérôme Bon et Elisabeth Tissier-Desbordes, « Fidéliser les clients ? Oui, mais… », *Revue française de gestion*, janvier-février 2000, pp. 52-60.

37. Eric Almquist, Andy Pierce et Cesar Paiva, « Garder l'avance sur le client exigeant », *L'Expansion Management Review*, décembre 2001, pp. 33-42.

38. Roland Trust, Valerie Zeithalm et Katherine Lemon, *Driving Customer Equity* (New York : Free Press, 2000).

39. *Marketing Magazine*, « Les entreprises plébiscitent les outils de CRM », avril 2001, pp. 63-79.

40. Voir « Marketing relationnel », *Les Echos*, 3 mars 1998, pp. 39-40.

41. *Marketing direct*, « Faire du client un partenaire », interview de Philippe Bertinchamps, membre du comité exécutif du Groupe Accor, 1er février 2002, pp. 52-54.

42. « Comment faire la cour au client-roi », *Le Monde*, 27 février 1998, p. 23.

43. Leonard L. Berry et A. Parasuraman, *Marketing Services: Competing Through Quality* (New York : The Free Press, 1991), pp. 136-142. Voir également Pierre Eiglier et Eric Langeard, *Servuction* (Paris : McGraw-Hill, 1987) ; et R. Cross et J. Smith, *Customer Bonding: Pathways to Lasting Customer Loyalty* (Lincoln, Il : NTC Business Books, 1995).

44. James H. Donnelly Jr., Leonard L. Berry et Thomas W. Thompson, *Marketing Financial Services: A Strategic Vision* (Homewood, Il. : Dow Jones-Irwin, 1985), p. 113.

45. D'après un document non publié : Lester Wunderman, « The Most Elusive Word in Marketing », juin 2000. Voir aussi Lester Wunderman, *Being Direct* (New York : Random House, 1996).

46. Ce type de stratégie contribue à la « capture du client » : voir à ce sujet Frédéric Jallat, *À la reconquête du client : stratégies de capture* (Paris : Village Mondial, 2001).

47. Cité dans Don Peppers et Martha Rogers, *Le One to one : Valorisez votre capital-client* (Paris : Éditions d'Organisation, 1998).

48. William A. Sherden, *Market Ownership* (New York : Amacom, 1994), p. 77.

49. Voir Thomas Petro, « Who Are Your Best Customers ? », *Bank Marketing*, oct. 1990, pp. 48-52.

50. « Quality: The U.S. Drives to Catch Up », *Business Week*, nov. 1982, pp. 66-80.

51. Voir « Quality in Europe », *Work Study*, janv./févr. 1993, p. 30.

52. Robert D. Buzzell et Bradley T. Gale, *The PIMS Principles: Linking Strategy to Performance* (New York : The Free Press, 1987), chapitre 6. PIMS signifie Profit Impact of Marketing Strategy. Il s'agit de recherches analysant l'impact de plusieurs stratégies marketing sur la rentabilité des entreprises.

53. Voir « The Gurus of Quality: American Companies Are Hearing the Quality Gospel Preached by Deming, Iuran, Crosby et Taguchi », *Traffic Management*, juil. 1990, pp. 35-39 ; voir également G. Nay, « Qualité et Marketing », dans *La Qualité dans l'entreprise : 30 spécialistes de la qualité vous parlent* (Paris : Éditions d'Organisation, 1985) ; et Robert Jacobson et David A. Aaker, « Le Rôle stratégique de la qualité du produit », *Recherche et Applications en Marketing*, 1988, vol. 3, n° 2, pp. 29-54.

54. J. Daniel Beckham, « Expect the Unexpected in Health Case Marketing Future », *The Academy Bulletin*, juil. 1992, p. 3.

CHAPITRE 3
Satisfaire
et fidéliser
le client grâce
à la valeur

93

# DEUXIÈME PARTIE

## ANALYSER LE MARCHÉ

DANS CE CHAPITRE, NOUS
EXAMINERONS LES QUESTIONS
SUIVANTES :

■ Comment la planification stratégique
est-elle conduite?

■ Comment les plans sont-ils élaborés
au niveau de chaque activité?

■ Quelles sont les principales étapes
de la démarche marketing?

■ Que doit comporter un plan
marketing?

# Conquérir le marché grâce à la planification stratégique

« Il est plus important de faire
ce qui est stratégiquement
adéquat que ce qui est
immédiatement rentable. »

D ans la première partie de l'ouvrage, nous nous sommes demandés : «Qu'est-ce qui fait l'excellence d'une entreprise ? » Le souci de délivrer une forte valeur aux clients visés, avons-nous répondu. C'est nécessaire mais insuffisant. Il faut également que l'entreprise sache s'adapter à un marché en constante évolution. La planification stratégique peut l'y aider, puisqu'elle correspond au processus par lequel l'entreprise établit et maintient un lien étroit entre, d'une part, ses ressources et objectifs et, d'autre part, les possibilités offertes sur le marché. Il s'agit plus particulièrement de définir et de gérer les activités dans lesquelles la firme a choisi de s'investir.

## La planification stratégique : trois idées-clés et quatre niveaux d'application

La planification stratégique repose sur trois idées-clés. La première consiste à envisager le management d'une entreprise comme la gestion d'un *portefeuille d'activités*. Tout comme le responsable financier qui gère un patrimoine, une entreprise doit constamment se demander quelles activités mettre en place, développer, exploiter ou abandonner.

La seconde idée consiste à *anticiper le potentiel de profit* représenté par chaque activité. Il faut imaginer des scénarios d'évolution pour chaque marché et estimer les coûts attachés à chaque alternative.

La troisième idée est celle de la *stratégie*. Pour chaque activité, il faut choisir un plan de bataille qui soit adapté aux *objectifs* à long terme de l'entreprise. Considérons la distribution en France et la façon dont se battent les grands groupes sur ce marché :

> Si l'on compare les résultats obtenus depuis vingt-cinq ans par les grandes sociétés de distribution françaises, de nombreuses évolutions se dessinent. Le palmarès mondial 2001 s'établit ainsi : 1) Carrefour (avec un chiffre d'affaires mondial de 59,7 milliards de dollars), 2) Intermarché (30,7), 3) Auchan (29,1), 4) Leclerc (22,5) et 5) Casino (17,6)[1]. Il y a vingt-cinq ans, les cinq premiers s'appelaient Carrefour, Casino, Promodès, Nouvelles Galeries et Viniprix. Chaque groupe a poursuivi une stratégie différente.

> Leclerc et Intermarché, les deux seuls groupements d'exploitants indépendants, ont connu une forte progression surtout grâce à la multiplication des implantations sur le territoire national. Leclerc a poursuivi, en outre, une habile politique d'innovation en s'intéressant à des catégories de produit (les bijoux, les livres) traditionnellement délaissés par les grandes surfaces.

> Carrefour, en fusionnant avec Promodès, a cherché à compléter sa force sur le créneau de l'hypermarché en faisant du nouvel ensemble le deuxième distributeur mondial (derrière l'américain Wal-Mart).

> Auchan, enfin, a surtout cherché à se développer dans le domaine du marketing, dans lequel il avait pris un certain retard sur ses concurrents[2].

Toutes ces entreprises ont fait preuve d'une adaptation à un environnement en rapide évolution tout en s'orientant dans des directions différentes : Leclerc a choisi la voie de *l'innovation*, Carrefour-Promodes celle de *l'expansion* par couverture des différents segments. Le choix d'une stratégie à long terme destinée à assurer la survie et la croissance de l'entreprise est au cœur de la *planification stratégique*.

Pour situer la planification stratégique dans l'entreprise, il faut se souvenir que la plupart des grandes sociétés se structurent en quatre niveaux : celui du *siège*, celui de la *division*, celui de l'*affaire* (ou de l'*activité*), et celui du *produit* (ou de la marque). Par exemple, le groupe L'Oréal comporte plusieurs divisions, notamment la division Produits Publics, la division Produits Professionnels, la division Produits de Luxe et le département Cosmétique Active ; la division Produits Publics comprend quatre affaires : L'Oréal Paris, Garnier, Maybelline New York et Soft Sheen-Carson. L'affaire Garnier gère de très nombreux produits, parmi lesquels les shampoings Ultra-Doux et Fructis, les cosmétiques Synergie, les produits Ambre Solaire, les marques de coloration Nutrisse, Cristal, Belle Color et Lumia.

Le siège est chargé de l'élaboration du plan stratégique d'entreprise qui donne un cadre général pour le développement futur des activités de la firme. C'est au niveau du siège que les allocations de ressources ou l'échelonnement des projets sont décidés. Chaque division élabore à son tour un plan stratégique de division couvrant ses différentes activités. Chaque affaire conçoit ensuite son propre plan stratégique et précise sa contribution, compte tenu des ressources accordées par le siège et la division. Enfin, chaque entité produit (ligne, gamme, marque) nécessite un plan marketing relatif à chaque marché-cible.

Le plan marketing est préparé à un double niveau. Au niveau *stratégique*, il détaille les marchés-cibles et la proposition de valeur choisie à partir des opportunités offertes sur le marché. Au plan *tactique*, il spécifie les caractéristiques des produits et des services offerts, les prix, la politique de distribution et les campagnes de communication. Le plan marketing est l'instrument central de pilotage et de coordination du marketing dans l'entreprise. Il est élaboré par le département marketing avec l'aide des autres départements de l'entreprise.

Les différents plans sont mis en œuvre par l'organisation et leurs résultats sont soigneusement contrôlés afin de déceler les zones où une action corrective s'impose. Les étapes successives du processus sont présentées à la figure 4.1.

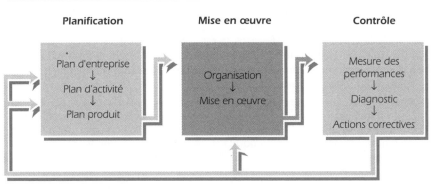

**Planification**　　**Mise en œuvre**　　**Contrôle**

Plan d'entreprise
↓
Plan d'activité
↓
Plan produit

Organisation
↓
Mise en œuvre

Mesure des
performances
↓
Diagnostic
↓
Actions correctives

**FIGURE 4.1**
Planification,
mise en œuvre
et contrôle
stratégique

CHAPITRE 4
Conquérir
le marché grâce
à la planification
stratégique

99

# Le plan stratégique d'entreprise et de division

C'est à la direction générale qu'il revient de définir les grandes orientations dans lesquelles s'inscrivent les activités de l'entreprise et des divisions. Dans certaines sociétés, elle se contente d'identifier les performances à atteindre et laisse une grande liberté aux différentes affaires. Dans d'autres, les objectifs sont définis de façon beaucoup plus précise et opératoire.

Quelle que soit la philosophie adoptée, toute entreprise doit successivement franchir quatre étapes dans la planification de ses activités :

♦ Définir sa mission.
♦ Identifier ses domaines d'activité stratégiques.
♦ Répartir les ressources entre les différents domaines.
♦ Identifier les nouveaux domaines dans lesquels investir et ceux qu'il faut abandonner.

## La mission d'une entreprise

Une organisation trouve sa raison d'être dans l'accomplissement d'une tâche spécifique au sein de son environnement : fabriquer des voitures, fournir un logement pour la nuit, prêter de l'argent, etc. À l'origine, elle poursuit en général une mission claire. Avec le temps et le développement de nouveaux produits et marchés, il se peut que cette mission s'estompe, qu'elle ne suffise plus à motiver l'équipe de direction, ou encore que son adéquation à l'environnement doive être remise en cause. Ainsi, Amazon.com a changé de mission depuis sa création, en passant d'une vocation à être « la plus grande librairie en ligne du monde » à « la plus grande boutique en ligne du monde ».

La (re)définition de la mission d'une entreprise est peut-être la tâche la plus significative dont doive s'acquitter la direction générale. Celle-ci doit en fait répondre à cinq questions parmi les plus importantes qu'elle ait jamais à se poser. « Quel est notre métier ? » ; « Qui sont nos clients ? » ; « Que leur apportons-nous ? » ; « Que deviendra notre métier ? » ; « Que devrait-il être[3] » ? Répondre à ces questions de façon complète et approfondie peut requérir beaucoup de temps.

De plus en plus d'entreprises s'efforcent d'identifier leur mission, en accord avec leurs dirigeants, employés et clients. Une mission clairement définie est très utile non seulement pour l'orientation de l'entreprise et de sa politique de relations publiques, mais également pour le moral des employés qui cherchent une justification à leurs efforts et réflexions. Elle est comme une main invisible qui guide le travail de nombreuses personnes disséminées en de multiples endroits mais participant toutes à la réalisation d'un objectif commun. La mission devrait également comporter une vision pour les cinq ou dix ans à venir.

Voici quelques exemples de missions énoncées.

■ **ATLAS COPCO,** qui emploie plus de 16 000 personnes dans 120 pays, a élaboré un petit « livre bleu » diffusé à l'ensemble du personnel. On peut y lire la définition suivante de sa mission : « Atlas Copco travaille à l'échelle internationale pour fournir toute une gamme de produits et de services qui répondent aux besoins de clients industriels, dans les domaines suivants : 1) compression et détente d'air et de gaz ; 2) production industrielle, mécanisation, réparation/entretien ; 3) creusement de la roche et démolition. Notre compétitivité vient du fait que ces produits et services améliorent de façon significative la productivité de l'activité de nos clients. Nous allons faire d'Atlas Copco le modèle d'une société industrielle capable de : 1) répondre aux exigences des clients avec nos produits et services ; 2) avoir une meilleure efficacité interne ; 3) créer un flux rapide de biens, services, savoir-faire, idées et informations. »

- **MOTOROLA**. «L'objectif de Motorola est de répondre honorablement aux besoins de la communauté en fournissant à nos clients des produits et des services de qualité à des prix justes, de manière à réaliser des profits permettant à l'entreprise dans son ensemble de croître et, ainsi, de permettre à nos employés et actionnaires d'atteindre leurs objectifs personnels.»
- **EBAY**. «Nous aidons les gens à vendre pratiquement tout ce qui existe. Nous continuerons à améliorer les expériences de vente et d'achat en ligne de chacun : collectionneurs, agents commerciaux, PME, chercheurs d'un article précis, chasseurs de bonnes affaires, vendeurs ponctuels et surfeurs sur Internet sans but précis.»

Énoncer la mission d'une entreprise n'est pas chose aisée. Pour être véritablement utile, la formulation d'une mission doit rassembler trois caractéristiques. Elle doit d'abord se focaliser sur un ensemble de *buts précis*. Trop souvent, ces chartes sont définies en termes tellement généraux – par exemple : «Nous désirons devenir le leader de notre marché grâce à la grande qualité de nos produits, l'excellence de notre distribution et la compétitivité de nos prix» – qu'elles ne sauraient orienter de manière effective les activités de l'entreprise. Elle doit ensuite exprimer les *valeurs distinctives* de l'entreprise, telles qu'elles se reflètent dans ses politiques, définissant les rapports avec les actionnaires, les employés, les clients, les distributeurs, les fournisseurs et la société dans son ensemble. Elle doit enfin identifier le *champ concurrentiel* défini en termes :

- ♦ *de domaines d'activité* (le type d'industries concernées) : certaines entreprises n'opèrent que dans un seul secteur, d'autres dans un nombre limité d'industries, d'autres encore ne se fixent pas de limite *a priori*. Ainsi Air Liquide opère exclusivement en milieu industriel, Thomson intervient également sur les marchés grand public et 3M est prête à investir n'importe quel marché qui lui semble aujourd'hui opportun ;
- ♦ *de produits et d'applications* (la nature des solutions offertes) : un fabricant d'ordinateurs peut ainsi décider de servir en priorité les clients concernés par un système de production en continu ;
- ♦ *de compétences* : il s'agit alors d'exprimer les savoir-faire spécifiques que l'entreprise possède ou souhaite développer. Ainsi le constructeur japonais NEC s'est-il spécialisé dans le calcul, les communications et les composants. D'où son rôle dans la fabrication des ordinateurs, des téléviseurs et des téléphones portables.
- ♦ *de segments de clientèle visés* : certaines sociétés se spécialisent dans le haut de gamme (BMW), d'autres dans des segments de clientèle spécifiques (par ex. Les Hespérides, résidences dédiées au 3e âge) ;
- ♦ *de valeur ajoutée* (le niveau d'intervention dans la chaîne de production/commercialisation). Ford a été jusqu'à posséder ses propres plantations de caoutchouc, ses usines de verre et ses hauts-fourneaux. D'autres sociétés se limitent au marketing : elles sous-traitent toutes les activités de production et se chargent principalement du design et de la mise sur le marché ;
- ♦ *géographiques :* certaines firmes n'opèrent qu'au niveau d'une ville ou d'une région. Pour Unilever, Coca-Cola ou Nestlé, les marchés sont mondiaux.

## L'identification des domaines d'activité stratégiques (DAS)

La plupart des sociétés exercent plusieurs métiers. Ils ne sont pas toujours faciles à définir. Traditionnellement, les entreprises définissent leur mission en termes de produits : «Nous sommes une firme automobile» ou «textile».

CHAPITRE 4
Conquérir
le marché grâce
à la planification
stratégique

101

Theodore Levitt a montré dans un article célèbre l'intérêt de définir un métier selon des critères de marché plutôt que de produit ou de technologie[4]. Levitt explique en effet que les produits et les technologies sont éphémères alors que les besoins fondamentaux subsistent. Les opérateurs de diligences ont disparu avec l'apparition du chemin de fer et l'automobile. Elles existeraient encore si elles avaient compris qu'elles opéraient sur le marché du transport et avaient investi dans ces nouveaux moyens. Aujourd'hui, un groupe comme Matra se considère comme une entreprise de communication, quel qu'en soit le support (du papier journal au satellite). Kodak a défini son domaine d'activité stratégique comme étant l'image, ce qui lui permet d'intégrer la photographie numérique. On peut donner de nombreux exemples de transitions d'une « définition-produit » vers une « définition-marché » d'un domaine d'activité (voir tableau 4.1).

<table>
<tr><td rowspan="6">TABLEAU 4.1<br>La définition<br>d'un domaine<br>d'activité : approche<br>« Produit »<br>et approche<br>« Marché »</td><td colspan="3"></td></tr>
<tr><td>DÉFINITION PRODUIT</td><td></td><td>DÉFINITION MARCHÉ</td></tr>
<tr><td>Compagnie de chemin de fer</td><td>→</td><td>Entreprise de transport</td></tr>
<tr><td>Compagnie pétrolière</td><td>→</td><td>Société d'énergie</td></tr>
<tr><td>Fabricant de cosmétiques</td><td>→</td><td>Entreprise de produits de beauté</td></tr>
<tr><td>Chaîne de télévision</td><td>→</td><td>Entreprise de loisirs</td></tr>
<tr><td>Constructeur d'ordinateurs</td><td>→</td><td>Entreprise de traitement de l'information</td></tr>
</table>

Se centrer sur les besoins permet de mieux appréhender ses concurrents. Si Pepsi adopte une définition produit de son champ d'activité (la boisson Cola), la marque identifie à peine quelques entreprises concurrentes ; si elle adopte une définition marché (toute boisson qui étanche la soif), elle intègre à sa vision les fabricants d'eau minérale, de jus de fruits, de limonade, de thé et de café, et appréhende le marché dans des termes semblables aux consommateurs. Elle peut décider de commercialiser d'autres types de boissons si le marché est porteur.

En définissant son champ d'activité par référence au marché, une entreprise ne devrait pécher ni par excès, ni par défaut. Un fabricant de crayons qui estime que son marché est celui de la communication voit peut-être un peu loin !

En fait, on peut définir un domaine d'activité à partir de trois dimensions : la *catégorie de clientèle* à laquelle on s'adresse, les *besoins* que l'on cherche à satisfaire et la *technologie* privilégiée[5]. Par exemple, une société qui fabriquerait des lampes incandescentes pour studios de télévision aurait par là-même défini son domaine au sein du marché de l'éclairage. Elle peut ensuite l'élargir dans trois directions : d'autres clients (usines, bureaux, maisons d'habitation) ; d'autres fonctions (chauffage, ventilation) ou d'autres technologies (infrarouge, ultraviolet).

General Electric est l'une des sociétés à avoir consacré le plus d'efforts à identifier ses domaines d'activité stratégiques (en anglais *Strategic Business Units* ou *SBU*). Elle en a identifié quarante-neuf à partir de trois critères :

♦ correspondre à un métier (ou un ensemble de métiers reliés entre eux) qui peut faire l'objet d'une planification autonome et exister indépendamment du reste de l'entreprise ;

♦ avoir ses propres concurrents ;

♦ avoir un responsable clairement identifié en charge de la planification et du contrôle des principaux facteurs ayant une incidence sur le profit.

# L'allocation des ressources aux différents domaines

Une fois les domaines d'activité recensés, il faut les analyser afin de savoir s'ils doivent être développés, maintenus, exploités ou abandonnés. Toute entreprise possède ses «gloires du passé» et ses «stars de demain» mais on ne peut se fier à ses seules impressions pour en décider. Des outils d'analyse systématiques sont aujourd'hui disponibles. Les deux systèmes de classification les plus célèbres sont ceux proposés par le Boston Consulting Group (BCG) et la General Electric.

**LE MODÈLE BCG[6]** ❖ Le Boston Consulting Group, célèbre cabinet de conseil en stratégie, a élaboré une matrice *croissance/part de marché*. Son application dans l'entreprise Le Rohec est présentée dans la figure 4.2.

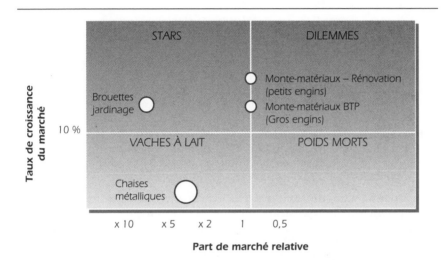

**FIGURE 4.2**
La matrice BCG : exemple de l'entreprise Le Rohec SA

Source : J.-P. Détrie et B. Ramanantsoa, *Stratégies de l'entreprise et diversification* (Paris : Nathan, 1983), p. 107.

Sur une telle matrice, l'axe vertical indique le *taux de croissance* du marché correspondant au domaine d'activité considéré. En général, un taux supérieur à 10 % est jugé élevé (c'est le cas de l'activité brouettes/jardinage) et bas s'il est inférieur à ce seuil (chaises métalliques).

L'axe horizontal correspond à la *part de marché relative* détenue par l'entreprise, c'est-à-dire à sa part de marché absolue divisée par celle de son concurrent le plus puissant. Un chiffre de 0,5 révèle par conséquent que, dans l'activité considérée, l'entreprise détient une part de marché égale à 50 % de celle détenue par le leader ; un chiffre supérieur à 1 indique que l'entreprise est leader et dispose ainsi d'une part de marché plus élevée que son principal concurrent. Dans notre exemple, les chaises métalliques (part de marché relative égale à 4) correspondent à une position de leadership affirmé, l'entreprise venant en seconde position n'ayant que 25 % de la part du premier. Contrairement à la part de marché absolue, la part de marché relative exprime la force de l'entreprise par rapport à sa concurrence. On repère généralement la part de marché relative sur une échelle logarithmique de façon à ce que les distances soient proportionnelles aux progressions en pourcentage.

CHAPITRE 4
Conquérir
le marché grâce
à la planification
stratégique

103

Les différents cercles indiquent la position des domaines d'activité de l'entreprise. Leur surface est proportionnelle au chiffre d'affaires réalisé. Ainsi, l'activité des chaises métalliques représente-t-elle pour Le Rohec plus du double de son activité brouettes/jardinage.

Chaque case de la matrice correspond à une situation particulière, donnant naissance à la classification suivante :

♦ Les *stars* connaissent une forte croissance et détiennent une part de marché élevée. Elles sont avides de moyens financiers qui leur permettent de poursuivre leur croissance et de maintenir leur forte part de marché. La croissance du marché ralentira cependant un jour et les stars deviendront progressivement des vaches à lait.

♦ Les *vaches à lait* disposent d'une forte part relative d'un marché en faible croissance. Elles dégagent une quantité de cash substantielle qui permet à l'entreprise de financer d'autres activités en mal d'investissement, en particulier les dilemmes.

♦ Les *dilemmes* (que l'on appelle aussi les « points d'interrogation ») correspondent à des activités à faible part dans un marché en forte croissance. L'entreprise doit analyser pourquoi leur part de marché est réduite. Est-ce parce qu'elles ont fait l'objet d'investissements limités ? Si tel est le cas, l'entreprise peut décider de leur affecter des moyens importants afin d'accroître leur part de marché et d'en faire des stars. Elle peut aussi constater que d'autres obstacles empêchent le développement de ces activités et renoncer à en faire une priorité.

♦ Les *poids morts* (encore dénommés « gouffres financiers ») n'ont ni croissance ni part de marché importante. Ils éprouvent beaucoup de difficultés à survivre et ne peuvent en aucun cas contribuer à la croissance des autres activités.

La répartition des différentes activités de l'entreprise entre les quatre cases de la matrice d'analyse stratégique révèle la santé de son portefeuille d'affaires et suggère des voies de réorientation. La société représentée à la figure 4.2 est assez vulnérable car elle ne dispose que d'une seule vache à lait pour financer ses stars et ses dilemmes. Elle devrait sérieusement s'interroger sur l'avenir de ces derniers. Naturellement, l'entreprise aurait été dans une situation beaucoup plus favorable si elle avait eu beaucoup de stars, peu de dilemmes et des vaches à lait suffisamment grasses.

L'étape suivante consiste à déterminer les objectifs, la stratégie et les budgets associés à chaque domaine d'activité, dans la perspective d'une utilisation optimale des ressources. Quatre solutions sont envisageables :

♦ *Développer*. On cherche à accroître la part de marché, même s'il faut renoncer au bénéfice à court terme. C'est la stratégie classique pour transformer un dilemme en star.

♦ *Maintenir*. On se soucie alors de préserver la part de marché. C'est souvent la stratégie adoptée vis-à-vis des vaches à lait à l'avenir encore assuré.

♦ *Exploiter*. On améliore la rentabilité à court terme en limitant les investissements en recherche et développement, force de vente ou communication. Cette stratégie est souvent appliquée aux vaches à lait sans avenir ainsi qu'aux poids morts et aux dilemmes jugés non prioritaires.

♦ *Abandonner*. On vend ou on liquide l'activité. C'est en général le cas des poids morts et des dilemmes qui coûtent trop cher à l'entreprise.

Avec le temps, les positions des domaines d'activité évoluent et le portefeuille parcourt ainsi son cycle de vie : certains dilemmes se transforment en stars, puis en vaches à lait pour, en fin de cycle, devenir des poids morts. De ce fait, toute entreprise devrait non seulement analyser son portefeuille à un moment donné (vision photographique) mais également son évolution au fil du temps (vision cinématographique). En cas d'insuffisance, on cherchera une stratégie de nature à restaurer la trajectoire. La matrice BCG devient alors un outil de planification pour la direction générale de l'entreprise.

Bien que le portefeuille illustré à la figure 4.2 ne soit pas fondamentalement mauvais, il peut donner naissance à des stratégies erronées. Ce serait ainsi une faute que d'exiger le même taux de croissance et de part de marché pour tous les domaines d'activité. Chaque métier a ses impératifs et suit sa dynamique propre. D'autres erreurs consisteraient à :

- Traire les vaches à lait trop souvent ou pas assez. Leur santé, dans les deux cas, s'en ressentirait tandis que les secteurs gourmands seraient privés de ressources.

- Soutenir à bout de bras et, sans résultat, des poids morts.

- Saupoudrer l'investissement sur un trop grand nombre de dilemmes. Ceux-ci portent en effet bien leur nom : il faut soit leur consacrer les ressources nécessaires soit les abandonner.

**LE MODÈLE DE LA GENERAL ELECTRIC** ❖ L'objectif à assigner à chaque domaine d'activité ne peut véritablement être déterminé à partir de sa seule position sur la matrice croissance/part de marché. Lorsque d'autres facteurs sont incorporés à l'analyse, on obtient un système de classification plus élaboré tel que la matrice d'analyse stratégique à neuf cellules proposée par la société General Electric, parfois appelée *matrice attrait-atouts*. La figure 4.3-A illustre cette matrice dans le cas d'une société d'équipement industriel engagée dans sept domaines d'activité. La surface des cercles est cette fois proportionnelle à la taille du marché tandis que la partie hachurée représente la part de marché. Ainsi, l'entreprise qui nous intéresse détient 30 % du marché des systèmes d'embrayage, un marché d'assez faible importance.

Chaque domaine d'activité est analysé à partir de deux dimensions : l'*attrait du marché* et les *atouts dont l'entreprise y dispose*. En effet, une société réussit d'autant mieux qu'elle possède les compétences distinctives correspondant aux facteurs-clés de succès sur les marchés choisis. Ni une excellente entreprise sur un marché peu attrayant ni une entreprise peu performante sur un très bon marché ne peuvent obtenir un résultat optimal. Les deux dimensions sont en fait requises.

Comment les mesurer ? L'analyste doit identifier les facteurs sous-tendant chacune d'elles. Dans cette industrie, l'attrait d'un marché dépend de sa taille, de son taux de croissance annuel, des marges bénéficiaires observées dans le passé, etc. Les atouts sont évalués à partir de la part de marché de l'entreprise, la croissance de cette part, la qualité des produits vendus, la réputation de la marque, l'efficacité promotionnelle, etc. On remarquera que les deux facteurs de la matrice BCG, le taux de croissance et la part de marché, se retrouvent dans le modèle de la General Electric qui semble de ce fait plus complet et plus articulé.

Le tableau 4.2 révèle une analyse du secteur des pompes hydrauliques. La direction générale de l'entreprise concernée a évalué le marché sur chaque facteur. Le marché des pompes hydrauliques semble ainsi substantiel (noté 4 sur 5) et sa croissance très favorable. Ces scores, qu'il faut parfois estimer au jugé, sont ensuite pondérés par leur importance relative pour aboutir à un score global d'attrait. Il est de 3,70 pour l'attrait du marché et de 3,40 pour les atouts de l'entreprise. On trace alors le point correspondant sur la figure 4.3-A puis un cercle dont la surface est fonction de la taille du marché. La part de marché, ici, égale à 14 %, est ensuite indiquée. De toute évidence, le secteur des pompes hydrauliques est un domaine d'intérêt prioritaire.

CHAPITRE 4
Conquérir
le marché grâce
à la planification
stratégique

105

**FIGURE 4.3**
La matrice
attrait-atouts :
classification
et stratégies

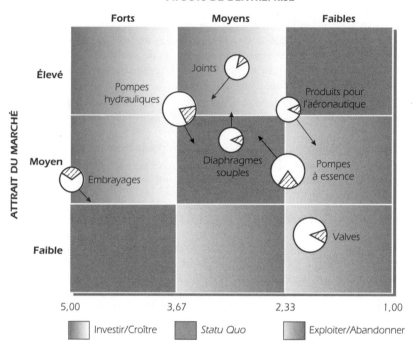

A. CLASSIFICATION

ATOUTS DE L'ENTREPRISE

B. STRATÉGIES

ATOUTS DE L'ENTREPRISE

| | Forts | Moyens | Faibles |
|---|---|---|---|
| **Élevé** | **Maintenir sa position**<br>• Investir pour croître au taux maximum acceptable<br>• Concentrer l'effort pour maintenir sa position | **Investir pour croître**<br>• Attaquer le leader<br>• Investir sur ses forces<br>• Renforcer ses points faibles | **Investir sélectivement**<br>• Se spécialiser sur ses forces<br>• Chercher à éliminer ses faiblesses<br>• Se retirer si la croissance n'est pas durable |
| **Moyen** | **Investir sélectivement**<br>• Investir dans les meilleurs segments<br>• Accroître la compétence distinctive<br>• Accroître la productivité | **Rentabilité sélective**<br>• Maintenir les plans d'action existants<br>• Se concentrer sur les segments rentables à faible risque | **Expansion limitée ou récolte**<br>• Rechercher des voies d'expansion à faible risque ; sinon, réduire les investissements et les rationnaliser |
| **Faible** | **Protéger et se reconcentrer**<br>• Chercher la rentabilité immédiate<br>• Défendre ses forces sur les meilleurs segments | **Rentabilité sélective**<br>• Protéger sa position dans les meilleurs segments<br>• Améliorer les produits<br>• Réduire l'investissement | **Abandonner**<br>• Vendre au moment le plus opportun<br>• Réduire les coûts fixes et désinvestir |

ATTRAIT DU MARCHÉ

*Source :* adapté de G. Day, *Analysis for Strategic Marketing Decisions*
(St Paul, Minn. : West Publishing Co, 1986), pp. 202 et 204.

|  |  | POIDS | SCORE (1-5) | TOTAL |
|---|---|---|---|---|
| **Attrait du marché** | Taille du marché global | 0,20 | 4 | 0,80 |
|  | Taux de croissance annuel | 0,20 | 5 | 1,00 |
|  | Marge bénéficiaire passée | 0,15 | 4 | 0,60 |
|  | Intensité de la concurrence | 0,15 | 2 | 0,30 |
|  | Savoir-faire technologique | 0,15 | 4 | 0,60 |
|  | Sensibilité à l'inflation | 0,05 | 3 | 0,15 |
|  | Besoins en énergie | 0,05 | 2 | 0,10 |
|  | Impact sur l'environnement | 0,05 | 3 | 0,15 |
|  | Environnement politico-socio-légal | doit être acceptable | | |
|  |  | 1,00 | | 3,70 |

|  |  | POIDS | SCORE (1-5) | TOTAL |
|---|---|---|---|---|
| **Atouts de l'entreprise** | Part de marché | 0,10 | 4 | 0,40 |
|  | Croissance de la part de marché | 0,15 | 2 | 0,30 |
|  | Qualité du produit | 0,10 | 4 | 0,40 |
|  | Réputation de la marque | 0,10 | 5 | 0,50 |
|  | Réseau de distribution | 0,05 | 4 | 0,20 |
|  | Efficacité promotionnelle | 0,05 | 3 | 0,15 |
|  | Capacité de production | 0,05 | 3 | 0,15 |
|  | Productivité | 0,05 | 2 | 0,10 |
|  | Coûts unitaires | 0,15 | 3 | 0,45 |
|  | Matières premières | 0,05 | 5 | 0,25 |
|  | Recherche et développement | 0,10 | 3 | 0,30 |
|  | Management | 0,05 | 4 | 0,20 |
|  |  | 1,00 | | 3,40 |

**TABLEAU 4.2**
Facteurs sous-tendant l'attrait du marché et les atouts de l'entreprise dans le modèle General Electric : le marché des pompes hydrauliques

*Source :* Adapté de La Rue T. Horner, *Strategic Management* (Englewood Cliffs N.J. : Prentice Hall, 1982), p. 310.

On distingue dans une telle matrice neuf cellules regroupées en trois zones de couleurs distinctes dans la figure 4.3-A. La zone grisée correspond aux cas où l'attrait du secteur est substantiel de même que les atouts de l'entreprise dans le domaine. La règle est alors d'investir pour favoriser la croissance. La zone diagonale regroupe des situations d'attrait et d'atout moyens. La règle est ici le *statu quo*. Enfin, la zone verte dégradée rassemble les cas de faible intérêt. Il faut alors probablement récolter avant d'abandonner[7].

Il convient ensuite de projeter la position attendue de chaque domaine d'activité à moyen terme (3-5 ans), compte tenu de la stratégie actuelle. Pour ce faire, on étudie le cycle de vie de chaque produit ainsi que les stratégies des concurrents, l'évolution technologique, la conjoncture économique... Pour notre entreprise, les résultats apparaissent à la figure 4.3-A sous forme de flèches orientées : l'activité des pompes hydrauliques devrait se réduire, la croissance du marché se stabilisant tandis que le secteur des embrayages s'effrite, sous l'effet d'une perte de compétitivité.

L'étape finale consiste à décider des actions à entreprendre pour chaque domaine d'activité. La figure 4.3-B propose des options réalistes dans chaque cas. Après débat, l'entreprise devrait disposer d'un véritable plan d'orientation stratégique. Il n'apparaîtra pas forcément qu'il faille pousser les ventes de tous les produits. Le rôle du marketing consiste alors à mieux rentabiliser les investissements ou bien à orchestrer une stratégie de retrait. Le marketing éclaire la direction générale en analysant le potentiel de chaque domaine d'activité et, une fois les objectifs établis, met en œuvre le plan permettant de les atteindre efficacement et de façon rentable.

**LES LIMITES DES MATRICES D'ANALYSE STRATÉGIQUE** ❖ D'autres modèles de portefeuille ont été proposés et utilisés, par exemple ceux d'Arthur D. Little et de la société Shell[8]. Tous ces modèles présentent certains avantages : ils aident le responsable d'entreprise à comprendre la nature profonde de son secteur, à anticiper les évolutions, à mieux communiquer avec les opérationnels, à identifier les zones d'incertitude et surtout à choisir les terrains d'investissement et de désinvestissement.

En même temps, ces modèles doivent être utilisés avec précaution. Ils peuvent en effet conduire à surévaluer certains indicateurs comme la part de marché, à entrer de façon précipitée dans des activités à forte croissance et à négliger le cœur de l'activité actuelle si elle est stable. Les conclusions dépendent fortement des pondérations attribuées aux critères et peuvent être manipulées en fonction de la localisation souhaitée dans la matrice. En outre, deux domaines d'activité peuvent apparaître dans la même case pour des raisons fondamentalement différentes et nécessiter des plans d'actions distincts.

Enfin, les modèles d'analyse stratégique ne permettent pas de maîtriser les synergies entre les différents secteurs, analysés comme des entités distinctes. Certains segments de clientèle peuvent acheter des produits émanant de différents domaines d'activité de l'entreprise et apprécier cette synergie. Il serait alors dangereux d'abandonner une activité fournissant une offre appréciée des clients (bien que non rentable) ou développant une compétence essentielle pour l'entreprise[9].

## La planification des nouvelles activités et l'abandon des anciennes

Le portefeuille actuel d'activités permet à l'entreprise d'atteindre un certain niveau de chiffre d'affaires et de profit. Souvent, cependant, ce niveau se situe en deçà de l'objectif fixé. Il faut alors décider quelles activités abandonner et choisir de nouveaux domaines.

La figure 4.4 illustre un écart de planification stratégique dans le cas d'une société éditrice de musique comme Erato[10]. La courbe du bas correspond au chiffre d'affaires attendu sur la base du portefeuille d'activités existantes. La courbe du haut pourrait correspondre aux objectifs sur les cinq prochaines années. Il est clair, dans ce cas, que l'entreprise souhaite progresser beaucoup plus vite que ne le permettent ses activités actuelles ; en fait, elle souhaiterait pratiquement doubler le chiffre d'affaires.

**FIGURE 4.4**
L'écart de planification stratégique

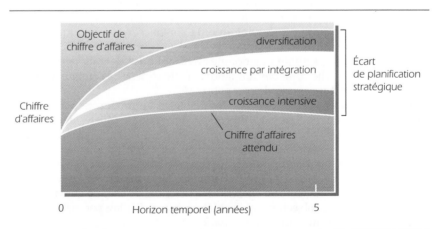

Comment y parvenir? À trois niveaux. D'abord, les opportunités de croissance *intensive* sont liées à l'activité actuelle de l'entreprise et concernent ses produits ou marchés existants. Ensuite, apparaissent les opportunités de croissance par *intégration*, c'est-à-dire par développement ou acquisition de nouvelles activités liées à celle de l'entreprise. Enfin, on distingue les opportunités de croissance par *diversification*, qui trouvent leur origine en dehors du champ de référence immédiat.

**LA CROISSANCE INTENSIVE** ❖ Igor Ansoff a proposé une classification particulièrement utile des stratégies de croissance intensive à partir d'un *tableau croisé produit/marché* reproduit à la figure 4.5[11]. Il fait apparaître quatre stratégies de croissance : la *pénétration du marché*, l'*extension de marchés*, le *développement de produits* et la *diversification*, que nous étudierons plus tard.

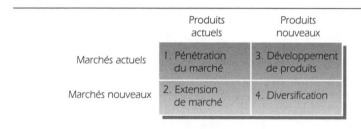

**FIGURE 4.5**
Tableau croisé
Produit/Marché

*Source :* Adapté de I. Ansoff, *Stratégie du développement de l'entreprise* (Paris : Hommes et Techniques, 1976).

**La pénétration du marché**. Dans ce cas, l'entreprise cherche avant tout à développer les ventes de ses produits actuels sur ses marchés actuels grâce à un effort marketing plus soutenu. Trois solutions :

1. Elle essaie de pousser ses clients à accroître leur *niveau d'achat*. Ce dernier est fonction de la *fréquence d'achat* et de la *quantité d'achat unitaire*. Ainsi, la société Erato peut encourager les consommateurs à acheter des CD plus souvent ou bien davantage de CD lors de chaque achat. Des disques jumelés, de nouveaux titres, des réductions promotionnelles, des efforts publicitaires ou une extension du système de distribution peuvent permettre d'obtenir de tels résultats. Au-delà de l'achat, c'est le *niveau de consommation* que l'on s'efforce d'accroître. Celui-ci résulte d'une part des *occasions d'utilisation* et d'autre part du *niveau de consommation unitaire*. Si le consommateur prend l'habitude d'écouter de la musique plus souvent dans la journée et s'il écoute plus de morceaux à chaque fois, il achètera davantage. La société Erato a ainsi lancé des coffrets de Noël, sachant qu'à cette époque, les occasions de consommation et d'achat sont plus nombreuses.

2. L'entreprise s'efforce de détourner les consommateurs des concurrents. Pour accroître sa part de marché, Erato peut ainsi rechercher les talents d'interprètes actuellement sous contrat avec un concurrent ou bien se battre sur les prix.

3. L'entreprise essaie de convaincre les non-consommateurs actuels de la catégorie (ici les personnes qui n'achètent jamais de CD). Pour ce faire, Erato pourra favoriser l'audition de musique, ou plus généralement, faire évoluer favorablement l'image de l'amateur de musique. Elle peut aussi tirer parti d'événements exceptionnels tels que «l'année Mozart».

**L'extension de marché**. L'entreprise cherche alors à augmenter ses ventes en introduisant ses produits actuels sur de nouveaux marchés. Elle peut étendre ses marchés régionalement, nationalement ou internationalement (Erato a ainsi cherché à développer ses ventes aux États-Unis). Elle peut aussi attirer

CHAPITRE 4
Conquérir
le marché grâce
à la planification
stratégique

109

de nouveaux segments en développant des produits adaptés ou en utilisant de nouveaux circuits de distribution. Il peut, par exemple, s'agir d'éditer des compilations de musique classique à destination des enfants.

**Le développement de produits.** L'entreprise cherche dans ce cas à accroître ses ventes en lançant de nouveaux produits sur ses marchés actuels. Elle peut : 1) développer de nouvelles caractéristiques du produit en essayant de le modifier, l'adapter, l'amplifier, le réduire, le remplacer, le transformer, l'inverser ou combiner des caractéristiques existantes ; 2) créer plusieurs versions du produit correspondant à différents niveaux de qualité ; ou encore 3) développer de nouveaux modèles ou de nouvelles tailles. Ainsi, Erato pourrait mettre au point une nouvelle cassette d'une qualité sonore améliorée ou d'une plus grande longévité ; ou encore commercialiser des cassettes vidéo ou des disques DVD.

En combinant les possibilités offertes par une pénétration plus intense du marché, un élargissement des segments couverts et un renouvellement des produits, une entreprise exploite de nombreux vecteurs de croissance. S'ils restent insuffisants, elle envisagera de croître par intégration.

**LA CROISSANCE PAR INTÉGRATION** ❖ Trois possibilités sont envisageables :

1. *L'intégration en amont.* Une telle stratégie consiste, pour l'entreprise, à mieux contrôler et éventuellement à racheter ses fournisseurs. Erato, dépendant essentiellement de deux types de fournisseurs, les producteurs de supports musicaux et les fabricants de matériel d'enregistrement, peut avoir intérêt à intégrer ses activités en amont si ces fournisseurs ont un rythme de croissance et un taux de rentabilité élevés, ou si le coût de l'approvisionnement est très incertain pour l'avenir.

2. *L'intégration en aval.* Elle consiste à mieux contrôler et éventuellement racheter les distributeurs. Erato, qui vend ses CD à des grossistes ou à des détaillants, peut souhaiter intégrer ses activités en aval. Elle pourrait également réfléchir à un système de vente par correspondance ou par Internet par exemple par l'intermédiaire d'un club.

3. *L'intégration horizontale.* L'intégration horizontale consiste, enfin, à contrôler et éventuellement racheter certains de ses concurrents. Erato, ayant observé que certains petits concurrents obtenaient de bons résultats en réussissant à s'attacher de jeunes talents, peut décider de racheter ces sociétés, afin de bénéficier de sang neuf. Inversement, la société peut souhaiter (ou devoir accepter de) s'intégrer dans un groupe plus important (Time Warner dans le cas d'Erato).

Si les possibilités offertes par l'intégration ne suffisent toujours pas, il faut alors se diversifier.

**LA CROISSANCE PAR DIVERSIFICATION** ❖ Cette stratégie est appropriée lorsque le potentiel existant en dehors des domaines d'activité actuels est particulièrement attractif[12]. Trois grandes approches sont possibles : la diversification concentrique, la diversification horizontale et la diversification par conglomérat.

1. *La diversification concentrique* consiste à introduire de nouvelles activités dont la technologie ou le marketing sont complémentaires de son métier actuel ; elles sont, en principe, destinées à de nouvelles couches de clientèle. Erato pourrait ainsi rechercher d'autres activités susceptibles de tirer parti de ses compétences en matière de gestion de carrière artistique. Elle pourrait, par exemple, s'intéresser à d'autres formes de talent (écrivains, hommes politiques, sportifs).

2. *La diversification horizontale* consiste à introduire de nouvelles activités susceptibles de satisfaire la même clientèle, même s'ils n'ont guère de rapport avec le métier actuel au plan de la technologie. Ces activités peuvent être des-

tinées soit aux consommateurs, soit aux distributeurs. Erato pourrait, par exemple, décider de publier un magazine musical, compte tenu de sa bonne connaissance des goûts et habitudes des mélomanes. Elle pourrait également promouvoir des produits en vente chez les disquaires, par exemple des meubles de rangement de cassettes.

3. *La diversification par conglomérat*, enfin, consiste à introduire de nouvelles activités destinées à de nouvelles couches de clientèle, ces activités n'ayant que peu de rapport avec la technologie, la gamme ou la clientèle existantes. De nombreuses entreprises doivent faire face à des variations saisonnières ou cycliques qui entraînent des coûts de main-d'œuvre, de stockage et de gestion de trésorerie importants. Erato vend beaucoup à Noël et moins aux autres moments de l'année. Cela peut conduire à s'intéresser à des activités qui ont une saisonnalité inverse ou qui connaissent des cycles différents.

### LA RÉDUCTION OU L'ABANDON DES ANCIENNES ACTIVITÉS ❖

L'entreprise ne doit pas se soucier uniquement d'innover mais doit aussi savoir élaguer dans ses activités actuelles, afin, par exemple, de dégager des ressources ou d'améliorer la rentabilité. Les activités défaillantes sont fortement consommatrices de temps et d'énergie pour les responsables d'entreprises, alors que ceux-ci devraient focaliser leur attention sur les opportunités de croissance.

## *Le plan stratégique d'activité*

Nous avons montré comment, au niveau de l'entreprise considérée de façon globale, la planification stratégique aboutissait à une réflexion sur la gestion du portefeuille d'activités existantes et à venir. Nous nous tournons maintenant vers les responsables opérationnels d'activités et leur propre système de planification. On peut décomposer celui-ci en huit étapes (voir figure 4.6), successivement examinées dans ce chapitre.

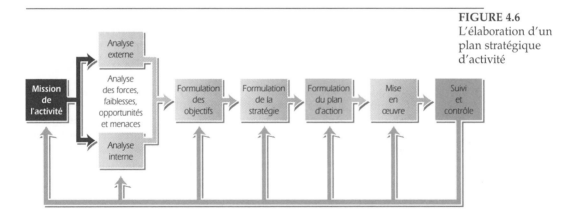

**FIGURE 4.6**
L'élaboration d'un plan stratégique d'activité

## La mission d'activité

Nous avons vu précédemment comment l'entreprise pouvait définir sa mission globale. Chaque domaine d'activité doit déterminer en conséquence sa mission spécifique, en termes de marchés, de secteurs, de technologies, de valeur ajoutée, et de couverture géographique.

CHAPITRE 4
Conquérir
le marché grâce
à la planification
stratégique

111

Reprenons l'exemple d'Atlas Copco. Cette société comprend trois principales divisions : les compresseurs, les outils, et les engins destinés aux mines et au BTP. La division compresseurs est clairement identifiée quant à sa clientèle (les industriels) et ses produits (les compresseurs). Mais chacun de ces domaines doit être précisé. Concernant les clients, on peut se demander si Atlas Copco devrait ou non servir les bricoleurs professionnels, les garages ou les échoppes d'artisans. Quant aux produits, doit-on se limiter aux compresseurs rotatifs et à piston ou bien commercialiser également des compresseurs dynamiques, reposant sur un principe technologique différent? Les notions de valeur ajoutée et de couverture géographique provoquent des interrogations sur le système de distribution. Doit-on vendre en direct ou bien par l'intermédiaire d'agents?

Enfin, la mission d'activité identifie les objectifs poursuivis au-delà des buts généraux de l'entreprise. Par exemple, on pouvait lire dans le livret stratégique d'Atlas Copco que la division des compresseurs devait représenter à peu près la moitié du chiffre d'affaires et du profit de l'entreprise, tout en réalisant une croissance moyenne de 5 % par an.

## L'analyse des forces, faiblesses, opportunités et menaces

On analyse à ce stade l'environnement externe et interne de l'entreprise. Cette étape est souvent appelée *Analyse SWOT* en référence aux initiales des termes en anglais (*Strengths* pour forces, *Weaknesses* pour faiblesses, *Opportunities* pour opportunités, *Threats* pour menaces).

**L'ANALYSE EXTERNE (OPPORTUNITÉS ET MENACES)** ❖ La définition de la mission d'activité aide le management à identifier la nature de l'environnement à observer. Par exemple, la division des compresseurs d'Atlas Copco étudiera le taux de croissance des secteurs industriels achetant ce type de produit, l'influence de la productivité des compresseurs dans la structure de coût des clients, la stratégie des concurrents, l'évolution technologique (nouveaux types de compresseurs, nouveaux matériaux), l'évolution des réglementations et normes susceptibles d'affecter la conception des produits, la structure des circuits de distribution, ainsi que les fournisseurs et les approvisionnements.

En général, l'entreprise doit analyser à la fois le *macro-environnement* (tendances démographiques, économiques, technologiques, politico-légales et socio-culturelles) et le *micro-environnement* (clients, concurrents, circuits de distribution, fournisseurs), en identifiant tous les phénomènes susceptibles d'affecter son activité. Il faut à chaque fois identifier les tendances actuelles et déterminer les opportunités et les menaces qu'elles impliquent pour l'entreprise.

**Les opportunités.** On peut les définir ainsi :

❖ Une *opportunité*, pour une entreprise, correspond à un besoin d'achat qu'elle peut satisfaire rentablement.

La valeur d'une opportunité est liée à son *attrait* et à sa *probabilité de succès*. Celle-ci dépend des compétences distinctives de l'entreprise et de sa maîtrise des facteurs-clés de succès dont dépend l'opportunité identifiée. La figure 4.7-A fait apparaître quelques opportunités dont pourrait tirer parti un constructeur de véhicules électriques. La plus attrayante est la première, car elle a le plus fort impact et les meilleures chances de se réaliser. La seconde est intéressante, mais les ressources et le savoir-faire de l'entreprise ne garantissent pas son succès. La troisième est facile à concrétiser, mais n'a guère d'impact. Enfin, la dernière peut être délaissée (provisoirement).

**Les menaces.** Inversement :

❖ Une *menace* est un problème posé par une tendance défavorable ou une perturbation de l'environnement qui, en l'absence d'une réponse marketing appropriée, conduirait à une détérioration de la position de l'entreprise.

Une menace est d'autant plus grave qu'elle *affectera en profondeur* la rentabilité de l'entreprise et qu'elle a de *grandes chances de se réaliser*. La figure 4.7-B présente, selon ces deux critères, quatre menaces auxquelles un constructeur de véhicules électriques pourrait être confronté. La direction générale devra faire particulièrement attention aux menaces n^os 1 et 3, compte tenu de leur

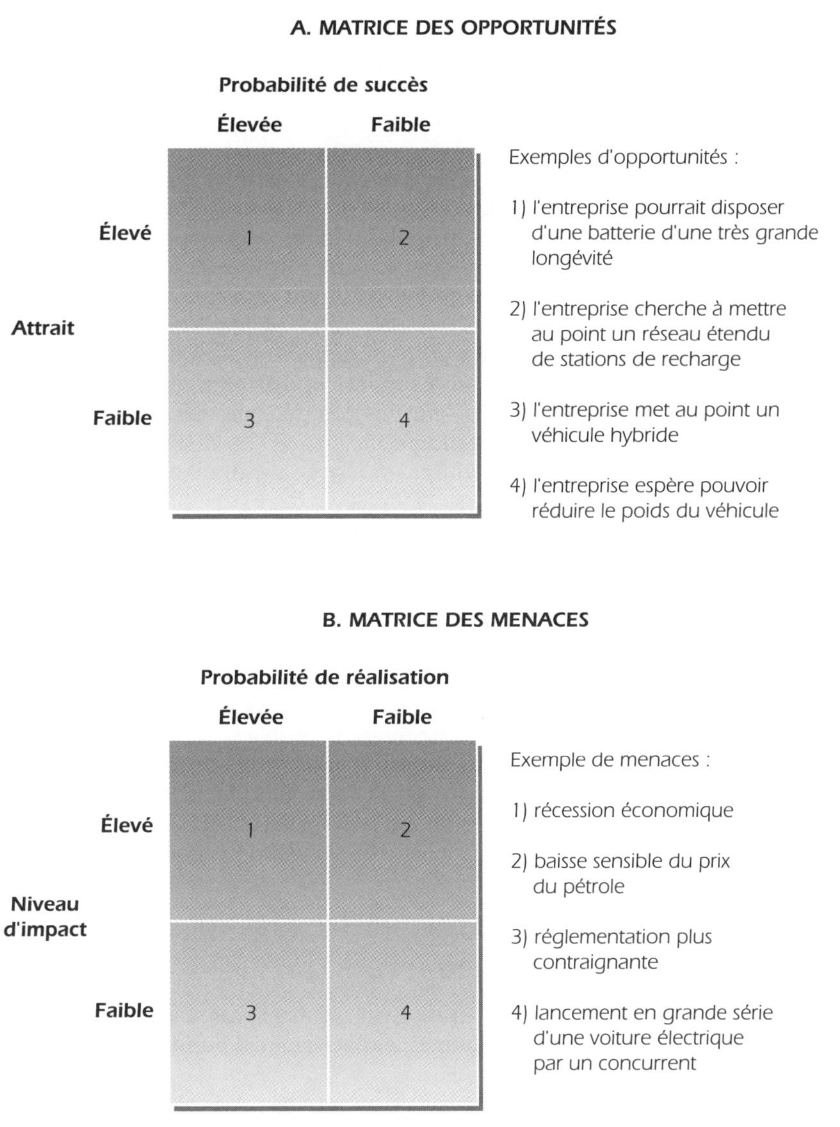

---

### A. MATRICE DES OPPORTUNITÉS

**Probabilité de succès**

|  | Élevée | Faible |
|---|---|---|
| **Élevé** | 1 | 2 |
| **Faible** | 3 | 4 |

Attrait

Exemples d'opportunités :

1) l'entreprise pourrait disposer d'une batterie d'une très grande longévité

2) l'entreprise cherche à mettre au point un réseau étendu de stations de recharge

3) l'entreprise met au point un véhicule hybride

4) l'entreprise espère pouvoir réduire le poids du véhicule

### B. MATRICE DES MENACES

**Probabilité de réalisation**

|  | Élevée | Faible |
|---|---|---|
| **Élevé** | 1 | 2 |
| **Faible** | 3 | 4 |

Niveau d'impact

Exemple de menaces :

1) récession économique

2) baisse sensible du prix du pétrole

3) réglementation plus contraignante

4) lancement en grande série d'une voiture électrique par un concurrent

**FIGURE 4.7**
La matrice des opportunités et des menaces (exemple d'un constructeur de voitures électriques)

CHAPITRE 4
Conquérir le marché grâce à la planification stratégique

113

probabilité de réalisation. Elle devrait, pour chacune, préparer une stratégie de réponse au cas où la menace se matérialiserait. La menace n° 2 pourrait affecter sensiblement l'entreprise, mais n'a guère de chance de se concrétiser. La menace n° 4, enfin, semble relativement secondaire.

En croisant les opportunités et les menaces auxquelles une entreprise est confrontée, il est possible d'apprécier la situation d'ensemble. Quatre cas de figure apparaissent :

♦ une situation *idéale* abonde en opportunités sans qu'aucune menace importante ne vienne assombrir l'horizon ;

♦ une situation *spéculative* (beaucoup d'opportunités et de menaces) se caractérise par un niveau élevé de risque ;

♦ une situation *stable* correspond au cas inverse ;

♦ tandis qu'une situation *préoccupante* est pauvre en opportunités, mais « riche » en menaces.

**L'ANALYSE INTERNE (FORCES ET FAIBLESSES)** ❖ Tout domaine d'activité a besoin d'être périodiquement évalué en termes de forces et faiblesses (voir encadré 4.1). On réexamine les compétences dans les différents domaines (marketing, finance, production et ressources humaines) en notant chaque facteur sur une échelle. Bien sûr, tous les facteurs ne sont pas d'égale importance, aussi faut-il les pondérer.

Toutes les faiblesses ne sont pas forcément pénalisantes ; les plus inquiétantes sont celles qui handicapent le domaine d'activité de façon sensible. Reste la question essentielle : une entreprise devrait-elle se limiter aux opportunités correspondant à ses forces actuelles ou bien acquérir les compétences qui lui font défaut afin d'attaquer de nouveaux territoires ? La question s'est longtemps posée chez Texas Instruments où deux écoles s'affrontaient : les partisans d'un recentrage sur l'électronique industrielle et ceux de la diversification vers les montres digitales et les ordinateurs personnels. La société s'engagea dans cette voie sans succès mais l'erreur commise est peut-être moins la trajectoire choisie que l'absence de compétences spécifiques en marketing des produits destinés au grand public.

Parfois, c'est la cohésion de l'équipe en charge du domaine d'activité qui pose problème : « Les vendeurs ne savent pas vendre ! » et « Ah ! si les produits étaient de meilleure qualité » sont deux expressions que l'on entend souvent dans la bouche des ingénieurs et des commerciaux (respectivement). Il faut alors faire prendre conscience à chacun de ses responsabilités et des nécessaires synergies.

George Stalk, un consultant réputé du BCG affirme que les entreprises gagnantes sont celles qui acquièrent des « capacités collectives », et pas seulement des compétences individuelles[13]. Toute société doit gérer un certain nombre de processus : approvisionnement, assemblage, développement de nouveaux produits, logistique de commercialisation, traitement de commande, facturation, etc. Tout processus est créateur de valeur mais requiert une coopération inter-services. Bien que la compétence puisse exister dans tous les services, c'est la capacité collective à orchestrer l'ensemble qui fait la différence.

# La formulation des objectifs

Après avoir précisé sa mission et analysé son environnement externe et interne, l'équipe en charge d'un domaine d'activité est en mesure de définir ses objectifs.

Il est rare qu'une entreprise poursuive un seul but. Les plus courants sont la rentabilité, la croissance du chiffre d'affaires, la conquête de part de marché,

# Une check-list pour l'analyse interne

| | Performance | | | | | Importance | | |
|---|---|---|---|---|---|---|---|---|
| | Force majeure | Force mineure | Position neutre | Faiblesse mineure | Faiblesse majeure | Élevée | Moyenne | Faible |
| **Marketing** | | | | | | | | |
| 1. Notoriété et réputation | — | — | — | — | — | — | — | — |
| 2. Part de marché | — | — | — | — | — | — | — | — |
| 3. Qualité des produits | — | — | — | — | — | — | — | — |
| 4. Qualité des services | — | — | — | — | — | — | — | — |
| 5. Attractivité des prix | — | — | — | — | — | — | — | — |
| 6. Efficacité de la distribution | — | — | — | — | — | — | — | — |
| 7. Efficacité de la force de vente | — | — | — | — | — | — | — | — |
| 8. Efficacité des promotions | — | — | — | — | — | — | — | — |
| 9. Capacité d'innovation (R&D) | — | — | — | — | — | — | — | — |
| 10. Couverture géographique | — | — | — | — | — | — | — | — |
| **Finance** | | | | | | | | |
| 11. Coût du capital | — | — | — | — | — | — | — | — |
| 12. Disponibilité des fonds | — | — | — | — | — | — | — | — |
| 13. Cash flow | — | — | — | — | — | — | — | — |
| 14. Stabilité financière | — | — | — | — | — | — | — | — |
| **Production** | | | | | | | | |
| 15. Outil de production | — | — | — | — | — | — | — | — |
| 16. Économies d'échelle | — | — | — | — | — | — | — | — |
| 17. Capacité de production | — | — | — | — | — | — | — | — |
| 18. Qualification de la main d'œuvre | — | — | — | — | — | — | — | — |
| 19. Respect des délais | — | — | — | — | — | — | — | — |
| 20. Savoir-faire technique | — | — | — | — | — | — | — | — |
| **Ressources humaines** | | | | | | | | |
| 21. Capacité de leadership | — | — | — | — | — | — | — | — |
| 22. Capacité de gestion | — | — | — | — | — | — | — | — |
| 23. Esprit d'entreprise | — | — | — | — | — | — | — | — |
| 24. Capacité de réaction | — | — | — | — | — | — | — | — |

la limitation des risques, la construction de l'image et l'innovation. Pour être véritablement utiles et intégrés à un système de *gestion par objectifs* (GPO), ceux-ci doivent être :

♦ *Classés par ordre de priorité.* Par exemple, un objectif de taux de rentabilité peut être atteint en augmentant le bénéfice ou en réduisant le capital investi. Le profit résulte lui-même du chiffre d'affaires et des coûts. Le CA s'obtient en multipliant un volume par un prix. En procédant ainsi, on peut spécifier de plus en plus finement les objectifs.

CHAPITRE 4
Conquérir
le marché grâce
à la planification
stratégique

- *Quantifiés* (dans la mesure du possible). Déclarer qu'il faut «accroître la rentabilité des investissements» n'est guère satisfaisant. Préciser : «faire passer le taux de rentabilité de 9 à 12 % en deux ans» constitue une nette amélioration.

- *Réalistes.* Adopter un taux de rentabilité impossible à atteindre engendre des frustrations. Le choix final devra se faire à partir de l'analyse des opportunités offertes sur le marché et des ressources internes de l'entreprise.

- *Cohérents.* L'entreprise ne peut à la fois optimiser tous ses objectifs.

Toute entreprise doit donc trouver un équilibre entre la marge unitaire et la part de marché ; la pénétration des marchés existants et le développement des nouveaux marchés ; les objectifs financiers et les objectifs à caractère non lucratif (par exemple sociaux) ; la croissance et la limitation des risques. On considère souvent qu'il faut choisir entre les profits à court terme et les gains de part de marché, mais certains considèrent que les deux objectifs peuvent être atteints simultanément[14].

## La formulation de la stratégie

Les objectifs précisent le point d'arrivée souhaité, tandis que la *stratégie* identifie la trajectoire. Nous avons vu, au début de ce chapitre, que toutes les sociétés intervenant sur un même secteur (la distribution dans notre exemple) ne poursuivent pas la même stratégie, compte tenu de leurs objectifs et ressources.

**LES STRATÉGIES GÉNÉRIQUES DE PORTER** ❖ Michael Porter a identifié trois grandes stratégies génériques qui constituent un bon point de départ pour la réflexion stratégique[15] :

- *La domination par les coûts.* La stratégie consiste ici à réduire au minimum les coûts de production et de distribution afin d'offrir des prix inférieurs aux concurrents et obtenir ainsi une forte part de marché. Une société qui choisit cette stratégie doit développer ses compétences en ingénierie, approvisionnement, production et distribution physique plutôt qu'en marketing. Texas Instruments a souvent utilisé cette approche.

- *La différenciation.* L'entreprise développe alors des produits plus performants que les concurrents sur des critères valorisés par une grande partie du marché : la plupart des clients préféreraient acheter cette marque s'il n'existait pas de barrière de prix. Ce sont des compétences dans le domaine de la recherche et développement, du design, du contrôle de qualité et du marketing qui sont alors requises. La marque Bonne Maman a réussi à dominer le marché de la confiture grâce à une stratégie de ce type, tout comme Intel dans le domaine des micro-processeurs.

- *La concentration.* Il s'agit de concentrer les efforts sur quelques segments de marché judicieusement choisis. L'entreprise cherche à identifier les besoins spécifiques à ces segments et met en place une stratégie de domination par les coûts ou de différenciation dans le cadre du segment choisi. À travers sa marque Kiri, la fromagerie Bel a ainsi réussi à commercialiser un fromage spécialement conçu pour les enfants.

Selon Porter, l'ensemble des firmes poursuivant la même stratégie constitue un groupe stratégique au sein duquel l'entreprise la plus capable de mener à bien la stratégie obtiendra les meilleurs résultats. Ainsi, c'est la société capable d'abaisser le plus ses coûts de production qui, par rapport aux entreprises appartenant au même groupe, réalisera le meilleur bénéfice. Les entreprises qui n'ont pas de stratégie claire – les adeptes de la voie médiane – risquent de s'enliser. Les difficultés de Bull dans l'informatique et les échecs de Creusot-Loire dans la grosse métallurgie sont liées au fait qu'aucune de ces deux entreprises n'a été capable ni d'être la meilleure dans le domaine du contrôle des coûts, ni de se différencier, ni de se spécialiser avec succès sur un segment de marché.

Toute la difficulté à formuler une stratégie réside dans le risque d'être copié par les concurrents. Selon Porter, une entreprise peut considérer qu'elle a une stratégie lorsqu'elle accomplit des activités différentes de ses concurrents ou lorsqu'elle accomplit les mêmes activités de manière différente. Des entreprises comme Ikea ou Dell sont organisées de manière très différente de leurs concurrents et ces derniers éprouveraient beaucoup de difficultés à s'aligner sur leurs pratiques.

**LES ALLIANCES STRATÉGIQUES** ❖ De plus en plus d'entreprises prennent conscience de la nécessité de former des alliances pour réussir (voir encadré 4.2)[16]. Même les plus grandes d'entre-elles – TotalFinaElf, Renault ou France Télécom – ne peuvent plus à elles seules assurer leur destin. Dans le domaine aérien, par exemple, pratiquement toutes les grandes compagnies ont décidé de se regrouper au sein de réseaux de partenariat. Ainsi, la Star Alliance rassemble-t-elle, entre autres, Lufthansa, Air Canada, United, SAS, Thaï Airways, Varig, Air New Zealand ; de même Air France a passé des accords avec Korean Airlines, Delta, AeroMexico, Alitalia et Czech Airlines au sein de Skyteam.

**LES ALLIANCES MARKETING** ❖ De nombreuses alliances stratégiques se traduisent par des pratiques marketing conjointes. Il existe en fait quatre formes d'alliances en marketing :

♦ *Les alliances produit ou service.* De nombreux arrangements sont possibles depuis les simples cessions de licence (Dior) jusqu'aux produits lancés en commun (Espace, fruit de la collaboration Renault-Matra, ou la carte Air France - American Express).

♦ *Les alliances de communication.* Elles peuvent prendre différentes formes : publicité mentionnant la marque du partenaire (mention «Intel Inside» dans les campagnes pour Compaq), distribution d'un échantillon avec le produit du partenaire (lingettes Soupline données lors de la livraison d'un sèche-linge Whirlpool), mise à disposition de produits joints (produits Disney dans les menus enfants McDonald's lors de la sortie d'un film)…

♦ *Les alliances logistiques.* Une société peut «louer» à une autre ses entrepôts ou sa force de vente ; par exemple, les produits Géant Vert (Pillsbury) ont été pendant longtemps distribués par la force de vente de Buitoni.

♦ *Les alliances tarifaires.* Elles sont monnaie courante dans les transports aériens.

Bien gérées, les alliances permettent aux entreprises de compléter leurs forces et de combler leurs faiblesses à un coût raisonnable. Il semble que, pour cette raison, elles soient appelées à se développer.

## La formulation du plan d'action

Une fois la stratégie élaborée, il faut la traduire sous forme de plan d'action. Par exemple, si l'on a décidé de devenir un leader technologique, il faut renforcer le département de recherche, acquérir le savoir-faire complémentaire, concevoir des produits d'avant-garde, former la force de vente et le réseau de distribution, et mettre sur pied un programme de communication adapté.

Une fois le plan d'action énoncé, il faut en estimer les coûts. De nombreuses questions se posent alors : faut-il ou non participer à tel ou tel salon ? Combien de vendeurs recruter ? Un concours entre les représentants aura-t-il l'effet escompté ? La comptabilité à base de coûts (également appelée méthode ABC) peut aider à déterminer la rentabilité des opérations prévues[17].

CHAPITRE 4
Conquérir
le marché grâce
à la planification
stratégique

117

# Le boom des alliances stratégiques

Dans un environnement devenu planétaire, avec une concurrence de plus en plus active et diversifiée, une grande partie du temps et des efforts des stratèges d'entreprise consiste aujourd'hui à mettre sur pied des réseaux d'alliances. Comme Jim Kelly, le PDG d'UPS, l'indique : « L'ancien adage "Si vous ne pouvez pas les battre, rejoignez-les" est aujourd'hui devenu "Rejoignez-les et vous serez imbattable". »

Dans les nouvelles technologies comme l'informatique, les biotechnologies ou les télé-communications, les alliances naissent pratiquement avec les entreprises. Mais les réseaux d'alliances touchent aujourd'hui tous les secteurs de l'industrie et des services. Même les plus grandes multinationales y ont recours. Coca-Cola, par exemple, a noué une alliance avec AOL en 2000 afin de soutenir la présence en ligne de Coca-Cola et de promouvoir l'image d'AOL en dehors d'Internet. La même entreprise a conclu un partenariat avec l'agence de publicité Inter-public afin de mieux coordonner ses efforts marketing mondiaux.

Selon Booz, Allen et Hamilton, le nombre d'alliances impliquant des sociétés américaines croît d'environ 25 % par an. Elles ré-pondent à divers objectifs :

♦ Avoir accès aux meilleurs marchés et à la meilleure technologie.

♦ Utiliser à plein ses capacités de production.

♦ Réduire le risque et les coûts inhérents aux nouveaux marchés.

♦ Accélérer le lancement des nouveaux produits.

♦ Bénéficier d'économies d'échelle.

♦ Surmonter les obstacles juridiques et commerciaux.

♦ Étendre son champ d'opération.

♦ Réduire les coûts en cas de désinvestissement.

Pourtant, en dépit de ces nombreuses raisons, un pourcentage élevé d'alliances échoue. Il semble que les facteurs de succès soient au nombre de trois :

1. **Une complémentarité stratégique.** Avant même d'envisager une alliance, il faut éva-luer ses propres compétences. Il faut ensuite trouver un partenaire qui offre un savoir-faire complémentaire. Ainsi, ATT et Sovintel, un opérateur téléphonique russe, créèrent en commun de nouveaux services amélio-rant la communication entre les deux pays.

2. **Une orientation à long terme.** Plutôt que de conclure un accord pour gagner quelques dollars, il vaut mieux se focaliser sur les gains à venir. Le verrier Corning a ainsi développé la moitié de ses produits à partir d'alliances impliquant Siemens, Sam-sung et le Mexicain Vitro.

3. **La flexibilité.** Les alliances ne durent que si elles sont flexibles. Par exemple, le labo-ratoire pharmaceutique allemand Merck a conclu un partenariat avec le suédois AB Astra pour commercialiser les produits de son partenaire aux États-Unis. L'alliance s'est ensuite transformée, avec la création d'une *joint-venture* chargée de gérer le par-tenariat dont l'activité atteignait 500 mil-lions de dollars annuels.

*Sources :* Julie Cohen Mason, « Strategic Alliances : Partnering for Success, » *Management Review*, mai 1993, pp. 10-15 ; John Nais-bitt, *The Global Paradox* (New York : William Morrow, 1994, pp. 18-21) ; Rosabeth Moss Kantner, « The Power of Partnering, » *Sales & Marketing Management*, juin 1997, pp. 26-28 ; « Striking the Right Match, » *Nation's Business*, mai 1996, p. 18 ; « Are Strategic Alliances Wor-king ? » *Fortune*, 21 septembre 1992, pp. 77-78 ; « Astra and Marck Agree to Revamp U.S. Affi-liate », *Wall Street Journal*, 22 juin 1998. Sur ce sujet, voir aussi Yves Doz et Gary Hamel, *L'Avantage des alliances : logiques de création de valeur* (Paris : Dunod, 2000).

## La mise en œuvre

Une excellente stratégie-marketing peut être anéantie par une mauvaise mise en œuvre. Selon McKinsey, la stratégie ne représente que l'un des sept facteurs du succès d'une entreprise[18]. Le schéma complet est représenté à la figure 4.8. Les trois premiers attributs de la réussite – la stratégie, la structure et les systèmes –, qui ont fait l'objet de nombreux ouvrages de gestion, constituent l'ossature du succès, tandis que les quatre autres en fournissent la «moelle».

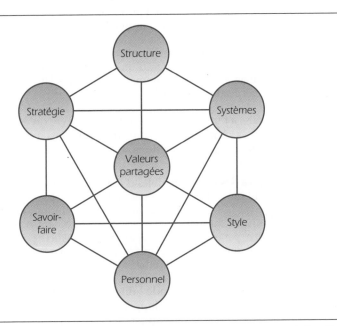

**FIGURE 4.8**
Le modèle McKinsey
des sept clés
de l'organisation

*Source :* Thomas Peters et Robert Waterman, *Le Prix de l'excellence*
(Paris : InterÉditions, 1983), p. 32.

Le premier est le *style* qui s'impose à tout le personnel de l'entreprise dans son mode de pensée et d'action. Celui de McDonald's est le sourire, celui d'IBM, le caractère professionnel. Le deuxième est le *savoir-faire* – financier, commercial ou autre – forgé par l'entreprise pour mettre en place sa stratégie. Ainsi le savoir-faire de l'entreprise J.-C. Decaux – la gestion des contacts avec les municipalités et une logistique du nettoyage urbain – lui a permis, une fois acquis le succès des abribus, de se diversifier dans les panneaux indicateurs et les toilettes publiques. Le troisième facteur est le *personnel* sélectionné par l'entreprise pour les différents postes nécessités par son activité. Le Club Méditerranée par exemple, utilise des procédures élaborées de recrutement de son personnel de centre, même lorsqu'il s'agit d'embauche temporaire. Enfin, le dernier facteur tient au système de *valeurs partagées* qui anime l'ensemble de l'entreprise. Un tel système prend souvent la forme de chartes d'entreprise ou de manuels de procédures tels qu'il en existe dans des sociétés comme McDonald's ou dans des associations comme l'UCPA[19].

## Le suivi et le contrôle

Au fur et à mesure de sa mise en œuvre, la stratégie associée au domaine d'activité fera l'objet d'un suivi et d'un contrôle assidus. Périodiquement, l'entreprise devra réviser ses plans d'action et stratégies, voire ses objectifs.

CHAPITRE 4
Conquérir
le marché grâce
à la planification
stratégique

119

L'amplitude de ces ajustements est fonction du degré, de la rapidité et de la complexité de l'évolution externe. Certains environnements sont relativement stables d'une année sur l'autre dans leurs dimensions économiques, technologiques, réglementaires et socio-culturelles, et l'entreprise a peu de modifications à envisager. D'autres évoluent lentement, et de façon prévisible. On peut alors s'y préparer. D'autres, enfin, sont caractérisés par des turbulences difficiles à prévoir qui en modifient la nature profonde. Considérons l'exemple de Compaq :

■ COMPAQ était le leader mondial de l'informatique en 1997. Cette position a été remise en cause par Dell qui a remarquablement réussi sa stratégie de vente directe. En réaction, Compaq s'est également lancé dans la vente directe au client final. En février 1999, l'entreprise réalisait par ce mode de commercialisation un chiffre d'affaires quotidien d'un million de dollars. Bien que Dell ait supplanté Compaq à la place de numéro 1 aux États-Unis en 1999, Compaq a réussi à redevenir leader en 2000[20].

Une opportunité, à l'image d'une fenêtre, ne s'ouvre qu'occasionnellement. Si on laisse passer sa chance, la «fenêtre stratégique» se referme et il est alors trop tard pour maintenir ses positions. C'est ce que démontre l'histoire du tableur Lotus 1-2-3 :

■ LOTUS. Les ventes des PC compatibles d'IBM ont, au départ, grandement bénéficié du logiciel Lotus 1-2-3 qui ajoutait au tableur de base des possibilités graphiques. Pourtant Lotus ne sut pas anticiper l'évolution du marché et laissa Microsoft s'emparer du marché avec Excel, intégré depuis dans des «suites» (Microsoft Office, par exemple). Finalement, IBM rachète Lotus en 1995 qui n'a plus désormais l'ambition de reconquérir sa gloire passée mais cherche plutôt à intégrer ses nouveaux produits (Lotus Notes) dans l'univers Windows[21].

Les entreprises, surtout de grande taille, ne s'adaptent pas toujours facilement. Au fil des années, elles développement une inertie et une bureaucratie qui constituent autant d'entraves au changement. Pourtant, habilement dirigées, elles peuvent réagir et même anticiper les turbulences. La clé du succès se trouve donc dans la capacité de l'entreprise à s'adapter au même rythme que son environnement. Le processus d'élaboration d'une stratégie et d'un plan marketing n'a pas d'autre but que de l'y aider.

# L'élaboration d'une stratégie marketing

Pour comprendre le processus stratégique en marketing, il faut revenir sur le fonctionnement d'une entreprise. Le rôle d'une firme est de créer de la valeur sur un marché tout en dégageant un profit.

## La séquence de création de valeur

Deux conceptions coexistent sur le mode de création de la valeur pour les clients[22]. Traditionnellement, on s'efforçait d'abord de produire puis de vendre (voir figure 4.9-A). Au début de ce siècle, Louis Renault inventait d'abord ses véhicules puis les commercialisait. Dans une telle conception le marketing intervient en aval de la production. On suppose que le marché est assez vaste pour pouvoir absorber toute la production à un prix permettant de dégager une marge.

Une telle approche est adaptée à une situation de rareté. Dans les pays du tiers-monde, beaucoup de consommateurs doivent encore se satisfaire de ce qui leur est proposé. Elle est moins opérante dans une économie concurrentielle où l'offre est surabondante et la clientèle maîtresse de ses choix. La demande explose alors en micro-marchés et rend nécessaire une opération de ciblage. La figure 4.9-B illustre cette démarche. Le marketing intervient en amont de la production. Il s'agit d'abord de choisir la valeur qui caractérisera l'offre, puis de la délivrer et de la communiquer.

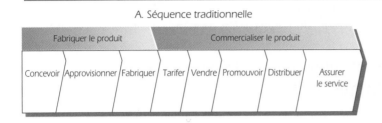

A. Séquence traditionnelle

Fabriquer le produit | Commercialiser le produit

Concevoir | Approvisionner | Fabriquer | Tarifer | Vendre | Promouvoir | Distribuer | Assurer le service

B. Vision moderne

Choisir la valeur | Délivrer la valeur | Communiquer la valeur

Segmentation | Ciblage | Positionne-ment | Dévelop-pement du produit | Dévelop-pement des services | Pricing | Appro-visionnement | Distribution | Force de vente | Promotion | Publicité

Marketing stratégique | Marketing tactique

**FIGURE 4.9**
Deux modes de création de valeur

*Source :* M.J. Lanning et E.G. Michaels, « A Business Is a Value-Delivery System », McKinsey Staff Paper n° 41, juin 1988.

*La définition de la valeur* échoit au marketing qui procède à une *segmentation* du marché puis à un *ciblage* et à un *positionnement*. La trilogie segmentation, ciblage, positionnement (SCP) est le moteur du *marketing stratégique*.

Une fois ces choix effectués, on *délivre cette valeur* à travers les produits et services, les prix et le système de distribution ; on entre alors dans le *marketing tactique*.

Enfin, il faut *communiquer* cette valeur, à travers la force de vente, la publicité et toutes les autres formes de communication. Le marketing se trouve ainsi en début et en fin de processus.

■ **NIKE.** Certains dénoncent l'écart entre le prix de vente aux consommateurs des chaussures Nike et leur coût de revient. Il est vrai que les matières premières, la main-d'œuvre, l'expédition et les droits de douane ne doivent pas représenter plus de 25 € pour une paire de chaussures. Mais il faut ajouter à ce montant les dépenses associées au processus de vente : les équipes de vente, les distributeurs, les porte-parole de la marque, la publicité, la recherche et développement et la gestion de l'ensemble ajoutent 15 €. Nike vend ses chaussures au détaillant à 47 €, soit une marge d'environ 7 €. Le détaillant supporte lui-même un certain nombre de coûts (30 € pour le personnel, l'équipement…) et ajoute sa marge (10 €), pour un prix de vente excédant les 80 €[23].

Les entreprises japonaises ont été encore plus loin dans la remise en cause de la séquence traditionnelle de création de valeur, en développant les notions suivantes :

♦ *Le feedback-client immédiat.* Le feedback de la clientèle doit être en permanence recueilli dès après l'achat afin de découvrir des idées de nouveaux produits.

♦ *L'amélioration continue du produit.* L'entreprise doit évaluer toutes les idées des clients et des employés et promouvoir celles qui créent le plus de valeur.

♦ *L'approvisionnement immédiat.* L'entreprise doit recevoir les pièces et matériaux « juste à temps » et ainsi réduire les stocks à leur minimum.

♦ *La production sans délai.* L'entreprise doit pouvoir produire dès la commande passée dans un temps record.

♦ *Le zéro-défaut.* Les produits doivent être de grande qualité et sans défaut.

## Les étapes d'élaboration et de mise en œuvre d'une politique marketing

La stratégie marketing fournit le contexte dans lequel les activités commerciales de l'entreprise prennent place. Nous définirons l'*élaboration d'une politique marketing* comme :

❖ Un processus consistant à analyser les opportunités existant sur le marché et à choisir une cible, un positionnement, des plans d'action et un système de contrôle.

Ce processus et ses éléments font l'objet des sections suivantes de ce chapitre. Chaque étape sera ultérieurement reprise dans les différents chapitres qui composent cet ouvrage. Nous les illustrerons à l'aide du cas suivant[24] :

■ **GRÉGOR.** Cette entreprise fabrique et commercialise des produits à base de caoutchouc. Elle est structurée en cinq divisions. Celle qui préoccupe la direction générale aujourd'hui est la division des vêtements de protection qui a réalisé 20 millions d'€ de CA HT l'année dernière. La division enregistre une perte de un million malgré une part de marché de 22 % et des prix plus élevés de 10 %. Le marché est porteur mais la société Grégor n'a jamais pu dégager de bénéfice sur cette activité. La situation devient difficilement supportable et M. Renault, directeur de la division a demandé à M. Sénéchal, en charge du marketing, de préparer un plan de redressement faute de quoi l'activité pourrait être abandonnée.

L'ANALYSE DES OPPORTUNITÉS ❖ La première tâche de M. Sénéchal est d'analyser les opportunités existant à long terme sur ce marché et conditionnant la réussite de Grégor. D'une façon générale, et sous l'effet de la législation du travail, le marché du vêtement de protection est un marché porteur. Les considérations ergonomiques favorisent également l'apparition de vêtements de mieux en mieux adaptés à leur utilisation sur le lieu de travail. Au fil des années, les produits se sont perfectionnés : enduits le plus souvent sur deux au lieu d'une face, ils sont également aérés et parfois même ventilés. On dénombre une dizaine de fabricants français ainsi que des importations croissantes en provenance du Sud-Est asiatique.

La vocation de la division est de devenir un spécialiste du vêtement de protection. La société Grégor est actuellement leader sur ce marché mais ce dernier reste exigu. De nombreuses possibilités de développement sont envisageables. Par exemple, Grégor pourrait se concentrer sur certains secteurs tels que l'industrie chimique ou l'industrie nucléaire dans lesquelles les problèmes de protection sont aigus et appellent des solutions hautement spécialisées. À l'inverse, Grégor pourrait élargir ses activités auprès du grand public en proposant des produits pour la chasse, la pêche ou le nautisme. Encore ne s'agit-il là que de quelques pistes parmi les nombreuses opportunités de développement (imperméables, vêtements de sport, combinaisons de travail, etc.).

Pour évaluer ces opportunités, Grégor a besoin de mettre en place un véritable système d'information (chapitre 5). Des études de marché renseigneraient l'entreprise sur les potentiels, les attentes de la clientèle, leur processus d'achat. Au minimum, l'entreprise a besoin d'un système de reporting précis qui analyse les ventes par modèle, client, secteur géographique, branche industrielle, vendeur et circuit de distribution. D'autres informations pourraient être obtenues au moyen de recherches documentaires, de réunions de groupe et d'enquêtes téléphoniques, postales ou en face à face. Les données seraient alors analysées au moyen de méthodes statistiques et de modèles qui révéleraient à l'entreprise la nature des facteurs ayant une incidence majeure sur les ventes.

Dans un contexte élargi, Grégor devrait également recueillir des informations sur son environnement (chapitre 6). Celui-ci se compose d'un micro et d'un macro-environnement. Le *micro-environnement* comprend tous les acteurs qui contribuent à la fabrication et à la vente des vêtements de protection : les fournisseurs, les intermédiaires, les clients, les concurrents et différentes sortes de publics. Le *macro-environnement* se compose de toutes les forces, démographiques, économiques, technologiques, politico-légales et socio-culturelles qui ont une incidence sur le marché.

En ce qui concerne le *marché grand public* (chapitre 7), Grégor a besoin de savoir : combien de personnes envisageraient d'acheter de tels vêtements ? Pour quel usage, à quel prix ? Dans quel type de point de vente achèteraient-elles et qui, dans la famille, procéderait à l'achat ? Quelle pourrait être l'influence du prix, de la publicité, des promotions, etc., sur le choix de la marque ?

Les *marchés industriels* (chapitre 8) : mines, entreprises de BTP, transports, etc. se caractérisent par un processus d'achat plus structuré avec la présence d'acheteurs professionnels au sein de comités d'achat dans lesquels interviennent différents responsables (direction générale, direction financière, services utilisateurs), aux critères d'achat différenciés. Leur vendre un produit suppose une équipe commerciale bien formée et consciente des besoins des utilisateurs.

Enfin, Grégor doit également analyser sa *concurrence* (chapitre 9). Les fabricants asiatiques par exemple sont susceptibles de provoquer des baisses de prix en banalisant les produits. Grégor doit anticiper leurs réactions et mettre en place des stratégies de réponse. En fait, c'est un service d'intelligence marketing dont Grégor a besoin.

**L'ÉLABORATION DES STRATÉGIES MARKETING** ❖ Une fois ces analyses effectuées, l'entreprise Grégor est en mesure de choisir ses marchés-cible. Un marché étant rarement homogène, il conviendra le plus souvent de le découper en segments, de les évaluer et de choisir ceux que l'on servira en priorité (chapitre 10).

Une fois la cible choisie, il faudra déterminer une stratégie de différenciation et de positionnement (chapitre 11).

Une fois le positionnement élaboré, Grégor s'attaquera au difficile problème du développement et du lancement de nouveaux produits (chapitre 12). Il s'agit d'un terrain plein d'embûches dans lequel de nombreuses décisions doivent être coordonnées à chaque stade du processus. Il faudra ensuite faire évoluer la stratégie du produit tout au long de son cycle de vie en tenant compte des opportunités offertes sur le marché mondial (chapitre 13).

**LA FORMULATION DES PLANS D'ACTION** ❖ En élaborant sa stratégie marketing, Grégor devra la traduire sous forme de plan d'action. Un tel plan s'appuie sur trois éléments : le *budget*, le *mix marketing* et la *procédure de répartition*.

Afin de fixer une limite aux efforts qui seront consentis, l'entreprise établit un budget global qui correspond le plus souvent à un pourcentage du chiffre

CHAPITRE 4
Conquérir
le marché grâce
à la planification
stratégique

123

d'affaires, tout en tenant compte de la nature des actions envisagées. Souvent, elle dépensera davantage pour acquérir rapidement une part de marché importante.

Un élément central de la politique marketing a trait à la façon dont l'entreprise va présenter son offre sur le marché. C'est ici qu'intervient la notion fondamentale de *mix marketing*. Toute action susceptible d'avoir un impact sur le comportement de l'acheteur fait partie du mix marketing. McCarthy a proposé de regrouper ces variables en quatre catégories, qu'il a appelées les « 4 P » : le *produit*, son *prix*, sa *mise en place* ou distribution, et sa promotion, au sens large, correspondant à la *communication*[25].

Pour décider de l'allocation optimale, il faut essayer d'estimer la réponse du marché aux différentes variables du mix. La variable d'action la plus tangible est le *produit* qui exprime la politique d'offre de l'entreprise (chapitre 14). Un produit comporte différentes caractéristiques, un conditionnement et souvent divers *services* associés (chapitre 15). Les décisions relatives à la marque sont, elles aussi, essentielles. Dans le cas de Grégor, les choix les plus importants concerneraient les matériaux, la coupe, les tailles, les couleurs.

Le *prix*, c'est-à-dire la valeur d'échange du produit, constitue la seconde variable d'action (chapitre 16). Grégor doit fixer un prix de gros, un prix de détail, des remises, ristournes, et conditions de crédit. Le prix devrait refléter la valeur que la clientèle attache à l'offre, surtout dans un marché concurrentiel.

La mise en place (*distribution*) du produit vise à le rendre accessible auprès du marché-cible (chapitres 17 et 18). Grégor doit recruter et coordonner l'action d'agents et de revendeurs afin de commercialiser ses produits dans de bonnes conditions. La société doit comprendre la nature des différentes sortes d'intermédiaires, les fonctions qu'ils remplissent et la façon dont ils prennent leurs décisions.

La *communication* regroupe toutes les actions destinées à communiquer des informations persuasives sur le produit (chapitres 19 à 21). Grégor sera ainsi amené à faire de la publicité, à mettre en place des opérations promotionnelles, des actions de relations publiques et à motiver sa propre force de vente.

**LA MISE EN ŒUVRE ET LE CONTRÔLE** ❖ La phase finale consiste à organiser le travail du département marketing et contrôler la mise en œuvre du plan (chapitre 22). Une entreprise doit d'abord concevoir et mettre en place une organisation adaptée. Dans une petite société, une seule personne peut suffire à la tâche. Dans les grandes entreprises, on fera appel à des spécialistes. Chez Grégor, la situation est intermédiaire ; il y a une équipe de vendeurs mais pas de service d'étude de marché ni de publicité. Il n'y a pas non plus de chef de produit ni de responsable de marché. Dans de nombreuses firmes, il y a un directeur du marketing et/ou un directeur commercial. Celui-ci coordonne les différents services commerciaux (c'est le cas de M. Sénéchal pour la société Grégor) et défend le point de vue du marketing dans les réunions de direction générale.

Un responsable marketing doit non seulement mettre en œuvre le plan, mais encore en contrôler les résultats, et cela, quel que soit son niveau hiérarchique.

On peut en fait distinguer trois types de contrôle :

1. Le *contrôle du plan annuel* consiste à vérifier la bonne réalisation des objectifs. Ainsi, un inspecteur des ventes examinera les commandes et les frais de route de chaque vendeur, et les comparera au budget. Il contactera les représentants dont les performances sont insuffisantes, en essayant d'être le plus constructif possible, c'est-à-dire en s'efforçant de déceler l'origine

du problème et d'y porter remède. Le directeur régional puis le directeur des ventes feront de même, et ainsi de suite jusqu'au président-directeur général.

2. Le *contrôle de rentabilité* consiste à examiner la rentabilité de chaque produit, marché, secteur de vente et circuit de distribution et s'appuie sur un *contrôle d'efficacité* destiné à améliorer l'impact d'un euro investi dans le marketing.

3. Enfin, un *contrôle stratégique* est mis en place dans la mesure où toute entreprise est périodiquement amenée à remettre en question ses produits, ressources et objectifs. Un tel réexamen est d'autant plus nécessaire que le rythme d'évolution du marché est rapide. Il appartient à *l'auditeur marketing* de procéder à une analyse globale des performances de l'entreprise, ainsi que son mode d'organisation.

La figure 4.10 résume, sous forme de schéma, les principaux éléments de la démarche marketing. Au centre du graphique, on trouve le marché-cible que l'entreprise s'efforce d'atteindre au moyen des variables d'action du mix, en s'appuyant sur les quatre systèmes d'information, de planification, d'organisation et de contrôle. C'est à travers ces systèmes que l'entreprise s'adapte à son environnement, qu'il s'agisse de son micro-environnement (les fournisseurs, les intermédiaires, la concurrence et les différents publics), ou de son macro-environnement défini par les forces économico-démographiques, technologiques, politico-légales et socio-culturelles.

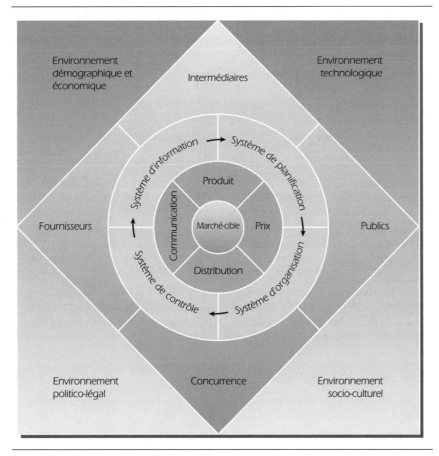

**FIGURE 4.10**
La démarche marketing

CHAPITRE 4
Conquérir
le marché grâce
à la planification
stratégique

125

# Le plan marketing

Pour tout niveau d'activité (produit, gamme, marque) doit être élaboré un *plan marketing* qui est l'une des manifestations les plus visibles du marketing dans l'entreprise. Réalisé en équipes, il intègre des informations fournies par tous les services. Le plan marketing tient compte des évolutions du marché et de la concurrence. Il est donc réactualisé régulièrement afin d'intégrer les changements survenus dans l'environnement et les résultats obtenus par l'entreprise. On a souvent recours à des plans glissants, portant sur un horizon de plusieurs années (souvent trois) mais réactualisé tous les ans ou tous les six mois selon les entreprises. Le cœur du plan porte en général sur une année.

Le processus de planification marketing varie considérablement selon les entreprises. Dans les termes, d'abord, puisqu'il est alternativement désigné par les noms de «plan marketing», de «business plan», parfois de «plan de bataille». Dans sa longueur, ensuite, puisqu'il se présente comme un document de 5 à 50 pages selon les sociétés. Dans sa prise en compte, enfin, puisque certaines entreprises le suivent à la lettre, alors que d'autres le voient comme un guide général des actions à entreprendre. Les limites que l'on attribue en général au plan marketing résident dans son manque de réalisme, la prise en compte insuffisante de la concurrence et la focalisation sur le court terme. Les pratiques des entreprises évoluent toutefois rapidement en résolvant ces faiblesses traditionnelles.

Mais que contient (ou devrait contenir) un tel plan et comment doit-il être structuré? Beaucoup de plans marketing intègrent, sous une forme ou sous une autre, les huit rubriques présentées dans le tableau 4.3. Chacune d'elles est développée dans les sections qui suivent et illustrée à l'aide du cas concret suivant :

> Monsieur R.P., responsable de la filiale française de Hewlett-Packard, doit élaborer le plan marketing à trois ans relatif à l'activité d'échange de données informatisées (EDI), un marché appelé à un important développement. Dans un premier temps, il a décidé de concentrer ses efforts sur le marché automobile.

## Le résumé managérial et la table des matières

Un plan marketing devrait toujours débuter par un résumé d'une ou deux pages rassemblant les faits essentiels, les buts et les principales recommandations. En voici un exemple :

> En ..., Hewlett-Packard sera devenu l'une des deux plates-formes de référence pour le développement d'outils d'EDI. Cette activité générera un bénéfice de $x$ millions d'euros soit un taux de rentabilité de $y$. L'investissement à prévoir est de l'ordre de... (suite du texte)

Un tel résumé a pour but de fournir à la direction générale des éléments d'appréciation globale de chaque plan ainsi qu'une indication des chiffres-clés. Une table des matières lui permettra de savoir où trouver l'information complémentaire contenue dans le reste du plan.

## L'analyse de la situation marketing

Dans cette partie, le rédacteur du plan analyse l'environnement externe et interne.

**L'ENVIRONNEMENT EXTERNE** est composé du macro-environnement, de la demande, des produits, de la concurrence et des intermédiaires. Les données sont rassemblées au sein d'un *fact-book*.

TABLEAU 4.3
Contenu d'un plan
marketing

| RUBRIQUE | RÔLE |
|---|---|
| I. Résumé managérial et table des matières | Il synthétise les principales recommandations soumises à l'approbation de la direction générale. |
| II. L'analyse de la situation marketing | Elle résume les données essentielles relatives à l'environnement externe (macro-environnement, demande, produits, concurrence, intermédiaires) et interne (vente, parts de marché, coûts, rentabilité, actions réalisées). Elle se présente sous la forme d'une analyse des forces et des faiblesses de l'entreprise ainsi que des opportunités et des menaces externes. |
| III. Le diagnostic | Il consiste à confronter les conclusions de l'analyse interne et de l'analyse externe afin d'identifier les choix-clés auxquels l'entreprise est confrontée et les opportunités principales à saisir. |
| IV. Les objectifs | Cette partie spécifie les buts que l'entreprise se propose d'atteindre en termes de ventes, de part de marché et de profit. |
| V. La stratégie marketing | Elle identifie les choix fondamentaux faits dans le domaine du marketing pour atteindre les objectifs visés, en particulier les marchés-cible visés et le positionnement des produits. |
| VI. Les plans d'action | Pour chaque action, ils indiquent ce qui sera fait, quand, par qui, et avec quels moyens et budget. Ils précisent également par quels indicateurs on mesurera les effets de chaque opération. |
| VII. Les comptes de résultat prévisionnel | Ils établissent une prévision quantifiée et financière des résultats attendus. |
| VIII. Les systèmes de contrôle | Ils précisent le mode de suivi et d'évaluation de la mise en œuvre du plan. |

**Le macro-environnement.** Il s'agit ici d'analyser les tendances lourdes d'évolution démographique, technologique, économique, politico-légale et socioculturelle :

L'EDI regroupe tous les services et techniques permettant l'échange de messages entre les entreprises, messages dont les structures sont définies par un ensemble de normes reconnues internationalement.

L'activité d'échange et de circulation de l'information s'est considérablement développée depuis quelques années sous l'intensification de la concurrence, la mondialisation des marchés et les progrès de la technologie.

De plus en plus de secteurs, tel celui de l'automobile, cherchent à normaliser les relations entre fournisseurs et clients. Ils élaborent pour ce faire des normes de fonctionnement.

**La demande.** Il s'agit ici de présenter les données essentielles relatives au marché auquel l'entreprise s'adresse : taille (en volume, en valeur), évolution passée, répartition par segments. Une seconde partie est consacrée à l'analyse qualitative du marché : besoins des clients, perceptions et images, processus d'achat.

CHAPITRE 4
Conquérir
le marché grâce
à la planification
stratégique

127

Le marché mondial de l'EDI pour l'automobile est estimé à 25 millions de $ selon Coopers & Lybrand et Frost & Sullivan, deux consultants spécialisés. Le marché européen représente environ 5 millions de $ et le marché français 1 million. La croissance attendue est de 50 % pour les trois prochaines années.

Le marché auto se compose de trois principaux segments :

1. les grands constructeurs
2. les « petites grosses entreprises » (CA > 75 M€)
3. les PME (CA < 75 M€)

Les grands constructeurs sont traditionnellement clients des deux premiers fabricants (voir plus loin l'analyse de la concurrence) mais commencent à évoluer vers des solutions plus ouvertes.

Les « petites grosses entreprises » correspondent au créneau dans lequel Hewlett-Packard est le mieux placé, particulièrement chez les plus novatrices en termes de technologie informatique.

Les PME ont une attitude plus suiveuse.

L'étude qualitative du marché révèle de nombreux avantages pour les utilisateurs d'un système d'EDI. Principalement :

- l'automatisation des processus manuels (saisie et ressaisie d'information);
- la réduction des transactions papier;
- la réduction des temps de transmission;
- l'amélioration des conditions de production.

**Les produits.** On indique dans cette section les résultats commerciaux obtenus au cours des dernières années par chaque ligne de produit sur le marché dans son ensemble (et pas seulement dans l'entreprise).

Un client n'achète pas à proprement parler de l'EDI mais met en place des applications fondées sur l'EDI. Celles-ci regroupent quatre composantes qui, considérés ensemble, déterminent l'offre :

| | |
|---|---|
| 1. Applications nouvelles possédant les fonctions d'EDI (ex. : gestion des achats de composants) | 40 % |
| 2. Activités de services : par exemple, conseil/formation aux entreprises désireuses d'intégrer leurs applications dans un contexte d'EDI | 30 % |
| 3. Fourniture d'outils logiciels destinés à développer les applications d'EDI | 20 % |
| 4. Matériels informatiques correspondants | 10 % |

**La concurrence.** Les principaux concurrents sont identifiés et étudiés du point de vue de leurs tailles, objectifs, résultats (part de marché), stratégies marketing, accords de partenariat et tout autre caractéristique révélatrice de leurs intentions et comportements.

Deux concurrents majeurs interviennent sur ce marché en France :

- IBM : Sa part de marché est estimée à 50 %. IBM a démarré très tôt ses activités en participant à de nombreux comités de normalisation. Ce domaine est reconnu par l'entreprise comme stratégique. IBM a une offre propre comprenant un certain nombre de services tels que : études de faisabilité, formation, etc.
- BULL : Environ 12 à 15 % du marché grâce à une forte implantation chez un grand constructeur automobile. Peu d'autres références cependant. Il ne semble pas que ce concurrent investisse prioritairement dans ce domaine.

**Les intermédiaires.** Cette partie est consacrée à une analyse des circuits de distribution et de leur évolution (répartition des ventes et des marges). On étudie également les rapports de force entre les fabricants et les distributeurs, ainsi que tous les autres intermédiaires jugés significatifs.

> Les intermédiaires sont ici essentiellement des sociétés de service comme Accenture qui offrent des produits applicatifs très prisés par la clientèle.

Ces différents éléments sont ensuite formulés sous forme d'*opportunités et de menaces* pour l'entreprise.

Dans le cas de Hewlett-Packard, les principales opportunités sont les suivantes :

♦ Nouveau marché en forte croissance donnant la possibilité de faire bouger certaines positions acquises.

♦ Base installée HP relativement importante sur le secteur (entre 15 et 18 %) permettant d'amortir des investissements éventuels.

De même, les principales menaces semblent être :

♦ Marché évoluant très vite avec une concurrence déjà forte, en particulier de la part d'IBM.

♦ Risque d'être attaqué sur la base installée.

**L'ANALYSE INTERNE ❖** Elle consiste à identifier les *forces et faiblesses* dont dispose l'entreprise pour se développer sur le marché étudié. On s'intéresse successivement aux résultats obtenus (ventes, parts de marché, profits, conquête et fidélisation de la clientèle, image…), aux différents processus-clés (achats, production, recherche et développement, ressources humaines, etc.) et à la politique marketing suivie jusqu'à présent (cible, positionnement, produits, marques, prix, réseaux de distribution, actions de communication).

> Dans le cas d'HP, on peut identifier ainsi les principales forces :

♦ Expertise indiscutable : HP en tant que manufacturier a mis en place très tôt des technologies de ce type, et connaît bien les problèmes liés à leur implantation.

♦ Gamme de machines bien positionnée sur le segment des mini-ordinateurs. Sur ce marché, rapport prix/performance reconnu comme excellent.

♦ Existence de solutions (offre partenaire) sur des marchés étrangers (GB).

Et de même, les principales faiblesses :

♦ Pas d'offre HP.

♦ Offre partenaire insuffisante dans l'environnement Unix (incomplète, petites sociétés).

♦ Stratégie défensive d'HP.

## Le diagnostic

Il s'agit ici de revenir sur les éléments essentiels identifiés lors des analyses internes et externes en les confrontant. On détermine ainsi si les forces de l'entreprise lui permettent de profiter des opportunités et de faire face aux menaces de l'environnement externe et si ses faiblesses sont graves compte tenu de ces évolutions. On identifie alors les questions-clés auxquelles l'entreprise est confrontée pour l'avenir. Ces axes de réflexion constitueront ensuite les pôles de référence autour desquels vont s'articuler les objectifs, la stratégie-marketing et le plan d'action.

Dans notre exemple, les principales questions sont au nombre de deux :

♦ Doit-on se contenter d'une stratégie défensive consistant à fournir des outils et services d'EDI à la base de clients actuels (parc installé) ou bien doit-on

CHAPITRE 4
Conquérir
le marché grâce
à la planification
stratégique

129

préférer une solution offensive qui consiste à proposer à d'autres clients des outils d'EDI compétitifs ?

♦ Faut-il vendre les produits d'EDI en direct (force de vente) ou en indirect (*via* les partenaires) ?

## Les objectifs

Deux types d'objectifs doivent être fixés : les objectifs financiers et les objectifs marketing.

**LES OBJECTIFS FINANCIERS** sont le plus souvent exprimés en termes de taux de rentabilité à moyen terme, cash flow et bénéfices annuels.

Dans le cas d'HP, ils ont été fixés pour la première année comme suit :

♦ L'an prochain, le bénéfice d'exploitation doit s'établir à $x$ K€, soit $x$ % du volume d'affaires. À cela correspond une rentabilité moyenne sur les fonds investis de...

**LES OBJECTIFS MARKETING** qui s'appuient sur les objectifs financiers, traduisent ces derniers en termes de chiffre d'affaires, ventes et part de marché. L'objectif de part de marché peut lui-même être décliné en objectif de notoriété, couverture de distribution, socre d'image, etc.

Dans le cas qui nous intéresse, les objectifs marketing sont pour les deux premières années :

♦ À 1 an : devenir l'une des deux plates-formes de référence pour les développeurs d'outils d'EDI et les fabricants de solutions utilisant ces outils.

♦ À 2 ans : pénétration des comptes concurrents essentiellement dans les très grosses PME et les « petites grandes entreprises » par un positionnement original sur ce segment.

## La stratégie marketing

Dans cette partie du plan, le responsable marketing présente la stratégie marketing qui va être mise en œuvre, en précisant notamment le(s) marché(s)-cible visé(s), le positionnement adopté, les grandes évolutions des produits et des marques, des prix, des réseaux de distribution, des actions de communication et des systèmes d'intelligence marketing mis en place. Une stratégie marketing n'est pas une collection d'actes isolés, mais une orientation générale de l'ensemble qui déterminera l'ensemble des actions réalisées. Cette stratégie doit être décrite de façon aussi claire et concise que possible. Dans le cas d'HP :

La stratégie recommandée est de type offensif. Elle suppose que les outils d'EDI seront disponibles sur les architectures universelles Unix et pas seulement sur les architectures propriétaires. Le marché de l'EDI offre alors l'opportunité d'entrer en force sur le secteur des systèmes d'information des entreprises en milieu automobile.

La stratégie s'appuie sur le positionnement suivant :

• HP leader en systèmes ouverts qui laissent aux clients la possibilité de changer de matériel.

• HP propose des solutions simples et évolutives.

• HP propose une offre complète : matériel, applications et services.

En élaborant sa stratégie, le responsable marketing s'efforcera de bénéficier du concours des autres fonctions et partenaires impliqués dans la mise en œuvre du plan : production, achat, finance, personnel... Par exemple, il contactera les services d'achat et de production de façon à vérifier que les matières premières ont été commandées en quantité suffisante et que les programmes de production sont compatibles avec les objectifs commerciaux; il s'entretiendra également avec la force de vente de façon à orienter ses efforts et avec les distributeurs afin de renforcer leur coopération.

## Les plans d'action

La stratégie identifie la route à parcourir pour atteindre les objectifs que l'on s'est fixés. Il faut ensuite, pour chaque décision concernée, apporter des réponses aux questions suivantes : Quelle action spécifique est envisagée ? Quand sera-t-elle mise en place ? Qui en a la charge ? Quels moyens seront mis en œuvre ? Combien cela coûtera-t-il ? Tel est le but du plan d'action dont voici une esquisse dans le cas d'HP :

| | |
|---|---|
| *Offre* | |
| *1. Matériel* | Standard X400 |
| *2. Outils* | Outils performants, sécurisés. Pour des raisons financières, ils seront achetés à l'extérieur, ce qui accrédite l'idée d'un système ouvert.<br>Ex. : Interbridge (GB). |
| *3. Applicatifs* | Offerts à partir de solutions partenaires (Unilog, Cegos) auquel viendra s'ajouter la solution ODS. |
| *4. Services* | Gamme de quatre services de base (étude de faisabilité, analyse des gains de productivité, mise à jour d'applicatifs déjà installés, nouvelles implantations).<br>Fournie par une équipe de spécialistes du secteur. |
| ***Distribution*** | Deux canaux utilisés |
| | – Indirect : essentiellement *via* la force de vente des partenaires, notamment les personnes en charge des ISV (Independent Software Vendors). |
| | – Direct : *via* les commerciaux dédiés à l'automobile. Il s'agit de transformer une approche vente technologique fondée sur les performances en une vente de type consultant où les caractéristiques techniques ne viennent qu'en second lieu. |
| | Pour les deux forces de vente, il est prévu un investissement en formation (2-3 j./personne). |
| ***Communication*** | Communication articulée autour d'une brochure (15 K€), d'une collection de «success stories» (1 K€) et d'outils de vente à destination des clients, des consultants, des services internes et des médias.<br>Participation au salon ETDI (15 K€) et présentation d'un séminaire spécifique dans ce domaine (10 K€). |

## Les comptes de résultat prévisionnels

Le plan d'action permet au responsable marketing de préparer un budget présenté, le plus souvent, sous la forme d'un compte de résultat prévisionnel. Du côté des produits, y figurent le nombre d'unités que l'on espère vendre et les prix de vente nets. Du côté des charges, on reporte les coûts de production, de distribution physique et de marketing, eux-mêmes subdivisés en plusieurs rubriques; la différence apparaît sous forme de profit ou de perte prévisionnelle. Parfois, on prépare plusieurs budgets correspondant à des hypothèses optimistes ou pessimistes. Une fois approuvé, avec ou sans modifications, le budget devient le document de référence pour l'achat de matières premières et la programmation de la production, des besoins en main-d'œuvre et des actions commerciales.

## Le contrôle

La dernière rubrique du plan détaille les critères qui seront pris en compte pour en assurer le suivi. En principe, les objectifs et budgets sont éclatés mensuellement ou trimestriellement.

Des évaluations périodiques permettent, à l'aide de tableaux de bord, d'identifier les écarts par rapport au plan. Il convient alors d'en connaître les causes et d'y apporter les mesures correctives nécessaires.

Enfin, un bon système de contrôle prévoit des plans de secours. Ceux-ci précisent les actions à engager lorsque les obstacles spécifiques tels qu'une guerre des prix ou une rupture d'approvisionnement interviennent. L'élaboration de plans de secours oblige le responsable marketing à anticiper les difficultés qui pourraient contrecarrer sa stratégie.

## *Résumé*

1. La planification stratégique a pour but de mettre en phase les objectifs, ressources et compétences d'une entreprise avec les opportunités offertes sur le marché. Elle s'effectue au quadruple niveau de l'entreprise, de la division, du domaine d'activité et du produit.

2. Le plan stratégique d'entreprise définit les grandes orientations dans lesquelles s'inscrivent les activités des divisions et des domaines d'activité stratégique. Son élaboration comporte quatre étapes : définir la mission de l'entreprise, identifier ses domaines d'activités stratégiques, répartir les ressources entre les différents domaines en fonction de l'attrait du marché et des atouts dont dispose l'entreprise et, enfin, identifier les nouveaux domaines à investir et ceux à abandonner.

3. Chaque domaine d'activité fait ensuite l'objet d'une planification en huit phases : définition de la mission spécifique à l'activité ; analyse de l'environnement externe et interne en identifiant les forces, faiblesses, opportunités et menaces ; formulation des objectifs ; formulation des stratégies ; élaboration des plans d'action ; mise en œuvre et suivi/contrôle.

4. La stratégie marketing est élaborée et mise en œuvre en quatre temps. Il faut : 1) analyser les opportunités ; 2) choisir la stratégie ; 3) la traduire sous forme de plan d'action et 4) la mettre en œuvre et la contrôler.

5. Le plan marketing constitue une composante essentielle de la politique marketing dans l'entreprise. Son contenu précis varie d'une entreprise à une autre, mais les rubriques essentielles comprennent un résumé et une table des matières à destination de la direction générale, une analyse de la situation marketing, un diagnostic, une identification des objectifs, une présentation de la stratégie marketing, des programmes d'action, des comptes de résultat prévisionnels et des modes de contrôle.

# Notes

1. *LSA*, «Les 200 leaders de la distribution mondiale», 14 février 2002, pp. 22-25

2. Voir A. S. Bayle-Tourtoulou, «Les Nouveaux défis de la grande distribution», in *L'Art du Marketing* (Paris : Village Mondial, 1999). Voir également N. Brudey et C. Ducrocq, *La Distribution* (Paris : Vuibert Entreprise, 1998); Marc Filser, Véronique des Garets et Gilles Poché, *La Distribution : organisation et stratégie* (Paris : Éditions ENS, 2001); Alain Bloch et Anne Macquin (éd.), *Encyclopédie de vente et distribution* (Paris : Economica, 2001).

3. Peter Drucker, *La Nouvelle pratique de la direction des entreprises* (Paris : Éditions d'Organisation, 1975), chap. 7.

4. Theodore Levitt, «Le Marketing à courte vue», *Encyclopédie du Marketing* (Paris : Éditions Techniques, 1975), vol. 0, pp. 1-11-A.

5. Derek Abell, *Defining the Business. The Starting Point of Strategic Planning* (Englewood Cliffs, N.J. : Prentice Hall, 1980), chapitre 3.

6. Le modèle BCG est exposé en détail dans : Boston Consulting Group, *Les Mécanismes fondamentaux de la compétitivité* (Paris : Hommes et Techniques, 1980).

7. Le choix entre récolte et abandon est une décision difficile. Récolter réduira la valeur à long terme et rendra la revente plus délicate. Abandonner, en revanche, suppose que l'on maintienne la viabilité de l'activité afin d'attirer un acquéreur.

8. Voir G. Johnson, K. Scholes, et Frédéric Frery, *Stratégique* (Paris : Pearson Education, 2002), *Stratégor* (Paris : InterÉditions, 1990) et Yoram Wind et Vijay Mahajan, «Un Portefeuille d'activités en sept étapes», *Harvard-L'Expansion*, été 1981, pp. 37-49. Le modèle Shell est présenté dans D. E. Hussey «Portfolio Analysis : Practical Experience with the Directional Policy Matrix», *Long Range Planning*, août 1978, pp. 2-8.

9. Pour un autre point de vue, voir J. Scott Armstrong et Roderick J. Brodie, «Effects of Portfolio Planning Methods on Decision-Making : Experimental Results», *International Journal of Research in Marketing*, 1994, pp. 73-84.

10. L'exemple qui suit s'inspire d'un rapport présenté sur la société Erato. Étude approfondie ISA non publiée; G. Johnson, K. Scholes et Frédéric Frery, *Stratégique* (Paris : Pearson Éducation, 2002).

11. Voir Igor Ansoff, *Stratégie du développement de l'entreprise* (Paris : Hommes et Techniques, 1976). On peut étendre cette matrice à neuf cellules en faisant apparaître les modifications de produits ou de marchés.

12. Voir J.-P. Détrie et B. Ramanantsoa, *Stratégie d'entreprise et diversification* (Paris : Nathan, 1983).

13. George Stalk *et al.* «Competing Capabilities : The New Rules of Corporate Strategy», *Harvard Business Review,* mars-avril 1992, pp. 57-69.

14. Ram Charan et Noel Tichy, *Every Business Is a Growth Business : How Your Company Can Prosper Year after Year* (New York : Times Business, Random House, 1998).

15. Voir Michael Porter, *Choix stratégiques et concurrence,* (Paris : Economica, 1982), chap. 3.

16. Voir Pierre Dussauge et Bernard Garrette, *Les Alliances stratégiques* (Paris : Dunod, 1996).

17. Robin Cooper et Robert S. Kaplan, «Profit Priorities from Activity-Based Costing», *Harvard Business Review*, mai-juin 1991, pp. 130-35.

18. Voir Thomas Peters et Robert Waterman, *Le Prix de l'excellence : les secrets des meilleures entreprises,* (Paris : InterÉditions, 1983), p. 32.

19. Voir Stanley M. Davis, *Managing Corporate Culture* (Cambridge, Mass. : Ballinger Publishing Co, 1984). Voir également Romain Laufer et Bernard Ramanantsoa, «Crise d'identité ou crise de légitimité», *Revue Française de Gestion*, sept.-oct. 1982.

20. «Compaq Says Sales of New PC Top $1 Million a Day», *Wall Street Journal*, 1er février 1999; «Can Compaq Catch Up?» *Business Week*, 3 mai 1999.

21. Lawrence M. Fisher, «With a New Smart Suite, Lotus Chases Its Rivals' Success», *New York Times*, 15 juin 1998, p. 6.

22. Michael J. Lanning et Edward G. Michaels, «A Business Is a Value Delivery System», *McKinsey Staff Paper*, no. 41, juin 1988 (McKinsey & Co., Inc.).

23. «How Can a $9 Sneaker Cost $70?» *San Diego Union-Tribune*, 25 avril 1998.

24. Adapté du cas *Grégor*, publié dans Bernard Dubois, *Dix cas de marketing management* (Paris : Publi-Union, 1990), pp. 58-59.

25. E. Jerome McCarthy, *Basic Marketing : A Managerial Approach*, 12e édition (Homewood, Ill. : Richard D. Irwin, Inc. 1996), p. 39.

CHAPITRE 4
Conquérir
le marché grâce
à la planification
stratégique

133

# Mesurer la demande et gérer l'information

DANS CE CHAPITRE NOUS
NOUS POSERONS LES QUESTIONS
SUIVANTES :

- Qu'est-ce qu'un système
  d'information marketing ?

- Quels facteurs contribuent
  à la qualité d'une étude de marché ?

- De quelle façon les supports
  modernes d'aide à la décision
  facilitent-ils la tâche ?

- Comment mesurer la demande
  actuelle et potentielle ?

« *Le marketing est un combat
où l'information
est devenue plus importante
que la force commerciale.* »

L es marchés évoluent de plus en plus vite. Trois facteurs rendent l'information en temps réel plus nécessaire que jamais :

♦ *L'activité marketing qui, de locale, devient nationale, et même globale.* L'entreprise s'éloigne progressivement de son marché d'origine et accroît donc ses besoins en information.

♦ *La difficulté croissante de prédire le comportement d'achat.* Le pouvoir d'achat accroît le revenu discrétionnaire de l'acheteur et élargit sans cesse l'éventail de ses besoins, de plus en plus difficiles à anticiper.

♦ *L'extension de la concurrence par les prix à d'autres formes de compétition.* Plus elle fait appel aux marques, à la différenciation des produits, à la publicité et à la promotion des ventes, plus l'entreprise doit connaître l'efficacité de ces instruments.

Heureusement, on a assisté, au cours de ces dernières années, à un progrès considérable des techniques de recueil et de traitement de l'information. L'ordinateur, le scanner, la reprographie, le câble, la télécopie, la téléphonie mobile, le magnétoscope, le CD-Rom, le DVD et, surtout, Internet ont constitué autant de jalons sur le chemin de cette révolution.

## Qu'est-ce qu'un système d'information marketing moderne ?

De nombreuses entreprises ont développé des systèmes d'information marketing qui fournissent des données extrêmement détaillées sur les souhaits, les préférences et les comportements des consommateurs. Par exemple, Coca-Cola sait que nous mettons en moyenne 3,2 glaçons dans un verre, que nous voyons 69 de ses messages publicitaires par an et que la température préférée d'une bouteille achetée chez le commerçant est de 2° C. Kimberly-Clark, qui possède la marque Kleenex, a calculé que chaque individu se mouche en moyenne 256 fois dans l'année.

En France, en 1999, chaque individu a dépensé plus de 150 € pour les produits d'hygiène-beauté. 52 % des femmes et 37 % des hommes prennent une douche tous les jours ; 52 % des hommes et 31 % des femmes se lavent les cheveux entre 3 et 7 fois par semaine. Chaque année, chaque Français dépense 1 920 € pour sa santé et consulte en moyenne 7,2 fois le médecin. Il dépense 640 € en vêtements, dont près de 100 € pour six nouvelles paires de chaussures. Il consacre 4 400 € à l'alimentation et boit 38 litres de bière, 60 litres de vin et 121 litres d'eau minérale. Près de 40 % des Français mangent entre les repas et 70 % prennent au moins un repas hors de chez eux chaque semaine. Enfin, 58 % sont allés au cinéma en 1999 et ceux qui y sont allés l'ont fait 4,9 fois en moyenne. 35 % des plus de 15 ans lisent chaque jour un quotidien et 96 % lisent régulièrement ou occasionnellement un magazine, tandis que chaque Français regarde la télévision 2 heures et 7 minutes par jour en moyenne[1].

Beaucoup d'entreprises n'ont pas de véritable service d'études de marché, ou bien lorsqu'elles en ont, l'affecte à des tâches de routine. Par ailleurs, nombreux sont les managers qui ne sont guère satisfaits de l'information qui leur parvient. À les entendre, l'information véritablement utile n'est pas disponible ou bien leur parvient trop tard. À l'inverse, ils s'estiment souvent submergés par une information inutilisable, parfois même inexacte.

À l'âge de la société de l'information, la mise en place d'un système d'information efficace constitue pour une entreprise un véritable avantage concurrentiel. À partir de l'information recueillie, elle est en effet mieux à même d'évaluer les opportunités qui se présentent et de choisir avec plus de discernement ses marchés-cibles.

Toute entreprise est le point de rencontre d'un grand nombre de flux d'informations relatifs à son activité commerciale. C'est à la gestion de ces flux que s'attache un *système d'information*.

❖ Un *système d'information marketing (SIM)* est un réseau complexe de relations structurées où interviennent des hommes, des machines et des procédures, qui a pour objet d'engendrer un flux ordonné d'information pertinente, provenant de sources internes et externes à l'entreprise et destiné à servir de base aux décisions marketing[2].

Le responsable marketing, afin de mener à bien ses activités d'analyse, de planification, de mise en œuvre et de contrôle a besoin d'informations relatives à son environnement commercial. Le rôle d'un SIM est de l'aider à exprimer ces besoins, recueillir l'information et la diffuser à temps aux personnes concernées.

En fait, le système d'information marketing doit constituer un équilibre entre ce dont les dirigeants estiment avoir besoin, ce dont ils ont vraiment besoin, et ce qui est viable sur le plan économique. En pratique, les gestionnaires en charge du système d'information marketing doivent interroger un ensemble de directeurs marketing, chefs de produit, et responsables commerciaux, sur leurs besoins en information. Les principales questions à leur soumettre sont les suivantes :

1. Quels types de décisions êtes-vous régulièrement amené à prendre ?
2. De quels types d'information avez-vous besoin pour prendre ces décisions ?
3. De quels types d'information disposez-vous actuellement ?
4. Quels sont les types d'études que vous demandez le plus souvent ?
5. Quelles sont les informations dont vous aimeriez disposer et quelles sont celles dont vous ne disposez pas actuellement ?
6. Quelles informations souhaitez-vous recevoir chaque jour ? Chaque semaine ? Chaque mois ? Chaque année ?
7. Quels sont les revues et rapports professionnels que vous aimeriez recevoir régulièrement ?
8. Quels sont les sujets précis sur lesquels vous aimeriez être informé ?
9. Quels programmes d'analyse de données voudriez-vous avoir à votre disposition ?
10. Quelles seraient, selon vous, les quatre principales améliorations à apporter au système d'information actuel ?

L'information contenue dans un SIM est recueillie à travers les états comptables et commerciaux, l'intelligence marketing, les études et recherches et les systèmes de modélisation et d'aide à la décision. Chacun de ces éléments fait l'objet d'une section de ce chapitre.

CHAPITRE 5
Mesurer
la demande
et gérer
l'information

137

# Les états comptables et commerciaux

Le plus ancien et le plus fondamental de tous les systèmes d'information est le système comptable qui enregistre les commandes, les ventes, les stocks, les effets à recevoir, etc. À l'aide de ces informations, le responsable marketing peut déceler opportunités et problèmes.

## Le cycle commande-livraison-facturation

Le système comptable s'articule autour du *cycle commande-livraison-facturation* : les représentants, les distributeurs et les clients adressent leurs commandes à l'entreprise ; le service de facturation prépare les factures correspondantes et les envoie aux services concernés ; on réapprovisionne les articles en rupture de stock, tandis qu'on expédie les autres, accompagnés des documents de facturation et de transport établis en autant d'exemplaires que de destinataires.

L'entreprise a naturellement intérêt à ce que ces différentes tâches soient accomplies rapidement et efficacement. Les clients et les représentants faxent leurs commandes dès la décision prise et même, dans certains cas, la transmettent par messagerie électronique. Le service de facturation doit établir les factures dans un bref délai, et l'entrepôt doit expédier les marchandises en un minimum de temps. L'utilisation de l'ordinateur pour l'accomplissement de ces diverses tâches réduit considérablement les temps nécessaires. De plus en plus d'entreprises font aujourd'hui appel à des solutions EDI (échange de données informatisées) pour améliorer l'efficacité de l'ensemble. Ainsi, des systèmes de LJM (livraison le jour même) ont été mis en place. La Redoute et les 3 Suisses s'engagent par exemple sur une livraison « 24 H Chrono ».

## Les relevés de vente

Dans bien des entreprises, les dirigeants marketing reçoivent les relevés de vente sans aucun délai. Dans le secteur alimentaire, par exemple, les sorties d'entrepôt sont immédiatement enregistrées, et les ventes en magasin connues presque immédiatement, ce qui permet d'enclencher un processus de commande et de livraison en temps réel et ainsi de minimiser le risque de rupture de stock. Dans le secteur des télécoms, France Télécom a pu, grâce à ses gigantesques fichiers, mettre au point des services spécialisés comme Primaliste (réduction sur trois numéros de téléphone) ou Temporalis (réduction sur les appels de longue durée).

## Les bases de données

Les entreprises organisent leurs informations en bases de données relatives aux clients, aux produits, aux vendeurs, etc. Puis elles intègrent les données provenant des différentes bases pour concevoir leurs actions marketing (voir encadré 5.1). Au lieu d'envoyer un courrier de présentation de son nouveau produit à tous ses clients, une entreprise peut ainsi cibler son action en l'envoyant uniquement aux individus présentant une forte probabilité d'achat ; elle regroupera alors les clients en fonction de la récence, de la fréquence et des volumes d'achats antérieurs. Ces pratiques accroissent l'efficacité et la rentabilité des opérations réalisées.

## Les bases de données internes aux entreprises

Dans le secteur de la grande consommation, certaines sociétés spécialisées comme Consodata disposent de bases de données extrêmement détaillées sur plus de 3 millions de foyers français. Cela permet par exemple de savoir que les amateurs de whisky achètent également des couches pour bébé ou de connaître le profil des fidèles de Pepsi.

En parallèle, de plus en plus d'entreprises élaborent leurs propres bases de données. Ainsi :

♦ **Danone.** Tout a commencé en 1994, avec le Bingo des Marques, vaste opération promotionnelle portant sur l'ensemble des marques du groupe (Lu, Evian, Blédina, etc.). 800 000 adresses furent ainsi collectées. Enrichi par d'autres opérations similaires puis le lancement d'un « consumer magazine » (*Danoé*), le fichier comporte aujourd'hui plus de 3 millions de noms classés par segment. Chaque client reçoit quatre fois par an des coupons de réduction ciblés selon ses habitudes d'achat. Certains d'entre eux sont invités à des événements tels que le tournage d'un film publicitaire ou la dégustation d'un nouveau produit.

♦ **Cetelem.** Dès 1988, Cetelem s'est doté d'un entrepôt de données dans lequel la société de crédit à la consommation a emmagasiné toutes les informations concernant ses clients : caractéristiques sociodémographiques mais aussi historique des contacts. Tous les mois, Cetelem redéfinit ses catégories de clientèle en fonction de la conjoncture ou d'événements personnels (fin d'un prêt, achat d'une voiture...). En ciblant ses messages, Cetelem estime avoir multiplié par 7 ses taux de retour.

♦ **La Fnac.** À partir d'une analyse détaillée de quatre ans de tickets de caisse, la Fnac a identifié une dizaine de catégories de clients, des éclectiques aux chasseurs de primes en passant par les spécialistes ou les « gros budgets ». L'entrepôt de données sert à répondre à des questions comme « faut-il mettre les musiques de films dans le rayon disque ou le rayon vidéo ? ». Le système a également permis de mettre en place une nouvelle formule d'adhésion.

Tout cela a un coût lié à la collecte des données, à leur mise à jour permanente et à leur analyse. Lorsque la base de données est bien constituée, l'investissement semble rentable. Une étude a montré en 1996 que le retour sur investissement pouvait dépasser 400 %, à condition que les données soient de bonne qualité et les relations identifiées véritablement pertinentes. Mais ce n'est pas toujours le cas. Il y a quelques années, British Columbia Telecom voulait inviter ses 100 meilleurs clients à un match de basket. Une erreur dans la sélection des critères aboutit à recruter des passionnés de conversations érotiques ! Il fallut ajouter d'autres critères à ceux initialement choisis pour recomposer la liste des invités.

*Source :* « Bases de données : une mine à exploiter », *Enjeux*, 1er sept 1998, pp. 67-71 ; « Fnac Direct est la plus grande Fnac du monde », *Marketing Direct*, 1er avril 1998, pp. 30-32 ; « Comment faire la cour au client-roi », *Le Monde*, 27 février 1998, et *Enjeux*, « Bases de données : une mine à exploiter », 1er septembre 1998, pp. 67-71. Voir aussi l'encadré 2.5 sur la constitution des bases de données.

■ **PARIS SAINT-GERMAIN.** Pour mieux connaître et fidéliser ses supporters, le PSG a opté pour une base de données centralisée intégrant les informations en provenance des services marketing et financier, des centres d'appel et des points de vente. Toute interaction entre le club et un client est ainsi conservée en mémoire. L'objectif est de mieux cibler les opérations marketing, d'identifier les supporters prêts à s'abonner (et de réduire ainsi les coûts de recrutement), et de repérer la fragilité de certains clients en vue de mettre en place des actions de fidélisation à leur attention[3].

CHAPITRE 5
Mesurer
la demande
et gérer
l'information

139

Une fois les données centralisées, il est essentiel de les rendre facilement accessibles aux responsables marketing. Le recours à des méthodes d'analyse statistique sophistiquées permet de réfléchir à la nature des segments de clientèle utilisés, d'identifier les tendances les plus récentes parmi les clients ou encore de repérer les segments négligés.

## Le système d'intelligence marketing

Tandis que le système comptable fournit des données sur les *résultats internes*, le système d'intelligence marketing renseigne sur les *événements externes* à l'entreprise.

❖ On appelle *système d'intelligence marketing* l'ensemble des moyens qui permettent aux dirigeants de se tenir continuellement informés sur l'évolution de leur environnement marketing.

Un responsable marketing recueille des informations en se tenant au courant des nouvelles et en lisant les revues professionnelles (en France, *Marketing Magazine, CB News, Stratégies, Points de Vente, LSA*, etc.), à travers ses contacts avec la clientèle, les fournisseurs, les distributeurs et les représentants. Une entreprise performante peut prendre plusieurs mesures pour améliorer son système d'intelligence marketing.

D'abord, elle peut renforcer le rôle des représentants dans le recueil d'information. On dit souvent que le représentant est «l'œil et l'oreille» de l'entreprise sur le marché. Un vendeur est fréquemment au contact des acheteurs, des distributeurs, et parfois des concurrents. Il est bien placé pour recueillir certaines informations qui ne figurent pas nécessairement dans les rapports d'activité.

■ ALLIBERT-MANUTENTION qui, en France, fabrique des bacs en matière plastique, a imaginé une procédure systématique de recueil d'information en provenance des vingt-cinq «délégués» de l'entreprise. «Nos délégués ne sont pas de simples vendeurs de bacs sur catalogue, explique le directeur commercial; nous leur demandons surtout d'être des gens curieux et de chercher à détecter les besoins du client. Ensuite seulement, de chercher si dans la gamme existante figure un produit correspondant. Le délégué doit faire parler le client: c'est comme cela qu'il découvre ses problèmes[4].»

Le problème essentiel est de motiver les représentants pour *rechercher* cette information et surtout la *transmettre* à leur hiérarchie. Les rapports de visite doivent être faciles à remplir. Des réunions conduites avec la force de vente peuvent également engendrer un grand nombre d'idées sur les problèmes rencontrés par les clients et la façon de les résoudre.

En second lieu, l'entreprise peut chercher à diversifier ses sources de renseignements. Des tentatives doivent être faites pour encourager les partenaires (distributeurs, consultants, agences de publicité, etc.) à recueillir et transmettre les renseignements dont ils disposent sur le marché et la concurrence. Par exemple, des sociétés comme Christian Dior (parfums) ou L'Oréal Coiffure ont mis en place auprès de leurs clients respectifs des panels destinés à les renseigner sur les ventes du marché. Quant à la concurrence, on se renseigne à son propos: 1) en achetant ses produits; 2) en participant aux congrès et salons professionnels; 3) en examinant ses rapports d'activité et documents comptables; 4) en ayant des conversations avec ses employés passés ou actuels, ses distributeurs, agents, fournisseurs et transporteurs; 5) en surveillant attentivement ses campagnes publicitaires; et 6) en analysant les informations diffusées sur Internet, dans les quotidiens et revues économiques ainsi que dans les bulletins professionnels.

Ensuite, l'entreprise peut avoir recours aux sociétés d'études pour leur acheter certaines informations collectées de manière régulière. Au premier rang d'entre elles se trouvent les données de panel.

❖ Un *panel* est un échantillon auprès duquel on collecte des informations répétées à intervalles réguliers chaque semaine, mois ou trimestre. On distingue les panels de distributeurs, correspondant à un échantillon de points de vente, et les panels de consommateurs.

En France, la société Nielsen vend par exemple des données recueillies auprès de 200 hypermarchés et 300 supermarchés, concernant les parts de marché des produits, leur prix de vente, leur *disponibilité numérique* (correspondant au pourcentage de magasins référençant le produit), leur *disponibilité valeur* (correspondant à la part que ces magasins représentent dans le chiffre d'affaires global de la catégorie de produits), ainsi que les ruptures de stock. Ce *panel de distributeurs*, intitulé Scantrack, porte sur les produits de grande consommation. On collecte les données par lecture optique des codes-barres lors des passages en caisse et par des visites d'enquêteurs pour suivre les promotions et les stocks. La société IRI-Sécodip propose le panel de distributeurs Infoscan portant également sur les produits de grande consommation, tandis que GFK commercialise HS Retail sur les produits durables (électronique grand public, multimédia, informatique, téléphonie, électroménager…).

Les principaux *panels de consommateurs* sont Homescan de la société Nielsen (fondé sur un échantillon de 8 500 foyers) et Consoscan de Sécodip (8 000 foyers) pour les produits de grande consommation, ainsi que Metascope de la Sofres (20 000 foyers) pour les produits et services non alimentaires (optique, jouets, livres, montres, pneus, banque, assurance, tourisme…). Pour le panel Consoscan, par exemple, les foyers panelistes saisissent automatiquement leurs achats par un terminal optique qui lit les codes-barres des produits ; ils saisissent manuellement les prix, les quantités achetées et les lieux d'achat. Ces données permettent de calculer l'évolution hebdomadaire des parts de marché des produits et des marques, le profil des acheteurs, le nombre d'acheteurs pour 100 ménages (taux de pénétration), les quantités achetées par ménage, le budget moyen consacré au produit ou à la marque par ménage, et le prix d'achat moyen[5].

Les données de panel constituent une source d'information essentielle pour les entreprises de grande consommation car elles leur permettent de suivre avec précision leur position concurrentielle, celle de leurs concurrents, ainsi que le profil de leur clientèle.

Par ailleurs, certaines sociétés d'études, offrent un service de pige qui analyse les dépenses publicitaires des concurrents, leurs plans médias et les thèmes choisis.

Certaines sociétés ont créé de véritables centres d'information, lieux de collecte et d'échange de renseignements à destination de toute l'entreprise. Ainsi chez Bull, la banque de données SIMCO, consultée à partir d'un terminal, fournit une quantité de renseignements sur le marché informatique et les différents constructeurs.

CHAPITRE 5
Mesurer
la demande
et gérer
l'information

141

# Les études et recherches marketing

En dehors des données comptables et des renseignements collectés régulièrement, le responsable marketing a souvent besoin ponctuellement d'études précises sur des problèmes spécifiques. Il peut avoir besoin d'une étude de marché, d'un test de produit, d'une prévision de vente ou d'un post-test publicitaire. Plus généralement :

❖ On appelle *étude ou recherche marketing* la préparation, le recueil, l'analyse et l'exploitation de données et informations relatives à une situation marketing.

## Les services d'études et recherches

Depuis ses premiers balbutiements, il y a quelque soixante-dix ans, l'activité d'études de marché n'a cessé de se développer. Une société investit en général entre 2 et 10 % de son chiffre d'affaires en études commerciales. Entre la moitié et les trois quarts du budget sont dépensés directement par le service, tandis que le reste sert à rémunérer les prestations fournies par les sociétés d'études. Les sociétés fabriquant des produits de grande consommation ont plus fréquemment recours aux sociétés d'études externes que les sociétés industrielles.

En 2001, on pouvait évaluer, selon le SYNTEC, le marché français des études à environ 1,2 milliard d'euros[6]. Une trentaine de cabinets détiennent 67 % du marché. Les opérateurs les plus importants sont Taylor Nelson Sofres (97,0 millions d'euros de chiffre d'affaires), IPSOS (86,3), AC Nielsen (79,9), TNS Sécodip (72,0), GFK (47,5), IMS Health (40,4), IRI Secodip (36,1), Médiamétrie (35,8) et CSA THO (34,0)[7]. Le nombre moyen d'études réalisées varie de quelques dizaines par an à plusieurs milliers selon la taille du cabinet. Le marché est très instable, un nombre important de petites sociétés disparaissant et apparaissant chaque année[8].

## La réalisation d'une étude de marché

Une étude bien menée s'articule en six phases : *la définition du problème à résoudre, le plan d'étude, la collecte d'information sur le terrain, l'analyse des données, la présentation des résultats et la prise de décision* (voir figure 5.1).

**1re ÉTAPE : LA DÉFINITION DU PROBLÈME** ❖ Il faut éviter de définir le problème à résoudre de façon trop large ou au contraire trop étroite. Si, par exemple, un directeur commercial demande à son chargé d'études de lui fournir des informations «améliorant la connaissance de la clientèle», celui-ci est en droit d'être perplexe sur la nature des informations à collecter : faut-il enquêter sur le choix des marques, les motivations d'achat, la fréquence de consommation, la distribution ? Bien que tous ces renseignements soient intéressants, il se peut qu'aucun d'entre eux n'aide véritablement le praticien à prendre une décision[9]. Inversement, une définition trop étroite peut conduire à ignorer des alternatives, mettre l'accent sur une seule cause présumée et oublier des éléments importants. En général, l'effort de recherche est beaucoup plus efficace lorsque le problème est bien défini, car le coût de la recherche est fonction de l'information recueillie, tandis que sa valeur dépend de la proportion de renseignements véritablement utiles.

Pour bien définir le problème et faciliter les étapes ultérieures, il est extrêmement utile de commencer par préciser les décisions à prendre et les alternatives envisageables. On peut ensuite revenir à la définition des objectifs de l'étude en dressant la liste des questions auxquelles elle doit permettre de

**FIGURE 5.1**
Les étapes de réalisation d'une étude de marché

Définition du problème à résoudre

Plan d'étude

Recueil d'information

Analyse des données

Présentation des résultats

Prise de décision

répondre. Plus les questions sont précises, plus l'étude a de chances d'être utile. Une exception toutefois : les études exploratoires qui visent à comprendre la nature d'un problème et à suggérer des idées nouvelles.

**2e ÉTAPE : LE PLAN D'ÉTUDE** ❖ La phase de définition du problème devrait toujours aboutir à l'élaboration d'un cahier des charges. À ce stade, le chargé d'études se trouve confronté à une grande variété d'approches. Les choix concernent tout à la fois les sources d'information, les approches méthodologiques, les instruments de recherche, le plan d'échantillonnage et les méthodes de recueil des informations.

**Les sources d'information.** Dans le cas le plus simple, tout ou partie des informations que l'on recherche existe déjà, et il suffit de savoir où elles se trouvent. Il s'agit alors d'*informations secondaires,* ainsi appelées parce qu'elles ont déjà été recueillies une première fois. Ces informations peuvent se trouver à l'intérieur de l'entreprise, dans les agences de publicité, dans les associations professionnelles ou dans les publications officielles (voir encadré 5.2 pour une liste de sources d'information souvent utiles). En consultant ces données, le chargé d'étude aura économisé du temps et de l'argent. Toutefois, il doit vérifier leur exactitude, étant donné qu'elles ont été recueillies dans un tout autre dessein et dans des conditions qui peuvent en limiter la portée. Il devra, en particulier, contrôler leur pertinence, leur impartialité, leur validité et leur fiabilité.

Si l'entreprise ne trouve pas la réponse à ses problèmes dans les informations secondaires, il faut directement collecter des *informations primaires* auprès des consommateurs, des intermédiaires, des représentants, des concurrents ou de toute autre source appropriée.

**Les approches méthodologiques.** Il existe cinq grandes approches en matière de recueil d'information[10].

♦ *L'observation* peut servir à étudier des techniques de vente ou des mouvements de clientèle. Son avantage principal est de donner un reflet fidèle des comportements étudiés. Ainsi on peut filmer les clients dans les magasins afin d'observer leur trajectoire, leur vitesse de circulation dans les rayons et leurs interactions avec le personnel de vente. Ce type de méthode permet de rassembler des informations factuelles sur les comportements. On s'est ainsi rendu compte que plus les clients circulent rapidement, plus leur champ de vision est étroit ; des surfaces réfléchissantes les incitent à ralentir alors que des espaces vides les conduisent à accélérer[11]. En revanche, l'observation ne fournit aucun renseignement concernant les états d'esprit, les motivations d'achat ou les images de marque, sauf si l'on interroge *a posteriori* les clients filmés pour leur demander d'indiquer leurs pensées et leur état d'esprit à chaque moment.

♦ *L'expérimentation* consiste à manipuler un certain nombre de variables dans un environnement soigneusement contrôlé, ce qui permet d'attribuer les effets observés aux variations introduites dans les stimuli. Le contrôle de l'environnement permet d'éliminer les hypothèses rivales qui pourraient également expliquer les changements intervenus.

■ **CONTINENT.** Cette société d'hypermarchés a réalisé, il y a quelques années, une expérience visant à comparer sur une période d'un an et dans un point de vente nouvellement créé (Cherbourg), les produits à la marque de l'enseigne et les produits leaders directement concurrents. Les résultats ont fait apparaître des écarts de vente nettement à l'avantage de la marque de l'enseigne (Continent).

En marketing, la méthode expérimentale a été utilisée avec succès pour tester des méthodes de formation des vendeurs, des techniques de stimulation des ventes, des stratégies de prix et des campagnes publicitaires[12].

♦ Les *traces comportementales* laissées par la clientèle peuvent également être analysées. Scanners, tickets de caisse, facturettes de carte de crédit, relevés

CHAPITRE 5
Mesurer
la demande
et gérer
l'information

143

# Les principales sources d'informations secondaires en France

## Sources officielles à compétence générale

♦ INSEE (Institut National de la Statistique et des Études Économiques)
Tél. : 01.41.17.66.11 – www.insee.fr
Publie des documents statistiques d'ordre général, des tableaux économiques régionaux et des analyses thématiques – Gère des bases de données comme le répertoire des entreprises (SIRENE) et réalise des statistiques structurelles sur les entreprises (ALISSE) – Diffuse plus de 300 parutions chaque année.

♦ Documentation Française
Tél. : 01.40.15.70.00
www.ladocumentationfrançaise.fr
Revue périodique : *Notes et études documentaires* (20 numéros par an). Bulletin hebdomadaire : *Problèmes économiques*. Publie également des monographies *(Les Cahiers français)*, des revues thématiques et une sélection des publications officielles françaises.

♦ CREDOC (Centre de Recherche et de Documentation sur la Consommation)
Tél. : 01.40.77.85.10 – www.credoc.asso.fr
Études thématiques et une lettre mensuelle *Consommation et modes de vie*.

♦ CFCE (Centre Français du Commerce Extérieur)
Tél. : 01.40.73.30.00 – www.cfce.fr
Publie des études par pays et par produits.

♦ Organisations internationales : ONU, BIT, OCDE, UE, Banque Mondiale, Eurostat, etc.

♦ Banque de France
Tél. : 01.42.92.42.92 – www.banque-france.fr
Publie des bulletins de conjoncture comportant des indicateurs macro-économiques et sectoriels.

## Sources officielles à compétence particulière

♦ Sources ministérielles
La plupart des ministères publient des revues et monographies sur des problèmes liés à leur secteur d'activité.
Exemple : ministère de l'Agriculture : revue *Notes et études économiques*, rapports thématiques…

♦ Sources parlementaires
L'Assemblée nationale et le Sénat publient et mettent en ligne des rapports d'information thématiques, des rapports législatifs et des textes de loi.

## Sources professionnelles à compétence générale

♦ MEDEF Tél. : 01.40.69.44.44 – www.medef.fr
*Revue des entreprises*

♦ Assemblée Française des Chambres de Commerce et d'Industrie, Tél. : 01.53.57.17.00

♦ C.C.I.P. (Chambre de Commerce et d'Industrie de Paris) – Tél. : 01.55.65.55.65
www.ccip.fr

♦ CGPME (Confédération Générale des Petites et Moyennes Entreprises)

♦ AFM (Association Française du Marketing)
c/o ESCP-EAP – Tél. : 01.49.23.20.35
www.afm-marketing.org
Publie les revues *Recherche et applications en marketing* et *Décisions Marketing* (trimestriels) et organise des journées de réflexion sur les pratiques et la recherche en marketing.

♦ ADETEM (Association nationale du marketing) 221, rue Lafayette – 75010 Paris
Tél. : 01.40.38.80.13 – www.adetem.org
Publie la *Revue française du marketing* (trimestriel) et l'*Annuaire du marketing* (annuel) ; organise des formations.

## Sources professionnelles à compétence particulière

♦ Syndicats professionnels
Chaque syndicat professionnel publie en général un bulletin d'information concernant les problèmes du secteur. Exemple : Syndicat national de la parfumerie française.

♦ Organismes spécialisés
IFLS (Institut Français du Libre Service), Institut Proscop, IREP (Institut de Recherche et d'Études Publicitaires), etc.

## Sources privées

♦ Annuaires, Fiches DAFSA, PROSCOP, BIPE, EUROSTAF, PERCEPTA.

♦ Banques de données : MERCATIS, KOMPASS, GEODATEL, QUESTEL.

♦ Revues économiques, Médias, etc. Par exemple : *Stratégies, CB News, LSA, Marketing Magazine, Points de Vente, Les Echos, La Tribune, Capital*, etc.

♦ Agences de publicité, sociétés d'étude. Par exemple : Sécodip, Nielsen, GfK…

de commande, sont autant de données qui révèlent le comportement d'achat. Parfois, on apprend ainsi que les marques que les consommateurs déclarent acheter ne sont pas forcément celles qu'ils achètent réellement[13].

♦ *La réunion de groupe* est la quatrième méthode, d'utilisation assez fréquente aujourd'hui. Selon cette approche, six à dix personnes appartenant à la cible visée sont invitées à se réunir dans un environnement agréable (hôtel, salon de réception), pendant quelques heures, pour discuter d'un produit, d'une marque ou de toute autre entité commerciale. Elles sont en général rétribuées afin de compenser la perte de temps. Un animateur spécialement formé encourage la participation. Les échanges, enregistrés au magnétoscope, font ensuite l'objet d'une analyse approfondie. Ils fournissent d'utiles renseignements, notamment lors de l'analyse exploratoire d'un problème[14].

■ COMITÉ COLBERT. Il y a quelques années, ce Comité, qui rassemble la plupart des marques de luxe françaises les plus prestigieuses, voulut en savoir davantage sur les attitudes des jeunes à l'égard du luxe. Une réunion de groupe fut organisée et structurée comme suit :

1. Présentation des participants et de l'environnement de l'étude.
2. Associations verbales spontanées avec le mot luxe.
3. Phrases à compléter : «Le luxe pour moi, c'est... » (mes grands luxes, mes petits luxes), «On vous supprime votre luxe, ce qui vous manque c'est... ».
4. Voyage au pays du luxe (comment on y va ? Qu'est-ce qu'on y voit ?).
5. Le luxe qu'on critique, c'est... (analyse du luxe des autres).
6. Pause (sandwiches-boissons).
7. Phrase à compléter : «le luxe pour moi demain, c'est... ».
8. Voyage au pays du luxe de demain.
9. Le luxe critiquable de demain.
10. Lister 10 marques de luxe aujourd'hui et demain.
11. Collage qui représenterait le luxe de demain (à partir de magazines illustrés).

La réunion rassembla huit personnes plus deux animatrices (l'une jouant le rôle de scribe). Elle dura quatre heures environ. Le client assistait à la réunion derrière une glace sans tain. Les participants étaient rémunérés avec des bons d'achat.

Aujourd'hui, certaines entreprises réalisent des réunions de groupe sur Internet[15].

♦ *L'enquête* est particulièrement utile pour des études descriptives. Très fréquente, elle peut fournir des informations sur les connaissances, les croyances, les attitudes, les préférences, les motivations, les comportements et les caractéristiques de la population étudiée.
Elle peut aider à résoudre des problèmes de conception de produit, de création publicitaire, de choix de médias, de promotion des ventes, de circuits de distribution, et de bien d'autres variables d'action marketing[16]. Les enquêtes sont réalisées directement par les entreprises ou confiées à des sociétés d'études. Lorsque les questions à poser sont très peu nombreuses, elles peuvent être intégrées à une *enquête omnibus* réalisée par une société d'études, qui consiste à cumuler dans un même questionnaire les questions de plusieurs clients.

**Les instruments de recherche.** Plusieurs types d'instruments sont le plus souvent utilisés : les questionnaires, les méthodes qualitatives, les dispositifs d'enregistrement.

♦ *Le questionnaire*. C'est l'outil le plus courant. Il incorpore souvent non seulement les questions à poser, mais également les plages de réponse. C'est un instrument extrêmement flexible du fait de la variété des questions pouvant être posées. L'élaboration d'un bon questionnaire requiert une certaine

CHAPITRE 5
Mesurer
la demande
et gérer
l'information

145

compétence. En outre, tout questionnaire doit être prétesté auprès d'un échantillon de la population interrogée.

La préparation d'un questionnaire appelle des décisions sur la nature, la forme, la rédaction et la séquence des questions. Une erreur courante concerne la *nature des questions posées* : on insère souvent des questions auxquelles l'interviewé ne sait pas ou ne souhaite pas répondre.

La *forme et la rédaction des questions* peuvent également être à l'origine de biais dans les réponses[17]. Considérons la figure 5.2 qui présente la première page d'un questionnaire envoyé à de récents acheteurs d'automobile. Deux types de questions apparaissent. Les questions 14, 15 et 16 sont des questions *ouvertes*, auxquelles l'interviewé peut répondre en choisissant ses propres termes. En général, les questions ouvertes engendrent beaucoup d'informations et sont, de ce fait, particulièrement utiles au stade exploratoire d'une étude, lorsqu'il s'agit de connaître l'éventail des comportements ou des attitudes, plutôt que leur fréquence d'apparition.

**FIGURE 5.2**
Un exemple de questionnaire d'enquête

Pour chaque question, indiquez votre (ou vos) réponse(s), en entourant le (ou les) chiffre(s) correspondant(s) comme ceci : (05) ou bien écrivez votre réponse en toutes lettres. Merci.

## I - la voiture que vous venez d'acheter

1 Quels sont la marque, le modèle et la version de la voiture neuve que vous venez d'achetez ?
Notez toutes les précisions nécessaires à l'identification de votre nouvelle voiture. Précisez bien la version, par exemple : 1800 GLX, 2200 Pallas, TL, S, GTL, ZX, etc.
Marque :
Modèle :
Version :

2 À quelle date cette voiture vous a-t-elle été livrée ?
le 199

3 Quel est le type de carrosserie de votre nouvelle voiture ?
Berline 01
Break 02
Coupé 03
Cabriolet 04

4 Quel est le nombre de portes de votre nouvelle voiture ?
hayon →
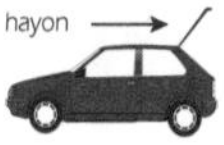
2 portes 05
2 portes et 1 hayon 06
4 portes 07
4 portes et 1 hayon 08

5 Votre nouvelle voiture a-t-elle une pédale d'embrayage ?
oui 09
non 10

6 Le moteur de votre nouvelle voiture est-il ?...
... à essence à carburateur 11
... à essence à injection 12
... diesel 13

6b S'agit-il d'un moteur six cylindres ?
oui 14
non 15

7 Quelle est la puissance fiscale de votre nouvelle voiture ?
(Ce renseignement est noté sur votre carte grise)
Puissance : CV

8 Parmi ces différentes options, quelles sont celles qui équipent votre nouvelle voiture ?
toit ouvrant 21
vitres teintées 22
lunette arrière chauffante 23
peinture métallisée 24
ceintures à enrouleur 25
sièges simili ou en cuir 26

9 Avez-vous payé votre nouvelle voiture ?...
... au comptant (sans prêt personnel bancaire) 31
... au comptant (avec prêt personnel bancaire) 32
... avec un crédit automobile 33
... en leasing 34
... autres cas (préciser) 35

10 Quel kilométrage pensez-vous parcourir dans les 12 prochains mois, vacances comprises, avec cette nouvelle voiture ?
Indiquez le kilométrage : kilomètres

11 À quoi vous sert (ou à quoi vous servira) votre nouvelle voiture ?...
... à aller de votre domicile à votre lieu de travail 41
... à vos déplacements professionnels autres que domicile-travail 42
... à aller faire des achats (supermarché-magasin) 43
... à partir en week-end 44
... à partir pour de courtes vacances (de 5 à 15 jours) 45
... à partir pour de longues vacances (plus de 15 jours) 46

12 Pour chacun des usages suivants, indiquez si vous vous servez de votre nouvelle voiture, souvent, de temps en temps, rarement ou jamais.

| Entourez un chiffre par ligne | souvent | de temps en temps | rarement ou jamais |
|---|---|---|---|
| - avec des enfants à l'arrière | 1 | 2 | 3 |
| - avec des passagers adultes à l'arrière | 1 | 2 | 3 |
| - avec des bagages ou des colis | 1 | 2 | 3 |
| - pour faire de longs trajets | 1 | 2 | 3 |
| - pour faire de longs trajets sur autoroute | 1 | 2 | 3 |
| - pour faire des parcours en zone urbaine (agglomération + banlieue) | 1 | 2 | 3 |
| - pour faire des parcours en centre ville encombré | 1 | 2 | 3 |
| - pour faire de courts trajets sur route | 1 | 2 | 3 |

13 Utilisez-vous votre nouvelle voiture pour tracter...
- une caravane oui 47 non 48
- un bateau ou une remorque oui 49 non 50

## II - les raisons de votre choix

F14

14 Quelles sont les raisons qui vous ont amené à choisir cette voiture plutôt qu'une autre ?
Inscrivez toutes les raisons, même celles qui vous paraissent peu importantes :

15 Si la voiture que vous avez achetée n'avait pas existé, quel autre modèle de voiture neuve, de quelle marque, auriez-vous achetée ?
Marque :
Modèle :
Version :

16 Et quelles sont les raisons pour lesquelles vous n'avez pas acheté cet autre modèle ?

*Source :* Document SOFRES.

TABLEAU 5.1
Les principaux types
de questions

| Nom | Descriptif | Exemple |
|---|---|---|
| **A. Questions fermées** | | |
| Dichotomique | Deux réponses proposées. | Lorsque vous avez organisé ce voyage, avez-vous contacté la compagnie aérienne SAS?<br><br>Oui          Non |
| Choix multiple | Trois réponses proposées ou davantage. | Vous avez effectué ce voyage avec :<br>❑ aucune autre personne<br>❑ votre conjoint<br>❑ vos enfants<br>❑ votre conjoint et vos enfants<br>❑ un ou plusieurs collègues<br>❑ un groupe organisé<br>❑ autres |
| Échelle de Likert | Une phrase par rapport à laquelle le répondant exprime son degré d'accord ou de désaccord. | Les petites compagnies aériennes offrent en général un meilleur service que les grandes compagnies aériennes.<br>❑ Pas du tout d'accord<br>❑ Plutôt pas d'accord<br>❑ Ni d'accord ni pas d'accord<br>❑ Plutôt d'accord<br>❑ Tout à fait d'accord |
| Échelle sémantique différentielle | Une échelle contenant deux mots opposés. Le répondant indique le point correspondant à son opinion. | Selon vous, SAS est-elle une compagnie aérienne de grande ou de petite taille?<br>Grande                    Petite<br>—    —    —    —    — |
| Échelle d'importance | Une échelle mesurant l'importance d'un critère. | Selon vous, est-il important de pouvoir choisir le vin servi avec le plateau repas?<br>❑ Pas du tout important<br>❑ Peu important<br>❑ Moyennement important<br>❑ Assez important<br>❑ Très important |
| Échelle de jugement | Une échelle évaluant un produit ou un service sur un critère. | Selon vous, les repas servis à bord des lignes SAS sont-ils de bonne ou mauvaise qualité?<br>❑ Très mauvaise<br>❑ Plutôt mauvaise<br>❑ Ni bonne ni mauvaise<br>❑ Assez bonne<br>❑ Très bonne |
| Échelle d'intention d'achat | Une échelle demandant l'intention d'achat du répondant. | Si l'on vous proposait un service d'appel téléphonique à bord d'un avion, est-ce que vous l'achèteriez?<br>❑ Certainement pas<br>❑ Probablement pas<br>❑ Je ne sais pas<br>❑ Probablement<br>❑ Certainement |

CHAPITRE 5
Mesurer
la demande
et gérer
l'information

147

## B. Questions ouvertes

| | | |
|---|---|---|
| Sans structure | Une question à laquelle on peut répondre de multiples manières. | Que pensez-vous de la compagnie aérienne SAS? |
| Associations de mots | On cite un mot. Le répondant doit indiquer le premier mot qui lui vient à l'esprit. | Quel est le premier mot qui vous vient à l'esprit lorsque vous entendez... Compagnie aérienne _____ SAS _____ |
| Phrases à compléter | Une phrase incomplète est citée; le répondant doit la terminer. | Lorsque je choisis une compagnie aérienne, mon premier critère de choix est _____ |
| Histoire à compléter | Une histoire incomplète est racontée et le répondant doit la terminer. | «J'ai pris un vol SAS il y a quelques jours. J'ai remarqué l'aménagement original de l'appareil. Cela m'a fait penser à.... » |
| Bulles à compléter | Une image où deux personnages sont présentés. L'un dit quelque chose. Le répondant doit indiquer la réponse de l'autre. | |
| Tests TAT (*Thematic Apperception Test*) | Une image est présentée. Le répondant doit raconter une histoire correspondant à ce qui arrive dans l'image. | |

Les réponses aux questions ouvertes sont en revanche difficiles à codifier et interpréter. Les questions 5, 6 et 13 sont des questions *fermées* auxquelles l'interviewé doit répondre par oui ou par non. Elles présentent les avantages et les inconvénients inverses. Les questions fermées à choix multiple (questions n$^{os}$ 3, 4, 6, 9 et surtout 11 et 12) représentent une voie moyenne. Tolérant une plage de réponses plus diversifiée que les questions dichotomiques, elles sont plus faciles à coder que les questions ouvertes. Le choix entre les différents types de questions sera fonction des objectifs de l'étude, de la finesse des réponses désirées et des contraintes budgétaires. Le tableau 5.1 présente une liste des principaux types de questions utilisées habituellement.

Le *choix des termes* employés dans les questions doit également se faire avec soin (voir encadré 5.3). Le rédacteur du questionnaire s'efforcera d'utiliser des termes simples, directs, sans ambiguïté ni connotation. Dans notre exemple, les questions 3, 6 et 6b supposent un minimum de connaissance des produits automobiles. Lorsqu'un doute subsiste, on peut souvent faire appel à une aide visuelle (voir question 4). Il est toujours recommandé de prétester chaque question auprès d'un échantillon de répondants.

D'autres règles existent, concernant l'*ordre* dans lequel les questions doivent être posées. Les premières questions doivent éveiller l'intérêt, et le format ouvert convient mieux. Les questions personnelles ou difficiles sont à placer en fin d'interview, de façon à éviter toute réaction émotionnelle susceptible d'affecter des réponses ultérieures ou d'interrompre l'entretien. La séquence des différentes questions doit être perçue comme logique par l'enquêté.

- ♦ *Les méthodes qualitatives*, inspirées des outils utilisés en psychologie, sociologie, ethnologie et sémiotique, visent à analyser les croyances et les émotions profondes des consommateurs[18]. Alors que le questionnaire cherche à décrire et quantifier des phénomènes, les méthodes qualitatives ont pour objectif de comprendre l'univers psychologique des individus. L'*entretien en profondeur* consiste à investiguer les motivations conscientes et inconscientes d'une personne grâce à une rencontre en face-à-face de longue durée. L'enquêteur est en retrait : sa tâche consiste à faire parler l'interviewé en manifestant son écoute, sa bienveillance et sa compréhension ; il intervient le moins possible, si ce n'est pour relancer le discours de la personne interrogée[19]. Le matériau recueilli est ensuite traité au moyen de techniques appelées *analyse de contenu*[20]. D'autres méthodes consistent à faire réaliser des dessins ou des collages sur un thème, puis à les faire commenter. Ces méthodes sont largement utilisées dans le cadre d'études exploratoires ainsi que dans les études publicitaires. Un des problèmes majeurs auxquels elles se heurtent est la difficulté d'interprétation du matériel collecté.

- ♦ *Les dispositifs d'enregistrement.* Le *galvanomètre* sert à mesurer l'intensité d'une émotion en réponse, par exemple, à l'exposition à un visuel publicitaire. Il s'agit d'un petit appareil qui mesure le changement de sudation de la peau accompagnant en général un phénomène émotionnel. Le *tachytoscope* sert à montrer à une audience des publicités ou images de toutes sortes à une vitesse d'exposition variable pouvant aller de quelques centièmes à quelques secondes[21]. Les *caméras oculaires* sont utilisées pour suivre le mouvement des yeux d'un consommateur face à une annonce publicitaire, une photo de produit, un dépliant promotionnel. L'*audiomètre* (appelé en France système Audimat), se place sur les postes de télévision et enregistre la durée et la nature des programmes écoutés.

---

**5.3**

## Recommandations pour la formulation des questions

1. S'assurer que les questions ne sont pas biaisées et n'induisent pas le répondant à faire une réponse plutôt qu'une autre.

2. Poser des questions simples. Éviter les questions doubles intégrant plusieurs idées.

3. Poser des questions précises avec, par exemple, une plage temporelle (par exemple : « Avez-vous mangé un yoghourt au cours des dernières 24 heures ? » au lieu de « récemment »).

4. Éviter le jargon et les termes techniques.

5. Éviter les mots compliqués : n'utiliser que des mots de la conversation courante.

6. Éviter les termes vagues ou ambigus comme « souvent » ou « habituellement ».

7. Éviter la forme négative car une réponse négative à une question négative est souvent source de confusion.

8. Éviter les questions sur des situations fictives car les réponses sont souvent peu fiables.

9. Éviter les mots qui peuvent être mal entendus, surtout si le questionnaire est administré par téléphone.

10. Pour les sujets sensibles (par exemple l'âge du répondant ou le chiffre d'affaires d'une entreprise), proposer des plages de réponse (du type « 50 à 59 ans ») au lieu de demander une réponse précise.

11. S'assurer que les réponses proposées sont exclusives les unes des autres et ne se recoupent pas.

12. Proposer une réponse « Autres » dans les questions fermées.

---

*Source* : Paul Hague et Peter Jackson, *Market Research : A guide to Planning, Methodology and Evaluation* (Londres : Kogan Page, 1999).

CHAPITRE 5
Mesurer
la demande
et gérer
l'information

149

De nouvelles méthodologies sont actuellement employées pour mieux comprendre les consommateurs. Afin de compenser les limites des méthodes classiques fondées sur le discours des interviewés, certains organismes d'études filment les consommateurs chez eux afin d'observer leurs comportements en situation de consommation. D'autres méthodes consistent à leur demander de raconter sur une feuille ce qu'ils pensent et ressentent en temps réel. La *construction de prototype* dresse le portrait d'une catégorie de consommateurs (« le client idéal » ou « le non-utilisateur ») en posant des questions du type « Qu'est-ce qui est important pour cette personne ? » ou « Comment les autres la voient-ils ? ». L'*interview articulée*, quant à elle, identifie les croyances et les valeurs d'un interviewé en lui demandant de parler de sujets généraux comme ses différents rôles dans la vie ou ses activités quotidiennes. Elle permet d'analyser les facteurs sociaux susceptibles d'affecter les choix des produits[22].

**Le plan d'échantillonnage.** Le troisième élément de la stratégie d'étude concerne le plan d'échantillonnage. Trois questions se posent à son propos : Qui faut-il interroger ? Combien de personnes ? Comment doivent-elles être choisies ?

La première question, celle de *la population interrogée,* est la plus importante, car une erreur à ce niveau est dramatique. Or, il n'est pas toujours facile d'identifier avec précision la personne à interroger. Dans une étude de marché sur des jeux éducatifs, par exemple, doit-on interroger le père, la mère, les enfants, les éducateurs ? À chaque fois que les rôles de décideur, d'acheteur et d'utilisateur ne sont pas remplis par une seule et même personne, le chercheur doit déterminer non seulement l'information dont il a besoin, mais également l'identité de celui qui la détient.

La deuxième décision à prendre concerne la *taille de l'échantillon.* En général, un large échantillon donne de meilleurs résultats ; cependant, il n'est pas nécessaire d'interroger toute la population, ni même un fort pourcentage de celle-ci, pour parvenir à une bonne précision. La précision des résultats obtenus dans une enquête à grande échelle dépend en effet de la taille de l'échantillon et non du pourcentage de la population étudiée qu'il représente. Les méthodes qualitatives, quant à elles, reposent sur des nombres très limités de personnes interrogées. Ainsi, les études de motivation s'effectuent en général avec quelques dizaines d'interviews en profondeur.

*La méthode d'échantillonnage* enfin, dépend essentiellement de l'objectif de l'étude. S'il s'agit d'une recherche exploratoire, un échantillon non probabiliste (c'est-à-dire non tiré au hasard) peut convenir. S'il s'agit, au contraire, de mesurer certaines caractéristiques dans une population, un *sondage aléatoire* sera nécessaire. Un tel échantillon permet de calculer des intervalles de confiance et autorise des inférences du type : « Il y a 95 % de chances que ma part de marché soit comprise entre 26 et 28 %. » Cependant, le sondage aléatoire est beaucoup plus onéreux qu'un *sondage par quotas* (sondage non probabiliste dans lequel les interviewés sont choisis de façon à représenter, en pourcentage, les mêmes caractéristiques socio-démographiques que la population) et un grand nombre de chercheurs estiment que la différence de coût n'est pas justifiée, compte tenu des autres affectations possibles des ressources[23]. Le tableau 5.2 résume les principales caractéristiques des différentes méthodes d'échantillonnage.

**Les méthodes de recueil.** Comment contacter les personnes à interroger ? Quatre principales options sont aujourd'hui offertes : l'enquête par téléphone, l'enquête postale, l'enquête en face à face et l'enquête sur Internet.

L'*enquête par téléphone* est rapide, tout en permettant à l'enquêteur de préciser ses questions au cas où celles-ci seraient mal comprises[24]. Deux inconvénients : on ne peut poser que des questions limitées en nombre et assez impersonnelles ; de plus en plus de personnes se méfient du marketing téléphonique.

TABLEAU 5.2
Les principales
méthodes
d'échantillonnage

**A. Échantillons probabilistes**

| | |
|---|---|
| Échantillon aléatoire au premier degré | Toute personne appartenant à la population a une chance connue et identique d'appartenir à l'échantillon. Ce système suppose de disposer d'une liste de la population étudiée. |
| Échantillon aléatoire stratifié | L'univers est d'abord réparti en strates mutuellement exclusives (ex. : classes d'âge), au sein desquelles s'opère le tirage au sort. |
| Échantillon aléatoire en grappes | La population est divisée en grappes mutuellement exclusives (ex. : rues); on tire au sort les grappes étudiées au sein desquelles on interroge l'ensemble des individus. |

**B. Échantillons non probabilistes**

| | |
|---|---|
| Échantillon de convenance | Le chercheur sélectionne un échantillon à sa portée pour recueillir l'information (ex. : personnes présentes ce jour-là dans un magasin). |
| Échantillon raisonné | Le chercheur choisit l'échantillon en fonction de sa capacité à lui fournir une information fiable. |
| Échantillon par quotas | Le chercheur détermine l'échantillon en fonction de «quotas» établis sur des critères prédéterminés. Il reproduit dans l'échantillon les caractéristiques de la population sur ces critères. C'est la méthode la plus utilisée dans les études de marché. |

*L'enquête postale* est probablement le moyen le moins coûteux de contacter des individus qui refuseraient d'être interrogés en face à face, ou dont les réponses seraient fortement influencées par les enquêteurs. En revanche, on ne peut poser que des questions clairement rédigées, et le taux de réponse est en général faible.

*L'enquête en face-à-face* est la méthode la plus souple. L'enquêteur peut poser un grand nombre de questions et compléter les réponses par des observations sur les réactions non verbales du répondant. Cette méthode est cependant onéreuse et exige une grande compétence technique et administrative[25]. L'entretien peut se faire à domicile, sur le lieu de travail, dans la rue ou à proximité d'un point de vente. Il faut d'abord obtenir la coopération de l'interviewé puis gérer la relation d'entretien qui peut durer de quelques minutes à plusieurs heures. Une rétribution, monétaire ou plus fréquemment sous forme de cadeau, est de plus en plus souvent donnée à la personne interrogée en remerciement de sa collaboration.

Enfin, de plus en plus d'entreprises ont recours à Internet pour collecter des informations. Elles peuvent utiliser l'e-mail pour envoyer leur questionnaire à condition de disposer d'une liste d'adresses électroniques ou de recourir à une liste de diffusion; incorporer un questionnaire à leur site Web (en offrant un cadeau à ceux qui le rempliront); placer une bannière sur un site très fréquenté en organisant un tirage au sort pour offrir un cadeau à certains répondants; poser des questions sur un forum de discussion. Les entreprises peuvent également, à l'aide des cookies, collecter des informations sur les

CHAPITRE 5
Mesurer
la demande
et gérer
l'information

151

individus qui visitent leur site Internet et analyser leur circulation sur le site et leur passage sur d'autres sites. Elles peuvent réaliser des expérimentations sur le Web en faisant varier les prix, les textes de présentation des produits et leurs caractéristiques, selon les moments ou les sites, de manière à analyser l'efficacité relative de chaque offre. Les avantages d'Internet comme mode de recueil des données résident dans son faible coût et dans la rapidité des réponses des internautes par rapport au courrier classique. Ses deux inconvénients principaux sont des taux de réponse très variables et souvent faibles – comparables à ceux du courrier postal –, ainsi que le profil spécifique des internautes par rapport à l'ensemble de la population – qui nuit à la représentativité de l'échantillon[26].

### 3e ÉTAPE : LA COLLECTE DE L'INFORMATION ❖ 

Cette phase est généralement la plus coûteuse et aussi la plus sujette aux erreurs. Dans le cas des enquêtes en face à face, quatre problèmes essentiels apparaissent : 1) *les personnes absentes* (que l'on remplace par d'autres) ; 2) *le refus de coopérer* (on peut éventuellement proposer de revenir à un autre moment ou offrir à l'enquêté un cadeau en contrepartie de son temps) ; 3) *le biais du fait de l'interviewé* (certaines personnes donnent des réponses évasives ou erronées, ne serait-ce que pour en finir avec l'interview) ; et 4) *le biais du fait de l'interviewer* (l'enquêteur peut, même à son insu, introduire toute une série de biais dans l'entretien, du fait de son âge, de son sexe, de son comportement ou de son intonation).

Le développement des technologies de communication est cependant à l'origine de nouvelles opportunités pour la collecte de l'information. Ainsi dispose-t-on aujourd'hui de standards téléphoniques perfectionnés qui permettent de composer au hasard les numéros de téléphone et de saisir en direct les réponses. Les bornes interactives situées dans les points de vente, permettent l'auto-administration du questionnaire dans un contexte ludique. La télévision interactive permet aux téléspectateurs de répondre à un questionnaire en appuyant sur les touches de leur télécommande.

### 4e ÉTAPE : L'ANALYSE DES RÉSULTATS ❖ 

Cette phase consiste à dégager la signification des résultats obtenus. Il faut commencer par calculer, lorsque cela est possible, les fréquences des réponses, les moyennes et les mesures de dispersion, puis construire des tableaux croisés afin de faire apparaître les relations les plus significatives ; il faut ensuite calculer les coefficients de corrélation et procéder aux tests d'inférence statistique. Enfin, on peut faire appel à certaines *techniques multivariées,* telles que la régression multiple, l'analyse discriminante ou l'analyse factorielle (ces méthodes seront présentées ultérieurement dans ce chapitre).

### 5e ÉTAPE : LA PRÉSENTATION DES RÉSULTATS ❖ 

La cinquième étape de la réalisation d'une étude concerne la rédaction d'un rapport présentant, dans l'optique de l'utilisateur, les principaux résultats et recommandations. Il faut éviter de noyer ce dernier dans un flot de chiffres et d'analyses statistiques sophistiquées, mais au contraire lui montrer en quoi les résultats réduisent son incertitude quant à la décision à prendre.

### 6e ÉTAPE : LA PRISE DE DÉCISION ❖ 

Cette ultime étape dépend de la confiance des responsables marketing dans la fiabilité et la validité de l'étude réalisée. C'est pourquoi il est essentiel qu'ils soient conscients des limites de la méthodologie employée. L'étude doit apporter un éclairage aussi utile que possible sur la décision à prendre. L'encadré 5.4 résume les caractéristiques d'une bonne étude.

# Les caractéristiques d'une bonne étude de marché

Il y en a sept :

**1. Le recours à la méthode scientifique.** Une étude sérieuse doit observer les règles de la méthode scientifique : observation approfondie, formulation d'hypothèses, prévision et test.

**2. La créativité.** Une étude doit également s'efforcer d'être créative, c'est-à-dire d'innover dans la façon d'appréhender le problème posé. Par exemple, une société qui souhaitait connaître les habitudes vestimentaires des jeunes a prêté des caméscopes à des adolescents en leur demandant de filmer leurs amis, puis a utilisé ces films dans des réunions de groupe.

**3. La multiplicité des approches.** Un chargé d'études consciencieux se méfie d'une approche mono-méthode dans l'analyse d'un problème. Il est plus prudent de recueillir les données à l'aide de différentes techniques afin d'accroître la confiance dans les résultats obtenus.

**4. L'interdépendance des modèles et des données.** Les données ne parlent pas d'elles-mêmes. Il faut utiliser des théories et des modèles pour en tirer toute la signification.

**5. La mesure de la valeur et du coût de l'information.** Un chargé d'études efficace compare la valeur de l'information obtenue à son coût. Cela est particulièrement important lorsqu'il faut choisir entre plusieurs études ou entre plusieurs façons de mener une étude. Le coût d'une étude est relativement facile à mesurer. La valeur dépend de la validité et de la fiabilité des méthodes ainsi que des enjeux commerciaux.

**6. Un sens critique développé.** Un responsable marketing compétent n'hésite pas à remettre en cause les idées toutes faites et les *a priori*. Il se méfie de «dogmes» marketing apparents tels que : les meilleurs prospects sont les gros acheteurs de la catégorie de produit ; plus le prix d'un produit est bas, plus il aura de succès ; ou encore les publicités les mieux mémorisées sont les plus efficaces[27].

**7. Des procédures éthiques.** Les études de marché sont d'abord effectuées pour le compte d'une entreprise et donc, au bout du compte, pour ses clients. Pourtant, les procédures employées vont parfois à l'encontre de l'intérêt et du bien-être des consommateurs, notamment lorsqu'elles constituent une atteinte à la vie privée. La plupart des sociétés d'études adhèrent à un code de déontologie élaboré par la profession. Le code éthique européen, élaboré avec le concours de la Chambre de commerce internationale, précise que les enquêteurs devraient toujours être capables de prouver leur identité et s'interdire toute démarche commerciale.

## L'utilisation des études de marché par les praticiens

En dépit de leur rapide extension, les études et recherches commerciales ne sont pas toujours utilisées à bon escient dans l'entreprise[28]. Cinq écueils doivent être surmontés :

♦ *Une conception restrictive des études.* Nombreux sont les responsables d'entreprise qui réduisent les études à la phase de collecte de l'information. Le chargé d'études doit souvent concevoir le questionnaire, choisir l'échantillon, effectuer les entretiens et analyser les résultats sans qu'au départ le problème ait été défini clairement. Il s'ensuit que les résultats ne sont pas vraiment utiles, ce qui ne fait que renforcer l'attitude du praticien sur l'intérêt limité des études.

♦ *Une mauvaise définition du problème.* On définit parfois le problème de manière trop étroite ou biaisée, ce qui conduit à des résultats erronés. C'est pourquoi il est utile, dans la première phase de l'étude, d'expliciter les présupposés sur lesquels repose l'enquête pour déterminer s'il convient de les remettre en cause.

CHAPITRE 5
Mesurer
la demande
et gérer
l'information

153

♦ *Un niveau de professionnalisme variable dans les services d'études.* Certains chefs d'entreprise considèrent les études de marché comme une activité quasi-administrative. Ils recrutent donc des chargés d'étude à profil bas et les rémunèrent peu. La faible qualité du travail fourni conforte le management dans ses préjugés à l'égard de la recherche commerciale. La situation ne peut par conséquent évoluer.

♦ *Des résultats tardifs ou erronés.* Les études menées avec beaucoup de soin nécessitent des délais assez longs et des dépenses substantielles. Il arrive que les résultats parviennent trop tard pour être pris en compte dans les décisions qu'ils étaient censés éclairer. Lorsque les budgets sont serrés, la qualité de l'information s'en ressent et il se peut que les clients soient déçus dans leurs attentes.

♦ *Des différences de mentalité.* Enfin, il y a souvent un fossé entre le pragmatisme du praticien et la prudence du scientifique. Les relations entre eux en sont affectées. Les rapports d'étude sont jugés abstraits, complexes et peu opérationnels alors que le praticien attendait du certain, du simple et du concret.

# Les supports d'aide à la décision marketing

De plus en plus d'entreprises ajoutent une quatrième dimension à leur système d'information marketing : celle de la modélisation et des outils d'aide à la décision.

❖ Little définit *un système d'aide la décision* marketing comme un ensemble intégré de données, de procédures, d'outils et de techniques (matériels et logiciels) qui permet à une organisation de collecter et d'interpréter de l'information afin de faciliter l'action marketing[29].

Le tableau 5.3 présente les principaux outils et modèles qui composent un tel système. Lilien et Rangaswamy ont publié un ouvrage qui présente un panorama des modèles les plus courants[30]. Parmi eux, on peut citer :

♦ *Brandaid.* Un modèle de gestion du mix marketing des produits de grande consommation qui permet à un chef de marque d'ajuster sa publicité, ses prix et ses scénarios de concurrence[31].

♦ *Callplan.* Un modèle d'aide à la force de vente qui optimise le nombre et la fréquence des visites des représentants pour chaque client actuel ou potentiel. Ce modèle a été en particulier utilisé par United Airlines[32].

♦ *Detailer.* Un modèle qui détermine le type de clients à visiter et la nature des produits à présenter. Ce modèle a principalement été développé pour les visiteurs médicaux qui ne peuvent présenter plus de trois produits à chaque fois[33].

♦ *Geoline.* Un modèle qui détermine les territoires de vente à partir de trois principes : l'égalisation des charges de travail, la contiguïté et la densité[34].

♦ *Mediac.* Un modèle qui permet de programmer l'achat d'espace publicitaire pour un an. Le modèle inclut une estimation du potentiel de vente et tient compte des rendements décroissants de la publicité, de l'oubli, de la concurrence et des exigences de programmation[35].

**TABLEAU 5.3**
Les outils du marketing quantitatif

**1. LA BANQUE STATISTIQUE**

**1. La régression multiple.** Il est rare que l'analyse d'un problème commercial fasse intervenir une seule variable. La régression multiple permet d'estimer l'impact sur une variable dépendante (variable à expliquer) d'un ensemble de variables indépendantes (explicatives). Par exemple, une entreprise évaluera l'influence sur son chiffre d'affaires, de ses dépenses publicitaires, de ses prix et de la taille de sa force de vente.

**2. L'analyse de variance** poursuit le même objectif que la régression mais s'applique lorsque les variables explicatives sont qualitatives, c'est-à-dire comportent des catégories de réponses peu nombreuses et non hiérarchisées entre elles (ce qui est très courant dans les études de marché), alors que la régression concerne des variables explicatives quantitatives. L'analyse de variance est très utilisée pour interpréter les résultats d'une expérience, par exemple pour savoir si la mise en place d'une opération promotionnelle a une influence sur les ventes.

**3. L'analyse discriminante** s'applique lorsque la variable à expliquer est qualitative (catégorielle) alors que les variables explicatives sont quantitatives. En marketing, cette technique est très utilisée quand il s'agit de faire des analyses de typologie, par exemple de déterminer quelques facteurs expliquant pourquoi certains magasins sont performants et d'autres non.

**4. L'analyse factorielle** est une technique de réduction de données qui permet de comprendre les relations sous-jacentes à un ensemble de mesures intercorrélées, par exemple la structure de dimensionalité d'une échelle visant à mesurer l'implication dans une catégorie de produit.

**5. L'analyse hiérarchique** est une autre méthode descriptive qui s'attache à classifier des objets ou individus en groupes homogènes. Elle est très utilisée à des fins de segmentation de marché.

**6. L'analyse conjointe** est une extension de l'analyse de variance au cas où la variable à expliquer est ordinale. Elle permet par exemple de décomposer les préférences globales d'un consommateur entre différents attributs et de calculer le poids (utilité) correspondant à la contribution de chacun (pour chaque niveau étudié).

**7. L'analyse multidimensionnelle des similarités (MDS)** est une technique de visualisation qui permet de décrire les relations entre des variables à partir de données interprétées comme des écarts ou distances. Elle est très utilisée pour élaborer des cartes perceptuelles, point de départ de la réflexion sur le positionnement. En France, on se sert souvent de l'*analyse des correspondances multiples*, extension de l'analyse en composantes principales à des variables nominales, dans le même but.

### 2. LA BANQUE DE MODÈLES

**1. Les chaînes de Markov** sont utilisées pour prédire la probabilité de passage d'un état à un autre. Par exemple, elles servent à étudier les comportements de fidélité aux marques d'un consommateur au fil de ses achats successifs.

**2. Les modèles de file d'attente** permettent d'évaluer les délais et ruptures intervenant dans un système, par exemple la longueur des queues à l'entrée d'un cinéma, en fonction de différents paramètres (nombre de caisses, rapidité de l'encaissement).

**3. Les modèles de nouveaux produits** estiment et prédisent la part de marché obtenue par un nouveau produit à partir des mesures de notoriété, d'accessibilité, d'essai et de réachat. En France, les plus connus sont les modèles ASSESSOR et BASES proposés par des cabinets d'étude spécialisés.

**4. Les modèles de prévision des ventes** sont fort nombreux et cherchent à estimer l'évolution de la demande en fonction de paramètres pouvant l'influencer.

### 3. LES ALGORITHMES DE DÉCISION

**1. Le calcul différentiel** permet de découvrir la valeur maximale ou minimale d'une entité qui suit une distribution mathématiquement connue.

**2. La programmation mathématique** permet de découvrir les valeurs qui optimisent une fonction tout en respectant un ensemble de contraintes.

**3. La théorie des jeux** s'attache à déterminer les comportements optimaux en face d'événements incertains et/ou de comportements antagonistes (par exemple de la part d'un concurrent).

**4. La théorie statistique de la décision** permet de déterminer le plan d'action qui optimise la valeur espérée.

**5. L'heuristique,** enfin élabore des règles de décision simplificatrices qui permettent de choisir une décision acceptable dans un environnement complexe.

*Source :* pour une présentation de la grande majorité de ces techniques dans un contexte marketing, voir Yves Evrard, Bernard Pras et Elyette Roux, *Market : études et recherche marketing* (Paris : Dunod, 2000). Voir également Jean-Marie Choffray, *Marketing Expert* (Paris : McGraw-Hill, 1985) ; Jean-Marie Choffray et Gilles Laurent, «Marketing Science : Formalisation et exploitation des connaissances en marketing», dans l'*Encyclopédie du management* (Paris : Vuibert, 1992), tome 2, pp. 596-612 ; et Dwight Merunka, *La Prise de décision en management avec Expert Choice* (Paris : Vuibert, 1987).

CHAPITRE 5
Mesurer
la demande
et gérer
l'information

155

Et pour les modèles les plus récents :

♦ *Adcad*. Un modèle d'aide à la création publicitaire qui recommande le type d'approche à privilégier (axes, tons) en fonction du produit, du marché cible et de la concurrence[36].

♦ *Promoter*. Un modèle destiné à évaluer l'impact d'une promotion[37].

♦ *Coverstory*. Un modèle qui structure et synthétise une masse d'informations commerciales sous forme de mémo[38].

Parmi les logiciels développés en France, on peut noter :

♦ *Produit* Test. Un logiciel permettant d'évaluer les potentialités économiques d'un nouveau produit. Il est calibré à partir d'un certain nombre d'hypothèses relatives : 1) à la diffusion du nouveau produit ; 2) aux effets d'expérience et à leur impact sur les coûts ; 3) aux conditions économiques prévalant sur le marché.

♦ *Sadprix*. Un modèle facilitant l'élaboration des prix dans un contexte industriel[39].

## La prévision et la mesure de la demande

Identifier les opportunités présentes sur le marché est l'une des raisons majeures pour une entreprise de faire appel aux études et recherches. Il faut évaluer la taille du marché actuel et anticiper son évolution. Les prévisions de vente sont utilisées par de nombreux services de l'entreprise : par le service financier pour chiffrer les investissements ; par les usines pour déterminer les capacités de production à prévoir et les volumes à fabriquer ; par le service achats pour fixer les quantités de matières premières et de fournitures à acquérir ; par le département ressources humaines pour identifier le nombre d'embauches à programmer. Or cette tâche délicate de prévision des ventes incombe au service marketing. Toute erreur importante se traduit en stocks excessifs ou en ruptures de stock, tous deux fort coûteux pour l'entreprise.

Mesurer une demande n'est jamais aisé. La figure 5.3 identifie 90 manières d'approcher ce problème. Chacune correspond à des objectifs distincts. Une mesure à court terme, par exemple, sert à définir les plannings de fabrication et d'achat de matières premières, tandis qu'une mesure régionale par gamme de produits aide à organiser la force de vente.

### Quel marché mesurer ?

Dans l'entreprise, de nombreux adjectifs sont utilisés pour qualifier un marché : marché potentiel, marché effectif, marché utile (ou servi), etc. Au départ :

❖ Un *marché* est constitué par *l'ensemble des personnes susceptibles d'acquérir un produit ou un service*.

Une telle définition implique que la taille réelle d'un marché ne dépend pas des seuls effectifs démographiques, mais également de l'existence d'un *pouvoir d'achat* et d'un *vouloir d'achat*.

Considérons le marché des loisirs sportifs vendus sous forme de stages, tels que les commercialisent en France le Club Méditerranée ou l'UCPA. Nous pouvons définir ce marché à de multiples niveaux. En tout premier lieu, il s'inscrit dans celui des séjours touristiques qui s'opposent aux séjours non touristiques : c'est le *marché de référence*. On définira comme *marché potentiel*, le marché des séjours touristiques sportifs et comme *marché effectif*, les séjours touristiques sportifs organisés. Les formules tout compris constituent alors le *marché servi*.

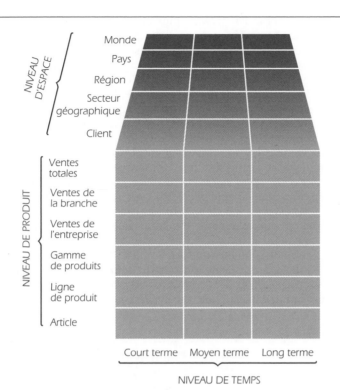

**FIGURE 5.3**
Quatre-vingt-dix
manières de mesurer
la demande (6×5×3)

De telles définitions sont fécondes pour la réflexion marketing. Si une entreprise n'est pas satisfaite de ses résultats, elle peut envisager d'attirer une part plus importante du marché servi ou d'élargir sa définition du marché en proposant des formules à la carte ou en s'intéressant aux séjours touristiques professionnels comme les séminaires d'entreprises.

## Les concepts de base de la demande

Les concepts essentiels sont au nombre de deux : *la demande du marché* et *la demande de l'entreprise*. Pour chacun d'entre eux, on peut distinguer une *fonction de demande*, une *prévision* et un *potentiel*.

**LA DEMANDE DU MARCHÉ** ❖ Afin d'apprécier les opportunités qui lui sont offertes, une entreprise commence, en général, par étudier la demande du marché. Ce n'est pas une notion simple, ainsi que le montre la définition suivante :

❖ La *demande du marché* relative à un *produit* est le *volume total* qui serait *acheté* par une *catégorie de clientèle* donnée, dans un *secteur géographique* donné, au cours d'une *période* donnée, dans des *conditions d'environnement* données et en réponse à un *programme marketing* donné.

La demande ne correspond pas à un nombre, mais prend la forme d'une fonction : la *fonction de demande* encore appelée *courbe de réponse du marché*. La figure 5.4-A illustre ce point : le niveau de demande apparaît en ordonnée, alors que l'effort marketing de la branche figure en abscisse. La demande est représentée sous la forme d'une courbe en S : il existe un niveau de base, le *marché minimal*, qui se manifesterait même en l'absence d'effort marketing. Un

CHAPITRE 5
Mesurer
la demande
et gérer
l'information

157

effort positif conduit à des niveaux plus élevés, à un rythme croissant puis décroissant. Enfin, des dépenses marketing supplémentaires ne font plus guère progresser la demande, suggérant ainsi l'existence d'un seuil, le *potentiel du marché*.

L'écart séparant le marché minimal du potentiel indique la *sensibilité de la demande à l'effort marketing*. Il révèle l'existence de deux types de marché : le marché *extensible* et le marché *non extensible*. Un marché extensible, tel celui des crèmes glacées, est fortement influencé par le niveau des dépenses marketing. Sur la figure 5.4-A, la distance entre $M_0$ et $M_1$ apparaît, dans ce cas, comme relativement grande. Inversement, un marché non extensible, par exemple celui de la farine, est relativement indépendant du niveau des dépenses marketing ; dans ce cas, la distance $M_0-M_1$ est faible. L'entreprise qui s'adresse à un marché non extensible peut considérer la taille globale du marché (la *demande primaire*) comme fixe et concentrer ses efforts sur la progression de sa part de marché (la demande sélective pour ses propres produits).

Il est important de souligner que la *fonction de demande* n'est pas un schéma de l'évolution de la demande en fonction du temps. La courbe indique seulement les niveaux possibles de demande correspondant à différents paliers de dépenses marketing dans la branche considérée.

**FIGURE 5.4**
La fonction
de demande

**A.** Demande du marché en fonction de l'effort marketing de la branche (dépend d'un environnement marketing donné)

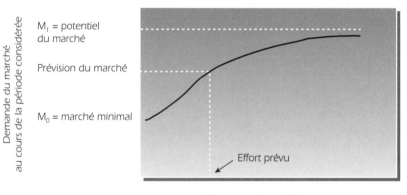

**B.** Demande du marché en fonction de l'effort marketing de la branche (hypothèse de deux environnements différents)

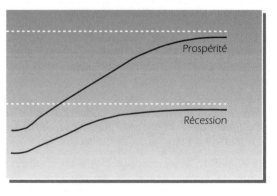

**LA PRÉVISION DU MARCHÉ** ❖ En réalité, un seul des niveaux possibles de dépense marketing se matérialisera. La *prévision du marché* indique le niveau de demande correspondant au niveau marketing prévu pour l'ensemble du secteur.

**LE POTENTIEL DU MARCHÉ** ❖ La prévision indique la demande à laquelle il faut s'attendre, et non le plus haut niveau de demande possible. Pour connaître ce dernier, il faut estimer la demande qui correspondrait à un effort marketing « optimal » au-delà duquel des efforts supplémentaires n'auraient plus d'impact :

❖ On appelle *potentiel du marché* la limite vers laquelle tend la demande lorsque l'effort marketing du secteur s'accroît dans des conditions d'environnement données.

L'expression « dans des conditions d'environnement données » est fondamentale dans la définition du potentiel. Considérons, en effet, le marché automobile en période de récession et en période de prospérité. Le marché est évidemment plus faible dans le premier cas que dans le second, d'où une « limite » plus basse de la fonction de demande (voir figure 5.4-B). En général, les entreprises ne peuvent guère agir sur le potentiel du marché, celui-ci résultant des conditions de l'environnement. En revanche, elles peuvent influencer le niveau particulier auquel la demande se situera, en décidant du montant de leur effort global de marketing.

Il est souvent utile de comparer la demande actuelle du marché avec le potentiel du marché à travers le taux de pénétration de la catégorie de produit. Un taux de pénétration faible indique qu'il existe un fort potentiel de croissance pour toutes les entreprises du secteur, comme c'est le cas actuellement pour les ordinateurs personnels dont le taux de pénétration s'élevait à 36 % en 2002. Un taux élevé signifie qu'attirer de nouveaux acheteurs vers la catégorie de produits exige des coûts importants. À titre d'exemple, le taux de pénétration du téléphone mobile était de 63 % en France en 2002 contre 0,8 % pour les agendas électroniques, 22 % pour l'accès à Internet à domicile et 93 % pour la télévision[40]. Ces pourcentages font toutefois l'hypothèse que ces produits ont vocation à être possédés par l'ensemble de la population sur le long terme, ce qui peut sembler discutable pour certains d'entre eux.

**LA DEMANDE DE L'ENTREPRISE** ❖ Ayant identifié la demande du marché, on peut définir la demande de l'entreprise de façon très simple :

❖ La *demande de l'entreprise* est la part de la demande du marché détenue par l'entreprise.

Tout comme la demande du marché, la demande de l'entreprise est une fonction appelée *fonction de demande de l'entreprise*, ou *fonction de réponse des ventes*. Cette fonction dépend de tous les facteurs affectant la demande du marché, auxquels s'ajoutent tous ceux qui peuvent influencer la part de marché de l'entreprise (produits et services offerts, prix, réseau de distribution, communication, notoriété et image des marques, investissements marketing etc.)[41].

**LA PRÉVISION DES VENTES DE L'ENTREPRISE** ❖ La fonction de demande de l'entreprise correspond aux ventes obtenues pour différents niveaux d'effort commercial. C'est au responsable marketing de choisir l'un de ces niveaux, qui détermine sa prévision. Plus précisément :

❖ La *prévision des ventes de l'entreprise* est le niveau de vente attendu correspondant à un plan d'action marketing donné dans des conditions marketing supposées.

CHAPITRE 5
Mesurer
la demande
et gérer
l'information

159

Pour représenter graphiquement la prévision des ventes de l'entreprise, il suffit de modifier la figure 5.5-A en plaçant les ventes de l'entreprise en ordonnée et son effort marketing en abscisse.

La relation causale entre la prévision des ventes et le plan marketing de l'entreprise est souvent mal comprise. On soutient parfois qu'une entreprise devrait planifier ses efforts *en fonction* de la prévision de ses ventes. Or il faut bien distinguer objectif et prévision de ventes. L'approche *prévision → plan* n'est valable que si l'on entend par «prévision» une estimation de l'activité économique générale ou si la demande est stationnaire. Elle n'a pas de sens, en revanche, lorsque le marché est extensible ou lorsque, par «prévision», on entend une estimation des ventes de l'entreprise. Celle-ci ne saurait en effet servir de critère pour déterminer le niveau et la composition de l'effort marketing, puisqu'elle constitue le *résultat* d'un plan d'action donné. Elle doit être considérée comme une *variable dépendante* dont la valeur dépend, entre autres, du plan marketing choisi par l'entreprise.

Deux autres concepts, liés à la prévision des ventes de l'entreprise, méritent d'être définis :

❖ Un *quota* est un objectif de vente fixé pour une gamme de produits, une division de l'entreprise ou un représentant. C'est essentiellement un outil de gestion permettant de stimuler l'effort de vente.

Le quota est obtenu à partir de la prévision des ventes de l'entreprise et de considérations relatives à la psychologie de la stimulation. Celles-ci conduisent souvent à fixer les quotas à un niveau légèrement supérieur à la prévision des ventes.

Le second concept est celui du *budget de vente* :

❖ Un *budget de vente* est une estimation conservatrice du volume des ventes attendu. Son but essentiel est de servir de base aux achats, à la production et aux décisions de financement.

Le budget de vente est obtenu à partir de la prévision des ventes de l'entreprise en tenant compte de la nécessité d'éviter des dépenses inutiles, au cas où la prévision ne se réaliserait pas. Cette nécessité conduit à fixer un budget de vente légèrement inférieur à la prévision des ventes de l'entreprise.

LE POTENTIEL DES VENTES DE L'ENTREPRISE ❖ Le potentiel des ventes de l'entreprise est la limite vers laquelle tend la demande de l'entreprise à mesure que l'effort marketing de cette dernière s'accroît par rapport à la concurrence. Bien sûr, la limite absolue du potentiel de l'entreprise est le potentiel du marché. Les deux potentiels sont égaux lorsque l'entreprise détient 100 % du marché, c'est-à-dire lorsqu'elle jouit d'une situation de monopole. En général, le potentiel des ventes se situe à un niveau inférieur au potentiel du marché, même lorsque les dépenses marketing de l'entreprise sont très supérieures à celles de la concurrence. Chaque firme possède en effet un noyau d'acheteurs fidèles qui ne sont pas réceptifs aux efforts des autres entreprises pour les attirer à elles.

## L'estimation de la demande actuelle

Nous sommes maintenant en mesure d'étudier les différentes méthodes utilisées en pratique pour estimer la demande. En général, les entreprises cherchent à estimer le potentiel du marché total, le potentiel de chaque zone géographique, les ventes de la catégorie de produit et les parts de marché.

LE POTENTIEL DU MARCHÉ ❖ Le potentiel global d'un marché correspond au niveau de ventes total (en unités ou en valeur) qui pourrait être obtenu par l'ensemble des firmes présentes au cours d'une période de temps donnée dans des conditions d'environnement données.

Par exemple, si un marché se compose de 36 millions d'acheteurs de livres qui achètent chacun en moyenne trois livres par an, au prix moyen de 4 euros, le potentiel total du marché du livre est de 432 millions d'euros (36×3×4).

Le paramètre le plus difficile à estimer est le nombre d'acheteurs potentiellement concernés. On peut partir de la population globale, en France 61 millions d'individus, puis introduire des critères permettant d'éliminer les non consommateurs. Ainsi, les enfants ne sachant pas lire ou les personnes ayant des troubles de la vision peuvent être décomptés du marché. Supposons qu'ils constituent 20 % de la population. Le marché se limite alors à 80 % de la population, soit environ 49 millions de personnes (les « prospects »). On peut alors, à l'aide d'études de marché, découvrir que les personnes à faible revenu ou niveau culturel (20 % de la population) ne lisent jamais. Nous réduisons ainsi le marché réel à 39 millions de personnes. C'est ce dernier chiffre que l'on utilise pour calculer le potentiel du marché total.

Il existe une variante de cette méthode, connue sous le nom de *méthode des ratios en chaîne*. Elle consiste à décomposer la prévision globale en ses divers éléments. Supposons qu'une société de boissons alcoolisées désire estimer le marché potentiel pour un nouvel apéritif. Une estimation initiale peut être faite à l'aide du calcul suivant :

> **Demande pour le nouvel apéritif** = *Population* × *revenu personnel disponible par tête* × *pourcentage moyen du revenu disponible consacré à l'alimentation* × *pourcentage moyen des dépenses alimentaires consacrées aux boissons* × *pourcentage moyen des dépenses de boissons consacrées aux boissons alcoolisées* × *pourcentage moyen des dépenses en boissons alcoolisées consacrées aux apéritifs* × *pourcentage attendu des dépenses en apéritifs qui seront consacrées à ce nouvel apéritif.*

LES POTENTIELS GÉOGRAPHIQUES ❖ Il est important, pour toute société, de savoir choisir les marchés auxquels elle va s'adresser et de répartir de la meilleure façon possible son budget marketing entre ces différents marchés. De telles décisions doivent être prises en se fondant sur une estimation fiable du potentiel du marché dans chaque zone géographique. On dispose, pour cela, de deux méthodes principales : *la méthode d'addition des marchés*, utilisée principalement par les entreprises vendant des biens industriels et *la méthode de l'indice du pouvoir d'achat*, destinée aux sociétés fabriquant des biens de grande consommation.

**La méthode d'addition des marchés.** Cette méthode consiste à identifier tous les acheteurs potentiels de chaque marché et à additionner leurs achats potentiels. Elle est facile à mettre en œuvre si l'on possède une liste des acheteurs et une bonne estimation de ce que chacun achètera. Malheureusement, il est fréquent que l'une ou l'autre de ces données, voire les deux, fasse défaut.

Prenons le cas d'un fabricant de tours à bois qui désire mesurer le marché dans l'une de ses régions, par exemple le Nord-Pas-de-Calais.

La première étape consiste à identifier tous les acheteurs potentiels de tours dans cette région. Il s'agit principalement des entreprises de fabrication amenées, dans le cadre de leurs activités, à tailler ou équarrir le bois. La société pourrait alors consulter un annuaire recensant toutes les entreprises industrielles du Nord-Pas-de-Calais et relever celles qui seraient susceptibles d'acheter, en se fondant sur le nombre de tours pour cent employés ou par million de chiffre d'affaires.

Une méthode plus efficace consiste à utiliser le code de nomenclature des entreprises de l'Insee (code NAF). Cette nomenclature classifie les entreprises en fonction de la nature du produit fabriqué ou des opérations effectuées. Ainsi, les entreprises sont réparties en 60 branches d'activités ayant chacune un

CHAPITRE 5
Mesurer
la demande
et gérer
l'information

161

numéro à deux chiffres. Le code 20, par exemple, désigne les activités de travail du bois et de fabrication d'articles en bois, tandis que le code 45 correspond à la construction. Chaque branche est, à son tour, divisée en plusieurs secteurs correspondant à des types d'activités plus fins (par exemple, 20.3 = fabrication de charpentes et de menuiserie ; 20.5 = fabrication d'objets divers en bois, liège ou vannerie). Certains secteurs sont eux-mêmes scindés en rubriques identifiées par une lettre désignant des domaines d'activité plus spécifiques (20.5A = fabrication d'objets divers en bois ; 20.5B = fabrication d'objets en liège, vannerie ou sparterie). Pour chaque numéro, l'Insee indique le nombre total d'établissements, ainsi que la répartition des établissements par nombre d'employés.

Pour pouvoir utiliser le code NAF, notre fabricant doit donc d'abord déterminer les numéros de code correspondant aux produits dont la fabrication nécessite l'utilisation de tours. Il peut faire appel à trois méthodes : 1) examiner les commandes passées et identifier le code de ses clients ; 2) parcourir la nomenclature complète et noter toutes les industries susceptibles d'acheter des tours ; 3) enfin, envoyer des questionnaires à un échantillon d'entreprises, afin de savoir si elles seraient éventuellement intéressées par l'achat de tours.

Après avoir identifié les industries intéressées, le fabricant doit choisir un critère lui permettant d'estimer le nombre de tours utilisés dans chacune d'elles. Supposons que le critère le plus approprié soit le nombre d'employés : dans la catégorie 45.4C (menuiserie bois et matières plastiques), par exemple, on utilise dix tours pour chaque centaine d'employés. Le fabricant peut alors se reporter au recensement des établissements industriels et commerciaux de l'Insee et évaluer le marché potentiel.

Le tableau 5.4 montre un exemple de calcul portant sur deux industries dans la région du Nord-Pas-de-Calais. Dans la catégorie 45.4C, on trouve 6 établissements ayant 100 employés et 2 établissements ayant plus de 500 employés. Si l'on sait que, dans cette catégorie, 10 tours peuvent être vendus pour chaque centaine d'employés, le marché potentiel de ce secteur s'élève alors à 160 tours $(6 \times 10) + (2 \times 50)$. Les autres estimations figurant sur le tableau sont obtenues de la même façon.

| | Numéro de code | Nombre d'employés | Nombre d'entreprises | Rapport entre le nombre de tours et le nombre d'employés (pour 100 employés) | Marché potentiel $(1 \times 2 \times 3)/100$ |
|---|---|---|---|---|---|
| **TABLEAU 5.4** Méthode d'addition des marchés utilisant la nomenclature Insee (cas d'un fabricant de tours, région du Nord-Pas-de-Calais) | 45.4C | 100 | 6 | 10 | 60 |
| | | 500 | 2 | 10 | 100 |
| | 20.5C | 100 | 3 | 5 | 15 |
| | | 500 | 1 | 5 | 25 |
| | | | | | 200 |

Notre fabricant peut ainsi évaluer le marché potentiel correspondant aux différentes régions. Supposons que le potentiel total (en ne considérant que les deux secteurs figurant sur le tableau) soit de 2 000 tours. Le fabricant en déduira que la région du Nord-Pas-de-Calais représente 10 % du marché. Sans autre précision, il pourra être amené à allouer 10 % de son budget marketing (force de vente, publicité, etc.) à cette région. Dans la pratique, le fabricant devra naturellement identifier d'autres éléments, tels que le degré de saturation du marché, le nombre de concurrents ou le taux de croissance, avant de prendre une décision sur le montant des ressources à affecter à chaque marché.

Si elle décide de vendre des tours dans la région du Nord-Pas-de-Calais, l'entreprise a besoin d'identifier les meilleurs prospects. Jadis, les représentants allaient démarcher chaque entreprise en porte à porte. Aujourd'hui, cela reviendrait trop cher. On préfère travailler à partir d'une liste d'entreprises de la région que l'on qualifie, puis que l'on contacte par lettre, par téléphone ou par e-mail. On peut à cet égard utiliser les répertoires de Dun & Bradstreet qui répertorient plus de 57 millions d'établissements industriels et commerciaux à travers le monde sur 27 facteurs-clés ou, en France, les fichiers Kompass (150 000 entreprises répertoriées)[42]. On sélectionne alors les prospects en fonction de leur secteur d'activité, taille, emplacement, nombre d'employés, etc.

**La méthode de l'indice du pouvoir d'achat.** Les sociétés commercialisant des produits de grande consommation doivent également estimer les marchés potentiels régionaux, mais les consommateurs étant très nombreux, il n'est pas possible de dresser la liste de chaque client potentiel et d'évaluer ses besoins.

La méthode la plus couramment utilisée est alors la *méthode des indices*. Considérons le cas d'un laboratoire pharmaceutique. On peut, dans un premier temps, supposer que le marché potentiel dépend d'un seul facteur : la population. Si, par exemple, la région parisienne représente 18 % de la population totale, on estimera que cette région devrait consommer 18 % du total des médicaments. Un facteur unique est cependant rarement suffisant. La vente de produits pharmaceutiques est, entre autres, influencée par le revenu par tête ou le nombre de médecins pour 10 000 habitants. Il serait donc souhaitable de mettre au point un indice reposant sur plusieurs *facteurs*, chaque facteur étant affecté d'un poids lié à son importance.

En France, l'un des indices les plus connus est l'*indice de richesse vive* élaboré par l'Institut Proscop[43]. Cet indice part du principe que l'intérêt d'un marché est fonction de sa population, de son pouvoir d'achat (mesuré par le revenu) et de son vouloir d'achat (mesuré par le revenu dépensé). L'Institut Proscop publie chaque année, pour chaque niveau géographique (du département à la commune), deux indices $P$ et $R$ à partir desquels une entreprise peut mesurer son marché potentiel. L'indice $P$ est l'indice de population établi d'après les sources officielles et $R$ est l'indice de richesse vive. Cet indice est calculé de telle façon que le total de richesse vive pour la France entière soit égal à la population. Pour une commune particulière, un indice égal à 1 signifie donc que sa richesse vive est strictement proportionnelle à sa population. Un indice supérieur révèle un marché potentiel proportionnellement plus intéressant que la moyenne nationale, tandis qu'un indice inférieur indique le contraire.

Il est important de souligner que, quelle que soit la méthode choisie, les estimations de potentiel par zone géographique reflètent davantage les possibilités d'une branche industrielle que celles d'une entreprise particulière. Celle-ci doit donc corriger les estimations fournies en prenant en compte certains facteurs supplémentaires. Pour déterminer ses marchés-cibles et ses plans d'action, une entreprise doit notamment considérer la vivacité de la concurrence, ses propres capacités, et sa compétence distinctive sur chaque marché.

De nombreuses entreprises ont recours à d'autres indices pour affecter leurs budgets commerciaux. Supposons qu'une société analyse ses performances dans huit agglomérations françaises (voir tableau 5.5). Les deux premières colonnes indiquent le pourcentage des ventes du secteur et des ventes de la marque X dans chaque ville. La troisième colonne fait apparaître l'*indice de développement de la marque* qui est obtenu en divisant la deuxième colonne

CHAPITRE 5
Mesurer
la demande
et gérer
l'information

163

par la première et en multipliant le résultat obtenu par 100. L'indice de Bordeaux s'établit par exemple à 114, car l'agglomération représente 2,71 % du total des ventes du secteur, mais 3,05 % des ventes de la marque. Cela n'implique pourtant pas qu'une entreprise doive fixer ses dépenses de manière strictement proportionnelle à cet indice. Certaines sociétés, comme les grands lessiviers, répartissent souvent leurs ressources publicitaires de telle façon que la moitié de l'effort soit consacré aux régions où leurs marques sont faiblement implantées et l'autre moitié aux régions mieux « tenues ».

**TABLEAU 5.5**
Indices de développement de la marque

| Territoire (agglomération urbaine) | (1) % des ventes de la branche | (2) % des ventes de la marque X | (3) = (2/1 × 100) Indice de développement de la marque |
|---|---|---|---|
| Bordeaux | 2,71 | 3,09 | 114 |
| Paris | 10,41 | 6,74 | 65 |
| Marseille | 3,85 | 3,49 | 91 |
| Nantes | 0,81 | 0,97 | 120 |
| Strasbourg | 0,81 | 1,13 | 140 |
| Lille | 3,00 | 3,12 | 104 |

Une fois que l'entreprise a décidé de l'effort qu'elle souhaite affecter à chaque zone géographique, elle peut le répartir de façon plus précise, par exemple au niveau de chaque vendeur ou quartier de ville. Elle dispose pour ce faire d'informations statistiques d'origine publique (recensements, bordereaux de logement, etc.) ou privée. De telles informations aident souvent les responsables marketing à identifier les zones de chalandise les plus intéressantes, ainsi que les listes d'adresses dont ils ont besoin s'ils ont recours au marketing direct. Ainsi :

■ CASTORAMA, société spécialisée dans la distribution des articles de bricolage et de jardin, évalue la zone de chalandise d'un nouveau magasin de la façon suivante : on commence par faire la liste des communes situées à moins de 5 minutes en voiture (zone 1), entre 5 et 10 minutes (zone 2) et entre 10 et 20 minutes (zone 3). On recense ensuite, d'après les statistiques officielles, le nombre d'habitants et le nombre de foyers correspondants. Les dépenses moyennes annuelles de bricolage pour chaque zone sont ensuite estimées à partir des magasins existants, de façon à dégager le chiffre d'affaires théorique du magasin (qui correspond aux ventes que l'on obtiendrait si le magasin se comportait exactement comme la moyenne). Ce chiffre d'affaires est ensuite réajusté à partir d'indicateurs mesurant le pouvoir d'achat (Proscop), le degré de motorisation (fichier central des cartes grises), le niveau de dépenses affectées à l'équipement de la maison (Cecod) et la structure de l'habitat (propriétaire/locataire ; appartement/maison individuelle), fournie par l'Insee. On obtient ainsi le chiffre d'affaires corrigé qui servira de base à l'évaluation des performances réellement observées.

LES VENTES DE LA CATÉGORIE ET LES PARTS DE MARCHÉ ❖ L'entreprise doit connaître les ventes totales de la catégorie de produits afin d'évaluer sa part de marché et connaître sa position par rapport à ses concurrents. Les syndicats professionnels publient souvent des statistiques de vente intéressant l'ensemble des firmes du secteur. Même si les résultats de chaque concurrent ne sont pas identifiés, l'entreprise est en mesure d'apprécier sa part de marché. Si elle constate, par exemple, que le chiffre d'affaires du secteur a progressé de 10 % alors que ses propres ventes n'ont progressé que de 4 %, elle peut en déduire que sa part de marché a baissé.

Une autre approche consiste, pour les sociétés fabriquant des biens de grande consommation, à s'abonner aux panels de détaillants ou de consommateurs évoqués au début de ce chapitre, qui permettent à l'entreprise de se comparer de façon régulière (chaque semaine) à l'ensemble du secteur et de connaître la part de marché de chaque marque concurrente.

Dans les activités industrielles, il n'existe pas de panels et les distributeurs ne fournissent pas beaucoup d'informations sur les performances commerciales des produits en présence. Par conséquent, les responsables marketing éprouvent souvent des difficultés à connaître les ventes du secteur et leurs propres parts de marché. Ils doivent souvent prendre leurs décisions sans informations précises à ce sujet.

## La prévision de la demande future

Rares sont les produits ou services qui se prêtent facilement à une prévision. Les cas qui ne présentent pas de difficultés concernent les produits dont le niveau absolu ou la tendance sont pratiquement constants et pour lesquels la concurrence soit n'existe pas (monopoles), soit n'évolue guère (oligopoles). Dans tous les autres cas, la demande du marché et plus encore la demande de l'entreprise, ne sont pas stables d'une année sur l'autre. Naturellement, plus la demande est instable, plus il est important que la prévision soit exacte, et plus la méthode de prévision doit être élaborée.

L'entreprise procède le plus souvent en trois temps pour prévoir ses ventes. Il lui faut d'abord établir une *prévision de l'environnement*, puis une *prévision de l'activité du secteur* et enfin une *prévision de ses propres ventes*. Prévoir l'environnement consiste à anticiper le taux d'inflation, le pourcentage de chômeurs, les taux d'intérêt, le niveau des dépenses de consommation, d'épargne, d'investissement, les dépenses publiques, la structure du commerce extérieur. De tels indicateurs permettent de dégager le produit national brut (PNB) qui, seul ou complété par d'autres éléments, servira à estimer le niveau d'activité du secteur. L'entreprise élabore ensuite ses prévisions de vente en appréciant la part de marché qu'elle entend contrôler.

Il existe trois moyens d'obtenir des informations permettant de prévoir les ventes : on peut s'intéresser à ce que les gens disent, à ce que les gens font, ou à ce que les gens ont fait. Le premier élément – *ce que les gens disent* – conduit à étudier les opinions des acheteurs ou des gens qui sont à leur contact immédiat, tels que les représentants ou les experts. Trois méthodes sont donc envisageables : les enquêtes d'intention d'achat, les opinions de la force de vente, et les opinions d'experts. L'établissement d'une prévision à partir de *ce que les gens font* aboutit à une autre méthode : le lancement du produit en marché témoin. Enfin, le dernier élément – *ce que les gens ont fait* – débouche sur l'analyse des données relatives au passé, à l'aide soit des séries chronologiques, soit de l'étude statistique de la demande.

**LES ENQUÊTES D'INTENTION D'ACHAT** ❖ Prévoir les ventes consiste à anticiper ce que les acheteurs sont susceptibles de faire dans un ensemble de conditions données. La méthode la plus directe consiste à interroger les acheteurs potentiels eux-mêmes. Une telle approche est surtout valable si l'on pense que les acheteurs ont des intentions clairement formulées, qu'ils les respectent et qu'ils acceptent de les révéler.

Dans le domaine des *biens durables*, tels que les automobiles, les logements neufs, les meubles et l'électroménager, certains organismes statistiques publient régulièrement des rapports sur l'état des intentions d'achat des

CHAPITRE 5
Mesurer
la demande
et gérer
l'information

165

consommateurs[44]. En général, la question posée appelle une réponse sous forme d'*échelle de probabilité d'achat*. Par exemple :

Avez-vous l'intention d'acheter une automobile au cours des six prochains mois ?

| 0,00 | 0,20 | 0,40 | 0,60 | 0,80 | 1,00 |
|------|------|------|------|------|------|
| Aucune chance | Faible probabilité | Une certaine probabilité | Bonne probabilité | Forte probabilité | Certaine-ment |

Parfois, les intentions sont complétées par divers éléments liés au revenu (permanent, transitoire et disponible) des consommateurs ainsi qu'à leur « sentiment » sur la situation économique.

Pour ce qui est des *biens de consommation courante*, on se contente souvent d'une échelle en cinq points comme celle-ci :

| | |
|---|---|
| J'en achèterai certainement | 1 |
| J'en achèterai probablement | 2 |
| Je ne sais pas si j'en achèterai ou non | 3 |
| Je n'en achèterai probablement pas | 4 |
| Je n'en achèterai certainement pas | 5 |

De telles échelles sont alors intégrées à un modèle qui prédit la part de marché des produits correspondants. En France, la société Burke commercialise un modèle (Bases I) qui fournit, sur la base de données d'intention d'achat relevées lors d'un test de concept, des prévisions de part de marché situées dans un intervalle de confiance de 20 %[45]. Aux États-Unis, le système AcuPOLL teste chaque année les intentions d'achat relatives à plus de 400 nouveaux produits[46].

Dans le domaine des *biens industriels*, des enquêtes d'intention d'achat de biens d'équipement et de matières premières sont périodiquement menées par différents organismes, et notamment par les associations ou syndicats professionnels. L'Insee ainsi que les sociétés d'étude (Dafsa, Précepta, Eurostaf) publient également des monographies sur les perspectives d'évolution de tel ou tel marché. Les médias spécialisés (*L'Usine nouvelle, Les Echos, Le Moniteur*) diffusent aussi les résultats d'études de ce type. Naturellement, certaines entreprises réalisent elles-mêmes leurs propres enquêtes.

En résumé, les enquêtes d'intention d'achat sont particulièrement utiles à propos des produits industriels, des biens durables, des produits dont l'achat est planifié à l'avance et des innovations. Elles valent d'autant plus la peine d'être conduites que les acheteurs sont peu nombreux, qu'il est relativement peu coûteux de les interroger, qu'ils ont des intentions clairement définies, qu'ils concrétisent leurs intentions initiales, et qu'ils acceptent de les révéler.

LES OPINIONS DES VENDEURS ❖ Lorsqu'il n'est pas possible de faire des enquêtes auprès des clients, l'entreprise peut faire appel à ses représentants[47]. Il convient toutefois de souligner que peu de sociétés utilisent sans les modifier les estimations fournies par les vendeurs. En effet, un représentant est souvent partial, ou optimiste, ou bien passe d'un extrême à l'autre selon qu'il vient d'essuyer un échec ou de décrocher un gros contrat. D'autre part, un vendeur ignore souvent le contexte économique global, ainsi que les plans marketing de l'entreprise qui définissent les grandes lignes de l'évolution de son secteur. Il peut aussi délibérément sous-estimer la demande, s'il pense bénéficier d'un quota plus favorable. Enfin, il peut ne pas avoir le temps ou la motivation de faire une estimation précise.

Une entreprise doit mettre en place un certain nombre de stimulants destinés à améliorer les estimations. Elle peut, par exemple, transmettre à chaque vendeur un relevé de ses prévisions passées comparées à ses ventes réelles, ainsi qu'une série d'hypothèses concernant la conjoncture commerciale. Certaines entreprises rassemblent même les relevés individuels de prévision et les communiquent à l'ensemble des représentants.

Impliquer la force de vente dans l'élaboration des prévisions présente des avantages. Étant en contact direct avec les clients, les vendeurs ont une connaissance approfondie du marché. En participant à l'établissement des prévisions, ils acceptent plus facilement les quotas de vente qui en découlent, et sont probablement plus motivés pour les atteindre. Enfin, une prévision établie « à la base » permet d'obtenir des estimations par produits, zones géographiques, clients et représentants.

**LES OPINIONS D'EXPERTS** ❖ Une autre méthode de prévision consiste à recueillir l'opinion de personnes bien informées que l'on considère comme des « experts ». Il peut s'agir des distributeurs, des fournisseurs, des associations professionnelles ou de consultants externes. Les constructeurs automobiles, par exemple, demandent à leurs concessionnaires de leur fournir des estimations de vente. Ces estimations présentent les mêmes avantages et les mêmes faiblesses que celles des représentants.

Certaines entreprises préfèrent faire appel à des consultants externes. C'est le cas lorsqu'une entreprise utilise ou achète des prévisions économiques générales ou sectorielles préparées par des organismes spécialisés (par exemple, en France, le BIPE). C'est également le cas lorsqu'elle réunit un groupe d'experts en vue d'estimer la probabilité de réalisation d'un événement tel que l'apparition d'une nouvelle technologie ou un changement dans la conjoncture économique. On peut utiliser au moins trois méthodes pour recueillir ces opinions : 1) demander aux experts de se réunir et d'arriver à une estimation commune (*discussion de groupe*) ; 2) transmettre leurs estimations individuelles au coordonnateur de l'étude, qui les combinera pour en dégager une estimation finale (*synthèse d'estimations individuelles*) ; 3) leur demander de fournir leurs hypothèses en même temps que leurs estimations personnelles, puis inviter le coordonnateur à les examiner et à leur renvoyer pour un second ou même un troisième examen (méthode *Delphi*[48]). Cette troisième méthode est de plus en plus répandue.

**LE MARCHÉ-TEST** ❖ Lorsque les acheteurs ne planifient pas leurs achats ou ne concrétisent pas leurs intentions, lorsque les représentants ou les experts ne fournissent pas de bonnes estimations, il est souhaitable de tester le marché de façon plus directe. Un marché-test, c'est-à-dire la mise en vente expérimentale du produit sur une zone limitée du marché, est particulièrement utile à l'établissement de prévisions de ventes, dans le cas d'un nouveau produit ou bien d'un produit déjà existant lancé dans un nouveau circuit de distribution ou sur une nouvelle zone géographique. Les marchés-tests sont étudiés en détail au chapitre 12.

**L'ANALYSE DU PASSÉ** ❖ Des prévisions de vente peuvent également être obtenues à partir des données relatives au passé. L'analyse des *séries chronologiques* permet d'identifier tendances, cycles et effets saisonniers. Le *lissage exponentiel* élabore la prévision pour la période à venir à partir des ventes passées et des ventes en cours (pondérées plus fortement). L'*analyse statistique de la demande* s'efforce d'isoler l'impact d'une série de facteurs explicatifs (revenus, prix, etc.) tandis que l'*économétrie* vise à construire un modèle mettant en équations les paramètres fondamentaux du phénomène étudié.

CHAPITRE 5
Mesurer
la demande
et gérer
l'information

167

## *Résumé*

1. La globalisation des marchés, la nécessité accrue de comprendre l'acheteur et la diversification des formes de concurrence intensifient les besoins en information des entreprises.

2. Pour mener à bien ses missions d'analyse, de planification, de mise en œuvre et de contrôle, un responsable marketing a besoin d'élaborer un *système d'information marketing* (SIM). Le but d'un tel système est de qualifier les besoins en information et d'y répondre en obtenant et diffusant à temps l'information souhaitée.

3. Un SIM comporte quatre éléments : 1) les états comptables et financiers disponibles en interne ; 2) un système d'intelligence marketing, c'est-à-dire un ensemble de procédures permettant de renseigner en permanence l'entreprise sur tous les aspects de son environnement quotidien ; 3) des études et recherches commerciales qui consistent à recueillir, analyser et interpréter des éléments d'information spécifiques face à une situation marketing donnée ; 4) des supports informatisés d'aide à la décision qui aident le manager à utiliser l'information dont il dispose pour réduire l'incertitude attachée à un plan d'action.

4. Une société peut effectuer elle-même ses études de marché ou bien les confier à des partenaires externes. Une bonne étude s'appuie sur la démarche scientifique, fait appel à la créativité, adopte une approche pluri-méthodes, aboutit à un modèle d'analyse pertinent, présente un rapport coût/bénéfice favorable, et respecte l'éthique.

5. Mener à bien une étude suppose que l'on définisse clairement le problème posé ; que l'on conçoive un plan d'étude adapté ; que l'on recueille et que l'on analyse l'information correspondante dans de bonnes conditions ; que l'on présente au management les résultats obtenus ; et, enfin, que les responsables marketing puissent prendre une décision en connaissant mieux la situation du marché. En pratique, il faut décider si l'on préfère recueillir directement les données sur le terrain ou bien avoir recours aux sources d'information secondaire ; il faut aussi choisir un mode de recherche (observation, expérience, données comportementales, réunion de groupe, enquête), un instrument de recueil (questionnaire, guide d'entretien), un plan d'échantillonnage (aléatoire, quota) et une méthode de contact (face-à-face, téléphone, courrier, Internet).

6. Identifier les opportunités présentes sur le marché est l'une des raisons majeures pour une entreprise de faire appel aux études de marché. Pour évaluer ces opportunités et décider lesquelles exploiter, l'entreprise doit pouvoir disposer d'une prévision des ventes, obtenue à partir d'une estimation de la demande.

7. Il existe deux types de demande : la demande du marché et la demande de l'entreprise. On peut estimer la demande actuelle en mesurant d'abord le marché potentiel total puis les ventes du secteur, et enfin la part du marché. Pour estimer la demande future, on peut avoir recours aux enquêtes d'intention d'achat, aux estimations de la force de vente, aux opinions d'experts, aux marchés-tests ou aux méthodes d'analyse statistique du passé.

# Notes

1. Gérard Mermet, *Francoscopie 2001* (Paris : Larousse, 2000).

2. G. Demory et R. Spizzichino, *Les Systèmes d'information en marketing* (Paris : Dunod, 1969), p. 2. Voir aussi S. Loutrel, «SIM : Les Systèmes d'information marketing», *Marketing mix*, n° 41, 1990.

3. *Marketing magazine*, «Centraliser pour mieux gérer», avril 2002, pp. 67-73.

4. «Le marketing concret d'Allibert», *L'Usine nouvelle*, 28 août 1980, pp. 60-61.

5. Jean-Luc Gianneloni et Éric Vernette, *Études de marché* (Paris : Vuibert, 2001, pp. 29-53).

6. Yves Evrard et Patrick Le Maire, «L'Utilisation des études et recherches marketing dans les grandes entreprises françaises» dans *The Challenges Facing Marketing Research : How To Meet Them ?*, Esomar Congress Proceedings, 1974, pp. 301-321.

7. *CB News*, «Les études gagnent du terrain», 20 mai 2002, pp. 28-38 et *Marketing magazine*, «Le top 100 des instituts d'études Marketing et Opinion 2001», juin-août 2002, pp. 6-14.

8. Voir l'annuaire de l'Adetem, 30, rue d'Astorg, Paris 8ᵉ.

9. Sur la relation entre la société d'étude et son client, voir Patrick Nicholson, «Marketing : Réconcilier les hommes d'étude et les décideurs», *Revue française de gestion*, janv.-fév. 1987, pp. 22-32. Voir aussi Donald R. Lehmann, Sunil Gupta, et Joel Steckel, *Market Research* (Reading, MA: Addison-Wesley, 1997).

10. Voir Yves Evrard, Bernard Pras et Elyette Roux, *Market : études et recherches marketing* (Paris : Dunod, 2000).

11. Paco Underhill, *Why We Buy : The Science of Shopping* (New York : Simon & Chuster, 1999).

12. Voir par exemple, A. C. Bemmaor et D. Mouchoux, «Effet des réductions de prix et de la publicité sur les ventes en magasin : un plan factoriel», *Recherche et Applications en Marketing*, 1992, vol. 7, n° 2, pp. 27-47. Sur les problèmes posés par la construction des expériences, on lira avec intérêt P. Chapouille : *Planification et analyse des expériences* (Paris : Masson, 1973).

13. B. Dubois et A. Quaghebeur, «Les consommateurs font-ils ce qu'ils disent ?» Actes du congrès AFM 1997.

14. Voir A. C. Farrell, «Les Réunions de groupe : Comment obtenir des résultats fiables», *Revue française de marketing*, nov.-déc. 1977, pp. 3-20 ; T. Greenbaum, *The Handbook of Focus Group Research* (Lexington : Lexington Books, 1993).

15. Jean-Philippe Galan et Éric Vernette, «Vers une quatrième génération : les études de marché *on line*», *Décisions marketing* n° 19, janvier 2000, pp. 39-52 ; «Communications : Getting a line on customers», *Inc. Tech*, 1996, p. 102 et «On-line focus groups reshape market research industry», *Marketing News*, 12 mai 1997, p. 28.

16. Voir Jean Perrien, «Études et recherches en marketing», *Encyclopédie du management* (Paris : Vuibert, 1992, tome 1, pp. 705-714) ; Jacques Antoine, *L'Enquête par sondage* (Paris : Dunod, 1981) ; et M. Deroo et A.-M. Dussaix, *Pratique et analyse des enquêtes par sondage* (Paris : PUF, 1980).

17. Voir Harper Boyd et R. Westfall, «Procédure d'élaboration d'un questionnaire», *Encyclopédie du marketing* (Paris : Éditions techniques, 1977), pp. 2-27A et J.-P. Grémy, «Les expériences françaises sur la formation des questions d'enquête», *Revue française de sociologie*, 1987, vol. 28, pp. 567-599.

18. Voir Éric Fouquier, «Les études qualitatives en France en 1999», *Décisions marketing* n° 19, janvier 2000, pp. 97-102 et Élisabeth Tissier-Desbordes, «Les études qualitatives dans un monde postmoderne», *Revue française du marketing* n° 3-4, 1998, pp. 39-49.

19. Voir J.-L. Giannellonni et E. Vernette, *op. cit.* et Y. Evrard, B. Pras et E. Roux, *op. cit.* Voir aussi G. Michelat, «Sur l'utilisation de l'entretien non directif en sociologie», *Revue française de sociologie*, 1975, 16, pp. 229-242.

20. L. Bardin, *Analyse de contenu* (Paris : PUF, 2001).

21. Pour un exemple, voir J.-N. Kapferer et J.-C. Thoenig, «Une analyse empirique des effets de l'imitation des marques par les contremarques : mesure des taux de confusion au tachytoscope», *Rapport de recherche*, Groupe HEC, 1991.

22. *Advertising Age*, «O&M turns reality TV into research tool», 10 juillet 2000 ; Brian Wansink, «New techniques to generate key marketing insights», American Marketing Association : Marketing Research (été 2000).

23. Voir J.-M. Grosbras, *Méthodes statistiques des sondages* (Paris : Economica, 1987) ; voir aussi Anne-Marie Dussaix et Jean-Marie Grobras, *Les sondages : Principes et méthodes* (Paris : PUF, Que sais-je, 1993).

24. Voir Philippe Tassi, «La Qualité des enquêtes téléphoniques» dans *La Qualité de l'information dans les enquêtes* (Paris : Dunod, 1992).

25. Voir Jean-Pierre Helfer et Michel Kalika, «La Cohérence interne dans les enquêtes par interview», *Recherche et Applications en Marketing*, 1988, n° 1, pp. 1-14.

26. Jean-Philippe Galan et Éric Vernette, «Vers une quatrième génération : les études de marché *on line*», *Décisions marketing* n° 19, janvier 2000, pp. 39-52 ; Yves Aragon, Sandrine Bertrand, Magali Cabanel et Hervé Le Grand, «Méthodes d'enquête par Internet : leçons de quelques expériences», *Décisions marketing* n° 19, janvier 2000, pp. 29-38 ; et Fraser Frost, «Internet et les études de marché», *Revue française du marketing* n° 177/178, 2000, pp. 169-185.

27. Voir Kevin J. Clancy et Robert S. Shulman, *The Marketing Revolution : A Radical Manifesto for*

*Dominating the Marketplace* (New York : Harper-Business, 1991).

28. Voir Jean-François Boss et Denis Lindon, « L'Efficacité des études de marché », *Revue française de marketing*, 1991, n° 134, pp. 35-49.

29. John D. C. Little, « Decision Support Systems for Marketing Managers », *Journal of Marketing*, été 1979, p. 11 ; voir également le numéro spécial de la revue *Marketing Science* sur la prise de décision managériale, vol. 18, n° 3, 1999.

30. Gary L. Lilien et Arvind Rangaswamy, *Marketing Engineering: Computer-Assisted Marketing Analysis and Planning* (Reading, MA: Addison-Wesley, 1998) ; voir aussi leur ouvrage *Marketing Management and Strategy : Marketing Engineering Applications* (Reading : Addison-Wesley, 1999).

31. John D. Little, « BRANDAID : A Marketing Mix Model - Part. I : Structures ; Part. II : Implementation », *Operations Research*, 1975, pp. 628-673.

32. Leonard Lodish, « CALLPLAN : An Interactive Salesman's Call Planning System », *Management Science*, déc. 1971, pp. 25-40.

33. David Montgomery, Alvin Silk, et C. Zaragoza, « A Multiple-Product Sales-Force Allocation Model », *Management Science*, décembre 1971, pp. 3-24.

34. S. Hess et S. Samuels, « Experiences with a Sales Districting Model: Criteria and Implementation », *Management Science*, décembre 1971, pp. 1-35.

35. John D. Little et Leonard Lodish, « A Media Planning Calculus », *Operations Research*, janv.-fév. 1969, pp. 1-35. Ce modèle ainsi que les deux précédents sont décrits dans Gary Lilien, Philip Kotler et K. Shridar Moorthy, *Marketing Models* (Englewood Cliffs : Prentice-Hall, 1992).

36. Raymond Burke, Arvind Rangaswamy, Jerry Wind et Jehoshua Eliashberg, « Aknowledge-Based System for Advertising Design », *Marketing Science*, 1990, vol. 9, n° 3, pp. 212-229.

37. Magid Abraham et Leonard Lodish, « PROMOTER : An Automated Promotion Evaluation System », *Marketing Science*, printemps 1987, pp. 101-123.

38. John Little, « Cover Story : An Expert System to find the News in Scanner Data, » Sloan School, MIT Working Paper, 1988.

39. Jean-Marie Choffray et Jean-Claude Tarondeau, « SADPRIX : Logiciel interactif de diagnostic, d'analyse et d'aide à la fixation des prix », *ESSEC : Document de recherche*, avril 1991. Ce modèle et le précédent sont décrits brièvement dans Yves Évrard *et al., op. cit.*, pp. 550-555.

40. Source : Médiamétrie sur www.journaldunet.com

41. Pour une présentation de ces différents facteurs, voir Gary Lilien, Philip Kotler et K. Shridar Moorthy, *Marketing Models* (Englewood Cliffs : Prentice-Hall, 1992).

42. Voir les sites internet de Dun & Bradstreet (www.dbfrance.com) et de Kompass (www.kompass.fr).

43. Institut Proscop, 25, rue Marbeuf, Paris 8e. www.proscop.ifrance.com/proscop

44. Voir par exemple les enquêtes de l'Insee sur les intentions d'achat des ménages (7 500 ménages interrogés trois fois par an).

45. Voir Bases : *Un système de marketing management permettant de réduire le coût et le risque afférents au développement des nouveaux produits*. Document Burke Marketing Research. Paris.

46. Voir le site www.acupoll.com

47. Pour des exemples concrets, voir Renaud de Maricourt, « Prévisions des ventes : il faut faire confiance aux vendeurs », *Revue française de gestion*, nov.-déc. 1982, pp. 63-70.

48. Norman Dalkey et Olaf Helmer, « An experimental application of the Delphi Method to the use of experts, » *Management Science*, Avril 1963, pp. 458-67 ; Roger Best, « An experiment in Delphi Estimation in Marketing Decision Making, » *Journal of Marketing Research*, November 1974, pp. 447-52. Pour une présentation détaillée des méthodes de prévision des ventes, voir Scott Armstrong (ed.), *Principles of Forecasting : A Handbook for Researchers and Practitioners* (Norwell : Kluwer Academic Publishers, 2001).

# Surveiller l'environnement

*« Aujourd'hui, il faut
courir plus vite
pour rester à la même place. »*

Les entreprises performantes réexaminent inlassablement leurs activités en les replaçant dans leur contexte d'évolution. Elles reconnaissent que l'environnement commercial est en perpétuelle mutation. De nouvelles idées, de nouveaux produits, de nouveaux modes de communication et de distribution apparaissent continuellement, constituant autant d'opportunités pour les entreprises qui savent les anticiper ou s'y adapter, mais aussi de menaces pour celles qui ne savent pas les identifier. Ainsi :

■ LEGO. En 1998, Kjeld Kirk Kristiansen, le PDG propriétaire de Lego, annonça pour la première fois de l'histoire de sa société des licenciements correspondant à 10 % des effectifs. Avec une perte de 38 millions d'euros pour un chiffre d'affaires de 1,2 milliard, celui qui fut jusqu'au milieu des années 1990 le leader mondial du jouet est désormais fragilisé. La cause ? Les enfants eux-mêmes qui dès sept ans abandonnent les jouets traditionnels pour les jeux vidéo. « Tous les cinq ans, explique-t-on chez Toys "R" Us, l'âge où l'on cesse d'empiler les briques recule d'un an. » Aujourd'hui, le groupe chasse sur de nouvelles terres avec une ligne de vêtements et... une gamme de jeux vidéo utilisables sur PC ou Playstation (jeux d'échec, Island Xtreme, Drome Racers, Rock Raiders, etc.)[1].

Les entreprises qui ne réussissent pas à tirer parti des opportunités qui leur sont offertes ou qui ne comprennent pas le sens des évolutions du monde qui les entoure, finissent tôt ou tard par péricliter.

C'est l'une des responsabilités majeures du marketing que de surveiller en permanence l'environnement commercial. Même si tout manager se doit d'être à l'écoute du monde qui l'entoure, on attend d'un responsable marketing qu'il puisse, à l'aide des outils et des méthodes étudiés au chapitre précédent, détecter toute situation susceptible de justifier une modification de la stratégie de l'entreprise. Dans ce chapitre, nous examinons les éléments du macro-environnement qui peuvent l'affecter. Dans les trois suivants, nous nous intéresserons aux autres facteurs externes : les consommateurs, la clientèle d'entreprise et les concurrents.

## L'analyse des besoins face aux tendances du macro-environnement

Les besoins non satisfaits sont en nombre infini. Une entreprise ferait fortune qui offrirait un médicament guérissant du cancer, un produit de désalinisation de l'eau de mer, ou encore une voiture électrique bon marché à longue autonomie.

Parfois, certaines entreprises parviennent à créer de nouvelles habitudes : le Club Med a inventé un nouveau style de vacances ; Sony, une nouvelle façon d'écouter de la musique dans la rue et Federal Express, un nouveau mode d'acheminement du courrier urgent.

En général, les opportunités se décèlent à travers l'analyse des *tendances*.

❖ Une *tendance* est une ligne d'évolution majeure et durable de la société.

Une tendance se distingue d'une mode en ce qu'elle est plus durable et davantage porteuse de sens. Elle exerce une influence profonde sur les phénomènes de consommation. La détecter suffisamment à l'avance permet à une entreprise de jouir d'un avantage concurrentiel.

La futurologue Faith Popcorn a cru déceler seize tendances de fond affectant le monde de la consommation (voir encadré 6.1). La plupart d'entre elles rejoignent les tendances actuelles de la société française, décrites dans l'encadré 6.2.

Tous ces éléments doivent retenir l'attention des responsables marketing. En général, il est en effet plus judicieux de se mouler dans le courant des tendances dominantes que de s'y opposer. En même temps, détecter une tendance ne suffit pas. Il faut que la technologie soit disponible et qu'un nombre suffisamment important de clients potentiels soient intéressés. Ainsi, l'e-book, livre électronique portable, répond à la tendance actuelle de mobilité et de nomadisme. Pourtant, il n'est pas certain qu'un nombre suffisant de consommateurs soient prêts à payer un prix élevé pour un tel produit et l'entreprise Cytale, pionnière de l'e-book en France, a connu des difficultés. C'est pourquoi l'identification des tendances doit être complétée par des études de marché de qualité.

# Les forces du macro-environnement et leur évolution

Une entreprise évolue avec ses fournisseurs, ses intermédiaires, ses clients, ses concurrents et ses publics dans le contexte global d'une société. Les structures de cette société ont un impact profond sur l'entreprise, mais celle-ci n'a guère d'emprise sur elles. Ce sont des facteurs «incontrôlables», auxquels l'entreprise doit s'adapter. On peut décomposer les forces du macro-environnement en six principaux éléments : la démographie, l'économie, les ressources naturelles, la technologie, le dispositif politico-légal et le contexte socioculturel. Ces éléments sont successivement étudiés dans les paragraphes suivants.

## L'environnement démographique

Le premier élément constitutif de l'environnement d'une entreprise est *la population*, qui est le réservoir de ses marchés. Un responsable marketing s'intéresse de près aux différentes caractéristiques de la population : taille, répartition par âge, structure familiale, distribution géographique, niveau d'éducation, composition ethnique et religieuse.

L'EXPLOSION DÉMOGRAPHIQUE MONDIALE ❖ En 1650, la population mondiale s'élevait à 500 millions d'habitants et croissait au rythme de 0,3 % par an, c'est-à-dire doublait tous les 250 ans. Elle comptait 6,1 milliards d'habitants en l'an 2000 et devrait atteindre 7,9 milliards en 2025[2]. Si le monde était un village de 1 000 habitants, il rassemblerait 520 femmes et 480 hommes ; 330 enfants et 60 personnes de plus de 65 ans ; 10 diplômés de l'enseignement supérieur et 335 analphabètes ; 52 Nord-Américains, 55 Russes, 84 Sud-Américains, 95 Européens, 134 Africains et 584 Asiatiques ; 329 chrétiens, 178 musulmans, 132 hindous, 62 bouddhistes, 3 juifs, 212 non religieux ou athées, et 84 personnes pratiquant une autre religion[3].

Le rythme de croissance de la population a préoccupé de nombreux pays et gouvernements dans le monde. Deux problèmes semblent avoir particulièrement retenu l'attention. D'abord, on a pris conscience de l'existence d'une limite des ressources naturelles de la planète face à l'explosion démographique et aux exigences croissantes en matière de niveau de vie. Publié

# Les tendances identifiées par Faith Popcorn

Faith Popcorn a créé un cabinet de conseil, appelé BrainReserve, qui offre à de nombreux clients (Black & Decker, Hoffman-La Roche, Nissan...) un diagnostic sur les tendances d'évolution affectant le monde économique à partir d'interviews de consommateurs. Elle a en particulier identifié les tendances suivantes :

♦ *Le cocooning* : on s'abonne au câble, on commande des pizzas à domicile, on aménage avec soin l'intérieur de sa voiture, on s'inscrit sur la liste rouge du téléphone et on s'équipe en système d'alarme.

♦ *L'évasion* : la tendance à moins travailler, voire à arrêter de travailler, pour privilégier une meilleure qualité de vie concerne notamment les cadres stressés qui partent vivre à la campagne pour ouvrir un petit restaurant ou une petite entreprise.

♦ *Le jeunisme* : pour se sentir et vouloir paraître moins que son âge réel, certains seniors s'habillent jeune, se teignent les cheveux, ont recours à la chirurgie esthétique et optent pour des vacances aventureuses.

♦ *L'« égonomie »* : la tendance à vouloir affirmer sa différence et son unicité pousse les consommateurs à rechercher des produits et services sur mesure.

♦ *L'aventure imaginaire* : les individus recherchent de nouvelles émotions nourries d'exotisme et de mysticisme (vacances au bout du monde, nourriture et ameublement exotiques...)

♦ *Les « cent vies »* : chacun s'efforce de remplir au mieux une multitude de rôles de plus en plus différenciés. De nombreuses femmes, par exemple, cherchent à réussir leur vie professionnelle tout en étant des mères parfaites, des épouses attentives et des militantes actives dans des associations locales.

♦ *S.O.S (save our society)* : on désire une société plus responsable, plus éthique, plus généreuse et plus respectueuse de l'environnement.

♦ *Les « petites récompenses »* : l'individu s'accorde des petits plaisirs une fois de temps en temps, qu'il s'agisse de la dégustation d'une glace Häagen-Dazs, de l'achat d'un pull coûteux ou d'une escapade à Venise le temps d'un week-end.

♦ *L'hédonisme* : on recherche le plaisir instantané au détriment du contrôle de soi et des modes de vie ascétiques.

♦ *La survie :* on supporte de moins en moins bien l'idée de sa propre mort. On fait attention à ce que l'on mange et l'on entretient son corps avec soin. Cette tendance est à l'origine du développement des aliments aux vertus médicales, les « alicaments ».

♦ *La consommation vigilante* : les consommateurs privilégient le rapport qualité/prix. Ils cherchent à « consommer malin » en profitant des rabais et des promotions. Ils ne veulent plus se « faire avoir » par des produits inadaptés ou des services défaillants. S'ils ne trouvent pas ce qu'ils cherchent, ils renoncent tout simplement à acheter.

♦ *L'ancrage* : il s'agit du recours à des pratiques anciennes dans le cadre d'un style de vie moderne, l'aromathérapie ou la méditation par exemple.

♦ *Le tribalisme* : de plus en plus d'individus entrent dans des communautés, plus ou moins stables, constituées autour de passions ou de centres d'intérêt communs (par exemple les fans de Harley Davidson); ces communautés créent du lien social et aident à mieux faire face à notre monde chaotique.

♦ *La remise en cause des idoles* : cette tendance consiste à favoriser des produits et des organisations de petite taille et d'envergure locale.

♦ *La pensée féminine* : on considère qu'hommes et femmes ont des modes d'action et de pensée différents.

♦ *Le nouvel homme* se caractérise par des valeurs distinctes du stéréotype classique du « macho viril et fort » et correspond au développement des « nouveaux pères » et des « nouveaux époux » attentionnés.

---

*Sources : Le Rapport Popcorn* (Paris : Éditions de l'homme, 1994). Voir également Faith Popcorn et L. Marigold, *Clicking* (Montréal : Éditions de l'Homme, 1996).

# Les tendances de la société française

Gérard Mermet analyse en permanence les tendances de la société française. Selon lui, cinq grands principes traversent la société contemporaine : la recherche du *plaisir* immédiat, «ici et maintenant» ; le primat de *l'émotion* sur la raison, qui apparaît dans la programmation des médias et dans la recherche de loisirs générateurs d'émotion ; la référence à un monde *virtuel* parfois déconnecté de la réalité ; la préoccupation de *l'immédiateté* au détriment du long terme dans la réflexion individuelle et collective ; et, enfin, la *difficulté à appréhender la réalité*, voire à la connaître, dans un monde où l'information est surabondante et souvent invérifiable.

Ces principes se retrouvent dans quatre tendances lourdes que connaît la société française :

1. *La convergence des modes de vie et des valeurs* entre la France et le reste du monde se traduit, par exemple, dans la référence croissante aux pratiques adoptées dans d'autres pays (notamment européens) et dans la tendance au métissage des styles, des idées et des objets. Ainsi, la musique latino s'est imposée, les créateurs de mode s'inspirent de l'Asie et de l'Afrique, et l'on se nourrit de plus en plus de cuisines exotiques (tex-mex, japonais, etc.). On observe également une convergence entre les groupes sociaux, avec la réduction des distances sociales, et entre les sexes avec le rapprochement des modes de vie des hommes et des femmes.

2. *La mobilité* réside à la fois dans les modes de vie nomades, dans la succession des vies familiales au gré des aléas de la vie conjugale, et dans l'apparition de nouveaux groupes éphémères auxquels les individus se réfèrent : les «tribus». Celles-ci se constituent dans le monde réel ou virtuel à partir d'une caractéristique commune (une passion pour un sport, un chanteur, un acteur, l'intérêt pour la préhistoire ou la bande dessinée, etc.). Ces groupements sont souvent peu durables car les passions se renouvellent à un rythme accéléré. La consommation incarne cette tendance au zapping avec des changements fréquents de produits, de marques, d'enseignes, selon l'humeur des individus, leurs évolutions personnelles et les offres qui leur sont faites.

3. *L'hédonisme* correspond à la volonté de trouver du plaisir à court terme en vivant intensément chaque moment de la vie quotidienne. Le travail est désacralisé et le droit au loisir est considéré comme aussi important que le droit à l'emploi. Cette tendance a de fortes implications en matière de consommation, à travers la multiplication des achats d'impulsion et la recherche de satisfactions plus sensorielles qu'intellectuelles. Le marketing sensoriel incite, par exemple, les industriels à entreprendre des recherches sur l'odorat tandis que les responsables des magasins accordent davantage d'importance à l'ambiance sonore et visuelle des points de vente.

4. *L'autonomie*, enfin, résulte des tendances précédentes et d'une moindre dépendance à l'environnement familial, institutionnel et social. Les certitudes ont disparu dans de nombreux domaines (religion, politique, science) et les individus s'affirment davantage comme des êtres indépendants et uniques, susceptibles de maîtriser leur destin. En contrepartie, de nombreux individus ressentent aujourd'hui la nécessité de «réussir leur vie» dans un système social de plus en plus exigent et concurrentiel.

Au-delà de ces grandes tendances, certains cabinets spécialisés identifient régulièrement les courants qui affectent la consommation. Par exemple, TNS Media Intelligence publie les *Systèmes d'information médias marchés (SIMM)* après l'interrogation de 10 000 personnes. Parmi les courants identifiés en 2002, on trouve un recentrage très marqué sur la personne autour du *moi*, de la famille et de la maison ; la recherche du plaisir ; le besoin de sécurité à travers, par exemple, la valeur de la marque, le bio santé ou la recherche d'information caution ; l'utilitarisme ; la mobilité. Les comportements d'achat se caractérisent par une ouverture nouvelle au commerce électronique qui commence à s'installer dans la vie quotidienne ; un intérêt marqué pour les centres commerciaux, lieux de courses et de plaisir ; la recherche des bonnes affaires, qu'il s'agisse des produits premiers prix, des soldes ou des fins de séries ; et un regard nuancé sur les marques de grande consommation.

*Sources* : Gérard Mermet, *Francoscopie 2003* (Paris : Larousse, 2002) et *Francoscopie 2001 : comment vivent les Français ?* (Paris : Larousse, 2000) ; *LSA*, «Les nouveaux courants de la consommation», 7 novembre 2002, p. 26.

CHAPITRE 6
Surveiller
l'environnement

en 1972, l'ouvrage *Halte à la croissance* a démontré qu'une croissance non contrôlée de la population et de la consommation conduirait à une insuffisance de denrées alimentaires, à un épuisement des ressources minérales, à une pollution généralisée et à une détérioration progressive de la «qualité de la vie»[4]. L'une de ses recommandations essentielles était de mettre en place sans plus tarder un programme mondial de «marketing sociétal[5]».

Le second facteur de préoccupation est l'inégalité de la croissance démographique. Les pays dont la population s'accroît le plus vite sont ceux où l'on éprouve déjà le plus de difficultés à survivre. La population augmente de 2 % par an dans les pays en voie de développement, qui représentent les trois quarts de la population mondiale, contre 0,6 % dans les pays les plus riches. Les pays pauvres ont vu leur taux de mortalité s'effondrer grâce aux progrès des techniques médicales, alors que le taux de natalité s'est maintenu à un niveau élevé. La capacité de ces pays à nourrir, vêtir et éduquer leurs habitants est de plus en plus réduite. En outre, ce sont les familles les plus pauvres qui ont le plus d'enfants, ce qui renforce le cycle de la pauvreté.

La croissance démographique revêt une importance considérable pour le monde des affaires. Un accroissement de population entraîne un accroissement des besoins, donc un développement des marchés, mais lorsque la demande exerce une forte pression sur les ressources existantes, les prix ont tendance à augmenter et le pouvoir d'achat s'amenuise.

La France compte 61 millions d'habitants. Les évolutions démographiques les plus marquantes sont les suivantes :

**LE VIEILLISSEMENT DE LA POPULATION** ❖ L'espérance de vie ne cesse de s'accroître en France, grâce à une médecine de plus en plus efficace. De 67 ans en 1960 pour les hommes, l'espérance de vie est passée à 75 ans aujourd'hui pour les hommes et 81 ans pour les femmes. De tels chiffres annoncent pour les années à venir une modification sensible de la structure par âge.

Le groupe des moins de 20 ans compte aujourd'hui 15 millions de personnes (25 % de la population française) et en comptera moins de 13,5 millions (21 %) en 2050. En conséquence, les fabricants de produits destinés aux enfants (jouets, vêtements) et aux adolescents (téléphones portables, jeux vidéo, disques, vêtements) doivent veiller à éviter la surcapacité. En parallèle, il faut tenir compte des évolutions de pouvoir d'achat : en cinq ans, le montant de l'argent de poche détenu par les 11-20 ans a augmenté d'un tiers ; il atteint aujourd'hui 3 milliards d'euros. Malgré sa baisse en nombre, cette cible est aujourd'hui prisée par de nombreuses marques[6].

■ **POWERADE**, la nouvelle boisson de Coca-Cola destinée aux 13-25 ans, a organisé pendant deux mois les PowerAde Sessions, jeux en ligne qui permettent de cumuler des points. L'objectif était pour les 200 meilleurs d'affronter directement le champion du monde de football Thierry Henry durant une journée lors du mois de janvier 2003. Cette opération rassemblait plusieurs caractéristiques susceptibles de séduire les jeunes : dimension ludique, humour, connotation technologique et présence sur Internet à un âge de grande utilisation des forums de discussion et du SMS.

Les 4-11 ans, souvent de véritables «enfants rois», constituent eux aussi une cible choyée qui règne sur près de 40 % des dépenses de la famille avec un rôle de prescripteur dans de nombreuses catégories de produits (alimentaire, habillement, automobile, équipement…).

■ **CHAIR DE POULE.** Même avant le phénomène Harry Potter, l'édition jeunesse connaissait une forte croissance. Avec un chiffre d'affaires de 203 M€ en 2000, elle représente aujourd'hui plus de 18 % du marché total de l'édition en volume (10 % en valeur). Régulièrement, une nouvelle collection ou une nouvelle série suscitent un engouement et se diffusent rapidement dans les cours de récréation. Ainsi, les ouvrages de la collection «Chair de poule» des éditions Galli-mard-Bayard Jeunesse se sont vendus à 2,5 millions d'exemplaires. Ayant observé que les enfants adorent avoir peur, l'éditeur a inventé les «livres dont vous êtes le héros», véritables objets ludiques visant à faire de la lecture un plai-sir. Pour accrocher le lecteur, on insère un court extrait de l'ouvrage dans les annonces publicitaires. On joue également sur l'effet de collection avec le lance-ment d'un nouveau titre tous les mois afin de créer un rendez-vous avec les enfants[7].

Les générations suivantes, âgées de 25 à 60 ans, diminueront elles aussi en nombre et en proportion dans les décennies à venir, passant de 28,1 millions (47 %) aujourd'hui à 26,1 (40 %) en 2050. Cette évolution affectera de nom-breux secteurs d'activité, depuis les crédits bancaires jusqu'à l'ameublement et aux loisirs sportifs.

À l'inverse, les plus de 60 ans verront leur part augmenter considérable-ment, passant de 12,1 millions (20 %) aujourd'hui à 18,3 (29 %) en 2025 et 22,0 (34 %) en 2050[8]. Ce marché représente un potentiel considérable (voir encadré 6.3).

Ces évolutions affectent non seulement le potentiel commercial de cer-taines catégories de produits, mais également les pratiques marketing. Elles déterminent le choix des médias publicitaires et des thèmes développés dans les campagnes de communication. Les habitudes d'exposition à la télévision, par exemple, varient selon l'âge des individus : près de 2 h 30 par jour pour les plus de 60 ans, contre moins de 2 heures pour les 4-10 ans[9]. Les professionnels s'interrogent sur la pertinence d'élaborer des campagnes publicitaires inter-générationnelles ou de parler distinctement à chaque tranche d'âge. Certains experts soulignent le risque de se couper d'une génération en concevant un message particulièrement parlant pour une autre tranche d'âge[10].

Au-delà de l'âge réel des individus, il faut également tenir compte de leur *âge subjectif*, c'est-à-dire de l'âge qu'ils ont le sentiment d'avoir[11]. Si la plupart des personnes de plus de 20 ans se sentent plus jeunes que leur âge, le déca-lage entre l'âge réel et l'âge subjectif s'accroît substantiellement à partir de 50 ans et l'âge subjectif devient alors un outil de segmentation complémen-taire de l'âge réel.

LA BAISSE DU NOMBRE DE PERSONNES PAR MÉNAGE ❖ Un ménage compte aujourd'hui en moyenne 2,40 personnes contre 2,57 en 1990 et 2,88 en 1975. Cette évolution résulte de plusieurs phénomènes anciens : la baisse du nombre de mariages, la survenance plus tardive du mariage, la baisse de la natalité, la fréquence accrue des divorces et l'activité professionnelle crois-sante des femmes. Cependant, quelques-unes de ces évolutions se sont récem-ment inversées. Les mariages, plus rares jusqu'en 1996, se sont multipliés depuis pour atteindre des nombres inégalés depuis 20 ans. Les femmes se marient plus jeunes, à 28 ans en moyenne en 1999 contre 30 ans deux ans plus tôt. La natalité, en baisse jusqu'en 1997, a depuis progressé ; on évoque même un mini-baby boom pour 2000 et 2001, phénomène qui s'est toutefois estompé en 2002 avec la diminution du nombre de femmes en âge de procréer[12]. Le taux de fécondité des femmes atteint aujourd'hui 1,9 contre 1,7 en 1993, pla-çant la France en deuxième position en Europe derrière l'Irlande. L'âge de la première maternité reste stable à 29 ans. Ces évolutions récentes constituent autant d'opportunités pour les secteurs tirant une partie importante de leur activité du mariage (la bijouterie par exemple) et des naissances (couches, layette, jouets, etc.).

Le nombre de personnes vivant seules a fortement augmenté et atteint aujourd'hui 31 % de la population[13], qu'il s'agisse de personnes n'ayant jamais été mariées, de veufs et de veuves, ou de personnes divorcées ou séparées.

Une telle évolution donne naissance à toute une variété de nouveaux besoins (voir encadré 6.4). Plus d'un enfant sur dix (12 %) vit avec un seul de ses parents, le plus souvent sa mère (85 %).

Parallèlement, un couple sur six n'est aujourd'hui pas marié. L'union libre est désormais un mode de vie durable et non plus une période préalable au

---

**6.3**

# Le marché des seniors

Vingt millions de Français ont plus de 50 ans (soit 32 % de la population). Les « papis et mamies » bénéficient du plus haut revenu par tête (revenu disponible total de 150 milliards d'€) et font preuve d'un bel appétit de consommation dans pratiquement tous les domaines.

Jean-Paul Tréguer, fondateur de la Senior Agency (http://www.seniorplanet.fr), répartit en fait les seniors en quatre groupes :

**1. Les « masters »** (50-59 ans). Ils disposent du revenu maximum et sont parvenus à l'« été indien » de leur vie. Encore en bonne santé, ayant remboursé leurs emprunts, débarrassés de leur progéniture, ils peuvent enfin réaliser tous leurs rêves et assouvir toutes leurs envies. Ils constituent de ce fait une cible marketing de premier ordre, notamment pour le confort de la maison, l'alimentation haut de gamme, les loisirs et voyages.

**2. Les libérés** (60-74 ans). Dégagés de leurs obligations professionnelles, les 8 millions de libérés commencent une nouvelle vie, sans contraintes ni horaires imposés. Ils vont enfin « prendre leur temps » et se documenter, comparer avant de faire leur choix. Consommateurs exigeants, ils acquièrent aussi un nouveau statut vis-à-vis de leurs petits-enfants qu'ils couvrent de jeux et jouets et emmènent au cinéma ou au restaurant. Peu surprenant que McDonald's leur réserve une place de choix dans sa communication.

**3. Les paisibles** (75-84 ans), aujourd'hui au nombre de 3 millions qui ont énormément de temps libre mais un pouvoir d'achat affaibli. Leurs dépenses prioritaires vont à l'alimentaire et surtout à la santé. Sensibles aux écarts de climat, ils sortent moins mais deviennent de gros consommateurs de loisirs « passifs » : radio et télévision.

**4. Enfin**, les « grands aînés » (85 ans et plus), concernés par les problèmes de santé et de dépendance.

Face au marché des seniors, la plus grande erreur marketing serait de les enfermer dans le ghetto de l'âge et de ses problèmes en les représentant aigris, blasés et stéréotypés. Il faut au contraire appréhender leurs besoins spécifiques sur un mode positif. Il faut également tenir compte de leurs comportements d'achat spécifiques : fidélité à la marque renforcée, forte aversion pour le risque, prise en compte d'un nombre réduit d'alternatives lors des achats et valorisation des marques connues de longue date, comme les grandes marques nationales. Ces tendances résultent en partie de l'évolution des capacités cognitives avec l'âge. Elles apparaissent dès 60 ans et se renforcent après 75 ans.

Les succès marketing auprès des seniors sont déjà nombreux : *Notre Temps*, un magazine spécialisé qui dépasse le million d'exemplaires, France Télécom avec son combiné téléphonique à touches bien visibles, ou encore Damart qui a remplacé son slogan « Froid ? moi, jamais » au profit d'un thème nettement plus tonique : « Ne rien vivre à moitié ».

*Sources* : Jean-Paul Tréguer, *Le Senior marketing : vendre et communiquer au marché des plus de 50 ans* (Paris : Dunod, 2002) ; Raphaëlle Pandraud, « Le rachat de la marque précédente par les consommateurs âgés : une synthèse des recherches en marketing, en psychologie sociale et cognitive, et en gérontologie », *Recherche et applications en marketing*, 2000, vol. 15, n° 4, pp. 21-42 ; « Marketing des seniors », *Points de vente*, 18 mars 1998, pp. 28-29, qui résume l'étude effectuée par le Crédoc en 1997 ; et Catherine Guérin, *Papyboom : le marketing des Seniors* (Paris : Presses du management, 1995).

mariage. Ainsi, la part des naissances hors mariage ne cesse de s'accroître : elle était de 43 % en 2000, contre 10 % en 1979 et 30 % en 1990. Ces évolutions donnent lieu à des besoins spécifiques : comptes-chèques joints, assurance double-tête, etc.

Source : www.seniorplanet.fr

---

**6.4**

# Le marché de la solitude

Aujourd'hui, en France, près d'un adulte sur trois (31 %) vit seul. Chez les hommes, le taux de célibat est plus élevé dans les catégories modestes alors que chez les femmes, ce sont les diplômées qui se marient le moins. L'accroissement du nombre de célibataires se vérifie partout en Europe. Or ces populations consomment plus que la moyenne, notamment des cosmétiques, des vêtements, des produits alimentaires diététiques, des loisirs, des médias et du multimédia.

Le marché de la solitude a suscité le développement de très nombreux produits et services. Les marques de surgelés, par exemple, ont développé les plats en portions individuelles ou portionables. Dans l'hygiène-beauté, les produits monodoses se sont multipliés.

Un dossier d'inscription sur cinq dans les agences de voyages provient d'un voyageur solitaire. Les 430 000 Français qui partent seuls chaque année représentent un marché de 230 millions d'euros. Les séjours avec animation le soir et activités dans la journée ont leurs préférences : un client sur deux du Club Méditerranée est célibataire.

Pourtant, de nombreuses marques hésitent à s'adresser explicitement à cette population car la solitude est un thème délicat. « Si la vie en solo peut être considérée comme le summum de l'autonomie, elle peut aussi être vue comme le symbole de l'échec », souligne Daniel Rapoport, sociologue. D'où la nécessité d'être prudent dans le discours publicitaire destiné à cette cible.

*Sources : CB NEWS*, « Les solitaires, futurs chouchous du marketing », 1er octobre 2001, pp. 48-49 ; INSEE, Louis Roussel, « Les ménages d'une personne », *Population*, 1983 et « La solitude : élément du *pet* marketing », *Points de vente*, 10 mai 1995, p. 17.

CHAPITRE 6
Surveiller
l'environnement

179

**LA MOBILITÉ GÉOGRAPHIQUE** ❖ Examinée sur une longue période, elle est impressionnante. Les trois mouvements les plus significatifs sont :

1. *L'attrait de la région parisienne.* La région parisienne qui rassemblait 8 millions d'habitants en 1960, en compte plus de 11 aujourd'hui. Les sept départements les plus denses de France sont tous en région parisienne : Paris (19 743 hab./km$^2$), Hauts-de-Seine (7 733), Seine-St-Denis (5 627), Val-de-Marne (4 861), Val-d'Oise (779), Essonne (570) et Yvelines (548), pour une moyenne nationale de 70. Un tel phénomène se ralentit aujourd'hui, alors que les régions de l'ouest et du sud-ouest de la France attirent davantage d'habitants[14]. Ces mouvements de population affectent de nombreux marchés, notamment l'immobilier, les médias et les loisirs.

2. *L'urbanisation.* Il n'y a pas que la région parisienne dont la population s'accroisse. Toutes les grandes villes sont affectées tandis que la population rurale s'amenuise. 75 % des Français vivent dans des communes urbaines (plus de 2 000 habitants). La moitié habitent dans des maisons individuelles dont ils sont très majoritairement propriétaires. Notons toutefois que cette évolution de long terme en faveur de l'urbanisation tend à s'infléchir, puisque les années 1990-2000 ont été caractérisées par un regain d'attraction des zones rurales[15].

   Les grandes agglomérations impliquent un rythme de vie plus rapide, un plus grand nombre d'échanges, des revenus généralement plus élevés et une variété de produits et services supérieure à celle des petites villes. Paris et les grandes métropoles régionales (Lyon, Marseille, Lille, Bordeaux, Strasbourg, Toulouse) représentent l'essentiel du marché des produits de luxe (fourrures, bijoux, parfums, haute couture) et des services culturels (théâtre, opéra).

3. *La croissance des banlieues.* Le département ayant vu sa population décroître le plus au cours de ces dernières années est Paris. La capitale qui comptait 2,8 millions d'habitants en 1960 n'en compte plus 2,1 aujourd'hui. Un tel exode vers les alentours immédiats de la capitale se constate également dans la plupart des grandes villes. Le mouvement en faveur de la banlieue a plusieurs origines : 1) le développement de l'automobile ; 2) la progression des loyers ; et 3) l'aspiration de nombreux Français à posséder leur maison individuelle. La vie en banlieue se différencie assez sensiblement de la vie citadine. Les banlieusards sont particulièrement intéressés par les produits de bricolage et d'équipement de la maison, ainsi que les outils et articles de jardin. Les distributeurs ont compris cette évolution en développant des centres commerciaux situés en périphérie.

■ **Yop.** La jeunesse des banlieues issue des cités a imposé une culture urbaine d'un nouveau genre, à laquelle de plus en plus de marques s'intéressent. Yoplait, la première, y a fait référence explicitement au milieu des années 1990 avec son slogan « J'ai craché dans mon Yop » et avec l'adoption du langage décalé des cités. Résultat : la marque, dont l'image s'était érodée auprès des jeunes, a reconquis les adolescents et connu une forte croissance (et ce même auprès des autres tranches d'âge). La saga s'est poursuivie avec, par exemple, en 2001, des ados utilisant leur Yop pour draguer[16].

**UN NIVEAU D'ÉDUCATION CROISSANT** ❖ On a assisté depuis vingt ans à la démocratisation de l'enseignement secondaire et supérieur. 70 % des jeunes générations vont aujourd'hui jusqu'en classe terminale, contre 35 % en 1985, et 38 % obtiennent un diplôme de l'enseignement supérieur contre 15 % en 1980[17]. En élevant le niveau culturel, la progression du niveau d'instruction accroît la demande pour les produits de meilleure qualité et les services de loisirs (spectacles, voyages...).

**UNE COMPOSITION ETHNIQUE DIVERSIFIÉE** ❖ De 4,4 % juste après la guerre, le pourcentage d'immigrés[18] est passé à 7,4 % aujourd'hui, soit 4,3 millions de personnes. Les nations les plus représentées sont l'Algérie, le Portugal, le Maroc, l'Italie, l'Espagne, la Tunisie et la Turquie. La coexistence de tous ces groupes a donné naissance à de multiples micro-marchés, surtout lorsque les populations immigrées se sont concentrées géographiquement comme c'est le cas à Paris (19e et 13e arrondissements notamment).

L'effet global de toutes ces évolutions démographiques a été de faire passer l'environnement commercial français d'un marché de masse à un état de *fragmentation*, donnant naissance à une mosaïque de segments définis en termes d'âge, de sexe, de niveau d'éducation, d'affiliation ethnique, ou de style de vie. Chaque micro-marché a ses préférences en matière d'alimentation, de loisirs et de mode de vie (voir encadré 6.5).

Les conséquences pour le responsable marketing sont nombreuses et significatives. Il lui est en particulier de plus en plus difficile de raisonner à partir d'un « Français moyen », devenu une fiction statistique, et de plus en plus nécessaire de définir avec soin les cibles qu'il privilégie. Le recours à des méthodes de distribution et de communication sélectives (marketing direct, Internet) se généralise. On passe progressivement d'un marketing de masse à un marketing hypersegmenté, voire individualisé.

---

**6.5**

## La timide percée du marketing communautaire

Les mini lave-linge autrichiens Eumenia, idéaux pour les célibataires, ont logiquement choisi de promouvoir leur produit dans *Illico*, mensuel gay français. Goldys, filiale de L'Oréal spécialisée dans les produits de défrisage, cible tout naturellement la clientèle des Africaines et des Antillaises en achetant des pages de publicité dans *Amina* ou *Goyav*, magazines s'adressant à la communauté Noire. La Biscuiterie Nantaise propose toute une gamme de biscuits casher.

Clin d'œil complice ou séduction ouverte, les marques s'aventurent de plus en plus souvent hors des sentiers de la communication de masse pour s'adresser à des groupes bien ciblés qui constituent pour elles autant de clientèles potentielles. Le « marketing communautaire » s'installe en France.

En permettant à des consommateurs ayant un profil minoritaire de mieux s'identifier au produit vendu, le marketing communautaire s'adapte à une société dans laquelle de multiples micro-groupes entretiennent une culture commune. Il est encore loin de connaître le développement atteint aux

États-Unis où des revues spécialisées comme *Ebony* (2 millions d'exemplaires) ou *Ser Padres* (300 000 exemplaires) sont couramment utilisées par Kellogg's, Procter & Gamble, McDonald's ou Ford. Des sociétés comme Coca-Cola ou Avon disposent même de services marketing exclusivement consacrés aux minorités. En France, les grandes marques hésitent encore à franchir le pas, face aux deux écueils qui limitent encore la portée de cette nouvelle forme de marketing : 1) le marché visé doit être suffisamment vaste pour être rentable ; 2) les campagnes de communication ne doivent pas avoir pour effet de s'aliéner les consommateurs traditionnels. Par exemple, bien que les roadsters de BMW (Z3), Fiat (Borchetta) ou Mazda (MXS) rencontrent un grand succès auprès des couples homosexuels, les constructeurs concernés se refusent à communiquer sur ce thème.

*Sources :* « Les constructeurs aiment les gays mais se cachent », *Libération*, 23 décembre 1998, p. 14 ; « Publicité : les minorités ne font pas recette », *Enjeux*, 7 mars 1996, pp. 80-82 ; « La Percée du marketing ethnique », *L'Entreprise*, 8 nov. 1995, pp. 92-96 ; voir également « L'Agroalimentaire fait une petite place aux produits casher et halal », *Les Echos*, mardi 16 mai 1995, p. 19.

Heureusement, les prévisions démographiques sont relativement fiables, et une entreprise n'a guère de chances d'être surprise par un mouvement de population inattendu. Une firme prévoyante s'efforcera de prendre connaissance des prévisions à moyen et long terme et planifiera en conséquence le développement de ses gammes de produit et de ses marchés.

## L'environnement économique

L'environnement économique affecte également l'activité des entreprises. Parmi les grandes tendances internationales, on note en particulier : l'accélération des moyens de transport et de communication, qui favorise l'internationalisation des activités et des investissements ; la tendance à délocaliser la fabrication des produits vers des pays où la main d'œuvre est peu coûteuse ; la libéralisation des échanges internationaux ; la dette élevée de nombreux pays qui fragilise le système financier international ; l'ouverture progressive de nouveaux marchés très importants comme la Chine, l'Inde, l'Europe centrale et orientale ; la tendance des entreprises multinationales à transcender leurs caractéristiques nationales pour devenir des firmes transnationales ; ou encore la multiplication des alliances stratégiques internationales (comme Renault-Nissan ou Texas Instruments-Hitachi).

Au niveau local, l'intérêt d'un marché dépend de la population, nous l'avons vu, mais également de sa santé économique. Celle-ci est fonction de trois facteurs : le pouvoir d'achat, l'épargne et le crédit.

**LA CROISSANCE DU POUVOIR D'ACHAT** ❖ L'évolution du pouvoir d'achat dépend à la fois des revenus et du niveau d'inflation. Sa croissance est un phénomène plus que séculaire. Entre 1970 et 1990, il a progressé de 50 %. La croissance s'est essoufflée entre 1990 et 1997, avant de redémarrer pendant deux ans puis de ralentir à nouveau. Depuis 1970, les retraités ont été les principaux bénéficiaires de la croissance, notamment ceux qui avaient des niveaux de vie très faibles dans les années 1970. Les salariés et les chômeurs ont également vu leur niveau de vie progresser.

La consommation des ménages a elle aussi augmenté, passant de 26 milliards d'euros en 1960 à 239 en 1980, 554 en 1990 et 796 en 2001[19].

**L'ÉPARGNE ET LE CRÉDIT** ❖ Les dépenses de consommation ne sont pas seulement liées au revenu, mais également à l'épargne et au crédit. Les foyers français consacrent aujourd'hui 16 % de leur revenu à l'épargne, contre 13 % il y a dix ans.

Le crédit continue à être largement utilisé par les ménages français. Le développement du crédit à la consommation a été l'un des principaux facteurs de la croissance économique du pays, car il a permis à de nombreuses personnes d'acheter au-delà de leurs ressources, ce qui a créé davantage d'emplois, donc de revenu et de demande. Un certain nombre de marchés tels que l'immobilier ou les biens durables restent largement tributaires des organismes de prêt.

**LA MODIFICATION DES STRUCTURES DE DÉPENSE** ❖ À mesure que le revenu se modifie, le responsable marketing peut analyser les changements intervenus dans la demande des différents biens et services. De telles évolutions ont été observées depuis 1857 par le statisticien Ernst Engel qui avait découvert que, lorsque le revenu s'élève, la part de dépenses alimentaires diminue, la part des dépenses consacrées au foyer reste stable et la part de tous les autres domaines (logement, transport, santé, loisirs) progresse. La figure 6.1 retrace, pour la France, l'évolution en pourcentage des dépenses consacrées aux différents postes budgétaires depuis quarante ans. Elle illustre ces évolutions.

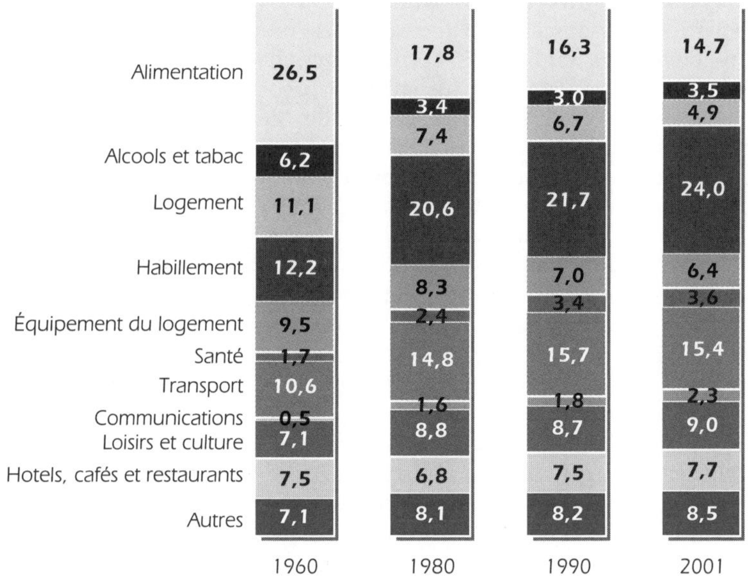

FIGURE 6.1
La structure
des dépenses
des Français

| | 1960 | 1980 | 1990 | 2001 |
|---|---|---|---|---|
| Alimentation | 26,5 | 17,8 | 16,3 | 14,7 |
| | | 3,4 | 3,0 | 3,5 |
| | | 7,4 | 6,7 | 4,9 |
| Alcools et tabac | 6,2 | | | |
| Logement | 11,1 | 20,6 | 21,7 | 24,0 |
| Habillement | 12,2 | 8,3 | 7,0 | 6,4 |
| Équipement du logement | 9,5 | 2,4 | 3,4 | 3,6 |
| Santé | 1,7 | 14,8 | 15,7 | 15,4 |
| Transport | 10,6 | | | |
| Communications | 0,5 | 1,6 | 1,8 | 2,3 |
| Loisirs et culture | 7,1 | 8,8 | 8,7 | 9,0 |
| Hotels, cafés et restaurants | 7,5 | 6,8 | 7,5 | 7,7 |
| Autres | 7,1 | 8,1 | 8,2 | 8,5 |

*Source :* Insee.

Ces lois invitent l'entreprise à examiner attentivement la façon dont les ventes de ses produits se comportent face à une modification de la structure des revenus. Dans le cas des produits alimentaires par exemple, il est probable qu'une progression des ressources se traduise par une recherche de meilleure qualité, susceptible de justifier un prix élevé[20].

## L'environnement naturel

La détérioration de l'environnement naturel est aujourd'hui une préoccupation majeure de la population. Sous l'effet d'événements aussi divers que la marée noire provoquée par l'*Erika* ou la catastrophe de Tchernobyl, un nombre de plus en plus grand de Français ont pris conscience de la nécessité de préserver l'environnement dans lequel ils vivent.

Aujourd'hui, le mouvement écologique représente en France, comme dans de nombreux pays industrialisés, une réalité. De nombreuses associations comme Greenpeace ou Les amis de la Terre font pression sur les gouvernements pour qu'ils durcissent leur réglementation et sur les entreprises pour qu'elles respectent mieux l'environnement. Les fabricants d'aérosol doivent veiller à préserver la couche d'ozone, les constructeurs automobiles développent des véhicules moins polluants, les lessiviers améliorent le caractère biodégradable des détergents et les entreprises chimiques rendent des comptes sur leurs activités. Les actionnaires se préoccupent également de l'environnement et exigent de plus en plus souvent que ce sujet soit évoqué dans les rapports d'activité des firmes quotées en bourse. En France, la loi NRE l'a même rendu obligatoire depuis 2003. Les responsables marketing, quant à eux, doivent se soucier de l'impact (positif ou négatif) de trois tendances d'évolution de l'environnement naturel :

1. la pénurie des matières premières et le coût de l'énergie ;

2. l'accroissement de la pollution ;

3. l'intervention croissante de l'État dans ce domaine.

## LA PÉNURIE DE MATIÈRES PREMIÈRES ET LE COÛT DE L'ÉNERGIE ❖

On répartit les ressources de la Terre en trois groupes, selon qu'elles sont illimitées, renouvelables, ou limitées. Les ressources illimitées, comme l'air ou l'eau, deviennent progressivement un sujet de préoccupation. La pénurie d'eau affecte fortement certaines régions du monde. Même les pays à climat tempéré sont de plus en plus sensibilisés à l'importance de ne pas la gaspiller. Quant à l'air, la pollution est aujourd'hui un enjeu politique local. En France, des zones de protection spéciales ont été aménagées dans l'agglomération parisienne, le Nord et la région lyonnaise. Ainsi, à Paris, la circulation automobile peut faire l'objet de restrictions lorsque la pollution de l'air dépasse un certain seuil.

Les ressources renouvelables, forêts et cultures, posent un problème à long terme. Ainsi, les compagnies forestières doivent gérer leurs exploitations de façon à protéger le sol et organiser le reboisement. Les terrains de culture, par ailleurs, ne sont guère extensibles alors que les villes continuent de s'étendre au détriment des campagnes.

Ce sont évidemment les ressources limitées, le pétrole, le charbon, le platine, le zinc ou l'argent qui posent le problème le plus grave et pourraient faire l'objet de pénuries dans les années ou les décennies à venir. Les entreprises qui les utilisent doivent s'attendre à de substantielles hausses de prix qu'elles ne pourront pas facilement répercuter. Il leur faut donc rechercher activement des matières de substitution. Pour ce qui est de l'énergie, la plupart des pays industriels s'efforcent aujourd'hui de diversifier leurs approvisionnements et de trouver de nouvelles sources (énergie solaire, éolienne, carburant agricole, etc.). Certaines sociétés, telles Tetra Pak ont choisi de mettre en avant le caractère « économe » de leur produit.

- ■ **LE TETRABRIK** non seulement « économise le coût de réfrigération des aliments qu'il contient (lait, jus de fruits, etc.) mais, totalement recyclable, dégage, lors de sa destruction, suffisamment d'énergie pour allumer une ampoule de 40 watts pendant une heure. »

## L'ACCROISSEMENT DE LA POLLUTION ❖

L'activité industrielle ne peut manquer d'affecter la qualité de l'environnement, que l'on pense à l'énergie nucléaire[21], la diffusion du mercure dans l'océan, l'utilisation massive de produits chimiques sous forme d'engrais, ou la prolifération des détritus urbains occasionnés par les bouteilles non consignées ou les emballages non biodégradables. Ainsi, on estime les déchets produits par an en France à plus de 600 millions de tonnes dont moins de 20 sont retraitées.

La gravité des problèmes de pollution représente une source d'opportunités pour le responsable marketing dans la mesure où elle crée un marché pour les dispositifs anti-polluants (stations d'épuration, usines de traitement des détritus...) et stimule la recherche pour d'autres produits et emballages. Les techniques du marketing social peuvent d'ailleurs être mises à profit pour sensibiliser les consommateurs et les industriels aux problèmes écologiques.

## L'INTERVENTION CROISSANTE DE L'ÉTAT DANS LA GESTION DES RESSOURCES NATURELLES ❖

Le souci grandissant de la détérioration des ressources naturelles a conduit le gouvernement à jouer un rôle actif dans la régulation des ressources et la lutte contre la pollution. L'initiative publique est en fait diffusée à de multiples niveaux depuis l'échelon gouvernemental (ministère de l'Environnement) jusqu'au commissariat de quartier (lutte contre le bruit). Elle représente une part croissante des dépenses de l'État. Un responsable marketing doit surveiller de près l'évolution des attitudes des pouvoirs publics dans ce domaine de façon à tirer parti des opportunités ainsi offertes.

Dans un ouvrage récent, Paul Hawken, Amory Lovins et Hunter Lovins appellent les entreprises à pratiquer un nouveau type de capitalisme qui génère des profits et crée des emplois, tout en respectant l'environnement[22]. Ils imaginent des voitures hybrides, des sources d'énergie alternatives, des bâtiments intelligents, des moyens de recyclage et d'autres évolutions qui permettraient de réduire de 90 % la consommation d'énergie et de matières premières. De réelles opportunités sont offertes aux entreprises qui sauront proposer des solutions et des produits respectueux de l'environnement, même si le marketing vert rencontre encore des limites importantes (voir encadré 6.6).

# L'environnement technologique

Une des principales forces motrices de la destinée humaine est la technologie. Elle a engendré des merveilles comme la pénicilline et la chirurgie à cœur ouvert, mais aussi des cauchemars comme la bombe à hydrogène et la mitraillette. La technologie a également donné naissance à des innovations aussi controversées que l'automobile, les jeux vidéo et la génétique.

Toute technologie nouvelle engendre une «destruction créatrice». Les transistors ont tué les lampes radio, et la photocopie le papier carbone. La caméra vidéo a remplacé le cinéma amateur et la télécopie (fax), le télex. De nombreux secteurs économiques ont périclité parce qu'ils ont ignoré les technologies émergentes ou tardé à les adopter. Il est en réalité essentiel pour une entreprise d'identifier ce qui est nouveau dans son environnement et qui constitue à la fois une menace et une source de développement.

La croissance de l'économie mondiale est intimement liée au nombre et à la nature des technologies majeures qui sont découvertes. Malheureusement, ces innovations n'apparaissent pas à intervalle régulier. Le chemin de fer avait représenté une source d'investissement considérable, mais il fallut ensuite attendre longtemps avant de voir surgir l'automobile. De même, plusieurs décennies séparent le développement de la radio et celui de la télévision.

En même temps, la conjoncture économique affecte le rythme de développement technologique. En période de récession ou de stagnation, on doit se contenter, faute de ressources disponibles, d'innovations plus modestes ou de développements ralentis. Le système d'antiblocage des roues ABS ou bien encore l'Airbag n'ont pas révolutionné l'industrie automobile. Ils n'en ont pas moins créé des marchés et des opportunités de relance de produits.

Une nouvelle technologie engendre des conséquences impossibles à prévoir à l'instant de la découverte. La pilule contraceptive, par exemple, a eu pour effet de restreindre la taille des familles, d'accroître le pourcentage de femmes ayant une activité professionnelle et d'élever le niveau de vie des foyers, ce qui s'est souvent traduit par des dépenses accrues dans les voyages, les biens durables et les produits de luxe. Nous analysons dans ce qui suit les principales dimensions de l'évolution technologique.

---

**6.7**

 ## Les opportunités offertes par les biotechnologies

On désigne souvent le XXI$^e$ siècle comme le siècle des biotechnologies. Parmi les innovations annoncées pour les décennies à venir, on trouve :
– des ordinateurs plus rapides grâce au remplacement des transistors solides par des molécules alternant entre deux états binaires ;
– une médecine personnalisée grâce aux analyses ADN ;

– des techniques de sécurité fondées sur l'identification des individus par l'empreinte de leur pupille ou de leur visage ;
– de nouveaux produits de soin de la peau permettant de combattre l'acné et les rides ;
– des aliments enrichis, modifiés génétiquement afin de revêtir des vertus nutritionnelles ou médicales : certaines bananes modifiées contiennent déjà un vaccin contre l'hépatite ;
– de nouveaux matériaux destinés au remplacement de certains organes pour des greffes vasculaires, des valves du cœur ou des implants de la hanche ;
– la possibilité de nettoyer les déchets ou les polluants grâce à des micro-organismes.

**L'ACCÉLÉRATION DU PROGRÈS TECHNIQUE** ❖ Nombre de produits qui nous semblent aujourd'hui familiers n'existaient pas il y a quarante ans : l'ordinateur personnel, les montres à affichage digital, le magnétoscope, l'agenda électronique et bien-sûr Internet sont finalement des innovations récentes. Les décennies à venir devraient en apporter de nouvelles en grand nombre. Des projets fascinants sont en cours de réalisation dans les domaines de la biotechnologie, de l'électronique, de l'informatique et de la science des matériaux. Le séquençage du génome humain et les développements de la biotechnologie promettent d'aboutir à l'apparition de nouveaux médicaments et de nouveaux aliments (voir encadré 6.7). La réalité virtuelle a déjà des applications dans le domaine du marketing (voir encadré 6.8). Le progrès technique s'accélère et s'entretient lui-même. Il ne semble plus y avoir de limite à l'innovation en matière de produits et de services.

Pourtant, les entreprises de haute technologie et de biotechnologie doivent prendre des décisions difficiles : les coûts d'investissements et les risques encourus sont colossaux et les revenus très hypothétiques. L'incertitude porte à la fois sur les réactions du marché face à l'innovation, sur la technologie elle-même, ses potentialités et son délai de développement, et sur les autorisations réglementaires à obtenir. D'où l'importance de conduire des études de marché visant à réduire cette incertitude et de construire une stratégie-marketing susceptible de favoriser le soutien de l'opinion et des pouvoirs publics.

---

**6.8**

 ## Le marketing s'empare de la réalité virtuelle

On dirait un mauvais jeu informatique : le consommateur se coiffe d'un casque de réalité virtuelle, prend en main les manettes et joue le rôle d'un virus cherchant à échapper au médicament. Pourtant, Warner-Wellcome a utilisé cette simulation pour promouvoir Zovirax, son nouveau traitement, d'abord auprès de sa propre force de vente puis auprès des pharmaciens, à l'occasion du lancement officiel. Une version simplifiée de la simulation fut même présentée aux patients. Les avantages marketing de la réalité virtuelle sont clairs. Un client aime souvent essayer avant d'acheter et apprécie une approche commerciale qui l'amuse. La société Cybersim permet ainsi aux acheteurs potentiels de logements d'élaborer une simulation de leur future maison et de s'y promener. Il existe aussi des programmes permettant de simuler un trajet dans la voiture de son choix avant de décider de l'acquérir.

En fait, les simulations en réalité virtuelle sont à mi-chemin entre la promotion et le spectacle. Auprès des enfants américains, Nabisco a connu un succès retentissant avec son voyage au pays du chewing-gum Yum, où il s'agit, dans un environnement de compétition, de récupérer plus de produit que les adversaires.

Sur un autre plan, la société MarketWare propose Visionary Shopper, une simulation sur PC qui permet à des consommateurs de se promener dans un magasin virtuel et de réagir à de nouveaux conditionnements qu'ils peuvent examiner comme s'ils les manipulaient. De multiples facteurs liés à l'environnement commercial (prix, promotions, aménagement du linéaire) peuvent être incorporés au test. MarketWare affirme que cette forme d'investigation amuse beaucoup les clients et donne des résultats proches de leur comportement réel en magasin. D'ailleurs, selon MarketWare, c'est ainsi qu'un jour le consommateur fera ses courses.

---

*Sources :* Andrew Jaffe, «Not Leaving Soon : Virtual Reality», *Adweek*, 12 sept. 1994, p. 9 ; Carrie Goerne, «Visionary Marketers Hope for Concrete Gains from the Fantasy of Virtual Reality», *Marketing News*, 7 déc. 1992, p. 2 et «Les consommateurs sondés au fond des yeux», *Les Echos*, 5 sept. 1995.

**LES BUDGETS DE RECHERCHE** ❖ 2,2 % du PIB (contre 1 % en 1960) servent à financer la recherche qui occupe près de 160 000 personnes. La plupart des recherches se font soit dans les laboratoires privés des grandes entreprises, soit dans les organismes étatiques développés à cet effet (CNRS, INSERM, INRA, CNES, CEA, etc.). La gestion de la recherche pose un problème particulièrement délicat, les chercheurs n'aimant guère être contrôlés et s'intéressant souvent davantage aux problèmes fondamentaux qu'à leurs implications commerciales. Près de 23 000 demandes de brevets d'invention ont toutefois été déposées par les entreprises françaises en 2001, soit un tiers de plus que quatre ans plus tôt[23].

Le pourcentage du chiffre d'affaires investi dans la recherche allant en s'accélérant (il atteint 20 % dans certains secteurs comme les télécommunications), de nombreuses entreprises recherchent la sécurité des améliorations mineures à l'aventure des grandes découvertes. Quant à la recherche fondamentale, elle est le fait d'organismes étatiques ou bien de consortiums d'entreprises privées, liées par des alliances de coopération technologique.

**LA RÉGLEMENTATION CROISSANTE DE LA RECHERCHE** ❖ Au fur et à mesure de l'apparition de nouvelles techniques, le souci de sécurité des gouvernants et des citoyens se renforce. Dans le domaine pharmaceutique par exemple, le ministère de la Santé et l'Agence française de sécurité sanitaire des produits de santé (AFSSAPS) ont élaboré toute une série de réglementations concernant les tests et l'information relatives aux nouveaux médicaments. Le responsable marketing doit bien connaître la législation existant dans son secteur et en tenir compte lorsqu'il développe de nouveaux produits : il est toujours extrêmement coûteux de se voir interdire la commercialisation d'un article sur lequel des millions d'euros ont déjà été investis.

## L'environnement politico-légal

L'environnement politico-légal affecte fortement les décisions commerciales. Le système politique et son arsenal *législatif, réglementaire* et *administratif* définissent le cadre dans lequel les entreprises et les individus mettent en œuvre leurs activités. Les principales tendances d'évolution sont examinées ci-après en même temps que leurs implications marketing.

**L'INTERVENTION CROISSANTE DE L'ÉTAT** ❖ En France, les consommateurs et les entreprises sont libres d'agir dans leur propre intérêt à condition de ne pas nuire aux intérêts collectifs. Traditionnellement, l'État prend en charge un certain nombre d'activités jugées d'intérêt général : 1) la défense ; 2) l'équipement ; 3) les services publics ; et 4) la santé. En outre, la mise en place de l'Union européenne s'est accompagnée d'une multitude de lois et directives de toute sorte. Du point de vue de leurs implications marketing, les réglementations les plus importantes sont celles qui affectent la structure des marchés et la conduite des firmes.

**LES RÉGLEMENTATIONS RELATIVES À LA STRUCTURE DES MARCHÉS** ❖ Les pouvoirs publics cherchent à la fois à créer des industries compétitives sur le plan international et à maintenir une liberté de commerce à l'intérieur. Ainsi l'État favorise-t-il le regroupement d'entreprises (par exemple Matra et l'Aérospatiale), lorsque celui-ci semble de nature à mieux affronter la concurrence internationale, et réglemente-t-il l'accès au marché interne en même temps qu'il combat les abus de position dominante (par exemple en ayant interdit à Coca-Cola de racheter Orangina).

L'État ne se contente pas de protéger les entreprises les unes des autres, mais se soucie également de défendre le consommateur. Avec l'apparition du mouvement consumériste et sa canalisation à travers les organismes publics (Institut national de la consommation et Direction générale de la consommation, de la concurrence, et de la répression des fraudes), toute une réglementation est apparue dans de multiples domaines : sécurité, véracité des informations fournies, surendettement des ménages, etc. Lorsque la santé publique est en cause, il n'hésite pas à intervenir, comme lorsqu'il interdit pendant quelques années toute importation de viande de bœuf anglaise en raison de la maladie de la « vache folle ».

**LES RÉGLEMENTATIONS RELATIVES À LA CONDUITE DES MAR-CHÉS** ❖ L'État intervient également de façon plus directe sur chacun des éléments du mix marketing. Dans le domaine des produits, il se préoccupe de leur définition (par exemple la législation sur les appellations d'origine contrôlée), de leur composition (il a ainsi réglementé l'utilisation de farines animales dans l'alimentation du bétail) et de leur différenciation (loi Longuet de 1994 sur la contrefaçon)[24]. Le contrôle des prix dépend avant tout de la politique économique en vigueur. En France, la législation autorise la liberté des prix mais réglemente l'affichage et la publicité des tarifs. La distribution fait également l'objet de nombreux textes portant notamment sur le statut des VRP (voyageurs-représentants-placiers), les contrats de concession exclusive ou les méthodes de vente (vente à domicile, vente par correspondance, loi Galland). Enfin, la publicité et les techniques de promotion des ventes sont elles aussi très réglementées.

L'évolution de la jurisprudence est devenue si complexe qu'un responsable marketing doit se faire systématiquement assister d'un conseil juridique lorsqu'il entretient un doute sur le caractère licite de l'une ou l'autre de ses décisions.

Pour l'entreprise, l'intervention croissante de l'État a une triple signification. D'abord, il faut mettre en place *un service juridique* capable d'aider l'homme de marketing à discerner ce qui est permis de ce qui ne l'est pas. Ensuite, il est prudent de créer un *réseau de relations* avec l'administration. Le responsable d'un tel réseau doit bien connaître les différents organismes administratifs, ainsi que les principaux élus. Il doit être capable d'anticiper les développements défavorables à l'entreprise, contacter les personnes-clés, et exprimer le point de vue de la société. Enfin, il est souvent souhaitable, pour une entreprise, de former avec les autres firmes du secteur une *association ou un syndicat professionnel* chargé de défendre les intérêts communs de la branche.

**LES GROUPES D'INTÉRÊT** ❖ Les décisions marketing de l'entreprise sont de plus en plus affectées, au-delà des pouvoirs publics proprement dits, par les associations de consommateurs, les groupes de défense de l'environnement, les comités d'usagers et de nombreux autres groupements de ce type. De nombreuses entreprises ont mis en place des services de relations publiques chargés de gérer les relations avec les groupes d'intérêt. Elles mettent de plus en plus de soin à traiter les plaintes de leurs clients afin d'éviter la diffusion d'informations défavorables dans les médias ou sur Internet.

## L'environnement socioculturel

La dernière composante du macro-environnement est le milieu socioculturel. Tout être humain naît et grandit dans une culture et son acquis culturel lui permet de remplir les tâches qu'attend de lui la société à laquelle il appartient. Ses comportements et ses attitudes sont affectés par son image de soi, ses aspirations, sa vision d'autrui, sa vision des organisations et l'importance qu'il accorde aux institutions, sa vision de la société et de l'environnement. Globalement, on observe aujourd'hui un affaissement des piliers traditionnels de notre société (l'Église, l'État, l'École), tandis que la confiance dans la science et l'importance du travail sont remises en cause. D'où une société de questionnement où les repères manquent, favorisant le doute et le stress. On valorise aujourd'hui les loisirs, l'individu et l'autonomie. Le recentrage sur soi n'exclut pas le sens de la responsabilité envers autrui, avec un souci croissant de tolérance et de respect de l'environnement. Le bien-être, le plaisir et la santé apparaissent comme des préoccupations permanentes, peut-être pour compenser une inquiétude croissante résultant des crises alimentaires et des menaces pesant sur l'environnement[25].

■ PAMPRYL propose des boissons aux vertus cosmétiques et quasi médicales. La ligne «Les fruits de la vitalité» contient trois références qui ravivent le teint, défendent le capital osseux ou améliorent la mémoire. Par exemple, Mémo vitalité, jus de fruits frais à base de banane, mangue, kiwi et baie d'églantier contient du magnésium, des vitamines C et B6 et des phospholipides qui agissent sur la mémoire[26].

On assiste également à une quête nostalgique de l'authenticité, qui conduit à valoriser des produits artisanaux ancrés dans le passé et le local. Dans l'ouvrage *Alternatives marketing*, Véronique et Bernard Cova[27] analysent cette tendance. Ils montrent qu'y répondre relève de la gageure pour le responsable marketing, puisque l'authenticité se définit par son caractère non purement marchand, contradictoire avec une approche marketing avouée. De nombreux produits, de la New Beetle au savon de Marseille, répondent à cette tendance, avec plus ou moins de bonheur. Ils consistent à relire de manière créative les produits du passé. Le risque est que le nouveau produit créé apparaisse comme un succédané de l'original. Certaines entreprises réussissent toutefois une telle opération.

■ L'ALFA ROMÉO 156 suscite l'enthousiasme des fans de la marque car elle parvient à réinterpréter dans le contexte actuel le style et les caractéristiques fondamentales d'Alfa Roméo et de son modèle emblématique, la Giulietta. Jugée «belle comme une Alfa et dotée de vrais moteurs Alfa», la 156 reprend plusieurs éléments-clés de l'identité de la marque et de la Giulietta (calandre avant, plaque minéralogique décalée sur le côté, bruit du moteur…). Elle parvient à créer une véritable émotion chez les nostalgiques de l'ancien modèle, tout en attirant de nouveaux adeptes.

Au-delà des tendances socio-culturelles actuelles, le responsable marketing doit analyser la culture des individus auxquels il s'adresse, distinguer les valeurs culturelles cardinales qui fondent une société des sous-cultures qui peuvent contribuer à segmenter un marché.

LES VALEURS CULTURELLES CARDINALES ❖ Les membres d'une société entretiennent de nombreuses croyances et opinions qui n'ont pas toutes la même importance. Il existe en particulier un noyau de valeurs cardinales qui constitue le ciment de l'appartenance au groupe. Ainsi, on peut considérer que la plupart des Français valorisent la propriété individuelle, la justice démocratique et le couple en tant que cellule sociale de base.

De telles valeurs orientent inconsciemment les attitudes et les comportements quotidiens ; elles se transmettent de génération en génération par l'intermédiaire du milieu familial avec l'appui des institutions et des médias.

Les individus développent également des croyances et valeurs secondaires, davantage ouvertes au changement. Ainsi, la croyance dans le couple est une valeur cardinale, mais la valorisation du mariage en tant qu'institution sociale est remise en question. En fait, l'évolution culturelle peut paraître lente ou rapide selon que l'on considère le noyau de valeurs ou leurs manifestations périphériques.

Le responsable marketing qui espère modifier une valeur de base ferait probablement mieux d'y renoncer. Il se heurterait à de telles résistances que ses chances de réussite sont pratiquement nulles. Par contre, la modification des croyances périphériques est une tâche plus accessible[28]. Par exemple, il est possible d'«inventer» des fêtes (voir encadré 6.9).

**LA COEXISTENCE DES SOUS-CULTURES** ❖ En même temps qu'elle s'organise autour d'un noyau central de valeurs, toute société sécrète des sous-groupes. Les croyances secondaires, qui sont naturellement plus propices à des variations, donnent naissance aux sous-cultures telles que celles formées par les intellectuels, les nouveaux-riches ou les paysans.

De tels regroupements sont intéressants pour l'homme de marketing dans la mesure où des similitudes en matière d'attentes ou de comportements à l'intérieur d'une même sous-culture facilitent les décisions de ciblage. Par exemple, *Télérama* est devenu au fil des ans le magazine de télévision des intellectuels alors que *Téléstar* s'adresse à un public moins éduqué.

---

**6.9**

 **Inventer des fêtes**

À un responsable de chez Heineken qui ne savait trop comment en 1992 lancer la bière irlandaise Murphy's en France, on conseilla d'organiser la célébration de la Saint-Patrick, fête qui rassemble d'énormes foules à Chicago ou à New York, mais parfaitement confidentielle dans notre pays. Depuis 1993, Murphy's a augmenté ses ventes de 40 % et plus de la moitié du budget marketing est consacré à organiser la fête.

Depuis la Fêtes des Pères, inventée de toutes pièces par Flaminaire en 1949, et la grand-messe du «beaujolais nouveau» orchestrée par Georges Dubœuf depuis 1985, les exemples ne manquent pas de célébrations sorties tout droit de l'imagination des responsables marketing ou bien de «récupérations» d'anciennes fêtes tombées en désuétude.

En 1987, Kraft Jacob Suchard a ainsi relancé la Fête des Grands-Mères autour de sa marque de café, un événement dont d'autres entreprises ont su également tirer parti (la Fête des Grands-Mères représente le troisième plus gros jour de vente d'Interflora).

De même, Félix, la marque d'aliments pour chats, a décrété que le 12 février, jour de la Saint-Félix, serait la Fête des Chats. Ce jour-là, la part de marché de la marque gagne plus de trois points, en moyenne, sur le leader Whiskas.

Si l'on ne dispose pas du budget suffisant pour imposer sa fête, on peut remettre au goût du jour des traditions anciennes. Ainsi, Halloween, une fête très connue aux États-Unis, et qui tombe à merveille à une période creuse de l'année, est célébrée depuis plusieurs années par César, le leader français du marché du masque mais aussi par Coca-Cola, McDonald's ou Haribo.

Mais attention, le succès n'est pas garanti à chaque fois et l'on peut pêcher soit par défaut soit par excès. Ainsi la Sainte-Fleur, lancée en 1996 par la Chambre syndicale des fleuristes n'a jamais pris racine. Quant à la Fête des Grands-Mères qui, elle, existe toujours, plus personne ne l'associe à la marque de café du même nom que certains accusent même de récupérer l'événement!

---

*Sources :* «Inventer des fêtes, ça rapporte», *Capital*, mai 1999, pp. 118-121; voir également «Halloween : La citrouille vole la vedette au chrysanthème», *CB News*, 26 octobre 1998, pp. 8-9.

En France, les groupes culturels sont souvent définis en termes de style de vie. Il faut entendre par style de vie une constellation d'attitudes, d'opinions et de centres d'intérêt qui se traduisent par des comportements distinctifs. On trouvera au chapitre suivant une description des styles de vie des Français telle qu'elle a été proposée par le Centre de Communication Avancé du groupe Havas[29].

Un responsable marketing doit faire attention aux évolutions de l'environnement qu'il peut parfois utiliser à son profit. Il doit en même temps se souvenir que les différentes composantes de son environnement sont souvent reliées entre elles et qu'une analyse « transversale » peut être plus révélatrice qu'une investigation focalisée sur une seule composante.

## *Résumé*

1. Une entreprise performante se rend compte que son environnement est une perpétuelle source d'opportunités et de menaces. C'est au marketing qu'incombe la responsabilité majeure de surveiller et d'analyser cet environnement.

2. Surveiller un environnement consiste essentiellement à dégager ses *tendances* d'évolution, c'est-à-dire les lignes directrices durables qui balisent le cheminement du temps.

3. Un responsable marketing doit s'attacher à analyser les six principales forces du macro-environnement : la démographie, l'économie, les ressources naturelles, la technologie, le contexte politico-légal et le système socioculturel.

4. L'environnement *démographique* s'analyse principalement à travers les taux de croissance de la population, sa répartition par âge, sa structure familiale, sa mobilité géographique, son niveau d'éducation et sa composition ethnique.

5. L'environnement *économique* s'appréhende à partir du revenu et du pouvoir d'achat, de l'épargne et du crédit, ainsi que la structure des dépenses des ménages.

6. Étudier le milieu *naturel* revient à s'intéresser au niveau des ressources, au coût de l'énergie, au niveau de pollution et au rôle que l'État entend jouer dans ce domaine.

7. Un responsable marketing devrait également prendre en considération le progrès *technologique* en essayant d'y déceler les innovations de demain.

8. Le respect du cadre *politico-légal* l'oblige à travailler régulièrement au contact des pouvoirs publics et des groupes d'intérêt.

9. Enfin, il lui faut anticiper le changement *socioculturel* en suivant régulièrement l'évolution des systèmes de valeurs.

# Notes

1. Voir « Tremblement de terre à Legoland », *Capital*, mai 1999, pp. 46-48.

2. Données du US Census Bureau, www.census.gov, septembre 1999.

3. Source : site Internet du World Village Project, www.WorldVillage.org, mars 2000.

4. Donnella Meadows, Dennis Meadows, Jorgen Randers et William W. Behrens III, *Halte à la croissance* (Paris : Fayard, 1972).

5. Voir Philip Kotler et Eduardo Roberto, *Social Marketing : Strategies for Changing Public Attitudes* (New York : Free Press, 1989) et Philip Kotler, Ned Roberts et Nancy Lee, *Social Marketing : Improving the Quality of life* (Thousand Oaks : Sage, 2002).

6. *LSA*, « 11-20 ans : le kaléidoscope d'une génération complexe », 7 novembre 2002, pp. 50-54.

7. *CB News*, « Génération éponge » et « Édition jeunesse : la vie avant Harry Potter », 25 février 2002, pp. 24-43.

8. Voir Chantal Brutel, « La population de la France métropolitaine en 2050 : un vieillissement inéluctable », *Économie et statistique*, n° 355-356, 2002 et INSEE, *Démographie-Société*, n° 44, août 1995 ; voir aussi le site Internet de l'Institut national d'études démographiques (www.ined.fr).

9. Antoine Audit, Nicolas Danard et Philippe Tassi, « Âge et diversité des comportements des téléspectateurs », *Décisions marketing* n° 19, janvier-avril 2000, pp. 61-74.

10. J. Walker Smith et Ann Clurman, *Rocking the Ages : The Yankelovich Report on Generational Marketing* (New York : HarperBusiness, 1998).

11. On peut l'évaluer dans des questionnaires par des items du type « Au fond de moi, j'ai l'impression d'avoir X ans » ou « en termes d'apparence physique, je me donne … ». Voir sur ce sujet Denis Guiot, « Tendance d'âge subjectif : quelle validité prédictive ? », *Recherche et Applications en marketing*, vol. 16, n° 1, 2001, pp. 25-44.

12. Sources : INSEE et INED. Voir aussi *Le Monde*, « Le nombre des naissances faiblit, celui des mariages augmente », 1er janvier 2003, p. 7.

13. Sur les *évolutions de la famille*, voir Gérard Mermet, *Francoscopie 2003* (Paris : Larousse, 2002), pp. 144-190.

14. Brigitte Baccaïni, « Les migrations internes en France de 1990 à 1999 : l'appel de l'ouest », *Économie et statistique* n° 344, octobre 2001.

15. Voir sur ce thème Bernard Dubois, « Marketing situationnel pour consommateurs caméléons », *Revue française de gestion*, sept. 1996, et « Le Marketing va-t-il devenir situationnel ? », *Marketing Magazine*, décembre 1997, pp. 42-44.

16. *Marketing magazine*, « Banlieues : même pas peur !!! », 1er septembre 2001, pp. 56-59.

17. Paul Esquieu et Pascale Poulet-Coulibando, *Données sociales 2002-2003*, INSEE, 2003.

18. Le terme immigré désigne une personne née étrangère à l'étranger. De nombreux immigrés obtiennent la nationalité française après quelques années de résidence en France. C'est pourquoi leur nombre (4,3 millions) est supérieur aux 3,2 millions d'étrangers vivant en France. Voir - Julien Boëldien et Catherine Borrel, « Recensement de la population 1999 : la proportion d'immigrés est stable depuis 25 ans », INSEE, n° 748, novembre 2000.

19. INSEE, *La France en bref*, 2003, disponible sur www.insee.fr.

20. Voir « La Consommation des ménages 1960-2000 », *Futuribles*, sept. 1987, pp. 9-23 ; « Une nouvelle segmentation des marchés alimentaires », *Points de vente*, 25 août 1999, pp. 26-27.

21. Björn Walliser et Thomas Froehlicher, « The Reaction of German Consumers to French Nuclear Testing », dans Ingo Balderjahn, Claudia Mennicken et Éric Vernette (Eds), *New Developments and Approaches in Consumer Behaviour Research*, (Londres : McMillan, 1998), pp. 219-255.

22. Paul Hawken, Amory B. Lovins and L. Hunter Lovins, *Natural Capitalism : Creating the next Industrial Revolution* (Boston : Little Brown, 1999).

23. Source : INSEE, *La France en bref*, 2003, disponible sur www.insee.fr.

24. « Contrefaçon et commerce déloyal : les praticiens en parlent », Actes du congrès, 2 juin 1999 (Mulhouse : TEB, 1999).

25. Gérard Hermet, *op. cit.* ; chapitre sur les valeurs pp. 270-290.

26. *LSA*, « Les premiers jus de fruits aux vertus cosmétiques », 19 décembre 2002, p. 89.

27. Véronique et Bernard Cova, *Alternatives marketing : réponses marketing aux nouveaux consommateurs* (Paris : Dunod, 2001), chapitre 2 : Culture de la nostalgie et marketing de l'authentique, pp. 63-114.

28. Voir Bernard Dubois, « Culture et marketing », *Recherche et applications en marketing*, 1987, n° 1, pp. 43-64.

29. Voir Bernard Cathelat, *Panorama des styles de vie de 1960 à 1990* (Paris : Éditions d'organisation, 1991) et *Socio-styles systèmes* (Paris : Éditions d'Organisation, 1990). Pour un exposé général, voir Pierre Valette-Florence, *Les Styles de vie : bilan critique et perspectives* (Paris : Nathan, 1994).

# Comprendre la consommation et le comportement d'achat

DANS CE CHAPITRE NOUS
ÉTUDIERONS DEUX QUESTIONS :

■ Quelles sont les principales influences
culturelles, sociales, personnelles et
psychologiques sur le comportement
d'achat ?

■ Comment un acheteur prend-il sa
décision ?

« Ce qu'il y a de plus important,
c'est d'anticiper les mouvements
des consommateurs
et d'aller à leur rencontre. »

L e but du marketing est de répondre aux besoins du marché. Comprendre le consommateur n'est jamais aisé[1]. Les consommateurs peuvent très bien exprimer des désirs et puis ne pas s'y conformer, ou bien ne pas savoir exactement ce qu'ils veulent. Ils peuvent aussi se décider à la dernière minute, en fonction des circonstances du moment.

Pourtant, qu'il travaille dans une PME ou dans une grande entreprise, dans la fabrication ou la distribution, un responsable marketing doit analyser les besoins, les perceptions et les préférences de ses clients ainsi que leur comportement d'achat :

- **L'EAU DE VERNET.** Tombée en désuétude dans les années 1950 après avoir été la deuxième source nationale gazeuse, l'Eau de Vernet a été relancée en 1997. Première étape : une étude réalisée auprès des consommateurs a abouti à un repositionnement du concept[2].

- **FRANCE TÉLÉCOM.** Aiguillonné par la dérégulation du marché, France Télécom a investi plus de quatre millions d'euros dans un entrepôt de données utilisé par ses services marketing pour faire des propositions «à la carte» en fonction des habitudes du client (horaires d'appel, temps, destination, ...). Un avantage concurrentiel inestimable sur les concurrents, estime-t-on dans l'entreprise[3].

- **CASINO** a lancé, avec l'aide de la Sofres, l'opération «clients experts». 30 000 consommateurs recrutés dans les magasins ou par voie de presse, sont invités à tester gratuitement les produits maisons puis à donner leur avis. Tout résultat inférieur à 75 % de satisfaits conduit à l'abandon du produit[4].

- **WHIRLPOOL.** Dans le secteur de l'électroménager, les clients sont souvent fidèles aux mêmes marques depuis plusieurs décennies et les comportements se transmettent d'une génération à l'autre. Afin de bousculer les parts de marché établies de longue date et d'identifier les besoins non exprimés des consommateurs, Whirpool a engagé un anthropologue. Ce dernier s'est rendu au domicile de consommateurs, a observé comment ils utilisaient leurs équipements électroménagers et a discuté avec les différents membres de la famille. Il a observé que, bien souvent, les femmes ne sont pas les seules à faire la lessive. Les ingénieurs de l'entreprise ont alors élaboré des lave-linges avec des codes couleur permettant une utilisation facilitée pour les enfants[5].

À l'inverse, le fait de se passer d'une étude de clientèle peut être fatal :

- **PARC COUSTEAU.** Lancé dans le Forum des Halles en 1989, il dut être mis en liquidation judiciaire. Selon les principes écologiques du Commandant Cousteau, il ne comptait aucun aquarium ; or la clientèle venait avant tout pour voir des poissons![6]

La compréhension du client est indispensable à l'élaboration des produits, des prix, des modes de distribution et des axes de communication. Le présent chapitre s'attache à l'étude des consommateurs tandis que le suivant traite des marchés professionnels.

La figure 7.1 fournit un cadre d'analyse permettant d'appréhender le comportement d'achat. On y a représenté les stimuli (d'origine marketing ou autre) présents dans l'environnement ainsi que leur influence sur les différentes décisions d'achat à travers la «boîte noire» que constitue l'acheteur.

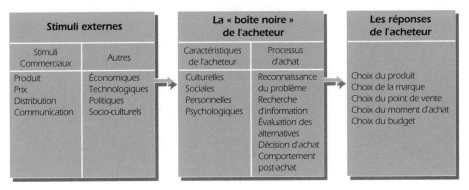

FIGURE 7.1
Un modèle de
comportement
d'achat

Le problème essentiel consiste à identifier le mode de fonctionnement de cette «boîte noire». Celle-ci comporte deux éléments : les caractéristiques de l'acheteur qui exercent une influence sur ses réactions à l'environnement commercial, et le processus de décision lui-même. Chaque composante fait l'objet d'une partie de ce chapitre.

## Les principaux facteurs influençant l'achat

Les décisions d'achat d'un consommateur subissent l'influence de nombreux facteurs culturels, sociaux, personnels et psychologiques. Nous allons les examiner dans ce qui suit.

### Les facteurs culturels

Les décisions d'un consommateur sont profondément influencées par sa culture, ses affiliations socioculturelles et son appartenance de classe.

LA CULTURE ❖ Dès le jour de sa naissance, l'homme *apprend* ses modes de comportement. Un individu assimile le système de valeurs caractéristique de sa culture, qui résulte des efforts passés de la société pour s'adapter à son environnement, et qui lui est transmis par différents groupes et institutions tels que la famille ou l'école (voir encadré 7.1).

Ainsi, le comportement des consommateurs chinois est profondément influencé par le bouddhisme, le confucianisme et le taoïsme, qui constituent les trois pôles de la culture chinoise traditionnelle. Un consommateur confucianiste, par exemple, choisit les produits en fonction du statut social qu'ils procurent et ce, que leur utilisation soit d'ordre public ou privé. La marque revêt une importance particulière comme indicateur du statut social. Il est toutefois difficile dans ce contexte de construire la fidélité à la marque car le consommateur n'hésite pas à privilégier une nouvelle marque, si celle-ci lui semble plus valorisante[7].

Les responsables de marketing international doivent faire particulièrement attention aux différences culturelles, dans la mesure où elles peuvent avoir de profondes incidences sur la vente de leurs produits et la mise en œuvre de leurs plans marketing à l'étranger[8]. La perception des couleurs, par exemple, varie considérablement selon les cultures. Le gris évoque la fiabilité et la qualité aux États-Unis, il est synonyme de produit bon marché en Chine et au Japon ; les associations inverses sont liées à la couleur pourpre. Quant au vert,

CHAPITRE 7
Comprendre la
consommation et
le comportement
d'achat

197

il fait penser à la chance et au hasard dans la plupart des civilisations occidentales, évoque la fiabilité et la pureté en Asie, un produit au goût agréable aux États-Unis[9].

**LES SOUS-CULTURES** ❖ Comme nous l'avons vu au chapitre précédent, il existe, au sein de toute société, un certain nombre de groupes culturels, ou sous-culturels, qui permettent à leurs membres de s'identifier de façon plus précise à un modèle de comportement donné. On distingue ainsi : 1) *les groupes de générations* (seniors, quadras, ados) ; 2) *les groupes de nationalités* ; 3) *les groupes* religieux ; 4) *les groupes ethniques* ; 5) et *les groupes régionaux*.

**LA CLASSE SOCIALE** ❖ Toute société humaine met en place un système de *stratification sociale*. Celui-ci peut prendre la forme d'un système de castes dans

---

**7.1**

## Le marketing à l'école

Les enfants représentent un pouvoir d'achat considérable. S'ils deviennent prescripteurs dès l'âge de 2 ans pour les biscuits, leur influence s'étend à toute l'alimentation à partir de 5 ans, puis à l'habillement et à l'équipement après 8 ans, sans oublier les jeux, les journaux, les programmes télévisés ou les livres. Selon l'étude Consojunior de Secodip, les 4-11 ans influencent ainsi près de 40 % des dépenses de la famille.

Face à ce constat, les entreprises cherchent à s'adresser directement aux enfants dans leurs publicités ou leurs promotions. Bonux a augmenté ses ventes de 50 % en février 2000, en réintroduisant dans ses paquets des cadeaux destinés aux enfants. Il apparaît toutefois que les promotions fondées sur les cadeaux séduisent moins les enfants plus âgés.

Une autre approche, employée par certaines entreprises, consiste à intervenir directement dans les écoles, soit par l'intermédiaire de programmes mis en place avec l'aide des enseignants soit auprès des enfants eux-mêmes. Des marques, comme P'tit Dop, Colgate, Liebig ou Coca-Cola ont proposé, par le passé, des mallettes pédagogiques. Ainsi, le cédérom Pepitologue destiné à l'apprentissage de la lecture a été entièrement fondé sur les aventures du personnage Pepito. Cependant, ce type d'opérations trop ouvertement commerciales, qui incommode souvent les enseignants et l'Éducation natio-

nale, semble aujourd'hui disparaître au profit d'outils à fort contenu pédagogique dans lesquels la marque apparaît à peine. Colgate propose un dessin animé visant à favoriser l'hygiène bucco-dentaire dans lequel la marque n'est jamais mise en scène. Elle ne figure que discrètement sur le livret du maître. Quel intérêt pour la marque ? Une marque leader bénéficie forcément d'un élargissement du marché consécutif à la sensibilisation des enfants. L'intérêt marketing est également de créer un halo de sympathie autour de l'entreprise.

D'autres sociétés étudient les modes en vigueur chez les écoliers et s'y adaptent. Après les pin's, sont ainsi apparus les Pogs, Cap's et autres Taps, petites capsules de carton qui ont soudainement envahi les cours de récréation. Gaëlic, le leader des pains au lait, a ainsi lancé la Cap's Collection comportant seize images « à effet laser » représentant des héros intergalactiques (500 000 exemplaires). BN a créé 120 « Trocs » à l'effigie des héros des films d'Indiana Jones. La vie à l'école est ainsi devenue une puissante source d'inspiration pour les entreprises.

*Sources :* « Génération éponge : dossier enfants », *CB News*, 25 février 2002, pp. 24-43 ; « Quand la vérité du marketing sort de la bouche des enfants », *CB News*, 9 mars 1998, pp. 60-61 ; « Pog, Cap's, Taps... envahissent les promotions », *LSA*, 30 août 1995, p. 79. Pour une analyse de la sensibilité des enfants aux marques et aux promotions, voir Isabelle Muratore, « Implication, âge et socialisation : trois antécédents de la sensibilité de l'enfant au cadeau et aux marques », *Recherche et applications en marketing*, vol. 17, n° 4, 2002, pp. 3-22.

lequel les individus ne peuvent échapper à leur destin ou de classes sociales entre lesquelles une certaine mobilité est possible. On appelle *classes sociales* :

❖ Des groupes relativement homogènes et permanents, ordonnés les uns par rapport aux autres, et dont les membres partagent le système de valeurs, le mode de vie, les intérêts et le comportement.

Plusieurs caractéristiques inhérentes à cette notion intéressent le responsable marketing. D'abord, les personnes appartenant à une même classe sociale ont tendance à se comporter de façon plus homogène que les personnes appartenant à des classes sociales différentes. Ensuite, les positions occupées par les individus dans la société sont considérées comme inférieures ou supérieures, selon la classe sociale à laquelle ils appartiennent. Par ailleurs, la classe sociale ne peut être mesurée par une seule variable, mais à l'aide d'un certain nombre d'indicateurs : profession, revenu, patrimoine, zone d'habitat ou niveau d'instruction. Enfin, une classe sociale est une entité mouvante, certains individus ayant la possibilité de faire évoluer leur position dans un sens ascendant ou descendant.

La figure 7.2 présente la célèbre analyse de Bourdieu sur la structure sociale française tandis que l'encadré 7.2 présente l'articulation des classes sociales en Europe.

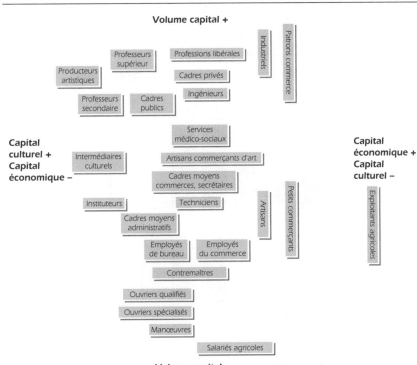

**FIGURE 7.2**
L'espace
des positions
sociales en France

Légende : Les différences primaires, celles qui distinguent les grandes classes de conditions d'existence, trouvent leur principe dans le **volume global de capital** comme ensemble des ressources et des pouvoirs effectivement utilisables ; les différentes classes (et fractions de classe) se distribuent ainsi depuis celles qui sont les mieux pourvues à la fois en capital économique et en capital culturel jusqu'à celles qui sont les plus démunies sous ces deux rapports. Les membres des professions libérales qui ont de hauts revenus et des diplômes élevés, qui sont issus très souvent de la classe dominante (professions libérales ou cadres supérieurs), qui reçoivent beaucoup et consomment beaucoup, tant des biens matériels que des biens culturels, s'opposent à peu près sous tous rapports aux employés de bureau, souvent issus des classes populaires et moyennes, recevant peu, dépensant peu et consacrant une part importante de leur temps à l'entretien de leur voiture et au bricolage et, plus nettement encore, aux ouvriers qualifiés ou spécialisés, et surtout aux manœuvres et salariés agricoles, dotés des revenus les plus faibles, dépourvus de titres scolaires et issus en quasi-totalité des classes populaires.

*Source :* Pierre Bourdieu, *La Distinction* (Paris : Éditions de Minuit, 1979), p. 41. Pour des applications commerciales, voir Bertrand Moingeon, « La sociologie de Pierre Bourdieu et son apport au marketing », *Recherche et applications en marketing*, vol. 8, 1993, pp. 105-123.

CHAPITRE 7
Comprendre la
consommation et
le comportement
d'achat

199

# Les classes sociales européennes

Afin d'harmoniser les classifications sociales effectuées en Europe et de faciliter ainsi la comparaison des résultats issus des études de marché internationales, l'Esomar (European Society for Opinion and Marketing Research) a proposé un système de points fondé sur le niveau d'éducation mesuré à travers le nombre d'années de scolarité (et non le diplôme qui varie selon le système éducatif en vigueur dans chaque pays), et la catégorie professionnelle regroupée en 15 rubriques depuis le cadre supérieur (E1) jusqu'à l'ouvrier non qualifié (E12). Cinq classes ont alors été élaborées selon le schéma ci-dessous :

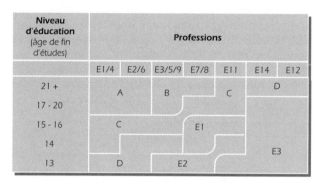

Selon cette classification, la structure sociale en Europe apparaît ainsi :

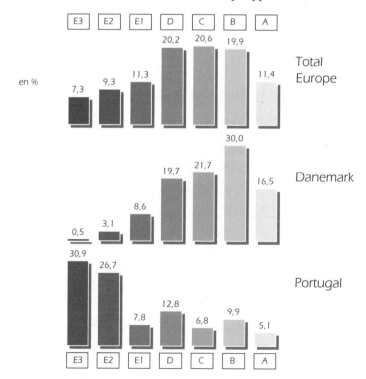

*Source* : Y. Marbeau *et al.*, «Harmonization of Demographics in Europe 1991 : The State of the Art», *Marketing and Research Today*, mars 1992, pp. 33-40.

Les diverses classes développent leurs propres préférences vis-à-vis de l'alimentation, des vêtements, des meubles, des automobiles ou des loisirs[10]. En matière de meubles, Roche & Bobois s'adresse à la classe supérieure, tandis que les Galeries Barbès se concentrent sur les couches plus modestes. De même, certaines études montrent que les milieux populaires préfèrent pratiquer des sports privilégiant le corps-à-corps (lutte, boxe) alors que les milieux privilégiés préfèrent des sports qui «distancient» le contact (tennis, golf)[11].

Cependant, les classes sociales traditionnelles semblent de moins en moins homogènes, alors que de nouvelles catégories apparaissent (voir encadré 7.3). Le sentiment d'appartenance à une classe sociale est d'ailleurs en forte diminution. Contrairement à ce que l'on pourrait penser, les clients des magasins de hard-discount ne sont pas seulement ceux qui appartiennent aux classes défavorisées. Au-delà de la profession et du revenu qui semblent moins déterminants qu'il y a vingt ou trente ans, le niveau d'instruction et la génération semblent aujourd'hui fortement différencier les comportements de consommation[12].

## Les facteurs sociaux

Un second groupe de facteurs, centré sur les relations interpersonnelles, joue un rôle important en matière d'achat. Il s'agit des groupes de référence (notamment la famille), et des statuts et rôles qui leur sont associés.

---

**7.3**

### Les nouvelles classes sociales françaises

L'explosion de la classe moyenne a engendré vers le haut une sorte de «protectorat» composé de fonctionnaires, de certaines professions libérales, d'employés et cadres d'entreprises des secteurs non concurrentiels ainsi que des retraités et préretraités. Cette population ne connaît pas les affres de la compétition professionnelle et vit dans un monde protégé, presque irréel.

Au-dessus, plane toujours ce qu'il est convenu d'appeler «l'élite» de la nation, *Nomenklatura* à la française qui tient les rênes du pouvoir politique, économique, intellectuel, social. Ses membres sont patrons, cadres supérieurs, professions libérales, gros commerçants, mais aussi hommes politiques, responsables d'associations, syndicalistes, experts, journalistes, etc. Une aristocratie moderne qui ne se reconnaît plus par la naissance mais par la réussite, le pouvoir et l'argent.

Dans le même temps, la classe moyenne a engendré vers le bas une sorte de *néo-prolétariat* aux conditions de vie de plus en plus précaires. On y trouve des gens modestes qui alternent des périodes de travail courtes et mal rémunérées avec des périodes de chômage, ainsi que les «nouveaux pauvres» exclus de la vie professionnelle, culturelle et sociale.

Enfin, les autres Français appartiennent à la *néo-bourgeoisie*. Commerçants, petits patrons, employés ou même ouvriers qualifiés, ainsi que certains représentants des professions libérales en difficulté (médecins, architectes...), ils ont un pouvoir d'achat acceptable ou confortable, mais restent vulnérables à l'évolution de la conjoncture économique.

*Source :* adapté de Gérard Mermet, *Francoscopie 2003* (Paris : Larousse, 2002, pp. 224-230).

CHAPITRE 7
Comprendre la consommation et le comportement d'achat

**LES GROUPES DE RÉFÉRENCE** ❖ Dans sa vie quotidienne, un individu est influencé par les nombreux groupes auxquels il appartient. On appelle *groupes primaires* les groupes au sein desquels tous les individus se connaissent (famille, voisins, amis, collègues de travail), à l'opposé des *groupes secondaires* dont chacun ne connaît pas personnellement tous les autres membres (associations, clubs sportifs). Tout individu est influencé par ces deux types de *groupes d'appartenance*.

Il est également admiratif, ou au contraire critique, envers d'autres groupes auxquels il n'appartient pas (champions sportifs, vedettes de cinéma). On donne à ces divers groupes le nom de *groupes de référence*. Ceux-ci interviennent de trois façons : d'abord, les groupes de référence proposent à l'individu des modèles de comportement et de mode de vie ; ensuite, ils influencent l'image qu'il se fait lui-même ; enfin, ils engendrent des pressions en faveur d'une certaine conformité de comportement.

Une entreprise est naturellement soucieuse de savoir si l'achat de ses produits et marques est soumis à l'influence de groupes de référence et désireuse, le cas échéant, de connaître leur identité. Lorsqu'elle détecte une telle influence, elle s'efforce d'atteindre les *leaders d'opinion* du groupe de référence. Autrefois, on pensait que les leaders d'opinion appartenaient surtout aux milieux privilégiés. Aujourd'hui, on reconnaît qu'ils se répartissent dans toutes les couches de la société et qu'une personne jouissant d'une certaine autorité dans un domaine peut être un suiveur dans un autre.

Le responsable marketing atteint les leaders d'opinion en identifiant leurs caractéristiques personnelles, leurs habitudes d'écoute et de lecture et en élaborant des messages qui leur sont spécialement destinés. Ainsi, en France, la société Pernod Ricard a identifié des « clients pilotes » (cafetiers, milieux sportifs) auprès desquels elle met en place diverses opérations promotionnelles (tournées gratuites, achats d'équipements...). Air France a, de même, créé le « Club 2000 », composé de journalistes, de PDG de grandes sociétés et d'artistes du show-business.

En fait, l'influence des groupes de référence est d'autant plus prononcée que la consommation du produit est visible, notamment par les personnes que l'on respecte[13]. En général, plus la cohésion interne est forte, plus la diffusion au sein du groupe est rapide ; de même, plus l'image du groupe est forte, plus son influence sur le choix des produits et des marques est prononcée.

**LA FAMILLE** ❖ Le comportement d'un acheteur est largement influencé par les différents membres de sa famille. Il est, en fait, utile de distinguer deux sortes de cellules familiales : la famille d'*orientation*, qui se compose des parents, et la famille de *procréation* formée par le conjoint et les enfants. Dans sa famille d'orientation, un individu acquiert certaines attitudes envers la religion, la politique ou l'économie mais aussi envers lui-même, ses espoirs et ses ambitions. Même lorsqu'il a quitté le nid familial, il subit toujours l'influence plus ou moins consciente de ses parents dans certaines décisions d'achat[14].

De tous les groupes interpersonnels, c'est certainement la famille de procréation qui exerce l'influence la plus profonde et la plus durable sur les opinions et valeurs d'un individu. En matière d'achats, l'influence relative des époux varie considérablement selon les produits[15]. La figure 7.3, issue d'une étude sur des couples, identifie quatre catégories de biens :

♦ Les produits pour lesquels la décision d'achat est dominée par le mari : voiture, réparations.

♦ Les produits où l'achat est dominé par la femme : produits d'entretien, vêtements des enfants, produits alimentaires.

**FIGURE 7.3**
Les six grands
domaines de
l'organisation
domestique

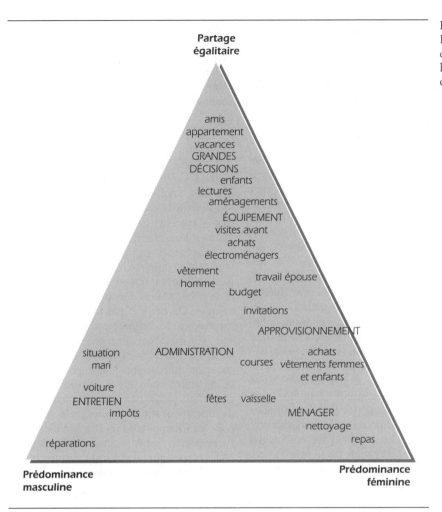

Partage
égalitaire

amis
appartement
vacances
GRANDES
DÉCISIONS
enfants
lectures
aménagements
ÉQUIPEMENT
visites avant
achats
électroménagers
vêtement
homme          travail épouse
budget
invitations
APPROVISIONNEMENT
situation        ADMINISTRATION         achats
mari                                 courses   vêtements femmes
et enfants
voiture
ENTRETIEN              fêtes   vaisselle
impôts                                   MÉNAGER
nettoyage
réparations                                              repas

Prédominance                                      Prédominance
masculine                                            féminine

Source : M. Claude et F. de Singly, *op. cit.*

♦ Les produits où l'achat est dominé tantôt par l'un, tantôt par l'autre : électroménager, vêtements masculins.

♦ Les achats résultant d'une décision conjointe : appartement, vacances.

Sous l'influence de l'activité professionnelle croissante des femmes et de la
participation accrue des hommes au shopping et aux courses, la répartition
des rôles évolue et le responsable marketing doit faire attention à cette évolution lorsqu'il identifie ses cibles (voir encadré 7.4).

Une autre tendance concerne l'accroissement des dépenses consacrées aux
enfants ou influencées par eux. En France, on estime par exemple que l'argent de poche dont ils disposent a augmenté d'un tiers depuis cinq ans, atteignant 3 milliards d'euros par an, avec une moyenne de 17 € par enfant pour
les 11-14 ans et 45 € pour les 15-17 ans[16]. Au-delà de leurs propres dépenses,
les enfants influent sur un grand nombre de dépenses : 52 % pour les vêtements de sport entre 4 et 7 ans, 67 % entre 8 et 10 ans et 76 % entre 11 et
14 ans. Les fabricants l'ont bien compris qui ciblent souvent leurs campagnes
publicitaires sur leurs enfants. Ainsi Peugeot a-t-il choisi de s'adresser à eux
pour convaincre leurs parents d'acheter le monospace 806. Les enfants sont

CHAPITRE 7
Comprendre la
consommation et
le comportement
d'achat

203

## Hommes et femmes : comment passer d'une cible à l'autre ?

L'activité professionnelle des femmes, l'implication croissante des hommes dans la vie familiale et les tâches ménagères, ainsi que la multiplication des familles monoparentales font évoluer la répartition des rôles dans les achats. 20 % des acheteurs chez Carrefour sont aujourd'hui des hommes et 50 % des conducteurs de voitures sont des femmes. On ne peut plus les considérer comme de simples prescripteurs ou comme une clientèle de niche.

En réaction, un nombre croissant de fabricants de produits traditionnellement masculins (voiture, hi-fi/vidéo, bricolage) féminisent leurs produits et leur communication. Audi a conçu son modèle A2 en tenant compte de la cible féminine, prévoyant par exemple une trappe d'entretien externe et isolée pour l'huile de moteur et le liquide lave-glace afin d'éviter aux femmes de se soucier de savoir où se trouvent ces fluides. Ford rappelait dans son slogan publicitaire pour le monospace Galaxy que la marque «n'oublie pas que la moitié des hommes sont des femmes».

Pour les produits classiquement achetés par des femmes, comme les lessives ou les couches-culottes, les pratiques évoluent moins rapidement. Certains spécialistes regrettent d'ailleurs une approche marketing traditionnelle de plus en plus décalée par rapport aux réalités sociales. Certaines campagnes publicitaires fondées sur l'humour jouent sur le décalage entre le sexe du produit et celui du personnage.

Cette stratégie permet de se différencier ou d'élargir la cible : ainsi tel Sveltesse met en scène Richard Berry pour montrer que les hommes aussi se préoccupent de leur poids.

Enfin, certaines marques s'adressant à la fois aux hommes et aux femmes différencient leurs approches marketing selon la cible. Dans le sport, par exemple, les méthodes utilisées pour s'adresser aux hommes, centrées sur la performance et fondées sur le sponsoring de grands sportifs, s'avèrent inopérantes auprès des femmes. Jean-Pierre Petit, directeur général de Nike France souligne que, pour séduire la clientèle féminine, il a dû «faire évoluer [ses] méthodes traditionnelles de marketing et de publicité vers des approches plus spécifiques. On ne peut pas faire de grandes campagnes de communication à la télévision, par exemple : les femmes ont besoin de voir les produits en détail. La communication produit est alors plus importante que la communication de marque». D'où le choix de la presse comme média, associée à des opérations sur le terrain, tels les Matins Nike au Champ-de-Mars et à la Villette, à Paris, pour entrer en contact avec quelques 3 000 femmes qui découvrent une autre manière de pratiquer le fitness ou le running.

*Sources :* Françoise Dorey et Monique Zollinger, «L'humour et le genre dans le discours publicitaire» et Helen Zeitoun, «Pertinence et valeur stratégique de la cible femme telle que traitée par les études de marché», tous deux parus dans *Décisions marketing* n° 20, mai-août 2000, pp. 57-66 et 89-94 ; Elisabeth Tissier-Desbordes et Allan Kimmel, «Sexe, genre et marketing : définition des concepts et analyse de la littérature», *Décisions marketing* 26, avril-juin 2002, pp. 55-70 ; *Marketing direct*, «La cible femmes : au bonheur de ces dames», 1er mars 2002, pp. 36-41 ; *LSA*, «Les femmes et le sport : sachez reconnaître leurs spécificités», 31 octobre 2002, pp. 46-50.

également régulièrement consultés lors d'enquêtes ou de tests. Ainsi, le fabricant de jouets Smoby dispose-t-il d'un laboratoire maison[17].

**LES STATUTS ET LES RÔLES** ❖ Un individu fait partie de nombreux groupes tout au long de sa vie : famille, associations, clubs... La position qu'il occupe dans chacun de ces groupes est régentée par un *statut* auquel correspond un *rôle*.

Un rôle se compose de toutes les activités qu'une personne est censée accomplir, compte tenu de son statut et des attentes de l'entourage.

Un statut donné correspond à une position plus ou moins valorisée socialement. Dans nos sociétés modernes, le statut de chirurgien par exemple, est supérieur à celui d'éboueur. Statuts et rôles exercent une profonde influence sur le comportement d'achat. Les gens ont souvent tendance à choisir des produits en tenant compte de leur statut social. Le cadre supérieur roule en Mercedes, boit du Chivas et pratique le golf, autant de *symboles* de sa réussite. Les symboles ne sont évidemment pas les mêmes d'une classe sociale à l'autre et, en outre, évoluent dans le temps.

## Les facteurs personnels

Les décisions d'achat sont également affectées par les caractéristiques personnelles de l'acheteur, et notamment son âge, l'étape de son cycle de vie, sa profession, sa position économique, son style de vie et sa personnalité.

L'ÂGE ET LE CYCLE DE VIE ❖ Les produits et services achetés par une personne évoluent tout au long de sa vie. Même s'il se nourrit jusqu'à sa mort, l'individu modifie son alimentation, depuis les petits pots de l'enfance jusqu'au régime strict du 4e âge. En matière de petit-déjeuner, par exemple, l'âge discrimine fortement les habitudes alimentaires : aux enfants, les petits déjeuners copieux et gourmands associant céréales, lait, chocolat et viennoiseries ; aux adolescents, des comportements plus erratiques conduisant parfois à sauter ce repas ; aux plus de 30 ans, les biscottes et le café[18]. Il en va de même pour les vêtements, les meubles ou les loisirs.

Le concept de *cycle de vie familial* permet de rendre compte de ces évolutions en matière de désirs, d'attitudes et de valeurs. Le tableau 7.1 identifie les neuf phases généralement reconnues et les comportements qui leur sont associés.

| PHASE DU CYCLE FAMILIAL | REVENU | TYPE DE CONSOMMATION |
|---|---|---|
| 1. Célibataire | modeste | vêtements, boissons, loisirs |
| 2. Jeunes couples sans enfants | croissant | biens durables, loisirs |
| 3. Couples avec enfants de moins de 6 ans | en baisse | logement, équipement, jouets, médicaments |
| 4. Couples avec enfants de plus de 6 ans | en hausse | éducation, sport |
| 5. Couples âgés avec enfants à charge | stable | résidence secondaire, mobilier, éducation |
| 6. Couples âgés sans enfants à charge, chef de famille en activité | maximum | voyages, loisirs, résidence de retraite |
| 7. Couples âgés, mariés, sans enfants à charge, chef de famille retraité | en baisse | santé, loisirs |
| 8. Âgé, seul, en activité | stable | voyage, loisirs, santé |
| 9. Âgé, seul, retraité | en baisse | santé |

**TABLEAU 7.1**
Cycle de vie familial et comportement d'achat

*Sources :* adapté de Williams D. Wells et Georges Gubar, « Life Cycle Concept in Marketing Research », *Journal of Marketing Research*, nov. 1966, p. 362. Voir également Patrick Murphy et William A. Staples, « A Modernized Family Life Cycle Concept », *Journal of Consumer Research*, juin 1979, pp. 12-122 et Frederick W. Derrick et Alane E. Linfield, « The Family Life Cycle : An Alternative Approach », *Journal of Consumer Research*, septembre 1980, pp. 214-217.

Chacun de ces groupes a des besoins et des intérêts spécifiques. Les jeunes couples avec enfants de moins de six ans, par exemple, sont de gros acheteurs de machines à laver, d'aliments infantiles et de jouets, tandis que les couples d'âge mûr sans enfants à charge sont les plus intéressés par les croisières, les livres ou la télévision. Les modes de division du travail, de partage d'autorité et d'influence varient également d'un groupe à l'autre[19]. Aujourd'hui, le nombre et la nature des étapes se diversifient sous l'effet de l'union libre, du divorce et du PACS, mais aussi du remariage ou de l'adoption. Certaines étapes psychologiques, correspondant à des « passages » particulièrement significatifs (veuvage, remariage, etc.), ont également un impact important sur la consommation[20].

**LA PROFESSION ET LA POSITION ÉCONOMIQUE** ❖ Le métier exercé par une personne donne naissance à de nombreux achats. Un ouvrier du bâtiment par exemple a besoin de vêtements, de chaussures de travail, et peut-être d'une gamelle pour déjeuner sur le chantier ; son directeur achète des vêtements plus luxueux et voyage en avion. Le responsable marketing doit identifier les catégories socioprofessionnelles qui expriment un intérêt particulier pour ses produits et services. Certaines entreprises vont même jusqu'à positionner leurs produits pour une catégorie déterminée. Par exemple, Séco-dip a créé Prométhée, un logiciel spécialement adapté aux préoccupations des chefs de produits[21].

La position économique d'une personne détermine largement ce qu'elle est en mesure d'acheter. Cette position est fonction de son *revenu* (niveau, régularité, périodicité), de son *patrimoine* (y compris les liquidités), de sa *capacité d'endettement* et de son *attitude vis-à-vis de l'épargne et du crédit*. Les fabricants de produits haut de gamme font très attention à l'évolution des niveaux de vie, de l'épargne et du crédit. Si les indicateurs économiques laissent présager une détérioration du pouvoir d'achat, ils peuvent repositionner leurs produits et leurs prix.

**LE STYLE DE VIE** ❖ Un autre facteur affectant le comportement d'achat est le style de vie qu'une personne a décidé d'adopter. On peut le définir comme :

❖ Un système de repérage d'un individu à partir de ses activités, ses centres d'intérêt et ses opinions.

Le style de vie établit le portrait de l'individu saisi dans son approche globale face à son environnement. Il s'efforce d'opérer une synthèse entre déterminants sociaux et facteurs personnels[22]. On trouvera à la figure 7.4 une description des styles de vie en Europe[23], réalisée à partir du système Euro-styles.

Il n'est pas certain que la méthodologie des styles de vie, élaborée dans les années 1930, s'applique aussi bien dans notre société d'aujourd'hui. Ainsi, la segmentation de certains marchés comme celui des internautes ne semble pas obéir à des profils précis de style de vie. L'institut SRI a créé une typologie spécifiquement adaptée à Internet (iVALS) tandis que Forrester Research a élaboré une classification en neuf cases à partir des attitudes vis-à-vis de la technologie[24].

**LA PERSONNALITÉ ET LE CONCEPT DE SOI** ❖ Tout individu a une personnalité qu'il exprime à travers son comportement d'achat. On appelle personnalité :

❖ Un ensemble de caractéristiques psychologiques distinctives qui engendrent un mode de réponse stable et cohérent à l'environnement.

FIGURE 7.4
Les eurostyles

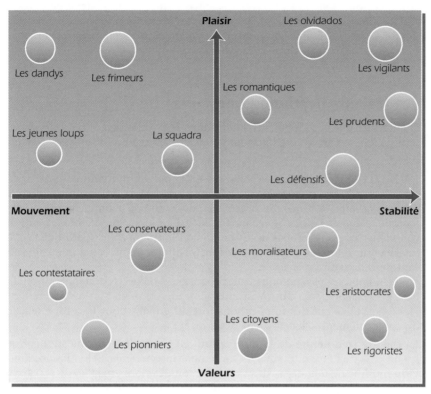

Note : Les cercles sont proportionnels à la taille des groupes en Europe
(les plus nombreux sont les frimeurs, 13,5 %).

*Source :* Adapté de Andreas Zins, « Transferability of the Concept of Environmental Awarness Within the Eurostyles System Into Tourism Marketing », dans Lynn Kahle et Larry Chiagouris (Eds), *Values, Lifestyles and Psychographics* (Lawrence, Laurence Erlbaum Associates, 1997) p. 375. Pour une description des différents types, se reporter à A. Winkler, « Eurostyles in Panel Analyses », *Europanel, Marketing Bulletin,* 1991, pp. 8-11.

La personnalité d'un individu s'exprime en général sous forme de traits : confiance en soi, autonomie, sociabilité, adaptabilité, introversion, impulsivité, créativité… La personnalité est une variable utile à l'analyse du comportement d'achat, pour autant qu'on puisse la mesurer et la relier aux produits et aux marques. Une banque régionale française a ainsi défini sa clientèle à partir d'un double repérage de personnalité : 1) le contrôle de soi et 2) le contrôle perçu sur autrui. Elle distingue ainsi les toniques (++), les pondérés (+–), les réceptifs (––), et les démonstratifs (–+), sur lesquels elle concentre ses efforts.

On considère souvent que les marques ont elles aussi une personnalité. Cinq traits pertinents ont été identifiés : la sincérité, l'excitation, la compétence, la sophistication et la rudesse. Levi's est une marque plutôt rude, tandis que la compétence domine la personnalité de CNN[25]. Un consommateur aura tendance à choisir des marques dont la personnalité colle à la sienne.

La notion, voisine, de *concept de soi* est elle aussi largement utilisée par les entreprises. Elle décrit la façon dont un individu se considère et pense que les autres le voient. Il semblerait qu'une marque ait intérêt à se rapprocher de l'image de son marché-cible. En fait, cela n'est pas aussi simple car un individu entretient au moins trois concepts de lui-même : l'*image réelle* (c'est-à-dire

CHAPITRE 7
Comprendre la
consommation et
le comportement
d'achat

207

la façon dont il se voit), *l'image idéale* (ce à quoi il aimerait ressembler) et *l'image d'autrui* (la façon dont, à son avis, les autres le perçoivent). On ne sait donc s'il faut positionner un produit en fonction du premier, du second ou du troisième et, de ce fait, l'utilisation du concept de soi a été quelque peu contestée en marketing[26].

## Les facteurs psychologiques

Quatre mécanismes-clé interviennent dans la psychologie d'un individu : la motivation, la perception, l'apprentissage et l'émergence de croyances et attitudes.

**LA MOTIVATION** ❖ Les besoins ressentis par un individu sont de nature très diverse. Certains sont *biogéniques*, issus d'états de tension physiologique tels que la faim, d'autres *psychogéniques*, engendrés par un inconfort psychologique tel que le besoin de reconnaissance. La plupart des besoins, latents ou conscients, ne poussent pas nécessairement l'individu à agir. Pour que l'action intervienne, il faut en effet que le besoin ait atteint un niveau d'intensité suffisant pour devenir un *mobile*.

De nombreux psychologues ont proposé des théories de la motivation. Les trois plus célèbres sont dues à Sigmund Freud, Abraham Maslow, et Frederick Herzberg. Elles ont des implications fort différentes pour la compréhension du comportement d'achat.

**La théorie freudienne de la motivation.** La théorie freudienne soutient que les besoins de l'être humain sont largement inconscients. Selon Freud, l'individu réprime de nombreux désirs lors de son développement et de son acceptation progressive de la vie en société. Ces désirs ne sont pas totalement éliminés ni parfaitement maîtrisés, et réapparaissent dans les rêves, les lapsus et les obsessions.

Le comportement individuel n'est, par conséquent, jamais simple et peut correspondre à la mise en jeu de facteurs plus ou moins profonds[27].

Lorsqu'un client regarde des ordinateurs, il n'est pas seulement sensible aux performances, mais réagit mentalement à d'autres caractéristiques. La forme, la taille, le poids, la matière, la couleur de l'appareil sont autant d'éléments susceptibles de déclencher des émotions. Aussi le fabricant doit-il, lors de la conception du produit, étudier la capacité des éléments visuels et tactiles à provoquer des sentiments susceptibles de stimuler ou au contraire d'inhiber l'achat (voir encadré 7.5).

---

**7.5**

### Le marketing fait appel à tous nos sens

#### 1. La vue
En présentant l'iMac deuxième génération, Steve Jobs annonçait malicieusement que « le choix de la couleur allait devenir l'une des questions essentielles pour tout achat de micro-ordinateur ». Ce modèle est décliné couleurs myrtille, raisin, mandarine, fraise et citron vert. Nokia commercialise « Yellow Fellow », un téléviseur portable tout jaune. Au salon Confortec, Zanussi a présenté une machine à laver ronde, colorée comme un bonbon. La grande consommation n'échappe pas à cette utilisation inattendue de la couleur, tel Perrier Fluo aux couleurs détonantes, par exemple rose acidulé pour le goût cerise-gingembre. « Le consommateur mémorise d'abord la forme et la couleur d'un produit, puis son nom », souligne Sophie Romet de l'agence Dragon rouge.

## 2. L'ouïe

Les études réalisées par Harley Davidson indiquent que le bruit du moteur constitue une motivation essentielle pour 80 % des achats! La marque a même essayé (sans succès) de déposer ce son pour empêcher toute copie et l'utilise comme argument commercial, diffusant dans ses catalogues de prestige des CD reproduisant les sons de ses motos. L'ouïe est également utilisée par les consommateurs pour évaluer les caractéristiques des produits. Le bruit du claquement des portières sert d'indicateur, souvent inconscient, de la solidité des voitures; le bruit du moteur d'indicateur révèle sa puissance. Les fabricants travaillent donc ces bruits, les construisant parfois de manière totalement artificielle. Dans l'alimentaire, les professionnels se sont également rendu compte que le bruit de consommation des produits est une stimulation forte et inconsciente qui intervient dans l'analyse de l'aliment. Ils conçoivent donc les chips, par exemple, pour que le son émis au moment où on les croque soit le plus fort possible et donne ainsi une impression de croustillance, au besoin en fabriquant des chips si grandes qu'elles doivent être croquées la bouche ouverte!

## 3. L'odorat

Après avoir parfumé au monoï ses brochures consacrées à la Polynésie, le Club Med aromatise les cartes postales vendues dans ses villages aux senteurs de fleurs et de fruits exotiques pour mieux faire rêver les destinataires restés en ville. Reynolds a sorti le stylo Gel Flowers aux encres parfumées à la fleur d'oranger. VF équipe certains soutiens-gorge de diffuseurs de parfum. Ripolin teste une peinture pour plafond aromatisée aux senteurs de jasmin et envisage de créer une signature olfactive pour la marque. Jouer sur l'odorat permet de favoriser la dimension émotive dans l'utilisation d'un produit. « L'olfactif apporte une sensation de bien-être, affirme Bruno Alberti, directeur général de Canal Music. Le mécanisme de l'odorat sollicite dans le cerveau la zone la plus proche de celle qui déclenche le plaisir. »

## 4. Le goût

C'est, bien sûr, dans l'alimentaire que ce sens fait l'objet des recherches les plus importantes. Le laboratoire d'analyse sensorielle de Nestlé France dispose d'un budget supérieur à 1,1 million d'euros par an. « Au départ, explique Patrick McLeod, l'un des pères de l'évaluation sensorielle, l'alimentaire était fondé sur des recettes traditionnelles qu'il suffisait de reproduire. L'arrivée de produits aux goûts totalement nouveaux, sans aucun référentiel, a tout bouleversé. » De même, le goût est utilisé pour se démarquer des concurrents dans l'hygiène beauté, avec des références de dentifrices comme Teraxyl à l'eucalyptus, Vademecum verveine-citron et Colgate Bubble Gum.

## 5. Le toucher

Les cosmétiques Yours du Groupe LVMH se distinguent par leur toucher à la fois doux et caoutchouteux. Plusieurs produits Helena Rubinstein ont été conçus pour procurer un effet « granit ». Il a fallu lester les tubes de rouge à lèvres pour que leur poids réel s'accorde à leur aspect! Dans le textile, de nouvelles techniques d'enduction permettent de produire du glissant, du gommeux, du rugueux… Moins exploité par les industriels que les autres sens, le toucher recèle pourtant des gisements de valeur ajoutée.

Après avoir épuisé les arguments rationnels, les industriels s'adressent donc à nos cinq sens et à notre inconscient. Ils veillent également à donner une cohérence sensorielle aux produits, comme Unichips qui commercialise « des emballages souples dont l'aspect mat, le toucher soyeux et le son craquant lors de la manipulation des sachets renvoient aux chips non grasses, légères et craquantes ».

*Sources : LSA*, « Marketing des sens : jusqu'où faut-il aller ? », 11 juillet 2002, pp. 56-61 ; *Stratégies*, « Les clients par l'odeur alléchés… », 16 novembre 2001, pp. 12-13 ; *Marianne*, « Quand le marketing vous mène par le bout du nez », 30 novembre 1998, pp. 82-85 ; *Les Echos*, « L'industrie marketing redécouvre la couleur », 12 mars 1996, p. 34 ; *Le Revenu français*, « Le marketing veut flatter nos cinq sens », 2 février 1996 ; *BT Magazine*, « Bruits et chuchotements », n° 158, décembre 1993. Pour des analyses conceptuelles, voir Jean-Marc Lehu, *Le Marketing olfactif* (Paris : LPM, 1999) et Ronan Divard et Bertrand Urien, « Le consommateur vit dans un monde en couleurs », *Recherche et Applications en marketing* 16 janvier 2001, pp. 3-24.

CHAPITRE 7
Comprendre la consommation et le comportement d'achat

Diverses «techniques projectives» parmi lesquelles l'association de mots, les phrases à compléter, l'interprétation des images, les portraits chinois (si c'était une fleur, un animal, etc.) et le jeu de rôle sont utilisées pour sonder les motivations des individus. Les études de motivation ont abouti à des résultats intéressants, et parfois inattendus. Ainsi : 1) les consommateurs n'aiment pas les pruneaux car ils évoquent le visage ridé de la vieillesse ; 2) les hommes qui fument des cigares obéissent à un instinct de succion ; 3) certaines consommatrices préfèrent les huiles végétales, parce que les graisses animales leur rappellent qu'il a fallu tuer des êtres vivants[28].

Des recherches plus récentes montrent que chaque produit est capable d'éveiller une configuration spécifique de motivation. Par exemple, le whisky peut évoquer la relaxation, le prestige ou la détente. Les marques mettent alors l'accent sur l'un ou l'autre de ces aspects, adoptant ainsi un «positionnement motivationel»[29].

**La motivation selon Maslow.** La théorie de Maslow est fondée sur trois hypothèses[30] : 1) un individu éprouve de nombreux besoins qui n'ont pas tous la même importance et peuvent donc être hiérarchisés ; 2) il cherche d'abord à satisfaire le besoin qui lui semble le plus important ; et 3) lorsque ce besoin a été satisfait, l'individu cherche à satisfaire le second besoin le plus important.

D'après Maslow, on peut hiérarchiser les besoins en : besoins physiologiques, besoins de sécurité, besoins d'appartenance, besoins d'estime et besoins d'accomplissement de soi (voir figure 7.5).

**FIGURE 7.5**
La pyramide
des besoins
selon Maslow

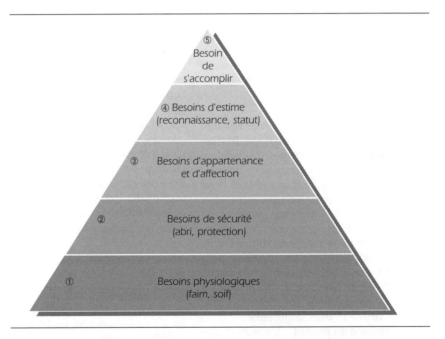

La théorie de Maslow peut nous aider à comprendre un achat en facilitant l'identification des différents niveaux de besoin pouvant être mis en jeu. Ainsi, le fait de préparer une soupe maison plutôt que d'avoir recours à un potage en sachet peut s'expliquer par des besoins physiologiques (plus nourrissant), mais aussi de sécurité (plus naturel), d'affection (plus convivial), d'estime (plus valorisant) et d'accomplissement (plus créatif).

**La théorie d'Herzberg.** Frederick Herzberg a développé la «théorie des deux facteurs», qui distingue les éléments de satisfaction et de mécontentement[31].

L'absence de motif de mécontentement ne suffit pas. Les éléments de satisfaction doivent être substantiels pour stimuler l'achat. Par exemple, si un ordinateur est commercialisé sans garantie alors que le client en souhaitait une, il y a mécontentement. Pourtant, la présence d'une garantie ne suffit pas à provoquer la satisfaction et n'agit pas comme stimulateur d'achat. Par contre, les capacités graphiques peuvent avoir ce rôle, si le client est un adepte des jeux vidéos et sait que ces caractéristiques augmenteront son plaisir à jouer.

La théorie d'Herzberg suggère que l'entreprise doit toujours travailler dans deux directions : 1) éviter le mécontentement de l'acheteur potentiel (une brochure bien faite n'est peut-être pas suffisante pour déclencher l'achat mais une brochure mal faite risque de l'inhiber complètement) ; 2) identifier avec soin les causes de satisfaction afin de les incorporer à son offre en bénéficiant si possible d'un avantage différentiel.

**LA PERCEPTION** ❖ Un individu motivé est prêt à l'action. La forme que prendra celle-ci dépend de sa perception de la situation.

> ❖ La *perception* est le processus par lequel un individu choisit, organise et interprète des éléments d'information externe pour construire une image cohérente du monde qui l'entoure[32].

Plusieurs individus soumis au même stimulus peuvent en avoir des perceptions différentes selon l'environnement qui les entoure et selon leurs caractéristiques personnelles. Or, en marketing, les perceptions des clients sont plus importantes que la réalité. Trois mécanismes affectent la manière dont un stimulus est perçu : l'attention sélective, la distorsion sélective et la rétention sélective.

**L'attention sélective.** Une personne est exposée à un nombre très élevé de stimuli à chaque instant de sa vie. Selon l'agence Carré Noir, l'homme occidental reçoit chaque jour 800 mots, 2 000 images et 20 000 stimuli visuels relatifs à 500 marques[33]. Bien sûr, la plupart d'entre eux ne franchissent pas le seuil de la conscience. Il faut cependant expliquer pourquoi certains sont retenus de préférence à d'autres :

♦ *Un individu a plus de chances de remarquer un stimulus qui concerne ses besoins.* On fera attention aux publicités d'ordinateurs si l'on désire en acheter un ; on ne remarquera probablement pas les publicités pour des chaînes hi-fi.

♦ *Un individu a plus de chances de remarquer un stimulus qu'il s'attend à rencontrer.* On remarquera davantage, chez un revendeur informatique, les ordinateurs que les combinés téléphoniques que l'on n'a pas prévu de trouver là.

♦ *Un individu remarque d'autant plus un stimulus que son intensité est forte par rapport à la normale.* Ainsi, on fera plus attention à un rabais de 150 € sur le prix d'un ordinateur, qu'à un rabais de 15 € sur le même appareil.

Le phénomène de sélectivité explique qu'il soit très difficile d'attirer l'attention des consommateurs. Même les plus intéressés d'entre eux peuvent ne pas percevoir un message qui ne se détache pas nettement. D'où l'intérêt de surprendre. Un spot télévisé de la Banque directe a retenu l'attention en ne présentant à l'image qu'un carré blanc sur fond noir et en expliquant qu'à la Banque directe, le client ne verra jamais son banquier !

**La distorsion sélective.** Ce n'est pas parce qu'un stimulus a été remarqué qu'il sera correctement interprété. On appelle distorsion sélective le mécanisme qui pousse l'individu à déformer l'information reçue afin de la rendre plus conforme à ses attentes. Lorsqu'un consommateur a déjà une nette préférence pour une marque, il risque de déformer l'information dans un sens favorable à cette marque.

CHAPITRE 7
Comprendre la
consommation et
le comportement
d'achat

211

**La rétention sélective.** L'individu oublie la plus grande partie de ce qu'il apprend. Il a tendance à mieux mémoriser une information qui conforte ses convictions. La sélectivité de la perception témoigne de la puissance des filtres internes et explique pourquoi les responsables marketing doivent si souvent répéter un message, en s'efforçant de le rendre aussi convaincant que possible.

L'APPRENTISSAGE ❖ Lorsqu'il agit, un individu se trouve soumis aux effets directs et indirects de ses actes, qui influencent son comportement ultérieur :

❖ On appelle *apprentissage* les modifications intervenues dans le comportement d'une personne à la suite de ses expériences passées.

La plupart de nos comportements sont appris. La théorie de l'apprentissage s'appuie sur cinq concepts : le besoin, le stimulus, l'indice, la réponse et le renforcement.

Nous avons précédemment abordé la notion de besoin. Ce *besoin* devient un *mobile* lorsqu'il se focalise sur un *stimulus* particulier, par exemple un ordinateur. La décision d'acheter dépend de la configuration d'*indices* prévalant dans l'environnement. On appelle *indices* des stimuli secondaires qui déterminent quand, où et comment la personne va réagir. L'opinion du conjoint, la conjoncture économique, la période de l'année constituent autant d'indices qui détermineront la *réponse* d'un consommateur. Si la première expérience est concluante, la fréquence d'utilisation de l'appareil s'accroît. On dit qu'il y a « *renforcement* ».

Si par la suite, l'acheteur acquiert une imprimante de la même marque (en se disant que, puisque l'ordinateur était bon, l'imprimante le sera aussi), on dit qu'il y a *généralisation* de la réponse. La *discrimination* est le phénomène inverse : elle favorise la détection des différences et conduit souvent à une différenciation des réponses (par exemple, des périphériques de marque différentes).

L'implication concrète de la théorie de l'apprentissage, pour le responsable marketing, est qu'il peut espérer accroître la demande d'un produit en l'associant à des besoins puissants, en facilitant l'émergence d'indices saillants et en provoquant un renforcement positif. Une entreprise nouvelle sur le marché peut s'attaquer aux mêmes besoins que ceux visés par le leader et utiliser des stimuli semblables, en espérant faire jouer à son avantage le principe de généralisation. Elle peut, alternativement, différencier son offre, de façon à faciliter une certaine discrimination.

LES CROYANCES ET ATTITUDES ❖ À travers l'action et l'apprentissage, l'individu forge des croyances et développe des attitudes. À leur tour, celles-ci influencent son comportement.

❖ Une *croyance* correspond à un élément de connaissance descriptive qu'une personne entretient à l'égard d'un objet.

De telles croyances sont fondées sur une connaissance objective, une opinion, ou un acte de foi. Elles peuvent ou non s'accompagner d'émotions. Une étude a montré que lorsque les consommateurs américains goûtent Diet Coke et Diet Pepsi en test aveugle (c'est-à-dire sans connaître les marques concernées), la moitié d'entre eux préfèrent le premier et la moitié le second ; lorsqu'on leur indique les marques, 65 % préfèrent Coca-Cola et 23 % Pepsi (le reste trouvant les produits équivalents)[34]. Cet écart illustre l'impact des croyances relatives aux marques sur les préférences des consommateurs.

Les fabricants sont, bien sûr, très désireux de connaître les croyances que le marché entretient vis-à-vis de leurs produits et de leurs marques. Celles-ci sont à l'origine de leur image auprès des consommateurs, laquelle influence fortement les comportements d'achat. Les responsables marketing doivent donc analyser les associations mentales qui existent dans l'esprit des consommateurs, en étudiant leur force et leur fréquence. Ainsi, le pays d'origine d'un produit pourra être à l'origine de certaines croyances quant à son niveau de qualité, ce dont l'entreprise devra tenir compte dans sa politique marketing (voir encadré 7.6).

❖ Une *attitude* résume les évaluations (positives ou négatives), les réactions émotionnelles et les prédispositions à agir vis-à-vis d'un objet ou d'une idée[35].

Nous développons des attitudes à l'égard d'à peu près tout : la religion, la politique, les vêtements, la musique, la nourriture... Les attitudes donnent naissance à des prédispositions plus ou moins favorables, à l'origine d'un

---

**7.6**

## Juger un produit d'après son pays d'origine

Dans certaines catégories de produit, les acheteurs sont influencés par l'origine de fabrication. Le phénomène du «made in» peut être positif, négatif ou neutre. Par exemple, un appareil photo «made in Japan» jouit d'un *a priori* favorable alors que pour une voiture, «made in Russia» peut être dévalorisant. Dans le cas des matières premières (pétrole, sucre, bois), l'origine a moins d'importance.

Les consommateurs forment leurs préférences en fonction de leur expérience mais aussi de stéréotypes nationaux. Ils supposent que l'Allemagne est symbole de solidité, l'Italie de mode ou la France de raffinement. En étudiant ce phénomène, on a découvert que :

♦ L'impact du pays d'origine dépend beaucoup de la catégorie de produit. Important pour une voiture assemblée, il l'est moins pour les filtres ou les lubrifiants.

♦ Les consommateurs des pays développés préfèrent les produits d'origine nationale. Ce n'est pas le cas dans les pays en voie de développement.

♦ Les campagnes en faveur des produits nationaux n'ont guère de succès lorsqu'un déficit de qualité est perçu.

♦ Certains pays ont une réputation bien établie dans certains domaines, par exemple la France dans le domaine du luxe.

♦ Meilleure est la réputation du pays, plus il est intéressant de donner de la visibilité au «made in».

♦ Les attitudes à l'égard du pays d'origine évoluent avec le temps. C'est par exemple le cas du Japon dont l'image a beaucoup progressé depuis la fin de la Deuxième Guerre mondiale.

Comment une entreprise doit-elle réagir lorsque ses produits sont égaux ou supérieurs en qualité mais pâtissent d'un «made in» défavorable ? Une possibilité est de coproduire avec un partenaire étranger. La Corée du Sud a souvent choisi cette approche. Elle produit un vêtement qui sera «fini» en Italie et vendu «made in Italy». Une autre approche consiste à faire appel à une célébrité internationale. Par exemple, un pilote automobile ou un joueur de football pour des produits d'équipement sportif. Une troisième stratégie consiste à sortir de son origine nationale pour donner à sa marque une dimension internationale, sans référence à une origine particulière. C'est le cas de nombreux produits vendus par des sociétés comme Nestlé ou Unilever.

*Sources :* pour une revue d'ensemble sur ce sujet, voir Nicolas Papadopoulos et Louise A. Heslop, *Product-Country Images : Impact and Role in International Marketing* (New York : International Business Press, 1993). Pour une étude centrée sur le luxe, voir Bernard Dubois et Claire Paternauet, «Does Luxury have a home country?», *Marketing Research Today*, avril 1997.

CHAPITRE 7
Comprendre la consommation et le comportement d'achat

mouvement d'attirance ou au contraire de répulsion. Une entreprise a toujours avantage à étudier les attitudes que le marché développe vis-à-vis de ses produits et marques.

Les attitudes permettent à un individu de mettre en place des comportements cohérents à l'égard d'une catégorie d'objets similaires. Il n'a pas en effet à réinterpréter la réalité à chaque fois : ses attitudes lui fournissent une structure d'accueil. En même temps, elles introduisent une rigidité de comportement. Les attitudes d'une personne s'agglutinent en réseaux logiques et chercher à modifier l'un d'entre eux peut requérir un bouleversement de l'ensemble.

Une entreprise a donc avantage à adapter ses produits aux attitudes préexistantes plutôt qu'à chercher à les transformer. Il y a bien sûr, des exceptions et certaines sociétés ont su détourner à leur profit les attitudes de leurs clients :

■ **AFTER EIGHT.** Lorsqu'une entreprise britannique décida de commercialiser en France un enrobé de chocolat parfumé à la menthe, une étude de marché lui révéla que si les Français avaient des attitudes favorables vis-à-vis du chocolat et de la menthe considérés séparément, le fait de les mettre ensemble provoquait chez beaucoup un sentiment de dégoût. La société renonça donc à mettre trop fortement en évidence les caractéristiques de ce produit. Elle réussit par contre à l'introduire en le présentant comme un garant indiscutable du savoir vivre britannique, que les Français sont enclins à reconnaître et apprécier.

## Le processus d'achat

Un responsable marketing doit aller au-delà d'une simple identification des influences s'exerçant sur l'acheteur et comprendre *comment* ce dernier prend ses décisions. Il lui faut savoir : qui prend la décision ; de quel type de décision il s'agit ; et quelles sont les différentes étapes du processus.

### Les rôles dans une situation d'achat

Pour certains produits ou services, l'identification de l'acheteur est relativement simple. Ainsi, ce sont surtout les hommes qui achètent les cigares, et les femmes le linge de maison. Pour une automobile ou une résidence secondaire, en revanche, l'*unité de prise de décision* se compose le plus souvent du mari, de la femme et des enfants les plus âgés. Dans ce cas, le responsable marketing doit identifier les rôles et l'influence relative des différents membres de la famille, de façon à mieux définir les caractéristiques de son produit et la cible de ses actions marketing.

On peut identifier jusqu'à cinq rôles dans une situation d'achat :

♦ L'*initiateur* : c'est celui qui, pour la première fois, suggère l'idée d'acheter le produit.

♦ L'*influenceur* : toute personne qui, directement ou indirectement, a un impact sur la décision finale.

♦ Le *décideur* : c'est une personne qui détermine l'une ou l'autre des différentes dimensions de l'achat : faut-il acheter ? où ? quand ? quoi ? et comment ?

♦ L'*acheteur* : c'est celui qui procède à la transaction proprement dite.

♦ L'*utilisateur* : c'est celui qui consomme ou utilise le produit ou le service.

Les responsables marketing entreprennent des études pour déterminer les rôles et l'influence relative des différents membres de l'unité de prise de décision, et en particulier des enfants[36].

# Les situations d'achat

Le comportement d'achat dépend également de la décision envisagée. On n'achète pas de la même façon une pâte dentifrice, une raquette de tennis, un ordinateur personnel et une automobile. Plus l'achat est cher et complexe, plus la délibération risque d'être longue et d'impliquer de nombreux intervenants. Assael a distingué quatre types de comportement d'achat liés au degré d'implication de l'acheteur et à l'étendue des différences entre les marques[37] (voir tableau 7.2).

**TABLEAU 7.2**
Quatre situations d'achat

|  | NIVEAU D'IMPLICATION ÉLEVÉ | NIVEAU D'IMPLICATION FAIBLE |
|---|---|---|
| DIFFÉRENCES SIGNIFICATIVES ENTRE LES MARQUES | **L'achat complexe** | **L'achat de diversité** |
| PEU DE DIFFÉRENCES ENTRE LES MARQUES | **L'achat réduisant une dissonance** | **L'achat routinier** |

*Source :* Adapté de Henry Assael, *Consumer Behavior and Marketing Action* (Boston : Kent Publishing Co, 1987), p. 87.

**L'ACHAT COMPLEXE** ❖ Un achat est complexe lorsque le consommateur est fortement impliqué et a pris conscience des différences entre les marques composant l'offre. Le degré d'implication est lui-même fonction du montant de l'achat, de sa fréquence, du niveau de risque perçu et de son caractère ostentatoire. Le consommateur consacre alors beaucoup de temps à s'informer sur les différentes caractéristiques des produits. Dans le cas d'un ordinateur personnel, il cherchera à savoir ce que veulent dire «40 gigas de mémoire», «modem 56 K» ou «lecteur DVD 16×».

L'acheteur passe ensuite par une phase d'apprentissage; il se forge des images puis développe des attitudes avant de prendre sa décision. Le responsable marketing d'un produit impliquant doit comprendre comment l'acheteur recueille l'information disponible et l'utilise. Il peut alors l'aider à mieux percevoir les caractéristiques des différents produits et leur importance relative. Il doit communiquer le positionnement spécifique de sa marque à travers des publicités informatives, un personnel de vente compétent et, si possible, un bouche à oreille favorable.

**L'ACHAT RÉDUISANT UNE DISSONANCE** ❖ Il arrive qu'un consommateur impliqué perçoive peu de différences entre les marques. Il est alors sensible au prix de vente et à la disponibilité immédiate du produit. Les achats de moquette entrent souvent dans cette catégorie.

Une fois l'achat effectué, le consommateur peut percevoir un écart entre son expérience et ce qu'il entend autour de lui au sujet des moquettes. Il cherche alors à justifier sa décision de façon à réduire cette «dissonance». Dans ce cas, le comportement précède la formation des attitudes. Un responsable marketing confronté à cette situation a intérêt à lancer des actions de communication pour rassurer le consommateur sur la pertinence de son choix.

**L'ACHAT ROUTINIER** ❖ Nombreux sont les produits pour lesquels le consommateur ne se sent guère impliqué ni ne perçoit de véritables différences entre les marques. Prenons le cas du sel de table. La plupart des gens n'y prêtent guère attention et se contentent d'acheter la marque disponible au point de vente. S'ils achètent toujours la même, c'est plus par habitude qu'en raison d'une véritable fidélité. Les produits fréquemment consommés et de faible valeur unitaire sont souvent achetés ainsi.

Dans ce cas, le consommateur ne passe pas par la séquence habituelle : image → attitude → comportement. Il n'y a pas de recherche active de renseignements, mais une exposition passive à l'information disponible à la télévision ou à la radio : la conviction laisse place à la familiarisation. Parfois, l'acte d'achat ne suffit même pas à engendrer une phase d'évaluation.

Le responsable marketing d'un produit acheté de façon routinière a souvent recours à la promotion pour provoquer l'essai, facilité par l'absence de fidélité aux marques. La publicité doit être simple, souvent à base d'effets visuels, plus faciles à mémoriser. Courte et répétitive, elle fera appel à la télévision plutôt qu'à la presse écrite. La théorie sous-jacente est celle de l'apprentissage stimulus-réponse[38].

Un responsable marketing peut également essayer d'accroître le degré d'implication dans son produit de plusieurs manières. On relie par exemple la marque à une préoccupation réelle des consommateurs, comme cela a été fait pour les sirops Teisseire sans colorant, ou bien à une situation que le consommateur apprécie (Ricoré pour le petit-déjeuner familial). On peut également valoriser le produit, par exemple en lui ajoutant des composants appréciés (laits enrichis en vitamines, en magnésium, en protéines), ou bien encore accentuer sa dimension émotionnelle en le personnalisant. L'encadré 7.7 présente une méthode pour identifier des axes de différenciation inexplorés. Il faut toutefois reconnaître que de telles stratégies ont leurs limites. On peut accroître le degré d'implication, mais rarement transformer un achat routinier en achat complexe.

---

**7.7**

## Trouver de nouvelles idées pour différencier ses produits et services

Selon Ian MacMillan et Rita Gunther McGrath, les entreprises peuvent découvrir des axes de différenciation auxquels elles-mêmes et leurs concurrents n'avaient pas songé en examinant dans son intégralité l'expérience des consommateurs avec leur produit ou service. Voici quelques questions à se poser dans cette optique.

♦ Comment les gens prennent-ils conscience de leur besoin pour votre produit ou service ?

♦ Comment les consommateurs découvrent-ils votre offre ?

♦ Comment font-ils leur choix ?

♦ Comment passent-ils commande et effectuent-ils leur achat ?

♦ Que se passe-t-il lors de la livraison ou de la prestation de service ?

♦ Comment votre produit est-il installé ?

♦ Comment règle-t-on la facture ?

♦ Comment le produit est-il conservé ?

♦ Comment le déplace-t-on ?

♦ Pour quelle(s) utilisation(s) le consommateur se sert-il réellement du produit ?

♦ Sur quels aspects les clients ont-ils besoin d'aide lorsqu'ils l'utilisent ?

♦ Y a-t-il des échanges ou des retours de produits ? Et pour quels motifs ?

♦ Comment votre produit est-il réparé ? Comment se passe le service après-vente ?

♦ Que se passe-t-il lorsque votre produit n'est plus utilisé ou lorsque le client veut s'en débarrasser ?

*Source :* Ian MacMillan et Rita Gunther McGrath, «Discovering New Points of Differentiation», *Harvard Business Review*, juillet-août 1997, pp. 133-145.

**L'ACHAT DE DIVERSITÉ** ❖ Certaines situations d'achat se caractérisent par une faible implication mais de nombreuses différences perçues au sein de l'offre. On observe alors de fréquents changements de marque[39]. Prenons le cas des biscuits. Le consommateur connaît les marques et choisit entre elles sans réelle évaluation, mais plutôt en fonction du moment ou de sa volonté de diversité, pas nécessairement liée à une insatisfaction antérieure.

La stratégie marketing appropriée à cette situation varie selon qu'on est leader ou marque secondaire[40]. Le leader s'attache à renforcer les habitudes acquises à travers une stratégie d'occupation du linéaire, d'approvisionnement régulier et de rappel publicitaire. Le suiveur, en revanche, cherche à encourager la diversité d'achat à l'aide d'offres spéciales, de rabais, de coupons, d'échantillons et de publicité incitant à changer ces habitudes.

## Les étapes du processus d'achat

Les entreprises les plus astucieuses cherchent à appréhender l'expérience du client dans son intégralité, depuis la prise de conscience du besoin, l'analyse de l'information sur les caractéristiques du produit et le choix de la marque jusqu'à l'utilisation et la mise à la poubelle ou la revente. Les ingénieurs de Honda ont filmé des clients remplissant leur coffre à la sortie des supermarchés pour observer leurs motifs de mécontentement et trouver des solutions dans l'aménagement des véhicules. Intuit, le fabricant du logiciel financier Quicken, a observé comment les clients se familiarisaient avec le logiciel lors des premières utilisations, pour mieux comprendre les difficultés éprouvées. Shapiro et ses collègues recommandent aux entreprises de «se cramponner à une commande» pour en analyser toutes les étapes et identifier toutes les sources de dysfonctionnement possibles[41].

Comment un responsable marketing découvre-t-il les étapes du processus d'achat d'un produit? Il peut examiner son propre comportement (*méthode introspective*). Il peut interviewer un petit nombre de clients récents et leur demander de se souvenir des événements qui les ont conduits à acheter le produit (*méthode rétrospective*). Il peut interroger des acheteurs potentiels et les inviter à décrire la façon dont ils pensent procéder (*méthode prospective*). Enfin, il peut demander à des groupes de consommateurs de parler de la façon dont idéalement, ils s'y prendraient pour acquérir le produit (*méthode prescriptive*). Chacune de ses méthodes fournit un compte rendu du processus d'achat tel qu'il est perçu par le consommateur.

L'analyse du comportement du consommateur peut porter sur un produit donné, mais aussi sur un ensemble d'achats associés, comme lors de l'organisation d'un mariage ou de l'acquisition d'une voiture. Ce second cas de figure, par exemple, implique le choix du véhicule, bien sûr, mais aussi l'adoption de modalités de financement, l'achat d'une assurance, le choix d'accessoires, etc. De telles activités génératrices de nombreux achats peuvent être considérées comme des *métamarchés* associant des acteurs hétérogènes et, parfois, des intermédiaires aidant les clients à gérer l'ensemble de ces opérations[42].

La figure 7.6 illustre un modèle du processus d'achat comportant cinq phases : la *reconnaissance du problème*, la *recherche d'information*, l'*évaluation des alternatives*, la *décision d'achat* et le *comportement post-achat*. Ce modèle fait clairement apparaître que le processus de décision commence bien avant et finit bien après l'acte d'achat[43].

Selon le modèle, le consommateur franchit successivement les cinq étapes. Or, nous avons déjà vu que, dans le cas d'un produit à faible implication, il pouvait sauter certaines phases ou en modifier l'ordre. Ainsi, une consommatrice habituée à une marque de dentifrice pourra, lorsqu'elle constate qu'elle

**FIGURE 7.6**
Un modèle de processus de décision d'achat

n'a plus de produit, passer directement de la reconnaissance du problème à l'achat. De même, certains produits, achetés pour soi-même dans un objectif hédoniste, font souvent l'objet d'achats impulsifs, non planifiés et liés à un coup de cœur : les vêtements, les CD, « l'alimentation gourmande » sont souvent achetés ainsi[44]. Le processus d'achat est alors particulièrement rapide. L'évaluation du produit est globale et affective et n'intègre pas de comparaison avec les alternatives. Le consommateur ne passe souvent pas par les premières étapes du modèle. En revanche, pour d'autres situations liées à des achats complexes, le modèle est utile car il permet d'identifier la nature des problèmes posés à chaque stade[45].

## La reconnaissance du problème

Le point de départ du processus est la révélation du problème ou besoin. Un besoin peut se manifester en réponse à des stimuli internes ou externes. Le premier cas se produit lorsque l'une des pulsions fondamentales – la faim, la soif – dépasse un certain seuil d'alerte. En général, l'individu a appris, grâce à ses expériences antérieures, à répondre à ce besoin ; il se porte donc naturellement vers des produits susceptibles de le satisfaire.

Un besoin peut également être révélé par un stimulus externe. Cela arrive lorsqu'une personne passe devant une librairie et remarque un livre qui l'intéresse ou lorsque sa voiture tombe en panne et qu'elle commence à prendre conscience qu'il lui faut en changer.

Pour l'homme de marketing, l'étape de l'éveil du besoin revêt une signification particulière. Elle l'incite à étudier les motivations susceptibles d'être liées à son produit ou à sa marque. Quels types de problème sont rencontrés ? Qu'est-ce qui les engendre ? Comment ont-ils débouché sur le produit en question ?

## La recherche d'information

Selon l'intensité du besoin ainsi emmagasiné, deux types de comportement peuvent apparaître. Le premier est une *attention soutenue* à l'égard de toute information liée au besoin et à la façon dont il pourrait être satisfait. Le second correspond à une *recherche active d'information*. Dans ce cas, l'individu cherche lui-même à se renseigner sur les différentes marques, leurs avantages, leurs inconvénients.

Il est évidemment très important pour le responsable marketing de connaître les différentes sources d'information auxquelles le consommateur fait appel, ainsi que leur influence respective sur sa décision finale. On classe ces sources en quatre catégories :

♦ *Les sources personnelles* (familles, amis, voisins, connaissances).

♦ *Les sources commerciales* (publicité, représentant, détaillant, emballage, présentoir).

♦ *Les sources publiques* (articles de presse, tests comparatifs des revues de consommateurs).

♦ *Les sources liées à l'expérience* (examen, manipulation, consommation du produit).

L'influence de ces différentes sources varie en fonction du produit considéré et des caractéristiques de l'individu[46]. En général, un consommateur reçoit davantage d'informations d'origine commerciale, mais accorde une forte crédibilité aux sources personnelles. Toutefois, chaque type d'information peut remplir un rôle différent dans le processus d'achat. Ainsi, les messages commerciaux servent avant tout à *informer*, tandis que les conversations personnelles permettent d'*évaluer* ou de *justifier*. Les médecins, par exemple, apprennent l'existence des nouveaux médicaments à travers l'information commerciale, mais se tournent souvent vers leurs collègues quand il s'agit de les évaluer.

En acquérant de l'information, un consommateur se renseigne sur les produits concurrents et réduit progressivement son éventail de choix à quelques marques qui constituent son ensemble de considération[47] (voir figure 7.7).

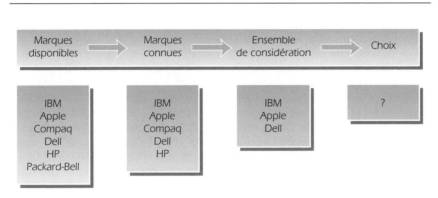

**FIGURE 7.7**
Réduction progressive de l'espace de choix d'un consommateur

L'homme de marketing est particulièrement intéressé par les mécanismes de réduction de choix. Il se renseigne en demandant aux acheteurs comment ils ont appris l'existence du produit, quelles sources d'information ils ont utilisées et lesquelles ont été décisives. Il s'efforcera alors de tirer parti de ces renseignements dans l'élaboration de sa stratégie de communication.

## L'évaluation des alternatives

À mesure qu'il reçoit de l'information, l'individu s'en sert pour réduire son incertitude quant aux alternatives et à leurs attraits respectifs. De nombreux modèles ont été élaborés pour rendre compte de ce processus et la plupart d'entre eux accordent une place importante aux facteurs cognitifs, en particulier aux règles selon lesquelles le consommateur forme ses jugements quant aux produits qu'il envisage d'acheter.

Dans cette perspective, certains concepts fondamentaux ont pu être dégagés. Le premier est celui d'*attribut*. Un consommateur ne cherche pas seulement à savoir si le produit est «bon» ou «mauvais», mais comment il se compare à d'autres sur certaines caractéristiques. Par exemple, il considérera les attributs suivants :

♦ *Pâte dentifrice* : protection contre les caries, goût, prix.

♦ *Appareil photo* : définition de l'image, amplitude du zoom, taille et poids de l'appareil, prix.

♦ *Pneus* : durée de vie, sécurité, garantie, prix.

♦ *Voyage aérien* : horaires, destinations, service en vol, tarifs.

Tous les acheteurs ne sont pas nécessairement intéressés par tous les attributs. En fait, un marché peut être segmenté en fonction des différents groupes d'attributs recherchés par les consommateurs[48].

Le deuxième concept a trait à l'*importance* des attributs significatifs. Il faut ici établir une distinction entre l'importance et le caractère saillant d'un attribut[49].

Un attribut saillant est un attribut qui vient immédiatement à l'esprit lorsque l'on pense au produit. Il se peut que certains attributs très importants ne soient pas mentionnés parce que l'on n'ose pas les évoquer.

Le troisième concept a trait aux *perceptions* que l'acheteur entretient vis-à-vis des différentes marques sur chacun des attributs. Pour une marque donnée, l'ensemble de ces perceptions constitue son *image*. Bien sûr, celle-ci peut ne pas correspondre à la réalité du fait des mécanismes d'attention, de distorsion et de rétention sélectives.

Enfin, le consommateur arrive à former un jugement à l'égard des différents produits en adoptant une *procédure d'évaluation* (également appelée règle de composition ou de décision), c'est-à-dire une certaine méthode de comparaison des produits qu'il envisage d'acheter[50].

Supposons qu'un consommateur ait circonscrit son choix entre quatre ordinateurs (A, B, C, D). Le tableau 7.3 résume les informations en sa possession. En ligne apparaissent les quatre produits qu'il considère (l'ensemble de considération), tandis qu'en colonne figurent les quatre attributs qu'il estime les plus importants : la capacité de mémoire, les possibilités graphiques, les logiciels disponibles et le prix. Les nombres portés sur le tableau décrivent ses différentes perceptions (sur une échelle de 1 à 10) : il donne la note 10/10 à l'ordinateur A sur le premier attribut ; 8/10 sur le deuxième ; 6/10 sur le troisième et 4/10 sur le quatrième (c'est-à-dire un prix plutôt cher). Quel produit va-t-il préférer ?

**TABLEAU 7.3**
Les perceptions d'un acheteur relatives aux différentes marques

| ATTRIBUTS | Ordinateur | Capacité de mémoire | Possibilités graphiques | Logiciels disponibles | Prix |
|---|---|---|---|---|---|
| **ENSEMBLE DE CONSIDÉRATION** | A | 10 | 8 | 6 | 4 |
| | B | 8 | 6 | 8 | 3 |
| | C | 6 | 8 | 10 | 5 |
| | D | 4 | 3 | 7 | 8 |

(Note maximum = 10)

Bien sûr, si un ordinateur était à la fois le moins cher, le plus puissant et le plus fourni en possibilités graphiques et en logiciels, il serait préféré à tous les autres. Mais dans notre exemple, comme dans la réalité, aucun produit ne présente simultanément toutes ces caractéristiques. Si notre client souhaite la capacité de mémoire maximale, il choisira A ; s'il privilégie les logiciels, ce sera C, et D s'il est très attaché au prix.

La plupart des acheteurs tiendront compte, cependant, de plusieurs attributs qu'ils pondéreront différemment. Supposons que, pour notre client, la capacité de mémoire compte pour 40 % dans son choix, les graphiques pour 30 %, les logiciels pour 20 % et le prix pour 10 %. On pourrait alors prédire l'ordre de préférence suivant :

$$\text{Produit A} = 0,4\,(10) + 0,3\,(8) + 0,2\,(6) + 0,1\,(4) = 8,0$$
$$\text{Produit C} = 0,4\,(6) + 0,3\,(8) + 0,2\,(10) + 0,1\,(5) = 7,3$$
$$\text{Produit B} = 0,4\,(8) + 0,3\,(6) + 0,2\,(8) + 0,1\,(3) = 6,9$$
$$\text{Produit D} = 0,4\,(4) + 0,3\,(3) + 0,2\,(7) + 0,1\,(8) = 4,7$$

Ce modèle est appelé *attente-valeur* ou *modèle compensatoire linéaire*. C'est l'un des nombreux modèles de choix qui ont été proposés pour rendre compte de l'évaluation des produits et des marques par un consommateur[51]. Supposons que la plupart des acheteurs d'ordinateurs portables forgent leurs préférences selon ce modèle. Que pourrait faire un constructeur pour améliorer sa position sur le marché[52]?

♦ *Modifier le produit*, en incorporant de nouvelles caractéristiques valorisées par le marché (stratégie de *repositionnement*).

♦ *Changer l'image de marque actuelle*. Il s'agit alors d'altérer la perception que les consommateurs ont des attributs de la marque (stratégie de *repositionnement d'image*).

♦ *Modifier l'image des concurrents*, par exemple en facilitant des comparaisons défavorables au concurrent (stratégie de *dépositionnement de la concurrence*).

♦ *Modifier les pondérations affectées aux attributs*, en mettant en valeur les attributs sur lesquels la marque est actuellement bien placée.

♦ *Faire émerger de nouveaux attributs* sur lesquels on pense que la marque serait bien perçue.

♦ *Modifier la configuration idéale d'attributs* que l'acheteur attend du produit.

## La décision d'achat

À l'issue de la phase d'évaluation, le consommateur dispose d'un ordre de préférence permettant de classer les différents produits. Normalement, le produit qu'il achète devrait être celui qu'il préfère ; plusieurs autres facteurs, cependant, peuvent affecter sa décision finale[53] (voir figure 7.8).

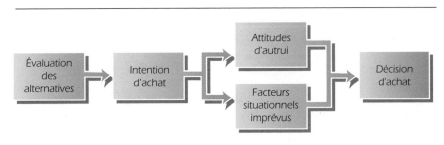

**FIGURE 7.8**
De l'évaluation des alternatives à la décision d'achat

Le premier est lié à l'*attitude d'autrui*. Un consommateur peut préférer l'ordinateur le moins cher et subir l'influence de son entourage pour acheter une marque très connue. L'amplitude de cette influence dépend de deux éléments : 1) l'intensité de l'attitude négative d'autrui face au produit préféré par le consommateur et 2) la volonté de s'y conformer. Plus l'attitude des autres sera défavorable et plus la personne subira leur ascendant, moins son intention d'achat sera affirmée.

L'influence de l'entourage est difficile à appréhender lorsque plusieurs personnes donnent des avis divergents au consommateur. Il faut également tenir compte de l'influence des *infomédiaires* qui publient des évaluations sur les produits. Il s'agit des associations de consommateurs, des guides (de tourisme, d'hôtels, de restaurants), des critiques professionnels (pour les films, les livres, les CD) et des évaluations des clients mises en ligne par des sites de vente comme Amazon ou présentes sur des forums de discussion.

Une seconde source de complication tient aux *facteurs « situationnels » imprévus*[54]. Entre le moment où l'achat est planifié et celui où il se réalise, le consommateur peut voir son revenu baisser ou, tout simplement, le produit peut ne pas être disponible. On ne peut donc jamais considérer l'intention d'achat comme un indicateur infaillible du comportement.

Le fait pour un individu de modifier, différer, ou abandonner une décision d'achat est étroitement lié au degré de *risque perçu*[55]. Son niveau d'anxiété varie avec le montant de l'achat, le degré d'incertitude entourant les attributs, et la confiance qu'il a en lui-même. Pour résorber cette anxiété, il met en place un certain nombre de mécanismes, tels que le recul de la décision[56], la collecte d'information supplémentaire ou la préférence pour des marques très connues. Le responsable marketing doit comprendre les facteurs qui engendrent un sentiment de risque et élaborer une stratégie de communication susceptible de la réduire.

Un consommateur qui choisit de concrétiser une intention prend toute une série de décisions correspondant aux différentes dimensions de l'achat : marque, point de vente, quantité, mode de paiement et moment d'achat. Naturellement, l'ordre dans lequel ces décisions sont prises peut varier d'un consommateur à l'autre de même que le temps consacré à chacune d'elles. L'achat d'un ordinateur, réfléchi, est donc très différent de celui, quasi-automatique, d'un paquet de cigarettes.

## Le comportement post-achat

Après avoir acheté et fait l'expérience du produit, le consommateur éprouve un sentiment de satisfaction ou au contraire de mécontentement qui déclenche parfois certains comportements (réclamation, changement de marque) fort importants à analyser pour le responsable marketing dont la tâche ne s'arrête donc pas à l'acte de vente. Il est essentiel d'étudier la satisfaction, les actions post-achats et l'utilisation qui est faite du produit.

**LA SATISFACTION** ❖ La satisfaction obtenue dépend des *attentes du consommateur (A)* et de la *performance perçue du produit (P)*[57]. Si celle-ci correspond aux attentes, le consommateur sera satisfait ; dans le cas contraire, il éprouvera un certain dépit.

Le consommateur construit en fait ses attentes en fonction des messages qu'il reçoit du fabricant et des autres sources d'information. Si les prétentions du produit sont exagérées, il s'ensuit un *écart de performance* donnant naissance à un *mécontentement*[58].

Un vendeur intelligent s'efforce donc de proportionner son argumentaire aux avantages réels du produit de façon à ce que l'achat engendre la satisfaction. Certains vont même jusqu'à sous-argumenter afin de provoquer l'enthousiasme lors de l'utilisation du produit.

**LES ACTIONS POST-ACHAT** ❖ Le niveau de satisfaction du consommateur détermine son comportement ultérieur. Un consommateur satisfait a tendance à racheter le même produit lors du prochain achat. Par exemple, en matière automobile, il existe un lien étroit entre le degré de satisfaction à l'égard d'une marque et l'intention de racheter cette marque. Un consommateur content exprime également sa satisfaction dans son entourage : «On ne peut trouver meilleur vendeur qu'un client satisfait[59].»

Un client mécontent réagit différemment. Il peut renoncer au produit, en s'en débarrassant ou en le retournant contre remboursement. Il peut rechercher de nouvelles informations favorables lui permettant de revenir sur sa première impression et de conforter son choix initial. Il peut, enfin, exprimer son mécontentement de manière publique (réclamation, mise en alerte des associations de consommateurs, procès) ou privée (abandon de la marque, bouche à oreille défavorable)[60]. Dans tous les cas, le responsable marketing doit réagir[61].

Que faire pour minimiser un sentiment de déception ? Certains constructeurs informatiques envoient une lettre de félicitations aux récents acheteurs, font témoigner des utilisateurs satisfaits, invitent les consommateurs à suggérer des améliorations, informent leurs clients des nouvelles applications (à travers notamment des clubs d'usagers), le tout afin de réduire les taux de retour de marchandises ou d'annulation de commande[62]. D'une façon générale, il est de l'intérêt de l'entreprise de mettre en place un mécanisme (type numéro vert ou adresse e-mail) permettant aux consommateurs d'entrer en contact avec elle afin de communiquer leurs réactions. Le feed-back obtenu permet souvent de reconquérir les clients mécontents et, dans tous les cas, donne des idées pour des améliorations ultérieures du produit.

**L'UTILISATION DU PRODUIT** ❖ Il y a encore une dernière étape qu'un responsable marketing doit analyser : la manière dont les acheteurs utilisent le produit et s'en débarrassent (voir la figure 7.9). S'ils découvrent une nouvelle utilisation, un positionnement original peut être identifié. Si les consommateurs n'utilisent pas le produit comme prévu (dosage, durée, précautions), peut-être faut-il revoir les brochures, la publicité... ou le produit lui-même. Il y a autant de menaces pour une entreprise négligente que d'opportunités pour une société attentive.

■ **AVON.** Pendant des années, les clients de la marque se passaient le mot selon lequel l'huile de bain hydratante Skin-So-Soft éloignait les moustiques. Certains clients utilisaient essentiellement le produit à cet effet lors de leurs vacances en s'en frictionnant. Avon a alors modifié le positionnement de sa crème solaire de la même gamme, en le présentant comme un produit triple action : crème solaire anti-moustiques et hydratante[63].

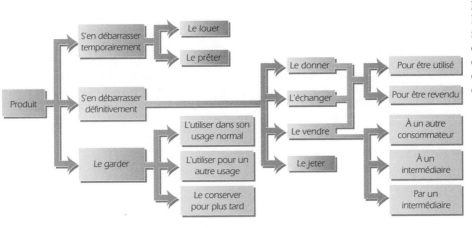

**FIGURE 7.9**
Les différentes façons d'utiliser ou de se débarrasser d'un produit

*Source :* Jacob Jacoby, Carol K. Berning et Thomas F. Dietvorst, « What about Disposition ? », *Journal of Marketing*, juillet 1977, p. 23.

L'entreprise doit également tenir compte de la manière dont les clients se débarrassent du produit lorsqu'ils ont fini de l'utiliser. La sensibilité croissante à l'écologie et au recyclage incite certaines marques à faire des efforts en la matière, tels les fabricants de lingettes pour bébé ou de lessives qui commercialisent des recharges pour éviter la multiplication des emballages jetés.

La compréhension des besoins et des mécanismes d'achat est le fondement d'un marketing performant. En analysant comment les acheteurs identifient un problème, recueillent de l'information, évaluent les alternatives, prennent leur décision et réagissent après l'achat, et en identifiant correctement les intervenants dans le processus et les principales influences s'exerçant sur eux, un responsable marketing améliore ses décisions de ciblage et rend plus efficace son programme d'action.

## Résumé

1. Le comportement d'un consommateur est influencé par quatre ensembles de forces : les facteurs culturels (culture, sous-culture, classe sociale), sociaux (groupe de référence, famille, statuts et rôles), personnels (âge, cycle de vie, profession, position économique, style de vie, personnalité et concept de soi) et psychologiques (motivation, perception, apprentissage, croyances et attitudes). La connaissance de tous ces éléments permet à l'entreprise d'atteindre et de servir plus efficacement ses marchés.

2. Un responsable marketing doit également comprendre la manière dont les consommateurs prennent leurs décisions. Certains achats n'impliquent qu'une seule personne alors que d'autres font intervenir plusieurs participants dans différents rôles (initiateur, influenceur, décideur, acheteur et utilisateur). Pour chacun d'eux, il faut apprécier leurs critères d'achat et leur pouvoir d'influence.

3. Les situations d'achat varient également selon le niveau d'implication du consommateur et les différences qu'il décèle entre les marques. On identifie ainsi des situations d'achat complexe, d'achat de diversité, d'achat réduisant une dissonance et d'achat routinier.

4. La plupart du temps, le processus d'achat se compose de cinq phases successives : la reconnaissance du problème, la recherche d'information, l'évaluation des alternatives, la décision d'achat et le comportement post-achat. L'attitude de l'entourage du consommateur, les facteurs situationnels imprévus et le risque perçu affectent la décision d'achat. Les achats ultérieurs, quant à eux, sont influencés par la satisfaction, les actions post-achats et l'utilisation qui est faite du produit. À chaque stade, il faut comprendre les mécanismes et influences en jeu. C'est à ce prix que le responsable marketing devient capable d'élaborer et de mettre en œuvre un plan d'action bien adapté à sa cible.

# Notes

1. Voir Denis Darpy et Pierre Volle, *Comportements du consommateur : concepts et outils* (Paris : Dunod, 2003) ; Richard Ladwein, *Le Comportement du consommateur et de l'acheteur* (Paris : Economica, 1999) ; Marc Filser, *Le Comportement du consommateur* (Paris : Dalloz, 1994) et Bernard Dubois, *Comprendre le consommateur*, 2e éd. (Paris : Dalloz, 1994). Pour une présentation des textes de recherche fondamentaux du domaine, voir Christian Derbaix et Joël Brée, *Comportement du consommateur : présentation de textes choisis* (Paris : Economica, 2000).

2. «L'eau de Vernet veut à nouveau couler de source avec Euro RSCG Novateur», *CB News*, 12 octobre 1999, p. 59.

3. «France Télécom analyse les besoins de ses clients», *Les Echos*, 15 avril 1998, p. 45.

4. «Casino joue et gagne», *Capital*, mars 1999, pp. 37-40.

5. *Brandweek*, «Product Pampering», 16 juin 1997, pp. 38-40. Pour une présentation des approches anthropologiques appliquées au marketing et plus précisément de l'ethnomarketing, voir Olivier Badot et Christian Michon, «Les marchés : connaissance qualitative de la demande. Comprendre la nature profonde de la demande. Études qualitatives, ethnomarketing et trend marketing», dans Christian Michon *et al.*, *Marketing : intelligence, marque, relation, action* (Paris : Pearson Education, 2003), chapitre 3.

6. «Les leçons des échecs du Space Camp et du Parc Cousteau» *Les Echos*, 22 juin 1998, p. 51.

7. Meng Xia Zhang et Alain Jolibert, «Culture chinoise traditionnelle et comportements de consommation», *Décisions marketing* n° 19, janvier-avril 2000, pp. 85-92. Pour une analyse de la culture vietnamienne et de son influence sur le comportement d'achat, voir Thi Muoi Le et Alain Jolibert, «L'influence de la culture vietnamienne sur le comportement de l'acheteur», *Décisions marketing* n° 22, janvier-avril 2001, pp. 43-52.

8. Pour une analyse plus détaillée, voir Susan Douglas et Bernard Dubois, «Looking at the Cultural Environment for International Marketing Opportunities», in Ben Enis et Keith E. Cox, *Marketing Classics : A Selection of Influential Articles* (Boston, Allyn & Bacon), 1991, 7e éd., pp. 542-548.

9. Voir K. Jacobs, C. Keown, R. Worthley et G. Kyunk Il (1991), «Cross-Cultural Colour Comparisons : Global Marketers Beware!», *International Marketing Review*, vol. 8, n° 3, pp. 21-30 ; Ronan Divard et Bertrand Urien, «Le consommateur vit dans un monde en couleurs», *Recherche et applications en marketing*, vol. 16, n° 1, 2001, pp. 3-24 et Jean-Claude Usunier, *Marketing Accross Cultures* (Harlow : Prentice Hall Europe, 1996).

10. Voir par exemple N. Herpin, «La Dépense d'habillement, les catégories sociales et la mode», *Économie et statistique*, mai 1986 et C. Grignon, «Styles d'alimentation et goûts populaires», *Revue française de sociologie*, 1980, vol. 29, n° 4.

11. C. Pociello, *Sports et société, approche socioculturelle des pratiques* (Paris : Vigot, 1981).

12. Gérard Mermet, *Francoscopie 2003* (Paris : Larousse, 2002).

13. Voir Elyette Roux, *L'Influence interpersonnelle dans le cadre de la consommation ostentatoire*, thèse de doctorat, IAE Aix-en-Provence, oct. 1978.

14. Voir Claude Thelot et Jean Fourastié, *Tel père tels fils, position sociale et origine familiale* (Paris : Dunod, 1982) et Élisabeth Tissier-Desbordes, *Similarités de comportement du consommateur entre les mères et leurs filles : application aux produits d'hygiène-beauté*, Thèse de doctorat, HEC, 1983.

15. Voir M. Claude et F. de Singly, «L'organisation domestique : pouvoir et négociation», *Économie et statistique*, 1986, pp. 3-30 et Ronan Divard, «La dynamique décisionnelle dans le couple», *Recherche et applications en marketing*, 1997, vol. 12, n° 1, pp. 69-88.

16. Sources : études du BIPE et d'Altavia Junium citées dans *LSA*, «11-20 ans : le kaleïdoscope d'une génération complexe», 7 novembre 2002, pp. 50-54.

17. «Smoby embauche les mômes du marketing», *L'Essentiel du management*, 1er janvier 1999, p. 24.

18. *LSA*, «Petit-déjeuner : à chaque génération ses habitudes», 24 octobre 2002, pp. 46-50.

19. Pour un exemple concernant les produits d'épargne, voir Denis Kessler, «Âge, génération et épargne», *Eurépargne*, 1985, n° 11.

20. Gail Sheehy, *New Passages : Mapping Your Life Across Time* (New York : Random House, 1995).

21. Voir «Prométhée de Sécodip : toute une marque en neuf graphiques», *CB News*, 15 nov. 1995, pp. 22-23.

22. Voir Pierre Valette-Florence, *Les Styles de vie. Bilan critique et perspectives* (Paris : Nathan, 1994).

23. Voir également Hélène Riffault, *Les Valeurs des Français* (Paris : PUF, 1994) et Victor Scardigli, *L'Europe des modes de vie* (Paris : CNRS, 1987).

24. Voir Rebecca Picto Heath, «The Frontiers of Psychographics», *American Demographics*, juillet 1996 pp. 38-43 ; et Paul C. Judge «Are Tech Buyers Different?», *Business Week*, 26 janvier 1998 pp. 64-65, 68.

25. Jennifer Aaker, «Dimensions of measuring brand personality», *Journal of Marketing Research*, 24 août 1997, pp. 347-356.

26. Voir Joseph Sirgy, «Self Concept in Consumer Behavior : A Critical Review», *Journal of Consumer Research*, déc. 1982, pp. 287-300 et Jennifer Aaker, «The malleable Self : The role of Self-expression in Persuasion», *Journal of Marketing Research*, mai 1999, pp. 45-57.

27. Une technique connue sous le nom de «chaînages cognitifs» (en anglais : laddering) a été mise au

point pour étudier les motivations d'une personne en examinant des niveaux d'abstraction de plus en plus profonds. Voir par exemple Pierre Valette-Florence, « Introduction à l'analyse des chaînages cognitifs », *Recherche et Applications en marketing*, 1994, vol. 9, nº 1, pp. 93-118.

28. Ernest Dichter, *Motivations et comportement humain* (Paris : Publi-Union, 1972).

29. Voir Jan Callebaut *et al.*, *The Naked Consumer : The Secret of Motivational Research in Global Marketing* (Anvers : Censydiam Institute, 1994).

30. Abraham Maslow, *Motivation and Personality* (New York : Harper & Row, 1954).

31. Frederick Herzberg, *Work and Nature of Man* (Cleveland : Collins Publishers, 1966). Voir également Henry Thierry et Agnès Koopman-Iwerna, « Motivation and Satisfaction » dans P. J. Drenth (Ed.) *Handbook of Work and Organizational Psychology* (New York : John Wiley, 1984), pp. 141-142.

32. Bernard Berelson et Gary A. Steiner, *Human Behavior : An Inventory of Scientific Findings* (New York : Harcourt, Brace & World, 1964), p. 88.

33. Gérard Caron, *Un carré noir dans le design* (Paris : Dunod, 1991).

34. Leslie de Chernatony et Simon Knox, « How an Appreciation of Consumer Behavior Can Help in Product Testing », *Journal of Market Research Society*, juillet 1990, p. 333. Voir aussi Chris Janiszewski and Stiju M. Osselar, « A connectionnist Model of Brand-Quality Association », *Journal of Marketing Research*, août 2000, pp. 331-351.

35. Voir David Krech, Richard S. Crutchfield et Egerton L. Ballachey, *Individual in Society* (New York : McGraw-Hill Company, 1962), chap. 2.

36. Voir Joël Brée, *Les Enfants, la consommation et le marketing* (Paris : PUF, 1993).

37. Voir Henry Assael, *Consumer Behavior and Marketing Action* (Boston Mass. : Kent Publishing Co., 1987), chapitre 4. Sur le concept d'implication et son influence sur le comportement du consommateur, voir Hela Ben Miled-Cherif, « L'implication du consommateur et ses perspectives stratégiques », *Recherche et applications en marketing* 16/1 2001, pp. 65-85.

38. Voir Herbert Krugman, « The Impact of Television Advertising : Learning without Involvement », *Public Opinion Quaterly*, automne 1965, pp. 349-356.

39. Philippe Aurier, « Recherche de variété : un concept majeur de la théorie en marketing », *Recherche et Applications en Marketing*, vol. 6, 1991, pp. 85-104. Voir également, dans le même numéro, l'article de Kelvin Lancaster, « L'Analyse économique de la variété de produits : une revue de la littérature ».

40. Voir Bernard Dubois, « L'ère du marketing situationnel », *Marketing Magazine*, mars 1996, nº 10, pp. 12-13.

41. Benson Shapiro, V. Kasturi Rangan et John Sviokla, « Staple Yourself to an Order », *Harvard Business Review*, juillet-août 1992, pp. 113-122. Voir aussi Carrie Heilman, Douglas Bowman et Gordon Wright, « The Evolution of Brand Preferences and Choice Behaviors of Consumers New to a Market », *Journal of Marketing Research*, mai 2000, pp. 139-55.

42. Mohanbir Sawhney, « Making New Markets », *Business 2.0*, mai 1999, pp. 116-21.

43. De nombreux modèles du processus d'achat ont été proposés par les chercheurs en marketing. Les plus significatifs sont ceux de John A. Howard et Jagdish N. Sheth, « Théorie du comportement de l'acheteur », *Encyclopédie du marketing* (Paris : Éditions Techniques, 1977), vol. 1, 1-71 C ; Francesco M. Nicosia, *Processus de décision du consommateur* (Paris : Dunod, 1971) ; et James F. Engel, Roger D. Blackwell et Paul W. Miniard, *Consumer Behavior*, 5e éd. (New York : Holt, Rinehard and Winston, 1986). Les deux premiers sont résumés dans Bernard Dubois, *Comprendre le consommateur*, 2e éd. (Paris : Dalloz, 1994) ; et Mary Frances Luce, James Bettman, et John Payne, *Emotional Decisions : Tradeoff Difficulty and Coping in Consumer Choice* (Chicago : University of Chicago Press, 2001). Pour une application dans le domaine des marques, voir Bernard - Dubois et Patrick Duquesne, « Un Concept essentiel pour mesurer la valeur des marques : la force de conviction », *Revue française de marketing*, 1995, nº 152, pp. 23-34.

44. Voir Magali Giraud, « Les acheteurs impulsifs : proposition d'une typologie », *Décisions marketing* nº 24, décembre 2001, pp. 17-24.

45. Voir William P. Putsis et Narasimhan Srinivasan, « Buying or Just Browsing ? The Duration of Purchase Deliberation », *Journal of Marketing Research*, août 1994, pp. 393-402.

46. Pour une étude réalisée dans le domaine automobile, voir Eric Lapersonne, *La Collecte d'information avant l'achat d'une voiture neuve : concept, comportements, facettes, déterminants, typologie*, thèse de doctorat en sciences de gestion (Jouy-en-Josas, HEC, 1995).

47. Voir Jean-Louis Chandon et Alain Strazzieri, « Une analyse de la structure de marché sur la base de la mesure de l'ensemble évoqué », *Recherche et Applications en marketing*, avril 1986, pp. 17-40. Voir aussi DeSarbo et Kamel Jedidi, « The Spatial Representation of Heterogeneous Consideration Sets », *Marketing Science* 14, 3, 1995, pp. 326-42 et Lee Cooper et Akihiro Inoue, « Building Market structures from Consumer Preferences », *Journal of Marketing Research*, 33, 3, août 1996, pp. 293-306.

48. Voir Éric Vernette, « La Segmentation par avantages recherchés, outil de stratégie marketing », *Revue française de gestion*, mars-avril-mai 1989, pp. 15-22.

49. Voir Éric Vernette, « Identifier les attributs déterminants : une comparaison de six méthodes », *Recherche et Applications en marketing*, 1987, vol. 2, pp. 1-21.

50. Voir Bernard Pras, « Comment les consommateurs effectuent-ils leurs choix ? », *Encyclopédie du*

*marketing,* vol. 1 (Paris : Éditions Techniques, 1977), pp. 1-42 A.

51. Également appelé modèle d'attitude multi-attribut. Il est issu des travaux de Martin Fishbein, « Attitudes and Prediction of Behavior », dans *Readings in Attitude Theory and Measurement* (New York : John Wiley, 1967), pp. 477-492. D'autres modèles (lexicographique, conjonctif, disjonctif, etc.) supposent que les notes sur les attributs ne se compensent pas toujours et doivent dépasser un certain seuil pour que le produit soit acceptable. Pour une présentation de ces modèles, voir Abdelmajid Amine, *Le Comportement du consommateur face aux variables d'actions marketing* (Paris : Éditions Management, 1999), pp. 77-80.

52. Pour une discussion approfondie, voir Harper W. Boyd Jr, Michael L. Ray et Edward C. Strong, « An Attitudinal Framework for Advertising Strategy », *Journal of Marketing,* avril 1972, pp. 27-33. Traduit dans l'*Encyclopédie du marketing* (Paris : Éditions Techniques, 1977). Voir également Reinhard Angelmar et Bernard Pras, « Advertising Strategy Implications of Consumer Evaluation Process Models », *European Journal of Marketing,* 1977.

53. Voir Jagdish N. Sheth, « An Investigation of Relationships among Evaluative Beliefs, Affect, Behavioral Intention and Behavior », dans Farley *et al., Consumer Behavior : Theory and Application* (Boston : Allyn & Bacon, 1974), pp. 89-114.

54. Voir Bernard Dubois, « Un Autre aspect dans l'étude du consommateur : l'approche situationnelle », *Revue Française de Marketing,* 1990, vol. 4, pp. 73-81.

55. Raymond Bauer, « Consumer Behavior as Risk Taking », dans Donald Cox (ed.), *Risk Taking and Information Handling in Consumer Behavior* (Boston : Harvard Business School, 1967) ; James Taylor, « The Role of Risk in Consumer Behavior », *Journal of Marketing,* avril 1974, pp. 54-60.

56. Sur les facteurs individuels et situationnels favorisant les reports d'achats, voir Denis Darpy, « Le report d'achat expliqué par le trait de procrastination et le potentiel de procrastination », *Recherche et Applications en marketing* 17/2 2002, pp. 1-21.

57. Voir Yves Evrard, « Consumer Satisfaction as a Social Indicator », *Esomar Congress Proceedings, Social Change Analysis,* 1980. Voir aussi Joëlle Vanhamme, « La satisfaction des consommateurs spécifique à une transaction : définition, antécédents, mesures et modes », *Recherche et Applications en marketing* 17/2 2002, pp. 55-85.

58. Pour un exemple dans le domaine des transports aériens, voir H. Zeitoun et P. Chéron, « Mesure et effets de l'insatisfaction : application au "marché des services aériens" », *Recherche et Applications en marketing,* 1990, vol. 5, pp. 71-86.

59. Voir Barry L. Bayus, « Word of Mouth : The Indirect Effects of Marketing Effort », *Journal of Advertising Research,* juin-juil. 1980, pp. 31-39. Pour des résultats contrastés, voir cependant Jean Dufer et Jean-Louis Moulins, « La Relation entre la satisfaction d'un consommateur et sa fidélité à la marque : un examen critique », *Recherche et Applications en marketing,* vol. 4, 1989, pp. 31-36.

60. Voir Albert O. Hirschman, *Exit, Voice and Loyalty* (Cambridge, Mass. : Harvard University Press, 1970).

61. Voir Mary C. Gilly et Richard W. Hansen, « Consumer Complaint Handling as a Strategic Marketing Tool », *Journal of Consumer Marketing,* automne 1985, p. 56.

62. Voir James H. Donnelly Jr. et John M. Ivancevich, « Post Purchase Reinforcement and Back-out Behavior », *Journal of Marketing Research,* août 1970, pp. 399-400.

63. *Brandweek,* « Avon's Skin-So-Soft Out », 6 juin 1994, p. 4 ; *Los Angles Times,* « Strange but true : Cheez Whiz Works in Laundry », 22 octobre 2000.

DANS CE CHAPITRE, NOUS
ÉTUDIERONS SIX QUESTIONS :

■ Qui fait partie du marché des
entreprises, et en quoi ce marché dif-
fère-t-il de la grande consommation ?

■ Quelles décisions d'achat sont prises ?

■ Qui intervient dans ces décisions ?

■ Sous quelles influences ?

■ Selon quel processus ?

■ Comment les administrations
publiques réalisent-elles leurs achats ?

# *Comprendre la clientèle d'entreprise et son compor- tement d'achat*

« *De nombreuses entreprises considèrent désormais leurs fournisseurs et leurs distributeurs comme des partenaires appréciés et respectés.* »

Les entreprises ne se contentent pas de vendre. Pour exercer leurs activités, elles doivent acheter des matières premières, des pièces, des équipements, des heures de main-d'œuvre ainsi que de nombreux autres produits et services. Les entreprises qui les approvisionnent doivent analyser le comportement d'achat de leurs clients.

Nous allons, dans ce chapitre, examiner deux sortes de marchés institutionnels : les entreprises et les administrations publiques. Les entreprises achètent des produits et services afin de pouvoir exercer leur activité de production ; les administrations publiques, afin d'assumer leurs missions.

## *Le marché des entreprises*

Webster et Wind définissent l'achat institutionnel comme :

❖ « Le processus de décision par lequel l'organisation spécifie ses besoins en produits et services et découvre, évalue et choisit les marques et les fournisseurs[1]. »

### Les caractéristiques du marché des entreprises

Le marché des entreprises (également appelé marché *business-to-business* ou marché industriel) se compose de toutes les organisations qui acquièrent des biens et services en vue de produire d'autres biens et services fournis à autrui. Parmi les principaux secteurs concernés, on trouve : les entreprises agricoles, forestières et minières ; les industries de la pêche ; les entreprises manufacturières ; le secteur du bâtiment ; les sociétés de transport ; les entreprises de communication ; la banque, la finance, l'assurance ; et les sociétés de service.

En France, il y a près de 1,9 million d'entreprises, et chacune d'elles constitue un marché pour une gamme de produits et services spécifiques. Ces établissements emploient 13 millions de personnes et sont à l'origine d'un chiffre d'affaires de près de 2 900 milliards d'euros.

L'argent investi dans les achats industriels est supérieur à celui occasionné par la consommation privée. Cela s'explique facilement : pour donner naissance à une paire de chaussures, le négociant en viande doit vendre ses peaux au tanneur, qui vend le cuir au fabricant de chaussures, lequel vend les chaussures au grossiste, qui à son tour les revend au détaillant. Chaque maillon de la chaîne achète à un prix supérieur à celui payé par le maillon précédent et incorpore de la valeur ajoutée.

Comparés aux marchés de consommation, les marchés d'entreprises présentent certaines caractéristiques spécifiques :

♦ *Des acheteurs moins nombreux.* À l'évidence, les acheteurs professionnels sont beaucoup moins nombreux que les consommateurs. Sur le marché de la première monte, un fabricant de plaquettes de freins comme Abex voit son destin lié à un tout petit nombre de constructeurs automobiles.

♦ *Des achats plus importants.* Sur nombre de marchés industriels, un petit noyau de clients représente l'essentiel du chiffre d'affaires. C'est la règle des 20/80

(80 % des achats assurés par 20 % des acheteurs), qui se vérifie souvent (moteurs d'avions, télécommunications, compresseurs, etc.).

♦ *Des relations commerciales étroites.* Comme les fournisseurs et leurs clients importants sont en petit nombre, les relations qui les unissent sont régulières et intenses. Dans certains cas, on peut même parler de partenariat tant la collaboration est soutenue. La mise en place de ces réseaux d'alliances est devenue un outil stratégique de première importance en marketing industriel[2].

♦ *Une certaine concentration géographique.* La région parisienne, le Nord, la région Rhône-Alpes, la Provence-Alpes-Côte d'Azur et l'Aquitaine contiennent à elles cinq près de la moitié des entreprises du pays. La concentration géographique dans certains secteurs, comme l'aluminium, le caoutchouc et l'acier, est encore plus forte. De même, la majeure partie de la production agricole provient d'un nombre de régions relativement restreint, et certaines denrées comme la betterave ou le tabac ne sont pratiquement cultivées que dans l'une d'entre elles. Une telle concentration géographique a pour effet de réduire les frais de vente, et c'est pourquoi les responsables de marketing business-to-business doivent être attentifs à toute tendance en faveur ou en défaveur de la concentration.

♦ *Une demande dérivée.* La demande de produits industriels est toujours dérivée d'une demande de consommation. Ainsi les peaux ne s'achètent que parce qu'il existe une demande pour des produits en cuir (chaussures, maroquinerie, etc.). Il s'ensuit que toute évolution, qualitative ou quantitative, de la demande finale aura des répercussions sur la demande industrielle[3].

♦ *Une demande plutôt inélastique.* La demande globale des entreprises n'est pas très affectée par l'évolution des prix. Un fabricant de chaussures n'achète pas beaucoup plus de cuir si le prix baisse, ni beaucoup moins si le prix s'élève. La demande est inélastique, surtout à court terme, en raison des contraintes liées à l'appareil de production. Elle est d'autant moins élastique que le bien acheté entre pour une faible part dans le produit fabriqué.

♦ *Une demande fluctuante.* La demande des entreprises tend à fluctuer davantage que la demande des consommateurs. Un accroissement du marché final de 10 % par exemple, peut, compte tenu des effets de stockage, provoquer un accroissement de la demande industrielle allant jusqu'à 200 % au cours de la période suivante. Ce phénomène, connu sous le nom de *principe d'accélération*, a conduit de nombreux industriels à diversifier leurs activités afin de mieux équilibrer leurs résultats.

♦ *Des acheteurs professionnels.* Les achats business-to-business sont effectués par des spécialistes, toujours soucieux d'améliorer leurs méthodes. Il faut donc que les fournisseurs disposent d'une force de vente professionnelle, souvent articulée en équipes complémentaires comme dans le cas de l'informatique (ingénieurs commerciaux et technico-commerciaux). Bien que la publicité, la promotion des ventes et les relations publiques aient leur rôle à jouer, la force de vente aura souvent la première place en milieu industriel.

♦ *Des intervenants multiples.* En général, plusieurs personnes interviennent dans une décision d'achat industriel. Pour des acquisitions complexes, les décisions sont le fait d'un comité composé d'experts. Pour accroître les chances d'emporter une affaire, il faudra donc identifier tous les intervenants, ainsi que leur rôle spécifique dans le processus de décision et leurs critères de choix.

♦ *Une vente par étapes.* Sachant que plusieurs intervenants participent à la décision, il est rare qu'une seule visite suffise à déclencher la vente. Une étude de McGraw-Hill révèle ainsi qu'il faut entre quatre et cinq visites pour conclure une négociation. Pour un projet industriel majeur, le cycle de vente peut s'étendre sur plusieurs années[4].

♦ *L'achat direct.* Dans de nombreux cas, le client s'adresse directement au fabricant plutôt que de passer par un intermédiaire, surtout lorsqu'il s'agit de produits techniquement complexes ou onéreux.

CHAPITRE 8
Comprendre
la clientèle
d'entreprise et
son comportement d'achat

231

♦ *La réciprocité*. Les acheteurs industriels choisissent souvent des fournisseurs qui sont en même temps leurs clients. Ainsi, un papetier achètera des produits chimiques auprès d'une entreprise qui lui achètera son papier.

♦ *Le leasing*. Les entreprises industrielles préfèrent souvent louer leurs produits plutôt que les acheter. C'est notamment le cas du matériel de transport, des machines ou des engins de travaux publics. Le leasing permet de réduire l'investissement en capital, de bénéficier des dernières innovations et de recevoir un meilleur service, sans parler des avantages fiscaux. Le fournisseur, pour sa part, en tire un revenu plus élevé et la possibilité de proposer le produit à des sociétés qui ne pouvaient l'acquérir au départ.

## Quelles décisions les entreprises prennent-elles ?

Les décisions prises dépendent de la situation d'achat rencontrée. Il est devenu classique de distinguer trois *catégories d'achat*[5] :

♦ *Le simple réachat* correspond à une situation traitée de façon routinière. L'entreprise choisit parmi des fournisseurs figurant sur sa liste, en accordant une grande importance à l'expérience acquise. Les représentants des fournisseurs déjà en place s'efforcent de maintenir la qualité du produit et du service. Afin de faciliter le réachat, ils proposent des procédures de commande automatisées. Les représentants ne figurant pas sur la liste ont de grandes difficultés à pénétrer l'entreprise. Leur espoir est d'arriver à convaincre l'acheteur que de nouvelles caractéristiques du produit, de nouvelles conditions ou de nouvelles opportunités justifient de reconsidérer le problème. Ils s'efforcent d'obtenir au moins une petite commande initiale.

♦ *Le réachat modifié* est une situation dans laquelle l'acheteur envisage de modifier les caractéristiques techniques des produits achetés, les prix, les conditions de livraison ou d'autres conditions commerciales. Il cherche en fait à améliorer ses performances à l'achat. Une telle situation se traduit souvent par un accroissement du nombre d'intervenants dans la décision. Les fournisseurs déjà dans la place tentent de consolider leurs positions ; les autres y voient une chance de disputer l'affaire.

♦ *Le nouvel achat* correspond au cas où l'entreprise envisage d'acheter un produit ou un service pour la première fois. Plus les coûts et les risques sont élevés, plus le nombre d'intervenants s'accroît ainsi que l'activité de recherche d'information[6]. Une situation de nouvel achat offre au vendeur de vastes possibilités, mais lui pose également de nombreux problèmes : il doit atteindre un grand nombre de parties prenantes à la décision et fournir quantité d'informations et d'assistance avant d'espérer remporter l'affaire.

On peut décomposer un nouvel achat en plusieurs étapes : *notoriété, intérêt, évaluation, essai* et *adoption*[7]. Les sources d'information se modifient à chaque phase ; les mass-media prédominent au stade de la notoriété tandis que les vendeurs sont plus efficaces pour éveiller l'intérêt et les sources d'information technique plus utiles lors de l'évaluation. Il faut bien entendu en tenir compte lors de l'élaboration d'une stratégie de communication[8].

Le nombre de décisions est réduit dans le cas d'un simple réachat et plus élevé pour un nouvel achat. L'acheteur doit alors déterminer le cahier des charges, les fourchettes de prix, les délais de livraison, les exigences en matière de service après-vente, les conditions de paiement, la taille de la commande, les fournisseurs acceptables, et le fournisseur finalement choisi. Différents responsables influencent l'une ou l'autre de ces décisions dont la séquence peut également varier[9]. Il faut alors contacter le plus grand nombre possible d'intervenants chez le client potentiel afin de leur fournir les informations et l'aide qu'ils souhaitent. En raison de la complexité d'une telle situation, de nombreuses entreprises utilisent une force de vente spéciale, que l'on appelle parfois *missionnaire* ou *commando*, pour gérer les situations correspondant aux nouveaux achats.

## La vente de systèmes

De nombreux acheteurs préfèrent acquérir une solution complète à leur problème plutôt que d'effectuer une série d'achats isolés. On parle alors d'*achat de système*. Les militaires ont probablement été les premiers à mettre en place cette approche dans leurs achats d'armement. Ils attendent de leurs fournisseurs une solution « clé en mains ».

■ FORD a considérablement réduit le nombre de ses fournisseurs en demandant à chacun d'entre eux de fournir un système : système de freinage, système de portières, système de sièges, etc. Lorsque l'entreprise conçoit un nouveau véhicule, elle collabore étroitement avec chacun d'entre eux, élabore un cahier des charges décrivant les dimensions et les caractéristiques souhaitées, et demande au fournisseur de lui faire une proposition. Une fois le contrat conclu, le fournisseur fait lui-même appel à des sous-traitants qui fabriquent les composants intégrés au système.

La tâche du responsable marketing consiste alors à anticiper la nature du problème de l'acheteur et à offrir la solution la plus attrayante et la plus pratique. C'est la vente de systèmes qui a permis à de nombreux industriels de conquérir et conserver de nouveaux clients[10]. Ainsi, la société Atlas Copco, spécialisée dans l'air comprimé, dispose-t-elle au sein de sa division outils d'un service « projets » qui conçoit et commercialise avec succès des bancs de perçage, plutôt que des perceuses isolées, ou des trains de boulonnage, plutôt que de simples boulonneuses. ABB Flexible Automation cherche également à vendre des systèmes complets de peinture ou de manutention plutôt que de simples robots. De même, la Socar, leader français du carton ondulé, a négocié avec ses clients des « contrats de système » regroupant un ensemble de services : matériau d'emballage, machine à emballer, financement, service après-vente et conseil spécialisé[11].

Une variante de la vente de systèmes est la prise en charge de la maintenance. Le fournisseur peut par exemple gérer les stocks de son client pour le produit qu'il lui fournit. Ainsi, Shell gère les stocks de pétrole de nombreuses entreprises et sait donc quand celles-ci doivent être réapprovisionnées. Pour le client, l'avantage consiste à réduire les coûts d'approvisionnement et de gestion, tout en garantissant le niveau des prix sur toute la durée du contrat. Pour le vendeur, il s'agit de limiter les coûts de fonctionnement grâce à une demande stable et des formalités administratives réduites.

La *vente de projets* va encore plus loin puisqu'elle intègre des produits, des services matériels et humains, des travaux et, souvent, des montages financiers. Il peut s'agir de la construction d'une usine, d'une ligne ferroviaire, d'un système d'irrigation ou encore de la livraison d'avions. Le contrat entre British Airways et Airbus Industries conclu en 1998, par exemple, portait sur la livraison des appareils, mais aussi sur la reprise des avions, les remises, les garanties et la maintenance. Le marketing de projet présente de nombreuses spécificités liées au caractère unique de chaque projet, à sa grande complexité, à la discontinuité de la relation entre client et fournisseur et à l'importance des montants financiers en jeu[12]. Les procédures d'achat reposent sur un appel d'offres. L'entreprise d'ingénierie qui soumissionne doit prendre en compte des critères d'achat comme le prix, la qualité et la fiabilité du projet, mais également de nombreux autres facteurs de choix parfois non explicités dans le cahier des charges.

CHAPITRE 8
Comprendre
la clientèle
d'entreprise et
son comportement d'achat

233

■ **Usine de ciment en Indonésie.** Le gouvernement indonésien a procédé à un appel d'offres pour la construction d'une cimenterie près de Jakarta. Parmi les entreprises ayant soumissionné, on trouvait : une entreprise américaine proposant la livraison de l'usine clé en mains et intégrant dans sa proposition le choix de la localisation, la conception de l'usine, le recrutement des équipes chargées de la construction et la réalisation des équipements ; une société japonaise qui, en plus de tous ces services, proposait le recrutement et la formation du personnel qui travaillerait ultérieurement dans l'usine, l'exportation d'une partie de la production de ciment par ses propres filiales commerciales, et l'utilisation d'une autre partie du ciment produit pour la construction de routes et d'immeubles de bureaux à Jakarta. La société japonaise obtint le contrat malgré un prix supérieur, car elle avait appréhendé le besoin du client non pas comme la seule construction de l'usine, mais comme un projet contribuant au développement économique du pays.

## Le processus d'achat des entreprises

Une spécificité majeure des marchés business-to-business réside dans la complexité du processus d'achat des entreprises. Le responsable marketing doit identifier les personnes qui participent au processus de décision, leurs critères de choix et leur niveau d'influence à chaque étape du processus.

### Qui intervient dans le processus d'achat?

Qui est à l'origine des centaines de milliards d'euros consacrés chaque année aux achats des entreprises? Depuis les PME, dans lesquelles une ou deux personnes s'occupent des achats, jusqu'aux grandes sociétés qui disposent de puissants départements, les services d'achat diffèrent profondément. L'autorité de l'acheteur varie également selon les entreprises et les catégories de produits. Il a généralement l'initiative de la décision pour les produits secondaires, mais se conforme aux désirs d'autrui pour les biens d'équipement plus importants[13].

❖ On appelle *centre d'achat* l'unité de prise de décision d'une entreprise, qui rassemble l'« ensemble des individus et groupes qui interviennent dans le processus de prise de décision d'achat, et en partagent les objectifs ainsi que les risques[14] ».

Le centre d'achat regroupe tous ceux qui assument l'un des sept rôles-clés d'un achat industriel :

1. *L'initiateur* (celui qui émet la requête initiale). Il s'agit souvent mais pas toujours de l'utilisateur du produit.

2. *L'utilisateur* (celui qui utilise le produit ou service). Dans bien des cas, il élabore le cahier des charges initial.

3. *Le prescripteur* (toute personne qui, directement ou indirectement, exerce une influence sur la décision d'achat). Il participe à l'élaboration du cahier des charges et à la recherche des fournisseurs. Il est souvent investi de l'autorité du spécialiste. Il peut être interne ou externe à l'entreprise (membre d'un bureau d'études ou consultant par exemple).

4. *Le décideur* (celui qui a le pouvoir de décision effectif sur le choix des fournisseurs).

5. *L'acheteur* (celui qui a la responsabilité formelle de la négociation des conditions). Il donne son avis sur les spécifications mais intervient surtout dans la négociation du contrat commercial. Pour des achats importants, ce rôle est pris en charge à un haut niveau hiérarchique.

6. *L'approbateur* (celui qui donne son accord sur une recommandation d'achat).

7. *Le relais* (toute personne qui contrôle la circulation de l'information dans l'entreprise). Il peut s'agir, par exemple, d'un employé du service achat qui empêche le représentant d'un fournisseur d'entrer en contact avec l'utilisateur ou le décideur.

D'une entreprise à une autre, la taille et la composition du centre d'achat varient considérablement, même pour une catégorie de produits déterminée. Le nombre d'*intervenants* est naturellement plus élevé dans l'achat d'une machine-outil que pour des fournitures de bureau. À titre d'exemple, une enquête menée en Grande-Bretagne a permis d'identifier neuf entités impliquées dans le processus d'achat de matières premières : la direction générale (choix des fournisseurs), les gestionnaires et les ingénieurs de production (origine du projet), les bureaux d'étude (modification d'un produit), l'entretien, la recherche (cahier des charges), les achats (analyse des propositions des fournisseurs), le service financier (autorisation budgétaire) et le service commercial (lancement d'un nouveau produit)[15].

Pour chaque type d'achat, le responsable marketing business-to-business doit déterminer quels intervenants participent au processus de décision ; à quelle(s) étapes(s) du processus ils jouent un rôle ; quel est leur degré d'influence ; et quels sont leurs critères de décision.

■ LYCRA. Lorsque Du Pont de Nemours vend du Lycra à Dim pour la fabrication de collants, l'entreprise doit convaincre différents interlocuteurs, notamment : le responsable de production, soucieux de contraintes techniques comme la résistance de la fibre à l'étirement ; le service recherche et développement qui souhaite une matière première permettant la réalisation des nouveaux produits en cours d'élaboration ; le service achat soucieux des conditions commerciales et des prix proposés[16].

Étant donné qu'un centre d'achat comporte de nombreuses personnes, le responsable marketing a rarement les ressources nécessaires pour s'occuper de chacun d'eux séparément. Les petites entreprises s'efforcent d'identifier les personnes les plus influentes et concentrent sur elles leurs efforts publicitaires et commerciaux. Les grandes entreprises pratiquent *la vente à plusieurs niveaux* de façon à atteindre le plus grand nombre d'intervenants possibles. Pour les clients les plus importants, le contact commercial est pratiquement ininterrompu. Pour les projets impliquant une discontinuité de la relation commerciale, le contact peut se maintenir par des rites visant à préserver le climat de confiance qui s'est créé entre les interlocuteurs et à favoriser les contacts commerciaux ultérieurs[17].

Le responsable de marketing industriel doit périodiquement réexaminer ses hypothèses concernant les rôles et influences des différents intervenants dans le processus de décision d'achat. Ainsi, Kodak qui, pendant des années, avait pris pour habitude de vendre ses films radiographiques à usage médical par l'intermédiaire des techniciens de laboratoire vit son chiffre d'affaires décliner avant de comprendre que la décision d'achat passait progressivement sous le contrôle des responsables administratifs. La société modifia sa stratégie marketing en conséquence.

Il lui faut aussi comprendre les différences internationales en matière de processus de décision. Une étude a ainsi comparé les règles d'achat de 236 sociétés réparties aux États-Unis, en Suède, en France et en Asie du Sud-Est. Alors que l'achat en équipe était monnaie courante en Suède, les processus restaient très individuels aux États-Unis, les autres pays occupant des positions intermédiaires[18].

CHAPITRE 8
Comprendre
la clientèle
d'entreprise et
son comportement d'achat

## Les déterminants majeurs du processus d'achat

L'acheteur en entreprise est guidé à la fois par des facteurs objectifs et subjectifs. S'il y a une grande similarité dans l'offre des fournisseurs, il n'est guère en mesure d'effectuer un choix rationnel et il peut s'en remettre à des mobiles d'ordre personnel. En revanche, lorsqu'il y a des différences sensibles entre les produits proposés, il est davantage tenu pour responsable de son choix, et attache plus d'importance aux facteurs rationnels.

On peut regrouper les différents facteurs en quatre catégories : influences environnementales, organisationnelles, interpersonnelles et individuelles (voir figure 8.1).

**FIGURE 8.1**
Principaux déterminants de l'achat industriel

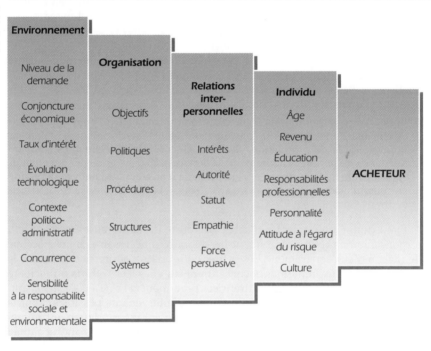

**LES VARIABLES ENVIRONNEMENTALES** ❖ Les plus importantes sont le niveau de la demande, la conjoncture économique, les taux d'intérêt, le progrès technologique, le contexte politico-administratif, l'évolution de la concurrence et la sensibilité de l'opinion publique à la responsabilité sociale et environnementale de l'entreprise.

Dans une économie en récession, l'acheteur industriel a tendance à resserrer ses dépenses et faire la chasse aux économies. S'il craint des pénuries de matière première, il accroît son niveau de stock ou passe des contrats d'approvisionnement à long terme. L'évolution technologique et réglementaire influence, dans un contexte concurrentiel, la nature des spécifications qu'il émet. Aujourd'hui, de plus en plus d'entreprises se sentent concernées par la protection de l'environnement et préfèrent s'adresser à des fournisseurs qui intègrent cette dimension dans leurs propositions[19].

**LES VARIABLES ORGANISATIONNELLES** ❖ Chaque entreprise a ses propres objectifs, politiques, procédures, structures et systèmes qui définissent le cadre de ses opérations. Certaines tendances se sont fait jour au fil du temps dans ce domaine :

◆ *Des services achat de plus en plus sophistiqués.* Pendant longtemps, le service achat a occupé une position relativement secondaire dans l'entreprise. Sous l'effet de l'inflation et des pénuries de matière première, de nombreuses directions générales ont pris conscience de l'importance de ce service qui gère bien souvent près de 60 % des dépenses de l'entreprise. On a alors élevé au rang de directeur celui qui n'était qu'un simple chef de service. On a parfois, comme chez Caterpillar, regroupé l'achat, la gestion des stocks, la logistique et la production au sein d'une direction des ressources matérielles. Par ailleurs, les recrutements ont privilégié des diplômés des grandes écoles, attirés par des responsabilités nouvelles et des salaires plus élevés. Le « calibre » de l'acheteur s'est ainsi considérablement développé[20].

◆ *Des rôles plurifonctionnels.* Dans une enquête récente, les acheteurs interrogés ont décrit leur travail comme de moins en moins administratif, plus stratégique, plus technique et surtout plus collectif qu'avant. 61 % des répondants ont précisé qu'ils étaient davantage impliqués dans le lancement des nouveaux produits qu'il y a cinq ans et plus de la moitié participait à des équipes plurifonctionnelles comprenant les fournisseurs[21].

◆ *L'achat centralisé.* Dans les grandes sociétés, les achats sont souvent répartis entre plusieurs divisions, en fonction de leurs besoins spécifiques. On assiste aujourd'hui à une tendance en faveur de la centralisation des opérations. C'est alors le siège qui identifie les besoins globaux et les prend en charge afin de bénéficier d'effets de volume. Les divisions sont parfois libres de s'approvisionner ailleurs, si c'est à meilleur compte, mais la centralisation des achats permet souvent d'obtenir des conditions difficiles à battre. Pour le responsable marketing vendant à ces entreprises, une telle évolution signifie des acheteurs moins nombreux et de niveau plus élevé. Au lieu de contacter chaque division séparément, certains fournisseurs ont mis en place un système de gestion des grands comptes pourvus d'un plan marketing et d'une force de vente spécifique.

◆ *La décentralisation des achats secondaires.* En même temps qu'elles centralisent leurs grosses commandes, beaucoup d'entreprises délèguent à leurs employés les achats de petites fournitures. Ce sont les cartes de crédit société qui sont à l'origine de cette évolution. Il s'ensuit souvent une meilleure gestion des coûts et une plus grande rapidité des opérations[22].

◆ *L'achat sur Internet.* En l'an 2004, les achats interentreprises effectués sur le Net devraient dépasser 2,7 milliards de dollars. En France, elles représentaient déjà 716 millions d'euros en 2000[23]. Une telle évolution a de profondes répercussions sur les fournisseurs et sur les procédures d'achat (voir encadré 8.1).

---

**8.1**

## L'achat business-to-business sur Internet

Avec le battage médiatique autour du commerce électronique aux particuliers, on perd parfois de vue que les achats en ligne concernent avant tout les entreprises. Les experts estiment que les montants en jeu sont 10 à 15 fois supérieurs.

L'*approvisionnement électronique* (en anglais *e-procurement*) constitue aujourd'hui une tendance majeure dans les politiques d'achat des entreprises. Au-delà de leurs propres sites Web, beaucoup d'entreprises ont créé des liens intranet et extranet qui les relient à leurs fournisseurs et distributeurs. La plupart des achats réalisés aujourd'hui sur Internet portent sur des services de voyages et de transports, ainsi que sur des pièces, de la maintenance et de la réparation. Ces trois dernières catégories représentent traditionnellement 30 % des achats des entreprises et impliquent des coûts élevés de transaction et de gestion des commandes. D'où

CHAPITRE 8
Comprendre
la clientèle
d'entreprise et
son comportement d'achat

237

l'intérêt de rationaliser ces processus par le biais d'Internet. Par exemple, une société peut établir un compte d'approvisionnement automatique chez Dell permettant à ses employés de faire leurs achats plus simplement. National Semiconductor a automatisé pratiquement toutes ses 3 500 commandes mensuelles, depuis les chaussons stériles portés par le personnel dans les usines jusqu'aux logiciels informatiques. L'entreprise General Electric, quant à elle, achète en ligne non seulement des fournitures mais également des équipements industriels. Elle gère ses appels d'offres, négocie ses contrats et enregistre ses commandes de manière électronique. Comme elle a ouvert son site à d'autres entreprises, l'entreprise est en passe de créer un vaste marché électronique où des milliers d'entreprises concluent des transactions représentant plusieurs milliards de dollars de chiffre d'affaires.

Aujourd'hui, environ la moitié des entreprises utilisent Internet pour procéder à leurs achats, et ce en ayant recours à :

♦ *des catalogues en ligne* ;

♦ *des carrefours d'affaires verticaux*, sites sectoriels permettant d'acheter des produits industriels comme du plastique ou de l'acier, voire des services ;

♦ *des carrefours d'affaires horizontaux*, spécialisés dans une fonction (la logistique, l'achat d'espace publicitaire, de produits énergétiques…) ;

♦ *des sites d'enchères* ;

♦ *des marchés en ligne* qui permettent l'acquisition de produits de base en temps réel ;

♦ *des sites de troc* ;

♦ *des alliances d'achat* conclues entre entreprises achetant les mêmes produits afin d'agréger leurs volumes et ainsi d'obtenir des prix plus avantageux. Par exemple, de nombreux fabricants de biens de grande consommation dont Coca-Cola, Sara Lee,

Kraft, PepsiCo, Gillette et Procter & Gamble ont constitué un groupe intitulé Transora pour obtenir des prix avantageux sur l'achat de matières premières et de services logistiques.

Si, bien souvent, les achats des entreprises sont organisés par division et par site géographique, le passage à l'approvisionnement électronique entraîne en général un changement de stratégie et de structure de la fonction achat. Globalement, l'achat sur Internet a de nombreuses conséquences, positives et négatives :

♦ consolider les systèmes d'achat et limiter les achats réalisés en dehors d'une liste de fournisseurs référencés ;

♦ agréger les volumes achetés par différentes divisions et obtenir des rabais ;

♦ simplifier les procédures administratives ;

♦ réduire les délais entre la commande et la livraison ;

♦ resserrer les relations entre partenaires ;

♦ réduire les coûts de transaction, à la fois pour les acheteurs et les fournisseurs ;

♦ émousser la fidélité traditionnelle des acheteurs ;

♦ réduire les effectifs se consacrant à la fonction achat ;

♦ présenter des risques en matière de sécurité.

---

*Sources* : « The Evolution of B to B selling on the Net », *Target Marketing*, août 1998, p. 34 ; « Extranets : Log on, Link Up, Save Big », *Business Week*, 22 juin 1998, p. 134 ; « To Byte the Hand that Feeds », *The Economist*, 17 juin 1998, pp. 61-62 ; « Buying Behemoth – By Shifting $5B in Spending to Extranets, GE could ignite a development frenzy », *Internetweek*, 17 août 1998, p. 1 ; « Procuring an Edge », *Industry Week*, 23 juin 1997, pp. 56-62 ; « Commerce électronique : l'Eldorado ? », *Le Nouveau Courrier*, septembre 1999, pp. 18-22. Voir également le chapitre 2 consacré à l'adaptation du marketing à l'économie numérique.

---

♦ *Les contrats à long terme.* De plus en plus d'entreprises, par exemple dans le domaine de l'énergie, essaient de passer des contrats d'approvisionnement à long terme. Elles mettent en place des systèmes extranet ou utilisent des systèmes EDI (Electronic Data Interface) pour intensifier les échanges d'informations avec leurs fournisseurs et mettre en place des procédures de commande informatisées[24]. Certaines firmes vont encore plus loin en confiant la responsabilité de la commande à leurs fournisseurs, qui suivent le niveau des stocks en temps réel et procèdent à des réapprovisionnements automatiques.

- *Une évaluation plus poussée des performances à l'achat.* Aujourd'hui, la plupart des sociétés évaluent et rémunèrent leurs acheteurs selon les performances réalisées. Il s'ensuit une pression accrue sur les vendeurs pour obtenir toujours de meilleures conditions.
- *L'optimisation de la chaîne d'approvisionnement.* Les acheteurs collaborent de plus en plus souvent avec les responsables des autres services, dont le marketing, en vue de construire une chaîne d'approvisionnement homogène, depuis l'achat des matières premières jusqu'à la livraison en temps et en heure du produit fini aux utilisateurs finaux.
- *La production à flux tendus.* Aujourd'hui, de nombreux fabricants s'efforcent de mettre en place un système de production qui leur permette de fabriquer une plus grande variété de produits, à moindre coût, et en moins de temps. L'un des éléments d'un tel système est la production « juste à temps » qui affecte les procédures d'achat des entreprises (voir encadré 8.2).

---

**8.2**

## Production juste à temps : approche classique et renouvelée

La production « juste à temps », mise en pratique de longue date par les entreprises japonaises, a été adoptée dans les années 1980 par les sociétés occidentales. L'objectif est de supprimer les stocks de matériaux en les recevant des fournisseurs au moment exact de leur utilisation. Il ne s'agit donc pas de transférer les stocks chez le fournisseur, ce qui ne réduirait pas le coût total de production, mais de synchroniser la fabrication du fournisseur avec celle de son client. C'est en cela que le système JAT implique une réorganisation de l'achat.

Cette approche se traduit par le renforcement des relations entre les industriels et leurs clients. Elle se traduit par : l'échange d'informations sur les plans de production ; la mise en place par les fournisseurs de systèmes d'approvisionnement automatisés chez leurs clients ; la conclusion de contrats de long terme tout en réduisant considérablement le nombre des fournisseurs ; et une étroite collaboration sur les contrôles de qualité des produits livrés. Le fournisseur est, à la limite, considéré comme un poste de travail avancé du système de production de l'entreprise cliente. Un marketing relationnel se substitue ainsi au marketing transactionnel.

Plus récemment, le système JAT a évolué vers une prise en compte de l'ensemble de la transaction en ne se limitant plus à la réduction du stock. Cette approche renouvelée consiste pour le fournisseur à transférer géographiquement quelques-uns de ses employés chez son client, et ce de manière permanente. En France, la division bus de Renault a ainsi installé ses propres équipes à la RATP, son principal client, ce qui rend particulièrement difficile toute pénétration par la concurrence. L'avantage est d'être en permanence à l'écoute des problèmes du client et d'avoir toujours une longueur d'avance sur la concurrence.

Le personnel transféré prend en réalité la place de trois personnes : l'acheteur du client, le gestionnaire des stocks du client et le représentant du fournisseur. L'information n'a plus besoin de passer successivement par ces trois interlocuteurs puisqu'un seul individu appréhende l'ensemble du problème, d'où un gain de temps.

En outre, l'échange d'informations et d'expertises entre client et fournisseur favorise la conception jointe et optimisée des nouveaux produits. Il y a alors création de valeur en commun. Bien entendu, pour qu'un tel système fonctionne, il faut qu'une relation de confiance absolue se soit établie entre les deux partenaires.

*Sources :* voir James Womack, Daniel Jones et Daniel Roos, *Le système qui va changer le monde* (Paris : Dunod, 1992) ; « JLG Industries offers JIT II advice », *Purchasing*, 15 janvier 1998, p. 39 ; Robert Hiebeler, Thomas Kelly et Charles Ketteman, *Best Practices : Building Your Business with Customer-Focused Solutions* (New York : Arthur Andersen/Simon & Schuster, 1998), pp. 94-96.

**LES VARIABLES INTERPERSONNELLES** ❖ Un centre d'achat implique l'interaction de plusieurs personnes à l'autorité, au statut, à la capacité d'empathie et à la force de persuasion variables. Il est assez difficile pour un vendeur d'anticiper le fonctionnement des relations interpersonnelles. Il doit garder trace de tout ce qu'il observe sur la personnalité de chacun et les relations entre les individus.

**LES VARIABLES INDIVIDUELLES** ❖ Chaque participant au centre d'achat a ses propres perceptions et préférences relatives aux caractéristiques des produits et des fournisseurs. Des facteurs tels que l'âge, le revenu, le niveau d'éducation, les responsabilités professionnelles, la personnalité et l'attitude à l'égard du risque ne sont pas sans impact sur la façon d'acheter. Il existe ainsi des acheteurs « nouvelle vague » fondant leurs décisions sur des analyses informatisées et des acheteurs « de la vieille école » rompus à la négociation.

**LES FACTEURS CULTURELS** ❖ Les procédures d'achat varient d'une culture à une autre. Ainsi, l'attention portée aux titres est grande en Allemagne où un certain degré de formalisme préside aux négociations. Au Japon, les positions sont bien connues d'avance et l'ordre du jour doit rester flexible pour parvenir à un consensus. En Corée, le groupe prime sur l'individu et le respect de l'autorité est fondamental. En Amérique latine, un contact personnel préalable, éventuellement à travers une connaissance commune, est souvent la bienvenue et il est apprécié de prendre du temps pour mieux connaître son interlocuteur avant d'entamer les négociations commerciales[25].

## L'optique guidant l'achat

Un acheteur industriel achète des biens et services dans le but de réaliser des profits ou bien de satisfaire à une obligation légale. Ainsi, une aciérie se dotera d'un nouveau four pour améliorer sa rentabilité mais installera des équipements antipollution pour obéir à la loi.

En principe, l'acheteur cherche à en avoir le plus pour son argent. Son incitation à acheter est d'autant plus forte que le rapport entre les coûts et les avantages, c'est-à-dire la valeur perçue, est la plus forte. La mission du fournisseur est de proposer une offre qui délivre un surcroît de valeur.

Il existe trois optiques possibles dans la gestion des achats : l'optique transactionnelle, l'optique de l'approvisionnement et la chaîne de valeur[26].

♦ *L'optique transactionnelle.* Les acheteurs et les fournisseurs, en relation directe et souvent antagoniste, raisonnent à court terme et de façon tactique. L'acheteur est récompensé par son habileté à obtenir les prix les plus bas pour une qualité et une disponibilité données. L'idée est que la négociation est un jeu à somme nulle. Autrement dit, la taille du « gâteau » est déterminée une fois pour toutes et chacun essaie d'en obtenir la plus large part. Deux tactiques dominent : la *banalisation* qui vise à limiter toute discussion au prix, compte tenu du caractère standard de l'offre, et la *diversification des sources,* les fournisseurs étant multiples et systématiquement mis en concurrence.

♦ *L'optique de l'approvisionnement.* Dans ce cas, on recherche à la fois une meilleure qualité et des coûts plus réduits. Plutôt que faire porter toute la pression sur les prix, l'acheteur développe des relations privilégiées avec quelques fournisseurs afin de travailler sur l'ensemble des coûts (acquisition, utilisation, abandon du produit). Les négociations portent sur des contrats à long terme qui soient satisfaisants pour les deux parties. On cherche à optimiser l'ensemble de la chaîne d'approvisionnement.

♦ *L'optique de la chaîne de valeur* va encore plus loin en se préoccupant de la chaîne de valeur dans son ensemble, depuis les matières premières jusqu'à l'utilisateur final. L'acheteur n'est alors plus confiné dans un département spécialisé mais participe pleinement à la valeur ajoutée créée par l'entreprise. Ainsi :

■ **PIONEER HIBRED.** Cette société, basée dans l'Iowa, fournit des semences pour la culture du maïs. Ses semences hybrides augmentent la productivité de 10 % et justifient donc un supplément de prix. Pioneer sait que les semences ne représentent qu'une faible part de la chaîne de valeur de l'agriculteur. Pour l'accroître, la société a envisagé trois possibilités : 1) améliorer la résistance des semences et donc accroître les prix puisque moins de produits chimiques seront nécessaires ; 2) incorporer des produits chimiques et des engrais à son offre, ce qui est techniquement et commercialement difficile ; et 3) accroître les services, par exemple en équipant ses vendeurs d'ordinateurs portables qui permettent d'aider l'agriculteur à mieux choisir ses méthodes de production compte tenu des caractéristiques de son exploitation. En développant cette troisième voie, HiBred a fait passer sa part de marché de 35 % au milieu des années 1980 à 42 % en 2000[27].

## Les différents processus d'achat

Les responsables marketing doivent comprendre comment fonctionnent les services achats. Ceux-ci traitent de nombreux produits et modifient leurs procédures selon les cas de figure. Peter Kraljic distingue quatre types de processus d'achat relevant de différents types de produits[28].

♦ *Les produits de routine* se caractérisent par leur faible coût pour le client et le risque limité associé à l'achat (les fournitures de bureau par exemple). L'acheteur recherche alors le plus bas prix et privilégie les achats routiniers. Les fournisseurs peuvent alors proposer une procédure de commandes simplifiée.

♦ *Les produits de levier* sont coûteux mais impliquent un risque limité pour l'acheteur car de nombreuses entreprises les proposent. Il s'agit, par exemple, des pistons pour les moteurs. Le fournisseur sait que le client compare les produits et les prix et doit montrer que son offre minimise le coût total à supporter.

♦ *Les produits stratégiques* sont très coûteux et s'accompagnent d'un risque élevé pour le client (une unité centrale en informatique par exemple). L'acheteur recherche un fournisseur connu et réputé. Il est prêt à payer un surcoût pour minimiser son risque perçu. Il peut également chercher à impliquer le fournisseur en amont du processus d'achat, à développer des programmes de développement conjoint et même d'investissement croisé.

♦ *Les produits goulots d'étranglement*, au coût limité, impliquent un risque élevé (comme les pièces détachées). L'acheteur cherche alors à garantir la sécurité et la régularité de l'approvisionnement. Le fournisseur doit proposer un système de suivi et de livraison à la demande, ainsi qu'une assistance au client.

Les responsables marketing doivent analyser dans quel cas de figure ils se situent. Ils peuvent ainsi mieux appréhender le processus d'achat de chaque client en vue de le conquérir et de le fidéliser.

## Les étapes du processus d'achat

On a coutume de distinguer huit *étapes*[29], qui apparaissent en ligne dans la matrice présentée au tableau 8.1 tandis qu'en colonne sont répertoriées les catégories d'achat. Une telle matrice est appelée *grille d'achat.* Nous examinerons tour à tour chaque étape.

**LA RECONNAISSANCE DU PROBLÈME** ❖ Le processus s'engage lorsque quelqu'un dans l'entreprise a reconnu l'existence d'un problème ou besoin nécessitant l'achat d'un produit ou service. La reconnaissance du problème peut résulter de facteurs internes ou externes.

CHAPITRE 8
Comprendre
la clientèle
d'entreprise et
son comportement d'achat

241

TABLEAU 8.1
La grille d'achat

| PHASES D'ACHAT | CATÉGORIE D'ACHAT | | |
|---|---|---|---|
| | NOUVEL ACHAT | RÉACHAT MODIFIÉ | SIMPLE RÉACHAT |
| 1. Reconnaissance d'un problème | oui | parfois | non |
| 2. Description des caractéristiques générales du produit nécessaire | oui | parfois | non |
| 3. Spécifications du produit | oui | oui | oui |
| 4. Recherche des sources d'approvisionnement | oui | parfois | non |
| 5. Réception et analyse des propositions | oui | parfois | non |
| 6. Évaluation des propositions et choix du (ou des) fournisseur(s) | oui | parfois | non |
| 7. Choix d'une procédure de commande | oui | parfois | non |
| 8. Suivi et évaluation des résultats | oui | oui | oui |

Au plan interne, par exemple, l'entreprise peut décider de lancer un nouveau produit et a besoin de nouveaux équipements. Une machine vient de tomber en panne et nécessite d'être remplacée. Certains matériaux s'avèrent inappropriés à l'usage et l'entreprise recherche un nouveau fournisseur. L'acheteur cherche à obtenir un meilleur rapport qualité/prix.

Au plan externe, l'acheteur peut avoir l'idée d'une acquisition à l'occasion d'un salon, en voyant une publicité ou en écoutant un représentant lui présenter un nouvel article. La tâche du fournisseur est de faciliter la reconnaissance d'un problème en agissant sur tous ces moyens.

**LA DESCRIPTION DES CARACTÉRISTIQUES GÉNÉRALES** ❖ Une fois le besoin reconnu, l'acheteur doit définir les caractéristiques générales du produit demandé. Pour un article standard, cela ne présente guère de difficultés; pour un article complexe, en revanche, l'acheteur prendra l'avis de nombreuses personnes : ingénieurs, utilisateurs, etc., afin de déterminer l'importance de la fiabilité, du prix, des délais ou de tout autre attribut lié au produit. Le fournisseur peut intervenir à ce stade en aidant l'acheteur à apprécier les différentes caractéristiques de son produit et à mieux définir ses besoins.

**LES SPÉCIFICATIONS** ❖ Il s'agit maintenant de détailler les spécifications techniques recherchées. La méthode la plus utilisée est *l'analyse de la valeur*.

> ❖ *L'analyse de la valeur* est une technique de réduction des coûts qui consiste à examiner en détail tous les composants susceptibles d'être modifiés, standardisés, ou fabriqués à moindres frais.

L'acheteur s'intéresse en particulier aux composants les plus coûteux d'un produit ou à ceux, trop bien conçus, dont la longévité excède celle du produit fini. Un fournisseur peut lui aussi avoir recours à l'analyse de la valeur pour emporter la décision de l'acheteur, en lui montrant par exemple comment une meilleure technique de production permet d'abaisser le prix de revient de son produit[30].

**LA RECHERCHE DES FOURNISSEURS** ❖ L'acheteur est désormais en mesure d'identifier les sources d'approvisionnement les plus appropriées. Il compulse les annuaires et le web, passe des coups de téléphone, se renseigne auprès de ses collègues, puis établit la liste des fournisseurs possibles. Les fournisseurs trop petits ou ne présentant pas les garanties nécessaires sont, à ce stade, éliminés. Plus l'achat est nouveau, plus le produit est complexe et/ou onéreux, plus la phase de recherche est longue. La sélection s'opère en général en deux étapes : une première liste puis une seconde plus courte (*short list*).

■ **Ministère de l'Équipement.** Il y a quelques années, le ministère de l'Équipement lança un appel d'offres pour un ensemble de mini-ordinateurs et de logiciels associés destinés à être utilisés en serveurs bureautiques. Soixante sociétés furent contactées et 22 d'entre elles répondirent. Le ministère opéra une première sélection et invita cinq sociétés à soumissionner.

**LA RÉCEPTION ET L'ANALYSE DES PROPOSITIONS** ❖ L'acheteur invite les fournisseurs présélectionnés à soumettre une offre. Certains enverront un catalogue, d'autres un représentant[31]. Pour un achat complexe, les propositions écrites sont longuement analysées. Il est important pour un fournisseur de savoir élaborer des propositions précises et présentées dans une optique « marketing » et pas seulement technique. Les commentaires oraux accompagnant le texte doivent inspirer confiance et permettre à l'entreprise de se placer en position favorable vis-à-vis de la concurrence.

**LE CHOIX DES FOURNISSEURS** ❖ À ce stade, les membres du comité d'achat entreprennent une analyse détaillée de chaque fournisseur à partir d'une liste de critères, rangés par ordre d'importance, et de la performance attendue de chaque société sur chaque critère. Ainsi, une étude effectuée auprès du secteur industriel suédois a révélé que les critères d'achat d'un mini-ordinateur étaient les suivants (par ordre d'importance) :

1. Rapidité du service
2. Fiabilité du matériel
3. Fiabilité des engagements
4. Extensions possibles
5. Références
6. Matériel/logiciel
7. Aide à l'informatisation
8. Connaissance des problèmes du client
9. Programmes en langage local
10. Prix

La figure 8.2 présente la façon dont un constructeur donné était perçu sur chacun de ces critères.

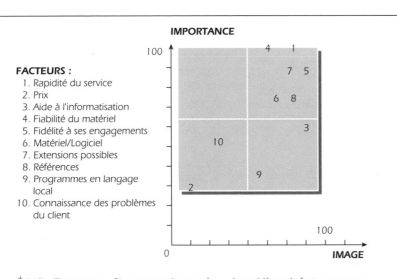

**FIGURE 8.2**
Analyse d'un fournisseur

Échelle d'importance : % personnes interrogées qui considèrent le facteur comme important dans leur décision d'achat.

Échelle d'image : % personnes interrogées qui considèrent que la société X est bien placée sur ce facteur.

*Source :* Bo Backman, « A Platform for Strategic Decisions Within the Computer Industry in Sweden », *Esomar Seminar, Contributions of Research to Strategic Product and Market Decisions*, 1982, pp. 135-149.

CHAPITRE 8
Comprendre
la clientèle
d'entreprise et
son comportement d'achat

243

Ce n'est cependant pas la seule méthode employée pour choisir un fournisseur. Huit méthodes différentes sont utilisées par les entreprises pour évaluer la valeur d'une offre commerciale (voir encadré 8.3).

Bien sûr, l'importance relative des différents attributs varie en fonction de la situation rencontrée[32]. Pour des *produits d'achat routinier*, le respect des délais et le prix viennent en tête, suivis de la réputation du fournisseur. Pour des *produits entraînant une modification des procédures* internes, tel qu'un photocopieur, les trois attributs jugés les plus importants sont : l'assistance technique, la capacité d'adaptation du fournisseur et la fiabilité du produit. Enfin, pour des *produits interférant avec la politique de la société* comme un système informatique, par exemple, le prix, la réputation, la fiabilité du produit et du service ainsi que la flexibilité du fournisseur sont des critères décisifs.

En dépit de l'évolution favorable au partenariat et aux relations de long terme entre clients et fournisseurs, beaucoup d'acheteurs continuent de donner une importance primordiale aux prix. Selon une enquête du magazine *Purchasing* effectuée en 1998, 92 % des acheteurs interrogés voyaient dans la

---

**8.3**

# Les méthodes de mesure de la valeur client

On peut en dénombrer huit :

*1. Les évaluations techniques internes*

Les ingénieurs de l'entreprise ont alors recours à des tests de laboratoire pour estimer la performance des produits. Si elle s'avère être de 50 % supérieure à la concurrence, l'entreprise peut répercuter la différence dans son prix de vente. Inconvénient : le même produit peut, dans différentes applications, ne pas engendrer la même valeur économique.

*2. Les évaluations sur site*

Des clients sont contactés et renseignent l'entreprise sur les coûts associés à l'utilisation du nouveau produit par rapport à l'existant. On évalue et compare alors chacun de ces coûts. Par exemple, pour un nouveau bulldozer Caterpillar, on évaluerait la consommation d'énergie, la facilité de réparation en cas de panne, la valeur de revente, etc.

*3. Les entretiens de groupe*

Réunis en groupe, un échantillon de clients évaluent les avantages monétaires associés à différentes configurations d'offre.

*4. Les enquêtes directes*

On demande alors directement, par voie d'enquête, quelle valeur monétaire les clients attachent à telle ou telle modification de l'offre.

*5. L'analyse conjointe*

Les clients indiquent leurs préférences pour différentes configurations ou concepts de produit. Par analyse statistique, on infère les valeurs implicites sous-tendant leurs choix.

*6. Le benchmarking*

On choisit alors une configuration standard et l'on interroge la clientèle sur le supplément (ou la réduction) de prix qu'elle accepterait si l'on ajoutait (ou enlevait) telle ou telle caractéristique.

*7. L'approche combinatoire*

Les clients indiquent la valeur qu'ils attachent à chacun des trois niveaux d'un attribut, puis d'une série d'autres. On combine ensuite les valeurs obtenues pour dégager la valeur globale.

*8. Les notes d'importance*

Par enquête, on demande à des clients de noter l'importance de chaque attribut puis la performance des différents fournisseurs sur ceux-ci. (Cette méthode a déjà été illustrée à la figure 8.2.)

*Source :* James C. Anderson, Dipak C. Jain et Pradeep K. Chintagunta, « A Customer Value Assessment in Business Markets : A State-of-Practice Study », *Journal of Business to Business Marketing*, 1993, n° 1, pp. 3-29.

négociation des tarifs l'une de leurs responsabilités essentielles[33]. Un fournisseur peut compenser un prix défavorable de nombreuses façons. L'une d'elles consiste à pousser l'acheteur à raisonner en termes de coût sur l'ensemble du cycle de vie du produit. Une autre vise à mettre en évidence la «valeur ajoutée» dégagée, notamment à travers les services offerts. Quelques exemples :

- **ESSROC.** La société française Essroc qui vend des matériaux de construction aide ses clients à vendre à leur propre clientèle en leur fournissant des informations à caractère marketing sur leur concurrence et sur les grandes tendances du marché[34].

- **JEFFERSON SMURFIT CORP.** Lorsqu'elle lança un réfrigérateur non givrant, la société General Electric eu rapidement besoin de matériel d'expédition. La société Jefferson Smurfit nomma trois responsables de la production, pour chacune de ses trois usines de matériaux d'emballage, spécialement chargés de cette commande. Smurfit reçut de General Electric le titre envié de «fournisseur de l'année» pour des services rendus efficacement et rapidement. La société a également acquis la réputation d'une entreprise qui n'offre pas seulement les meilleurs prix mais également la meilleure valeur ajoutée[35].

- **LINCOLN ELECTRIC** a mis en place un programme de réduction de coût pour ses clients. À chaque fois qu'un client demande à Lincoln d'aligner ses prix, l'entreprise s'engage pour un an à découvrir chez les clients des gains de productivité qui compenseront le différentiel de prix avec la concurrence. Si, à l'issue d'un audit indépendant, il s'avère que les gains de productivité attendus ne sont pas obtenus, Lincoln rembourse la différence[36].

- **HEWLETT PACKARD** a observé que certains de ses clients recherchent simplement des produits qui fonctionnent, tandis que d'autres souhaitent que leurs fournisseurs soient de véritables partenaires. Pour les seconds, l'entreprise se présente comme un conseiller offrant des solutions spécifiquement adaptées au problème du client. Cette approche est employée pour la vente de produits complexes comme les systèmes informatiques en réseau[37].

De nombreux acheteurs préfèrent cependant diversifier leurs sources d'approvisionnement afin de ne pas devenir trop vulnérables. En général, un premier fournisseur obtient la plus grosse partie de la commande (par exemple 60 %), le reste étant réparti entre deux autres (à raison de 30 et 10 % par exemple). Le *fournisseur principal* doit tout faire pour protéger sa position, tandis que les *fournisseurs secondaires* chercheront à améliorer la leur. Les *fournisseurs potentiels* essaient de s'insérer dans la liste, par exemple à l'aide de conditions de prix.

Aujourd'hui, on note une certaine tendance (par exemple chez Ford ou Motorola) à réduire le nombre de fournisseurs de 20 à 80 %. Il s'agit en fait de négocier des relations de long terme avec des entreprises qui fournissent, chaque année pour un coût réduit, des équipements de plus en plus complets. Ce nouveau type de fournisseur, parfois unique, est alors associé à tous les projets de lancement.

Les entreprises qui préfèrent s'en remettre à plusieurs fournisseurs avancent d'autres raisons : risque de grève, vulnérabilité ou, plus simplement, érosion de la créativité.

**LA PROCÉDURE DE COMMANDE** ❖ L'acheteur passe maintenant commande auprès du fournisseur choisi en précisant les ultimes détails techniques, les quantités, les délais, les garanties, etc. Pour des articles courants, les acheteurs utilisent de plus en plus des contrats permanents aux termes desquels le fournisseur s'engage à fournir au fur et à mesure des besoins pendant un certain délai. L'avantage de ce système est, pour l'acheteur, de limiter les stocks, et, pour le vendeur, de garantir un courant de clientèle. Une relation de fidélité réciproque s'instaure souvent à l'occasion de ce type de contrat[38].

CHAPITRE 8
Comprendre
la clientèle
d'entreprise et
son comportement d'achat

245

LE SUIVI ET L'ÉVALUATION DES RÉSULTATS ❖ À ce stade, l'acheteur évalue la performance du fournisseur. Il peut avoir recours à plusieurs méthodes : 1) contacter ses propres clients et mesurer leur satisfaction ; 2) noter le fournisseur sur une liste de critères pré-établie et 3) calculer l'accroissement de coût lié à une mauvaise prestation et évaluer ainsi le coût global de l'achat effectué. En fonction de ces évaluations, l'entreprise décidera de poursuivre, de modifier ou d'abandonner ses relations avec le fournisseur. Ce dernier s'efforce, de son côté, de suivre ces mêmes variables, afin de faire en sorte que l'acheteur continue de lui accorder sa confiance.

Nous avons examiné les différentes phases de l'approvisionnement industriel dans le cas d'un nouvel achat. Dans une situation de réachat modifié ou de simple réachat, certaines phases sont réduites ou même absentes. Chaque stade se traduit par une réduction du nombre de fournisseurs concernés. Il est donc prudent pour un fournisseur d'apparaître dès les premières étapes. De manière générale, une entreprise a d'autant plus de chances d'être choisie qu'elle intervient en amont du processus d'achat. Même en cas de procédure par appel d'offres, coopérer en amont avec l'entreprise acheteuse pour l'aider à construire son cahier des charges apparaît comme une stratégie commerciale extrêmement efficace[39].

**TABLEAU 8.2**
Exemple d'analyse d'un processus d'achat : cas de l'industrie aéronautique

| Phases du processus | Fonctions concernées | Principales motivations |
|---|---|---|
| Perception du besoin | Bureau d'études<br>Bureau des méthodes<br>Labo de recherches<br>Responsable fabrication | Temps gagné<br>Qualité du matériel<br>Main-d'œuvre non spécialisée<br>Durée |
| Formulation du besoin | Bureau des méthodes | Temps gagné<br>Qualité du matériel |
| Contrôle du besoin | Bureau des méthodes<br>Contrôle qualité | Qualité du matériel<br>Durée du matériel<br>Temps gagné |
| Recherche d'informations | Service achats<br>Contrôle qualité<br>Bureau des méthodes | Qualité du matériel<br>Durée du matériel<br>Temps gagné<br>Délai de livraison<br>Prix de revient |
| Évaluation des fournisseurs | Service achats<br>Contrôle qualité<br>Bureau des méthodes | Qualité du matériel<br>Durée du matériel<br>Temps gagné<br>Délai de livraison<br>Prix de revient |
| Décision technique | Service achats<br>Contrôle qualité<br>Bureau des méthodes | Qualité du matériel<br>Durée du matériel |
| Décision financière | Responsable fabrication<br>Bureau des méthodes<br>Service achats | Temps gagné<br>Prix de revient<br>Durée du matériel |
| Utilisation | Contrôle qualité<br>Responsable fabrication | Main-d'œuvre non spécialisée<br>Durée du matériel<br>Qualité du matériel |

*Source :* Philippe Haymann, Alain Némarq et Michel Badoc, *op. cit.*, p. 30.

Les huit phases du modèle correspondent aux principales étapes d'un achat business-to-business. Dans la réalité, il faut analyser chaque processus individuellement afin d'identifier le rôle et les motivations de chaque membre du centre d'achat. Une telle analyse est riche d'enseignements pour le responsable marketing. Ainsi, une analyse du processus de décision d'achat de connecteurs, cosses et raccords pour l'industrie aéronautique française a pu mettre en évidence le schéma présenté dans le tableau 8.2.

De même, une étude sur l'achat d'un matériel d'emballage au Japon a abouti au schéma présenté à la figure 8.3. Ce schéma révèle que plus de vingt personnes de l'entreprise acheteuse sont intervenues. Trois fournisseurs, ainsi que diverses sociétés ont été contactés. Enfin, onze événements différents ont abouti à la passation de la commande avec le fournisseur C. Le processus a duré 121 jours.

**FIGURE 8.3**
Analyse d'un achat industriel au Japon : cas d'une machine d'emballage

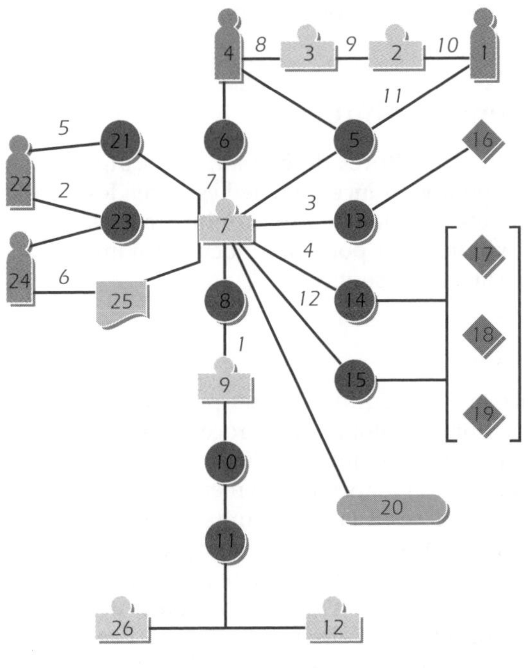

1 Président
2 Directeur financier
3 Directeur des Ventes
4 Directeur de la Production
5 Décision
6 Analyse des Plans de production et de vente
7 Service de la Production
8 Plan de Production d'emballage
9 Comité des Nouveaux Produits
10 Demande de consultation
11 Élaboration d'un nouveau plan marketing
12 Département du Développement des Produits
13 Analyse des plans de prototypes
14 Prototype
15 Passation de la commande
16 Staff technique des fournisseurs
17 Fournisseur A
18 Fournisseur B
19 Fournisseur C
20 Salons professionnels étrangers
21 Demande des tests des prototypes
22 Équipe de recherche
23 Élaboration du design
24 Contremaître
25 Élaboration des ébauches
26 Département Marketing

*Source :* «Japanese Firms Use Unique Buying Behavior»,
*The Japan Economic Journal*, 23 déc. 1980.

CHAPITRE 8
Comprendre
la clientèle
d'entreprise et
son comportement d'achat

247

# Le marché des administrations publiques

Le marché des administrations publiques se compose de tous les organismes publics, nationaux ou locaux, qui achètent ou louent des biens et services dans le cadre de leurs activités. De par son volume, l'achat public occupe une place économique importante. Les dépenses d'achat de l'administration publique centrale, des administrations publiques locales et des administrations de Sécurité sociale s'élevaient en 1999 à 114 milliards d'euros, soit 16 % des dépenses des administrations publiques et plus de 8 % du produit intérieur brut.

Ce marché partage avec les entreprises plusieurs caractéristiques de l'achat institutionnel, telles qu'elles ont été évoquées dans les paragraphes précédents : acheteurs moins nombreux, achats importants, demande dérivée, acheteurs professionnels, plusieurs participants au processus de décision. Cependant, les achats publics font l'objet de procédures particulières que le responsable marketing doit bien connaître pour conquérir cette clientèle. Ces procédures, réglementées par le code des marchés publics, ont fait l'objet d'une profonde réforme en 2001.

## Qu'achètent les administrations publiques ?

Pratiquement de tout. Elles achètent des fournitures de bureau, des sculptures, du matériel de manutention, des pompes à incendie, de l'essence, des prestations de conseil et de publicité, etc. Le marché des administrations publiques représente un marché de premier plan pour pratiquement n'importe quel fabricant de produits ou prestataire de services.

## Qu'est-ce qu'un marché public ?

Le terme de *marché public* fait référence aux procédures d'achat particulières auxquelles sont soumises les administrations publiques. Ces procédures sont réglementées par le « code des marchés publics » qui s'applique à tous les acteurs publics : l'État, les collectivités locales et leurs établissements publics. Elles obéissent aux principes de liberté d'accès à la commande publique, d'égalité de traitement des candidats et de transparence des procédures.

Un marché peut porter sur des produits ou des services et être conclu avec des personnes publiques ou privées. Les acheteurs fixent, dans un cahier des charges, le niveau d'exigence qu'ils voudront voir réaliser et explicitent l'ensemble des critères qui guideront leurs choix. Ils choisissent parmi les propositions reçues selon la règle de « mieux disant ». Si, pendant longtemps, l'État a été obligé de choisir l'offre la moins chère selon la règle du « moins disant », la règle qui s'applique aujourd'hui est celle du « mieux disant » correspondant au meilleur rapport qualité/prix. Le prix n'est donc plus le seul critère de choix. L'acheteur peut même rejeter, dans certaines conditions, une offre jugée anormalement basse.

Plus de la moitié des marchés publics sont passés par les collectivités locales (60 % en 1998). En moyenne annuelle, sur la période 1995 à 1998, les collectivités locales ont passé 188 600 marchés, d'un montant moyen de 110 000 €, et l'État 39 900 marchés d'un montant moyen de 350 000 €[40].

## Les nouvelles procédures de passation d'un marché public

Fruit de l'empilement de réformes successives et de la superposition des règles européennes et nationales, l'ancien code des marchés publics était progressivement devenu d'une lecture difficile. Une réforme de fond a donc été engagée par l'État dans un souci de simplification et de clarification. Elle a donné lieu à un nouveau code applicable depuis le 9 septembre 2001.

Le nouveau code des marchés publics pose le principe du choix de l'offre économiquement la plus avantageuse parmi les réponses à un appel d'offre. C'est la règle du choix du «mieux disant» visant à améliorer l'efficacité de la commande publique. L'achat public suit quatre procédures en fonction du montant en jeu : 1) le marché sans formalités préalables (achat sur facture) pour les achats de faible montant et certains services ; 2) la mise en concurrence simplifiée pour les achats de montant intermédiaire ; 3) l'appel d'offres pour les achats importants ; et 4) le marché négocié dans certains cas spécifiques. Examinons-les successivement.

LES MARCHÉS SANS FORMALITÉS PRÉALABLES ❖ Ce régime, qui consiste en un simple achat sur facture, est applicable aux achats représentant un montant inférieur à 90 000 € HT. Une mise en concurrence est cependant recommandée aux acheteurs, par exemple en demandant plusieurs devis. Il est par ailleurs possible de passer un marché sans formalité préalable pour certaines prestations de service : les services récréatifs, culturels, sportifs, sociaux, sanitaires, les services d'éducation, de qualification et d'insertion professionnelle ainsi que les services juridiques.

LA MISE EN CONCURRENCE SIMPLIFIÉE ❖ Elle s'applique aux achats d'un montant supérieur à 90 000 € HT et inférieur respectivement à 130 000 € HT pour l'État et 200 000 € HT pour les collectivités locales. Cette procédure intermédiaire vise à combiner la transparence de l'appel d'offres et la souplesse de la procédure négociée.

Le marché public est rédigé par écrit dans un avis d'appel public à la concurrence. Ce dernier peut être publié au *Bulletin officiel d'annonces des marchés publics* (*BOAMP* édité par la direction des *Journaux officiels* et consultable par voie électronique sur le site www.journal-officiel.gouv.fr) ou dans une publication habilitée à recevoir des annonces légales. Le responsable marketing doit donc suivre avec attention les avis d'appel paraissant dans de telles publications afin d'avoir connaissance des achats en cours.

Il y a mise en concurrence formalisée des offres. Les décisions de passation du marché et de choix du fournisseur sont prises par un organe de décision collégial : la commission d'appel d'offres. En revanche, contrairement à la procédure par appel d'offres décrite ci-dessous, la mise en concurrence simplifiée permet de négocier avec les candidats afin d'améliorer la conformité de leur offre avec le besoin de l'administration concernée.

LA PROCÉDURE D'APPEL D'OFFRES ❖ Elle s'applique pour tous les achats de plus de 130 000 € HT pour l'État et de plus de 200 000 € HT pour les collectivités locales. Le cahier des charges présentant l'appel d'offres comprend un ensemble de documents contractuels qui précisent les conditions dans lesquelles le marché sera exécuté. Il s'agit à la fois des contrats types qui précisent l'ensemble des clauses administratives ou techniques applicables à la catégorie de marchés, ainsi que des documents particuliers contenant les clauses propres au marché en cause.

Dans cette procédure, les avis d'appel public à la concurrence font obligatoirement l'objet d'une double publicité sous la forme d'un avis publié au *BOAMP* et d'une publication au *Journal officiel des communautés européennes* (*JOCE*). Les marchés de travaux, quant à eux, ne sont soumis à l'obligation de publicité communautaire qu'à partir du seuil de 5 millions d'euros HT. L'envoi pour publication au *JOCE* doit précéder l'insertion au *BOAMP*. L'acheteur public peut aussi recourir simultanément à d'autres publications, par exemple

CHAPITRE 8
Comprendre
la clientèle
d'entreprise et
son comportement d'achat

249

des journaux professionnels ou Internet. Les offres sont examinées par la commission d'appel d'offres qui procède au choix. Les offres soumises sont dites « intangibles », ce qui signifie qu'elles ne peuvent faire l'objet de modification après la soumission. Toute négociation avec les candidats est donc impossible dans le cadre de cette procédure.

**LA PROCÉDURE DU MARCHÉ NÉGOCIÉ** ❖ Cette procédure est particulière, dans le sens qu'elle permet à l'administration publique de négocier directement avec les candidats afin de rechercher l'offre économiquement la plus intéressante. Elle permet ainsi d'alléger l'encadrement procédural de l'appel d'offres dans certaines hypothèses dans lesquelles une procédure extrêmement formalisée paraîtrait impraticable ou disproportionnée.

## La prise en compte des considérations sociales et environnementales

La réforme du code des marchés publics offre la possibilité de prévoir des conditions sociales ou environnementales obligatoires dans le cadre de l'exécution du marché public. Ces dispositions traduisent le souci d'intégrer dans le droit de la commande publique des préoccupations citoyennes importantes, qui n'étaient jusqu'alors qu'imparfaitement prises en compte. Ainsi, le cahier des charges d'un marché public pourra fixer des conditions particulières permettant de promouvoir l'emploi de personnes rencontrant des difficultés d'insertion et, plus généralement, de lutter contre le chômage.

À l'occasion de marchés publics, et notamment de travaux, sont parfois menées des actions d'insertion ou de réinsertion. Dans ce cas, la collectivité publique peut faire de l'action d'insertion une modalité obligatoire d'exécution du marché, en insérant dans le cahier des charges une clause que l'entreprise choisie devra respecter. Ce peut être l'obligation d'employer un nombre défini de jeunes chômeurs ou de chômeurs de longue durée. Autre exemple : en cas de sous-traitance, il peut être demandé aux candidats de sous-traiter un lot ou une fraction du marché à une entreprise d'insertion.

Les personnes publiques peuvent également exiger des entreprises soumissionnaires que la fabrication des produits achetés n'ait pas requis l'emploi d'une main-d'œuvre enfantine dans des conditions contraires aux conventions internationales.

## Qui prend la décision de conclure un marché public ?

Le code des marchés publics identifie clairement le rôle de deux acteurs appelés à prendre des décisions lors de la passation des marchés publics : la personne responsable des marchés et la commission d'appel d'offres.

**LA PERSONNE RESPONSABLE DES MARCHÉS (PRM)** ❖ Cette personne, en général un chef de service ou un directeur, joue un rôle essentiel dans l'achat public : elle définit les besoins, choisit la procédure de passation du marché, choisit et hiérarchise les critères d'attribution du marché, envoie l'avis de publicité, négocie en cas de marchés négociés ou de mise en concurrence simplifiée, signe et notifie le marché. Concrètement, c'est elle qui représente la collectivité publique dans la vie du contrat. Elle est responsable de son exécution. Pour les marchés de l'État, la personne responsable des marchés dispose d'une prérogative supplémentaire : elle dirige toute la procédure. Après avis de la commission d'appel d'offres, elle choisit l'offre économiquement la plus avantageuse et attribue le marché.

**LA COMMISSION D'APPEL D'OFFRES** ❖ Il s'agit d'un organe collégial. La commission d'appel d'offres de l'État joue un rôle administratif et consultatif. Elle est une aide à la décision pour la personne responsable du marché.

La commission d'appel d'offres des collectivités territoriales, quant à elle, joue un rôle encore plus central. Elle est composée d'élus représentant les différentes tendances politiques figurant au sein de l'assemblée locale (conseil municipal, conseil général ou conseil régional). Après autorisation donnée par l'assemblée sur le principe de l'achat, c'est la commission qui examine les candidatures et les offres (en cas d'appel d'offres), qui choisit l'offre économiquement la plus avantageuse et attribue le marché. Elle seule peut déclarer l'appel d'offres infructueux. Enfin, son avis favorable est indispensable à l'engagement d'une procédure négociée par la personne responsable des marchés.

Les spécificités des procédures d'achat publiques incitent aujourd'hui certaines entreprises s'intéressant à ces marchés à constituer des départements spécifiques. Certaines agences de publicité, par exemple, créent des services spécialisés. Il s'agit non seulement de suivre les appels d'offre publiés, mais également de mieux comprendre et d'anticiper les besoins des administrations publiques afin de répondre le plus efficacement possible à leurs attentes. Le responsable marketing doit également réunir davantage d'informations sur la concurrence et concevoir puis mettre en œuvre des actions de communication et de relations publiques (visites d'usines, séminaires, etc.) destinées à mieux faire connaître les compétences de son entreprise.

---

## *Résumé*

1. L'achat institutionnel peut être défini comme le processus de prise de décision par lequel une organisation spécifie ses besoins en produits et services et découvre, évalue et choisit ses fournisseurs.

2. En tant que clients, les entreprises se différencient des consommateurs en ce qu'elles sont moins nombreuses, font des achats plus importants et sont plus concentrées géographiquement. Leur demande est une demande dérivée, assez peu élastique et fluctuante, et leur mode d'achat plus professionnel.

3. L'unité de prise de décision, c'est-à-dire le centre d'achat, se compose de plusieurs individus qui assument l'un ou l'autre des rôles suivants : initiateur, utilisateur, prescripteur, décideur, acheteur, approbateur et relais d'information. Les décisions d'achat sont soumises à l'influence de l'environnement, de la structure de l'organisation ainsi que de facteurs interpersonnels et individuels.

4. Le processus d'achat proprement dit peut comprendre jusqu'à huit étapes : 1) reconnaissance du problème, 2) description des caractéristiques générales du produit nécessaire, 3) spécifications techniques, 4) recherche des fournisseurs, 5) réception et analyse des propositions, 6) choix des fournisseurs, 7) commande et 8) suivi des résultats. À mesure que les acheteurs deviennent plus sophistiqués, les fournisseurs doivent améliorer leur niveau de professionnalisme marketing.

5. Le marché des administrations publiques, quant à lui, est un marché considérable dans lequel l'État, les collectivités locales et les administrations de Sécurité sociale achètent chaque année pour plus de 110 milliards d'euros. Les procédures d'achat utilisées sont spécifiques et dépendent du montant de l'achat en jeu : il s'agit des marchés sans formalités préalables, de la mise en concurrence simplifiée, de la procédure par appel d'offres et du marché négocié. Les offres sont choisies selon le critère du « mieux disant » correspondant au meilleur rapport/prix, qui peut intégrer différents critères de choix dont des considérations sociales et environnementales.

# Notes

1. Frederick Webster, Jr et Yoram Wind, « Présentation d'un modèle général de comportement d'achat institutionnel », *Encyclopédie du Marketing*, (Paris : Éditions Techniques, 1978), vol. 1, pp. 1-72B. Voir également Bernard Pras et Jean-Claude Tarondeau, « Les modèles de l'achat industriel », *Revue Française de Gestion*, janvier 1981, pp. 51-69 ; et Bernard Cova et Robert Salle, « L'évolution de la modélisation du comportement d'achat industriel : Panorama des nouveaux courants de recherche », *Recherche et Applications en Marketing*, 1992, vol. 7, n° 2.

2. L'analyse de ces réseaux a fait l'objet de nombreuses études, notamment par l'équipe européenne de chercheurs connue sous le nom de Groupe IMP (International Marketing and Purchasing). Pour un résumé des résultats obtenus, voir H. Håkansson, *International Marketing and Purchasing of Industrial Goods*, (New York : Wiley, 1982) et, en français, Jean-Paul Valla, *L'approche interactive : les travaux du groupe européen IMP en marketing industriel* (Lyon : IRE, 1987).

3. Voir Camille Vert, « Le Marketing auprès des clients de vos clients », Les Dossiers de la Vente Industrielle, *L'Usine Nouvelle*, 1980, pp. 110-112. Pour un exemple concret, voir le cas Lycra dans Philippe Malaval, *Marketing Business to Business*, 2e édition (Paris : Publi-Union, 2001).

4. Michael Collins, « Breaking into the Big Leagues », *American Demographics*, janvier 1996, p. 24.

5. Voir Patrick J. Robinson, Charles W. Faris et Yoram Wind, *Industrial Buying and Creative Marketing* (Boston : Allyn et Bacon, Inc. 1967). Voir également Philippe Malaval, *op. cit.* et Armand Dayan, *Marketing B to B* (Paris : Vuibert, 2002).

6. Voir Daniel H. McQuiston, « Novelty, Complexity, and Importance as Causal Determinants of Industrial Buyer Behavior », *Journal of Marketing*, avril 1989, pp. 56-79 ; et Peter Doyle, Arch. G. Woodside et Paul Mitchell, « Organizations Buying in New Task and Rebuy Situations » *Industrial Marketing Management*, février 1979, pp. 7-11.

7. Urban B. Ozanne et Gilbert A. Churchill, Jr « Five Dimensions of the Industrial Adoption Process », *Journal of Marketing Research*, août 1971, pp. 322-328.

8. Voir Gilles Marion et Jean-Paul Valla, « La Communication en marketing industriel », *Revue Française de Marketing*, 1981, n° 87, pp. 23-41.

9. Pour une analyse de la complexité de l'achat industriel, voir Daniel Michel, Robert Salle et Jean-Paul Valla, *Marketing industriel : stratégies et mise en œuvre* (Paris : Economica, 2000).

10. Voir Lars Gunnar Mattson, « Systems Selling as a Strategy in Industrial Marketing », *Industrial Marketing Management*, 1973, vol. 3, pp. 107-120. Voir également Albert Page et Michael Siempleski, « Product Systems Selling », *Industrial Marketing Management*, 1983, vol. 12, pp. 89-99.

11. Cet exemple est décrit en détail dans Bertrand Saporta, *Marketing industriel*, (Paris : Eyrolles, 1989), pp. 145-146.

12. Bernard Cova et Robert Salle, *Marketing d'affaires : stratégies et méthodes pour vendre des projets ou des solutions* (Paris : Dunod, 1999).

13. Voir Donald W. Jackson Jr., Janet E. Keith, et Richard K. Burdick. « Purchasing Agents' Perceptions of Industrial Buying Center Influence : A Situational Approach », *Journal of Marketing*, automne 1984, pp. 75-83.

14. Définition de Webster et Wind, *op. cit.*, p. 3.

15. Jérôme Bon et Jean-Claude Tarondeau, « Le Comportement de l'acheteur industriel », *Encyclopédie du Marketing*, (Paris : Éditions Techniques, 1976) vol. 1, pp. 1-51A.

16. Exemple tiré de Philippe Malaval, *Marketing business to business* (Paris : Publi-Union, 1996), p. 46.

17. Voir sur ce sujet Bernard Cova et Robert Salle, « Gérer par les rites la relation hors affaire », *Revue française du marketing*, juin-juillet-août 2001, pp. 27-37.

18. Melvin R. Mattson et Esmail Salshi-Sangari, « Decision Making in Purchases of Equipment and Materials : A Four Country Comparison », *International Journal of Physical Distribution and Logistic Management*, 1993, vol. 23, n° 8, pp. 16-30.

19. Voir Yvon Gauchet, *Achat industriel, stratégie et marketing* (Paris : Publi-Union, 1996) et pour un exemple d'application, le cas Tetra Pak, dans Philippe Malaval, *op. cit.*, pp. 726-728.

20. Sara Lorge, « Purchasing Power », *Sales & Marketing Management*, juin 1998, pp. 43-46.

21. Tim Minahan, « OEM Buying Survey – Part 2 : Buyers Get New Roles but Keep Old Tasks », *Purchasing*, juillet 1998, pp. 43-46.

22. Voir Mark Fitzgerald, « Decentralizing Control of Purchasing », *Editor and Publisher*, 18 juin 1994, pp. 8-10 et Shawn Tully, « Purchasing's New Muscle », *Fortune*, 20 février 1995.

23. Sources : Forrester Research pour la prévision pour 2004 et Benchmark Group pour le chiffre relatif à la France.

24. Jean-Paul Aimetti et Philippe Wagner, « Marketing interentreprises : nouvelles tendances », *Revue française du marketing* n° 173/174, 1999, pp. 15-19.

25. Teresa C. Morrison, Wayne A. Conaway et Joseph J. Douress, *Dun & Bradstreet's Guide to Doing Business Around the World* (New York : Prentice Hall, 1997).

26. James C. Anderson et James A. Narus, *Business Market Management : Understanding, Creating and Delivering Value* (Upper Saddle River, NJ : Prentice Hall, 1998).

27. « Pioneer Hi-Bred to Appeal Ruling Over Insect-Resistant Corn Seed », *Chemical Market Reporter*, 4 septembre 2000.

28. Adapté de Peter Kraljic, « Purchasing Must Become Supply Management », *Harvard Business Review*, septembre-octobre 1993, pp. 109-17.

29. Robinson, Faris and Wind, *Industriel Buying and Creative Marketing* (Boston : Allyn & Bacon, 1967), p. 14.

30. Voir Francis Mahieux, « Analyse de la valeur et marketing », *Revue Française de Gestion*, novembre-décembre 1984, pp. 92-94.

31. Voir Allen M. Weiss et Jan B. Heide, « The Nature of Organizational Search in High Technology Markets », *Journal of Marketing Research*, mai 1993, pp. 220-223.

32. Donald R. Lehmann et John O'Shaughnessy, « L'Achat des biens industriels », *Encyclopédie du marketing*, (Paris : Éditions Techniques, 1975), vol. 3, pp. 3-11B.

33. Minahan, *op. cit.*

34. Pour d'autres exemples européens, voir Thorsten H. Nilson, *Value-Added Marketing* (Londres : McGraw-Hill, 1992).

35. « Value-Added Services Gain Momentum », *Purchasing,* 16 mars 1995, p. 63.

36. James Narus et James C. Anderson, « Faites de vos distributeurs des interlocuteurs privilégiés », *Harvard L'Expansion,* automne 1986, pp. 102-109.

37. Rick Mullin, « Taking Customer Relations to the Next Level », *The Journal of Business Strategy,* janvier-février 1997, pp. 22-26.

38. Leonard Broeneveld, « The Implications of Blanket Contracting for Industrial Purchasing and Marketing », *Journal of Purchasing,* novembre 1972, pp. 51-58.

39. Voir Bernard Cova, « Idée reçue : Foncez sur les appels d'offre », *L'Expansion*, juillet-août 2002, p. 180.

40. Source : ministère de l'Économie, des Finances et de l'Industrie. L'ensemble des règles décrites dans cette partie est inspirée de documents publiés sur Internet par ce ministère (www.finances.gouv.fr).

CHAPITRE 8
Comprendre
la clientèle
d'entreprise et
son comportement d'achat

253

# Se confronter à la concurrence

DANS CE CHAPITRE, NOUS
EXAMINERONS LES QUESTIONS
SUIVANTES, QU'UNE SOCIÉTÉ
DOIT SE POSER À PROPOS DE SA
CONCURRENCE :

- Qui sont nos principaux concurrents ?

- Comment connaître leurs objectifs,
  stratégies, forces et faiblesses et modes
  de réaction ?

- Comment mettre en place un système
  d'intelligence concurrentielle
  approprié ?

- Face à la concurrence, faut-il
  se positionner comme un leader,
  un challenger, un suiveur
  ou un spécialiste ?

- Comment équilibrer orientation client
  et orientation concurrence ?

« *Les entreprises les plus faibles
ignorent leurs concurrents ;
les entreprises moyennes
les copient et les entreprises
les plus fortes les dominent.* »

L es deux chapitres précédents ont porté sur la dynamique des marchés d'entreprises et de grande consommation. Dans le présent chapitre, nous nous intéressons au rôle de la concurrence et à la façon dont les entreprises se positionnent les unes par rapport aux autres.

En effet, la concurrence s'intensifie d'année en année. De nombreuses entreprises européennes, américaines et japonaises délocalisent leur production pour pouvoir réduire leurs coûts et leurs prix. Il ne suffit plus aujourd'hui de comprendre les clients. Il est également indispensable d'analyser les comportements de ses concurrents. Certaines entreprises y parviennent avec succès et construisent un système d'intelligence concurrentielle[1].

## Les forces concurrentielles

Michael Porter a identifié cinq forces qui, collectivement, définissent l'attrait à long terme d'un marché ou d'un segment (voir figure 9.1). Elles correspondent chacune à une menace particulière pour l'entreprise en place[2] :

1. *La menace liée à l'intensité de la concurrence.* Un marché n'est guère attractif s'il est déjà investi par un grand nombre de concurrents puissants et agressifs. La situation est encore plus délicate lorsqu'un marché est stagnant ou en déclin, les capacités de production excédentaires, les coûts fixes élevés et les barrières à la sortie importantes. De telles conditions conduisent fréquemment à des guerres de prix, des surenchères publicitaires et des lancements de produit répétés et coûteux.

2. *La menace liée aux nouveaux entrants.* Si les barrières à l'entrée sont faibles, le marché perd beaucoup de son attrait puisqu'il peut être pénétré à tout moment par des concurrents puissants. Un marché est d'autant plus attractif qu'il est protégé par des brevets, un accès privilégié aux matières premières ou la nécessité d'effectuer de lourds investissements. Inversement, les barrières à la sortie renchérissent le coût d'opération et affaiblissent la rentabilité. Idéalement, un secteur devrait avoir un ticket d'entrée élevé et un bas ticket de sortie (voir figure 9.2).

3. *La menace liée aux produits de substitution.* Un marché est d'autant moins attractif qu'il existe des substituts, actuels ou potentiels. Un produit de substitution induit en effet une limite au prix et donc aux profits qui peuvent être réalisés. Il faut donc soigneusement contrôler l'évolution des prix et de la technologie.

4. *La menace liée au pouvoir de négociation des clients.* Un marché est moins attractif si les clients disposent d'un pouvoir de négociation disproportionné. S'ils peuvent forcer les prix à la baisse, exiger une qualité et des services toujours accrus, jouer les fabricants les uns contre les autres, la rentabilité du secteur s'en ressent. Le pouvoir des clients s'accroît lorsque leur nombre décroît, lorsque le produit représente un poids important dans le prix de revient de l'acheteur, lorsqu'il est peu différencié, lorsque le coût de substitution est faible, lorsque la sensibilité au prix est élevée et lorsque les clients peuvent intégrer leurs activités en amont. La meilleure stratégie consiste alors à consolider un avantage concurrentiel autour du produit.

5. *La menace liée au pouvoir de négociation des fournisseurs.* Un marché est d'autant moins attractif que le rapport de force est en faveur des fournisseurs. S'ils

peuvent à leur guise accroître les prix, réduire la qualité ou la quantité des produits vendus, ils disposent d'un atout. Celui-ci est d'autant plus décisif que leur produit est un ingrédient important, que les fournisseurs sont peu nombreux et organisés, que les produits de remplacement sont rares, les coûts de substitution élevés et que les fournisseurs ont la faculté de s'intégrer en aval. Il est alors prudent de diversifier ses approvisionnements et d'entretenir de bonnes relations avec ses fournisseurs.

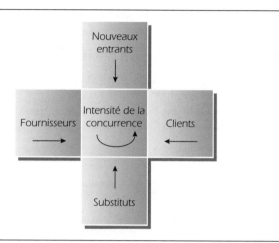

**FIGURE 9.1**
Les cinq forces
qui déterminent
l'attrait
d'un marché

*Source :* adapté de Michael Porter, *L'Avantage concurrentiel* (Paris : InterÉditions), 1986.

**FIGURE 9.2**
L'impact
des barrières
à l'entrée et
à la sortie
sur la rentabilité

|  |  | Barrières à la sortie | |
|---|---|---|---|
|  |  | **Faibles** | **Élevées** |
| **Barrières à l'entrée** | **Faibles** | rentabilité faible et stable | rentabilité faible et instable |
|  | **Élevées** | rentabilité forte et stable | rentabilité forte et instable |

## *Identifier ses concurrents*

Il peut sembler facile d'identifier ses concurrents ; pour Coca-Cola, c'est Pepsi et pour Sony, Matsuchita. Mais la vraie concurrence est beaucoup plus vaste. Elle intègre les concurrents potentiels, les nouvelles technologies et les produits de substitution dans une situation de consommation donnée, ainsi qu'en témoignent les deux exemples suivants :

■ SYNTHÉLABO. « Le vrai risque pour un médicament contre les calculs, c'est la chirurgie au laser », déclare le directeur du développement de Synthélabo qui, fervent adepte des congrès, ajoute « ce n'est pas tant ce qui se dit cette année au congrès d'urologie qui m'intéresse. C'est ce qu'on dit dans les couloirs au sujet du prochain congrès, dans trois ans. »

■ **TECHNOFI.** «Concurrent ne veut pas seulement dire entreprise ou produit concurrent» estime Technofi, une société de conseil spécialisée en innovation technologique. «Le challenger de la raquette de tennis française, ce n'est pas seulement la raquette moins chère venue de loin, c'est la mode du golf.»

De nos jours l'arrivée d'Internet a profondément modifié la structure de concurrence de certains secteurs comme celui de la librairie ou de la distribution des produits informatiques (voir encadré 9.1).

Il existe en fait plusieurs niveaux de concurrence que l'on peut analyser au niveau du *secteur d'activité* ou à celui du *marché*.

## La concurrence au niveau du secteur

C'est la forme de concurrence habituellement prise en compte dans les études de marché. Mais qu'entend-on en fait par secteur?

❖ Un *secteur* est constitué par l'ensemble des entreprises qui offrent des produits correspondant à de proches substituts.

---

**9.1**

 **Les intermédiaires face au commerce électronique**

Les petites agences de voyage indépendantes représentent le type même d'entreprises les plus menacées par l'essor du commerce électronique. Rien de plus facile en effet aujourd'hui que de retenir sa place d'avion ou sa chambre d'hôtel sur Internet. Argumentant de la réduction des coûts consécutive au commerce électronique, les compagnies aériennes se sont empressées de réduire les commissions des agences et de proposer sur leurs propres sites de réserver un billet, de bénéficier de promotions spéciales et de disposer d'informations sur les horaires et les itinéraires.

En facilitant le contact direct entre l'acheteur et le vendeur, Internet déstabilise l'intermédiaire, qu'il soit agent de voyage, courtier, concessionnaire automobile, agent immobilier ou chasseur de tête. On parle alors de «désintermédiation».

Que peut faire un intermédiaire pour contrer cette tendance? Il existe en fait toute une variété de stratégies de réponse. À une extrémité, on trouve ceux qui se convertissent directement à l'Internet. Ainsi, la Fnac a ouvert le site www.fnac.com pour y vendre les mêmes catégories de produits que dans ses magasins. Le site est rapidement devenu leader de la vente de livres en ligne.

À l'autre extrémité, certains libraires considèrent qu'on n'achète pas un livre qu'on n'a pas d'abord touché. Entre ces deux extrêmes, la plupart des entreprises adoptent une solution mitoyenne, par exemple, un site où l'on trouve beaucoup d'informations mais où l'on ne peut acheter, car l'entreprise craint un conflit avec son réseau de distribution traditionnel.

Finalement, on peut se demander si un contact humain n'est pas nécessaire, notamment lors de l'achat de produits complexes comme une assurance ou des vacances itinérantes. Bien qu'Internet ouvre de très nombreuses possibilités, il peut aussi pousser les consommateurs, une fois bien informés, à se rendre, pour acheter, dans un point de vente où ils peuvent avoir un contact direct et prendre immédiatement possession de la marchandise.

*Sources :* Evan J. Schwartz, «How Middlemen Can Come Out on Top», *Business Week*, 9 février 1998, pp. ENT4-ENT7; Ira Lewis, Janjaap Semeijn, et Alexander Talalayevsky, «The Impact of Information Technology on Travel Agents», *Transportation Journal*, été 1998, pp. 20-25; Mary J. Cronin, «The Travel Agents' Dilemma», *Fortune*, 11 mai 1998, pp. 163-164.

On parle ainsi du secteur automobile, de la branche hôtelière ou de l'industrie pétrolière. Les différents secteurs d'activité peuvent être classés selon le nombre de fournisseurs et le degré de différenciation du produit, l'existence de barrières à l'entrée et à la sortie, la structure des coûts, le degré d'intégration verticale, et le niveau de globalisation.

**LE NOMBRE DE FOURNISSEURS ET LE DEGRÉ DE DIFFÉRENCIATION DU PRODUIT** ❖ Ces deux caractéristiques sont très importantes. Elles donnent naissance à quatre structures bien connues :

1. *Le monopole.* Un monopole existe lorsqu'une seule entreprise délivre un produit ou un service sur un marché donné (par exemple l'EDF ou la SNCF). Une telle situation résulte d'une réglementation, d'un brevet, d'une licence ou simplement d'économies d'échelle. Une entreprise en situation de monopole pourrait, en l'absence de réglementation (et de menace de produit de substitution), pratiquer des prix élevés, tout en s'abstenant de toute publicité, les consommateurs n'ayant pas d'autre choix. Un monopole sous tutelle se traduit en revanche par des prix plus modérés et un meilleur service souvent imposés au nom de l'intérêt général.

2. *L'oligopole.* Un oligopole comporte un petit nombre d'entreprises fabriquant ou commercialisant le même produit. Lorsqu'il s'agit d'un produit de commodité, on parle d'*oligopole pur.* C'est le cas de l'industrie pétrolière (surtout depuis les mégafusions intervenues récemment dans ce secteur : BP-Amoco, Exxon-Mobil, Total Fina-Elf) ou de la sidérurgie lourde. L'entreprise est alors contrainte de vendre au prix du marché, à moins de pouvoir différencier ses services. Si tel n'est pas le cas, la concurrence se fait par les coûts et donc le volume, seul capable d'engendrer des économies d'échelle et des effets d'expérience. Dans un *oligopole différencié*, les produits vendus sont distincts : par exemple, des voitures ou des appareils photo. On se bat sur la qualité, les caractéristiques, le style ou le service. Chaque concurrent recherche un avantage distinctif susceptible de justifier, auprès de la clientèle, un écart de prix.

3. *La concurrence monopolistique.* De nombreux concurrents différencient leur offre, en totalité ou en partie : c'est le cas des restaurants ou bien des instituts de beauté. Chaque entreprise s'efforce d'attirer un segment de clientèle spécifique.

4. *La concurrence pure et parfaite.* Dans ce dernier cas, un grand nombre de fournisseurs commercialisent le même produit (fruits et légumes, viande, pain). Les prix sont très proches et peu d'entreprises font de la publicité de peur de travailler pour la concurrence. Les profits sont issus des économies obtenues à la production et dans la distribution.

En fait, la structure d'un secteur évolue au cours du temps :

■ **PALM PILOT.** Lorsque Palm Computing a lancé le premier agenda électronique sans clavier et à interface tactile, aucun équivalent n'existait sur le marché. L'entreprise, en situation de monopole, remporta un vif succès avec 1 million d'exemplaires vendus en 18 mois. Rapidement, des concurrents apparurent (Microsoft avec Windows CE, IBM avec Workpad, Qualcomm avec Paq Smartphone) et transformèrent le secteur en digopole. En 2000, il s'agissait d'une concurrence monopolistique avec plusieurs acteurs aux produits différenciés (Sony, Handspring, Hewlett Packard, Casio). Alors que la demande semble aujourd'hui se stabiliser, on peut anticiper la sortie de quelques entreprises et le retour à une structure oligopolistique dominée par quelques firmes[3].

**LES BARRIÈRES À L'ENTRÉE, À LA MOBILITÉ, ET À LA SORTIE** ❖ L'étendue des *barrières à l'entrée* varie considérablement selon les secteurs. Il est facile d'ouvrir un nouveau restaurant mais non de devenir fabricant d'avions. Les barrières à l'entrée proviennent en général : 1) de la nécessité de disposer de capitaux importants ; 2) des économies d'échelles ; 3) des brevets et licences ; 4) de la rareté des sites, matières premières et distributeurs ; 5) des contraintes d'image et de réputation. Même une fois qu'une firme est entrée dans un secteur, elle peut éprouver des difficultés à pénétrer certains segments de marché très attrayants du fait des *barrières à la mobilité*.

De même, une entreprise qui souhaite quitter un secteur peut être gênée ou même empêchée par des *barrières à la sortie*. Des obligations morales ou légales envers ses clients, ses créanciers ou ses employés, la réglementation, la faible valeur d'actifs surspécialisés ou obsolescents, l'absence d'opportunités alternatives, un niveau élevé d'intégration verticale ou d'attachement affectif constituent autant de facteurs restreignant sa marge de manœuvre[4]. Aussi, de nombreuses entreprises restent en activité tant qu'elles couvrent leurs coûts, réduisant par là-même les perspectives de profit des autres. Les éléments mentionnés ci-dessus peuvent également empêcher une société de réduire ses activités, au détriment des firmes les plus dynamiques du secteur.

LES STRUCTURES DE COÛT ❖ Tout secteur se caractérise par une répartition des coûts qui détermine la nature des stratégies mises en place. L'industrie pharmaceutique implique des investissements élevés tandis que l'agroalimentaire occasionne surtout des frais de distribution et de communication. Il est essentiel d'identifier les zones de coût les plus sensibles et de chercher à les maîtriser. La robotisation est ainsi devenue une pièce maîtresse de l'industrie automobile.

L'INTÉGRATION VERTICALE ❖ Dans certains secteurs, il y a avantage à intégrer ses activités en amont ou en aval. Dans le pétrole par exemple, les grandes entreprises contrôlent la recherche, le forage, le raffinage et la distribution. L'intégration verticale entraîne souvent une réduction des coûts et une plus grande maîtrise de la valeur ajoutée. L'entreprise qui y a recours manipule plus facilement les prix et les coûts aux différentes étapes de la chaîne de valeur. À l'inverse, elle peut être pénalisée par certaines étapes très coûteuses de la chaîne et par un manque de flexibilité. Aujourd'hui, de nombreuses firmes s'interrogent sur l'opportunité d'une intégration verticale et externalisent certaines de leurs activités vers des sociétés spécialisées.

LE NIVEAU DE GLOBALISATION ❖ Certains secteurs enfin (la pêche, la bijouterie) gardent une dimension nationale, voire régionale, tandis que d'autres (l'informatique, les télécommunications) sont mondiales. Les entreprises internationales doivent imaginer des stratégies «globales», susceptibles de maintenir leur avance technologique et leur contrôle des coûts.

## La concurrence au niveau du marché

En complément de l'analyse centrée sur le produit, l'étude de la concurrence peut se faire en termes de besoins et de clientèle-cible. Un fabricant de stylobilles définit souvent sa concurrence à partir des autres fabricants. Du point de vue du client, il fabrique pourtant un «instrument d'écriture» mis en concurrence avec le crayon, le stylo plume, voire l'ordinateur de poche.

La prise en compte des besoins du marché élargit l'identification des concurrents actuels et potentiels. Rayport et Jaworski suggèrent d'étudier les concurrents directs et indirects d'une entreprise en schématisant les étapes d'obtention et d'utilisation du produit par le client. La figure 9.3 illustre la carte de concurrence Kodak pour les pellicules photos, dont la vente au grand public représente 25 % du chiffre d'affaires de l'entreprise contre 45 % pour le développement et les reproductions. Au centre est indiquée la liste des étapes par lesquelles passe le client : acheter un appareil photo, acheter une pellicule, prendre des photos, etc. Le premier cercle identifie les principaux concurrents de Kodak pour chaque activité : Olympus pour l'achat de l'appareil photo, Fuji pour l'achat de pellicule... Le second cercle identifie les concurrents indirects – Hewlett Packard, Intel – qui pourraient devenir des concurrents directs avec le développement de la photo numérique. Ce type d'analyse éclaire les opportunités et les menaces auxquels l'entreprise fait face[5].

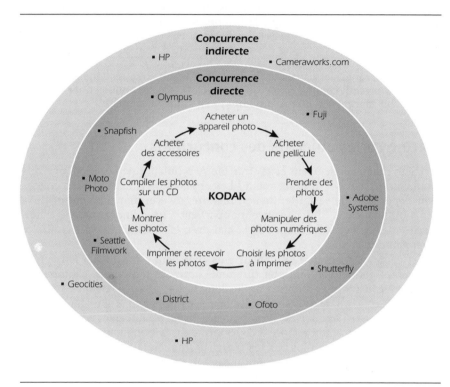

FIGURE 9.3
La carte
de concurrence
de Kodak

*Source :* Jeffrey F. Rayport and Bernard J. Jaworski, *e-commerce* (New-York : Mc Graw-Hill, 2001), p. 53.

## *Analyser les caractéristiques des concurrents*

Une fois les principaux concurrents identifiés, l'entreprise analyse leurs caractéristiques en s'intéressant à leurs stratégies, leurs objectifs, leurs forces et faiblesses, et leurs réactions.

### Identifier les stratégies des concurrents

On appelle *groupe stratégique* un groupe d'entreprises du même secteur qui suivent des stratégies identiques. Par exemple, dans l'industrie du jouet, un premier groupe stratégique est composé d'entreprises françaises, espagnoles et portugaises de taille moyenne (Smoby par exemple), dont l'avantage concurrentiel repose sur la maîtrise des technologies d'injection plastique ; un autre groupe rassemble de grandes entreprises, comme Mattel ou Hasbro, caractérisées par de forts investissements en marketing, des marques très connues et une distribution mondiale ; un troisième groupe est composé d'entreprises asiatiques qui font de la sous-traitance pour les firmes du groupe précédent, ont des gammes de produits peu sophistiqués et bénéficient de coûts de fabrication bas[6]. La concurrence intervient à la fois entre et à l'intérieur des groupes stratégiques, les barrières n'étant jamais totalement étanches. Une entreprise doit toujours surveiller ses concurrents afin d'anticiper leurs mouvements et d'adapter sa stratégie en conséquence.

■ DANONE. Bien qu'elle ne soit pas à l'origine du produit, la société Danone a rapidement contrôlé la moitié du marché du bifidus. Elle sut d'abord détecter le potentiel de ce marché lorsque la laiterie St-Hubert s'y lança sous la marque B.A. Elle réussit à la rattraper et à la distancer en l'espace de deux ans. Elle sut ensuite résister aux attaques des concurrents, qu'il s'agisse des autres grandes marques (Ofilus de Yoplait puis Oh! de Chambourcy, retiré du marché en 1992) ou des marques de distributeurs. Lorsque Chambourcy réattaqua ce marché avec un produit complètement différent (LC1), elle sut enfin contrer cette initiative en lançant son propre produit «probiotique» (Actimel).

## Découvrir les objectifs des concurrents

Derrière chaque concurrent et sa stratégie se profilent une vocation, une mission. Que recherche-t-il exactement ? Les objectifs privilégiés par un concurrent dépendent de sa taille, de son histoire, de son management et de sa situation financière. Si le concurrent appartient à un grand groupe, il n'aura pas les mêmes objectifs, selon que la maison-mère souhaite le voir croître ou le rentabiliser[7].

On peut supposer que les concurrents cherchent à maximiser leur profit. Cependant, ils peuvent adopter différents horizons temporels. Certains raisonnent à court terme ; d'autres, à plus long terme, se satisfaisant de résultats immédiats concordant avec leur trajectoire. On oppose ainsi souvent les sociétés américaines et japonaises. Tandis que les firmes américaines accordent une grande importance au bénéfice à court terme du fait que leurs performances sont jugées en temps réel par les marchés financiers, qui peuvent perdre confiance et ainsi renchérir le coût du capital, les entreprises japonaises cherchent avant tout à conquérir des parts de marché. La rentabilité est moins impérieuse car les banques japonaises recherchent un rendement régulier plutôt qu'un placement à risque. En allant plus loin, on découvre que chaque concurrent dose ses objectifs de façon variable, et pondère différemment la rentabilité, la conquête de part de marché, le cash-flow, l'avance technologique, l'image, etc.

Une entreprise doit analyser les projets de ses concurrents. La figure 9.4 présente les couples produit-marché dans le secteur micro-informatique : Dell, initialement concentré sur la vente de PC aux particuliers, a progressivement élargi ses activités pour couvrir d'autres marchés et d'autres produits (stations de travail, gros serveurs et, à terme, stockage des données, services informatiques...)[8].

FIGURE 9.4
La matrice
d'expansion
de Dell

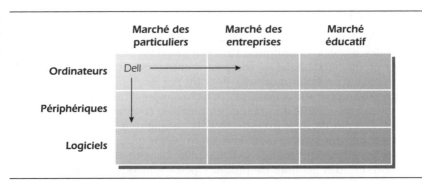

# Évaluer les forces et faiblesses des concurrents

Dans un troisième temps, une entreprise doit évaluer les forces et faiblesses de chaque concurrent. Selon le cabinet de conseil Arthur D. Little, une entreprise peut occuper l'une ou l'autre de six positions[9] sur un segment de marché :

♦ *Dominante.* L'entreprise contrôle ses concurrents et dispose d'une marge de manœuvre considérable.

♦ *Forte.* L'entreprise jouit d'une certaine indépendance d'action et sa position à long terme ne dépend pas des choix de ses concurrents.

♦ *Favorable.* L'entreprise possède une compétence qu'elle peut exploiter afin d'améliorer sa position.

♦ *Défendable.* L'entreprise enregistre des résultats qui lui permettent de se maintenir, mais elle souffre de la concurrence et ne peut guère améliorer sa position.

♦ *Faible.* L'entreprise enregistre des résultats insuffisants, mais a quelques chances de s'en sortir si elle modifie sa stratégie.

♦ *Intenable.* L'entreprise a des résultats décevants et aucune chance de les améliorer.

Cette typologie peut aider à identifier les concurrents susceptibles d'être attaqués.

■ CONTRÔLE PROGRAMMABLE. Sur le marché du contrôle programmable, une entreprise avait trois concurrents principaux : Allen Bradley, Texas Instruments et Gould. Les études montrèrent que la première avait une excellente réputation fondée sur son leadership technologique. Texas Instruments bénéficiait de coûts limités et engageait des batailles féroces pour gagner des parts de marché. Gould avait de bonnes performances mais sans stratégie spécifique. L'entreprise décida d'attaquer Gould.

Les sociétés évaluent les forces et faiblesses de leurs concurrents à partir d'informations de seconde main, de l'expérience passée et du bouche à oreille. Elles complètent souvent leur niveau de connaissance à l'aide d'études de marché *ad hoc* centrées sur la clientèle, la concurrence et la distribution. Le tableau 9.1 présente les résultats d'une étude auprès de la clientèle sur trois concurrents, évalués sur cinq attributs. Il apparaît que la société A, très connue, vend des produits réputés grâce à une force de vente de qualité. En revanche, la disponibilité du produit et l'assistance technique laissent à désirer. La société B est efficace dans tous les compartiments du jeu grâce notamment à une excellente disponibilité des produits et une grande compétence commerciale. Le concurrent C est moins favorablement placé. Il semble logique d'attaquer A sur ses ruptures de stocks et son faible service, et d'attaquer C tous azimuts. B par contre est beaucoup mieux ancré sur ses positions.

| Concurrent | Notoriété | Qualité du produit | Disponibilité du produit | Assistance technique | Compétence commerciale |
|------------|-----------|--------------------|--------------------------|----------------------|------------------------|
| A | +++ | +++ | – | – | ++ |
| B | ++ | ++ | +++ | ++ | +++ |
| C | + | – | ++ | + | + |

**TABLEAU 9.1**
Évaluation de la concurrence sur cinq facteurs-clés du succès

Trois autres variables méritent d'être analysés :

♦ La *part de marché*, c'est-à-dire le pourcentage des ventes détenu par chaque concurrent sur le marché considéré. Cette information est parfois difficile à obtenir. Par exemple, on ne dispose pas en milieu industriel de panels de détaillants (Nielsen) ou de consommateurs (Sécodip) qui permettent de calculer les parts de marché des produits destinés au grand public.

♦ La *part de notoriété*, c'est-à-dire la fréquence avec laquelle chacun des concurrents est cité en réponse à la question : «Pouvez-vous me citer le nom d'une entreprise présente dans ce secteur?»

♦ La *préférence*, obtenue en réponse à la question : «Quelle est l'entreprise auprès de laquelle vous préféreriez acheter ce produit?»

Ces trois variables sont souvent liées entre elles, comme en atteste le tableau 9.2. Celui-ci révèle que la société A voit sa position de leader s'effriter, en partie à cause d'une moindre préférence, probablement occasionnée par les ruptures de stock et la faiblesse de l'assistance technique. La société B, au contraire, performante sur tous les plans, enregistre une progression régulière de sa notoriété, de son score de préférence et de sa part de marché. Enfin, C plafonne en part de marché et en notoriété mais connaît une certaine désaffection de la clientèle, probablement due à la qualité de son produit et de ses prestations commerciales. *La notoriété et la préférence constituent un point de passage obligé dans la conquête de part de marché.*

| TABLEAU 9.2 | Part de marché | | | Notoriété | | | Préférence | | |
|---|---|---|---|---|---|---|---|---|---|
| | 2001 | 2002 | 2003 | 2001 | 2002 | 2003 | 2001 | 2002 | 2003 |
| Concurrent A | 50 % | 47 % | 44 % | 60 % | 58 % | 54 % | 45 % | 42 % | 39 % |
| Concurrent B | 30 % | 34 % | 37 % | 30 % | 31 % | 35 % | 44 % | 47 % | 53 % |
| Concurrent C | 20 % | 19 % | 19 % | 10 % | 11 % | 11 % | 11 % | 11 % | 8 % |

TABLEAU 9.2
Part de marché,
notoriété
et préférence

Les entreprises se comparent de plus en plus à leurs concurrents à travers les techniques de «benchmarking» (voir l'encadré 9.2).

## Anticiper les réactions des concurrents

Les entreprises réagissent de manière hétérogène aux assauts de leurs concurrents. Certaines prennent leur temps, d'autres réagissent de façon sélective à certaines actions seulement (comme les réductions de prix), d'autres encore prennent systématiquement des mesures rapides et brutales.

De même, les marchés ne se ressemblent guère. Certains s'assoupissent sous l'effet de pactes de non-agression tandis que d'autres s'enflamment à la moindre étincelle. Pour Bruce Henderson, fondateur du Boston Consulting Group, tout dépend de «l'équilibre concurrentiel». Il en énonce ainsi les règles[10] :

1. *Un équilibre est d'autant moins stable que les concurrents ont une taille comparable et ont choisi la même approche.* Un marché où les entreprises s'affrontent à armes égales est en conflit permanent. C'est souvent le cas des produits de base que personne n'a réussi à différencier (matières premières, biens de première nécessité, etc.). Une légère baisse de prix suffit à déclencher la guerre, surtout lorsque la capacité de production excède largement l'offre, comme c'est par exemple le cas dans le domaine des gaz industriels.

2. *Un équilibre est d'autant moins stable qu'il existe sur le marché un facteur-clé de succès unique.* Il en est ainsi des secteurs régulés par les économies d'échelle, les effets d'expérience ou encore le progrès technologique. Toute entreprise qui bénéficie d'une réduction de ses coûts la répercute immédiatement dans ses prix de vente, déclenchant ainsi une guerre des prix consécutive à une

## L'art du « benchmarking »

Le benchmarking, ou étalonnage, consiste à déterminer comment et pourquoi certaines entreprises réussissent mieux que d'autres. Les différences en termes de coûts, de qualité, de rapidité peuvent être considérables. L'objectif est de s'améliorer à partir d'une connaissance approfondie des secrets des meilleurs.

Des entreprises appartenant à des secteurs complètement différents. Par exemple, Xerox a appris auprès de L.L. Bean, le géant américain de la VPC pour les vêtements de loisirs, comment maîtriser les techniques d'emballage et d'entreposage et auprès d'American Express, l'art de la facturation.

Une étude de benchmarking comporte sept étapes : 1) déterminer les fonctions que l'on examinera ; 2) choisir les indicateurs-clés ; 3) sélectionner les entreprises ; 4) effectuer les mesures de performance dans les entreprises choisies ; 5) comparer les résultats aux données internes ; 6) déterminer les programmes d'amélioration ; et 7) mettre en place et suivre les recommandations.

On peut identifier les entreprises les plus performantes en interrogeant les clients, les fournisseurs et les distributeurs, ou en s'adressant aux cabinets de consultants. Le cabinet de conseil Price Waterhouse Coopers commercialise ainsi une base de données recensant les meilleures pratiques des grandes sociétés mondiales et permettant à chaque entreprise de se comparer à ces références (voir www.globalbestpractices.com).

Certaines critiques se sont élevées à l'encontre du benchmarking à qui l'on reproche son manque de créativité, son côté incrémental plutôt que vraiment innovateur et sa focalisation excessive sur la concurrence, parfois au détriment de la clientèle.

*Sources :* Robert C. Camp, *Benchmarking : The Search For Industry-Best Practices that Lead to Superior Performance* (White Plains, N.Y. : Quality Resources, 1989) ; Karlof & Partners, *Pratiquer le benchmarking* (Paris : Éditions d'Organisation, 1994) ; Michael J. Spendolini, *The Benchmarking Book* (New York : Amacom, 1992) ; Jeremy Main, « How to Steal the Best Ideas Around », *Fortune*, 19 oct. 1992 ; A. Steven Walleck *et al.*, « Benchmarking World Class Performance », *McKinsey Quaterly*, n° 1, 1990, pp. 3-24 ; et Robert Hiebeler, Thomas B. Kelly, et Charles Ketteman, *Les Meilleures Pratiques de la relation client* (Paris : Dunod, 1999).

---

course effrénée pour la conquête des parts de marché. Le marché des composants électroniques s'apparente à cette situation.

3. *Lorsqu'il existe plusieurs facteurs-clés de succès, il devient possible pour chaque concurrent de tirer parti d'un avantage concurrentiel distinct et d'attirer un segment différent du marché. Plus ces facteurs sont nombreux, plus les concurrents peuvent cohabiter facilement.* Les marchés où de nombreuses opportunités de différenciation existent, que ce soit en termes de qualité, de service ou d'image, obéissent à cette règle. Les préférences des consommateurs tolèrent ainsi de nombreux parfums, cosmétiques ou produits de beauté.

4. *Moins il y a de facteurs-clés de succès, moins il y a de concurrents.* S'il n'y a qu'un seul facteur critique, seuls deux ou trois concurrents peuvent coexister. Il semblerait que le marché mondial du pneu se rapproche de cette perspective, tant l'importance du volume de production y est primordiale.

5. *Une part de marché relative dans un rapport de un à deux permet d'atteindre le point d'équilibre.* En d'autres termes, lorsque la part du leader est double de celle de son challenger (et ainsi de suite), il n'y a plus guère d'avantage pour l'un ou l'autre à modifier sa position car les coûts de promotion et de distribution nécessaires excéderaient les gains.

# Concevoir un système d'intelligence concurrentielle adapté

Même si l'information sur la concurrence coûte cher à recueillir et à interpréter, elle constitue une phase fondamentale dans l'élaboration d'une stratégie. Il faut procéder en quatre étapes :

- ♦ *Concevoir le système*. À ce stade, on identifie les éléments d'information-clé ainsi que les sources correspondantes et l'on affecte les ressources humaines et budgétaires nécessaires.

- ♦ *Recueillir l'information*. Les données sont alors obtenues sur le terrain (force de vente, intermédiaires, fournisseurs, sociétés d'études, associations professionnelles) et à partir d'analyses documentaires (sources officielles, rapports, articles de presse). L'entreprise doit imaginer des méthodes de recueil aussi efficaces que possible dans les limites de la loi et de l'éthique (voir encadré 9.3). Aujourd'hui, Internet a considérablement enrichi les sources de données disponibles. La grande majorité des entreprises nationales ou internationales dispose d'un site dans lequel on trouve de très nombreuses informations : depuis des communiqués de presse qui n'ont jamais été transmis aux médias jusqu'aux offres d'emploi.

- ♦ *Évaluer et interpréter*. On vérifie la fiabilité et la validité des éléments d'information découverts. On s'efforce de les structurer.

- ♦ *Diffuser et mettre à jour*. L'information est enfin transmise aux décideurs concernés et l'on s'attache à répondre à leurs questions tout en mettant continuellement à jour les données.

Grâce à un tel système, l'entreprise bénéficie d'une information régulière et fiable concernant sa concurrence. En outre, les managers peuvent interroger le service responsable, lorsqu'ils souhaitent connaître ou interpréter une initiative récemment prise par un concurrent.

Les PME qui n'ont guère les moyens de mettre en place un système complet peuvent attribuer à certaines personnes le soin de suivre tel ou tel domaine. Ainsi, il peut exister au sein de l'entreprise un ou une spécialiste de chaque concurrent important que chacun peut interroger en cas de besoin[11].

# Qui attaquer et qui éviter ?

Une fois acquises les connaissances, le responsable marketing doit décider quel concurrent il souhaite attaquer en priorité. Pour ce faire, il développe une analyse de la valeur client qui lui révèle ses forces et faiblesses face à chaque concurrent.

## L'analyse de la valeur client

Les clients choisissent parmi les produits concurrents celui qui leur apporte la plus grande valeur, définie comme :

**valeur pour le client = bénéfices clients – coûts supportés par le client**

Les bénéfices clients rassemblent tous les avantages procurés par le produit, les services qui l'accompagnent et l'image qu'il confère. Imaginons qu'un client hésite entre trois marques A, B et C, dont il estime respectivement la valeur à 150, 140 et 135 euros. Si les coûts supportés par le client sont identiques, il choisira la marque A.

# La recherche-guérilla ou comment s'informer sur ses concurrents

Les nouveaux concepts de « veille technologique » et d'« information stratégique » cachent une réalité vieille comme le monde : l'art de la guerre passe par le renseignement. Plusieurs méthodes permettent de se tenir informé sur ses concurrents :

## 1. Analyser la presse et les médias spécialisés

À commencer par l'information quotidienne économique. Mais attention : le coût d'une revue de presse quotidienne approfondie, telle qu'elle est pratiquée par les services de documentation des banques, peut revenir très cher.

Les journaux professionnels sont très riches, surtout si on ne se limite pas à l'hexagone ; comme les revues sont très nombreuses (20 000 selon Lavoisier Publications), il est utile dans une entreprise de répartir le travail entre plusieurs collaborateurs chargés d'un domaine particulier.

## 2. Surveiller normes, brevets et réglementations

Dans certains secteurs comme la pharmacie, toute l'information est disponible dans les bases de données mais chercher en amont est un impératif. Il faut alors infiltrer les comités techniques qui préparent les normalisations ou les comités scientifiques auxquels les pouvoirs publics confient leurs études préalables.

## 3. Consulter les banques de données

Elles sont aujourd'hui très nombreuses mais se limitent à l'information formalisée et accessible à tous. La grande difficulté est de savoir poser les bonnes questions. Des intermédiaires comme les ARIST (agences régionales pour l'information scientifique et technique), les chambres de commerce et d'industrie ou les courtiers en banques de données sont également utiles.

## 4. Écouter les hommes de terrain

Avant de figurer dans un ordinateur, l'information existe à l'état brut sur le marché. Encore faut-il la faire remonter. Certains industriels font figurer l'obligation d'informer sur la concurrence au contrat de leurs représentants, ou intègrent la qualité des informations fournies dans les critères d'évaluation des salariés.

## 5. Décortiquer les produits concurrents

Chez Lafuma (articles de sport), on achète, on démonte et on analyse systématiquement les produits concurrents ; on découvre parfois une nouvelle idée ou un nouveau fournisseur qu'on n'aurait pas eu l'idée de contacter. Plus classique mais tout aussi instructive est l'analyse systématique de tous les catalogues et documentations techniques. Les services achat sont généralement de bons observatoires. Tout le problème est de les faire parler.

En outre, on recommande de suivre avec soin les PME du secteur, souvent à l'origine des innovations, d'analyser les mouvements de personnel en identifiant les experts recrutés par les concurrents, de suivre la conclusion des accords de licences et des alliances faisant intervenir les concurrents, ainsi que de s'informer sur les changements de goûts des clients.

*Sources :* Dominique Michel, « Comment s'informer sur ses concurrents ? », *L'Entreprise*, n° 72, oct. 1991. Voir aussi Ruth Winett, « Guerilla Marketing Research Outsmarts the Competition », *Marketing News*, 2 janvier 1995, p. 33.

Cependant, les coûts sont rarement les mêmes. Outre le prix d'achat, ils incluent les coûts d'acquisition (visant à se renseigner sur le produit et à se le procurer), les coûts d'utilisation, de maintenance, de possession et de débarras. Ainsi, un client pourra choisir une console de jeu plus chère à l'achat si elle lui permet d'utiliser ses anciens jeux, alors qu'une autre console apparemment meilleur marché exigerait de les remplacer. De même, on peut choisir de s'approvisionner chez un commerçant de centre-ville, à proximité de son domicile, parce que les coûts d'acquisition sont inférieurs à ceux d'un hard discounter éloigné. Dans le tableau 9.3, la marque au prix le plus élevée, A, correspond au coût total le plus bas, car elle est parvenue à réduire tous les coûts accompagnant l'achat et l'utilisation du produit. Elle correspond à une valeur de 150 – 130 = 20 € pour le client, supérieure à B (140 – 135 = 5 €) et C (135 – 140 = – 5 €). Si, en revanche, la marque A était vendue au prix de 120 €, le coût supporté par le client serait de 150 € et la valeur client serait nulle ; le client choisirait alors d'acquérir la marque B.

TABLEAU 9.3
Les coûts supportés
par le client pour
trois marques

|  | A | B | C |
|---|---|---|---|
| Prix | 100 € | 90 € | 80 € |
| Coût d'acquisition | 15 € | 25 € | 30 € |
| Coût d'utilisation | 4 € | 7 € | 10 € |
| Coût de maintenance | 2 € | 3 € | 7 € |
| Coût de possession | 3 € | 3 € | 5 € |
| Coût de débarras | 6 € | 5 € | 8 € |
| **Coût total** | **130 €** | **135 €** | **140 €** |

L'analyse de la valeur client comporte cinq étapes :

1. *L'identification des attributs* valorisés par les clients et le niveau de performance souhaité.

2. *La mesure de l'importance relative accordée aux différents attributs.* Si les avis de la clientèle sont trop hétérogènes, il convient de la segmenter.

3. *La mesure des performances de l'entreprise et de ses concurrents sur chaque critère.* On demande aux clients d'apprécier les performances de chaque entreprise présente sur le marché. Idéalement, le score de l'entreprise devrait être élevé sur les attributs les plus importants même si son image est moins bonne sur les critères secondaires. Il faut également comparer les scores obtenus par chacun des concurrents présents sur le marché.

4. *Affiner les comparaisons au niveau des différents segments de marché.* Si une entreprise jouit d'un avantage différentiel sur son concurrent principal, elle peut valoriser son produit et donc adopter un prix plus élevé (ou, à prix égal, obtenir une part de marché supérieure).

5. *Suivre l'évolution des attributs et de leur importance relative dans le temps.* Le progrès technologique ou l'environnement économique modifient les attributs recherchés par les clients, leur importance relative et les performances des produits concurrents. Il est donc nécessaire de mettre en place un radar puissant et efficace.

## Les différentes sortes de concurrents

Après avoir identifié les valeurs perçues des produits de l'entreprise et de ses concurrents, il faut choisir une stratégie d'attaque. Plusieurs options sont envisageables :

LES FORTS OU LES FAIBLES ? ❖ De nombreuses entreprises préfèrent s'attaquer aux concurrents les plus faibles. Cela exige moins de ressources et fait gagner du temps. Mais l'entreprise qui suit cette route ne s'améliore pas. C'est au contact des concurrents les plus forts que l'on s'aguerrit et que l'on se dépasse. D'ailleurs, même les concurrents les plus forts ont des faiblesses qu'on peut exploiter avec profit.

**LES PROCHES OU LES LOINTAINS?** ❖ La plupart des entreprises s'attaquent d'abord aux concurrents qui leur semblent les plus «proches». Ainsi, Bic s'attaque à Gillette plutôt qu'à Wilkinson. BMW à Mercedes plutôt qu'à Volvo. En même temps, il est souvent utile de s'intéresser aux concurrents lointains et indirects. Coca-Cola souligne que son principal concurrent est l'eau du robinet et non Pepsi. Les fabricants d'acier doivent s'intéresser aux producteurs de plastique et d'aluminium. Et ce n'est pas forcément une bonne politique que de chercher à détruire son concurrent principal. Michael Porter cite un cas de victoire à la Pyrrhus[12] :

■ **BAUSCH ET LOMB** a choisi une stratégie agressive vis-à-vis de ses concurrents immédiats sur le marché des lentilles de contact souples. Cette stratégie a réussi à un point tel que, les uns après les autres, tous les concurrents affaiblis ont été rachetés par des groupes aussi importants que Revlon, Johnson & Johnson et Schering-Plough. Bausch et Lomb est maintenant directement confronté à des géants.

**LES BONS OU LES MAUVAIS?** ❖ Porter pense que tout secteur comporte ses «bons» et «mauvais» compétiteurs[13]. Un bon concurrent se reconnaît à plusieurs traits : 1) il observe les règles du jeu en vigueur dans le secteur ; 2) il évalue à sa juste mesure le potentiel de croissance du marché ; 3) il fixe ses prix de façon raisonnable ; 4) il favorise la bonne santé du secteur ; 5) il se limite à une position acquise sur un segment déterminé ; 6) il fait progresser ses produits ; et 7) il accepte de partager le marché et les bénéfices. À l'inverse, le «mauvais» concurrent viole les règles, achète des sociétés en sous-main, prend des risques inconsidérés, investit jusqu'à l'excès et, d'une façon générale, menace l'équilibre du secteur.

La logique voudrait qu'on respecte les bons concurrents et qu'on s'attaque aux mauvais. En France, les sociétés de luxe appartenant au Comité Colbert ont dû, à plusieurs reprises, exclure certains de leurs membres tels Cardin ou Chaumet en raison de leur comportement jugé inacceptable. Les associations professionnelles se donnent souvent pour objectif de «moraliser» la profession ou tout au moins de faire en sorte que des règles minimales de bonne conduite soient respectées.

Nous allons, dans ce qui suit, examiner les différentes stratégies marketing envisageables par une entreprise compte tenu de sa position concurrentielle.

Imaginons un marché dont la structure correspond à la figure 9.5. Une telle structure fait apparaître la prédominance d'un leader qui détient 40 % du marché. Vient ensuite un challenger avec une part de 30 % et une volonté délibérée de l'accroître. Le marché se compose enfin d'un suiveur, surtout désireux de maintenir sa part à son niveau actuel (20 %) et de petits producteurs marginaux, spécialisés dans la couverture de segments particuliers (niches). Examinons tour à tour les stratégies pouvant être suivies par les uns et les autres.

| 40 % | 30 % | 20 % | 10 % |
| Leader | Challenger | Suiveur | Spécialistes |

**FIGURE 9.5**
Exemple
de structure
d'un marché

# Les stratégies du leader

Dans la plupart des secteurs d'activité, il existe une entreprise reconnue comme le leader du marché. Le leader prend généralement l'initiative des modifications de prix, des lancements de nouveaux produits et possède le système de distribution le plus vaste et le budget promotionnel le plus élevé. Il constitue un pôle de référence que les concurrents s'efforcent d'attaquer, d'imiter ou d'éviter. Dans ce groupe figurent certaines des plus connues de nos entreprises : Air Liquide (gaz industriels), L'Oréal (cosmétiques), Bic (stylos-billes), Microsoft (logiciels), Intel (microprocesseurs), etc.

À moins de jouir d'une situation de monopole légal, un leader doit rester constamment en éveil. La concurrence s'acharne en effet à attaquer ses positions et à réduire son emprise sur le marché. Une innovation réussie peut provoquer son déclin (tels Nokia et Ericsson prenant le dessus sur Motorola grâce à leurs téléphones portables digitaux) ; des concurrents jeunes et dynamiques, générer une image ringarde (Levi's cédant du terrain face à Calvin Klein, Diesel ou Gap) ; un conservatisme exagéré, engendrer l'assoupissement (perte des grands magasins au profit des grandes surfaces) ; un mauvais contrôle de rentabilité, entraîner la faillite (Creusot-Loire).

L'objectif d'un leader est de rester à la première place. Il peut alternativement ou conjointement accroître la demande primaire, contenir l'attaque de la concurrence à l'aide de stratégies offensives ou défensives, et augmenter sa part de marché. L'encadré 9.4 présente les moyens employés par L'Oréal pour rester leader sur le marché.

## 9.4

### Un leader en expansion continue : L'Oréal

Avec un chiffre d'affaires de près de 14 milliards d'euros en 2001, un résultat qui a quadruplé en quinze ans (1,2 milliard), L'Oréal est le numéro un mondial des cosmétiques. Son succès repose à la fois sur un marketing conquérant, une politique d'innovation extrêmement vigoureuse et une structure par marchés.

♦ **Un marketing conquérant**

Alors que la croissance du marché se situe autour de 4 % l'an, l'entreprise connaît une croissance nettement supérieure (+ 8 % en 2001). «Le plus remarquable, explique une analyste de J.P. Morgan, c'est que cette croissance s'effectue avec une régularité parfaite, sans accident. Aucun concurrent ne réussit cela». Le marketing de L'Oréal s'appuie sur une stratégie maîtrisée de mondialisation, et un équilibre harmonieux entre développe-

ment interne et croissance externe (matérialisée par exemple par l'acquisition de la société américaine de maquillage Maybelline). L'écoute des besoins du client est érigée en véritable dogme. «Notre raison d'être est de leur fournir une réponse». Ainsi, c'est chez L'Oréal que l'on a détecté pour la première fois le souci des jeunes Japonais d'avoir le cheveu moins irrémédiablement noir que celui de tout le monde. D'où le succès de la gamme de colorants éclaircissants Féria.

♦ **Une politique d'innovation performante**

Avec 2 000 «formules» inédites chaque année, les chercheurs de l'entreprise, également au nombre de 2 000, alimentent sans cesse les équipes de marketing. Le budget de recherche qui représente 3 % du CA permet à l'entreprise de pratiquer une politique de différenciation permanente d'avec la concurrence. Chez L'Oréal la recherche est structurée comme une fusée à trois étages : alors que la recherche avancée prépare les produits de demain en cherchant à faire systématiquement progresser tous les domaines qui intéressent le groupe – la peau, le cheveu, l'ongle –, la recherche appliquée se soucie avant tout de perfectionner les découvertes les plus prometteuses, par exemple en explorant systématiquement tous les effets (positifs et négatifs) des nouvelles formules. Enfin, le développement met au point les formules définitives et crée les produits et les packagings. C'est le principal interlocuteur du marketing avec lequel il est en rapport quotidien.

♦ **Une structure par marchés**

La branche cosmétique du groupe est structurée par canal de distribution, ce qui répond à des attentes spécifiques du marché. Les produits grand public, vendus en grandes surfaces (54 % du chiffre d'affaires cosmétique en 2001, en croissance de 8 %) rassemblent de nombreuses marques mondiales comme L'Oréal Paris, Garnier, May-

belline, mais aussi des marques plus nationales comme Dop ou Mixa. Les produits de luxe (2 %, + 5 %) intègrent diverses marques : Lancôme, les parfums Giorgio Armani, Cacharel, Paloma Picasso, Ralph Lauren… Les produits professionnels sont vendus en salons de coiffures (13 %, + 19 %). Enfin, la cosmétique active commercialisée en pharmacie (5 %, + 14 %) regroupe des marques comme Vichy ou La Roche Posay. Le groupe est également actionnaire du Club des Créateurs de beauté, dont les produits sont vendus par correspondance en Europe, aux États-Unis et au Japon.

*Sources* : www.loreal.com et *Management*, « L'arme secrète de l'Oréal », 1er mai 1998, pp. 14-22

Source : www.loreal.com

# L'accroissement de la demande primaire

La société jouissant d'une position de leader bénéficie toujours d'un accroissement global du marché. Si les Français se mettent à consommer davantage de yoghourts au bifidus, Bio de Danone en profitera plus que les autres, compte tenu de sa part de marché. Une telle société a donc intérêt à développer la demande générique pour le produit. On peut y parvenir de trois façons.

CHAPITRE 9
Se confronter
à la concurrence

**DE NOUVEAUX UTILISATEURS** ❖ La première approche consiste à rechercher de nouveaux utilisateurs. Il peut s'agir d'acheteurs qui ne connaissaient pas le produit, ou étaient réticents à l'acheter en raison de son prix ou de tout autre facteur. Ainsi, un fabricant d'eau de toilette pourrait chercher à convaincre les femmes non utilisatrices d'en consommer (pénétration du marché), vendre un produit pour hommes (extension de segment), ou exporter (expansion géographique).

■ LE THÉ VERT. Les marques de thé, confrontées à la stabilité du marché ( 0,4 % en volume en 2001 dans les hypermarchés), utilisent le thé vert pour relancer la demande. Ce produit attire des consommateurs plus jeunes, plus urbains et plus aisés que les buveurs de thé traditionnels. Ils sont sensibles au discours sur les bénéfices du thé vert pour la santé et sont de plus en plus réticents à l'égard du café. Les marques en présence multiplient les actions marketing : Le leader **Tchaé (Lipton)** a lancé des coffrets pour le nouvel an chinois et mis en avant une nouvelle variété au lotus ; **Tetley** a développé une nouvelle gamme mélangeant thé vert et extrait de plantes, et a baptisé ses références du nom des bénéfices produits (« pureté », « relaxation » et « vitalité »). Cette politique a permis au thé vert de voir son chiffre d'affaires croître de 26 % en valeur en 2001, provoquant ainsi une croissance en valeur du marché global du thé (+ 6 %)[14].

**DE NOUVELLES UTILISATIONS** ❖ Une seconde stratégie consiste à imaginer et promouvoir de nouvelles utilisations du produit. De telles initiatives peuvent être le fait des campagnes de publicité collectives. Mais cette tâche incombe aussi souvent au leader, quitte à être ensuite imité par ses concurrents.

■ LU. Avec une présence dans 96 % des foyers français et une baisse des achats en volume (– 2,6 % en 2001), les ventes de biscuits semblent avoir atteint la saturation. Pourtant, en 2001, le leader Lu (41 % de part de marché) a lancé de nouvelles références susceptibles d'être mangées au petit-déjeuner : Ourson Petit-dej pour les tous-petits et Prince Petit-dej pour les enfants plus grands. Il s'agit d'un nouveau moment de consommation pour les biscuits, qui entrent ainsi en concurrence avec les céréales et autres confitures. Le succès remporté a fait des émules, par exemple BN (United Biscuits) avec BN Petit-Déjeuner puis Matin Sourire aux céréales, et Bahlsen avec les Bons Matins de St-Michel[15].

Il arrive que ce soient les consommateurs qui imaginent de nouvelles utilisations du produit. En portant des salopettes de travail comme vêtement d'extérieur, en découpant leurs jeans usés à mi-cuisse, les femmes en ont fait des produits de mode sitôt commercialisés à grande échelle. Tous les articles usuels que les gens se mettent à collectionner donnent également lieu à un double marché.

**UN NIVEAU DE CONSOMMATION PLUS ÉLEVÉ** ❖ La troisième approche consiste à convaincre le marché de consommer davantage de produit à chaque utilisation. Si une marque de shampooing arrive à persuader ses utilisateurs d'appliquer le produit deux fois au lieu d'une, les ventes doublent[16].

■ MICHELIN. Cette société a imaginé très tôt une stratégie originale pour le développement de ses ventes. En commercialisant des cartes routières, des guides touristiques et gastronomiques, elle invitait les Français à voyager à travers tout le pays, en se servant davantage de leur automobile (et donc de leurs pneumatiques).

■ GILLETTE a mis en place une bande bleue qui s'efface progressivement à l'usage sur les recharges de son rasoir Mach 3. Après une douzaine de rasages, la bande disparaît, signalant à l'utilisateur qu'il est temps de changer de recharge ou, selon les termes de Gillette, « qu'il n'obtient plus le meilleur de l'expérience de rasage Mach 3 ». « Idéalement, dit Robert King, l'un des dirigeants de Gillette, il faudrait convaincre les hommes de changer de recharge tous les quatre jours. »

Les entreprises qui fabriquent des biens durables utilisent également cette stratégie lorsqu'elles suggèrent d'accroître le taux d'équipement. Seb essaie ainsi de convaincre les Français de posséder deux autocuiseurs plutôt qu'un. De même, Swatch cherche à multiplier le nombre de montres possédées, afin de les «adapter aux différents moments de la journée».

## La protection de la part de marché

En même temps qu'elle s'efforce d'accroître la demande primaire, une société leader doit contenir l'action des concurrents, avides de tirer parti de sa moindre faiblesse : ainsi, Danone est attaqué par Yoplait et Nestlé ; *Paris-Match* par *L'Express* et *Le Nouvel Observateur* ; Orange par SFR et Bouygues, et Kodak par Fuji (voir encadré 9.5).

---

**9.5**

 **La bataille Kodak-Fuji**

Pendant plus d'un siècle, Kodak a été connu pour ses appareils photos faciles à utiliser, ses pellicules de qualité et … sa bonne rentabilité. Depuis une dizaine d'années, pourtant, les ventes se sont stabilisées, avant de diminuer. Le chiffre d'affaires a baissé de 17 % entre 1996 et 2001 alors que les profits chutaient (– 95 % en 2001). Kodak a été affaibli par des concurrents plus novateurs qui ont introduit ou amélioré les appareils photos 35 mm, vidéo et numériques. Fuji s'est attaqué au cœur de son activité en proposant des pellicules de grande qualité à un prix inférieur de 10 % à celui de Kodak. Kodak a contre-attaqué en adoptant le prix de Fuji, en améliorant ses produits et en investissant vingt fois plus que Fuji en publicité et promotion. L'entreprise a ainsi réussi à maintenir sa position de leader avec une part de marché de 80 % aux États-Unis et de 50 % dans le monde pour les pellicules. L'entreprise a encore intensifié la bataille en créant une filiale spécifique au Japon pour battre Fuji sur son propre terrain : elle a acheté un distributeur japonais, développé un centre de recherche sur place, investi massivement en communication, allant même jusqu'à sponsoriser des émissions de télévision et des tournois de sumo. Il s'agissait d'être présent sur le deuxième marché géographique de la photo en volume derrière les États-Unis, mais surtout sur le lieu de naissance de nombreuses nouvelles technologies photographiques, tout en connaissant mieux les procédés de fabrication locaux. En réaction aux attaques de Kodak, Fuji a dû consacrer des ressources importantes à défendre son marché d'origine et a moins investi sur les autres continents. En 1998, Kodak avait atteint 10 % de part de marché au Japon, contre 65 % pour Fuji. Depuis, Kodak a réorienté sa stratégie pour faire face à la baisse du marché mondial des pellicules (– 5 % en 2001) consécutive au succès des appareils photos numériques (+ 22 %). Kodak cherche à développer ses ventes de films classiques dans les pays émergents comme la Chine et l'Inde, tout en devenant un acteur majeur du numérique. Pour cela, la marque propose des appareils photos numériques assortis d'un système permettant de les connecter facilement à un PC ; elle offre des services de traitement photo sur Internet et installe des bornes publiques permettant aux photographes amateurs ne disposant pas d'ordinateur de retoucher et de faire tirer leurs photos. Du coup, les concurrents ont changé : ils se nomment désormais Microsoft et Hewlett Packard.

---

*Sources* : «Kodak Develops own Strategy», *Nikkei Weekley*, 15 mai 2000 et «Kodak survivra-t-il à la fin de la pellicule ? », *Capital*, septembre 2000, pp. 52-53

Que peut faire un leader face aux assauts de la concurrence? Une stratégie d'innovation est la réponse la plus constructive. En restant continuellement à la pointe, une société leader a de bonnes chances d'essouffler sa concurrence. Seb utilise cette stratégie en multipliant les innovations dans le petit électroménager comme la cocotte-minute Clipso avec système de régulation de température et fermeture sans effort ou le pèse-personne Body Master distinguant la masse graisseuse de la masse musculaire[17].

Même si elle ne lance pas l'offensive, la société leader a intérêt à se garder de tous côtés, ne laissant pas la moindre ouverture à la concurrence. Multiplier les variétés de produit (tailles, conditionnement, couleurs) afin d'accroître la présence en magasin, maintenir les prix à un niveau bien accepté par les consommateurs, continuer à soutenir publicitairement les marques sont autant de mesures qui permettent de couvrir les différents segments du marché.

La concurrence accrue qui s'est développée au cours de ces dernières années a ravivé l'intérêt des gestionnaires pour les écrits de stratèges militaires tels que Sun Zi, von Clausewitz ou Liddell Hart[18]. À partir de leur héritage, on peut identifier six stratégies de défense à usage de la société leader. Elles sont illustrées à la figure 9.6 et commentées ci-après[19].

**FIGURE 9.6**
Les six stratégies
défensives

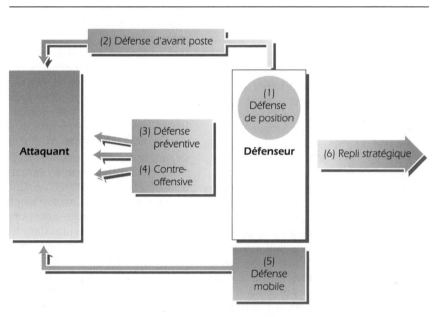

LA DÉFENSE DE POSITION ❖ Elle consiste à fortifier ses produits et ses marques de façon à rendre sa position imprenable.

■ **HEINZ.** Aux États-Unis, la marque Hunt's a cherché à attaquer Heinz sur le marché du ketchup en lançant deux nouveaux parfums, en adoptant un prix inférieur de 70 % à celui de Heinz, en investissant deux fois plus en publicité, et en multipliant les actions auprès des détaillants. Cette stratégie a échoué. Le produit était de moins bonne qualité. Le leader ne réagit d'ailleurs pas, sûr de la supériorité de sa marque et de la préférence des consommateurs, et garda une part de marché de plus de 50 % contre 17 % pour Hunt's[20].

LA DÉFENSE D'AVANT-POSTE ❖ Au-delà de la défense de ses positions, le leader avance quelques pions destinés à se protéger d'une entrée par surprise de la concurrence ou bien à servir de point d'appui à une contre-offensive. Naturellement, ces avant-postes doivent être suffisamment solides pour résister à une attaque. Ils doivent, en particulier, protéger efficacement les zones vitales. De nombreuses sociétés de biens de grande consommation (Colgate, Thomson) ont ainsi créé, à côté de leurs marques leaders, des sous-marques souvent destinées à contrecarrer une tentative de guerre des prix.

LA DÉFENSE PRÉVENTIVE ❖ Il s'agit alors d'attaquer le concurrent *avant* qu'il ne déclenche les hostilités. Le leader anticipe les réactions de son challenger en prenant l'initiative du combat. Ainsi, c'est Harpic (Reckitt-Benckiser), le leader des nettoyants pour les toilettes, qui a lancé les premières lingettes pour cet usage, avant WC Net et Canard WC ; c'est Sun (Lever-Fabergé) qui a pris l'initiative de commercialiser des tablettes 3 en 1 pour lave-vaisselle avant Calgonit et Somat[21].

Une telle stratégie se limite parfois à une intimidation psychologique. La technique classique consiste à multiplier les annonces de nouveaux produits[22], à laisser entendre qu'on va baisser sensiblement ses prix et augmenter sa production[23]. Cela peut suffire à dissuader un concurrent d'agir. Une fois la menace passée, on peut toujours décider de maintenir le *statu quo* ; pour être efficace, cette technique de bluff ne doit cependant pas être utilisée trop souvent.

Une société qui domine véritablement son marché limite en général ses actions préventives. Elle laisse s'épuiser les concurrents en vaines et coûteuses attaques, sachant qu'en bout de course ils s'essouffleront. Ainsi, Darty a jusqu'ici réussi à déjouer les attaques de ceux qui cherchent à l'entraîner dans une guerre de prix. Il faut cependant être sûr de soi et confiant dans sa supériorité de moyens pour rester aussi paisible face à l'adversité.

LA CONTRE-OFFENSIVE ❖ Si le concurrent réussit à prendre position grâce à ses initiatives en matière de produit, de prix, ou de mode de vente, le leader doit en général contre-attaquer. Nous avons déjà évoqué l'exemple de Danone, qui a lancé Bio avec des investissements massifs et qui est parvenu en quelques mois à devenir largement leader devant BA, la première marque de yoghourts au bifidus introduite par la laiterie St-Hubert (voir aussi l'exemple de la contre-offensive de Mc Donald's face à Quick dans l'encadré 9.6).

Une riposte souvent efficace consiste à envahir à son tour le terrain de prédilection de l'attaquant. Lorsque Nescafé attaqua General Foods sur le marché du lyophilisé aux États-Unis, General Foods répondit en lançant son café Maxwell sur le marché européen, traditionnellement dominé par Nescafé. En milieu industriel, la contre-offensive est souvent la règle. Si la société américaine Praxair décidait, par aventure, de baisser le prix de son gaz industriel en France, Air Liquide, leader mondial du marché riposterait immédiatement outre-atlantique.

LA DÉFENSE MOBILE ❖ La défense mobile consiste à se déplacer sur d'autres terrains qui serviront ultérieurement de points d'appui offensifs ou défensifs. Une telle mobilité conduit en général à une politique active d'innovation impliquant soit un élargissement de marché soit une diversification.

*L'extension de marché* invite l'entreprise à remonter du produit actuellement vendu au besoin générique qui le sous-tend ou qui l'accompagne. Ainsi, Fiat, leader sur le marché italien de l'automobile, étend progressivement son emprise à toutes les composantes de la dépense automobile (crédit, assurance, etc.). De même, les sociétés pétrolières sont intervenues sur le marché global de l'énergie.

Une telle stratégie doit cependant ne pas enfreindre deux principes militaires fondamentaux : le *principe de l'objectif* (« il faut toujours s'attaquer à un

**9.6**

## La contre-attaque de McDonald's face à Quick

Depuis sa création en 1971, la stratégie du challenger Quick était de copier le leader Mc Donald's, d'abord dans son pays d'origine, la Belgique, où le copieur est devenu leader, puis en France, au Luxembourg et en Europe centrale. Las, Mc Donalds a contre-attaqué sévèrement à la fin des années 1990 et au début des années 2000 :

♦ l'enseigne a multiplié les ouvertures de restaurants, en en implantant un presque en face de chaque Quick, passant ainsi de 240 à 914 points de vente en France, contre 326 pour Quick en 2001 ;

♦ Mc Donald's s'est livré à une guerre des prix et a valorisé sa marque grâce aux cadeaux. Quick n'a pas toujours pu suivre faute de moyens. Ainsi, le challenger n'offre qu'un gadget avec ses menus enfants, alors que Mc Donald's fidélise la jeune clientèle avec des poupées et des voitures incluses dans ses Happy Meals.

♦ Mc Donald's a investi dans des campagnes publicitaires massives, pour des budgets trois fois supérieurs à ceux de Quick.

Cette contre-offensive, combinée avec la crise de la vache folle et la désaffection croissante des jeunes pour le fast-food, a affaibli le challenger. Quick a dû fermer les restaurants ouverts dans plusieurs pays d'Europe pour se recentrer sur ses principaux marchés, la France, la Belgique et le Luxembourg. L'entreprise a fait l'objet d'une restructuration et a réduit son nombre de points de vente dans ces trois pays.

*Source : Capital*, « Quick au régime sec », septembre 2002, pp. 46-47.

---

objectif clairement identifié et réaliste ») et le *principe de masse* (« il faut concentrer l'effort là où l'ennemi est le plus faible »). Se reconvertir dans l'« énergie » est peut-être trop ambitieux. Ce marché concerne en effet une multiplicité de besoins (transport, chauffage, éclairage, ...) conduisant à une dilution de l'effort. La myopie marketing se transforme alors en hypermétropie. Une extension de marché réaliste est en revanche souvent appropriée.

La *diversification* constitue l'autre option stratégique. Lorsqu'elles prirent conscience de la stagnation du marché du tabac, des entreprises comme Philip Morris ou Reynolds n'hésitèrent pas à se diversifier dans le domaine des boissons alcoolisées, des sodas ou des surgelés.

LE REPLI STRATÉGIQUE ❖ Même les grandes entreprises reconnaissent qu'elles ne peuvent pas toujours défendre l'ensemble de leur territoire. Une solution consiste alors à effectuer un *repli stratégique*. Il ne s'agit pas de sortir du marché, mais d'abandonner les segments les moins significatifs ou ceux sur lesquels on est faible. L'objectif est de consolider sa position concurrentielle autour de quelques points d'appui essentiels.

Dans le domaine aéronautique, fortement concurrentiel, Air France a ainsi réduit le nombre de ses escales, afin de rentabiliser ses vols. Une fois de plus, il s'agit de privilégier l'effet de masse par rapport à l'éparpillement de l'effort.

## L'extension de la part de marché

Un leader peut également progresser en s'efforçant d'accroître sa part de marché. Cela se comprend : sur le marché des pâtes, un point de part de marché vaut 4 millions d'euros ; pour les yaourts, près de 15 millions ! Les célèbres travaux du PIMS ont mis en évidence la relation entre part de marché relative[24] et rentabilité[25]. Elle est illustrée à la figure 9.7-A.

D'après les résultats du PIMS, la rentabilité moyenne des investissements avant impôts croît linéairement avec la part de marché. Elle s'élève à 9 % pour une part de marché inférieure à 10 %. En moyenne, un gain de 10 points de part de marché s'accompagne d'un accroissement de rentabilité de 5 points. Ainsi, les entreprises qui détiennent plus de 40 % ont une rentabilité moyenne de 30 %.

De tels résultats, qu'il faut interpréter prudemment compte tenu du nombre d'unités observées et des dispersions autour des moyennes, signifient qu'une entreprise qui domine ses concurrents sans posséder une part de marché très importante (disons inférieure à 30 %) a avantage à la faire encore progresser. Notons toutefois que ces conclusions ont fait l'objet de certaines critiques. De nombreuses entreprises sont très rentables malgré une faible part de marché[26].

D'autres études ont ainsi conclu à l'existence d'une relation « en V » entre part de marché et rentabilité (voir figure 9.7-B). Dans ce cas, le secteur se compose de quelques leaders largement bénéficiaires, de quelques PME également rentables car très spécialisées, et d'un grand nombre d'entreprises moyennes aux résultats médiocres.

Selon Roach, les entreprises leaders (sur la branche droite du V) s'adressent à l'ensemble du marché, tirant avantage de leur position dominante grâce aux économies d'échelle. Les petites entreprises se concentrent avec succès sur des segments spécifiques et y adaptent leur production, leur distribution et leur marketing. Paradoxalement, les entreprises en « bas du V » sont privées d'avantage concurrentiel et ont du mal à s'en sortir : elles sont en effet enlisées dans une situation intermédiaire qui les empêche de tirer parti d'un positionnement attrayant, sans pour autant bénéficier des économies d'échelle des leaders[27].

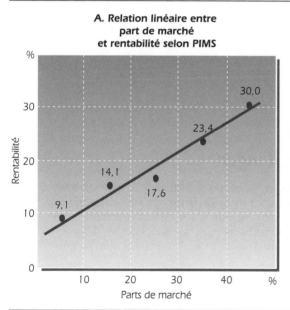

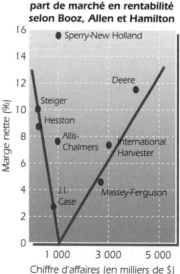

**Figure 9.7**
Part de marché et rentabilité

*Source :* Strategic Planning Institute (the PIMS Program), 1033 Massachusetts Avenue, Cambridge, Mass. 02138.

*Source :* John D.C. Roach, « From Strategic Planning to Strategic Performance : Closing the Achievement Gap ». *Outlook*, (New York : Booz, Allen et Hamilton, 1981), p. 22.

Le secteur du conseil en management illustre une telle situation. De nombreux petits cabinets, souvent individuels, sont florissants, de même que les quelques géants de la profession (McKinsey, Accenture...), alors que beaucoup d'entreprises de moyenne importance connaissent des difficultés compte tenu de leurs frais de structure relativement élevés par rapport à leur volume d'affaires. Il serait toutefois hasardeux de conclure que les entreprises moyennes doivent nécessairement augmenter leur part de marché pour devenir rentables. Tout dépend de la manière dont elles s'y prennent.

Une position de leader est en effet dangereuse à plus d'un titre :

♦ D'abord, elle attire l'attention des pouvoirs publics soucieux de maintenir une certaine liberté dans les échanges commerciaux. L'Union européenne émet ainsi de plus en plus de réserves sur la constitution d'alliances (British Airways-American Airlines) ou les fusions (Schneider-Legrand) qui donnent naissance à des géants dominant leurs secteurs respectifs. De même, les pouvoirs publics peuvent décider de ne pas donner leur feu vert à une opération de rachat (comme dans l'affaire de Coca-Cola et d'Orangina).

♦ Ensuite, le coût d'un accroissement de part de marché devient prohibitif au-delà d'un certain seuil. Lorsqu'elle a atteint une part élevée (disons 60 %), une entreprise doit en effet admettre que les 40 % restant sont constitués au moins en partie de gens attachés à une autre marque, qui ont une attitude négative vis-à-vis du leader et de ses produits, des besoins trop spécifiques pour être satisfaits par la « marque de tout le monde » ou bien encore une volonté délibérée de se différencier. Par ailleurs, les concurrents réagissent d'autant plus violemment que leur part de marché se restreint. Il faut donc admettre qu'il existe bien souvent une part de marché « optimale » sur chaque marché au-delà de laquelle la rentabilité s'amenuise[28].

♦ Enfin, une part de marché plus élevée ne conduit à une hausse des bénéfices que si le coût unitaire de production baisse à mesure que la production s'accroît. La baisse du coût unitaire résultant des économies d'échelle et des effets d'expérience permet de baisser les prix et donc d'accroître le volume, ce qui provoque une nouvelle baisse du coût de production. Cette stratégie a été suivie avec succès par Henry Ford dans les années 1920, et Texas Instruments (pour les transistors) dans les années 1960.

À l'inverse, une entreprise peut offrir un produit de qualité supérieure vendu à un prix élevé. Cette stratégie est celle de la qualité. Elle permet de se différencier du marché tout en dégageant, grâce à la forte marge unitaire, des bénéfices substantiels. C'est la stratégie suivie par des entreprises comme Volvo, Miele ou Cartier[29].

## Les stratégies du challenger

Toute société qui occupe la seconde, troisième ou quatrième place sur un marché est en position de « dauphin ». Ce sont souvent de très grandes entreprises : Unilever, Yoplait, Pepsi-Cola, etc. Un dauphin est toujours confronté à un dilemme. Il lui faut soit chercher à accroître sa part, soit se contenter des positions acquises. Les stratégies correspondantes sont analysées dans cette section.

### Le choix de l'objectif et du concurrent

L'objectif d'un challenger est d'accroître sa part de marché, au détriment d'un concurrent. Contrairement à la guerre où l'ennemi est prédéterminé, l'entreprise a souvent le choix de son opposant. La firme qui attaque peut choisir entre trois approches :

♦ *Attaquer le leader.* C'est une stratégie à haut risque, mais à haut niveau de résultat en cas de succès. Elle a d'autant plus de chances de réussir que le leader n'est pas vraiment dominant ou bien en perte de vitesse. On s'attache alors à comprendre les sources de mécontentement de la clientèle ou les besoins non satisfaits, afin de découvrir un angle d'attaque. On peut aussi surclasser le leader par une innovation spectaculaire. Xerox s'est imposé face à 3M dans la reprographie grâce à une technologie supérieure.

♦ *Attaquer un concurrent à sa portée.* On déclenche alors une attaque tous azimuts contre lui.

♦ *Attaquer les « canards boiteux ».* C'est souvent une stratégie payante car elle ne nécessite pas une offensive de grande envergure.

En fait, choisir l'adversaire et fixer l'objectif sont étroitement liés. Si l'adversaire est le leader, on s'efforce de lui grignoter sa part. La société Bic sait qu'elle ne peut anéantir Gillette sur le marché des rasoirs. Il lui suffit de faire progresser sa part de marché. Si l'adversaire est un canard boiteux, on envisage purement et simplement de l'éliminer.

## La stratégie d'attaque

Une fois déterminés l'adversaire et l'objectif, comment choisir l'angle d'attaque? Il existe cinq stratégies offensives, illustrées à la figure 9.8 et décrites ci-après.

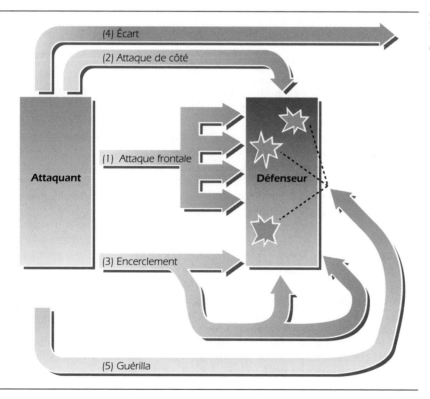

**FIGURE 9.8**
Les stratégies offensives

L'ATTAQUE FRONTALE ❖ Elle consiste à masser ses troupes directement face à l'ennemi et attaquer d'abord ses points d'appui. L'issue du combat dépend du rapport de force et de la ténacité des combattants. Dans une attaque frontale, on s'aligne pied à pied sur le terrain des produits, des prix, de la publicité et de la distribution. C'est la stratégie suivie par les opérateurs de télévision payante (TPS notamment) face au leader Canal+[30].

Pour qu'une attaque frontale réussisse, l'agresseur doit jouir d'un avantage sur ses adversaires. S'il occupe une position privilégiée (le « haut de colline »), c'est peut-être dans un rapport de 3 à 1 que les forces doivent être déployées. Une attaque à puissance de feu égale risque bien de se transformer en déroute. C'est ce que RCA, General Electric, Xerox et, en Europe, Ericsson ont appris à leurs dépens dans leur attaque frontale du marché informatique.

Plutôt qu'une attaque frontale directe, le challenger peut déclencher une offensive partielle, par exemple en cassant les prix tout en s'alignant sur la qualité des produits. Une telle stratégie n'a de sens que si le leader ne peut répondre en s'alignant lui aussi et si l'attaquant réussit à convaincre le marché de la parité de qualité de ses produits.

Le lancement des marques de distributeurs a correspondu à une attaque de ce genre. Le concept de « qualité égale-prix réduit » a rencontré beaucoup de succès dans certaines catégories, moins dans d'autres. Impressionnant sur certains produits comme la crème fraîche (part de marché de 33 %), le riz (29 %) ou même le foie gras (25 %), il reste mitigé sur d'autres produits tels le café soluble (8 %), le whisky (10 %), la bière (5 %) ou les chewing-gums (0,5 %)[31], où les grandes marques continuent de tenir le haut du pavé. Le succès des marques d'enseigne est par contre grandissant dans l'univers de la mode[32].

Une autre stratégie d'attaque frontale consiste à investir en recherche-développement, de façon à réduire les coûts de production et, partant, les prix. C'est ce qu'a fait Texas Instruments sur le marché des calculateurs de poche, avec le succès que l'on connaît.

L'ATTAQUE DE CÔTÉ ❖ Une armée se renforce toujours du côté où elle s'attend à être attaquée. Par contre, l'arrière et les flancs sont souvent dégarnis. Un principe de stratégie militaire consiste à « concentrer ses forces contre une faiblesse de l'ennemi. » L'agresseur fera mine d'attaquer de l'avant, mais regroupera ses forces à l'arrière ou sur le côté. Une telle manœuvre, quand elle réussit, prend l'adversaire de court. C'est une stratégie adéquate lorsque l'on dispose d'une puissance de feu inférieure à son adversaire.

Une attaque de côté se matérialise souvent dans une région ou dans un segment donnés. L'*approche géographique* consiste à isoler des zones où le concurrent est plus faible et à s'y engouffrer. Ainsi, l'enseigne d'ameublement Fly, largement inspirée des méthodes d'Ikea, s'implante dans les villes moyennes, là où Ikea n'est pas présent faute d'une zone de chalandise suffisamment importante[33].

L'autre offensive latérale, plus courante, consiste à isoler un *segment peu ou mal couvert*, voire en créer de nouveaux :

■ YOPLAIT. Face aux géants des produits laitiers Danone ou Nestlé, Yoplait, un ensemble de six coopératives régionales, a su marquer des points en se spécialisant sur des créneaux mal tenus par leurs concurrents. La marque Yop est ainsi devenue le leader incontesté des yaourts à boire, après avoir été menacée un temps par Danone. De même, elle est devenue n° 1 mondial des yaourts aux fruits grâce à une innovation permanente dans les parfums proposés. Enfin, elle a réussi à imposer les petits-suisses à sucer sous la marque Zap[34].

L'attaque de côté se rapproche finalement de l'état d'esprit marketing qui s'efforce de détecter des besoins négligés et de les satisfaire.

L'ENCERCLEMENT ❖ Si l'attaque de côté cherche à identifier une zone mal couverte par l'adversaire, l'encerclement consiste à lancer plusieurs attaques simultanées contre le leader, afin de le forcer à se défendre sur plusieurs fronts à la fois. L'encerclement se justifie lorsque l'attaquant dispose de ressources supérieures à celles de l'adversaire et qu'il pense arriver à une décision plus rapide en multipliant les lignes de front :

- **SUN MICROSYSTEMS.** Pour essayer de se maintenir en place face à son puissant concurrent Microsoft, Sun Microsystems accorde des licences pour l'intégration de son logiciel Java dans toutes sortes de produits électroniques numériques. Motorola, par exemple, l'inclut dans de nombreux appareils, depuis les pagers et les téléphones mobiles jusqu'aux télécopieurs. En janvier 2001, Java était vendu sous licence par 200 sociétés et utilisé par 2,5 millions de développeurs de logiciels[35].

**L'ÉCART** ❖ C'est la stratégie offensive la plus indirecte, car elle consiste à éviter toute confrontation avec le leader en s'attaquant à des marchés non tenus par lui. Elle se présente sous plusieurs formes selon que l'attaquant diversifie ses produits, ses marchés ou ses technologies :

- **PEPSICO.** Lorsqu'au courant de l'été 1998, Pepsi-Cola a racheté, pour 3,3 milliards de dollars, Tropicana, beaucoup se sont demandé pourquoi une société de soft-drinks allait se hasarder dans l'univers des jus de fruit. En fait, dominé sur le marché du cola, Pepsi retrouvait, avec les 42 % de part de marché de Tropicana, une opportunité de contrer Coca-Cola, dont la marque Minute-Maid ne détient que 24 %. En 2000, Pepsi a poursuivi cette stratégie en acquérant pour 14 milliards de dollars Quaker Oats, propriétaire de la marque Gatorate qui détient 80 % du marché des boissons de l'effort[36].

Le bond en avant est souvent une stratégie d'écart efficace dans les industries de haute technologie. Au lieu d'imiter le leader et d'engager avec lui une coûteuse attaque frontale, le challenger investit dans la recherche et, lorsqu'il a mis au point une innovation, déplace le terrain d'opérations à son avantage. Ainsi, après avoir été dépassé par Sony sur le marché du caméscope à cassettes, JVC lança en 1996 le premier caméscope entièrement numérique. De même, Sony a imposé sa console de jeu Playstation face à Sega et Nintendo en y incluant des éléments technologiques absents des produits concurrents et, plus récemment, Microsoft a cherché à faire de même avec sa X-Box.

**LA GUÉRILLA** ❖ La guérilla consiste à harceler le leader à coups de petites attaques localisées et intermittentes. C'est une stratégie à la portée des petites entreprises sous-capitalisées. L'objectif est d'irriter le leader afin de le déstabiliser, tout en se donnant des occasions de faire parler de soi. Les moyens employés peuvent être conventionnels ou non : guerre des prix sélective, coups promotionnels, surenchère publicitaire, actions en justice... Les sociétés d'hypermarchés se livrent souvent à des opérations de guérillas locales ; les sociétés de vente par correspondance aussi :

- **LES TROIS SUISSES.** En 1995, Les Trois Suisses, n° 2 de la VPC derrière La Redoute déclencha «la guerre des délais de livraison.» Là ou La Redoute garantissait la livraison «48 h chrono», Les Trois Suisses réduisaient le délai à 24 h. Une bataille juridique s'ensuivit, finalement perdue par Les Trois Suisses lorsque le juge déclara que, sans qu'il n'y ait mensonge ni calomnie, la campagne orchestrée par Les Trois Suisses était «déloyale et agressive, donnant de la SA Les Trois Suisses l'image résolument moderne et dynamique d'une société créant la révolution par opposition à celle sereine et désuète de la SA La Redoute».

Ce serait une erreur de considérer la guérilla comme une stratégie «inférieure», uniquement réservée aux PME en mal d'argent et d'identité. La multiplicité des opérations ponctuelles peut désorganiser l'ennemi et s'avérer plus efficace qu'une attaque massive. La guérilla peut finir par coûter cher, notamment si les opérations se répètent souvent, comme le recommandent les militaires. En outre, la guérilla vise plus à préparer la guerre qu'à la faire. Une attaque plus vigoureuse sera un jour nécessaire si l'on veut défaire l'ennemi.

Les tactiques offensives présentées jusqu'ici ont été décrites en termes généraux. L'encadré 9.7 présente neuf stratégies spécifiques permettant de s'attaquer à la concurrence.

**9.7**

# Neuf stratégies d'attaque concurrentielle

♦ **La stratégie de discount.** L'une des stratégies les plus couramment utilisées par les challengers consiste à offrir le même produit que le leader à un prix plus bas. C'est la politique de Calgonit pour les produits de lave-vaisselle, ou de Leclerc sur le marché des grandes surfaces.

Le succès d'une stratégie de discount suppose trois conditions : il faut que le challenger arrive à convaincre l'acheteur que son produit est d'aussi bonne qualité ; il faut que l'acheteur soit sensible à un écart de prix et prêt à renoncer à sa marque préférée ; il faut enfin que le leader décide de ne pas s'aligner sur le prix du challenger.

♦ **La stratégie du milieu de gamme.** Une seconde stratégie consiste à offrir une version simplifiée du produit, généralement de moindre qualité. C'est la stratégie suivie par certains distributeurs pour concurrencer les fabricants (magnétoscope Firstline, Cola Carrefour) mais aussi certains fabricants : Radiola (Philips), Bourjois (Chanel), etc. Cette stratégie est efficace lorsqu'au moins un segment du marché est sensible au prix et lorsque les circuits de distribution sont différenciés. Le principal danger est de se faire concurrencer simultanément par une autre entreprise aux prix encore plus bas.

♦ **La stratégie de recherche de prestige.** C'est la stratégie inverse de la précédente ; elle consiste à introduire un produit de meilleure qualité, vendu plus cher. Elle est suivie par Bang & Olufsen en hi-fi ou Roche & Bobois dans le domaine du meuble. Une telle stratégie implique presque toujours une politique sélective d'image.

♦ **La stratégie de prolifération des produits.** Le challenger attaque le leader en multipliant les versions du produit offert. Sur le marché des brosses à dents à piles, par exemple, Crest se caractérise par sa gamme la plus large du marché lors de son lancement en France en 2002. Airbus Industries concurrence Boeing en multipliant les modèles (A300, A310, A320, A340, A340-300, A380, etc.). Une telle stratégie convient également à une grande entreprise diversifiée qui a décidé d'enlever le marché à une société plus petite qu'elle, mais concentrée sur un seul segment.

♦ **La stratégie d'innovation.** Le challenger prend de vitesse le leader en matière d'innovation technologique ou commerciale. Virgin applique vis-à-vis de la Fnac une telle politique. Celle-ci est naturellement tributaire de l'accueil réservé par le public à ses nouvelles idées.

♦ **La stratégie d'amélioration du service.** Elle consiste à offrir davantage de prestations pour un prix équivalent. Darty, après avoir pratiqué une stratégie de prix, fonde maintenant sa politique sur cette approche.

♦ **La stratégie d'innovation dans le mode de distribution.** Le challenger développe sa part de marché en lançant de nouveaux systèmes de vente. C'est la stratégie suivie par Dell Computers pour les micro-ordinateurs ou Yves Rocher pour les produits de beauté.

♦ **La stratégie de réduction des coûts.** Certaines sociétés mettent l'accent sur la réduction des coûts de production de façon à pouvoir baisser les prix. On peut réduire ces coûts grâce à un meilleur approvisionnement, des économies de main-d'œuvre ou un appareil de production plus moderne. Cette stratégie a été à la base de la conquête des marchés mondiaux par les Japonais.

♦ **La stratégie d'investissement publicitaire.** Un challenger peut enfin espérer accroître sa part de marché en surclassant l'investissement publicitaire du leader, notamment à l'occasion du lancement d'un nouveau produit (Trésor de Lancôme) ou d'une nouvelle marque (Alain Afflelou en optique). Une telle stratégie n'est cependant véritablement productive que lorsqu'une surenchère budgétaire s'accompagne d'une différence qualitative dans la création publicitaire.

# Les stratégies du suiveur

Il y a plus de trente ans, Theodore Levitt avait déjà écrit dans un article intitulé « L'imitation innovatrice » qu'une stratégie d'imitation peut être tout aussi rentable qu'une stratégie d'innovation[37]. Après tout, c'est l'innovateur qui supporte tous les coûts associés à la conception, à la distribution et au lancement publicitaire du produit. En récompense de ses efforts, il s'attend à dominer le marché. Pourtant, d'autres entreprises apparaissent, imitent l'innovation et réalisent des profits d'autant plus élevés qu'elles n'ont pas eu à supporter les frais de développement. Ainsi, BA a lancé le yaourt au bifidus, mais Bio (Danone) contrôle aujourd'hui ce marché ; Netscape a été le premier navigateur sur Internet, mais Explorer (Microsoft) est aujourd'hui très largement leader. Même lorsque le suiveur ne prend pas le dessus sur l'innovateur (le pionnier), la copie peut s'avérer très rentable.

L'évolution parallèle des gammes, fondée sur la copie, est tout à fait courante dans les industries de produits homogènes nécessitant un équipement complexe : l'acier, les engrais, les produits chimiques. Les possibilités de différenciation sont minces, la qualité du service comparable, et la sensibilité au prix telle que personne n'a véritablement intérêt à déclencher une guerre. Les évolutions lentes sont préférées aux bouleversements et les parts de marché restent quasiment stables, chacun décalquant son attitude sur celle du leader.

Il ne faudrait pourtant pas déduire de ce qui précède qu'un suiveur n'a pas besoin de stratégie, bien au contraire. Pour que les clients préfèrent ses produits à ceux du pionnier, il doit utiliser des éléments de différenciation (emplacement, services, caractéristiques annexes du produit, relations humaines…). Les suiveurs les plus performants adoptent une ou plusieurs des stratégies suivantes :

- un prix inférieur, comme pour les marques de distributeurs, ce qui exige d'avoir des coûts bas ;

- une forte puissance marketing, liée à une capacité à investir massivement dans la communication et la distribution, comme le font les opérateurs de téléphone mobile Bouygues et SFR face au leader Orange ;

- une qualité de produit améliorée par rapport au pionnier, comme dans les cybermarchés où Ooshop (Carrefour) a ouvert son site après Houra mais a proposé d'emblée des produits frais[38].

Ces stratégies supposent une bonne analyse du marché, une connaissance précise de la stratégie du leader et une surveillance attentive des facteurs contrôlables (coûts d'approvisionnement, coûts de production, investissements commerciaux).

Une forme condamnable de stratégie de suiveur est la *contrefaçon*. Celle-ci perturbe les conditions de fonctionnement normal d'un marché en cherchant à provoquer une confusion entre le « vrai » produit et sa copie (voir encadré 9.8)[39].

## L'envers du décor : la contrefaçon

Dans un monde qui s'internationalise toujours davantage, la contrefaçon ne cesse de progresser. Traditionnellement cantonnée aux produits de luxe, elle touche désormais les biens d'équipements, les produits industriels et les médicaments. Bien qu'il n'y ait pas de chiffre précis, on l'estime à environ 100 milliards d'euros, soit 7 % du commerce international. 70 % des contrefaçons proviennent d'Asie (Thaïlande, Taïwan, Corée) mais également d'Europe, en particulier d'Italie (7 % du marché mondial).

La juridiction est devenue assez sévère depuis l'Uruguay Round et la loi Longuet de 1995 qui a fait de la contrefaçon un délit douanier. Cependant, en cas de litige, des accords amiables interviennent le plus souvent. Certaines sociétés se sont dotées de services spécialisés dans la détection de la contrefaçon et la lutte contre ces pratiques frauduleuses.

L'une des plus actives d'entre elles est certainement Cartier qui a fait de ce problème l'une de ses priorités stratégiques. Pour remonter les filières des revendeurs jusqu'aux producteurs, Cartier fait appel à des détectives privés. Pour donner de l'éclat à ses actions, Cartier fait broyer par un rouleau compresseur sur la place publique toutes les fausses montres saisies. En Italie, la contrefaçon est telle qu'il vaut mieux jouer sur la mauvaise image du faux que sur la répression. Une campagne a ainsi été menée sur le thème ; « Acheter du faux en le sachant, c'est devenir faux soi-même. »

*Sources :* adapté de J.-P. Benardet *et al., Précis de marketing* (Paris : Nathan, 1996, p. 73). Voir aussi « Contrefaçon et concurrence déloyale : les praticiens en parlent », actes du colloque de Mulhouse, 2 juin 1999 (Mulhouse : Steib, 1999).

## Les stratégies du spécialiste

Il existe dans presque tous les secteurs des entreprises qui ne s'intéressent qu'à une petite partie du marché. Elles s'efforcent en général de découvrir un créneau sur lequel elles se spécialisent en y consacrant toute leur activité sans que les « grands » réagissent. Par exemple, Logitech s'est spécialisée dans la fabrication de souris pour ordinateurs et Stabilo Boss dans les surligneurs. La politique du créneau n'est pas uniquement réservée aux petites entreprises, mais peut également concerner des filiales ou départements autonomes d'entreprises plus importantes.

■ **BRIDEL.** Cette filiale du groupe Lactalis est leader des beurres allégés avec Bridelight ainsi que des desserts et crèmes allégés avec Bridelice. Ces deux marques ombrelles s'adressent à des segments de marché distincts avec des positionnements différents : Bridelight s'adresse aux adeptes des régimes purs et durs et se présente comme la marque de l'ultra-allégé avec les taux de matière grasse les plus bas ; Bridelice cible les femmes à la recherche d'une alimentation équilibrée et se positionne autour de la gourmandise avec son slogan « Allège tout, sauf le goût[40] ».

Un créneau pour être rentable et durable doit, dans l'idéal, posséder cinq caractéristiques :

♦ être d'une taille suffisante en termes de pouvoir d'achat ;

♦ avoir un potentiel de croissance significatif ;

♦ être ignoré ou délaissé par la concurrence ;

## Onze axes de recherche de créneau

**1. Le marché utilisateur.** Une entreprise peut se spécialiser sur un marché particulier. Par exemple, le magazine *Biba* a été conçu pour les «jeunes femmes qui travaillent».

**2. Le mode de fabrication et de distribution.** Une entreprise peut intégrer tout ou partie des activités de fabrication et de distribution. Par exemple, Scania contrôle la fabrication d'un grand nombre de pièces entrant dans la fabrication d'un camion.

**3. Le volume d'achat.** Une entreprise peut se concentrer sur les gros, moyens ou faibles acheteurs. Ces derniers constituent d'ailleurs un créneau souvent délaissé par les grandes entreprises.

**4. La nature de la clientèle.** Certaines entreprises se limitent à un nombre de clients spécifiques.

**5. L'emplacement de la clientèle.** L'entreprise se limite alors à une région, un pays ou une partie du monde. En France, de nombreuses banques ont une vocation régionale.

**6. Le produit ou la gamme de produit.** L'entreprise se spécialise sur une ligne ou un article donné. Par exemple, Senoble ne commercialise sous sa marque que des desserts haut de gamme (île flottante, fondant au chocolat...).

**7. Le type de produit.** Dans ce cas, la politique du créneau consiste à privilégier des produits ayant certaines caractéristiques. Porsche ne commercialise que des voitures de sport.

**8. La nature de la commande.** De nombreuses entreprises se concentrent sur la production à la commande. C'est le cas de la plupart des artisans.

**9. Le rapport qualité/prix.** Une entreprise se positionne dans un créneau qualité/prix. Ed Discount par exemple privilégie les produits courants vendus à bas prix.

**10. Le service.** Certaines entreprises font d'une prestation de service particulière leur cheval de bataille.

**11. Le circuit de distribution.** L'entreprise réserve alors la vente de ses produits à un réseau qu'elle contrôle. C'est le cas d'Yves Rocher ou du Club des Créateurs de beauté.

♦ correspondre aux compétences distinctives de l'entreprise ;

♦ être défendable en cas d'attaque.

L'idée centrale d'une politique de créneau est la spécialisation. L'entreprise doit identifier un critère de concentration d'activité centré sur le marché, la clientèle, le produit, ou tout autre élément du mix marketing (voir encadré 9.9). Le spécialiste connaît extrêmement bien les attentes de ses clients et conçoit pour eux des produits spécifiques, susceptibles d'être achetés plus cher que les produits de masse. Ses marges peuvent être substantielles.

■ PORSCHE, spécialisé sur le créneau des voitures de sport, commercialise seulement deux modèles : la célèbre 911, sur le marché depuis 1964 et renouvelée régulièrement, et le Boxter commercialisé depuis 1996. Avec une marge nette de 6 % en 2001, l'entreprise apparaît aujourd'hui comme le constructeur automobile le plus rentable du monde. Merril Lynch a même calculé qu'elle engrangeait une marge brute de 23 % sur chaque Boxter vendu ! Elle se prépare à entrer sur un nouveau créneau, le 4 × 4 haut de gamme, avec le lancement de Cayenne, le véhicule tout terrain le plus puissant et le plus cher de l'histoire automobile[41].

Carolyn Woo et Arnold Cooper ont analysé les stratégies de créneau les plus efficaces. Ils concluent que : 1) de nombreux succès se rencontrent dans les marchés stables, à faible croissance ; 2) les firmes performantes ont une réputation de bon rapport qualité/prix ; 3) elles travaillent avec des coûts de production bas grâce à leur gamme limitée et leurs dépenses réduites de recherche-développement, de lancement et de support commercial[42]. De même, Clifford et Cavanagh ont découvert quelques traits communs aux PME ayant réussi : 1) le choix délibéré de ne s'adresser qu'à un segment du marché ; 2) une forte valeur ajoutée ; et 3) une culture et une mission d'entreprises affirmées[43]. Biggadike, après avoir examiné une quarantaine d'entreprises ayant réussi à s'installer sur un marché détenu par un leader, identifie, pour sa part, les six éléments suivants : 1) un prix et une qualité plus élevés ; 2) une gamme plus courte ; 3) un segment plus étroit ; 4) une distribution semblable ; 5) un service de haut niveau ; et 6) des dépenses commerciales très serrées[44].

Il apparaît ainsi qu'une entreprise de petite ou moyenne importance a la possibilité de servir ses clients de façon originale. Les sociétés découvrent leurs créneaux parfois par pur hasard, mais le plus souvent à la suite d'une analyse systématique de la structure des marchés.

Cependant, la stratégie du créneau présente un risque : le créneau peut s'assécher ou être attaqué par un concurrent plus puissant. C'est pourquoi une stratégie de *créneaux multiples* est préférable à celle du *créneau unique*. En ne mettant pas tous ses œufs dans le même panier, l'entreprise répartit ses chances de survie.

## Concilier l'optique concurrence et l'optique client

Nous avons souligné l'importance de la prise en compte de la concurrence dans la réflexion stratégique. En même temps, il ne faudrait pas la privilégier au détriment du client. L'acharnement que mettent certaines sociétés à contrer leurs concurrents sur des marchés existants ou nouveaux a souvent conduit à des lancements précipités ou insuffisamment préparés occasionnant des retraits ultérieurs. Par exemple, Ingersoll-Rand dans le domaine des compresseurs rotatifs exempts d'huile de moyenne puissance ou Bull pour sa première tentative dans le micro-ordinateur portable.

Une société *orientée vers la concurrence* prend toutes ses décisions en fonction des actions ou réactions des autres compétiteurs. Elle investit un effort considérable dans la compréhension des mouvements de l'adversaire et essaie d'anticiper ses initiatives. Voici des exemples relatifs à une entreprise orientée vers la concurrence :

*Problèmes :*
♦ Le concurrent X va nous écraser dans le Sud-Ouest.
♦ Le concurrent Y renforce sa distribution dans le Nord de la France.
♦ Le concurrent Z a baissé ses prix en région parisienne et a gagné 3 points de part de marché.

*Solutions :*
♦ On va se retirer du Sud-Ouest et concentrer nos efforts dans d'autres régions.
♦ On va accroître notre pression publicitaire dans le Nord.
♦ On va réajuster nos prix en région parisienne et lancer un concours de vente.

Une telle approche présente à la fois des avantages et des inconvénients. D'un côté, l'entreprise développe sa capacité de réaction. Elle pousse ses équipes marketing à se tenir constamment en éveil, prêtes à colmater la plus petite brèche et à profiter de la moindre défaillance adverse. En revanche, la société renonce à planifier sa trajectoire. Elle réagit au coup par coup, sans stratégie d'ensemble.

Une entreprise *orientée vers le client* considère au contraire la clientèle comme le point de départ de sa réflexion stratégique. Par exemple :

*Problèmes :*

♦ Le marché se stabilise avec une croissance de 4 % par an.

♦ Le segment connaissant la plus forte croissance est le segment le plus sensible à la qualité ; il croît de 8 % par an.

♦ Le segment sensible aux promotions évolue également de façon favorable mais reste très peu fidèle aux marques et nous abandonne petit à petit.

*Solutions :*

♦ Nous allons tirer parti du segment sensible à la qualité. Nous achèterons des composants plus performants, améliorerons le contrôle qualité et utiliserons ce thème dans nos actions publicitaires.

♦ Nous n'allons pas baisser nos prix et nous nous refusons à des rabais. Nous ne souhaitons pas attirer la clientèle de cette façon.

♦ Nous allons chercher à développer des services susceptibles de fidéliser notre clientèle.

À l'évidence, l'entreprise tournée vers le client a davantage de chances d'identifier les opportunités offertes sur le marché et les perspectives d'évolution à long terme. En s'attachant à l'analyse des besoins exprimés par la clientèle, elle peut choisir ceux à satisfaire en priorité compte tenu de la cible choisie et de ses ressources et objectifs.

Dans la pratique, la plupart des entreprises surveillent à la fois leur concurrence et leur clientèle.

---

## Résumé

1. Pour préparer une stratégie marketing efficace, une entreprise doit tenir compte autant de sa concurrence que de sa clientèle, actuelle et potentielle.

2. La concurrence comprend tous ceux qui cherchent à satisfaire les mêmes besoins à travers les mêmes produits mais également ceux qui pourraient offrir de nouvelles façons d'y parvenir. La concurrence indirecte ou latente est parfois aussi importante que la concurrence directe.

3. Une entreprise cherche à connaître la stratégie, les objectifs, les forces et faiblesses et les modes de réaction de ses concurrents. La connaissance des stratégies permet de définir la concurrence directe et les moyens de la contrer ; celle des objectifs, d'anticiper les réactions à venir ; l'identification des forces et faiblesses facilite la détection des zones de différenciation et d'attaque. Enfin, connaître les profils de réaction permet d'ajuster sa propre trajectoire.

4. Une entreprise a absolument besoin de comprendre ce qui crée de la valeur chez le client. Il faut à la fois analyser les attributs qui comptent pour ce dernier et la façon dont il évalue, sur ces attributs, les performances des différents concurrents.

5. Un leader a le choix entre trois options : accroître la taille du marché global, défendre sa part de marché ou la faire progresser. Un leader désireux d'accroître le marché recherche le plus souvent de nouveaux utilisateurs, de nouvelles utilisations ou un niveau de consommation plus élevé. Pour se maintenir, il pourra mettre en place une stratégie de défense de position, de défense d'avant-poste, de défense préventive, de contre-offensive, de défense mobile ou de repli stratégique. Chercher à faire progresser la part de marché peut s'avérer

dangereux, compte tenu des interventions possibles de l'État et des investissements nécessaires.

6. Un challenger cherche à accroître sa part au détriment du leader, des autres « dauphins » ou des « canards boiteux ». Plusieurs stratégies permettent d'y parvenir : l'attaque frontale, l'attaque de côté, l'encerclement, l'écart et la guérilla.

7. Un suiveur copie, éventuellement en les améliorant, les innovations lancées par d'autres. Certains suiveurs connaissent une meilleure rentabilité que les leaders de leurs marchés respectifs.

8. Un spécialiste se concentre sur un créneau. Ce dernier peut être défini entre termes de marché final, de mode de production/commercialisation, de volume d'achat, de type d'acheteur, de localisation géographique, de gamme de produit, de type d'article, de service ou de canal de distribution.

9. Enfin, toute entreprise devrait concilier l'importance qu'elle attache à la concurrence avec l'intérêt qu'elle accorde à la clientèle. L'une ne devrait pas se développer au détriment de l'autre mais au contraire se rejoindre au sein d'une véritable optique marketing.

## Notes

1. Leonard M. Fuld, *The New Competitor Intelligence : The complete Resource for Finding, Analyzing, and Using Information about Your Competitors* (New-York : John Wiley, 1995) ; John A. Czepiel, *Competitive Marketing Strategy* (Upper Saddle River : Prentice Hall, 1992).

2. Michael Porter, *L'Avantage concurrentiel* (Paris : InterÉditions, 1986).

3. Jay Palmer, « Palmed Off : Handy Gadgets Are Hot Today, but the Future Belongs to Wireless Phones » *Barron's*, 28 février 2000.

4. Voir Kathryn R. Harrigan « The Effect of Exit Barriers upon Strategic Flexibility », *Strategic Management Journal*, 1980, 165-176.

5. Jeffrey F. Rayport and Bernard J. Jaworski, *e-commerce* (New-York : McGraw-Hill, 2001), p. 53. Voir aussi *Capital*, « Kodak survivra-t-il à la fin de la pellicule ? », septembre 2002, pp. 52-53 et encadré 9.4.

6. Il existe également d'autres groupes stratégiques dans ce secteur. Voir Jerry Johnson, Kevan Scholes et Frédéric Frery, *Stratégique*, 2e édition (Paris : Pearson Éducation, 2001).

7. W. E. Rothschild, *How to Gain (and Maintain) the Competitive Advantage* (New York : McGraw-Hill), 1984, chap. 5.

8. Voir *Capital* « Michael Dell : le plus jeune super-riche du monde », octobre 1999, p. 28 et « Dell, la nouvelle star mondiale du PC », mars 2002, pp. 32-36.

9. Voir Robert V. L. Wright, *A System for Managing Diversity* (Cambridge, MA : Arthur D. Little, décembre 1974).

10. Adapté de diverses sources. Voir en particulier « Understanding the Forces of Strategic and Natural Competition », *Journal of Business Strategy*, hiver 1981, pp. 11-15.

11. Voir Jacques Villain, *L'Entreprise aux aguets* (Paris : Masson, 1990) et Philippe Baumard, *Stratégie et surveillance des environnements concurrentiels* (Paris : Masson, 1991).

12. Michael Porter, *L'Avantage concurrentiel, op. cit.*, pp. 274-275.

13. Michael Porter, *ibid.*, p. 258.

14. *LSA*, « Thés et infusions portés par le bien-être », 10 janvier 2002, pp. 64-68.

15. *LSA*, « Les biscuits s'invitent au petit-déjeuner », 23 mai 2001, pp. 64-68.

16. Paul Lukas, « First : Read Column, Rinse, Repeat », *Fortune*, août 1998, p. 50.

17. *Capital*, « Seb à toute vapeur », décembre 2001, pp. 34-38.

18. Sun Zi, *L'Art de la guerre* (Paris : Flammarion, 1972) ; les préceptes essentiels de Sun Zi sont présentés dans un contexte marketing par Jean-François Boss, « Le positionnement », dans *Clientèles-cibles et positionnement des produits et des marques* (Paris ; IREP, 1973) ; Carl von Clausewitz, *De la guerre* (Paris : Éditions de Minuit, 1955) ; Liddell Hart, *Mémoires* (Paris : Fayard, 1970).

19. Voir Philip Kotler et Ravi Singh, « Marketing Warfare in the 1980s », *Journal of Business Strategy*, hiver 1981, pp. 30-41 ; voir également Al Ries et Jack Trout, *Le Marketing guerrier* (Paris : McGraw-Hill, 1987).

20. *Pittsburgh Post-Gazette*, « Leader of the Pack », 1er avril 2000.

21. *LSA*, « Les produits WC portés par l'innovation », 16 mai 2002, pp. 60-62 et « Les produits pour lave-vaisselle se valorisent », 4 avril 2002, pp. 76-78.

22. Voir Delphine Manceau, « Les effets des annonces préalables de nouveaux produits sur le marché », *Recherche et Applications en Marketing*, 1996, n° 3, pp. 39-56.

23. Voir Michael Porter, *Choix stratégiques et concurrence*, (Paris : Economica, 1987), chap. 4.

24. La part de marché relative se mesure souvent par la part de marché exprimée par rapport aux trois principaux concurrents. Exemple : si une entreprise détient 30 % d'un marché où ses trois compétiteurs ont respectivement 20, 10 et 10 %, sa part de marché relative est de 75 % (30/40).

25. Voir Bernard Catry et Michel Chevalier, «Part de marché et rentabilité», *Le Management*, déc. 1973, pp. 47-51 ; et Robert D. Buzzell et Bradley T. Gale, *The PIMS Principles : Linking Strategy to Performance* (New York : Free Press, 1987).

26. Voir Richard G. Hamermesh, M. J. Anderson Jr. et J. E. Harris «Quand les plus petits sont les plus rentables», *Harvard L'Expansion*, automne 1978, pp. 78-79 ; Carolyn Y. Woo et Arnold C. Cooper, «Réussir sans être leader», *Harvard L'Expansion*, printemps 1983, pp. 6-14.

27. John D. C. Roach, «From Strategic Planning to Strategic Performance : Closing the Achievement Gap» (New York : Booz, Allen, Hamilton, 1981), p. 22. La courbe en V s'appuie sur le chiffre d'affaires comme indicateur de la part de marché et la marge nette comme mesure de rentabilité. Michael Porter dans son ouvrage : *Choix stratégiques et concurrence*, soutient la même position.

28. Paul Bloom et Philip Kotler, «Dominer un marché ne suffit pas», *Harvard L'Expansion*, automne 1978, pp. 97-103.

29. Voir également Robert D. Buzzell et Frederik D. Wiersema, «Successful Share-Building Strategies», *Harvard Business Review*, janv.-févr. 1981, pp. 135-144.

30. «La percée de TPS, le challenger», *Management*, février 2000, pp. 17-20.

31. Les chiffres indiqués correspondent aux parts de marché en valeur 1999. *Source :* Sécodip, *Le Marketing Book 2000*, (Paris : Secodip, 2000).

32. «La mode est aux marques d'enseignes», *Les Echos*, 16 juin 1998, p. 47.

33. *Management*, «Fly, le copieur sachant (bien) copier», décembre 2001, pp. 26-28

34. «Yoplait, le petit futé du yaourt», *Capital*, septembre 1999, pp. 32-35.

35. *USA Today*, «Sun Rises on Java's Promise : CEO Mc Nealy Sets Sights on Microsoft», 14 juillet 1997, p. B1 ; *Business Week*, «A Java in Every Pot ? Sun aims to make It the Language of All Smart Appliances», 27 juillet 1998, p. 71 ; *Forbes*, «Solar Power», 22 janvier 2001, p. 82.

36. «Business World : On a Happier Note, Orange Juice», *Wall Street Journal*, 23 septembre 1998, p. A23 et «Pepsico to acquire quaker for $14 Billion», *Washington Post*, décembre 2000, p. E-01.

37. Theodore Levitt, «Innovative Imitation», *Harvard Business Review*, sept.-oct. 1966, p. 63. Voir également Emmanuelle Le Nagard-Assayag et Delphine Manceau, «Faut-il être le premier à lancer une innovation ? Une analyse de l'avantage du pionnier», A. Bloch et D. Manceau, *De l'idée au marché - Innovation et lancement de produits* (Paris : Vuibert, 2000, pp. 11-28) ; Steven P. Schnaars, *Managing Imitation Strategies : How Later Entrants Seize Markets from Pioneers* (New York : Free Press, 1994).

38. David Gotteland, «Comment surpasser l'avantage du premier entrant», *Décisions marketing*, septembre-décembre 2000, n° 21, pp. 7-14 et Delphine Manceau et Emmanuelle Le Nagard-Assayag, «L'avantage du pionnier sur Internet : pépite d'or ou poignée de sable ?», *actes de la conférence de l'Association française du marketing*, 2002.

39. Voir Christian Blanckaert, *Les Chemins du luxe* (Paris : Grasset, 1996).

40. *LSA*, «Bridel : l'art d'être challenger», 10 octobre 2002, p. 36-37.

41. *Capital*, «Porsche se déchaîne», juillet 2002, pp. 44-47.

42. Voir Carolyn Woo et Arnold Cooper, *op. cit.*

43. Voir Donald K. Clifford et Richard E. Cavanagh, *Guérilla pour la croissance* (Paris : InterÉditions, 1987).

44. Voir Ralph Biggadike, *Entering New Markets : Strategies and Performance* (MSI, 1977) pp. 12-20. Voir également Gregory S. Carpenter et Kent Nakamoto, «Competitive Strategies for Late Entry into a Market with a Dominant Brand», *Management Science*, octobre 1990, pp. 1268-1278.

# Segmenter le marché et choisir les cibles

DANS CE CHAPITRE, NOUS
RÉPONDRONS À DEUX
QUESTIONS :

- Comment une entreprise
  peut-elle identifier les segments
  qui composent le marché ?

- Selon quels critères doit-elle choisir
  ses marchés-cible ?

> « Il ne faut pas acheter
> la part de marché
> mais se donner les moyens
> de la conquérir. »

Une entreprise admet généralement ne pouvoir s'adresser à tous les acheteurs potentiels. Ceux-ci sont trop nombreux, dispersés et hétérogènes dans leurs attentes et leurs modes d'achat. Aussi, a-t-elle souvent intérêt, plutôt que de commercialiser ses produits tous azimuts, à rechercher un ou plusieurs sous-marchés qui semblent attractifs et compatibles avec ses objectifs et ressources. L'entreprise reconnaît alors différents segments et développe un marketing ciblé à l'aide de produits spécifiquement adaptés. Ainsi, le groupe Fiat commercialise-t-il sous ses marques Fiat, Lancia, Alfa Roméo et Ferrari des automobiles destinées à des publics différents.

La mise en place d'un marketing de ciblage suppose une démarche en trois temps : segmentation-ciblage-positionnement.

1. Il faut d'abord découper le marché en sous-ensembles homogènes significatifs et accessibles à une action marketing spécifique ; l'entreprise identifie alors les critères selon lesquels le marché sera analysé et étudie les profils des segments ainsi engendrés (segmentation).

2. Il faut ensuite évaluer l'attrait relatif de chaque segment et choisir ceux sur lesquels l'entreprise concentrera ses efforts (ciblage).

3. Il faut enfin concevoir une offre adaptée à la cible choisie et développer le mix marketing correspondant (positionnement).

Nous examinerons, dans le présent chapitre, les deux premières phases, tandis que le positionnement sera étudié au chapitre suivant.

## La segmentation

Un marché est fait d'acheteurs et les acheteurs diffèrent par bien des aspects. On peut donc segmenter un marché de nombreuses manières. Nous examinerons successivement : les niveaux, les configurations, les procédures et les critères de segmentation d'un marché (grande consommation ou industriel) ainsi que les conditions d'une segmentation efficace.

### Les niveaux de segmentation d'un marché

La démarche de segmentation s'oppose, dans son principe, au marketing de masse. Lorsqu'elle pratique un tel marketing, l'entreprise s'engage dans une production uniforme destinée à un marché considéré du point de vue de ses ressemblances plutôt que ses différences. Nul mieux qu'Henry Ford n'a su exprimer cette philosophie lorsqu'il déclara que les clients pouvaient choisir, pour son fameux modèle T, n'importe quelle couleur pourvu qu'elle fût noire.

L'argument traditionnellement avancé en faveur du marketing de masse est qu'il permet un élargissement du marché grâce à un prix réduit résultant d'économies d'échelles obtenues en matière de production et de distribution.

Cependant, l'émiettement progressif des phénomènes de consommation semble incompatible avec cette approche. Selon Regis McKenna :

> *« Les consommateurs [...] veulent certes un produit adapté à leurs besoins. Mais ils souhaitent aussi que l'entreprise leur montre qu'elle reconnaît leur individualité, dans tous les contacts qu'elle a avec eux[1] ».*

De par la prolifération des médias publicitaires et des canaux de distribution, il est aujourd'hui difficile et coûteux de s'adresser à une audience de masse (voir encadré 10.1 sur la cible des ménagères de moins de 50 ans). Certains experts annoncent la fin du marketing de masse. De plus en plus d'entreprises adoptent l'une des approches suivantes.

---

**10.1**

 **La ménagère de moins de 50 ans : un mythe dépassé ou une réalité qui reste d'actualité ?**

La ménagère de moins de 50 ans a longtemps été la cible des entreprises de grande consommation. Qu'en est-il aujourd'hui, à l'heure du micro-marketing et de la remise en cause du marketing de masse ?

Cette cible est indéniablement hétérogène :

♦ On distingue la ménagère avec enfants de celle qui vit dans un foyer avec trois adultes ou plus (un ou plusieurs enfants adultes habitant toujours chez leurs parents). Les médias regardés et les modes de consommation différent.

♦ Plus encore, les fabricants de produits d'entretien établissent une distinction entre les ménagères actives, qui recherchent des produits permettant d'expédier au plus vite les corvées du ménage, et les femmes au foyer qui se sentent valorisées par le caractère laborieux de certaines tâches. Ce qui constitue un argument de communication pour les unes ne séduit pas les autres.

♦ Le seuil de 50 ans semble extrêmement discutable puisqu'il ne correspond pas toujours au départ des enfants du foyer et encore moins à la fin de l'activité professionnelle.

Ainsi, de nombreuses marques (Nivéa, Garnier, Mamie Nova et tant d'autres) définissent aujourd'hui leurs cibles en termes beaucoup plus précis liés à des tranches d'âges très fines et à des critères de comportement et d'attitude.

Pourtant, les poids lourds de la grande consommation font toujours référence à la macro-cible que constitue la ménagère de moins de 50 ans. Le directeur du marketing du Petit Marseillais indique que «80 % de ses investissements sont en direction de la ménagère avec enfants car la marque a plus de 30 % de taux de pénétration dans les foyers français et c'est elle notre consommatrice ». Le chef de groupe Pliz et Canard WC (groupe Johnson) explique : «Qui est responsable du ménage au foyer ? Ce sont à 88 % des femmes comme ce sont également elles qui procèdent aux achats du ménage. Concernant la catégorie des lingettes attrape-poussière dans laquelle entre la gamme Pliz, on sait que ces produits sont achetés à 60 % par des femmes de moins de 50 ans. Il est logique que nous nous adressions à elles. »

Cette cible persiste donc en raison de son pouvoir de décision et de son potentiel de consommation. En outre, sa définition large est cohérente avec l'utilisation du média de masse qu'est la télévision. Elle répond à la stratégie du «qui peut le plus, peut le moins ». Et, compte tenu de la forte consommation de télévision des seniors, elle permet également de toucher... les ménagères de plus de 50 ans !

---

*Source :* adapté de «La ménagère de moins de 50 ans continue de balayer large», *Marketing magazine*, 1er février 2002, pp. 61-64.

CHAPITRE 10
Segmenter
le marché
et choisir
les cibles

293

**MARKETING SEGMENTÉ** ❖ Par opposition au marketing de masse, un *marketing segmenté* met l'accent sur les différences qui opposent certains groupes de consommateurs à d'autres. L'entreprise ne cherche pas à faire du sur-mesure mais s'efforce de reclasser ses clients en unités d'analyse homogènes. Par exemple, un fabricant de montres peut offrir des modèles distincts pour hommes, femmes et enfants.

♦ Un *segment de marché* est un groupe de clients qui partagent les mêmes désirs face au produit.

L'entreprise doit alors identifier quels segments existent sur le marché, choisir lequel viser et développer une offre pertinente. Le marketing segmenté permet donc d'affiner produits et services en les adaptant davantage aux clients visés. Ce faisant, l'entreprise peut pratiquer des prix plus élevés, mieux préciser ses choix en matière de distribution et de communication (*via* le marketing direct par exemple) et avoir moins de concurrents immédiats qui visent le même segment.

Anderson et Narus recommandent aux firmes de proposer une *offre flexible* aux clients d'un même segment. Celle-ci comporte deux éléments : une *configuration de base,* qui rassemble les attributs attendus par tous les clients et des *options,* que seuls certains clients apprécient[2]. Par exemple sur ses vols domestiques, Air France offre des boissons non alcoolisées, mais le champagne est payant.

**MARKETING DE NICHE** ❖ Dans le cas où les cibles choisies sont très spécifiques et de petite taille, on parle souvent de *marketing de niche*[3]. Une niche est un segment étroit aux besoins spécifiques. Elle sera jugée attractive si : les clients sont prêts à payer un prix plus élevé pour un produit qui répond à leurs attentes ; l'entreprise réduit ses coûts en se spécialisant ; la niche offre un potentiel de rentabilité et de croissance. Alors que les segments ont souvent une taille importante et attirent plusieurs concurrents, les niches sont suffisamment restreintes pour, en général, n'être ciblées que par une ou deux entreprises (voir encadré 10.2).

■ **NABAB.** Cette filiale de la Société générale, créée en décembre 2000, est un intermédiaire entre une banque de réseau et une banque de gestion de patrimoine puisqu'elle ne propose pas de compte courant, mais seulement des placements avec un dépôt minimal de 10 000 euros. Sa cible ? Les actifs aisés et urbains qui ne veulent pas consacrer de temps à la gestion de leur argent et qui refusent tout comportement ostentatoire en la matière. Autrement dit, les «bourgeois bohèmes», les «bo-bo», avec un objectif de 10 000 clients en deux ans[4].

**MARKETING PERSONNALISÉ** ❖ Le *marketing personnalisé* (également appelé marketing *one-to-one* ou marketing individualisé) représente une étape supplémentaire en ce qu'il reconnaît qu'en définitive, chaque client est unique et mérite d'être traité séparément. L'idée n'est pas vraiment nouvelle. Le tailleur, le jardinier ou encore le conseiller fiscal l'ont toujours pratiqué. Dans certains secteurs du luxe (joaillerie, haute couture, maroquinerie) ou pour les grands projets industriels, il reste monnaie courante. La *personnalisation de masse*[5] consiste à offrir à l'échelon industriel des produits ou services spécifiquement adaptés à chaque client. En voici quelques exemples :

■ **SCANIA.** En adoptant il y a quelques années, un système de production entièrement modulaire, le constructeur suédois de poids lourds jouit aujourd'hui d'une flexibilité de production incomparable qui lui permet de s'adapter aux souhaits de chacun de ses clients. En assemblant différemment les nombreux composants, Scania pourrait, théoriquement, proposer plus d'un million de configurations différentes alors qu'il commercialise moins de 50 000 camions par an.

## Le succès de PME allemandes : un marketing de niche

L'économie allemande compte plus de 300 000 PME (connues sous le nom de Mittelstand) qui, au total, représentent les deux tiers du produit national brut et emploient quatre Allemands sur cinq. Bien qu'il s'agisse d'entreprises qui emploient moins de 500 personnes, elles détiennent souvent une part de marché majoritaire. Hermann Simon les appelle «champions cachés» car bien qu'elles soient n° 1 ou n° 2 de leur secteur, elles sont peu connues du public. Ainsi :

♦ Tetrafood détient 80 % du marché mondial des poissons tropicaux ;

♦ Hohner, 85 % du marché des harmonicas ;

♦ Becker, 50 % du marché des parapluies de très grande taille ;

♦ Steiner Optical, 80 % du marché des lunettes à usage militaire.

Ces entreprises opèrent sur des marchés stables. Il s'agit en général d'entreprises anciennes et familiales, au capital bien protégé. Leur succès tient en trois règles :

1. Ces entreprises sont très attachées à leurs clients auxquelles elles offrent des produits aux performances élevées, un service irréprochable et une livraison rapide (plutôt qu'un prix attractif).

2. Leur direction générale reste en contact étroit et régulier avec les clients les plus importants.

3. Elles ne cessent d'innover, cherchant toujours à accroître la valeur-client.

Les champions de l'ombre allient une spécialisation de produit à une large diversification géographique. Ils jouissent ainsi, auprès de leur niche, d'une excellente réputation.

*Source :* Hermann Simon, *Les Champions cachés de la performance* (Paris : Dunod, 1998).

■ **Nouvelles Frontières.** En étendant progressivement son contrôle sur les différentes composantes d'un voyage de vacances (transport aérien, hôtel, location de voitures, etc.), Nouvelles Frontières peut désormais promouvoir des vacances «à la carte» que chaque client peut composer à sa guise. Cette formule est à l'opposé de la recette «forfait tout compris» sur laquelle s'affrontent nombre de ses concurrents (Club Med, Fram, etc.)[6].

■ **L'assurance-vie.** Longtemps enfermés dans le cadre strict de la réglementation, les contrats d'assurance-vie sont aujourd'hui modulables à l'infini (durée, francs ou unités de compte, versements périodiques ou libres, etc.) et peuvent donc être adaptés à chaque cas individuel.

Les nouvelles technologies de l'information (banques de données, téléphones portables et surtout Internet) permettent d'aller encore plus loin dans la personnalisation (voir encadré 10.3).

## La configuration des segments d'un marché

Lorsqu'une entreprise pratique un marketing segmenté, elle peut être confrontée à plusieurs types de marchés. Si les préférences des clients sont représentées sous forme de points dans un espace-produit, ces points se distribuent, en général, selon l'une des trois configurations présentées à la figure 10.1.

♦ *Préférences homogènes.* La figure 10.1-A correspond au cas où tous les consommateurs ont des préférences à peu près semblables (ici en matière de goût et de couleur pour un produit alimentaire). On ne peut distinguer de segment

CHAPITRE 10
Segmenter
le marché
et choisir
les cibles

**10.3**

# Le marketing personnalisé à l'heure d'Internet

Certaines entreprises utilisent les nouvelles technologies pour adapter leurs produits aux souhaits de chaque client. Dell permet à chacun de configurer son micro-ordinateur. Cette stratégie existe également hors des activités high-tech.

■ **MATTEL.** Depuis 1998, les petites filles peuvent se connecter sur www.barbie.com et élaborer la poupée de leur rêve en choisissant la couleur de sa peau, de ses yeux, de ses cheveux, sa coiffure, ses vêtements, ses accessoires et son nom. Elles peuvent même indiquer ses goûts. La poupée est envoyée par la poste dans un paquet portant son nom et accompagnée d'un texte décrivant sa personnalité.

■ **LEVI'S.** Imaginez que vous entrez dans une cabine illuminée qui, en quelques secondes, prend vos mensurations précises. Ces données sont ensuite stockées sur votre carte de crédit et vous permettent d'acheter des vêtements sur mesure. Un consortium de plus de 100 entreprises, dont Levi's, a investi dans cette technologie susceptible de généraliser à terme le marketing vestimentaire *one-to-one*. Dès aujourd'hui, Levi's a lancé un nouveau concept de personnalisation du produit en magasin appelé Original Spin : chaque boutique dispose de 130 modèles de jeans pour chaque taille de hanche et chaque type de coutures intérieures.

■ **NATIONAL BICYCLE.** Cette société japonaise a mis en place le système de commande Panasonic qui permet à chacun d'obtenir une bicyclette spécialement adaptée à son anatomie. La société peut ainsi fabriquer plus de 11 millions de variantes de 18 modèles de base en 199 couleurs. Les prix vont de 500 à 1 000 euros et les délais sont d'environ deux semaines.

*Sources* : Erick Schonfeld, «The Customized Digitized, Have-It-Your-Way Economy», *Fortune,* 28 septembre 1998, pp. 115-24 ; Bruce Fox, «Levi's Personal Pair Prognosos Positive», *Chain Store Age,* mars 1996, pp. 35 ; Jim Barlow, «Individualizing Mass Production», *Houston Chronicle,* 13 avril 1997, p. E1 ; Sarah Schafer, «Have It Your Way», *Inc.,* 18 Novembre 1997, pp. 56-64 ; www.levistrauss.com ; Jim Christie, «Mass Customization : The New Assembly Line?» *Investor's Daily,* 25 février 2000 ; Susan Moffat, «Japan's New Personalized Production», *Fortune,* 22 octobre 1990, pp. 132-135.

naturel dans un tel marché, tout au moins à partir des deux attributs considérés. Les marques existantes sont alors proches les unes des autres et situées au centre du nuage de préférence. Le marché du sucre en morceaux présente ces caractéristiques.

**Figure 10.1**
Configurations des préférences d'un marché

**A. Préférences homogènes**

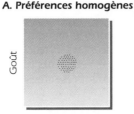

Couleur

**B. Préférences diffuses**

Couleur

**C. Préférences groupées**

Couleur

♦ *Préférences diffuses.* Tout au contraire, les préférences peuvent être disséminées sans qu'aucun regroupement ne soit possible (figure 10.1-B). Les consommateurs diffèrent profondément dans leurs exigences vis-à-vis du produit. Si une seule marque est présente, elle se positionne au centre, car c'est là qu'elle minimise les mécontentements. Si un concurrent attaque le marché, il pourra se placer auprès de la première marque et s'engager dans une bataille frontale pour la conquête de la clientèle. Ce fut, par exemple, la stratégie utilisée par Fuji vis-à-vis de Kodak sur le marché des pellicules photo. L'autre solution est de se placer à la périphérie, de façon à fidéliser une couche de clientèle qui ne se satisfait pas d'une marque moyenne. Ainsi, Ilford ne vend que des films perfectionnés et chers. Si de nombreuses marques sont présentes, elles se positionnent de façon relativement dispersée, afin de se différencier les unes des autres et d'attirer les consommateurs sur la base de ces différences. C'est le cas du marché des apéritifs.

♦ *Préférences groupées.* Une troisième configuration, intermédiaire, fait apparaître des groupes de préférence (figure 10.1-C). On parle alors de *segments naturels.* L'entreprise qui, la première, attaque un tel marché, a trois solutions : se positionner au centre, en espérant attirer tous les groupes ; se positionner uniquement sur le segment le plus important (*marketing concentré*) ; ou lancer plusieurs marques, chaque marque étant positionnée sur un segment différent. Il est clair que, si l'entreprise ne lance qu'une marque, la concurrence peut s'introduire sur le marché en lançant des marques correspondant aux autres segments.

## La procédure de segmentation

Certaines entreprises commencent par définir des critères de segmentation *a priori* avant de regrouper les acheteurs sur ces critères. Une banque peut par exemple considérer que les facteurs qui distinguent les clients sont leur niveau de revenu, leur patrimoine et leur âge. Si elle distingue cinq catégories sur chaque critère, cette démarche aboutit à $5 \times 5 \times 5 = 125$ segments distincts ! Tous ces segments ont-ils réellement des besoins, des attitudes et des comportements distincts ? À l'inverse, tous les individus identiques sur ces trois critères ont-ils tant de points communs ?

Pour répondre à ces questions et élaborer une segmentation véritablement pertinente, il est préférable de procéder en sens inverse : déduire les critères de segmentation de l'analyse des points communs entre clients ayant les mêmes attentes face à la catégorie de produit. La procédure la plus courante comporte trois étapes[7] :

**1. La phase d'enquête.** On entreprend une série d'entretiens ou de réunions de groupes avec des consommateurs afin de mieux comprendre leurs motivations, attitudes et comportements. À partir des données ainsi recueillies, on élabore un questionnaire portant sur les attributs des produits et leur importance relative ; la notoriété et l'image des différentes marques ; les habitudes d'utilisation des produits ; les habitudes à l'égard de la catégorie de produit ; les caractéristiques socio-démographiques, les profils psychographiques, ainsi que les habitudes d'exposition aux médias et de fréquentation des différents réseaux de distribution.

**2. La phase d'analyse.** Les données sont soumises à une *analyse factorielle* qui permet de réduire les variables redondantes et de mettre en évidence les dimensions sous-jacentes. Une *analyse typologique* permet ensuite de découvrir les différents segments. Ceux-ci doivent être aussi homogènes que possible et en même temps bien contrastés les uns par rapport aux autres.

**3. La phase d'identification.** Le profil de chaque segment est enfin défini à partir des attitudes, comportements et autres caractéristiques. On lui donne

CHAPITRE 10
Segmenter
le marché
et choisir
les cibles

297

souvent un nom à ce stade de l'analyse[8]. Par exemple, une étude internationale des perceptions du luxe a abouti à une typologie en quatre segments : 1) les élitistes ; 2) les démocrates ; 3) les anti ; et 4) les distants[9].

Chaque segment est alors décrit en détail : les élitistes, par exemple, sont très favorables aux produits de luxe, trouvent que le luxe est agréable et embellit la vie mais pensent que son accès doit être sélectif, ce qui, à leurs yeux exclut la production en grande série et la distribution en supermarché.

De telles typologies doivent être revues périodiquement car le marché évolue. L'une des façons les plus fructueuses de découvrir de nouveaux segments est d'analyser la hiérarchie des critères que les consommateurs utilisent dans leurs décisions d'achat. Considérons l'achat d'une automobile. Autrefois, les acheteurs étaient relativement fidèles aux marques et auraient donc choisi en priorité le constructeur, puis le modèle. Nous étions alors en présence d'un *marché de marques*. Aujourd'hui un acheteur peut décider d'abord du type de véhicule (monospace, 4 × 4, etc.), et du prix avant de se fixer sur un modèle. On parle de *marché de besoins*. Dans un tel marché, les marques ne se concurrencent pas forcément ; seules entrent en compétition celles qui s'efforcent de satisfaire les mêmes besoins. Il est essentiel, pour une entreprise, de bien comprendre la hiérarchisation des critères utilisés par la clientèle afin de choisir, en toute connaissance de cause, ses axes de développement[10].

## Les critères de segmentation des marchés de grande consommation

On regroupe les variables utilisées en deux catégories selon, qu'elles décrivent des *caractéristiques intrinsèques des consommateurs* (segmentation géographique, socio-démographique et psychographique) ou bien qu'elles expriment les *réponses* de ces derniers à la catégorie de produit concernée. Dans le second cas, on parle de critères de segmentation comportementaux (situations d'achat, avantages recherchés, mode d'utilisation...)[11]. Les principaux critères utilisés en pratique et leurs déclinaisons sont présentés dans le tableau 10.1.

**LA SEGMENTATION GÉOGRAPHIQUE** ❖ Une segmentation géographique consiste à découper le marché en différentes unités territoriales : pays, régions, départements, villes, quartiers. L'entreprise fait généralement l'hypothèse que le potentiel ainsi que les coûts d'exploitation commerciale varient d'une unité à l'autre. Elle détermine en conséquence les unités dans lesquelles elle souhaite s'implanter. Ainsi, les points de vente Casino sont surtout présents dans la moitié sud de la France tandis que Leclerc et Auchan sont, respectivement, plus forts dans l'Ouest et dans le Nord. Les critères géographiques sont pertinents dans des activités aussi variées que la presse quotidienne (régionale), les produits de jardinage (selon le type d'habitat) ou les boissons (selon le climat).

**LA SEGMENTATION SOCIO-DÉMOGRAPHIQUE** ❖ Une segmentation socio-démographique repose sur des critères tels que l'âge, le sexe, la taille du foyer, le revenu, le niveau d'éducation, le cycle de vie familial, l'appartenance religieuse, la nationalité, la catégorie socioprofessionnelle (CSP), la classe économico-sociale ou la classe sociale. Les variables socio-démographiques ont longtemps été les critères les plus fréquemment utilisés pour segmenter un marché. À cela deux raisons : d'une part, les désirs des consommateurs ou les niveaux d'utilisation des produits sont souvent étroitement associés à ces caractéristiques ; d'autre part, ces variables sont relativement faciles à mesurer. Illustrons-les brièvement.

| CRITÈRES | VENTILATIONS USUELLES |
|---|---|
| **Géographiques** | |
| Région | Île-de-France, Bassin parisien, Nord-Est, Ouest, Sud-Ouest, Centre Est, Méditerranée (zones d'études et d'aménagement du territoire). Régions Nielsen, régions UDA, régions Programme (20), régions Sécodip. |
| Type d'habitat | Habitat rural/habitat urbain ; centre ville/banlieue. |
| Tranches d'agglomération | Moins de 2 000 h, de 2 000 à 4 999, de 5 000 à 9 999, 10 000 à 19 999, de 20 000 à 49 999, de 50 000 à 99 999, de 100 000 à 499 999, de 500 000 à 999 999, 1 000 000 et plus, agglomération parisienne. |
| Climat | Septentrional/méridional, océanique/continental. |
| **Socio-démographiques** | |
| Âge | Moins de 6 ans, 6 à 11 ans, 12 à 17 ans, 18 à 24 ans, 25 à 34 ans, 35 à 49 ans, 50 à 64 ans, 65 à 75 ans, 75 ans et plus. |
| Sexe | Masculin, féminin. |
| Taille du foyer | 1, 2, 3-4, 5 et plus. |
| Cycle de vie familial | Jeune, célibataire ; jeune, marié, sans enfants ; jeune, marié, au moins 1 enfant de moins de 6 ans ; âgé, marié, avec enfants ; âgé, marié, tous les enfants âgés de plus de 18 ans ; âgé, célibataire ; autres. |
| Revenu annuel | Moins de 10 000 euros ; 10 000 à 14 999 ; 15 000 à 19 999 ; 20 000 à 30 000 ; 30 000 à 50 000 ; 50 000 à 100 000 ; plus de 100 000. |
| Catégorie socio-professionnelle | Agriculteurs, petits patrons, cadres et professions intellectuelles supérieures, professions intermédiaires, employés de service, ouvriers qualifiés, ouvriers non qualifiés, inactifs. |
| Niveau d'éducation | Aucun diplôme ou certificat d'études, CAP-BEP, BEPC, BAC et Bac Pro, BAC+2, diplômes supérieurs. |
| Religion | Catholique, protestant, juif, musulman, autres. |
| Nationalité | Allemands, Américains, Anglais, Espagnols, Français, Japonais, etc. |
| Classe économico-sociale | A, B, C, D (classification Sécodip) : A : aisée (15 % de la population) ; B : moyenne supérieure (30 %) ; C : moyenne inférieure (40 %) ; D : modeste (15 %). |
| Génération | Baby-boomers, génération X, Y... |
| **Psychographiques** | |
| Style de vie | Égocentrés, décalés, activistes, recentrés matérialistes, recentrés rigoristes (classification CCA). |
| Personnalité | Autoritaire, introverti, ambitieux, etc. |
| **Comportementaux** | |
| Situations d'achat | Situation spéciale, situation ordinaire. |
| Avantages recherchés | Économie, commodité, prestige. |
| Statut d'utilisateur | Non-utilisateur, ex-utilisateur, utilisateur potentiel, premier utilisateur, utilisateur régulier. |
| Niveau d'utilisation | Petit utilisateur, utilisateur moyen, gros utilisateur (par exemple la classification GMP de Sécodip). |
| Fidélité à la marque | Nulle, moyenne, forte, totale. |
| Relation au produit | Ne le connaît pas, en connaît l'existence, est informé sur lui ; est intéressé par lui ; est désireux de l'acquérir ; a l'intention de l'acheter. |

**Tableau 10.1**
Principaux critères de segmentation pour les marchés de grande consommation

**L'âge et le cycle de vie.** Les désirs et les ressources des consommateurs évoluent avec l'âge. Même les bébés de six mois ont des besoins différents de ceux d'un an. Les fabricants de jouets ont ainsi développé toute une gamme d'articles allant de la naissance jusqu'à l'adolescence.

■ FISCHER-PRICE intègre dans sa gamme le «mobile musical», de la naissance à douze mois, le «tableau de découverte» de trois à dix-huit mois, le «Snoopy sniffer», de deux à six ans, l'«alphaprobe», navette spatiale électronique, de quatre à neuf ans et l'avion en bois à assembler, à partir de six ans. Une telle segmentation permet aux parents et amis de choisir des cadeaux adaptés à chaque âge.

Le cycle de vie repose sur l'identification des grandes phases de l'existence :

> «*Dans la France des Trente Glorieuses, la vie suivait un rythme à trois temps : enfance et adolescence : la formation ; âge adulte : la vie active et le mariage ; troisième âge : la retraite. Aujourd'hui la vie n'a plus trois âges mais cinq. D'une part, entre la fin de l'adolescence et le début de l'âge adulte existe désormais, pour la majorité des jeunes, une période d'incertitude sociale (difficulté d'insertion dans la vie active) et familiale (prolongement du célibat et concubinage). D'autre part, les cessations précoces d'activité créent une nouvelle classe de «jeunes retraités», souvent désireux de s'employer utilement[12].*»

Pourtant, la segmentation par âge et cycle de vie ménage parfois des surprises. Des produits réservés aux enfants sont parfois consommés par les adultes. Les fraises Tagada en sont un exemple, au même titre que de nombreux produits attirant les nostalgiques de l'enfance. De même, certaines personnes âgées de 70 ans consomment nombre de voyages, loisirs et articles sportifs, alors que d'autres ont un mode de vie très routinier.

En outre, des individus ayant le même âge peuvent vivre des *étapes* différentes de leur existence liées à des préoccupations spécifiques : mise en ménage, naissance du premier enfant, divorce, achat d'un nouveau logement, par exemple, modifient radicalement les modes de consommation et les critères de choix de nombreux produits et services, quel que soit l'âge auquel ces étapes surviennent. Certaines entreprises choisissent leur cible en fonction de ces étapes-clés.

**Le sexe.** La segmentation selon le sexe est traditionnellement utilisée pour les vêtements, la coiffure, les cosmétiques ou les magazines. Parfois, certaines entreprises découvrent de nouvelles opportunités. Ainsi, Clarins a lancé une ligne de cosmétiques pour hommes.

■ DE BEERS. Cette société s'est engagée depuis de nombreuses années dans des campagnes «Diamant pour homme» : «Au départ, explique le directeur de l'agence JWT, lorsque De Beers nous a demandé d'étudier le marché masculin, on était un peu sceptique. Le diamant était tellement rattaché à la femme qu'on ne voyait pas bien, *a priori*, comment un homme pourrait accepter d'en porter un. En France, un homme qui porte un bijou est soit un macho, sous-entendu un maquereau, soit un efféminé, sous-entendu un homo. Nous avons choisi de valoriser l'homme porteur de bijou en lui montrant qu'il n'avait pas à en avoir honte vis-à-vis de lui-même, ni vis-à-vis de son entourage, à la fois masculin et féminin.» La campagne De Beers France a été si réussie que les filiales européennes l'ont, pratiquement toutes, reprise à leur compte[13].

**Le revenu.** La segmentation en fonction du revenu est peut-être la plus ancienne en marketing, notamment pour des produits tels que l'immobilier, les voyages ou les automobiles. En même temps, le revenu ne permet pas toujours de bien prédire le comportement d'achat. Ainsi on pourrait croire que des voitures telles que les Mercedes ou les BMW sont réservées aux personnes disposant de revenus élevés, alors que la Ford Fiesta ou la Twingo ne s'adressent qu'aux tranches de revenus modestes. Il n'en est rien. De nombreux foyers à haut revenu achètent des Fiesta ou des Twingo (souvent à titre de seconde ou même de troisième voiture), tandis qu'un nombre important de Mercedes et de BMW sont achetées par des membres de classes de revenu inférieur ou moyen (notamment artisans et petits commerçants). Les automobiles de bas de gamme ne sont pas achetées par les plus pauvres, mais plutôt par ceux qui se considèrent comme tels par rapport à leurs aspirations sociales. Inversement, les véhicules haut de gamme sont achetés par les individus les plus privilégiés au sein de chaque classe sociale.

**La catégorie socioprofessionnelle, la classe économico-sociale et la classe sociale.** La structure sociale de la France a été présentée au chapitre 7. Nous avons montré que la classe sociale exerçait une forte influence sur les préférences des individus en matière d'automobiles, de vêtements, de meubles, de loisirs, de pratiques culturelles, ou encore de fréquentation des points de vente.

En France, on assiste depuis une vingtaine d'années à une recomposition sociale. Les notables d'hier (médecins, enseignants, certaines professions libérales, hommes politiques...) ont perdu une partie de la considération et des privilèges dont ils jouissaient. Certains métiers, par contre, se sont revalorisés dans la mesure où ils se sont avérés indépendants et rentables (journaliste, restaurateur, garagiste, expert-comptable, etc.). De ce fait, la classe moyenne, née de la prospérité économique, a tendance à se dissoudre.

**La génération.** Toute génération est influencée par la période pendant laquelle elle grandit. Chaque cohorte véhicule sa propre expérience et ses propres valeurs. Ainsi, les baby-boomers, nés entre 1945 et 1955, ont été marqués par mai 1968 et sont hédonistes. La génération suivante, née entre 1955 et 1965, a été marquée par la crise ; elle est moins optimiste que ses aînés. La génération X, née entre 1965 et 1975 a grandi pendant la crise et connu son émancipation sexuelle à l'heure du SIDA ; elle privilégie aujourd'hui la vie personnelle par rapport aux objectifs de carrière et développe une vision critique de la publicité. La génération Y, née après 1975, apprécie beaucoup les médias et les nouvelles technologies ; elle développe une vision optimiste de l'avenir et valorise la réussite sociale et professionnelle[14].

Le critère générationnel est de plus en plus utilisé par les entreprises et les publicitaires pour déterminer les icônes et les valeurs à mettre en scène selon la cible visée. Il influence par exemple les réactions à la présence des thèmes tabous dans les campagnes, les jeunes de la génération Y étant peu choqués par la mise en scène du sexe et de la mort, à l'inverse des « quadras » et surtout des seniors[15].

**LA SEGMENTATION PSYCHOGRAPHIQUE** ❖ Un troisième mode de segmentation fait intervenir les critères psychographiques. Ces critères se rapportent au style de vie des individus, à leurs valeurs et leur personnalité. Des personnes aux mêmes caractéristiques socio-démographiques peuvent présenter des différences considérables sur chacun de ces traits.

**Le style de vie et les valeurs.** Des termes tels que « golden boys, snobs, femmes d'intérieur » font référence à des styles de vie et à des valeurs (voir encadré 10.4).

Depuis une vingtaine d'années, les hommes de marketing s'intéressent beaucoup à la segmentation à partir des styles de vie ; ils conçoivent des modèles spécifiques de leur gamme pour des segments identifiés en ces termes et étudient les possibilités de lancement de nouveaux produits.

Ainsi, en France, une étude du marché de la lecture a permis d'identifier neuf groupes homogènes quant à leurs attitudes : 1) les « privilégiés » ; 2) les « hésitants » ; 3) les « faux acheteurs » ; 4) les « modestes » ; 5) les « vieux indivi-

CHAPITRE 10
Segmenter
le marché
et choisir
les cibles

301

## Une segmentation mondiale à partir des valeurs

Roper Reports a interviewé à domicile un échantillon de 1 000 consommateurs dans 35 pays. Les personnes interrogées devaient ranger 56 valeurs en fonction de l'importance qu'elles revêtent pour guider leurs vies. Roper a identifié six valeurs présentes, à divers degrés, dans chaque pays.

♦ *Les dynamiques.* C'est le groupe le plus important (22 %). Il se compose davantage d'hommes que de femmes et accorde beaucoup d'importance aux valeurs matérielles et aux objectifs professionnels. Il représente jusqu'à un adulte sur trois dans les pays émergents d'Asie et un quart de la population russe.

♦ *Les dévots* (22 %) rassemblent plus de femmes que d'hommes. Ils privilégient le devoir et la tradition. Les dévots sont bien représentés au Moyen-Orient et en Afrique. Ils sont moins nombreux en Europe occidentale et dans les pays asiatiques les plus développés.

♦ *Les altruistes* (18 %), un groupe légèrement plus féminin que masculin, sont d'abord intéressés par les questions sociales et le bien-être collectif. Ce groupe tend à être plus âgé (44 ans en moyenne) que les autres. Il est très présent en Amérique latine et en Russie.

♦ *Les intimistes* (15 %) valorisent les relations interpersonnelles proches et la famille par-dessus tout. Ce sont aussi souvent des hommes que des femmes. Ils représentent le quart de la population en Amérique ou en Europe, contre 7 % seulement en Asie.

♦ *Les hédonistes* (12 %) correspondent au groupe le plus jeune avec un peu plus d'hommes (54 %) que de femmes. Ils sont très nombreux en Asie.

♦ *Les créatifs* (10 %) s'intéressent à l'éducation, à la connaissance et à la technologie. Ils sont nombreux en Amérique du Sud et en Europe occidentale et intègrent autant de femmes que d'hommes.

Selon Roper, les membres des différents segments ont des activités différentes, achètent des produits différents et s'exposent à des médias différents. Connaître les segments qui prévalent dans un pays aide les responsables marketing à mieux cibler leurs efforts.

*Source :* Adapté de Tom Miller, « Global Segments from "Strivers" to "Creatives" », *Marketing News,* 20 juillet 1998, p. 11.

dualistes » ; 6) les « actifs pressés » ; 7) les « téléspectateurs retraités » ; 8) les « paresseux » ; 9) les « suiveurs ». De même, une étude du marché des vacances a abouti à la classification suivante : 1) les non-partants (33 %) ; 2) les petits partants familiaux (24 %) ; 3) les « débrouillards conviviaux » (15 %) ; les résidents « blanc-bleu » (5 %), les résidents « verts » (8 %) et les GM économes (15 %).

Aujourd'hui, des banques, des fabricants de cosmétiques, des brasseries ont déjà utilisé avec succès la segmentation par les styles de vie[16]. En même temps, certaines entreprises découvrent que cette variable n'est pas toujours appropriée. Nestlé, par exemple, a essayé en vain de lancer un café décaféiné spécialement destiné aux « couche-tard ».

**La personnalité.** Les responsables marketing ont également utilisé les variables de personnalité pour segmenter leurs marchés. Le plus souvent, ils se sont efforcés d'associer à leur produit *une personnalité de marque* (identité de marque) qui soit en accord avec *la personnalité du consommateur* (image de soi) : la compétence (Hewlett Packard), la jeunesse d'esprit et la rébellion (Levi's), l'enthousiasme (Nike)[17]...

■ **Whirlpool.** Cette marque d'électroménager a procédé à une segmentation des consommatrices européennes en six types définis ainsi :
- Les «superwomen» (18 % en France, 10 % en Grande-Bretagne, 28 % en RFA). Elles tiennent à la perfection en toute chose : leur travail, leurs enfants, leur propre personne et leur maison.
- Les «expérimentales» (19 % en France, 9 % en Grande-Bretagne, 15 % en RFA). Elles adorent l'innovation et le changement. Très peu fidèles aux marques, elles considèrent la nouveauté en soi comme une motivation d'achat.
- Les «mamans confiture» (16 % en France, 11 % en Espagne, 21 % en Italie). Vivant plutôt dans les régions rurales, elles conservent dans leurs congélateurs les fraises et les haricots de leur jardin.
- Les «anti-surgelés» (8 % en France, 4 % en RFA, 21 % en Italie). Traditionalistes, elles mettent un point d'honneur à acheter tous les jours des produits frais au marché.
- Les «mères au foyer» (28 % en France, 41 % en Grande-Bretagne, 18 % en RFA). Mères traditionnelles, leur mari et leurs enfants passent avant tout. Dans leurs achats, elles recherchent systématiquement le bon rapport qualité/prix.
- Les «décontractées» (11 % en France, 19 % en Espagne, 13 % en RFA). Filles de mères au foyer, elles en partagent certaines valeurs mais accordent plus d'importance à leur bien-être personnel. Plutôt que de suivre la mode, elles cherchent leur propre style[18].

La société Whirlpool a ultérieurement décidé de se concentrer sur les deux derniers groupes.

LA SEGMENTATION COMPORTEMENTALE ❖ La segmentation fondée sur les comportements consiste à découper le marché des consommateurs en groupes homogènes du point de vue de leurs connaissances, attitudes et expériences à l'égard d'un produit ou de la catégorie à laquelle il appartient. De nombreux responsables marketing pensent que de tels critères fournissent le meilleur point de départ pour une démarche de segmentation. La Société générale a ainsi adopté cette approche (voir encadré 10.5).

---

**10.5**

 **La Société générale, un exemple de segmentation comportementale**

À la Société générale, les marchés sont déterminés en fonction :
- du comportement bancaire du client ;
- de la connaissance du client et de certains éléments de sa situation financière actuelle ou future.

Ainsi, il existe trois grands types de clientèle :

♦ La clientèle **patrimoniale** (environ 50 000 personnes) est celle disposant d'avoirs en titre à la Société Générale pour un montant très élevé, ou ayant des mouvements créditeurs très importants.

♦ Le portefeuille **bonne gamme** (environ 420 000 personnes) est composé de clients qui sont parvenus à une certaine maturité financière ou patrimoniale.

♦ Enfin, la clientèle **grand public** est subdivisée en plusieurs portefeuilles :
- le *vivier*, composé de clients en phase de constitution de patrimoine (environ 780 000 personnes) ;
- le *cœur du grand public*, constitué de près de 1,8 million de clients ;
- le secteur dit à *valoriser*, constitué de 400 000 clients fortement consommateurs de crédits, ayant peu d'épargne et utilisant les moyens de paiement de manière excessive.

À chaque segment correspond une approche commerciale différente.

*Source : SOGECHOS, n° 87, octobre 1993.*

Segmenter
le marché
et choisir
les cibles

303

**La situation d'achat ou de consommation.** On peut identifier des segments sur la base des situations ou occasions d'achat concernant un produit[19]. Ainsi, le marché des transports aériens peut être segmenté en vacanciers, clientèle d'affaires et voyageurs familiaux. De même, le marché des communications téléphoniques se divise en communications commerciales et appels privés. Une segmentation à partir des situations d'achat et de consommation permet souvent de réfléchir à des extensions de positionnement.

■ LE COGNAC. Cette boisson est surtout consommée en tant que digestif. Des études ayant montré que certains individus en consommaient également en apéritif, sous forme de *long drinks*, une campagne interprofessionnelle a été organisée autour de ce thème (« Offrez des glaçons à votre Cognac »)[20].

On peut enfin utiliser certains événements (naissance, retraite, fêtes) pour segmenter un marché. Dans le luxe, on isole ainsi le marché des fêtes de fin d'année, qui représente un poids important dans les ventes totales. En bijouterie, on analyse aussi séparément le marché de la St-Valentin ou celui de la fête des Mères.

**Les avantages recherchés dans le produit.** Pour un même produit, les motivations d'achat peuvent être fort diverses. L'entreprise peut alors choisir la motivation sur laquelle elle désire mettre l'accent, puis créer un produit susceptible de la satisfaire, et enfin adresser un message spécifique au groupe de clients qui recherche l'avantage correspondant[21].

■ MOBIL. Même les automobilistes qui achètent de l'essence recherchent des avantages différents. À partir d'études de marché, Mobil a identifié cinq segments distincts aux États-Unis : 1) les spécialistes de la route (16 % des clients) qui recherchent les meilleurs produits et un service de qualité ; 2) les pressés (27 %), qui souhaitent un service rapide assorti éventuellement d'une possibilité de se restaurer en temps record ; 3) les stressés (16 %), qui veulent des produits de marque et un service fiable ; 4) les pratiques (21 %), qui privilégient la practicité et 5) les économes, qui recherchent le plus bas prix et qui, de façon surprenante pour un produit aussi standard que l'essence, ne représentent que 20 % des clients. Mobil a décidé de se concentrer sur les segments les moins sensibles au prix en proposant des toilettes propres, des lieux d'accueil bien éclairés, des boutiques bien aménagées et un service amical. Malgré un prix légèrement supérieur, les ventes ont augmenté de 20 à 25 %. En France, Total a adopté un positionnement similaire, centré sur l'accueil et les services[22].

**Le statut d'utilisateur.** De nombreux marchés peuvent être segmentés en non-utilisateurs, anciens utilisateurs, utilisateurs potentiels, utilisateurs occasionnels et utilisateurs réguliers du produit. Une société leader s'intéresse particulièrement aux utilisateurs potentiels, alors qu'un challenger s'efforce d'attirer des utilisateurs réguliers vers sa marque. Utilisateurs potentiels et utilisateurs réguliers nécessitent un type d'effort commercial différent. Dans le domaine du marketing social, par exemple, les organismes de lutte contre la drogue font très attention au statut d'utilisation. Ils dirigent l'essentiel de leurs efforts vers les jeunes qui sont des utilisateurs potentiels et s'efforcent de les convaincre des dangers de la drogue. D'autre part, ils mettent en place des programmes de désintoxication destinés à aider les utilisateurs réguliers à se débarrasser de leurs pratiques. Enfin, ils font appel à d'anciens utilisateurs pour témoigner du succès de ces programmes.

**Le niveau d'utilisation.** Un grand nombre de marchés sont également segmentés en faibles, moyens et gros utilisateurs. Les gros utilisateurs sont souvent peu nombreux, mais représentent un pourcentage important du volume consommé (voir figure 10.2 pour un exemple sur le café). Pour que cette segmentation soit utilisable, il faut que les gros utilisateurs d'un produit aient certaines caractéristiques communes et les mêmes habitudes de lecture et d'écoute des médias.

Dans le domaine du marketing social, les organismes chargés de défendre une cause d'intérêt général sont souvent confrontés au «dilemme des gros utilisateurs» : ceux qui sont les plus concernés sont les moins réceptifs à une contre-argumentation. La Prévention routière devrait, par exemple, concentrer ses efforts sur les mauvais conducteurs; mais ceux-ci offrent une grande résistance aux messages en faveur d'une meilleure conduite.

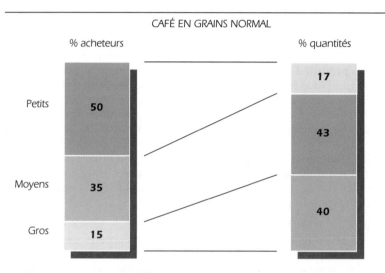

CAFÉ EN GRAINS NORMAL

**Figure 10.2**
Un exemple
de segmentation
selon le niveau
d'utilisation

Petits acheteurs : moins de 6 kilos par an (moyenne : 4,6 kilos), soit un paquet de 250 g toutes les 3 semaines.
Moyens acheteurs : de 6 à 13,5 kilos (moyenne : 10 kilos), soit 1 paquet tous les 10 jours.
Gros acheteurs : plus de 13,5 kilos (moyenne : 21 kilos), soit 2 paquets par semaine.

*Source :* Bernard Pinet, *Les Panels* (Paris : Dunod, 1981).

**Le statut de fidélité.** Ce critère exprime le degré de fidélité qu'un utilisateur éprouve à l'égard d'une marque, d'une enseigne ou d'une entreprise; il va de zéro à l'infini. On trouve en effet toujours des acheteurs qui sont exclusivement fidèles à une marque (Lesieur) ou à un endroit (la Côte d'Azur pour les vacances). Par contre, d'autres ne cessent de changer[23].

En général, une entreprise s'efforce d'identifier les caractéristiques de son noyau de fidèles de façon à pouvoir concentrer ses efforts sur des clients potentiels présentant des caractéristiques similaires. Cependant, la notion même de fidélité n'est pas sans ambiguïté et ce qui apparaît comme tel s'explique parfois par d'autres facteurs. Supposons qu'un consommateur ait choisi la marque B au cours des sept derniers achats. Sa chronique BBBBBBB, semble indiquer une préférence intrinsèque pour le produit; elle peut, en réalité, refléter une habitude, une indifférence, un prix intéressant, ou simplement le fait que d'autres marques n'étaient pas disponibles. De même, la séquence BBBBAAA, qui semble indiquer un changement de fidélité, peut simplement refléter le fait que le point de vente a abandonné la marque B, que le consommateur a changé de magasin ou qu'il a acheté A en raison d'une réduction promotionnelle. Une continuité dans une chronique d'achat ne constitue donc pas la preuve d'une fidélité à une marque. Dans ses analyses,

CHAPITRE 10
Segmenter
le marché
et choisir
les cibles

305

la société Nielsen distingue les exclusifs (BBBBB), les alternants (BABBA) et les occasionnels (AABAA).

Chaque segment présente un intérêt particulier :

♦ En étudiant ses exclusifs, une entreprise peut identifier ses forces. Colgate, par exemple, a découvert que les fidèles de sa pâte dentifrice avaient tendance à appartenir aux classes moyennes, aux familles nombreuses et étaient relativement soucieux de leur santé.

♦ En étudiant ses alternants, elle peut mieux comprendre sa concurrence. Si beaucoup d'acheteurs de Colgate achètent également Signal, Colgate ajustera son positionnement en conséquence.

♦ En étudiant ses occasionnels, enfin, elle peut découvrir ses faiblesses et y porter remède. Elle peut aussi mieux comprendre les circonstances qui font qu'un client se tourne, même occasionnellement, vers elle.

**La relation au produit.** Pour un produit donné, il existe enfin une certaine distribution des individus en fonction des différentes étapes de leur progression vers l'achat : il y a ceux qui ignorent tout du produit, ceux qui en connaissent simplement l'existence ; ceux qui sont relativement bien informés à son propos ; ceux que le produit intéresse ; ceux qui sont désireux de l'acquérir et, enfin, ceux qui ont l'intention de l'acheter dans un avenir proche. La répartition des clients entre ces différentes catégories est d'une importance capitale pour l'élaboration d'un plan d'action marketing. D'une façon générale, il est clair que le plan d'action doit être adapté à la répartition de la clientèle entre les différentes étapes du processus d'achat.

LA SEGMENTATION MULTI-CRITÈRES ❖ Dans de nombreux cas, le responsable marketing souhaite utiliser deux ou trois critères de segmentation en même temps. Supposons, par exemple, en se limitant aux seuls critères socio-démographiques, qu'un fabricant de meubles désire segmenter son marché et que les études de clientèle lui révèlent l'importance de trois critères : l'âge du chef de famille, la taille du foyer et le niveau de revenu. En croisant ces critères, on peut définir différents segments dont l'entreprise peut déterminer la rentabilité. Pour ce faire, il faut estimer, dans chaque cas, le nombre de foyers, le niveau moyen d'achat et l'intensité de la concurrence. On peut ensuite combiner entre elles ces données, de façon à estimer la valeur globale du segment.

■ **LES CYBERMARCHÉS.** Les supermarchés en ligne ont d'abord défini leur cible en fonction de caractéristiques socio-démographiques : les couples de citadins bi-actifs et aisés avec enfants. Cependant, en analysant ce marché, les responsables du cabinet Dia-Mart ont conclu que ces variables ne suffisaient pas. Les acheteurs les plus assidus ont un profil psycho-sociologique particulier : «une mère de famille qui veut que tout soit parfait aussi bien dans sa vie professionnelle que familiale, qui manque cruellement de temps, qui culpabilise de ne pas en consacrer plus à sa famille et considère les courses comme ennuyeuses[24]». Cette description intègre à la fois des critères psychologiques (style de vie, personnalité) et comportementaux (avantages recherchés, niveau d'utilisation).

Aujourd'hui, l'une des segmentations les plus efficaces semble être celle qui combine les facteurs géographiques et les facteurs socio-démographiques. C'est l'essence même du «géomarketing» (voir encadré 10.6).

## La segmentation des marchés industriels

Les marchés industriels peuvent être segmentés en fonction des critères géographiques et comportementaux étudiés précédemment, mais on peut aussi

# Le géomarketing, un outil de segmentation en développement

Les centres Leclerc de Wattrelos et Templeneuve ont choisi d'adosser le principe d'un bon d'achat différé à une base de données marketing, en offrant des remises à des porteurs de cartes dont on connaît le nom, la composition du foyer, le type d'habitation, la catégorie socioprofessionnelle et les coordonnées postales. Le ticket Leclerc, application directe du géomarketing, était né. Il a ensuite été généralisé à de nombreux magasins, le groupement Leclerc proposant à ses adhérents un pack géomarketing pour les grandes surfaces situées dans les grandes agglomérations. Son adossement à une solution de traitement de données et d'analyse géomarketing a été riche d'enseignements pour le directeur du magasin de Wattrelos :

♦ Il a permis de mieux cerner la zone de chalandise, d'augmenter le trafic et le panier moyen.

♦ Il a aidé à la redéfinition de la zone de chalandise lors de l'agrandissement du magasin.

♦ Il a provoqué des économies sur la distribution de prospectus : au lieu d'« arroser » tous azimuts, le détaillant a pu mieux cibler les envois et suivre les résultats chaque semaine ; les envois sont ainsi passés de 50 000 à 35 000 dépliants tout en s'accompagnant de taux de retour à deux chiffres. Avec une augmentation des frais de campagne de 18 %, le chiffre d'affaires du magasin a progressé de 30 %.

Le géomarketing repose sur l'analyse des caractéristiques sociodémographiques et comportementales des habitants qui occupent un territoire géographique donné (domicile ou lieu de travail) ou qui y passent. Il repose sur un SIG (système d'information géographique).

Les premières entreprises utilisatrices ont été les banques pour les choix d'implantation de leurs agences. Aujourd'hui, ces techniques sont fortement utilisées par les opérateurs de téléphonie, la grande distribution et les compagnies d'assurance pour faire leurs choix d'implantation, analyser leur zone de chalandise, rechercher de nouveaux clients potentiels et concevoir des campagnes de communication locale ciblées. Les médias comme l'affichage et le cinéma ont également recours à ces techniques :

♦ Ils cherchent à mieux localiser leurs supports publicitaires (panneaux) afin de leur assurer une certaine audience et une certaine affinité avec la cible visée : ainsi, France Rail Publicité, la régie de la SNCF, étudie régulièrement les déplacements des voyageurs pour identifier les meilleures gares et les meilleurs panneaux dans les gares selon la cible visée.

♦ Le géomarketing permet également de mieux structurer l'offre en proposant des assemblages de panneaux selon la cible visée.

♦ Il fait la preuve de la performance d'un réseau et permet d'augmenter les prix des espaces publicitaires : ainsi, le géomarketing a convaincu certains distributeurs de la proximité de leur zone de chalandise avec les bassins d'attraction cinématographique des multiplexes et les a orienté vers ce média publicitaire qu'ils délaissaient jusque-là.

Techniquement, la mise en œuvre du géomarketing repose sur l'intervention de trois types d'acteurs : 1) les fournisseurs de bases de données cartographiques comme l'IGN, - TéléAtlas ou Navetech proposent des plans de rues détaillés et numérisés, qui peuvent être associés avec des données économiques et démographiques comme celles de l'Insee ou de Consodata ; 2) les éditeurs de systèmes d'informations géographiques, comme Esri, Clavitas ou Géoconcept, réalisent les cartes ; 3) les prestataires de services.

Certains intervenants font figure d'intégrateurs et proposent aux entreprises des solutions clés-en-main. Par exemple, Géopotentiel, un outil développé en partenariat par ACNielsen, LSA et B&B Market, permet aux acteurs de la grande distribution d'identifier le chiffre d'affaires théorique du magasin, sa part de marché théorique, le chiffre d'affaires théorique de sa zone de chalandise et un indice de demande par foyer pour 80 catégories de produit. Autre exemple, Maporama propose une solution géocentrique choisie par Optic 2000 pour permettre

CHAPITRE 10
Segmenter
le marché
et choisir
les cibles

307

à ses clients de trouver le magasin le plus proche sur son site Internet. D'autres firmes développent leurs outils en interne. Par exemple, le réseau de contrôle technique Dekra-Veritas consulte la carte grise de chaque véhicule qui passe ; il peut ainsi analyser d'où viennent ses clients et mieux connaître sa zone de chalandise.

Cependant, certains critiquent aujourd'hui le manque de fiabilité et l'obsolescence des informations constitutives des entrepôts de données, fondés en partie sur des informations déclaratives divulguées par les consommateurs. Les bases d'adresses se dégradent également du fait des déménagements qui concernent chaque année 12 % des Français. Autre limite, le coût élevé des investissements nécessaires à la mise en place d'un tel système, qui peut parfois atteindre le demi-million d'euros. Ces coûts devraient toutefois baisser du fait du développement des mégabases de données et de la diffusion d'informations par Internet.

*Sources :* Karine Gallopel et Gérard Cliquet, « Géomarketing et espace publicitaire », *Décisions marketing,* avril-juin 2002, n° 26, pp. 47-54 ; « Géomarketing : un terme contesté pour un marché bien réel », *Marketing magazine,* 1er janvier 2002, pp. 43-48 ; « Les centres Leclerc deviennent des adeptes du géomarketing », *Marketing magazine,* 1er octobre 2001, p. 16 ; « Passez au géomarketing pour gagner des clients », *Management,* juin 2001, pp. 46-50.

faire appel à d'autres variables[25]. Shapiro et Bonoma (voir figure 10.3) ont classé les différents critères de segmentation en cinq rubriques :

1. *L'environnement de la firme :* les critères les plus utilisés sont alors le secteur industriel, la taille de l'entreprise, sa situation géographique.
2. *Les paramètres d'exploitation prédominant chez le client :* sa technologie, ses capacités techniques et financières.
3. *Les méthodes d'achat :* sa structure d'achat, ses politiques, critères, etc.
4. *Les facteurs conjoncturels :* degré d'urgence de la commande, type d'application.
5. *Les caractéristiques personnelles des acheteurs :* attitude à l'égard du risque, fidélité, etc.

**Figure 10.3**
La segmentation des marchés industriels : une approche « imbriquée »

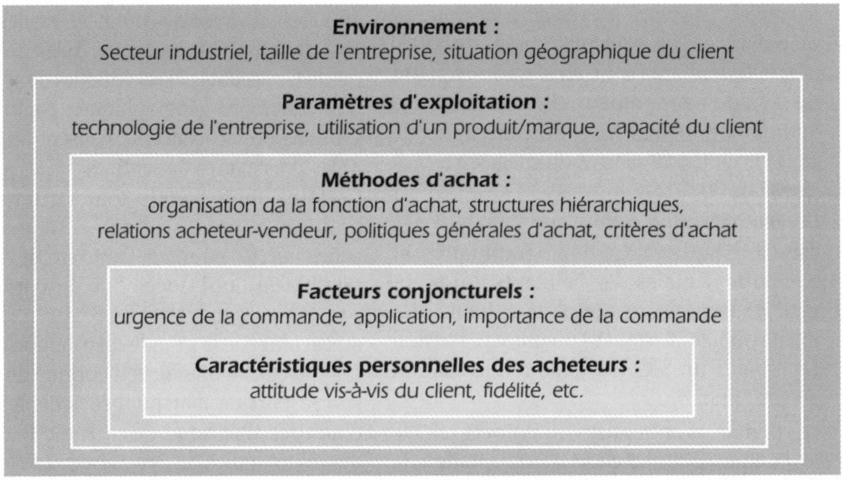

**Environnement :**
Secteur industriel, taille de l'entreprise, situation géographique du client

**Paramètres d'exploitation :**
technologie de l'entreprise, utilisation d'un produit/marque, capacité du client

**Méthodes d'achat :**
organisation da la fonction d'achat, structures hiérarchiques, relations acheteur-vendeur, politiques générales d'achat, critères d'achat

**Facteurs conjoncturels :**
urgence de la commande, application, importance de la commande

**Caractéristiques personnelles des acheteurs :**
attitude vis-à-vis du client, fidélité, etc.

*Source :* Benson P. Shapiro et Thomas V. Bonoma, « La Segmentation des marchés industriels », *Harvard L'Expansion,* automne 1984, pp. 37-45.

Pour Shapiro et Bonoma, tous ces critères sont « imbriqués » les uns dans les autres : plus on se rapproche de la zone centrale, plus les critères sont pertinents, mais plus ils deviennent difficiles à mesurer[26].

Pour choisir les critères les plus appropriés, on peut mettre en place une démarche en deux temps : d'abord, on identifie les *macrosegments* définis par des caractéristiques telles que :

– le secteur d'activité du client ;
– la taille du client ;
– le rythme et le volume d'utilisation ;
– la localisation géographique.

Au sein de chaque macrosegment, on distingue ensuite des *microsegments* en fonction de :

– la procédure d'achat adoptée ;
– l'influence dominante au sein du centre d'achat ;
– le degré d'utilisation actuel du produit (utilisateurs réguliers, occasionnels, nouveaux utilisateurs) ;
– les avantages recherchés ;
– l'importance accordée au produit.

Cette segmentation en deux temps est fréquente. Illustrons-la à l'aide de l'exemple suivant[27] :

■ LES PME FACE AUX ÉTUDES. Une société d'études française a procédé à une « double segmentation » du marché des PME face à l'offre d'information. En utilisant trois critères susceptibles d'expliquer le comportement de la PME face à l'information (taille de l'entreprise ; secteur d'activité « classique » ou au contraire « émergent » ; rayon d'action régional, national ou international), on obtient douze macrosegments dont les attentes sont différentes, notamment aux extrémités de l'arbre de segmentation, ce qui justifie une spécialisation des opérateurs de l'information (Chambres de Commerce, cabinets privés, etc.) à leur égard. Le second niveau de segmentation, plus délicat, consiste à isoler un (ou plusieurs) macrosegment(s) particulièrement important(s) pour l'opérateur, par exemple, les PME « régionales » de moins de 50 salariés opérant dans des secteurs « classiques ». Cette cible, dont la population des grossistes régionaux donne un exemple, bénéficie dans un premier temps de services d'information spécialement adaptés à ses problèmes. Puis, on opère une deuxième décomposition, fondée cette fois sur le degré de sensibilisation du PDG aux problèmes d'information, mesuré, par exemple, à travers le nombre de demandes d'informations adressées à l'opérateur. Plusieurs utilisations de cette microsegmentation sont possibles, par exemple l'implantation d'une installation télématique connectant la PME à des banques de données de l'opérateur.

Les besoins des acheteurs industriels varient aussi en fonction des avantages recherchés liés au degré d'avancement du processus d'achat. On peut ainsi distinguer[28] :

♦ *Les prospects* qui n'ont encore jamais acheté et qui préfèrent un vendeur qui comprend leur activité, qui explique bien les choses et en qui ils peuvent avoir confiance.

♦ *Les novices* qui commencent à acheter et souhaitent des manuels clairs, une assistance téléphonique, un bon niveau de formation et des vendeurs compétents.

♦ *Les experts* qui, achetant souvent, veulent un service rapide, une offre personnalisée et un support technique efficace.

De tels segments ont également leurs circuits de distributeurs privilégiés. Tandis que les novices souhaitent s'adresser à un vendeur de l'entreprise, les experts au contraire, peuvent préférer les moyens électroniques.

CHAPITRE 10
Segmenter
le marché
et choisir
les cibles

309

Rangan, Moriarty et Swartz ont étudié des marchés banalisés tels que l'acier et ont conclu à l'existence de quatre segments[29] :

♦ *Les planificateurs*. Pour eux le produit n'est pas très important et ils l'achètent de façon routinière sans attendre beaucoup de service et sans discuter le prix. Ce segment peut être très rentable.

♦ *Les partenaires*. Le produit est assez important pour eux et ils connaissent bien l'offre concurrente. Ils obtiennent de petites réductions et un certain niveau de service. Il s'agit du deuxième segment par sa rentabilité.

♦ *Les commerçants*. Le produit est très important à leurs yeux. Ils sont sensibles au prix et au service. Ils n'hésiteront pas à se tourner vers la concurrence s'ils espèrent obtenir de meilleurs prix.

♦ *Les négociateurs*. Ils veulent les meilleurs prix possibles et le service le plus performant. Ils achètent des volumes importants et discutent âprement les conditions proposées. Ce sont les clients les moins rentables pour l'entreprise.

Une telle segmentation permet à une entreprise opérant sur un marché banalisé de mieux ajuster son offre et ses conditions[30].

Rackham et Vincentis ont proposé un schéma de segmentation qui détermine des approches de vente distinctes :

♦ les clients à la recherche du meilleur prix (vente transactionnelle);

♦ les clients à la recherche de solutions qui valorisent le conseil et les avantages perçus (vente-consultation);

♦ les clients à la recherche de valeur stratégique qui veulent coinvestir avec le fournisseur et travailler ensemble (approche relationnelle).

Les auteurs évoquent plusieurs cas d'entreprises qui analysent mal l'acheteur. Un fabricant de packaging a promu ses vendeurs en les nommant «consultants en packaging», alors que 90 % des clients achetaient selon un schéma transactionnel; l'entreprise a fait faillite et été rachetée par un concurrent. Une société de conseil a remplacé ses consultants par des vendeurs afin de favoriser la vente rapide de contrats; ils ont acquis de nombreux clients nouveaux mais perdu la plupart des anciens qui recherchaient de la vente-consultation[31].

## Les conditions d'une segmentation efficace

À l'évidence, il existe de très nombreuses façons de segmenter un marché. Tous les segments identifiés ne sont pourtant pas significatifs. Il serait de peu d'utilité par exemple de segmenter le marché du sel de table selon le sexe ou la religion des consommateurs, ceux-ci ayant des attitudes très homogènes vis-à-vis de l'achat du produit. Une segmentation efficace doit assurer :

**1. La possibilité de mesure.** Elle porte sur deux niveaux : la taille et le pouvoir d'achat des segments (combien y a-t-il de consommateurs aux caractéristiques définies ?) et le rattachement des acheteurs donnés à un segment (dispose-t-on des informations nécessaires pour savoir à quel segment un individu donné appartient ?).

**2. Le volume.** Les segments doivent être suffisamment vastes et/ou rentables pour justifier l'élaboration d'une stratégie marketing spécifique.

**3. La possibilité d'accès.** L'entreprise doit pouvoir effectivement diriger ses efforts commerciaux vers les segments choisis.

**4. La pertinence.** Les segments doivent être réellement différents les uns des autres du point de vue de la variable étudiée et réagir différemment aux actions marketing envisagées.

**5. La faisabilité pour l'entreprise.** Une PME peut identifier correctement les différents segments d'un marché sans pouvoir en tirer parti du fait de ses ressources limitées.

## Le ciblage

La segmentation permet de mettre en évidence le degré d'hétérogénéité d'un marché. L'entreprise doit ensuite évaluer les différents segments et choisir ceux sur lesquels elle fera porter son effort.

### L'évaluation des différents segments du marché

Toute entreprise qui segmente son marché est confrontée au problème de l'estimation de la valeur d'exploitation de chacun des segments. Deux facteurs sont à considérer : le degré d'attrait du segment et les objectifs et ressources de l'entreprise.

Nous avons au chapitre 4 examiné tous les facteurs (taille, croissance, rentabilité, économies d'échelle, niveau de risque, etc.) qui, collectivement, déterminent l'attrait d'un marché. Nous pouvons bien entendu nous poser toutes ces questions à propos de l'un quelconque de ses segments.

Par ailleurs, certains segments doivent être abandonnés non parce qu'ils sont intrinsèquement mauvais mais parce qu'ils ne correspondent pas aux objectifs de l'entreprise ou à ses ressources. Chaque segment possède ses propres facteurs-clés de succès. Idéalement, il faudrait que les compétences distinctives de l'entreprise lui permettent de disposer sur le segment d'un avantage concurrentiel qui lui assure une position privilégiée et défendable.

### Le choix des segments

À l'issue de l'analyse, l'entreprise doit déterminer les segments qu'elle décide d'attaquer, c'est-à-dire sa cible. La figure 10.4 identifie cinq stratégies de couverture d'un marché :

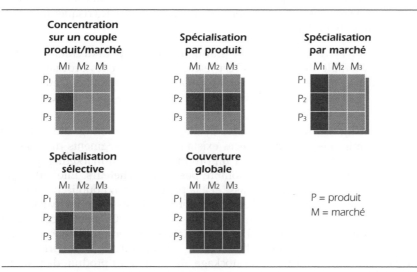

**Figure 10.4**
Cinq stratégies de couverture de marché

*Source :* Adapté de Derek F. Abell, *Defining the Business : The Starting Point of Strategic Planning*, (Englewood Cliffs, N.J. : Prentice Hall, Inc., 1980), pp. 192-196.

**LA CONCENTRATION** ❖ La première stratégie consiste à *se concentrer* sur un couple produit/marché. Ainsi, Rolls Royce Automobiles ne s'intéresse qu'au seul marché des voitures de luxe et Porsche aux voitures de sport.

En optant pour un *marketing concentré*, l'entreprise acquiert une forte position sur les segments choisis en raison d'une meilleure connaissance des besoins particuliers à ces segments et d'une réputation de spécialiste. De plus, elle réalise d'importantes économies du fait qu'elle peut spécialiser sa production, sa distribution et sa communication. Si le segment de marché est bien ciblé, elle peut obtenir un taux élevé de rentabilité sur ses investissements.

En même temps, une stratégie de marketing concentré présente des risques. Le segment choisi peut se tarir, ou bien un concurrent peut décider de s'implanter. Lorsque la laiterie St-Hubert s'est lancée sur le marché du yaourt au bifidus (sous la marque BA), de nombreux concurrents sont apparus peu après et la marque a finalement été cédée (à Besnier). Pour toutes ces raisons, de nombreuses sociétés préfèrent diversifier leurs activités sur plusieurs segments.

**LA SPÉCIALISATION PAR PRODUIT** ❖ Dans ce cas, l'entreprise se concentre sur un type de produit destiné à plusieurs segments. Par exemple, un fabricant spécialisé dans les microscopes pour laboratoires, diversifie sa gamme en proposant des microscopes à usage scolaire mais se refuse à commercialiser d'autres instruments. À l'aide de cette stratégie, le fabricant devient un véritable spécialiste du microscope. Le danger essentiel est lié à une obsolescence du produit.

**LA SPÉCIALISATION PAR MARCHÉ** ❖ Le choix est inverse du précédent. Au lieu de se limiter aux microscopes, notre fabricant se lance dans les oscilloscopes, les étuves, etc., mais en se concentrant sur les laboratoires, à l'exclusion des autres clients. Il se construit une réputation vis-à-vis de ses clients mais accroît sa vulnérabilité à la santé économique du segment choisi.

**LA SPÉCIALISATION SÉLECTIVE** ❖ C'est une forme hybride de segmentation : on choisit certains produits pour certains marchés en fonction d'opportunités particulières, par exemple à l'occasion de rachats successifs. Une telle stratégie multi-segments a pour avantage de réduire les risques inhérents à un produit ou à un marché.

**LA COUVERTURE GLOBALE** ❖ Enfin, une société peut décider de s'attaquer à l'ensemble du marché. C'est le cas d'IBM pour les ordinateurs, de L'Oréal dans l'hygiène beauté, ou de Renault en automobile. Deux stratégies sont alors envisageables : le *marketing indifférencié* ou le *marketing différencié*.

**Le marketing indifférencié.** Une stratégie de marketing indifférencié consiste à minimiser les différences existant entre les segments du marché. L'entreprise s'efforce de concevoir un produit et un plan marketing qui permettent d'attirer le plus grand nombre possible d'acheteurs. Elle fait appel aux circuits de distribution de masse et à la publicité grand public, en utilisant des thèmes universels. Le marketing indifférencié se justifie principalement à partir des économies d'échelle qu'il permet de réaliser. On peut le considérer comme l'équivalent commercial de la standardisation en production. Grâce à la limitation de la gamme et à l'uniformité de la publicité, l'entreprise minimise les coûts de fabrication, de stockage, de gestion du produit, de production publicitaire et d'études de marché. Elle peut répercuter une partie de ces économies sur son niveau de prix.

**Le marketing différencié.** Une stratégie de marketing différencié consiste à exploiter au moins deux segments du marché et à concevoir des produits et programmes d'actions distincts pour chaque segment. Ainsi depuis la Twingo jusqu'à l'Espace, Renault s'efforce de proposer une voiture pour chaque niveau d'utilisation. En offrant des produits variés et un marketing diversifié, cette société espère réaliser un chiffre d'affaires plus élevé et obtenir une meilleure présence d'ensemble. Elle estime qu'une proposition solide dans plusieurs segments renforce l'idée que les consommateurs se font de la spécialisation de l'entreprise dans la catégorie de produits générique. Enfin, elle fait en sorte que les produits offerts soient conçus en fonction des désirs du client, et non l'inverse.

En même temps, une telle stratégie augmente les coûts, notamment :

♦ *Les coûts de modification du produit.* Le fait de modifier un article en vue de répondre aux exigences de différents segments entraîne, en général, des frais de recherche et développement, d'engineering et/ou d'usinage.

♦ *Les coûts de production.* D'une façon générale, il est plus coûteux de fabriquer 10 unités de 10 produits différents que 100 unités d'un seul produit. Cela est d'autant plus vrai que le délai de mise en route de fabrication est long et les séries de production limitées.

♦ *Les coûts administratifs.* Une entreprise qui pratique un marketing différencié doit élaborer des plans distincts pour chaque segment. Cela entraîne des coûts accrus d'études de marché, de prévision et d'analyse des ventes, de contact avec les circuits de distribution...

♦ *Les coûts de stockage.* Il est généralement plus coûteux, à volume égal, de gérer le stock de plusieurs produits que de gérer un stock unique.

♦ *Les coûts de communication.* La pratique du marketing différencié pousse l'entreprise à atteindre les différents segments grâce aux médias publicitaires les plus appropriés à chaque cas. Cela entraîne une utilisation plus faible de chaque support, moins propice aux discounts. De plus, chaque segment peut nécessiter une création publicitaire ou promotionnelle spécifique.

Étant donné que le marketing différencié conduit à une augmentation des ventes, mais aussi des coûts, on ne peut guère se prononcer sur la valeur a priori d'une telle stratégie. Aujourd'hui, certaines entreprises considèrent qu'elles ont sursegmenté leur offre. Elles souhaiteraient gérer moins de marques, chaque marque attirant un groupe plus large de clients. Ainsi, les dirigeants d'Unilever ont amorcé la suppression de 1 200 des 1 600 marques exploitées dans le monde. Critères retenus : une notoriété mondiale et une place de numéro un ou deux dans chaque pays. De même L'Oréal a identifié douze marques mondiales réalisant 1 milliard de chiffre d'affaires. Phas, jugée non stratégique a été abandonnée et ses produits réintégrés au sein de la gamme La Roche Posay[32].

Trois autres facteurs doivent être pris en compte dans l'évaluation et le choix des segments. Ils tiennent : aux considérations éthiques, aux plans de conquête progressifs et aux synergies intersegment.

**Les facteurs éthiques.** Parfois, le choix des cibles entraîne des controverses[33]. On reproche ainsi à certaines entreprises de tirer parti de groupes vulnérables (par exemple les enfants ou les personnes âgées). L'encadré 10.7 présente quelques exemples.

**Les plans de conquête progressifs.** Même si l'entreprise a l'intention de conquérir plusieurs segments, il est souvent sage de n'en pénétrer qu'un seul à la fois et de dissimuler ses plans. La figure 10.5 illustre le cas des applications informatiques à usage des compagnies de transport – aériennes,

CHAPITRE 10
Segmenter
le marché
et choisir
les cibles

313

## Pour un ciblage « éthique »

Au fil des années, certains secteurs d'activité ont fait l'objet de critiques pour avoir choisi de s'adresser à des groupes de consommateurs particulièrement vulnérables. Par exemple, l'industrie des céréales s'est vue reprocher ses pratiques publicitaires qui mettent en avant des personnages sympathiques pour promouvoir leurs produits auprès des enfants. On a même parfois proposé d'interdire toute forme de publicité s'adressant à eux, notamment pour les produits qui leur sont prioritairement destinés (jouets, friandises). En France, une législation sévère réglemente la mise en scène d'enfants dans les publicités télévisées.

De même, certaines sociétés de dépannage à domicile ont été critiquées pour facturer, notamment aux personnes âgées, des sommes importantes pour des travaux pas vraiment nécessaires, alors que plusieurs sociétés opérant à distance se sont fait condamner pour avoir proposé des offres d'emplois inexistantes, des remèdes miracles illusoires ou encore des concours « bidons », essayant ainsi de tirer avantage de la crédulité ou de la vulnérabilité de certaines couches de population.

En fait, la question centrale, d'un point de vue éthique, n'est pas de savoir *qui* est visé dans de telles actions mais *comment* on agit. Les sociétés socialement responsables préfèrent mettre en place des pratiques qui vont dans le sens des intérêts de la société dans son ensemble. Par exemple, la Caisse d'Épargne de l'Écureuil a ainsi récemment proposé une SICAV composée d'actions de sociétés choisies pour leur sens civique. De même, certains produits venus de pays lointains affichent des conditions de fabrication socialement acceptables, avec rémunération substantielle des producteurs locaux et absence de participation d'enfants au processus de fabrication. Ces produits « équitables » représentent un chiffre d'affaires de 18 millions d'euros en France en 2001, mais beaucoup plus en Europe du Nord.

*Source :* Voir « Les produits éthiques le sont-ils vraiment ? » *Capital*, février 2002, pp. 126-7 ; « Putting on a Fresh Face », *USA Today*, 3 janvier 1992 ; « Walking Up to a Major Market », *Business Week*, 23 mars 1992, pp. 70-93.

Pour d'autres exemples d'abus, voir *Le Livre blanc sur les arnaques de la consommation* (Paris : Ministère des Finances, octobre 1996).

ferroviaires et routières. La société A s'est focalisée sur les applications destinées au marché aérien ; la société B uniquement dans les applications générales, destinées à tous les transporteurs. La société C, récemment implantée, s'est spécialisée dans des applications dédiées à certains transporteurs routiers. Comment peut-elle se développer ? Le plan d'attaque de l'entreprise, inconnu des concurrents de C, est révélé à travers les flèches de la figure. L'entreprise C offrira dans un premier temps des applications adaptables, toujours à destination des transporteurs routiers puis s'intéressera aux compagnies ferroviaires. Son objectif à terme est d'entrer en concurrence directe avec B pour la conquête des transporteurs routiers.

La figure 10.5 illustre également le problème de la conquête d'un avantage concurrentiel. Qui dominera le marché des applications standard destinées aux compagnies aériennes ? Actuellement, les sociétés A et B s'affrontent, la première à partir de sa connaissance de la clientèle, la seconde à partir du type de produit concerné. C'est l'importance relative pour le client de chacune de ces compétences qui, à terme, décidera du vainqueur.

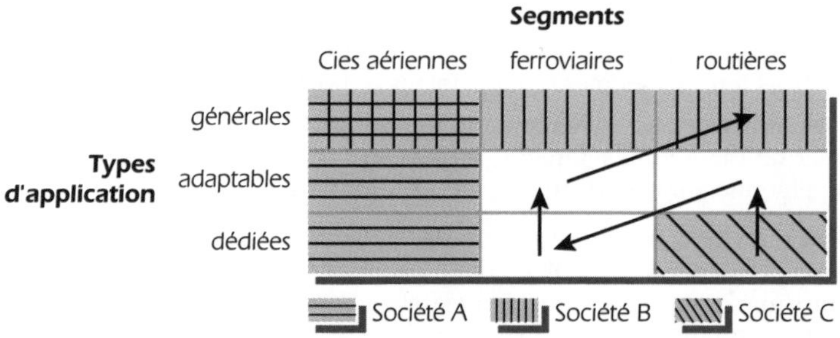

Figure 10.5
Un plan
de conquête
progressif

Figure 10.5 Un plan de conquête progressif

Peu de sociétés planifient à long terme leur attaque du marché. Une exception est Pepsi-Cola qui a préparé, pendant longtemps, son offensive contre Coca-Cola. Pepsi s'est d'abord attaqué au marché de l'achat en grandes surfaces, puis à celui des distributeurs automatiques et enfin au segment du fast-food.

En fait, à ce niveau, l'entreprise a besoin de mettre en place une stratégie de *mégamarketing* que l'on peut définir comme :

❖ Une coordination stratégique de l'ensemble des compétences économiques, intellectuelles, politiques ou relationnelles nécessaires à l'obtention de la coopération de tous les acteurs impliqués dans la conquête d'un marché[34].

■ **PEPSICO EN INDE.** Après que Coca-Cola a quitté le marché indien, Pepsi a mis en œuvre un megamarketing pour entrer sur ce marché. L'entreprise a collaboré avec un groupe local pour obtenir une approbation gouvernementale malgré les objections des fabricants de sodas locaux et de certains parlementaires indiens. Elle a proposé d'aider l'exportation de produits agricoles pour des volumes excédant les coûts d'importation du concentré de sa boisson. Elle a promis de favoriser le développement économique de certaines régions rurales et de transférer en Inde des technologies de traitement de l'eau et de fabrication de produits alimentaires. Elle a ainsi levé les réticences de nombreux groupes de pression.

**Les synergies inter-segment.** En général, la meilleure façon de planifier l'attaque de différents segments d'un marché consiste à nommer des «responsables de segment» ou «chefs de marché», dotés de toute l'autorité et de la compétence nécessaire. En même temps, les responsables de segment doivent garder à l'esprit qu'ils travaillent dans le but d'optimiser la performance globale de l'entreprise, ce qui nécessite des synergies interdépartementales comme le montre l'exemple suivant :

■ **BAXTER.** La société Baxter commercialise des produits et services à destination des hôpitaux. Chaque division avait pour habitude de facturer ses propres produits aux clients. Certains hôpitaux s'étant plaint des complexités administratives induites par de multiples facturations en provenance du même fournisseur, Baxter décida que dorénavant, toutes les factures seraient centralisées au siège et globalisées mensuellement pour chaque client.

CHAPITRE 10
Segmenter
le marché
et choisir
les cibles

315

## *Résumé*

1. Pour bien servir ses marchés, une entreprise doit mettre en œuvre une démarche en trois temps : segmentation, ciblage et positionnement.

2. De plus en plus d'entreprises s'éloignent aujourd'hui du marketing de masse pour pratiquer un marketing segmenté, au niveau du segment lui-même, de la niche, de la personne, ou encore au niveau intra-individuel.

3. Segmenter un marché consiste à le découper en sous-ensembles homogènes, chaque groupe pouvant raisonnablement être choisi comme cible à atteindre, à l'aide d'un mix marketing spécifique. Un marché peut être segmenté à l'aide de nombreux critères fondés sur les caractéristiques de la clientèle ou bien sur ses réactions par rapport à l'offre. Pour être véritablement féconds, les segments doivent être mesurables, volumineux, accessibles, pertinents et opératoires.

4. L'entreprise doit ensuite analyser l'attrait spécifique de chaque segment afin de mieux définir ses cibles ainsi que leur nombre. L'intérêt de viser un segment dépend de son attrait intrinsèque et des objectifs et ressources de l'entreprise. Une firme peut adopter différentes stratégies pour atteindre ses cibles : certaines choisissent d'ignorer la segmentation (marketing indifférencié), d'autres développent toute une variété de produits et de plans d'action adaptés aux différents besoins (marketing différencié), et d'autres encore décident de ne s'adresser qu'à un seul segment (marketing concentré).

5. Il faut, enfin, prendre en considération la dimension éthique du choix des cibles et tenir compte des plans de conquête progressifs du marché et des synergies intersegments.

## *Notes*

1. Regis McKenna, *En temps réel*, (Paris : Village Mondial, 1998), p. 66.

2. James C. Anderson et James A. Narus, « Capturing the Value of Supplementary Services », *Harvard Business Review*, janv.-fév. 1995, pp. 75-83.

3. Tevfik Dalgic et Maarten Leeuw, « Niche Marketing Revisited : Concept, Applications, and Some European Cases », *European Journal of Marketing* 28, n° 4 (1994), pp. 39-55.

4. « La banque qui soigne les "bo-bo" », *Marketing direct*, 1er octobre 2001, pp. 50-52.

5. Joseph Pine II, *Mass Customization* (Boston : Harvard Business School Press, 1993). Voir également Don Peppers et Martha Rogers, *Le One to One*, (Paris, Editions d'Organisation, 1998).

6. « Nouvelles Frontières au top », *Capital*, août 1999, pp. 30-33.

7. Voir également Philippe Aurier, « Segmentation : une approche méthodologique », *Recherche et applications en marketing*, 1989, n° 3, pp. 53-76 et Bernard Pras et Michèle Bergadaà, « La segmentation », *Encyclopédie du management* (Paris : Vuibert, 1992, tome 2, pp. 704-722).

8. Voir à ce sujet Daniel Caumont et Jean-Louis Chandon, « Quelques problèmes liés à la validité d'une classification », et Gary Baumgartner « Une nouvelle méthode d'analyse factorielle pour la typologie des consommateurs », *Recherche et applications en marketing*, 1988, n° 3, pp. 77-93.

9. Bernard Dubois et Gilles Laurent, « Le luxe par-delà les frontières : une étude exploratoire dans douze pays », *Décisions marketing*, sept.-déc. 1996, n° 9.

10. Pour un exemple dans le domaine du café, voir Dipak Jain, Frank M. Bass et Yu-Min-Chen, « Estimation of Latent Class Models with Heterogeneous Choice Probabilities », *Journal of Marketing Research*, fév. 1990, pp. 94-101. Pour un exemple à l'international, voir Freakel Ter Hofstede, Jan-Benedict Steenkamp et Michel Wedel, « International Market Segmentation Based on Consumer-Product Relations », *Journal of Marketing Research*, février 1999, pp. 1-17.

11. Voir également T.P. Beane et B.M. Enis, « La Segmentation des marchés : une revue de la littérature », *Recherche et applications en marketing*, 1989, n° 3, pp. 25-52. Cet article est issu du numéro spécial de *Recherche et applications en marketing* consacré à la segmentation.

12. Gérard Moatti, « La guerre des âges », *L'Expansion*, oct. 1991, pp. 47-57.

13. « Pour De Beers, JWT Paris "Exporte" sa Communication », *Stratégies*, n° 428, pp. 20-23.

14. Geoffrey Meredith, Charles Schewe et Janice Karlovich, *Defining Moments* (New-York : Hungrey

Minds Inc., 2002); J. Laurence, «Trends : X-ED out : gen X Takes over», *Boston Herald*, 2 février 1999, p. 243.

15. Delphine Manceau et Élisabeth Tissier Desbordes, «La perception des tabous dans la publicité», *Décisions marketing*, janvier-avril 1999, vol. 16, pp. 17-23.

16. Pour d'autres exemples, voir Pierre Valette-Florence, *Les Styles de vie : du mythe à la réalité*, Paris : Nathan, 1994.

17. Jennifer Aaker, «Dimensions of Brand Personality», *Journal of Marketing Research* (août 1997), pp. 347-356.

18. «Philips-Whirlpool : des milliards pour changer de peau», *L'Expansion*, 22 nov.-5 déc. 1990, pp. 108-119.

19. Voir Bernard Dubois, «Un autre aspect dans l'étude du consommateur : l'approche situationnelle», *Revue française de marketing*, 1990, no 129, pp. 73-81.

20. Voir «Le marché du Cognac», *Stratégies*, no 380, p. 22.

21. Voir Eric Vernette, «La segmentation par avantages recherchés, outil de stratégie marketing», *Revue française de gestion*, mars-avril-mai 1989, pp. 15-22.

22. «Mobil Bets Drivers Pick Cappuccino over Parties», *Wall Street Journal*, 30 janvier 1995 ; et «Comment Total a liquidé Elf», *Management*, septembre 2002, pp. 20-24.

23. Voir Peter E. Rossi, R. McCulloch et G. Allenby, «The Value of Purchase History Data in Target Marketing», *Marketing Science* 15, 1996, no 4, pp. 321-40.

24. «Les supermarchés en ligne doivent affiner leur marketing», *LSA*, 6 décembre 2001, pp. 38-39.

25. Voir Bertrand Saporta «La Segmentation en marketing industriel», *Recherche et applications en mar-keting*, 1987, vol. 4, pp. 39-51, et Philippe Malaval, *Marketing Business-to-Business* (Paris : Publi Union, 1996), chapitre II.

26. Benson P. Shapiro et Thomas Bonoma, «La Segmentation des marchés industriels», *Harvard L'Expansion*, automne 1984, pp. 37-45.

27. Voir Bertrand Saporta, «La PME face aux problèmes de l'information», *Cahiers de Recherche de l'IAE IPA Toulouse*, 1986. Pour un autre exemple dans le domaine des télécommunications, voir Emmanuel Chéron, «Procédure de microsegmentation du marché industriel : application au service téléphonique interurbain», *Recherche et applications en marketing*, 1987, vol. 2, pp. 23-37.

28. Thomas S. Robertson et Howard Barich, «A Successful Approach to Segmenting Industrial Markets», *Planning Forum*, nov.-déc. 1992, pp. 5-11.

29. V. Kasturi Rangan, Rowland T. Moriarty et Gordon S. Swartz, «Segmenting Customers in Mature Industrial Markets», *Journal of Marketing*, oct. 1992, pp. 72-82.

30. Pour d'autres approches, voir John Berrigan et Carl Finkheiner, *Segmentation Marketing : New Methods for Capturing Business* (New York : Harper Business, 1992).

31. Neil Rackham and John De Vincentis, *Rethinking the Sales Force : Redefining Selling to Create and Capture Customer Value* (New York : McGraw-Hill, 1999), chapitre 1.

32. «Le cimetière des marques s'agrandit», *Capital*, novembre 1999, p. 208.

33. Voir Bart Macchiette et Roy Abhijit, «Sensitive Groups and Social Issues», *Journal of Consumer Marketing*, 1994, vol. 11, pp. 55-64.

34. Voir Philip Kotler, «Megamarketing», *Harvard Business Review*, mars-avril 1986, pp. 117-129.

CHAPITRE 10
Segmenter
le marché
et choisir
les cibles

317

# TROISIÈME PARTIE

# L'ÉLABORATION D'UNE STRATÉGIE MARKETING

# Positionner et différencier l'offre sur son cycle de vie

« *Regardez le cycle de vie du produit, mais surtout regardez celui du marché.* »

Notre économie se caractérise par la surabondance des produits. Un supermarché contient une cinquantaine de variétés de café moulu, dont une dizaine de la seule marque Jacques Vabre. Il faut ajouter le café en grains et le café soluble. Or ce secteur est loin d'être atypique. Pour les entreprises, cette abondance génère une hyperconcurrence. En conséquence, elles doivent faire en sorte que leur produit ne ressemble à aucun autre afin d'être choisi par les clients. Positionner et différencier son offre consistent à faire en sorte qu'un produit soit associé à une idée précise et valorisante dans l'esprit des clients. Parce que la copie est souvent possible, les responsables marketing doivent s'interroger régulièrement sur le positionnement adopté et identifier de nouveaux axes créateurs de valeur pour le marché.

En même temps, il faut savoir adapter son positionnement tout au long du cycle de vie afin de prolonger la durée de vie et la rentabilité du produit. Ce chapitre analyse la manière dont les entreprises peuvent positionner et différencier leurs produits et services afin de construire un avantage concurrentiel durable.

## L'élaboration d'un positionnement

L'élaboration d'une stratégie-marketing repose sur trois éléments fondateurs : la segmentation, le ciblage et le positionnement. L'entreprise commence par identifier des groupes de consommateurs ayant des besoins homogènes. Elle décide de s'adresser à ceux qu'elle saura mieux satisfaire que ses concurrents. Elle positionne ensuite son offre de manière à ce que le marché visé se rende compte de la spécificité de son produit et de son image. Si la démarche de positionnement est mal faite, le marché ne saura pas ce qu'il peut attendre du produit. Si elle est réussie, *le positionnement constitue le fondement de la différenciation et de l'ensemble du mix marketing.*

❖ On appelle *positionnement* la conception d'un produit et de son image dans le but de lui donner une place déterminée dans l'esprit des clients visés.

### Le concept de positionnement

Le concept de positionnement a été rendu célèbre en 1972 par deux responsables d'agence de publicité, Al Ries et Jack Trout[1] :

> *Le positionnement s'appuie sur le produit, c'est-à-dire un bien tangible, un service, une entreprise, un organisme ou même une personne... Le positionnement ne s'attache pas à ce que l'on fait avec le produit, mais plutôt à ce que le produit représente dans la tête du prospect.*

Ries et Trout notent que de nombreux produits n'arrivent pas à sortir de l'anonymat. Idéalement, il faut donner au produit la *première* place sur au moins un critère d'achat important. On se souvient en effet souvent du n° 1, rarement du n° 2 (quel était le nom du second astronaute à marcher sur la lune ?). Ainsi, Coca-Cola est la référence en matière de boissons gazeuses et Microsoft le spécialiste des logiciels d'exploitation[2].

Face au leader d'un marché, les concurrents peuvent adopter différents types de positionnements. Ils peuvent s'en distinguer, comme par exemple

Avis qui communiqua longtemps sur le thème « Nous sommes numéro 2, c'est pourquoi nous en faisons plus » ou Barilla positionné sur la qualité et le goût face au leader Panzani. Les marques peuvent également chercher un argument non utilisé par le leader du marché, comme Auchan qui se distingue sur le choix de produits proposés ou Monoprix sur les services adaptés aux citadins (le « citymarché »). Les challengers peuvent chercher à dévaloriser le positionnement choisi par le n° 1 en montrant qu'ils offrent mieux ou la même chose. Une autre stratégie efficace consiste à créer une sous-catégorie de produit dont on sera la référence, comme Porsche pour les voitures de sport ou l'Espace de Renault pour les monospaces, alors qu'aucune de ces deux marques ne fait figure de leader dans les voitures haut de gamme.

Deux consultants, Treacy et Wiersema, considèrent que dans chaque activité, trois positionnements distincts sont pertinents : (1) l'excellence opérationnelle liée à une certaine avance technologique, (2) la fiabilité supérieure des produits et (3) la compréhension des attentes des clients et la capacité à y répondre[3]. Sony a choisi l'avance technologique, ce qui se traduit par le lancement de nombreuses innovations (Walkman, compact disc, caméscope, mini disc enregistrable…) et par son choix de slogan publicitaire (« J'en ai rêvé, Sony l'a fait »). Bang & Olufsen excelle dans le service aux clients, avec une installation soignée, la livraison de plusieurs couleurs à domicile en cas d'hésitation du client et la mise en place d'un marché de l'occasion[4]. Selon Treacy et Wieserma, une entreprise ne peut pas être la meilleure sur les trois dimensions, et même sur deux d'entre elles, car chaque dimension exige un mode d'organisation différent. Ils recommandent donc de choisir un point d'excellence et de se contenter d'une performance moyenne sur les deux autres axes, tout en veillant à ce que ce niveau moyen progresse au même rythme que les attentes des clients, elles-mêmes stimulées par les offres concurrentes.

Illustrons l'analyse du positionnement à l'aide d'un exemple (voir figure 11.1). Une étude sur les shampooings a révélé que deux attributs comptaient dans l'esprit des consommatrices : 1) le coût du produit (économie d'usage) ; et 2) le résultat obtenu (donne ou non de beaux cheveux). La même étude a révélé les images des différentes marques en présence. Une telle carte révèle non seulement les positions spécifiques des marques (par exemple Dop est perçu comme économique mais moyennement performant), mais aussi les produits proches les uns des autres dans l'esprit des clients (et donc concurrents) : par exemple Vichy et Hégor mais pas Vichy et Garnier. Elle indique également la perception de l'idéal moyen qui, contrairement à ce que l'on pourrait penser, ne se situe pas dans le quadrant supérieur droit, probablement pour des raisons de crédibilité, mais à peu près au centre du graphique.

Supposons qu'une nouvelle marque souhaite s'introduire sur le marché. Où doit-elle se placer ? Au centre, à proximité de l'idéal, à proximité du leader ? Sur un créneau spécifique ? Tout dépend, en fait, du degré d'homogénéité du marché et de la cible visée.

Yoram Wind a identifié jusqu'à six stratégies différentes de positionnement[5].

♦ Mettre en avant certaines *caractéristiques du produit*, par exemple ses ingrédients (comme la crème Oligo 25 de Vichy au manganèse et polyfructol) ou son conditionnement (déodorant Nivéa en lingettes).

♦ Mettre en avant les *« solutions »* qu'il apporte aux problèmes de la clientèle, par exemple un liquide vaisselle pour peaux sensibles (tel que Mir et Palmolive en proposent).

♦ Préciser des *occasions d'utilisation* : par exemple un produit laitier à consommer hors domicile et sans cuillère (Zap, Frutos de Yoplait).

♦ Identifier les *catégories d'utilisateurs* : shampooings pour enfants (P'tit Dop), pour personnes âgées (Jacques Dessange Anti-Age).

CHAPITRE 11
Positionner
et différencier
l'offre sur son
cycle de vie

323

♦ *Se placer en référence à d'autres produits*, par exemple l'ordinateur aux caractéristiques personnalisées (Dell) ou le plus novateur par son design (iMac).

♦ *Créer une nouvelle catégorie*, comme les biscuits de petit-déjeuner (Matin Sourire de BN ou Ourson Petit Dej de Lu).

FIGURE 11.1
Un exemple
de carte
perceptuelle

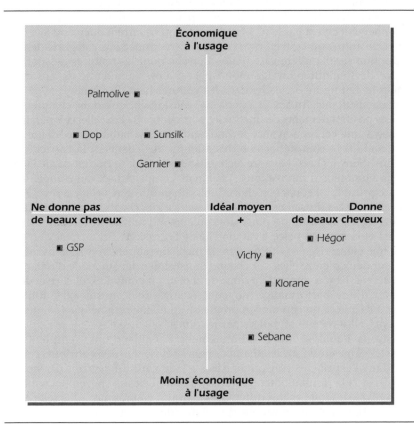

*Source :* Bernard Pras et Jean-Claude Tarondeau, *Comportement de l'acheteur*
(Paris : Sirey, 1981), p. 85.

Certains produits comme Kiri (Bel) ou Nescafé (Nestlé) ont réussi à se positionner de façon claire et crédible, mais les échecs sont également nombreux, comme en témoigne le tableau 11.1.

En fait, une analyse de positionnement comporte deux étapes. Il faut choisir puis communiquer les différences sur lesquelles on se positionne.

## Combien d'idées promouvoir ?

De nombreux spécialistes pensent qu'il vaut mieux promouvoir un seul avantage auprès du marché-cible. Rosser Reeves, par exemple, milite depuis longtemps en faveur de la Proposition unique de vente (en anglais *Unique Selling Proposition* ou USP)[6]. Ainsi, le dentifrice Email Diamant est entièrement axé sur la blancheur des dents. Cette approche simplifie la communication du positionnement aux clients visés.

Certains pensent cependant qu'un positionnement construit sur deux avantages est préférable. Surtout si la concurrence ne s'attache qu'à un seul attribut. Dans certains cas, on peut même préférer un positionnement triple comme dans le cas des combinés téléphoniques multifonctions[7]. D'une certaine

| Produit/service | Concept | Marque | Raisons de l'échec |
|---|---|---|---|
| Goûter chocolaté frais | Mettre un produit laitier, issue de l'épicerie mais adapté au frais, dans le cartable des écoliers | Prince Cœur de lait (Groupe LU de Danone) | Produit «me-too». Positionnement pas assez différencié du leader KinderPingui (Ferrero) |
| Produit au fromage pour apéritif | Bouchées de fromage fondu en forme de cactus, de mandoline et de santiags | Cap sur le Mexique, Cap sur l'Italie, Cap sur l'Espagne (Riches Monts) | Le positionnement choisi s'inspirait d'un autre produit (Croq'Animal) qui avait beaucoup plu aux enfants. Les adultes eux, sont restés insensibles |
| Lait fermenté aromatisé | Le lait fermenté aromatisé était présenté en brique à consommer avec une paille | Frutos à boire (Yoplait) | Les consommateurs s'attendaient à un yaourt alors que la brique évoquait au contraire un produit UHT |
| Livres | Collection encyclopédique d'ouvrages de vulgarisation | Que sais-je? (PUF) | Conception des produits effectuée sans tenir compte des besoins des clients |
| Chaîne de distribution | Un assortiment complet de produits dans la plus pure tradition «british» (85 % de produits «made in the UK») | Marks & Spencer | L'entreprise s'est assoupie dans le confort de son succès initial et son positionnement est devenu «vieillot». Elle n'a en particulier pas su interpréter le succès d'enseignes au positionnement plus dynamique comme H&M, Gap ou Zara |
| Chaîne de restauration | Restaurants à thème centré sur le show-business et le cinéma américain | Planet Hollywood | Positionnement initialement conçu aux USA et inadapté aux marchés non américains |

TABLEAU 11.1
Quelques erreurs récentes de positionnement

*Source :* Adapté de «Les tops et les flops», *Libre Service Actualités*, 18 juin 1998; «Le cauchemar de Marks & Spencer», *Capital*, septembre 1999, pp. 36-40; «Planet Hollywood ou la gestion vue par Terminator», *Management*, octobre 1999, p. 46; et «Gros bouillon pour les Que sais-je?», *Capital*, octobre 1999, pp. 50-52.

manière, cela revient à «contre-segmenter» le marché puisqu'on ne reconnaît plus les différences qui donnaient jusque-là naissance à des produits séparés.

En même temps, il ne faut pas multiplier les promesses sous peine de manque de crédibilité ou de confusion de l'image. On commet alors l'une des quatre erreurs classiques en matière de positionnement.

1. *Le sous-positionnement.* Certaines entreprises découvrent que les clients n'ont pas bien compris ce que l'entreprise voulait communiquer. Pour eux, ce n'est finalement qu'une marque comme les autres. On peut ainsi expliquer l'échec du «Pepsi incolore» qui n'apportait rien au marché[8].

2. *Le positionnement peu crédible.* La plupart des clients entretiennent des doutes sur les performances annoncées du produit lorsque celles-ci paraissent exagérées, compte tenu de ses caractéristiques, de son prix, ou de sa marque. Il en va souvent ainsi des produits présentés comme «remèdes miracles» ou «potions magiques».

3. *Le positionnement étroit.* Certains acheteurs ont une conception très étroite de la spécialité de l'entreprise. À leurs yeux, Fiat ne peut fabriquer que des voitures de bas de gamme.

4. *Le positionnement confus.* Il résulte souvent d'un mix marketing incohérent : faute d'une vue d'ensemble, les décisions de produit, de prix, de promotion sont prises indépendamment les unes des autres.

En fait, *la réflexion sur le positionnement va au-delà de la communication. Elle concerne l'ensemble du mix marketing et suppose une coordination globale*, comme le démontre l'exemple de la bière George Killian's présenté dans l'encadré 11.1.

---

**11.1**

## Exemple d'un positionnement maîtrisé : la bière George Killian's

### 1. Les éléments d'introduction
– Le marché des bières est encombré : beaucoup de marques, beaucoup de communications à l'intention du consommateur.
– Lancer un nouveau produit semblable à ceux présents sur le marché est très risqué.
– Il va falloir un budget de communication important.

### 2. Les résultats de l'étude de marché
– Les marchés des blondes et des brunes sont encombrés.
– Le marché des bières est divisé en un certain nombre de sous-marchés.
– Les croyances saillantes des consommateurs concernant le marché de la bière sont représentées par les axes : « nature – élaborée » et « fermentation haute – fermentation basse ».
– Le marché fait apparaître que la bière est un produit traditionnel (tradition millénaire de la bière).

### 3. Le concept choisi
– La bière brassée en fermentation haute et naturelle.
– Un concept ancré dans les traditions d'Outre-Manche à l'égard de ce type de bière.
Ce concept distingue le produit des produits des sociétés concurrentes et du produit Pelforth brune. Il est attaché à deux catégories de consommateurs : les connaisseurs (consommateurs actuels) et les non-amateurs de bières (non-consommateurs relatifs) car trouvant la blonde trop acide et la brune trop forte en goût.

### 4. La prise en compte de la concurrence
La société Pelforth est la seule à maîtriser la fermentation haute, du fait de l'équipement et du personnel qualifié nécessaire. Le positionnement choisi est donc spécifique à l'entreprise et difficile à imiter.

### 5. La déclinaison du positionnement dans le mix marketing
*a) Le produit :*
– bière brassée en fermentation haute ;
– bière naturelle.

*b) Le conditionnement :*
– bouteille de type anglo-saxon pour correspondre à la nature irlandaise du produit ;
– emballage de qualité.

*c) Le nom :*
– trisyllabique, pas plus long que les autres ;
– d'origine irlandaise.

*d) Le prix :*
– décidé (après tests) pour témoigner de la qualité du produit (fermentation haute et bière naturelle) et de celle de l'emballage.

*e) La communication :*
– contrat avec G.K. Lett (personnage réel). Pas d'histoire fausse sur un personnage imaginaire ;
– disant précisément ce que cette bière est : « une bière de type irlandais » ;
– messages à la radio accompagnés de musique irlandaise ;
– campagne intensive.
Le concept fut ensuite décliné internationalement.

---

*Source :* Adapté d'Yves Négro, « La Pratique du positionnement d'un produit », *Cahiers français*, oct.-déc. 1987, p. 43, complété et actualisé en 1998 grâce à une communication personnelle entre le responsable du lancement et l'un des auteurs.

# Quel positionnement choisir ?

Supposons qu'une entreprise ait réussi à identifier quatre positionnements possibles : la technologie, le coût, la qualité et le service. Elle cherche à déterminer le plus prometteur. Le tableau 11.2 présente une grille d'évaluation. L'entreprise et son concurrent principal sont évalués sur une échelle de 1 à 10. Leur technologie est bonne mais il ne semble guère opportun de chercher encore à l'améliorer. L'avantage de coût du concurrent est en revanche plus inquiétant. L'entreprise dispose d'une avance en matière de qualité mais le niveau de service des deux entreprises laisse à désirer.

Il semblerait que l'entreprise ait intérêt soit à réduire ses coûts soit à améliorer son service mais d'autres considérations entrent en jeu : quelle est l'importance de chacun de ces critères aux yeux du client ? La quatrième colonne du tableau révèle que le coût et le service sont bien les deux attributs les plus recherchés par la clientèle : des améliorations dans ces domaines sont-elles réalisables ? La cinquième colonne indique que c'est tout à fait possible dans le cas du service, contrairement au concurrent (colonne n° 6). La colonne 7 précise la recommandation finale : dans ce cas, c'est bien le service qu'il convient d'améliorer en priorité.

C'est la conclusion à laquelle arriva la société Monsanto dans le cas de l'une de ses activités chimiques. L'entreprise recruta et forma des techniciens et se présenta sur le marché comme « la référence en matière de service ».

| (1) Avantage concurrentiel | (2) Perfor-mance de l'entreprise (1-10) | (3) Perfor-mance du concurrent (1-10) | (4) Impor-tance d'une amélio-ration (– = +) | (5) Faisabilité et rapidité (– = +) | (6) Capacité du concur-rent à s'améliorer (– = +) | (7) Recom-mandation |
|---|---|---|---|---|---|---|
| Technologie | 8 | 8 | – | – | = | Tenir |
| Coût | 6 | 8 | + | = | = | À suivre |
| Qualité | 8 | 6 | – | – | + | À suivre |
| Service | 4 | 3 | + | + | – | Investir |

+ élevée     = Moyenne     – Faible

TABLEAU 11.2
Une méthode de choix des avantages concurrentiels

# Communiquer le positionnement choisi

Afin de transférer efficacement le positionnement choisi à l'ensemble du mix marketing, le responsable du produit doit inclure dans son plan marketing *l'énoncé du positionnement* en indiquant le *concept*, *l'élément distinctif* par rapport à la concurrence, *le marché-cible* et *le besoin couvert*. Par exemple, Palm Pilot est un agenda électronique qui permet aux professionnels surchargés de travail, et qui ont besoin d'être très bien organisés, de sauvegarder les fichiers sur leur PC de manière plus aisée et plus fiable que les produits concurrents[9].

La définition du positionnement se fait en deux temps :

♦ *définir la catégorie* à laquelle le produit appartient (ici les agendas électroniques). La catégorie détermine l'univers concurrentiel du produit.

♦ *préciser son avantage distinctif* par rapport aux autres membres du groupe (facilité et fiabilité).

Les responsables marketing choisissent parfois une catégorie de produits inattendue, ce qui facilite la différenciation ultérieure.

CHAPITRE 11
Positionner
et différencier
l'offre sur son
cycle de vie

327

■ **MINUTE MAID** qui appartient au groupe Coca-Cola ne s'inscrit pas dans l'univers des jus de fruits mais dans celui des *soft-drinks* : ses concurrents sont Pepsi, Nestea et autres limonades. Son positionnement pourrait être énoncé comme l'alternative santé aux *soft-drinks*. Cette appartenance à une catégorie de produits non intuitive se traduit dans le mix marketing choisi, notamment le conditionnement en cannettes noires et la vente dans des distributeurs automatiques.

La communication efficace du positionnement choisi au marché doit en effet passer par tous les éléments du mix marketing.

Supposons qu'une entreprise ait choisi de se positionner sur la qualité de ses produits. Il s'agit alors de choisir les meilleurs «indices» que les clients utilisent pour juger de la qualité. En voici quelques exemples :

♦ Un fabricant de fourrures a choisi de doubler tous ses manteaux en soie car il sait que la qualité de la doublure est prise en compte lors de l'appréciation du manteau.

♦ La marque Jacques Vabre a souvent mis en scène dans ses spots publicitaires un acheteur pointilleux car on sait que l'exigence de la qualité sur la matière première a un impact important sur le produit final.

♦ Un fabricant d'insecticides a superposé un moustique sur son aérosol anticafards car il sait que le consommateur applique souvent le principe «qui peut le plus peut le moins».

♦ Un fabricant de jus d'orange a refusé d'abandonner son conditionnement en verre car il sait que les briks communiquent moins bien l'idée de qualité.

Naturellement, tous les autres éléments du mix, et notamment le prix et la distribution, transmettent également des signaux sur la qualité des produits. Aussi les fabricants doivent-ils faire très attention aux actes qui pourraient leur porter préjudice :

♦ La marque de crème glacée américaine Häagen-Dazs a choisi un positionnement sélectif en ouvrant ses propres points de vente. Mais pour s'implanter rapidement, elle a aussi accepté d'être référencée dans les hypermarchés (avec, dans un premier temps, un présentoir spécifique).

♦ La marque Hermès organise chaque année, dans son magasin du faubourg Saint-Honoré une grande opération de soldes, qu'elle ne cherche pas à trop promouvoir, malgré le grand succès de l'opération.

La réputation générale de la marque contribue également à la perception de qualité. Une autre méthode, souvent éprouvée, de démonstration de la qualité d'un produit s'appuie sur l'offre d'une garantie plus longue ou bien d'un remboursement immédiat en cas de mécontentement. De cette façon, les consommateurs hésitent beaucoup moins à tester la fiabilité d'un nom qu'ils ne connaissent pas bien.

## *Accroître la différenciation*

La définition du positionnement consiste à transmettre au marché visé une ou plusieurs idées simples et centrales sur le produit. La différenciation va au-delà. Elle vise à construire un ensemble complexe de différences qui caractériseront le produit.

❖ On appelle *différenciation* la mise en évidence de spécificités porteuses de valeur pour le client et destinées à distinguer l'offre d'une entreprise de celle de ses concurrents.

■ **IKEA**, le plus grand distributeur mondial de meubles, est positionné comme une entreprise offrant «des meubles de bonne qualité à bas prix». Pourtant, Ikea se distingue des marchands de meubles traditionnels par des spécificités élargies : un restaurant dans chaque magasin, un service de prise en charge des enfants pendant que les parents font leurs achats, un programme de fidélisation (Ikea family) qui offre des baisses de prix supplémentaires à ses membres, l'envoi de millions de catalogues annuels, un design simple et sobre des meubles. Tous ces éléments expliquent qu'Ikea soit perçu très différemment de ses concurrents par les clients.

Toutes les différences ne sont pas significatives ni même souhaitables. Une différence doit créer de la valeur pour l'entreprise en même temps que pour le marché. Elle doit être :

- ♦ *importante :* offrir un avantage substantiel aux yeux d'un nombre suffisant d'acheteurs ;
- ♦ *distinctive :* la différence doit ne pouvoir être offerte par aucune autre entreprise de manière aussi marquée ;
- ♦ *supérieure :* la différence entraîne une supériorité par rapport aux modes alternatifs de résolution du même problème ;
- ♦ *communicable :* ses avantages doivent pouvoir faire l'objet d'une démonstration explicite et visible ;
- ♦ *défendable :* vis-à-vis d'éventuelles copies ou imitations ;
- ♦ *accessible :* l'acheteur visé doit pouvoir disposer des ressources nécessaires pour accepter le différentiel de prix ;
- ♦ *rentable :* les recettes dégagées par l'exploitation de la différence doivent enrichir l'entreprise.

De nombreuses entreprises ont introduit des différences que le marché n'a pas acceptées. Le Westin Stamford Hotel de Singapour s'enorgueillit d'être l'hôtel comportant le plus grand nombre d'étages mais quel consommateur s'en soucie réellement ? Parfois, c'est la difficulté de maintenir un avantage concurrentiel qui est en cause. Par exemple, les avantages des distributeurs en matière de prix sont souvent localisés et temporaires. Pourtant Carpenter, Glazer et Nakamoto pensent que l'on peut parfois se différencier à partir d'attributs secondaires, surtout lorsqu'il y a peu de différences sur les attributs les plus importants[10].

Pour chaque axe de différenciation envisagé, il faut en estimer le coût de mise en œuvre, l'accroissement de valeur qu'il représente pour les clients et la réaction probable de la concurrence. Crego et Schiffrin proposent une démarche en trois temps[11] :

1. Identifier tous les éléments créateurs de valeur pour les clients (voir par exemple dans le tableau 11.3 les différents éléments identifiés par une entreprise chimique).

2. Les classer en quatre catégories :

- ♦ *Basiques :* par exemple, pour un restaurant haut de gamme, il s'agira de la qualité de la nourriture ; si les éléments basiques sont les seuls que l'entreprise accomplit correctement, les clients ne seront pas satisfaits.

- ♦ *Attendus :* par exemple, une disposition des tables agréable, des fleurs, un service discret mais prévenant ; ces éléments rendent la prestation acceptable mais pas exceptionnelle.

- ♦ *Désirés :* par exemple, une atmosphère calme et discrète, une cuisine de qualité et originale.

- ♦ *Inattendus :* des « mises en bouche » offertes en début de repas, des mignardises avec le café.

CHAPITRE 11
Positionner
et différencier
l'offre sur son
cycle de vie

329

3. Élaborer la configuration d'éléments qui composera l'offre et permettra à l'entreprise de bénéficier d'un avantage concurrentiel, tout en construisant la fidélité des clients.

|  |  |
|---|---|
| **TABLEAU 11.3** Quinze modes de création de valeur pour un client industriel | *Aider le client à réduire ses coûts de production* <br> accroître le volume de vente <br> réduire les déchets (recyclage) <br> éliminer les pertes de temps (ratés, réparations, etc.) <br> réduire les coûts de main-d'œuvre directe <br> réduire les coûts indirects de main-d'œuvre <br> réduire les coûts d'énergie <br><br> *Aider le client à réduire ses stocks* <br> réduire le nombre de produits <br> délivrer juste à temps <br> réduire les cycles <br><br> *Aider le client à réduire ses frais administratifs* <br> simplifier les factures <br> faciliter les recherches comptables <br> mettre en place un système d'EDI <br><br> *Aider la sécurité du personnel chez le client* <br><br> *Réduire le prix de vente* <br> substituer certains composants <br> améliorer sa propre productivité de fournisseur |

# Les outils de la différenciation

La nature des opportunités de différenciation dépend du secteur. Le Boston Consulting Group a proposé une matrice identifiant quatre types d'activités selon l'ampleur et le nombre des avantages concurrentiels possibles (voir figure 11.2) :

♦ *Les activités fragmentées.* De nombreuses opportunités de différenciation existent mais elles sont de faible importance. La restauration constitue un secteur de cette nature.

♦ *Les activités spécialisées.* Les occasions de se différencier sont à la fois nombreuses et substantielles. Il en va ainsi dans le secteur du luxe et dans certaines industries de service (agences de publicité, sociétés d'études).

**FIGURE 11.2**
La matrice BCG de l'avantage concurrentiel

| | | Ampleur de l'avantage concurrentiel | |
|---|---|---|---|
| | | Faible | Forte |
| **Nombre d'approches disponibles** | Élevé | Activité fragmentée | Activité spécialisée |
| | Faible | Activité stable | Activité de volume |

♦ *Les activités stables.* Il y a peu d'avantages potentiels à conquérir. Le secteur de l'acier, par exemple, obéit à cette règle. Il est difficile d'apporter une innovation technique ou commerciale et celles-ci sont relativement limitées.

♦ *Les activités de volume.* Une entreprise peut espérer bénéficier d'un petit nombre d'avantages importants. Il en va ainsi de l'industrie du bâtiment où un entrepreneur peut jouir d'un avantage décisif grâce à une position favorable en matière de coût. La rentabilité des entreprises est alors liée à leur taille et à leur part de marché.

Un avantage concurrentiel doit être si possible substantiel et durable pour orienter la stratégie d'une entreprise. Une politique d'innovation continue peut y contribuer.

Comment une entreprise peut-elle différencier son offre? Cinq principaux supports sont à sa disposition : le produit, les services, le personnel, le point de vente et l'image (voir tableau 11.4).

| PRODUIT | SERVICES | PERSONNEL | POINT DE VENTE | IMAGE |
|---------|----------|-----------|----------------|-------|
| La forme | La facilité | La compétence | La couverture | Les symboles |
| Les fonctionnalités | de commande | La courtoisie | L'expertise | Les médias |
| La performance | La livraison | La crédibilité | La performance | Les atmosphères |
| La conformité | L'installation | La fiabilité | | Les événements |
| La durabilité | La formation | La serviabilité | | |
| La fiabilité | du client | La communication | | |
| La réparabilité | Le conseil | | | |
| Le style | La réparation | | | |
| Le design | Les autres services | | | |

TABLEAU 11.4
Les tremplins
de différenciation

## La différenciation par le produit

L'amplitude de cet axe de différenciation varie selon les catégories de produits. D'un côté, on trouve une série de produits pour lesquels la différenciation fondée sur les caractéristiques de l'offre semble très limitée : le sel de table, le poulet ou le ciment. Pourtant, même à ce niveau, des variations sont envisageables : le sel peut être iodé ou récolté sur salins, le poulet «fermier» ou «Label Rouge» tandis que le temps de prise du béton donne lieu à de nombreuses variétés de ciment (P30, P40, P50, etc.). La société Procter & Gamble parvient à donner une identité spécifique aux quatre marques de lessives qu'elle commercialise en France (Ariel, Vizir, Dash et Bonux).

À l'autre extrémité, des produits comme les meubles, le matériel hi-fi ou la mode donnent lieu à des déclinaisons quasi-infinies. On identifie neuf axes de différenciation possibles[12], présentés ci-après.

**LA FORME** ❖ Le format, la taille ou l'apparence physique du produit peuvent donner lieu à de nombreuses variations. Par exemple, pour l'aspirine, il peut s'agir de dosages, de temps de réaction, de forme galénique (comprimés, poudre), etc.

**LES FONCTIONNALITÉS** ❖ Un modèle «de base» ou «standard» possède peu de fonctionnalités. Au-delà, une variété d'options sont proposées. Dans le cas de l'automobile, ces options sont innombrables : boîte automatique, système de freinage ABS, airbag, air conditionné, système d'audioguidage, etc.

CHAPITRE 11
Positionner
et différencier
l'offre sur son
cycle de vie

331

Dans le choix des caractéristiques à promouvoir, une entreprise devrait toujours interroger les consommateurs pour connaître leur intérêt pour les différentes fonctionnalités du produit. On peut notamment poser aux récents acheteurs les questions suivantes : Qu'est-ce qui vous plaît, qu'est-ce qui vous déplaît dans ce produit ? Y a-t-il d'autres caractéristiques qui, pour vous, représenteraient une amélioration ? Combien seriez-vous prêt à payer pour chaque caractéristique supplémentaire (les énoncer) ? Voici une liste de caractéristiques mentionnées par d'autres consommateurs (montrer la liste). Quel est votre degré d'intérêt pour chacune d'elles ? Combien seriez-vous prêt à payer pour l'acquérir ?

Il faut ensuite choisir les caractéristiques à incorporer au produit. On compare alors leur *valeur perçue* à leur *coût de réalisation*. Supposons qu'un constructeur automobile envisage les trois améliorations présentées au tableau 11.5. Ajouter un airbag supplémentaire coûterait 50 euros à l'entreprise et « vaudrait » 75 euros aux yeux du client. Une différence positive de 25 euros apparaît que l'on peut comparer aux autres caractéristiques (elle est ici la plus forte en valeur relative).

TABLEAU 11.5
Valeur perçue
et coût
de réalisation

| CARACTÉRISTIQUE | COÛT DE RÉALISATION (1) | VALEUR PERÇUE (2) | INDICE D'EFFICACITÉ (3 = 2/1) |
|---|---|---|---|
| Airbag supplémentaire | 50 € | 75 € | 1,5 |
| Boîte automatique | 400 € | 400 € | 1 |
| Air conditionné | 1 000 € | 1 200 € | 1,2 |

Il faut analyser combien de clients souhaitent chaque fonctionnalité, combien de temps est nécessaire pour la fabriquer et dans quelle mesure elle est aisément copiable par les concurrents.

Bien sûr, il ne s'agit que d'un point de départ, surtout utile pour éliminer les fausses pistes, c'est-à-dire les améliorations coûteuses non valorisées par le marché. Le choix final intégrera bien d'autres considérations (impact sur l'image, service après-vente, etc.). L'entreprise doit également déterminer si elle préfère offrir des produits standards intégrant de nombreuses fonctionnalités en série et commercialisés à des prix relativement limités ou si elle opte pour des produits adaptés aux souhaits de chaque client (« produits customisés »).

LA PERFORMANCE ❖ La performance correspond au niveau de résultat obtenu avec les fonctionnalités de base. Un caméscope dont l'objectif capte 470 000 pixels est plus performant qu'un autre doté d'un capteur de 300 000. De même, si la luminosité minimum est de 3 lux plutôt que 4 et si le zoom grossit 8 fois au lieu de 6.

Pour la plupart des produits, on peut envisager différents niveaux de performances, donc de qualité. Les travaux du Strategic Marketing Institute ont montré qu'il existait une relation entre la qualité d'un produit et sa rentabilité. Cela s'explique par le fait que les produits de qualité peuvent être vendus à un prix plus élevé et qu'ils génèrent davantage de réachat, de fidélité et de bouche-à-oreille favorable. Le coût d'augmentation des performances est donc largement compensé par les gains obtenus. En même temps, la relation n'est pas linéaire : il existe une limite, au-delà de laquelle le gain devient marginal.

Le second problème concerne la gestion de la qualité dans le temps. Trois solutions sont envisageables : amélioration, maintien ou réduction. La première, qui implique un effort de recherche continu, est en général celle qui procure la meilleure rentabilité. En France, L'Oréal est l'un des principaux adeptes de cette stratégie, ce qui explique sa forte position sur de nombreux marchés[13] :

> À ce jour, L'Oréal possède 110 molécules brevetées, interdites aux concurrents. Ainsi le Mexoryl SX, seul filtre au monde à la fois efficace contre les UVA courts et photostable, et utilisé à ce titre dans les produits solaires. Ou encore l'Aminexil, efficace contre la chute des cheveux et qui, intégré à la gamme Dercos, a permis à la marque d'être leader sur son marché. Ou bien enfin le 5,6 DMI qui permet d'obtenir des colorations qui tiennent...

Le maintien de la qualité est une solution largement utilisée par des sociétés non menacées sur leur marché. Enfin, la réduction peut se justifier si les coûts augmentent et que l'on souhaite remplacer certains composants par d'autres meilleur marché. Au fil des années, pratiquement tous les constructeurs automobiles ont ainsi appris à remplacer le cuir par le simili-cuir, le bois par le plastique, etc., afin d'économiser sur le prix des matières premières. Il en est de même dans l'industrie du bâtiment. L'image de marque peut cependant en souffrir : certaines sociétés réduisent volontairement la qualité de leurs produits afin d'améliorer leurs bénéfices à court terme, sans se rendre compte qu'elles raccourcissent en même temps le cycle de vie de leurs produits et réduisent ainsi la rentabilité globale.

LA CONFORMITÉ ❖ La conformité exprime dans quelle mesure un produit respecte, dans les conditions normales d'utilisation, les spécifications préétablies. Si la Porsche 944 affiche une vitesse d'accélération de 100 km/h en dix secondes, il faut que la rapidité réelle d'accélération soit conforme à ce standard. S'il existe de grandes variations autour de cette moyenne, certains acheteurs seront déçus.

LA DURABILITÉ ❖ On peut la définir comme la durée de vie d'un produit dans des conditions habituelles d'utilisation. En général, un consommateur accepte de payer une surprime pour un produit dont la durabilité lui semble supérieure. Toutefois, il existe des seuils à ne pas dépasser. Si le produit est soumis à des phénomènes de mode ou d'obsolescence technologique, sa durabilité réelle est inférieure à sa durée de vie technique. Dans le domaine des logiciels, la rapidité d'innovation technologique réduit la durabilité réelle à quelques années, parfois même quelques mois.

LA FIABILITÉ ❖ La fiabilité est la probabilité qu'un produit continue de fonctionner sans connaître de défaillances pendant une période de temps donnée. La recherche de la fiabilité maximale a été souvent au cœur des méthodes d'amélioration de qualité.

LA RÉPARABILITÉ ❖ On peut la définir comme la facilité avec laquelle on peut mettre un terme à des défauts de fonctionnement d'un produit. En général, la réparabilité est fonction du nombre de pièces standard contenues dans un appareil. Elle serait idéale si le client pouvait, de sa propre initiative, détecter la défaillance, ôter la pièce défectueuse et la remplacer par une nouvelle. À défaut, de nombreuses sociétés, par exemple les constructeurs informatiques, ont mis en place une « hot line » ou service de « télé-assistance » qui permet d'effectuer à distance une réparation ou, en tout cas, de fournir les éléments d'information nécessaires à un dépannage immédiat. La situation est bien sûr beaucoup moins agréable pour le client lorsque des délais s'instaurent entre son appel et la réparation. Comme le fait la société Cisco, on peut considérablement réduire ces délais en construisant une base de données des questions les plus fréquemment posées.

CHAPITRE 11
Positionner
et différencier
l'offre sur son
cycle de vie

333

## Le design au service d'un succès mondial : la Swatch

L'industrie horlogère suisse qui, dans le passé, contrôlait le marché mondial des montres, perdit progressivement sa suprématie d'abord au profit de Timex, qui sut introduire des montres fiables et bon marché, puis des marques japonaises qui inventèrent la montre digitale à quartz.

En 1981, la société ETA, plus grosse société horlogère suisse, lança un projet qui devait aboutir à la Swatch. Légère, étanche, résistante aux chocs, la Swatch est une montre électronique à aiguilles vendues avec un bracelet de plastique coloré. Ses très nombreuses versions sont offertes à des prix allant de 40 à plus de 1 500 euros. À ce jour, plus de 200 millions d'exemplaires ont été vendus dans plus de 70 pays.

La montre qui ne comporte que 51 composants est produite dans une usine entièrement automatique, à un coût unitaire inférieur à 4 euros. Originellement vendues dans les bijouteries, les Swatch sont maintenant vendues dans les grands magasins et ont donné naissance à de nombreux accessoires : lunettes de soleil, étuis à lunettes, etc.

Au cœur du succès des Swatch, un design très élaboré :

**1.** Tout au long de l'année, Swatch lance de nouveaux modèles que l'on collectionne comme s'il s'agissait d'articles de mode.

**2.** Swatch lance deux fois par an des séries limitées à 40 000 unités alors que les demandes dépassent souvent la centaine de mille. L'entreprise organise alors des concours pour désigner les 40 000 « vainqueurs ».

**3.** Swatch continue à renouveler ses produits en permanence. À côté de la Swatch traditionnelle en plastique coloré, on trouve la SwatchSkin extraplate, l'Irony en métal, la Swatch Solar à l'énergie solaire, le réveil Swatch musicall et une « e-swatch » équipée d'e-mail et d'accès à Internet.

**4.** Les salles de vente les plus réputées organisent de temps à autre des ventes aux enchères pour les tout premiers modèles de Swatch. Un amateur a ainsi payé plus de 60 000 euros pour acquérir l'une d'elles.

**5.** Il existe un musée des Swatch les plus rares à Lisbonne, où les montres sont jalousement gardées dans des vitrines à l'épreuve des balles.

**6.** Swatch a maintenant ouvert ses propres magasins. Le plus célèbre d'entre eux est Via Monte Napoleone à Milan. Les files de clients se forment dans la rue et un haut parleur annonce de temps à autre quatre chiffres. Seules les personnes dont le numéro de passeport contient ces chiffres pourront acquérir l'objet de leurs désirs.

*Source :* « Swatch : Ambitions », *The Economist,* 18 avril 1992. Voir également *Le Cas « Swatch »* écrit par l'INSEAD en 1989 et le site www.swatch.com.

**LE STYLE** ❖ Le style fait référence à l'apparence extérieure du produit et aux émotions qu'il engendre. Certaines sociétés aiment donner un style à leurs produits[14] : Bang & Olufsen en hi-fi, Jaguar en automobile, Absolut Vodka dans les alcools, Apple dans l'informatique.

■ JEAN-PAUL GAUTIER. Le succès considérable du premier parfum pour femmes de cette marque tient en partie à son flaconnage (en forme de corps féminin vêtu de sous-vêtements) non seulement en accord avec l'originalité du créateur mais en rupture profonde avec tout ce qui s'était fait jusque-là.

L'intérêt essentiel du style est de créer une différenciation assez difficile à imiter. En même temps, il faut reconnaître qu'un style ne traduit pas nécessairement une fonctionnalité : une chaise de style peut être très belle et pourtant très inconfortable.

En marketing, l'un des éléments essentiels du style est *le conditionnement* qui facilite la première rencontre avec le produit. Il est étudié plus en détail au chapitre 14.

LE DESIGN ❖ Toutes les dimensions précédentes trouvent leur aboutissement dans la notion de design, au cœur de la conception d'un produit. On appelle design l'ensemble des éléments qui affectent l'aspect et le fonctionnement du produit du point de vue de son utilisateur.

Pour l'entreprise, un produit bien conçu est facile à fabriquer et distribuer. Pour le client, il doit être agréable à regarder et facile à ouvrir, à installer, à maîtriser, à utiliser, à réparer et le moment venu, à abandonner. Le design intervient très en amont de la production et exprime la relation forme-fonction.

Trop de sociétés confondent encore design et style et n'investissent pas assez dans ce domaine. Pourtant, un design de qualité justifie une valeur ajoutée de nature à faire accepter un prix plus élevé. Un audit systématique du design des produits proposés par une entreprise révèle toujours des zones d'amélioration sensibles.

De nos jours, certaines sociétés de grande consommation ont systématiquement recours à des designers spécialisés comme, en France, Carré Noir ou Ad'hoc Design. En Grande-Bretagne, le British Design Council a révélé que les projets qu'il a soutenus n'ont pas seulement permis de doubler les ventes tout en réduisant les coûts de moitié mais également de remettre sur pied des sociétés chancelantes en leur donnant les moyens de lutter à armes égales avec les Japonais ou les Allemands. Le design est en train de devenir une véritable arme de marketing[15] (voir encadré 11.2).

## La différenciation par le service

Lorsque le produit tangible ne peut être aisément différencié, l'entreprise à la recherche d'un avantage concurrentiel cherche à s'appuyer sur un ou plusieurs services. De nombreuses pistes sont alors envisageables.

LA FACILITÉ DE COMMANDE ❖ Il s'agit de rendre le plus aisé possible la passation d'un ordre d'achat par le client. Baxter Healthcare a ainsi installé chez ses clients hospitaliers des terminaux qui permettent de passer commande immédiatement. De même, les enveloppes T toutes préparées et les bons prédécoupés au nom du client sont largement utilisés dans le marketing direct et la vente par correspondance. La possibilité de vendre et d'acheter sur Internet a considérablement facilité la prise de commande qui se fait en ligne sur de très nombreux sites (Amazon, Fnac, Allociné, Darty, La Redoute, Auchandirect, etc.).

LA LIVRAISON ❖ Il s'agit de raccourcir les délais, de garantir que les produits livrés correspondent exactement à la commande et de soigner ce moment de contact avec les clients. Pour concurrencer plus efficacement la grande distribution, la Camif, l'une des plus grandes sociétés de VPC, a par exemple mis en place, sur certains articles nommément désignés, un service express de livraison en 2 jours sans supplément de prix. Le raccourcissement des délais a, dans certaines entreprises, donné naissance à une nouvelle forme de marketing axé sur la gestion accélérée du temps : le chrono-marketing (voir encadré 11.3).

CHAPITRE 11
Positionner
et différencier
l'offre sur son
cycle de vie

335

*Source :* www.fnac.com

**L'INSTALLATION** ❖ L'installation concerne l'ensemble des opérations nécessaires à la mise en état de marche d'un produit rendu à sa destination finale. Certains grands magasins ou magasins spécialisés (ameublement de luxe) font de l'installation une pièce maîtresse de leur stratégie de différenciation. Lorsqu'un client d'IBM est amené à modifier la localisation d'un site informatique, l'entreprise s'engage à transférer l'ensemble de l'installation en une seule fois même si celle-ci comporte des matériels ou du mobilier concurrents.

**LA FORMATION DU CLIENT** ❖ Elle englobe toutes les actions destinées au personnel qui utilisera le matériel vendu. L'Oréal Coiffure a ainsi mis en place un programme de formation à destination des salons de coiffure qui utilisent et revendent les produits de sa gamme. Les thèmes évoqués dans les sessions ne concernent pas seulement l'utilisation technique des produits mais tous les aspects de la gestion d'un salon.

**LE CONSEIL** ❖ Il peut s'agir d'une mise à disposition d'informations, de banques de données ou bien d'interventions d'assistance rendues au client. Elles peuvent être ou non tarifées séparément.

- ■ **LE CABINET D'ÉTUDES RISC** équipe ainsi ses grands clients d'un logiciel appelé Microrisc qui met la banque de données auquel le client a souscrit à sa disposition permanente. Celui-ci peut donc procéder à tout moment aux analyses complémentaires qu'il souhaite effectuer. Des interventions de consulting stratégique sont également proposées.

- ■ **LA FNAC.** En France, les magasins de la Fnac sont connus pour mettre gratuitement à la disposition de leur clientèle des guides de comparaison de produits. Ces guides comportent des tableaux comparatifs qui identifient, pour différentes conditions d'utilisations, les meilleurs rapports qualité-prix. Auprès d'une partie de sa clientèle, la Fnac a réussi, par ce biais, à jouir d'une image de conseil, réellement préoccupée d'aider le consommateur à effectuer le meilleur choix compte tenu de ses impératifs d'achat.

# Le chrono-marketing ou marketing de la réactivité

Il existe aujourd'hui quatre façons de mener le combat concurrentiel : avoir une meilleure offre, une offre différente, une offre moins chère ou bien réagir plus rapidement que la concurrence. De plus en plus d'entreprises optent pour cette dernière solution. Elles apprennent l'art de comprimer le temps, dans trois domaines : les nouveaux produits, la distribution, la vente au détail. À l'heure où les cycles de la vie raccourcissent, l'entreprise se soucie de maîtriser à la fois le progrès technologique et le diagnostic commercial. La course de vitesse est engagée dans des domaines aussi divers que la supra-conductivité ou la lutte contre le sida. La société qui mettra au point la première une solution viable jouira de l'avantage du pionnier. Dans l'automobile, les Japonais ont été les premiers à raccourcir le développement d'un nouveau véhicule à 3 ans alors que leurs concurrents avaient besoin de quatre ou cinq ans. Selon McKinsey, 6 mois de retard peuvent entraîner une baisse de rentabilité d'un tiers alors que le respect du délai, même au prix d'un budget plus élevé ne fait qu'effriter la rentabilité. La clé du problème réside dans l'élimination de tous les délais nécessaires au développement d'un nouveau produit : collecte des idées, filtrage, étude de faisabilité, élaboration des prototypes, lancement commercial. En examinant chaque étape une à une ou en en réalisant plusieurs en parallèle, on peut espérer raccourcir les délais attachés à l'ensemble du processus.

La distribution est un second domaine dans lequel des gains de temps peuvent être obtenus. Ainsi la société Benetton a considérablement raccourci ses délais en décidant le plus tard possible des couleurs à utiliser pour teindre le tissu écru. De même, un système informatique relie entre eux les fournisseurs, les ateliers de coupe, les entrepôts et les magasins.

Le succès de formules telles que DHL, Federal Express ou, en France, Chronopost, s'appuie sur le souhait des particuliers et des entreprises de voir raccourcir les délais de remise des documents et colis. Aux États-Unis, Federal Express garantit que toute lettre ou petit colis déposé avant 17 heures sera remis avant 11 heures le lendemain dans n'importe quel point du territoire américain ; sinon l'entreprise s'engage à rembourser les frais d'expédition.

En Europe, le système EMS Chronopost dessert 13 pays. Il faut à peine deux secondes pour lire avec un crayon laser toutes les données figurant sur l'étiquette établie lors du dépôt de l'envoi. Ces informations sont transmises à l'ordinateur central qui les vérifie au point de destination. Un système informatique baptisé St Antoine permet de répondre en temps réel à toute demande de client qui cherche à localiser son envoi. Chronopost, accessible par Minitel et numéro vert, a choisi pour slogan : « Les Maîtres du Temps ».

Dans la vente au détail, enfin, de nombreuses entreprises ont cherché à comprimer le temps notamment dans les domaines du développement photo (développement minute), du pressing-teinturerie, des produits optiques (lunettes), des accessoires auto (pot, amortisseurs) ou encore des denrées alimentaires (croissanterie). Dans tous les cas, il s'agit de transformer le magasin en mini-atelier de production. Parfois, même le matériel de transport est équipé pour parachever l'élaboration du produit. Ainsi les pizzas finissent de chauffer dans les scooters qui les livrent à domicile.

Toutes les entreprises ne cherchent pas cependant à accélérer les délais, craignant souvent que la qualité en soit affectée. Il s'agit donc non seulement de faire plus vite mais de faire mieux. Il suffit d'une entreprise soucieuse d'apporter un meilleur service à la clientèle pour révolutionner l'ensemble d'un secteur.

*Source :* pour d'autres exemples, voir George Stalk Jr et Thomas Hout, *Vaincre le temps* (Paris : Dunod, 1992), Joseph D. Blackburn, *Time-Based Competition* (Homewood, Ill. Irwin, 1991), Christopher Meyer, *Fast Cycle Time* (New York, Free Press, 1993) ; Gilles Garel, « La mesure et la réduction des délais de développement des produits nouveaux », *Recherche et Applications Marketing,* 1999, vol. 4, n° 2, pp. 29-47 ; « La diminution du temps d'attente, un plus concurrentiel », *Les Echos,* 7 avril 1998, p. 41.

CHAPITRE 11
Positionner
et différencier
l'offre sur son
cycle de vie

**LA RÉPARATION** ❖ Elle est surtout importante pour les biens durables et les produits industriels. Certaines entreprises, comme Darty, ont cherché à se différencier de la concurrence à travers le «contrat de confiance», un service de réparation fonctionnant 7 jours sur 7 avec la promesse d'une intervention dans la journée si l'appel est reçu avant dix heures du matin.

■ **HEWLETT PACKARD** propose une assistance technique en ligne à ses clients. Ceux qui savent précisément quel problème ils rencontrent peuvent consulter une base de données sur Internet qui leur indique comment procéder. Les autres peuvent entrer en contact avec un technicien. Ils peuvent aussi recourir à un logiciel de diagnostic qui identifie le problème et propose une solution automatique. Les études de marché montrent en effet que de nombreux utilisateurs de l'informatique ne veulent pas que l'on résolve leurs problèmes à leur place : ils souhaitent comprendre le problème et connaître la solution pour devenir plus autonomes.

**LES AUTRES SERVICES** ❖ Les entreprises ne manquent pas d'imagination pour allonger sans cesse la liste des services qu'elles proposent[16]. Selon les cas, il peut s'agir de devis gratuit, de reprise d'anciens produits, de prêt gracieux de matériel, d'engagement de rachat ou de prime à la fidélité.

## La différenciation par le personnel

L'entreprise acquiert également un avantage distinctif substantiel en recrutant et en formant un personnel de qualité. Singapore Airlines, par exemple, met en avant la grâce et l'amabilité de ses hôtesses. Disneyland Paris accorde une grande importance au profil des membres de son «cast». Les ingénieurs commerciaux d'IBM, le personnel d'accueil des Novotel sont connus pour leur professionnalisme et leur courtoisie. Se différencier à travers son personnel implique des améliorations dans six domaines : 1) la *compétence,* c'est-à-dire la maîtrise du savoir-faire requis ; 2) la *courtoisie,* c'est-à-dire le respect et la considération des clients ; 3) la *crédibilité,* être digne de confiance ; 4) la *fiabilité,* la régularité et l'exactitude des prestations fournies ; 5) la *serviabilité,* notamment dans la prise en charge des problèmes des clients ; et 6) la *communication* enfin, à travers le souci d'écoute et la clarté d'expression[17].

## La différenciation par le point de vente

Une société peut se différencier prioritairement à travers la nature de ses points de vente, en particulier leur couverture, leur niveau d'expertise et leur degré de performance. En milieu industriel, Caterpillar est ainsi connu pour la capillarité de son réseau, à l'échelle mondiale. Dans l'informatique, Dell a réussi sa percée en s'appuyant exclusivement sur un système de vente téléphonique puis par Internet avec du personnel de haute qualité (les circuits de distribution sont traités plus en détail au chapitre 17).

## La différenciation par l'image

Même lorsque les produits et services se banalisent, les consommateurs décèlent souvent des différences en termes d'image. Par exemple, la plupart des cigarettes blondes ont des goûts très semblables ; pourtant Marlboro jouit d'un leadership incontesté avec une part de marché mondiale d'environ 30 %. À l'évidence, le cow-boy Marlboro, connu dans le monde entier, confère au produit une grande partie de son identité.

Il ne faut pas confondre *identité* et *image.* L'identité traduit la façon dont l'entreprise (émettrice) souhaite se présenter au marché. L'image correspond aux associations entretenues par le public (récepteur).

Dans la recherche d'une identité, les sociétés essaient de privilégier l'identification de caractéristiques porteuses de valeur, distinctives et au fort pouvoir émotionnel. L'élaboration de cette identité et sa transmission au public requièrent beaucoup de créativité et de patience. Une fois choisie, l'identité doit être véhiculée à travers tous les supports de communication et toutes les formes d'expression, en particulier les symboles et signatures, l'environnement physique et les événements.

**LES SYMBOLES ET SIGNATURES** ❖ Une identité forte comporte un ou plusieurs symboles qui favorisent la reconnaissance de l'entreprise ou de ses marques. Il peut s'agir d'un *logo* (les chevrons de Citroën), d'un *objet* (le trident du Club Med), d'un *animal* (le Lion de Peugeot) ou encore d'une *plante* (la petite fleur Yoplait). On peut également associer le nom d'un produit à une *star* (Laetitia Casta et L'Oréal, Éric Cantona et Bic) ou plus simplement une *couleur* (le blanc de Clinique) ou une *musique* (Dim).

L'identité de la marque peut également reposer sur une signature verbale qui accompagnera systématiquement le nom de la marque, comme « parce que je le vaux bien » pour L'Oréal Paris ou « *I can* » qui remplace désormais « *Just do it* » auprès de Nike. Enfin, certaines caractéristiques de l'entreprise, comme son histoire, la personnalité de son fondateur ou le fait d'être la « marque préférée des Français », peuvent contribuer à la différencier.

**L'ENVIRONNEMENT PHYSIQUE** ❖ L'environnement dans lequel le produit est acheté ou consommé est un autre ingrédient de l'image. On reconnaît aujourd'hui aisément les hôtels Regency-Hyatt à leurs atriums pyramidaux ou les boutiques Body Shop à leur agencement. Une banque qui voudrait jouer la carte de la sympathie doit réfléchir à ses bâtiments, au décor de ses agences, aux couleurs, aux matériaux et au mobilier.

**LES ÉVÉNEMENTS** ❖ Enfin, une entreprise doit renforcer son image à partir des événements qu'elle sponsorise. Le trophée Lancôme est devenu l'un des grands événements de l'année en matière de golf tandis que d'autres sociétés (LVMH, Cartier) ont choisi d'investir dans le culturel. L'événement peut également jouer sur la surprise comme la venue de groupes de musique sponsorisés par Pringles (Procter & Gamble) dans des bars ou restaurants branchés, ou la distribution de bandes anti-acnéiques Kao Clear-up Strips dans les concerts – les adolescents présents les portant sur le front pendant quelque temps, puis en parlant le reste de la soirée. Parce qu'elles sont inattendues, ces opérations de *street-marketing* génèrent un bouche-à-oreille important et construisent l'image de la marque à moindre coût.

# Cycle de vie des produits et stratégie marketing

La stratégie de positionnement et de différenciation d'un produit doit évoluer à mesure que les conditions de marché et de concurrence se modifient. Nous abordons dans cette partie la notion de cycle de vie d'un produit et les changements qu'il introduit dans la stratégie de l'entreprise.

Quatre hypothèses sous-tendent le concept de cycle de vie du produit :

♦ Un produit a une vie limitée.

♦ Ses ventes passent par différents stades d'évolution, créant chaque fois de nouvelles opportunités et menaces pour son fabricant.

♦ Son niveau de profit varie en fonction de chaque stade du cycle.

♦ Les stratégies de gestion les plus appropriées diffèrent à chaque étape.

CHAPITRE 11
Positionner
et différencier
l'offre sur son
cycle de vie

339

# Les cycles de vie

La plupart des travaux menés sur le cycle de vie représentent l'histoire commerciale d'un produit sous la forme d'une courbe en S telle que celle présentée à la figure 11.3. Sur cette courbe, on identifie en général quatre phases, appelées *lancement, croissance, maturité* et *déclin*[18] :

♦ La phase de *lancement* est une période de faible croissance correspondant à la diffusion progressive du produit sur le marché. La courbe de profit, présentée également à la figure 11.3, révèle un bénéfice négatif, en raison du coût élevé d'introduction du nouveau produit sur le marché.

♦ La *croissance* est caractérisée par une pénétration rapide du produit sur le marché et un accroissement substantiel des bénéfices.

♦ La *maturité* marque un ralentissement de la croissance, du fait que le produit est déjà bien accepté par de nombreux acheteurs potentiels. Le bénéfice atteint son niveau maximal, puis commence à décroître en raison des dépenses marketing engagées pour soutenir le produit face à la concurrence.

♦ Enfin, le *déclin* pendant lequel les ventes ne cessent de diminuer et les bénéfices de s'amenuiser.

**FIGURE 11.3**
Le cycle de vie
d'un produit :
évolution
du chiffre d'affaires
et des profits

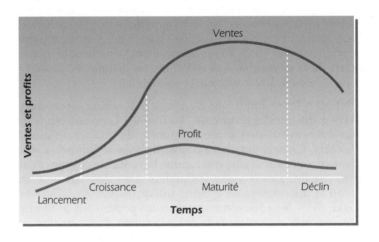

La définition précise des frontières délimitant chacune de ces phases est quelque peu arbitraire[19]. En général, on les fixe en fonction de l'évolution du rythme de croissance ou de déclin du chiffre d'affaires.

Le concept de cycle de vie permet d'analyser une classe de produit (par exemple la mayonnaise prête à l'emploi), un type de produit (la mayonnaise en tube), ou une marque (Lesieur).

D'AUTRES COURBES ❖ Tous les produits ne suivent pas nécessairement une courbe en S. Certains croissent très rapidement au début, ignorant ainsi le lent démarrage caractéristique de la phase de lancement. D'autres connaissent, après la phase de maturité, une nouvelle période de croissance.

Les trois formes atypiques les plus courantes sont représentées à la figure 11.4. La première comprend un deuxième cycle à la suite du premier (voir figure 11.4-A). La seconde « bosse » est alors due à un effort de relancement fondé sur la communication et les promotions[20]. Parfois, le second cycle correspond à une simple phase de maturité lorsque certains acheteurs restent fidèles au produit (figure 11.4-B). Dans d'autres cas, on a conclu à l'existence d'une courbe «à rebondissements» telle que celle identifiée à la figure 11.4-C, les rebonds successifs correspondant à de nouvelles caractéristiques du produit, de nouvelles utilisations ou de nouveaux marchés. Le nylon, par exemple, a connu une évolution de ce type liée à la multiplication progressive des produits intégrant cette matière (parachutes, bas et collants, chemises, moquette, bateaux, voitures, pneus, etc.)[21]. La forme définitive de la courbe dépend avant tout de la catégorie de produit et de la nature du marché[22].

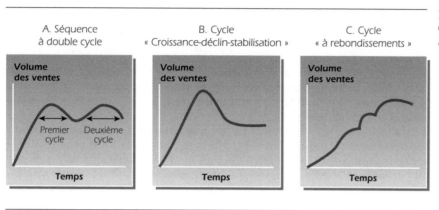

**FIGURE 11.4**
Quelques cycles de vie particuliers

**LE CYCLE DE LA MODE** ❖ Les produits de mode ont des courbes de cycle de vie particulières. On distingue trois types de produits appartenant à cette catégorie : les styles, les modes proprement dites et les gadgets (voir figure 11.5).

Un *style* est une expression distinctive née dans un domaine particulier : il existe ainsi des styles de meubles (Louis-Philippe, Empire, Louis XV...), de musique (classique, jazz, rock...) ou d'art (figuratif, impressionniste, abstrait...). Une fois apparu, un style peut durer pendant des générations, avec des périodes d'engouement et de déclin. Le cycle de vie d'un style révèle des fluctuations.

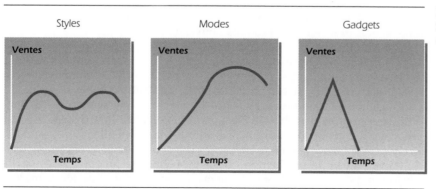

**FIGURE 11.5**
Styles, modes et gadgets

CHAPITRE 11
Positionner
et différencier
l'offre sur son
cycle de vie

341

Une *mode* correspond au style dominant à une époque donnée. Aujourd'hui, les coiffures sont souples, aérées, très différentes des «choucroutes» laquées des années 1950. En revanche, le mobilier de cette époque revient aujourd'hui à la mode. Il semblerait que les modes connaissent une évolution en quatre temps[23] :

1. Au départ, une mode acquiert un caractère *distinctif*, propre à intéresser certains consommateurs. Les produits sont alors diffusés en petite quantité, parfois faits sur mesure.

2. Une période d'*émulation* s'ensuit : de plus en plus de gens se rapprochent des leaders d'opinion, créant un vaste marché.

3. Celui-ci devient progressivement un *marché de masse*, caractérisé par un volume de production élevé, partagé entre de nombreux fabricants.

4. Enfin, la mode connaît une phase de *déclin*, en général au profit d'une autre, en train d'éclore.

La durée d'une mode est difficile à prévoir. Parfois, elle s'auto-détruit, créant sa propre obsolescence ou perdant son originalité. Reynolds estime que les modes sont d'autant plus durables qu'elles : 1) s'accrochent à des besoins profonds ; 2) sont en convergence avec les autres tendances d'évolution de la société ; 3) satisfont aux normes culturelles ; et 4) ne se heurtent pas à des barrières technologiques[24].

Un *gadget* est un article qui attire très vite l'attention, se diffuse immédiatement et disparaît presque aussitôt. Son cycle de vie est court et saccadé. Les défunts tamagoshis (petits êtres électroniques qu'il fallait maintenir en vie) appartiennent à cette catégorie. Les gadgets sont souvent adoptés par des gens qui recherchent l'originalité ou qui veulent montrer qu'ils sont «dans le vent». Il est difficile de prévoir la durée de vie d'un gadget.

## Les stratégies marketing en phase de lancement

Nous nous attachons maintenant à l'analyse des différentes phases du cycle de vie et des stratégies marketing qui leur correspondent, synthétisées dans le tableau 11.6.

La phase de lancement se caractérise par un lent démarrage des ventes correspondant à la mise en place progressive du produit sur le marché. Des produits aussi répandus aujourd'hui que le café soluble ou la purée en flocons ont dû stagner pendant des années avant de se développer. Plusieurs facteurs expliquent la lente croissance des produits en lancement : les délais dans la montée en puissance de l'appareil de production ; les problèmes techniques de mise au point ; les délais dans la distribution du produit ; et une résistance du consommateur à modifier ses habitudes[25]. Dans le cas des produits haut de gamme, comme le home cinéma, deux éléments supplémentaires peuvent ralentir le développement des ventes : le faible nombre d'acheteurs prêts à innover et le prix élevé des produits nouveaux.

Au cours de la phase de lancement, les bénéfices sont souvent réduits, voire négatifs en raison du bas niveau de vente et de l'importance des dépenses promotionnelles et commerciales. Les dépenses promotionnelles qui sont à leur plus haut niveau en pourcentage du chiffre d'affaires sont nécessaires à la fois pour informer les consommateurs, les inciter à essayer le produit, et assurer sa distribution chez les commerçants. Il faut aussi investir beaucoup d'argent pour convaincre et stimuler la distribution.

Les prix ont tendance à être chers car : 1) les coûts sont élevés compte tenu du faible niveau de production ; 2) les problèmes techniques posés par la fabrication peuvent ne pas être totalement maîtrisés ; et 3) de fortes marges

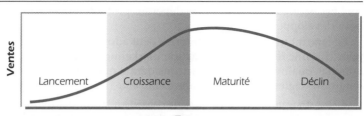

**Tableau 11.6**
Le cycle de vie
du produit :
caractéristiques,
objectifs marketing
et stratégies

## CARACTÉRISTIQUES

| | Lancement | Croissance | Maturité | Déclin |
|---|---|---|---|---|
| **Ventes** | Faibles | Fortement croissantes | Maximales | Déclinantes |
| **Coût unitaire** | Élevé | Moyen | Faible | Faible |
| **Bénéfices** | Négatifs | Croissants | Élevés | Réduits |
| **Clientèle** | Pionniers | Adopteurs précoces | Marché de masse | Traditionnelle |
| **Concurrence** | Limitée | Croissante | Stable | Déclinante |

## OBJECTIFS MARKETING

| | Lancement | Croissance | Maturité | Déclin |
|---|---|---|---|---|
| | Créer la notoriété et favoriser l'essai du produit | Accroître la part de marché | Accroître le profit en maintenant la part de marché | Réduire les dépenses et récolter |

## STRATÉGIES

| | Lancement | Croissance | Maturité | Déclin |
|---|---|---|---|---|
| **Produit** | Produit de base | Extension de la gamme et des services | Grande variété de marques et modèles | Élagage |
| **Prix** | Élevé | Prix de pénétration | Prix concurrentiel | Baisse de prix |
| **Distribution** | Sélective | Extensive | Encore plus extensive | Sélective |
| **Publicité** | Notoriété | Préférence pour la marque | Différenciation | Réduite |
| **Promotion** | Essai | Limitée | Fidélisation | Réduite au minimum |

*Source :* élaboré à partir de Chester Wasson, *Dynamic Competitive Strategy and Product Life Cycles* (Austin, Texas : Austin Press, 1978) ; John A. Weber, «Planning Corporate Growth with Inserted Product Life Cycles», *Long Range Planning,* octobre 1976, pp. 12-19 et Peter Doyle, «The Realities of the Product Life Cycle», *Quarterly Review of Marketing,* été 1976, pp. 1-6.

CHAPITRE 11
Positionner
et différencier
l'offre sur son
cycle de vie

343

sont nécessaires pour couvrir les dépenses promotionnelles qu'il faut engager pour développer les ventes.

En lançant un produit, l'entreprise peut adopter un niveau élevé ou réduit pour chacune des variables d'action marketing (prix, communication, distribution et qualité du produit). Ne considérant que le prix et la communication, quatre stratégies sont envisageables (Tableau 11.7) :

♦ *Une stratégie de pénétration rapide* consiste à lancer le produit à bas prix avec une forte communication. Cette stratégie permet d'obtenir le taux de pénétration le plus élevé et la part du marché la plus forte pour l'entreprise. Elle se justifie si : le marché est vaste ; les acheteurs sont sensibles au prix ; il existe une forte concurrence potentielle ; le coût de production unitaire décroît fortement à mesure que le volume de production augmente.

♦ *Une stratégie d'écrémage rapide* consiste à lancer le produit à un prix élevé avec une communication importante. Cette stratégie se justifie si l'entreprise est confrontée à une concurrence potentielle et doit développer rapidement la préférence pour sa marque, tout en s'adressant à des clients très impliqués, prêts à payer le prix fort.

♦ *Une stratégie de pénétration progressive* (bas prix, peu de communication) encourage une acceptation du produit lorsque le marché est vaste et les acheteurs sensibles au prix.

♦ *Une stratégie d'écrémage progressif* (prix élevé, peu de communication), enfin, se justifie lorsque la taille du marché est relativement limitée et qu'il n'y a guère de menace concurrentielle.

**TABLEAU 11.7**
Les stratégies
de prix et
de communication
en phase
de lancement

| | | **Prix** | |
| --- | --- | --- | --- |
| | | Faible | Élevé |
| **Communication** | Forte | Pénétration rapide | Écrémage rapide |
| | Faible | Pénétration progressive | Écrémage progressif |

**L'AVANTAGE DU PIONNIER** ❖ Une entreprise qui décide de lancer un nouveau produit doit décider du moment du lancement. Être le premier à introduire une innovation sur le marché peut être très rentable, mais il s'agit d'un choix risqué et coûteux. Arriver plus tard est souhaitable si l'entreprise bénéficie d'une technologie plus récente, si ses produits sont de meilleure qualité ou si elle s'appuie sur une marque connue.

Les pionniers, qu'ils s'appellent Amazon, Coca-Cola, Renault (pour les monospaces) ou France Telecom Mobiles (maintenant Orange) jouissent souvent d'un avantage distinctif. Robinson et Fornell ont étudié un grand nombre de produits et observé que les pionniers bénéficient d'une part de marché moyenne de 29 %, nettement supérieure aux suiveurs rapides (17 % en grande consommation et 21 % dans les secteurs industriels) et aux suiveurs tardifs (respectivement 13 et 15 %). Urban a constaté, quant à lui, que la deuxième et la troisième marque commercialisée obtiennent en moyenne 71 % et 58 % de la part de marché du premier. De même, Carpenter et Nakamoto ont découvert que 19 parmi 25 sociétés qui dominaient leur marché en 1923 étaient toujours n° 1 soixante ans plus tard[26].

Pourquoi un pionnier obtient-il de tels résultats ? D'abord en raison d'un produit souvent de meilleure qualité et d'une gamme plus large ; ensuite grâce à la notoriété acquise très tôt, à une image souvent meilleure, à une forte fidélité des clients, sans oublier la capacité du pionnier à influencer les goûts des consommateurs et à imposer son standard ; enfin, suite aux brevets déposés, aux coûts de production réduits par les économies d'échelle réalisées et à l'appropriation d'actifs rares par des contrats d'exclusivité avec des fournisseurs[27].

Cependant, nombre de sociétés innovatrices (Lotus, Osborne, Reynolds et en France, la laiterie St-Hubert ou encore Spizza'30) ont disparu ou ont été absorbées. Schnaars, en étudiant 28 secteurs où les imitateurs ont dépassé les innovateurs, a montré les limites de la position du pionnier[28] : nouveaux produits insuffisamment testés, positionnements hasardeux, coûts supérieurs aux budgets, difficulté de réagir face à des concurrents plus puissants, et une certaine complaisance face aux premiers signes de succès. À l'inverse, les imitateurs astucieux baissent les prix, améliorent le produit et la logistique et perfectionnent la communication.

Golder et Tellis mentionnent d'autres difficultés attachées au rôle de pionnier[29]. Ils distinguent entre *l'inventeur* (le premier à déposer un brevet dans une catégorie particulière), le *pionnier du point de vue du produit* (la première entreprise à mettre au point un prototype en état de fonctionner) et *le pionnier du point de vue du marché* (la première entreprise à proposer le nouveau produit à la vente). En tenant compte des pionniers disparus, souvent oubliés dans les autres études, ils montrent qu'un grand nombre de pionniers sont devancés par d'autres sociétés qui conquièrent la position de leader en y consacrant beaucoup de ressources (comme, par exemple, Microsoft Explorer qui s'est imposé face au pionnier Netscape ou Bio de Danone face à B.A).

En choisissant sa stratégie de lancement, un pionnier doit envisager chacun des couples produit/marché. Supposons qu'une analyse de segmentation révèle la structure représentée à la figure 11.6. L'entreprise doit examiner le profit potentiel de chaque marché considéré isolément et en synergie, et affûter en conséquence sa stratégie d'extension. Elle peut par exemple commencer par attaquer la coupe ($P_1M_1$) puis étendre le produit au marché $M_2$. Elle peut ensuite surprendre la concurrence en lançant un second produit sur ce même marché ($P_2M_2$), puis revenir au marché d'origine ($P_2M_1$) sur lequel elle lancera un troisième produit ($P_3M_1$). Bien sûr, ce plan peut être modifié en cours de route, mais il a le mérite d'indiquer les objectifs à long terme.

En planifiant sa démarche, l'entreprise pionnière doit aussi anticiper la réaction de la concurrence : quand interviendra-t-elle ? Comment faudra-t-il réagir ? Frey a proposé un cadre d'analyse permettant d'étudier ces deux questions (voir figure 11.7). Au départ, l'entreprise innovatrice a 100 % du marché et utilise toute sa capacité de production. L'entrée de la concurrence provoque une baisse de la part de marché du leader, mais aussi de ses ventes[30]. Cette baisse se poursuit à mesure que la concurrence s'intensifie et que la surcapacité apparaît. Le nombre de concurrents et les parts de marché se stabilisent jusqu'à ce que le produit se banalise, entraînant un nivellement des prix et de la rentabilité. Certains concurrents se retirent, laissant à l'entreprise innovatrice le choix soit de renforcer sa part, soit de planifier elle aussi son retrait.

**FIGURE 11.6**
Une stratégie long terme de gestion de couples produit/marché (Pi = produit i ; Mj = marché j)

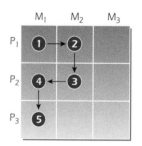

**FIGURE 11.7**
Concurrence
et cycle de vie

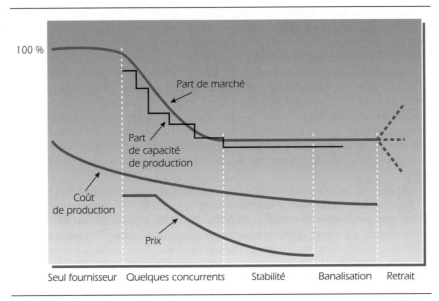

Source : John B. Frey, « Pricing over the Competitive Cycle ».
Présentation faite à la conférence Marketing 1982, New York : The Conference Board, 1982.

## Les stratégies marketing en phase de croissance

En phase de croissance, les ventes du nouveau produit prennent de l'élan. Les premiers acheteurs le rachètent, tandis que de nouveaux consommateurs apparaissent en grand nombre sous l'effet d'un bouche à oreille favorable. Des concurrents entrent sur le marché, attirés par sa taille et la possibilité de bénéfices importants. On commence à ajouter des caractéristiques et à perfectionner le produit afin de s'adresser à de nouvelles couches de clientèle. L'augmentation du nombre de concurrents a pour conséquence un accroissement du nombre de points de vente.

Les prix tendent à rester à leur niveau ou baissent légèrement au cours de cette phase. Les entreprises maintiennent leurs dépenses de communication ou même les augmentent afin de convaincre le consommateur de la supériorité de leur marque. Les ventes augmentent toutefois plus vite, de sorte que le ratio communication/CA baisse. Les marges bénéficiaires sont à leur maximum car les coûts de production baissent plus rapidement que les prix, à mesure que l'entreprise progresse sur sa courbe d'expérience.

Durant cette phase, l'entreprise essaie de soutenir la croissance aussi longtemps que possible. Elle peut y parvenir de plusieurs façons :

♦ Améliorer la qualité du produit ou ajouter d'autres variantes ou caractéristiques.

♦ Étoffer la gamme en créant d'autres modèles ou versions du produit.

♦ Attaquer de nouveaux segments de marché.

♦ Intensifier sa distribution et s'introduire dans de nouveaux circuits.

♦ Assigner à la publicité un objectif de persuasion et non plus seulement de notoriété, afin de favoriser une préférence pour la marque.

♦ Baisser progressivement les prix, afin d'attirer les segments de consommateurs moins fortunés.

L'entreprise qui met en place l'une ou l'autre de ces stratégies améliore sa position concurrentielle, mais au prix d'un effort financier supplémentaire.

Une entreprise en phase de croissance est donc confrontée au dilemme part de marché/bénéfice. En consacrant beaucoup d'argent à l'amélioration, la communication et la distribution du produit, elle peut acquérir une position dominante, mais elle limite les bénéfices immédiats, dans l'espoir de les engranger au cours de la phase suivante.

## Les stratégies marketing en phase de maturité

Tout produit connaît un moment où le rythme de ses ventes ralentit : il entre alors en phase de maturité. Cette phase dure en principe plus longtemps que les précédentes, et les problèmes qu'elle pose sont parmi les plus délicats auxquels un responsable marketing doive faire face. En fait, *la plupart des produits sont en phase de maturité*, et *l'essentiel du marketing management concerne la gestion des produits « mûrs ».*

La phase de maturité comporte trois périodes. Dans la première, *la maturité croissante*, les ventes continuent à progresser mais à un rythme décroissant du fait de la saturation de la distribution, même si certains acheteurs tardifs apparaissent encore sur le marché. Dans la deuxième *(maturité stable)*, les ventes se maintiennent à un niveau constant qui correspond au marché de réachat. Enfin, dans la troisième *(maturité déclinante)*, les ventes commencent à diminuer, à mesure que certains consommateurs se dirigent vers d'autres produits ou substituts.

Le ralentissement du taux de croissance a pour effet de provoquer une surcapacité dans l'ensemble de la branche. Cette surcapacité avive la concurrence : les fabricants font de plus en plus appel aux rabais et remises et augmentent fortement leurs budgets promotionnels. Certaines entreprises accroissent également leur budget de recherche afin d'améliorer le produit. Toutes ces mesures se traduisent par une érosion des bénéfices. Les concurrents les plus faibles disparaissent, et le secteur finit par comporter un petit nombre de firmes qui s'accrochent à leurs positions et sont constamment à la recherche d'avantages concurrentiels.

À ce stade, la concurrence se structure en deux catégories. Deux ou trois entreprises dominent le marché en pratiquant une politique de volume et en bénéficiant de coûts réduits. Autour d'elles apparaissent de nombreux spécialistes s'adressant à des cibles précises à l'aide de produits de niche, allant parfois jusqu'au sur-mesure. La question stratégique pour une entreprise opérant dans un tel marché est de savoir si elle doit « jouer dans la cour des grands » en misant sur une politique de volume ou rester dans une position de challenger en misant sur une politique de marge.

Le responsable marketing dont le produit s'est installé en phase de maturité ne peut se contenter de défendre ses positions. Il doit faire preuve d'imagination[31]. Trois grands types de stratégie s'offrent à lui : la modification du marché, la modification du produit et la modification du mix marketing[32].

LA MODIFICATION DU MARCHÉ ❖ Le responsable marketing étudie les possibilités d'élargir son marché à partir des deux composantes de l'équation commerciale :

*Volume de vente = Nombre d'utilisateurs × taux d'utilisation*

Il existe trois moyens d'accroître le nombre d'utilisateurs :

♦ *Convertir les non-utilisateurs.* On s'attaque alors aux clients potentiels. Une société comme Air France développe son fret en s'efforçant de convaincre de nouveaux secteurs d'activité des avantages du transport aérien sur les autres modes de transport.

CHAPITRE 11
Positionner
et différencier
l'offre sur son
cycle de vie

347

♦ *Pénétrer de nouveaux segments.* Il peut s'agir de segments géographiques, socioéconomiques, démographiques, etc. Un exemple historique est celui du shampooing Mixa Bébé repositionné avec succès auprès des jeunes mères. Plus récemment, la marque Petit Bateau a réussi à élargir sa cible des enfants vers les jeunes mères puis les jeunes femmes en général.

♦ *Gagner des clients sur la concurrence.* Il s'agit de déplacer vers sa marque des consommateurs actuels. Pepsi-Cola par exemple essaie en permanence de convaincre les clients de Coca-Cola de changer de marque.

Quant au taux d'utilisation, on peut l'accroître de trois façons[33] :

♦ *Augmenter la fréquence d'utilisation.* On s'efforce alors de multiplier les occasions de consommation. Une récente campagne collective pour le cognac («offrez du cognac à vos glaçons») a ainsi cherché à promouvoir la consommation du produit à d'autres occasions qu'en fin de repas (apéritif, cocktail, long drink, etc.).

♦ *Augmenter le niveau de consommation à chaque occasion.* Il s'agit d'inciter le consommateur à utiliser davantage de produit à chaque fois. La société Danone peut par exemple remplacer ses pots individuels de Danette par des pots de 250 g ou 500 g.

♦ *Multiplier les usages du produit.* Une entreprise peut découvrir et promouvoir de nouvelles utilisations pour le produit. La marque St Marc encourage depuis quelques années les consommateurs à utiliser sa lessive pour nettoyer les jeans et non plus seulement les murs.

**LA MODIFICATION DU PRODUIT** ❖ Les responsables marketing essaient également de redresser leurs ventes en apportant des modifications au produit susceptibles d'attirer de nouveaux utilisateurs ou d'entraîner une plus forte utilisation par les clients actuels. On parle alors de *relance*. Celle-ci peut prendre trois formes : l'amélioration de la qualité, l'adjonction de caractéristiques et la recherche de style.

Une stratégie d'*amélioration de la qualité* s'efforce d'accroître les performances fonctionnelles du produit : sa durabilité, son efficacité ou son goût. Un fabricant peut espérer gagner des points sur la concurrence en lançant une automobile, un poste de télévision, un café ou un détergent qui soient «nouveaux et améliorés» (Ariel nouvelle formule par exemple). Cette stratégie est efficace dans la mesure où : 1) la qualité du produit est réellement susceptible d'être améliorée ; 2) l'annonce d'une amélioration est crédible aux yeux de l'acheteur ; et 3) un nombre suffisant d'acheteurs sont sensibles à une meilleure qualité. Cependant, les consommateurs ne sont pas toujours prêts à accepter le produit «amélioré», comme en témoigne la célèbre affaire du «New Coke» (encadré 11.4).

Une stratégie d'*adjonction de caractéristiques* consiste à ajouter de nouvelles propriétés qui augmentent la souplesse d'utilisation, la sécurité ou la commodité du produit. Par exemple, Sanex ajoute du microtalc à certains déodorants pour qu'ils absorbent l'humidité tandis que son concurrent Bourgeois garantit le ralentissement de la repousse des poils[34]. Une telle stratégie présente cinq avantages :

♦ elle donne à l'entreprise une image de progrès et de leadership ;

♦ elle est souple d'utilisation dans la mesure où les caractéristiques peuvent être modifiées, abandonnées ou rendues optionnelles pour un prix légèrement supérieur ;

♦ elle permet à l'entreprise de bénéficier de la préférence de certains segments ;

♦ elle entraîne souvent une publicité rédactionnelle gratuite ;

♦ enfin, elle permet d'entretenir le dynamisme des représentants et des distributeurs.

## L'affaire du « New Coke »

En mai 1985, la société Coca-Cola prit une décision que l'on s'accorde aujourd'hui à considérer comme une «gaffe» monumentale. Après 99 ans de succès, elle décida de modifier la formule originale de son produit. Le «New Coke», plus sucré, fut lancé à grands renforts de publicité.

Après une période favorable d'essai, les ventes retombèrent rapidement. Coca-Cola reçut jusqu'à 1 500 appels téléphoniques par jour lui demandant de rétablir l'ancienne formule. Des associations se formèrent et menacèrent de poursuivre la société en justice.

À la mi-juillet, Coca-Cola décida de commercialiser à nouveau l'ancien produit, rebaptisé «classique» à côté du New Coke. À la fin de l'année, les ventes du «classique» représentaient plus du double du New Coke et l'année suivante, McDonald's et Kentucky Fried Chicken, les deux plus importants clients de la consommation hors domicile remplacèrent le New Coke par le Coca classique. Comment tout cela a-t-il pu arriver?

Dans les années 1980, Coca-Cola était en position de leader, même si sa part de marché s'effritait au profit de Pepsi. Pepsi fondait toute sa publicité sur des tests aveugles qui démontraient la supériorité gustative de son produit. Coca-Cola consacra alors 4 millions de $ et deux ans d'études à reformuler son produit. Plus de 200 000 tests furent conduits avec des consommateurs, 30 000 pour le seul New Coke que l'on préférait à l'ancien dans 60 % des cas et à Pepsi dans 52 %. Fort de ces résultats, Coca prit la décision que l'on sait.

Rétrospectivement, il semble que la société se soit obnubilée sur le problème du goût. La firme ne comprit pas que changer la formule du Coca-Cola, c'était s'attaquer au système de valeurs de l'Amérique toute entière. Dans l'esprit des Américains, le Coca-Cola est associé au hamburger, au base-ball et à tout ce qui symbolise l'Amérique profonde. Le problème n'était donc pas gustatif mais émotionnel : on n'améliorait pas le produit mais on renonçait à une partie de soi.

Par ailleurs, les résultats mêmes des tests auraient dû alarmer les dirigeants de la société : 60 % de préférence pour le New Coke signifie que 40 % restaient fidèles à l'ancien. Il aurait été beaucoup plus judicieux d'introduire le New Coke à côté de l'ancien, ce qui finalement fut fait sous la pression des événements.

De plus, le lancement national était beaucoup trop risqué compte tenu des enjeux. Une série de lancements régionaux aurait permis de détecter le problème avant qu'il ne soit trop tard. C'est finalement ce qui s'est passé sur le marché international, et notamment en France, où le New Coke n'a jamais été lancé. Certains analystes considèrent toutefois que l'approche de Coca n'est pas si erronée qu'il y paraît. Selon eux, la distribution aurait difficilement accepté une juxtaposition de deux produits Coca-Cola sur ses rayonnages. En retirant puis relançant le classique, la société aurait bénéficié d'un linéaire qu'elle n'aurait pas eu autrement. La question, on le voit, reste ouverte.

*Source :* De nombreux articles ont été consacrés au «New Coke». Voir en particulier Jack Honomichl, «Missing Ingredients in "New" Coke's Research», *Advertising Age*, 22 juil. 1985, pp. 1-suiv.

Elle présente en même temps un inconvénient majeur : les caractéristiques fonctionnelles sont facilement *imitables*; à moins qu'il n'y ait un avantage décisif à être le premier, l'amélioration peut ne pas se justifier[35].

Une stratégie de *recherche de style* vise à accroître l'attrait esthétique du produit, par opposition à son attrait fonctionnel. Le lancement annuel de nouveaux modèles de voitures, par exemple, représente une concurrence par le style plus que par la qualité ou les caractéristiques techniques. De même, dans

CHAPITRE 11
Positionner
et différencier
l'offre sur son
cycle de vie

349

le cas des produits alimentaires et ménagers, de nombreuses entreprises introduisent des variantes de couleur ou d'aspect, en mettant souvent l'accent sur le conditionnement qui, par extension, devient partie intégrante du produit (comme les sachets de thé individuels Tir'Press de Tetley ou les saucisses rondes Knacki Ball)[36]. L'avantage essentiel d'une recherche de style est de permettre à l'entreprise d'acquérir une identité et, ce faisant, de s'approprier une part de marché. La concurrence par le style pose cependant plusieurs problèmes. D'une part, il est difficile de prédire combien d'acheteurs aimeront le nouveau style. D'autre part, l'entreprise devra abandonner les anciens produits, perdant les clients qui y étaient attachés.

LA MODIFICATION DU MIX ❖ Un dernier type de stratégie consiste à modifier un ou plusieurs éléments du mix marketing. On trouvera ci-après une liste des questions-clés remettant en cause chaque variable d'action (autre que le produit) :

♦ *Le prix.* Doit-on baisser les prix afin d'attirer de nouveaux clients ? Doit-on le faire en modifiant le prix catalogue ou en proposant des offres spéciales, des remises quantité, des remboursements de frais ou du crédit ? Doit-on, au contraire, accroître le prix afin de renforcer l'image de qualité ?

♦ *La distribution.* Peut-on accroître le linéaire et la présence du produit au point de vente ? Doit-on étendre la distribution ? Pénétrer de nouveaux circuits ?

♦ *La publicité.* Doit-on accroître l'effort publicitaire ? Modifier l'axe ou le message ? Le choix des médias ? La programmation et la fréquence des passages ?

♦ *La promotion.* Doit-on recourir davantage aux actions promotionnelles, Si oui, lesquelles ? Échantillons, concours, primes, coupons de réduction ?

♦ *La force de vente.* Doit-on accroître le nombre ou la qualification des vendeurs ? Faut-il modifier leur degré de spécialisation, leur affectation, les modes de rémunération ou la programmation des tournées ?

♦ *Les services.* Doit-on améliorer les délais ? Renforcer l'assistance ou la garantie ? Étendre le service après-vente ?

Les praticiens débattent souvent de l'intérêt de telle ou telle variable d'action en phase de maturité. Doit-on accroître la publicité ou le budget promotionnel ? Certaines pensent que la promotion a davantage d'efficacité à ce stade car les consommateurs ont pris leurs habitudes et la persuasion psychologique (publicité) s'efface devant l'incitation financière (offre spéciale)[37]. Dans certaines catégories de produits comme les boissons ou les biscuits, des promotions offrant davantage de volume de produit peuvent augmenter la consommation[38]. De fait, nombreuses sont les entreprises qui, dans l'univers de la grande consommation tranchent en faveur de la promotion (qui recueille souvent 60 % de l'investissement publi-promotionnel). D'autres estiment que la marque représente un capital qu'il ne faut pas laisser s'effriter. Un recours fréquent à la promotion peut en effet dévaloriser le capital de marque[39].

Le problème essentiel lié aux modifications du mix est leur rapide imitation par la concurrence, notamment les réductions de prix, les améliorations du service, et les actions auprès de la distribution. Il s'ensuit que l'entreprise peut fort bien ne pas obtenir les résultats escomptés, mais qu'au contraire toute la branche soit affectée sous la forme d'une érosion de bénéfices.

## Les stratégies marketing en phase de déclin

La plupart des produits et des marques finissent par connaître une phase de déclin. Il peut être lent, comme dans le cas de la farine, ou bien rapide, comme pour les articles de mode. Les ventes peuvent retomber à zéro (le produit est alors retiré du marché) ou bien stagner à un niveau très bas.

Les ventes d'un produit déclinent pour plusieurs raisons : un progrès technologique donne naissance à de nouveaux produits qui se substituent aux articles existants ; des modifications interviennent dans les goûts, qui provoquent l'émigration de la clientèle ; ou bien l'importation de produits meilleur marché nuit aux produits nationaux. Tous ces facteurs engendrent la surcapacité, la guerre des prix et finalement la disparition des bénéfices.

À mesure que les ventes d'un produit diminuent, certaines firmes se retirent du marché. Celles qui restent ont tendance à réduire leur gamme. Elles cessent de vendre aux segments et circuits marginaux, réduisent le budget promotionnel, et peuvent également baisser les prix, afin que la demande évite de tomber encore plus bas.

Malheureusement, il est rare qu'une politique élaborée de gestion des produits déclinants soit mise en place. Une entreprise n'aime pas abandonner un produit, pour de nombreuses raisons, dont certaines sont sentimentales :

> *Tuer un produit, ou le laisser mourir, est une triste affaire qui engendre souvent toute la mélancolie d'une rupture définitive avec un vieil et fidèle ami. Le polissoir à six faces était le tout premier produit de notre société. Notre gamme ne sera plus tout à fait la même sans lui[40].*

La logique a également sa place. On espère parfois que les ventes repartiront lorsque les conditions économiques seront plus favorables. On s'imagine que la défaillance du produit tient au plan d'action que l'on s'efforce alors de rajeunir. Même lorsqu'aucune de ces explications n'est convaincante, il arrive de garder un produit simplement parce qu'il contribue aux ventes des autres produits de l'entreprise. Enfin, si le volume de vente permet de couvrir les frais variables, l'entreprise peut conserver le produit lorsqu'elle n'a aucune autre façon d'employer ses ressources.

Continuer à vendre un produit déclinant finit cependant par coûter très cher :

- ◆ Un produit défaillant tend à accaparer les dirigeants de façon disproportionnée.
- ◆ Il nécessite de fréquents réajustements de prix et de stock.
- ◆ Il implique en général des séries de production limitées, en dépit d'un temps de mise en route non négligeable.
- ◆ Il réclame un effort publicitaire et commercial qui pourrait être alloué à des produits plus rentables.
- ◆ Son obsolescence peut rendre le consommateur méfiant et jeter un discrédit sur l'image de la société.
- ◆ N'étant pas éliminé en temps opportun, un tel produit retarde la recherche de produits de remplacement, engendre un assortiment de produits déséquilibré, comprenant une majorité de « succès passés » et peu de produits d'avenir.

Une société qui veut assurer une gestion efficace de ses produits vieillissants doit prendre toute une série de décisions[41]. Il faut d'abord identifier les produits en déclin. Dans de nombreuses entreprises, cette tâche incombe à un comité comprenant des représentants du marketing, de la recherche et développement, de la production et de la finance. Il s'agit d'analyser la situation de chaque produit en fonction de la taille du marché, des ventes réalisées, des prix, des coûts, de la rentabilité et des évolutions prévisibles selon que l'on modifie ou non la politique marketing. Le comité émet alors une recommandation de *statu quo*, de modification de stratégie, ou d'abandon du produit.

Confrontées à une situation de déclin, certaines entreprises décident de se retirer du marché, alors que d'autres préfèrent s'y maintenir. Tout dépend des

CHAPITRE 11
Positionner
et différencier
l'offre sur son
cycle de vie

351

barrières à la sortie existant dans l'activité[42]. Plus elles sont faibles, plus il est aisé pour certains d'abandonner le marché et pour les autres de s'y maintenir en attirant les clients devenus disponibles. L'entreprise qui choisit de rester bénéficie alors d'un accroissement temporaire des ventes et des bénéfices.

Selon Harrigan, cinq options stratégiques se présentent à l'entreprise confrontée à un marché en déclin :

1. Continuer d'investir afin de renforcer sa position concurrentielle (voir l'encadré 11.5 pour l'exemple de Remy Martin).

2. Maintenir le niveau d'investissement actuel tant que la situation du marché ne s'est pas décantée.

---

**11.5**

## Comment gérer un produit en déclin : l'exemple du cognac Rémy Martin et les questions-clés du diagnostic produit

Les stratégies utilisées pour revigorer un produit en déclin sont très diverses. Par exemple, Rémy Martin cherche depuis plusieurs années à relancer le cognac, qui souffre d'une image vieillissante. Les ventes mondiales sont ainsi passées de 12 à 9 millions de caisses entre 1993 et 2000. Depuis 1997, la marque a réalisé plusieurs actions pour relancer le produit :

♦ elle a élargi sa gamme en lançant des produits associant du cognac avec des jus de fruits ou de la vodka ;

♦ elle a demandé aux grands chefs d'une cinquantaine de restaurants dans le monde de concevoir des recettes incluant ses produits ;

♦ elle a ouvert un site Internet qui permet la visite de bars virtuels, les Remylounges, et permet aux clients de différents continents de trinquer ensemble ;

♦ elle a mis au point le Remyspace, une flasque isotherme contenant un cognac spécialement assemblé et filtré pour être bu en apesanteur, générant une forte communication rédactionnelle et stimulant la demande des collectionneurs.

Ces opérations ont représenté en 2000 un budget de 75 millions d'euros, soit 20 % du chiffre d'affaires. Elles ont permis une augmentation du chiffre d'affaires de 22 % dans un marché en croissance de seulement 5 %. Cependant, avant d'entreprendre de telles opérations, une entreprise doit analyser la situation de son produit en détail et déterminer l'intérêt de le relancer. Le diagnostic doit alors suivre cinq étapes :

1. *Identifier les raisons à l'origine du déclin du produit :* manque de ressources ? Erreurs de gestion ? Manque d'intérêt des consommateurs ?

2. *Apprécier si l'environnement est propice à un relancement* en analysant le contexte démographique, économique, politico-légal et socioculturel d'un éventuel rajeunissement.

3. *Examiner ce que le nom du produit évoque pour le marché.* Un nom de marque communique au produit des attributs dont il convient de vérifier la pertinence et qu'il faut mettre en relation avec l'image des produits concurrents.

4. *Explorer le potentiel du segment concerné par un éventuel rajeunissement.* Auprès de qui le produit rajeuni est-il présenté ? À ses anciens clients ? À de nouveaux clients attirés par la nostalgie du produit ?

5. *Mesurer la valeur créée pour la clientèle.* En quoi le projet rajeuni crée-t-il une valeur nouvelle pour le client ? Cette valeur est-elle suffisante pour engendrer un courant d'achat et, ultérieurement, la satisfaction ?

---

*Sources :* « Rémy Martin réussit à remettre le cognac sur orbite », *Management,* novembre 2001, p. 34 et Conrad Berenson et Iris Mohr-Jackson, « Product Rejuvenation : A Less Risky Alternative to Product Innovation », *Business Horizons,* nov.-déc. 1994, pp. 51-56.

3. Désinvestir de façon sélective en abandonnant les segments non rentables au profit de «niches» lucratives.

4. «Récolter» en limitant tous les coûts au maximum afin de récupérer du cash rapidement.

5. Se débarrasser de ses actifs dès qu'une opportunité se présente[43].

Le choix final dépendra de l'attrait relatif du marché et de la position concurrentielle de l'entreprise.

■ YAMAHA. L'entreprise a détenu jusqu'à 40 % du marché des pianos, alors que celui-ci décroissait de 10 % par an. Plutôt que de renoncer aux pianos, on étudia de près les clients et l'on découvrit que la majorité des pianos possédés n'étaient jamais utilisés, tant les possesseurs étaient découragés de jouer convenablement. Yamaha décida alors de développer un système qui permettait aux possesseurs de reproduire des exécutions professionnelles sur leur propre piano. Le marché du piano redécolla[44].

Une société qui a décidé d'éliminer l'un de ses produits a le choix entre plusieurs solutions. Elle a tout d'abord la possibilité soit de vendre ou de transférer le produit à quelqu'un d'autre, soit de l'abandonner purement et simplement. Ensuite, elle doit décider du moment auquel elle doit arrêter la vente. Enfin, il faut choisir le niveau de stock de pièces détachées et de service après-vente adéquats pour répondre aux demandes des clients passés.

## Les limites de la notion de cycle de vie

Le concept de cycle de vie a été largement utilisé par les responsables marketing. Son utilité varie cependant selon les types de décision concernés. En tant qu'outil de prévision, son intérêt est limité, du fait que l'historique des ventes révèle souvent différentes courbes et diverses durées pour les quatre phases du cycle. En tant qu'outil de planification et de contrôle, il est en revanche très utile pour comparer les résultats obtenus et suggérer les principales options de stratégie marketing offertes dans chaque cas.

En même temps, le cycle de vie a fait l'objet de nombreuses critiques. Certains ont estimé que les cycles étaient trop variables, l'identification des phases trop arbitraire et l'évolution des ventes trop dépendante de l'action marketing elle-même. Certains considèrent que le passage d'une phase à l'autre est une prophétie autoréalisatrice :

*Supposons qu'une marque soit bien acceptée sur le marché, mais connaisse quelques années difficiles, dues par exemple, à une publicité inadéquate, une perte de référencement ou l'entrée d'un produit «me too» soutenue par une vaste opération d'échantillonnage. Au lieu de réagir, l'entreprise peut considérer que sa marque a atteint la phase de déclin. Elle réduit alors les dépenses promotionnelles, ce qui ne fait qu'aggraver le problème... En fait, le cycle de vie est une variable qui dépend de la stratégie marketing de l'entreprise et non une variable indépendante, à laquelle il faut s'adapter[45].*

Le cycle de vie est donc davantage une résultante qu'un déterminant de l'action marketing. Par ailleurs, la stratégie à adopter pour chaque phase n'est pas toujours évidente car tout dépend de ce que fait la concurrence.

CHAPITRE 11
Positionner
et différencier
l'offre sur son
cycle de vie

353

# L'évolution d'un marché

L'analyse du cycle de vie des produits doit être complétée par une analyse du cycle de vie des marchés. L'entreprise a en effet besoin de comprendre non seulement la nature des marchés auxquels elle s'adresse, mais également leur dynamique. Un marché peut évoluer avec l'apparition de nouveaux besoins, l'action de la concurrence, la technologie, ainsi que d'autres facteurs.

## Les phases d'évolution d'un marché

Un marché connaît en général quatre étapes successives de développement : l'émergence, la croissance, la maturité et le déclin.

**L'ÉMERGENCE** ❖ Avant de devenir réalité, un marché existe à l'état latent : des individus éprouvent un besoin pour quelque chose qui n'existe pas encore sous forme de produit. Ainsi, les individus ont parfois besoin de faire des calculs rapides qui dépassent leurs capacités mentales. Jusqu'au début de ce siècle, les outils disponibles ne satisfaisaient ce marché que très imparfaitement. Même le premier ordinateur, conçu en 1946, laissait à désirer : il pesait 30 tonnes et ne comportait pas moins de 1 900 tubes et 5 000 commutateurs. Supposons qu'un homme d'affaires reconnaisse les besoins du marché en matière de calcul rapide et décide de lancer un calculateur de poche. Il lui faut définir, entre autres, la *taille* et le nombre de *fonctions arithmétiques*. À la suite d'une enquête, il découvre que les préférences des clients potentiels sont *diffuses* ; certains préfèrent un calculateur limité aux quatre opérations, tandis que d'autres souhaitent un produit plus élaboré (pourcentages, racines carrées, logarithmes, etc.) ; de même, certains désirent un petit objet, tandis que d'autres acceptent quelque chose de plus volumineux.

Notre entrepreneur a alors le choix entre plusieurs options :

♦ Concevoir un produit qui répond à une zone de préférence du marché (stratégie de niche).

♦ Lancer plusieurs produits correspondant à différents segments de marché (niches multiples).

♦ Lancer un produit unique correspondant aux préférences moyennes (marché de masse).

S'il s'agit d'une petite entreprise, la première stratégie est probablement la meilleure. Les ressources risquent en effet d'être insuffisantes pour envisager une action sur l'ensemble du marché et un concurrent puissant pourrait rapidement s'imposer. S'il s'agit au contraire d'une grande société, la seconde ou la troisième stratégie se justifient. Il faudra soit lancer une gamme de produits, soit élaborer un produit « central » susceptible de minimiser les mécontentements. Supposons cette dernière stratégie retenue. Une fois le lancement effectué et les premières ventes obtenues, on peut dire que le marché a *émergé*.

**LA CROISSANCE** ❖ L'émergence du marché entraîne l'apparition de la concurrence. Trois stratégies lui sont offertes :

♦ Se spécialiser sur un segment du marché.

♦ Venir concurrencer le premier fabricant au centre du marché.

♦ Lancer plusieurs produits s'adressant à différents segments.

S'il s'agit d'une entreprise spécialisée, elle choisira probablement la première solution qui évite la confrontation directe. Ce fut la stratégie suivie par Hewlett-Packard qui lança des calculateurs perfectionnés et chers, plutôt que des produits de milieu de gamme qui constituaient alors le gros du marché.

Si le concurrent est puissant, il peut avoir intérêt à se positionner au centre, espérant au moins partager le marché. C'est la stratégie adoptée par les grands leaders politiques lors d'une élection présidentielle où il faut nécessairement recueillir plus de la moitié des voix.

Une autre solution consiste à lancer simultanément plusieurs produits de façon à «encercler» progressivement le leader qui ne peut contre-attaquer sur tous les segments à la fois. Quelle que soit la solution adoptée, l'apparition de concurrents se traduira par un développement des ventes entraînant une *croissance* du marché.

**LA MATURITÉ** ❖ Toute société qui entre ultérieurement sur le marché se positionnera par rapport aux concurrents existants jusqu'à ce que tous les segments du marché soient couverts. Le marché se *fragmente* alors en segments de plus en plus fins, ne laissant inoccupées que des zones de préférence marginales ou non rentables.

Le marché à alors atteint son stade de *maturité*. Il ressemble à la figure 11.8 qui identifie les segments et les différents concurrents (A, B, C, D, etc.). En France, le marché des yaourts s'apparente à un marché fragmenté ; de multiples marques (Danone, Yoplait, Nestlé, Mamie Nova, Senoble, etc.) offrant de multiples produits (yaourts nature, au lait entier, au bifidus, brassés, à boire, aromatisés, aux fruits, allégés, probiotiques, etc.).

Un marché fragmenté évolue cependant souvent vers la reconsolidation sous l'effet de l'apparition d'une nouvelle caractéristique déterminante du produit (par exemple le fluor pour les pâtes dentifrices, rapidement adopté par de nombreuses marques) ou bien d'un souci de restructuration exprimé par l'ensemble du secteur. Ainsi, le marché français du réfrigérateur peut être considéré comme un marché reconsolidé dans la mesure où de nombreuses marques (Philips, Arthur Martin, Brandt, Zanussi, Vedette...) sont fabriquées par un petit noyau d'entreprises (Whirlpool, Electrolux, Daewoo). Si de nouveaux concurrents apparaissent, il arrive cependant que le marché se fragmente à nouveau quitte à se reconsolider ultérieurement.

**LE DÉCLIN** ❖ Une innovation majeure peut toutefois mettre fin aux phases de fragmentation et reconsolidation successives. Dans ce cas, le marché *disparaît* purement et simplement. Lorsque les caméras vidéo sont apparues, le marché du cinéma amateur s'est pratiquement éteint. Un marché disparaît à chaque fois qu'un nouveau produit satisfait les besoins des consommateurs de façon plus complète que ce qui existait auparavant.

## La dynamique concurrentielle

Nous avons étudié la façon dont un marché émergeait, se développait, se fragmentait puis se reconsolidait avant de décliner. L'évolution progressive d'un marché se fait sous les coups de butoir des concurrents, contrebalancés par l'innovation. L'évolution d'un marché est ainsi le résultat de forces antagonistes exprimées à travers la recherche de positionnements toujours plus attrayants aux yeux du marché :

■ **ESSUIE-TOUT.** Le marché des essuie-tout en papier fournit un bon exemple d'une telle dynamique. Dans les années 1950, la ménagère utilise surtout des éponges ou des chiffons pour nettoyer sa cuisine. En 1957, une grande société, Sopalin, décide de lancer un essuie-tout en papier, à jeter après usage. Le marché se cristallise alors. Rapidement, des concurrents (Scottex, O'Kay) interviennent, provoquant une expansion rapide puis une fragmentation du marché. Des innovations apparaissent (papier double épaisseur, rouleaux colorés, puis décorés) provoquant des reconsolidations et fragmentations successives. Le marché des essuie-tout en papier évolue aujourd'hui au rythme d'environ 2 % par an. Avec un taux de pénétration d'environ 40 %, il est stabilisé.

**FIGURE 11.8**
Deux phases
d'évolution
d'un marché mûr

A.
Phase de fragmentation

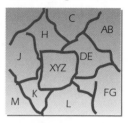

B.
Phase de reconsolidation

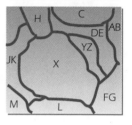

CHAPITRE 11
Positionner
et différencier
l'offre sur son
cycle de vie

La concurrence se manifeste surtout à travers les attributs du produit : une nouvelle caractéristique attire la demande et aussitôt tous les concurrents l'adoptent. Toutes les couches pour bébé revendiquent d'être plus absorbantes, aussi cet attribut perd-il son intérêt ; toutes les compagnies aériennes transatlantiques offrent des spectacles de cinéma en vol, aussi n'est-ce plus un facteur d'attrait. *Les attentes des clients évoluent avec les attributs des produits offerts.* Tout nouvel attribut, s'il est significatif, entraîne ainsi un avantage différentiel de courte durée, rapidement annihilé par les concurrents. Il s'ensuit qu'une firme qui désire conserver le leadership doit continuellement améliorer les attributs de ses marques. Pour ce faire, quatre approches sont disponibles :

♦ La première, *empirique*, se fonde sur les études de marché et cherche à détecter quels attributs ont la faveur du public. L'entreprise analyse ensuite le coût correspondant aux différentes améliorations suggérées et les réactions probables des concurrents.

♦ La deuxième est *intuitive* et s'appuie sur l'expérience et la réflexion de l'entrepreneur. Celui-ci, se fiant à sa bonne étoile, élabore des perfectionnements qu'il propose ensuite au marché. S'il réussit, on peut dire qu'il a du flair ou tout simplement de la chance.

♦ La troisième approche s'en remet à un *processus dialectique*. Un attribut bien accepté par le marché tend à être poussé à son extrême, ce qui engendre un processus d'autodestruction. Alors que les jeans étaient un produit banal et bon marché, quelques marques se sont différenciées en en faisant un vêtement à la mode et coûteux. Ce positionnement est aujourd'hui suivi par de nombreux intervenants du secteur et durera jusqu'à ce qu'un fabricant mette en avant un autre argument. L'évolution du marché obéit ainsi à une dialectique d'autant plus rapide que l'imitation est largement pratiquée.

♦ La dernière approche se fonde sur une *analyse hiérarchique des besoins* des individus (voir sur ce point la théorie de Maslow, décrite au chapitre 7). Un adepte de cette école décrirait ainsi l'évolution du marché automobile : au début, il s'agit simplement de pourvoir au besoin de transport et de sécurité. Puis, des motivations sociales, liées au statut, apparaissent. Enfin, la voiture devient un instrument d'accomplissement de soi. La tâche du responsable marketing consiste alors à identifier le moment auquel le marché évolue sur l'échelle des besoins.

En fait, la recherche de nouveaux attributs est un phénomène plus complexe que les approches précédentes ne le suggèrent[46]. Elle fait intervenir à la fois des développements technologiques et sociaux. Le désir des utilisateurs d'ordinateurs portables pour un appareil de taille réduite suppose la maîtrise de la technologie de miniaturisation. Inversement, des évolutions telles que l'écologie, le consumérisme et les nouveaux modes de vie remettent en cause l'importance de certains attributs. Ainsi, la vitesse de pointe d'une automobile n'est plus aussi valorisée qu'autrefois. Le responsable marketing désireux d'innover doit ainsi se référer à de multiples sources d'information pour définir le meilleur itinéraire de son entreprise face à la concurrence.

# *Résumé*

1. Positionner un produit consiste à le concevoir et le promouvoir de façon à lui donner une place déterminée dans l'esprit des clients visés. La stratégie de positionnement trouve ses racines dans une analyse des perceptions et décisions des consommateurs confrontés à un choix et dans l'identification de la manière dont sont perçus les produits concurrents. Choisir un positionnement exige de définir la catégorie à laquelle le produit appartient, avant de préciser son avantage distinctif par rapport aux concurrents. Une fois le positionnement choisi, l'entreprise doit le communiquer au marché visé à travers l'ensemble du mix marketing.

2. Dans un secteur ouvert à la concurrence, la capacité à se différencier est un élément-clé de la compétitivité. De nombreuses sources de différenciation existent, qu'il s'agisse des produits (forme, fonctionnalités, performance, conformité, durabilité, fiabilité, réparabilité, style, design), des services (facilité de commande, livraison, installation, formation, conseil, réparation), du personnel (compétence, courtoisie, crédibilité, fiabilité, serviabilité, communication), des points de vente (couverture, expertise, performance) ou de l'image (symboles et signatures, environnement physique, événements). Pour être opérationnelle, une différence doit être importante, distinctive, supérieure, communicable, défendable, accessible et rentable.

3. Sous la pression des conditions économiques et de la concurrence, les entreprises doivent régulièrement redéfinir la stratégie marketing de leurs produits au cours de leur cycle de vie.

4. L'histoire commerciale d'un produit peut souvent s'exprimer sous la forme d'une courbe en S que l'on a coutume de découper en quatre phases (lancement, croissance, maturité, déclin). D'autres schémas peuvent cependant s'observer, notamment pour les produits de mode, les styles et les gadgets.

5. La phase de *lancement* est marquée par un lent démarrage des ventes et des bénéfices, dû à une distribution progressive du produit. Au cours de cette phase, l'entreprise décide de sa stratégie : écrémage rapide, écrémage progressif, pénétration rapide ou pénétration progressive. S'il est accepté, le produit traverse alors une phase de *croissance*, marquée par un développement rapide des ventes et des bénéfices. Au cours de cette phase, l'entreprise s'efforce d'améliorer le produit, de pénétrer de nouveaux segments et circuits et de réduire légèrement ses prix. Puis vient une phase de *maturité*, au cours de laquelle la croissance des ventes se ralentit et les bénéfices se stabilisent. L'entreprise recherche alors des stratégies innovatrices de modification de marché, de produit et de mix marketing. Enfin, le produit entre dans une phase de *déclin*, caractérisée par une détérioration des ventes et des profits. La tâche de l'entreprise, au cours de cette période, est d'identifier les produits défaillants et de développer pour chacun d'eux une stratégie de statu quo, de concentration, de récolte ou d'abandon, destinée à minimiser l'incidence du déclin sur les bénéfices de l'entreprise, ses employés et ses clients.

6. Tout comme les produits, les marchés évoluent aussi en quatre temps. Un marché commence par *émerger* avec l'identification d'un besoin mal ou insuffisamment satisfait et l'offre du produit correspondant. Lorsque la concurrence entre en jeu avec les mêmes ou d'autres produits, le marché connaît une phase de *croissance* jusqu'à aboutir à sa *maturité*. Il se fragmente alors sous l'effet de la multiplication des positionnements, puis se reconsolide autour de quelques grandes alternatives. Après être passé par des stades successifs de fragmentation et de reconsolidation, il *décline* enfin avec l'arrivée d'une innovation déstabilisante.

CHAPITRE 11
Positionner
et différencier
l'offre sur son
cycle de vie

357

# Notes

1. Voir Al Ries et Jack Trout, *Le Positionnement : la conquête de l'esprit* (Paris : McGraw-Hill, 1986). Voir également Jack Trout et Steve Rivkin, *Les Nouvelles lois du positionnement* (Paris ; Village Mondial, 1996).

2. Pour d'autres critères, voir Pierre-Louis Dubois et Patrick Nicholson, « Le Positionnement », *Encyclopédie du management*, (Paris : Vuibert, 1992, pp. 353-370).

3. Michael Treacy et Fred Wiersema, *L'Exigence du choix : trois disciplines de valeur pour dominer ses marchés* (Paris : Village Mondial, 2002).

4. *Management*, « B&O : Marketing choc pour produits chics », janvier 2002, p. 26

5. Yoram Wind, *Product Policy : Concepts, Methods and Strategy* (Reading, Mass : Addison-Wesley, 1982), pp. 79-81.

6. Rosser Reeves, *Reality in Advertising* (New York : Knopf, 1960).

7. « Nouveaux produits : du "deux-en-un" au "tout-en-un" », *Les Echos*, 2 juin 1998, p. 56.

8. Christopher Power, « Flops », *Business Week*, 6 août 1993, pp. 76-82.

9. Exemple tiré de Alice Tybout et Brian Sternthal, « Brand Positioning », *Kellogg on Marketing*, ed. Dawn Iacobucci (New-York : John Wiley & Sons, 2001) p. 54.

10. Gregory S. Carpenter, Rashi Glazer, et Kent Nakamoto, « Meaningful Brands from Meaningless Differentiation : The Dependence on Irrelevant Attributes », *Journal of Marketing Research*, août 1994, pp. 339-350.

11. Edwin T. Crego, Jr. et Peter D. Schiffrin, *Customer Centered Reengineering* (Homewood, Ill. Irwin, 1995).

12. Voir David A. Garvin, « Competing on the Eight Dimensions of Quality », *Harvard Business Review*, nov.-déc. 1987, pp. 101-109.

13. « L'arme secrète de L'Oréal : 2 000 produits nouveaux chaque année », *L'Essentiel du Management*, 1er mai 1998, pp. 14-22.

14. Voir Bernd Schmitt et Alex Simonson, *Marketing Aesthetics : The Strategic Management of Brand, Identity, and Image* (New York : Free Press, 1997).

15. Voir Philip Kotler, « Design : A Powerful but Neglected Strategic Tool », *Journal of Business Strategy*, automne 1984, pp. 16-21.

16. Ian C. MacMillan et Rita Gunther McGrath, « Discovering New Points of Differentiation », *Harvard Business Review*, juil.-août 1997, pp. 133-145.

17. Adapté de A. Parasuraman, Valérie A. Zeithaml et Leonard L. Berry « Servqual : Une échelle multi-item de mesure des perceptions de la qualité de service par les consommateurs », *Recherche et Applications en Marketing*, 1990, n° 1, pp. 19-42.

18. Certains auteurs considèrent d'autres phases, telles que la *turbulence concurrentielle* (entre la croissance et la maturité), la *saturation* ou la *pétri-fication*. La phase de maturité se termine alors lorsque le chiffre d'affaires est à son plus haut niveau et la phase de saturation commence lorsqu'il se stabilise. Elle dure jusqu'à ce que le chiffre d'affaires commence véritablement à décliner après quoi les ventes atteignent un nouveau plateau correspondant à la phase de pétrification.

19. Voir à ce sujet Michel Vandaele, « Le Cycle de vie du produit : concepts, modèles, évolution », *Recherche et Applications en Marketing*, juil. 1986, pp. 77-89.

20. William E. Cox Jr, « Product Life Cycles as Marketing Models », *Journal of Business*, oct. 1967, pp. 375-384.

21. Voir Theodore Levitt, « Comment tirer parti du cycle de vie du produit », *Harvard L'Expansion*, été 1976, pp. 34-49.

22. Voir Graham R. Dowling et Joan A. Cooper, « Simulation des systèmes : la simulation des cycles de vie des produits et des services », *Recherche et Applications en Marketing*, 1990, vol. 5, pp. 25-44.

23. Voir à ce sujet Jean-François Boss et Alain Boudon, « Mode et marketing : peut-on prévoir l'évolution du vêtement féminin ? », *Revue Française de Marketing*, janv.-févr. 1976, pp. 31-83.

24. William H. Reynolds, « Cars and Clothing : Understanding Fashion Trends », *Journal of Marketing*, juil. 1968, pp. 44-49.

25. Robert D. Buzzell, « Competitive Behavior and Product Life Cycles », in *New Ideas for Successful Marketing*, éd. John S. Wright et Jack Goldstucker (Chicago : American Marketing Association, 1956), p. 51.

26. William Robinson et Claes Formell, « Sources of Market Pioneer Advantages in Consumer Goods Industries », *Journal of Marketing Research*, août 1985, pp. 305-307 ; Glen Urban *et alii*, « Market Share Rewards to Pioneering Brands : An Empirical Analysis and Strategic Implications », *Management Science*, juin 1986, pp. 645-649 ; Gregory S. Carpenter et Kent Nakamoto, « La formation des préférences du consommateur et l'avantage pionnier », *Recherche et Applications en Marketing*, 1990, vol. 5, n° 2, pp. 17-43.

27. Voir Emmanuelle Le Nagard-Assayag et Delphine Manceau, « Faut-il être le premier à lancer une innovation ? », A. Bloch et D. Manceau, *De l'idée au marché : innovation et lancement de produits* (Paris : Vuibert, 2000, pp. 11-28) ; Frank R. Kardes *et al.*, « Brand Retrieval, Consideration Set Composition, Consumer Choice, and the Pioneering Advantage », *Journal of Consumer Research*, juin 1993, pp. 62-75 ; Frank H. Alpert et Michael A. Kamins, « Pioneer Brand Advantage and Consumer Behavior : A Conceptual Framework and Propositional Inventory », *Journal of the Academy of Marketing Science*, été 1994, pp. 244-253.

28. Steven P. Schnaars, *Managing Imitation Strategies* (New York : Free Press, 1994) ; voir aussi David

Gotteland, «Comment surpasser l'avantage du premier entrant», *Décisions Marketing*, 2000, n° 21, pp. 7-14.

29. Peter N. Golder et Gerald J. Tellis, «Pioneer Advantage : Marketing Logic or Marketing Legend ?» *Journal of Marketing Research*, mai 1992, pp. 34-46.

30. Notons toutefois que, pour certains produits technologiques dont l'achat est perçu comme risqué par les clients, il arrive que l'entrée de la concurrence crédibilise l'innovation et élargisse le marché. Parfois, c'est la baisse des prix consécutive à l'entrée des concurrents qui génère une hausse des volumes de vente. Ainsi, les abonnements au téléphone portable ont beaucoup augmenté avec l'arrivée des suiveurs SFR et Bouygues Telecom.

31. Voir Joulee Andrews et Daniel C. Smith, «In Search of the Marketing Imagination : Factors Affecting the Creativity of Marketing Programs for Mature Products», *Journal of Marketing Research*, mai 1996, pp. 174-187.

32. William Boulding, Eunkyu Lee et Richard Staelin, «Mastering the Mix : Do Advertising, Promotion, and Sales Force Activities Lead to Differentiation ?» *Journal of Marketing Research*, mai 1994, pp. 159-172.

33. Brian Wansink et Michael L. Ray, «Advertising Strategies to Increase Usage Frequency», *Journal of Marketing*, janv. 1996, pp. 31-46.

34. *LSA*, «Déodorants : plus que l'efficacité», 14 mars 2002, p. 86.

35. Stephen M. Nowlis et Itamar Simmonson, «The Effect of New Product Features on Brand Choice», *Journal of Marketing Research*, fév. 1996, pp. 36-46.

36. *LSA*, «La charcuterie se refait une jeunesse, supplément», 10 octobre 2002, p. 20.

37. Voir à ce sujet, Bernard Dubois et Patrick Duquesne, «Valeur imaginaire de la marque, valeur fonctionnelle des produits : les scénarios de l'échange», Paris : Séminaire IREP du 26 juin 1996.

38. Pierre Chandon et Brian Wansink, «When are stockpiled products consumed faster? A convenience-salience framework of post purchase consumption incidence and quantity», *Journal of Marketing Research*, août 2002, vol. 39, pp. 321-335.

39. Pour un avis contraire, voir cependant Gilles Laurent «Les promotions ne dégradent pas l'image de marque», *Les Echos*, 20 octobre 1998, p. 50.

40. Ralph S. Alexander, «The Death and Burial of «Sick» Products», *Journal of Marketing*, avril 1964, p. 1.

41. La procédure d'examen des produits déclinants est examinée en détail dans Philip Kotler, «Éliminez vos produits non rentables», *Harvard L'Expansion*, automne 1976, pp. 13-25. Voir également George J. Avlonitis, «Product Elimination Decision Making : Does Formality Matter ?» *Journal of Marketing*, hiver 1985, pp. 41-52.

42. Voir Kathryn Rudie Harrigan, «The Effect of Exit Barriers Upon Strategic Flexibility», *Strategic Management Journal*, vol. 1, 1980, pp. 165-176.

43. Kathryn Rudie Harrigan, «Strategies for Declining Industries», *The Journal of Business Strategy*, automne 1980, p. 27.

44. Conrad Berenson et Iris Mohr-Jackson, «Product Rejuvenation : A Less Risky Alternative to Product Innovation», *Business Horizon*, nov.-déc. 1994, pp. 51-56.

45. Narima K. Dhalla et Sonia Yuspek, «Forget the Product Life Cycle Concept !», *Harvard Review*, janv.-févr. 1976, pp. 102-112.

46. Marnik G. Dekimpe et Dominique M. Hanssens, «Empirical Generalizations About Market Evolution and Stationarity», *Marketing Science*, 1995, 14 n. 3, pt. 1 G109-21.

CHAPITRE 11
Positionner
et différencier
l'offre sur son
cycle de vie

359

# Élaborer une nouvelle offre

CE CHAPITRE TRAITE
DES QUESTIONS SUIVANTES :

■ Quels défis lance à l'entreprise le
développement d'une nouvelle offre ?

■ Quels modes d'organisation sont
utilisés pour gérer le développement
des nouveaux produits ?

■ Quelles sont les principales étapes du
développement d'un nouveau produit
et comment les gérer au mieux ?

■ Quels facteurs influencent la diffusion
et l'adoption d'un nouveau produit ?

*« Qui doit, in fine,
concevoir le produit ?
Le client, bien sûr. »*

Lorsqu'une entreprise a soigneusement segmenté son marché, choisi ses cibles et déterminé son positionnement, elle est prête à élaborer son offre. L'une des responsabilités majeures du marketing est de l'y aider.

Le renouvellement des produits est indispensable, du fait de l'évolution de la technologie, des goûts des consommateurs et des initiatives de la concurrence. Une analyse menée par Sécodip sur 135 marques installées depuis au moins deux ans révèle que 67 % seulement de leur volume sont réalisés par les acheteurs de l'année précédente[1]. Dans le domaine alimentaire, on estime même que 70 % des produits que nous consommons aujourd'hui n'existaient pas il y a dix ans[2].

Il y a deux manières d'obtenir un nouveau produit : l'*acquisition* ou l'*innovation*. En choisissant la voie de l'acquisition, l'entreprise ne développe pas elle-même de nouveaux produits mais exploite des droits existants[3]. L'acquisition peut elle-même revêtir trois formes : 1) l'entreprise engage un programme visant la prise de contrôle de sociétés externes. Dans l'univers du luxe, le groupe LVMH s'est ainsi constitué par rachats successifs (Dior, Vuitton, Guerlain, etc.) ; 2) l'entreprise achète des brevets qui lui permettent d'exploiter de nouveaux produits ; 3) elle fabrique sous licence des produits qui l'intéressent.

L'innovation, en revanche, est le fruit soit d'une *politique de développement interne* fondée sur les travaux des bureaux de recherche et laboratoires, soit d'une *politique contractuelle* faisant appel à des chercheurs indépendants ou à des organismes spécialisés.

En fait, la plupart des entreprises combinent l'une ou l'autre de ces approches. Le groupe L'Oréal par exemple procède tantôt par développement interne (shampooings, laques), tantôt par rachat (Lancôme, Biotherm, Maybelline) ou accords de commercialisation (Mennen).

Le cabinet Booz Allen a identifié six types de nouveaux produits selon leur degré d'innovation, tant pour l'entreprise que pour le marché :

1. Les *produits entièrement nouveaux* : ils sont à l'origine de la création d'un nouveau marché (ex. Actimel de Danone).

2. Les *nouvelles lignes de produits* : elles permettent à l'entreprise de s'implanter sur un marché existant (ex. les colas Virgin).

3. Les *extensions de gamme* : elles prolongent une ligne de produits déjà implantés (ex. les cosmétiques Clarins pour homme).

4. Les *améliorations de produits* : elles renforcent les performances ou rehaussent l'image (ex. le Nouveau Supercroix).

5. Les *repositionnements* (ex. le shampooing P'tit Dop).

6. Les *nouveaux produits moins chers* : à qualité égale, ils sont moins coûteux (ex. les produits Leader Price).

Il est à noter que les produits véritablement nouveaux ne représentent qu'un dixième de l'ensemble. Ce sont naturellement les plus coûteux et ceux qui présentent le risque d'échec le plus élevé car ils sont nouveaux à la fois pour l'entreprise et pour le marché.

## Histoire d'un échec : le système Iridium

À la fin des années 1990, Motorola et plusieurs partenaires ont lancé l'Iridium, un système téléphonique global sans fil fonctionnant par satellite et ayant coûté 4 milliards d'euros. Les ingénieurs de Motorola avaient imaginé de lancer 66 satellites de télécommunications permettant aux utilisateurs d'émettre et de recevoir des appels de n'importe quel endroit du globe. L'objectif était d'établir un standard universel de téléphonie sans fil. Pourtant, Iridium a fait faillite en août 1999 et le système a été fermé en mars 2000. Il n'a jamais attiré plus de 50 000 acheteurs. Les raisons d'un tel échec relèvent des choix opérés sur plusieurs éléments du mix marketing :

♦ *Le kit-produit Iridium* : un poids de presque 500 grammes contre 100 grammes pour la plupart des téléphones portables, la forme d'une brique, une grande difficulté à le transporter ou à le ranger dans une valise, de nombreux problèmes de transmission interrompant ou perdant des appels, une qualité de voix inférieure aux téléphones portables, une incapacité à fonctionner à l'intérieur des immeubles ou de voitures en mouvement.

♦ *Le prix* : 3 000 euros au lancement, 1 500 ensuite, avec un coût d'appel de 4 à 10 euros la minute, que l'on appelle d'une grande ville ou de la jungle amazonienne.

♦ *La distribution* : des déficiences de services dans de larges zones d'Europe, d'Asie et d'Afrique.

♦ *La communication* : la campagne de publicité montrait un homme en parka tirant un traîneau dans un lieu enneigé et isolé ; son téléphone sonne : il reste en contact avec le monde. Cette publicité était complétée par une campagne de marketing direct et de nombreuses opérations de relations publiques. Cependant, il aurait été indispensable de prévoir également une force de vente conséquente et compétente pour répondre aux questions des prospects sur le prix, les pannes, le kit. Enfin, Motorola choisit souvent des partenaires commerciaux aux faibles compétences marketing. La communication généra 1,5 million de demandes de renseignements, dont la plupart restèrent sans réponse.

En conclusion, il apparaît qu'aucune communication, si intense soit-elle (ici un budget de 180 millions d'euros), ne peut empêcher l'échec d'un produit mal conçu et de qualité déficiente. En outre, le suivi commercial n'a pas été à la hauteur des ambitions du projet.

*Source* : Eric Olson, Stanley Slater et Andrew Czaplewski, « The Iridium Story : A Marketing Disconnect ? », *Marketing Management*, été 2000, pp. 54-57.

# Le dilemme des nouveaux produits

Certaines entreprises innovent rarement. D'autres le font occasionnellement. D'autres, enfin, comme Sony, 3M ou Dell Mycrosystems, placent l'innovation au centre de leur activité : elles développent une attitude favorable à la prise de risque, favorisent le travail en équipe, permettent à leur personnel de faire des essais et même d'échouer[4].

Dans les conditions actuelles de concurrence, il devient de plus en plus risqué de ne pas innover. Les distributeurs et les consommateurs attendent un flot continu de produits nouveaux et améliorés. Les cycles de vie des produits sont de plus en plus courts et les technologies se renouvellent rapidement. La plupart des entreprises établies se focalisent sur les innovations incrémentales, qui s'inscrivent dans le prolongement des produits déjà existants. Les technologies de rupture, qui modifient les habitudes de consommation, créent de nouvelles catégories de produits et sont susceptibles de bouleverser l'espace concurrentiel, sont souvent introduites par des entreprises récentes.

En même temps, l'élaboration de nouveaux produits devient de plus en plus difficile ainsi qu'en témoignent les échecs rencontrés par les ordinateurs Xerox, le Concorde ou plus récemment le Wap, Cytale – le pionnier de l'e-book en France – ou le système Iridium (voir encadré 12.1). Les nouveaux produits connaissent des taux d'échec spectaculaires qui ne semblent pas diminuer avec le temps[5] : environ 90 % des nouveaux produits de grande consommation lancés en Europe rencontrent un échec, un peu moins qu'aux Etats-Unis (95 %)[6]. Pourtant les échecs sont toujours instructifs et permettent de savoir ce qu'il ne faut pas faire (voir encadré 12.2). Pourquoi autant d'insuccès ? Les causes les plus fréquentes sont les suivantes[7] : le PDG a imposé son idée sans tenir compte des études de marché ; le marché a été surestimé ; le produit a été mal conçu ; il a été mal positionné, insuffisamment promu ou proposé à un prix trop élevé ; on a sous-estimé les coûts de développement ou bien la concurrence a réagi plus vite et plus fort que prévu.

Les difficultés de lancement tiennent également à d'autres facteurs :

♦ *Le manque d'idées.* Certains experts pensent que l'on assiste, au moins dans certains domaines, à une pénurie d'idées pour améliorer substantiellement les produits de base comme l'automobile ou le savon.

♦ *La fragmentation des marchés.* L'âpreté de la concurrence conduit à des marchés de plus en plus fragmentés. Les nouveaux produits sont destinés à des segments de plus en plus «pointus», et cela se traduit par un chiffre d'affaires et des bénéfices moins élevés.

---

**12.2**

### Les leçons à tirer de l'échec d'un lancement : les recommandations de Robert McMath

Se promener dans les allées du Centre d'exposition, c'est comme voyager dans un supermarché cauchemardesque. On y trouve les petits pots pour adultes, la moutarde en aérosol, et la bière incolore. À côté de chaque produit figurent les objectifs et les budgets mais aussi ce qu'il advint du produit.

Robert McMath tire de tous ces échecs de nombreuses leçons, rassemblées dans son livre *What Were They Thinking?*. En voici quelques-unes :

♦ La valeur d'une marque est assise sur le capital de confiance que lui accorde la clientèle. Ne la détruisez pas en lançant sous son nom des produits complètement farfelus.

♦ Le marketing d'imitation est le premier responsable des lancements ratés. Un produit «me-too» ne peut vous entraîner très loin. Pepsi-Cola pourrait être considéré comme une exception (face à Coca-Cola) mais c'est là l'une des rares marques ayant survécu sur le marché des colas. Qui se souvient de Toca-Cola ? Yum-Yum Cola ? Coco-Cola ? King-Cola ?

♦ Méfiez-vous des produits qui, dans leur positionnement, obligent le client à se souvenir qu'il a les cheveux gras, une mauvaise haleine, une surcharge pondérale ou simplement qu'il est âgé.

♦ Certains produits s'écartent de façon trop radicale des habitudes des consommateurs : la saucisse des mers ou le déodorant au concombre sont trop révolutionnaires pour pouvoir franchir les barrières mentales de l'achat.

---

*Sources* : Paul Lukas, «The Ghastliest Product Launches», *Fortune*, 16 mars 1996, p. 44 ; Jan Alexander, «Failure Inc.», *Worldbusiness*, mai-juin 1996, p. 46 ; Robert M. McMath et Thom Forbes, *What Were They Thinking? Marketing Lessons I've Learned from Over 80,000 New-Product Innovations and Idiocies* (New York : Times Business, 1998), pp. 22-24, 28, 30-31, 129-130. Pour des exemples français, on peut se reporter régulièrement à la rubrique «Tops et Flops» du magazine *Management* ou bien à la rubrique «Dérapages» de *Capital*.

♦ *L'environnement social et réglementaire.* Les nouveaux produits ne doivent pas seulement atteindre leurs objectifs mais également répondre à un nombre croissant d'exigences relatives à la sécurité du consommateur et à l'équilibre écologique. Dans certains secteurs tels que l'industrie pharmaceutique ou les cosmétiques, la réglementation a pour effet de ralentir le rythme de développement des nouveaux produits.

♦ *Le coût de l'élaboration d'un nouveau produit.* Une entreprise doit tester beaucoup d'idées pour espérer donner naissance à un nouveau produit. Elle fait face à des coûts élevés de recherche et de développement, production, distribution et promotion.

♦ *Le manque de capitaux.* Le coût élevé de la recherche exige des capitaux considérables et pousse de nombreuses entreprises dont les ressources financières sont limitées, à préférer la voie de la modification marginale ou de l'imitation.

♦ *L'accélération des processus de développement.* De nombreuses sociétés s'efforcent d'accélérer le passage de l'idée au marché en ayant recours au partenariat, aux tests de concept et à la planification marketing. L'ingénierie concourante rassemble des équipes pluri-fonctionnelles qui travaillent en parallèle sur le développement du produit. Elle permet de réduire considérablement le temps de conception par rapport à une approche séquentielle des tâches. En Europe, Fiat a ainsi réduit le temps de développement d'une nouvelle voiture de six ans à moins de trente mois.

♦ *La durée de vie de plus en plus courte des produits ayant réussi.* Même lorsqu'une entreprise réussit le lancement d'un nouveau produit, ses rivales réagissent si rapidement que le succès n'est que de courte durée.

En matière de nouveaux produits, l'entreprise se trouve donc confrontée à un dilemme : elle ne peut pas éviter d'innover, mais elle sait que ses chances de succès sont limitées. Des études ont montré que le premier facteur-clé de succès d'un nouveau produit réside dans sa qualité supérieure aux produits existants et dans une bonne définition du concept. Ensuite interviennent d'autres facteurs comme l'évaluation pertinente du marché ciblé, les caractéristiques du produit, les synergies entre technologie et marketing[8]. Pour les produits de haute-technologie, la difficulté est encore accrue (voir encadré 12.3). Reste qu'une double précaution est indispensable pour réduire les risques : 1) mettre en place une organisation efficace ; et 2) gérer les différentes phases de l'élaboration d'un nouveau produit de façon aussi rigoureuse que possible. Considérons chacun de ces problèmes tour à tour.

## Qui doit gérer les nouveaux produits ?

C'est à la direction générale que revient la décision du lancement des nouveaux produits. L'élaboration de nouveaux produits suppose une identification de la stratégie globale de l'entreprise, notamment sous l'angle des couples produit/marché qu'il convient de privilégier. Des critères de choix précis doivent permettre de sélectionner les produits à lancer. La société General Foods a ainsi défini trois critères de base :

1. La durée de remboursement de l'investissement initial doit être inférieure à dix ans ;
2. Les bénéfices doivent tenir compte de façon explicite de la cannibalisation des produits existants ;
3. Le taux de rentabilité des investissements doit, en principe, être supérieur à 40 % par an, avant impôts.

L'un des problèmes les plus épineux concerne le budget affecté au développement. La rentabilité de la recherche est par nature incertaine, aussi est-il dif-

# Les difficultés spécifiques de l'innovation dans les secteurs high-tech

Les activités de haute technologie sont extrêmement diverses : télécommunications, informatique software et hardware, biotechnologies, électronique grand public. Ces activités ont en commun plusieurs caractéristiques qui rendent l'innovation radicale particulièrement risquée :

♦ *L'incertitude technologique* : quelles seront les fonctionnalités précises du nouveau produit ? Quel délai sera nécessaire à son développement ?

♦ *L'incertitude du marché* : quels besoins va-t-on satisfaire ? Combien d'acheteurs attirera notre produit ? Sera-t-il adopté rapidement ou lentement ? Notre standard s'imposera-t-il face à ceux des concurrents ?

♦ *La volatilité concurrentielle* : Faut-il craindre les concurrents actuels ou des entreprises émanant d'autres secteurs ? Quel produit notre nouvelle technologie remplacera-t-elle ?

♦ *La structure de coûts fondée sur des investissements élevés* pour développer le produit et des coûts variables faibles pour toute nouvelle unité produite.

♦ *Les cycles de vie courts avec le lancement permanent des nouvelles versions du produit* : les concurrents obligent souvent l'entreprise à l'origine de l'innovation à fabriquer la deuxième génération du produit avant d'avoir rentabilisé ses investissements sur la première génération.

♦ *La difficile collecte de capitaux* pour financer de tels projets, d'autant qu'il est particulièrement délicat d'évaluer la taille du marché pour les innovations de rupture. Il faudra alors suivre une démarche itérative consistant à lancer une version initiale du produit proche du prototype, à observer les réactions des premiers adopteurs avant de modifier le produit et l'approche marketing adoptée. L'apprentissage du marché se fait par la commercialisation plus que par des méthodes d'études de marché classiques. On peut également utiliser des approches spécifiques telles que l'immersion ou l'observation de consommateurs en situation. Chez Hewlett Packard, par exemple, des responsables expérimentés, formés spécialement à la technologie et aux techniques d'observation, rendent visite à des consommateurs du monde entier qui ne sont pas forcément clients de l'entreprise. Cette méthode aide à définir des caractéristiques des nouveaux produits qui soient en adéquation avec les futurs contextes d'usage identifiés.

*Sources* : Jakki Mohr, *Marketing of High Technology Products and Innovation* (Upper Saddle River : Prentice Hall, 2001) et Anne-Marie Guérin et Dwight Merunka, « La création de nouveaux marchés pour les innovations de rupture », in Alain Bloch et Delphine Manceau (ed.), *De l'idée au marché : innovation et lancement de produits* (Paris : Vuibert, 2000, pp. 212-226).

ficile d'appliquer les critères d'évaluation traditionnels. Certaines sociétés financent le plus grand nombre de projets possible et espèrent ainsi quelques succès. D'autres allouent à la recherche un pourcentage prédéterminé du chiffre d'affaires ou inspiré du comportement des concurrents. Enfin, certaines sociétés commencent par fixer le nombre maximum de produits qu'elles envisagent de lancer et en déduisent l'investissement en recherche nécessaire.

Le tableau 12.1 montre comment une entreprise peut aborder l'analyse de rentabilité des nouveaux produits. Le directeur d'une société de cosmétiques a examiné les résultats des 64 dernières idées apparues dans l'entreprise. Une sur 4, c'est-à-dire 16, ont franchi le stade du filtrage pour un coût total de 16 000 euros (250 euros par idée). La moitié des idées restantes, soit 8, ont survécu au test de concept (coût unitaire 6 000 euros). Quatre d'entre elles ont satisfait aux exigences du prototype (coût unitaire 60 000 euros), tandis que 2 seulement ont obtenu de bonnes performances en marché-test (coût unitaire

150 000 euros). Sur les 2 produits lancés nationalement (coût unitaire 1 500 000 euros), un seul s'est transformé en succès commercial. Le coût final de l'idée fructueuse s'élève à 1 716 250 euros, mais il a fallu éliminer 63 idées en cours de route pour un coût total de 4 192 000 euros. À moins d'améliorer la gestion des différentes étapes, il faut donc que la société envisage de dépenser 4 millions d'euros pour espérer obtenir un produit à succès. Si l'entreprise souhaite commercialiser 5 produits au cours des années qui viennent, il lui faut donc budgéter une vingtaine de millions d'euros.

| Phase | Nombre de projets | Taux de succès | Coût unitaire | Coût total |
|---|---|---|---|---|
| 1. Filtrage des idées | 64 | 1/4 | 250 € | 16 000 € |
| 2. Test de concept | 16 | 1/2 | 6 000 € | 96 000 € |
| 3. Élaboration du prototype | 8 | 1/2 | 60 000 € | 480 000 € |
| 4. Tests de marché | 4 | 1/2 | 150 000 € | 600 000 € |
| 5. Lancement national | 2 | 1/2 | 1 500 000 € | 3 000 000 € |
| | | | 1 716 250 € | 4 192 000 € |

TABLEAU 12.1
Calcul du coût de développement d'un succès commercial

Un problème-clé dans la gestation des nouveaux produits est le choix du mode d'organisation. Cinq types de structures sont utilisées[9] :

1. *Le chef de produit*. De nombreuses entreprises leur confient l'élaboration des nouveaux produits. En pratique, ce système présente des limites : le chef de produit est généralement trop accaparé par sa gamme actuelle pour s'occuper de nouveaux produits, en dehors des modifications ou extensions à apporter aux marques existantes ; d'autre part, il n'a pas toujours les aptitudes ni le recul nécessaire pour piloter de véritables innovations.

2. *Les responsables des nouveaux produits*. Des sociétés comme Kraft Jacobs Suchard ou Johnson & Johnson ont créé des postes de responsables des nouveaux produits (appelés également responsables de la planification des produits) qui dépendent des chefs de groupe ou des directeurs de ligne de produit. Cette initiative présente l'avantage d'ajouter une dimension professionnelle à la fonction d'élaboration des nouveaux produits ; en revanche, ces responsables ont tendance à penser en termes de modifications ou d'extensions de gammes limitées au marché qui leur est confié.

3. *Les comités de nouveaux produits*. Composé de cadres de haut niveau représentant le marketing, la production, la finance, la recherche et les autres services fonctionnels, ces comités ont pour rôle d'étudier et d'approuver les plans de développement des nouveaux produits.

4. *Les départements des produits nouveaux*. Les grandes sociétés créent parfois un département autonome ayant à sa tête un responsable jouissant d'une autorité substantielle et ayant des contacts réguliers avec l'équipe de direction. Les attributions majeures de ce département comprennent la recherche et le filtrage des nouvelles idées, la direction et la coordination du travail de développement, l'exécution des tests et le lancement commercial.

5. *Les équipes « commando » de produits nouveaux (venture teams)*. Enfin, des sociétés comme Westinghouse, Dow Chemical-France ou 3M ont créé des équipes spéciales pour l'élaboration de leurs nouveaux produits. Une équipe est constituée d'« intrapreneurs » provenant des différents départements opérationnels et chargée du développement et du lancement d'un produit spécifique (voir encadré 12.4). Le produit « Post-it » de la société 3M, par exemple, est né puis s'est développé autour d'un « champion » qui a mobilisé autour de lui une équipe capable, le moment venu, de réunir les compétences néces-

# Le développement des nouveaux produits par les équipes pluri-fonctionnelles

La tradition des équipes de recherche exclusivement composées d'ingénieurs s'est estompée au début des années 1990 avec l'apparition des équipes pluri-fonctionnelles. Dans une enquête du magazine *Design News and Purchasing*, 80 % des firmes interrogées indiquaient qu'elles avaient recours à cette approche pour gérer leurs nouveaux produits. En adoptant cette approche, Chrysler a par exemple réduit de 40 % leur temps de développement de même que les coûts.

Cette approche consiste à réunir, sous la direction d'un leader, des employés issus du marketing, de la production, de la recherche et développement et d'autres départements. La création d'une entité propre disposant d'un budget spécifique, de locaux à part et d'objectifs précis, notamment en termes de délai de réalisation, permet d'éviter les querelles entre départements.

Pourtant la gestion d'une équipe pluri-fonctionnelle n'est pas évidente. Voici quelques points-clés à prendre en compte :

♦ *Le style du leader et son niveau d'expertise.* Le leader doit favoriser la communication au sein de l'équipe en y maintenant un bon climat de travail, planifier l'activité de l'équipe, assurer la liaison avec le reste de l'entreprise, obtenir le soutien de la direction tout en préservant une forte autonomie. Plus le projet est complexe, plus le niveau d'expertise du leader doit être élevé. Plus il est jeune, plus le développement du projet est rapide pour les innovations majeures. Paradoxalement, plus il est expérimenté, plus le développement est lent pour les innovations mineures.

♦ *Les composition de l'équipe.* Hoechst, par exemple, compose ses équipes avec des spécialistes de l'engineering, de la chimie, du marketing, de la finance, et de la production. Une difficulté inhérente à la composition de telles équipes réside dans la différence de culture des membres qui les composent : orientation à court terme pour le marketing et la production, à long terme pour la R&D ; culture plutôt permissive pour le marketing et la R&D, plutôt directive pour la production ; intérêt centré sur la science pour la R&D, sur le marché et la commercialisation pour le marketing, sur les coûts pour la production.

♦ *La diversité de l'équipe.* Elle doit être garantie en termes de nationalités, champs d'expérience, personnalités, etc. Plus l'équipe est diverse, plus grand sera le nombre d'angles d'attaque et le potentiel de prise de décision.

♦ *L'intérêt personnel.* Il faut se demander ce que chaque membre de l'équipe peut retirer personnellement de sa participation à l'effort d'ensemble. Il faut limiter l'incertitude d'une telle affectation sur le plan de carrière ultérieur.

*Sources :* Corinne Faure, « Comment gérer les équipes de développement de produits nouveaux », *Recherche et Applications en Marketing*, 2001, vol. 16, n° 2, pp. 77-86 ; Don Lester, « Critical Success Factors for New Product Development », *Research Technology Management*, janvier-février 1998, pp. 36-43 ; Tim Minahan, « Platform Teams Pair with Suppliers to Drive Chrysler to Better Designs », *Purchasing*, 7 mai 1998, pp. 44S3-44S7. « Design Teams Bring Radical Change in Product Development », *Design News*, 18 mai 1998, p. 32.

saires : celle du chercheur qui a su résoudre le difficile problème de l'adhésion ; celle du PDG qui a cautionné le produit ; celle du marketing vers qui les demandes d'échantillons ont convergé. Plus globalement, cette entreprise a multiplié les mesures pour parvenir à ce que 30 % du chiffre d'affaires soient générés par des produits lancés depuis moins de quatre ans[10] : on permet aux employés de consacrer 15 % de leur temps à des projets d'intérêt personnel ; on autorise l'échec ; on récompense chaque année les équipes dont les produits ont généré un chiffre d'affaires mondial supérieur à 4 millions d'euros au cours des trois premières années de leur existence.

La méthode la plus sophistiquée dans la gestion de l'innovation est le *système par étapes*[11]. L'idée consiste, après avoir découpé le processus d'innovation en plusieurs étapes, à installer à la fin de chaque étape un point de contrôle. Le leader du projet doit, avec son équipe, fournir un certain nombre de résultats avant de passer à l'étape suivante. Pour passer par exemple du business plan au prototype, il faut une étude de marché convaincante sur les besoins et l'intérêt des clients, une analyse de la concurrence, et une étude de faisabilité technique. La direction générale analyse ces éléments et prend l'une des quatre décisions suivantes : poursuivre, arrêter, mettre en attente, recycler.

Le système de gestion par étapes introduit une discipline rigoureuse dans le processus d'innovation, rendant chaque étape transparente et mettant en évidence les responsabilités de chacun. Certaines des entreprises qui ont recours à ce système (Mobil, Hewlett-Packard, Lego) ont ainsi considérablement accéléré le rythme de renouvellement de leur gamme.

Nous allons maintenant nous intéresser à chacune des huit étapes qui jalonnent le développement d'un produit. Une vue d'ensemble des décisions correspondant à chaque étape est présentée à la figure 12.1. L'encadré 12.5 présente quant à lui un exemple concret : le développement des lingettes-toilettes Kandoo de Pampers.

---

**12.5**

 ## Les étapes de développement des lingettes-toilettes Kandoo de Pampers

Les lingettes-toilettes Kandoo de Pampers, lancées en 2002 par la société Procter & Gamble, ont créé une nouvelle catégorie de produit. Il s'agit des premières lingettes spécialement conçues pour être utilisées aux toilettes par les enfants de 3 à 7 ans. L'idée du produit est née d'un triple constat :

♦ la marque Pampers est leader en Europe et en France sur les couches et les lingettes pour bébés ; elle est perçue par les mamans comme une marque innovante, experte du bébé et de sa maman ;

♦ la société Procter & Gamble, qui la possède, a développé un réel savoir-faire technique sur les lingettes dans d'autres catégories de produits comme les détergents (avec les marques Mr Propre et Swiffer) ou les cosmétiques (Oil of Olaz) ;

♦ tant qu'un enfant porte des couches (de sa naissance jusqu'à 2 ou 3 ans), les mamans utilisent des lingettes pour bébés, essentiellement pour le change mais aussi en appoint pour le nettoyage des mains ou du visage. De 3 ans à 7 ans, certaines d'entre elles continuent d'acheter le produit ponctuellement.

Les études de marché réalisées révèlent les difficultés des jeunes enfants qui vont aux toilettes face au papier-toilette traditionnel, qu'ils trouvent difficile à dérouler, à couper, à plier et à utiliser. Plus de 80 % des enfants interrogés indiquent qu'ils préféreraient utiliser des lingettes plutôt que du papier. Cependant, les lingettes existantes ne peuvent répondre à cette attente : elles ne sont pas conçues pour être jetées directement dans les toilettes ; leur emballage n'est pas spécialement adapté pour les enfants ; elles sont trop imprégnées et trop grandes pour leurs mains ; enfin, elles sont perçues par les enfants comme « des produits pour les bébés ». Il semble qu'une lingette spécialement conçue pour les enfants et jetable dans les toilettes serait en mesure de répondre à une double attente : celle des mamans qui aimeraient un produit qui aide les enfants à être plus indépendants et celle des enfants qui voudraient un produit facile et amusant leur permettant de se débrouiller tout seul.

L'idée du produit est née. Reste à la transformer en produit et à l'associer à des bénéfices explicites du point de vue des consommateurs. L'entreprise suit les étapes suivantes.

1. Les services marketing écrivent cinq textes descriptifs du concept précisant le bénéfice-produit et le prix envisagé, puis les testent auprès d'un échantillon de 2000 mères britanniques ayant un enfant de 3 à 7 ans ; l'argumentaire insistant sur la notion d'indépendance remporte les plus fortes intentions d'achat.

2. Les services de recherche et développement confirment la faisabilité d'une lingette ayant les caractéristiques souhaitées (jetable dans les toilettes), mais son coût de production s'avère supérieur à celui d'une lingette bébé classique, ce qui suppose de réévaluer le prix de vente du produit.

3. Un deuxième test est réalisé auprès d'un échantillon de 800 mamans avec une première phase de présentation du concept et du nouveau prix, puis une deuxième phase de mise à disposition du produit pendant deux semaines. Le potentiel du concept et celui du produit sont confirmés avec plus de 70 % d'intentions d'achat, soit nettement plus que le potentiel des lingettes pour bébés évalué au moment de leur lancement en 1996. Cependant, une analyse plus fine des résultats met en évidence quelques points d'amélioration possibles : l'intention d'achat est plus faible que lors des tests de concept initiaux (probablement à cause du prix revu à la hausse) ; après utilisation, le produit n'est pas perçu comme très différent des produits existants ; de plus, il n'est pas toujours jugé très pratique.

4. Les services marketing décident alors de conserver le concept mais de retravailler le produit et notamment sa taille, sa lotion, son parfum et son packaging, afin de le rendre plus adapté à la cible et plus pratique d'utilisation. Pour bien le distinguer des produits pour bébés et ainsi le rendre plus attrayant aux yeux des enfants, ils créent la marque Kandoo, sous la marque ombrelle Pampers, et le personnage de la petite grenouille qui accompagne le produit. La taille des lingettes est adaptée aux mains des enfants. Une boîte mauve et verte avec bouton poussoir permet aux enfants d'attraper facilement le produit de façon ludique.

Ainsi, au-delà du concept, le produit est optimisé pour répondre le plus parfaitement possible aux attentes des mamans clientes et de leurs enfants utilisateurs.

# Le processus de développement et de lancement des nouveaux produits

## L'émergence des idées

Tout produit commence par être une idée. Pourtant, les procédures mises en place dans les entreprises pour recueillir les idées nouvelles varient considérablement. Certaines sociétés conservent une approche très empirique du problème (voir figure 12.2) en s'appuyant sur un courant spontané d'idées en provenance de sources internes et externes ; d'autres utilisent des méthodes beaucoup plus systématiques[12]. Diverses techniques de créativité permettent de favoriser l'émergence de nouvelles idées (voir encadré 12.6).

Pour une entreprise, les principales *sources d'idées de nouveaux produits* sont ses clients, ses chercheurs, ses concurrents, ses représentants, ses distributeurs et sa direction générale.

♦ *Les clients*. Selon l'optique marketing, les besoins et désirs des consommateurs constituent le point de départ logique de la recherche de nouveaux produits[13]. Les entreprises peuvent déterminer ces besoins par des enquêtes, des réunions de groupe, ou bien à travers les lettres de réclamation. À ce stade,

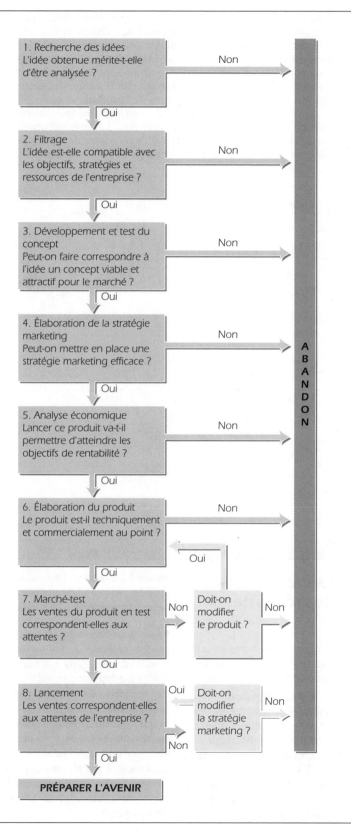

FIGURE 12.1
Le processus
de développement
d'un nouveau
produit

**1. Recherche des idées**
L'idée obtenue mérite-t-elle d'être analysée ?

Non

Oui

**2. Filtrage**
L'idée est-elle compatible avec les objectifs, stratégies et ressources de l'entreprise ?

Non

Oui

**3. Développement et test du concept**
Peut-on faire correspondre à l'idée un concept viable et attractif pour le marché ?

Non

Oui

**4. Élaboration de la stratégie marketing**
Peut-on mettre en place une stratégie marketing efficace ?

Non

Oui

**5. Analyse économique**
Lancer ce produit va-t-il permettre d'atteindre les objectifs de rentabilité ?

Non

Oui

**6. Élaboration du produit**
Le produit est-il techniquement et commercialement au point ?

Non

Oui

Oui

**7. Marché-test**
Les ventes du produit en test correspondent-elles aux attentes ?

Non   Doit-on modifier le produit ?   Non

Oui

**8. Lancement**
Les ventes correspondent-elles aux attentes de l'entreprise ?

Oui   Doit-on modifier la stratégie marketing ?   Non

Non

Oui

**PRÉPARER L'AVENIR**

A B A N D O N

certaines entreprises ont recours à des approches anthropologiques consistant à observer les clients en situation. Chez Procter & Gamble, par exemple, on va chez les consommateurs filmer des événements quotidiens, telles une mère donnant à manger à son bébé ou une femme lavant la vaisselle, pour mieux comprendre comment les produits sont utilisés. En milieu industriel, on accorde beaucoup d'importance *aux clients pilotes*, des entreprises particulièrement avancées dans l'utilisation des produits et auxquelles les innovations (par exemple, les copies Bêta de logiciels) sont transmises en priorité. La meilleure façon de recueillir les idées des clients est probablement de leur demander de parler des *problèmes* qu'ils rencontrent avec les produits actuels plutôt que de les inciter à réfléchir en termes d'améliorations.

**FIGURE 12.2**
Les vicissitudes
d'une nouvelle idée

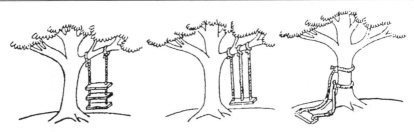

Ce que le marketing propose.   Ce que le commercial demande.   Ce qui a été projeté.

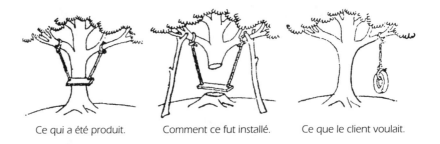

Ce qui a été produit.   Comment ce fut installé.   Ce que le client voulait.

---

## 12.6

# Les méthodes de créativité

Plusieurs techniques ont été mises au point au fil des années, afin d'aider individus et groupes à concevoir de meilleures idées :

♦ *Les listes d'attributs.* Cette méthode consiste à établir la liste des attributs d'un objet, puis à modifier chacun d'entre eux en recherchant une nouvelle combinaison susceptible de déboucher sur une amélioration. Dans cet esprit, Alex Osborn a élaboré une liste d'interrogations destinée à favoriser la naissance d'idées de nouveaux produits : peut-on employer le produit à d'autres usages ? L'adapter ? Le modifier ? L'amplifier ? Le réduire ? Le remplacer ? Le réaménager ? Le renverser ? Le combiner ?

♦ *Les associations forcées.* Cette deuxième approche consiste à énumérer un grand nombre d'idées, puis à considérer chacune d'elles par rapport aux autres. Un fabricant de matériel de bureau pourrait, par exemple, dresser la liste du matériel qu'il fabrique : bureaux, bibliothèques, meubles de classement et chaises. Cela peut l'amener à imaginer un bureau avec une bibliothèque incorporée, à remplacer deux tiroirs par un meuble de classement, et ainsi de suite, en envisageant successivement toutes les associations possibles.

♦ *L'analyse morphologique*. Cette méthode consiste à identifier les dimensions les plus importantes d'un problème, puis à examiner les relations qui les unissent. Supposons que le problème soit le couteau de table. Les dimensions-clés sont ici : 1) la forme de la lame (arrondie, pointue, évidée...) ; 2) sa matière (acier, inox, plastique) ; 3) la forme du manche (cylindrique, aplati) ; 4) la matière du manche (métal, corne, bois...) ; et 5) l'énergie utilisée (force humaine, électricité, chaleur). On laisse ensuite l'imagination travailler sur chaque association sans hésiter à évoquer des déclinaisons imaginaires mais plausibles.

♦ *L'analyse par contexte*. Cette approche part d'un processus habituel et le transfère à de nouveaux contextes. On peut ainsi imaginer des parfums pour chiens et chats ou des parfums pour se déstresser.

♦ *L'analyse fonctionnelle*. Toutes les méthodes qui ont été examinées jusqu'ici partent du produit. L'analyse fonctionnelle, en revanche, s'attache à l'étude du consommateur. Celui-ci est invité à décrire les types de problèmes qu'il rencontre dans l'utilisation d'un produit ou d'une classe de produit. JVC, par exemple, pourrait demander à ses clients quelles difficultés ils éprouvent pour utiliser leurs caméscopes. Chaque problème évoqué donne naissance à des idées. Ainsi, le commentaire : « c'est embêtant de ne jamais savoir combien il reste de bande » suggère une procédure d'affichage de temps automatique. C'est la *gravité*, la *fréquence* et le *coût de résolution* du problème qui permettront de faire le tri.

♦ *Le brainstorming*. La créativité des individus est également stimulée par certains exercices de groupe. Une technique bien connue est le *brainstorming*, dont les principes ont été mis au point par Alex Osborn. Une séance de brainstorming se tient dans le but de produire un grand nombre d'idées. Pour que la réunion ait un maximum d'efficacité, Osborn a établi les quatre règles suivantes :

1. *La critique est interdite*. Tout commentaire négatif est remis à plus tard.

2. *L'exubérance est encouragée*. Plus l'idée est extravagante, mieux c'est ; il est plus facile de polir une idée que de la concevoir.

3. *La quantité est un impératif*. Plus il y a d'idées, plus on a de chances d'en trouver de bonnes.

4. *Il faut systématiquement rechercher les combinaisons et les améliorations*. Les participants doivent non seulement apporter leurs propres idées, mais encore indiquer comment les idées des autres peuvent être associées, afin de former d'autres idées.

♦ *La synectique*. Selon William J.J. Gordon, le père de la synectique, la principale faiblesse du brainstorming est de parvenir trop rapidement à des solutions avant d'avoir envisagé un nombre suffisant de perspectives. Gordon estime qu'au lieu de définir le problème de façon précise, il faut le présenter en termes tellement généraux que les participants ne peuvent pas découvrir sa nature réelle. Selon lui cinq règles doivent être observées :

1. *L'ajournement*. Rechercher d'abord les opinions de préférence aux solutions.

2. *L'autonomie*. Laisser le problème prendre son propre essor.

3. *Le recours aux lieux communs*. Utiliser le familier comme tremplin vers le fantastique.

4. *L'engagement/détachement*. Alternativement, examiner les détails du problème ; puis prendre du recul, de façon à voir les éléments d'ensemble.

5. *Le recours aux métaphores*. Laisser s'établir des analogies entre des choses apparemment sans lien afin de découvrir de nouvelles idées.

*Sources* : voir A. Moles et R. Claude, *Créativité et méthodes d'innovation dans l'entreprise* (Paris : Fayard Mâme, 1970) ; F. Vidal, *L'Instant créatif* (Paris : Flammarion, 1984) et, du même auteur, *Problem-Solving : Méthodologie générale de la créativité* (Paris : Dunod, 1981) ; Alex F. Osborn, *L'Imagination constructive* (Paris : Dunod, 1971), pp. 286-287 ; *Les Techniques de créativité*, Document WSA ; William J.J. Gordon, *Stimulation des facultés créatrices dans les groupes de recherche par la méthode synectique* (Paris : Hommes et Techniques, 1965) ; Michael Michalko, *Cracking Creativity : The Secrets of Creative Genius* (Berkeley : Ten Speed Press, 1998) ; James Higgins, *101 Creative Problem Solving Techniques* (New York : New Management Publishing Company, 1994).

CHAPITRE 12
Élaborer une
nouvelle offre

- ♦ *Les chercheurs*. Un grand nombre d'entreprises font appel aux laboratoires de recherche pour trouver des idées nouvelles. On peut également encourager l'ensemble du personnel à émettre des idées en récompensant les bonnes suggestions ; chez Toyota, la moyenne est de 35 idées par employé chaque année : 85 % d'entre elles sont exploitées.
- ♦ *Les concurrents*. L'entreprise doit également examiner les nouveaux produits en cours de développement chez ses concurrents. Les informations peuvent provenir des distributeurs, des fournisseurs, des représentants ou même des clients. Lorsque des produits concurrents sont lancés sur le marché, leurs résultats de vente doivent être suivis, par exemple à l'aide de panels. L'entreprise peut interroger les clients pour déterminer ce qu'ils apprécient ou regrettent chez les produits concurrents. Elle peut également les acheter et en faire l'analyse en vue de déceler des améliorations. C'est ainsi que sur le marché de la petite voiture, beaucoup de constructeurs ont repris à leur compte le concept de la Twingo de Renault.
- ♦ *Les représentants et les distributeurs*. Bien gérés, les représentants et les distributeurs sont une source particulièrement féconde d'idées de nouveaux produits. Ils ont une expérience directe des besoins insatisfaits et des réclamations de la clientèle, et sont souvent les premiers à entendre parler des innovations de la concurrence. Un nombre croissant d'entreprises mettent au point des méthodes systématiques (formation, primes, etc.) pour capter les idées de leurs représentants et revendeurs. Ainsi, SKF a mis au point, en France, un système de «chéquiers d'information», composés de cartes T à renvoyer remplies à l'entreprise pour la prévenir de développements intervenus sur le marché. Une fois le chéquier épuisé, le vendeur reçoit un cadeau.
- ♦ *La direction générale*. La direction générale joue un rôle important pour définir les domaines dans lesquels rechercher des idées. Chez Nouvelles Frontières, la personnalité de Jacques Maillot, ainsi que sa curiosité d'esprit, sont par exemple à l'origine de nombreux développements de produits.
- ♦ *Les sources secondaires*. Une entreprise peut, enfin, découvrir des idées nouvelles à partir de sources diverses, telles que les inventeurs, les chercheurs universitaires, les consultants industriels, les agences de publicité, les cabinets d'étude de marché ou les revues professionnelles.

Étant donné que les idées proviennent de sources variées, il est essentiel qu'elles soient orchestrées par une personne qui deviendra le *champion* du produit au sein de l'entreprise. À moins, en effet, que quelqu'un affiche son enthousiasme pour un projet et soit prêt à s'y impliquer personnellement jusqu'à l'aboutissement final, le risque est grand que les idées nouvelles s'étiolent aussitôt écloses.

## Le filtrage des idées

L'objectif essentiel de la première phase était d'*accroître* le nombre d'idées. Le but des suivantes est de le *réduire*. La première étape d'élagage des idées est le filtrage.

Au cours de cette étape, l'entreprise doit éviter deux types d'erreurs. Une *erreur d'abandon* est commise lorsque, à cause d'un mauvais diagnostic, l'entreprise élimine une bonne idée.

> *Xerox vit le potentiel qu'offrait la machine à photocopier de Chester Carlson ; IBM et Kodak n'en eurent pas du tout conscience. IBM évalua que le marché des ordinateurs personnels n'était de quelques unités dans le monde. Henry Ford reconnut la richesse de l'automobile ; pourtant, seul General Motors comprit la nécessité de segmenter le marché par catégorie de prix et de performance. Boucicaut fut le premier à comprendre l'intérêt de la vente par correspondance ou de la politique de remboursement en cas d'insatisfaction. Personne ne croyait alors à ces innovations et pourtant...*

Lorsqu'une entreprise commet beaucoup d'erreurs d'abandon, il est probable que ses critères de choix sont trop conservateurs.

Une *erreur d'adoption* se produit lorsqu'une entreprise décide de développer une mauvaise idée. Trois types d'échecs en résultent. Un *échec absolu* doit être constaté lorsque les ventes du produit ne couvrent même pas les coûts variables ; un *échec partiel* fait également perdre de l'argent, mais les ventes couvrent tous les coûts variables et une partie des coûts fixes ; un *échec relatif*, enfin, rapporte un bénéfice inférieur au taux normal de rentabilité de l'entreprise.

Le rôle du filtrage est de détecter et d'éliminer les mauvaises idées le plus tôt possible. Comme nous l'avons déjà vu, les coûts de développement d'un nouveau produit s'accroissent de façon substantielle au fil du temps. Au-delà d'un certain délai, la direction estime souvent que les investissements déjà consentis obligent à lancer le produit afin de les récupérer au moins en partie[14]. Cela peut être une grave erreur et la solution consiste à ne pas laisser se propager aussi loin les mauvaises idées.

De plus en plus d'entreprises exigent que leurs cadres présentent leurs idées de nouveaux produits selon un format qui facilite l'analyse et la comparaison. Bien sûr, à ce stade, les idées sont encore sommaires et l'on se contente d'une identification du produit, de son marché-cible, de ses concurrents ainsi que d'une estimation grossière de la taille du marché, du prix, des délais de lancement, des coûts de production et du niveau de rentabilité. Il s'agit ici de déterminer si le produit répond à un besoin et s'il offre plus de valeur aux clients que les produits concurrents.

Même lorsqu'une idée semble bonne, il faut ensuite vérifier qu'elle convienne à l'entreprise. Est-elle compatible avec ses objectifs, sa stratégie et ses ressources ? L'entreprise dispose-t-elle du savoir-faire et du capital nécessaires pour la développer et la commercialiser ? Le tableau 12.2 illustre l'instrument que l'on utilise pour répondre à ces questions. La première colonne énumère les facteurs à prendre en compte pour un lancement réussi. La seconde fait apparaître les poids attachés à ces facteurs en fonction de leur importance. Ainsi, dans notre exemple, la direction pense que la compétence en marketing (0,20) sera beaucoup plus déterminante pour le succès du produit que la compétence en matière d'achats (0,05). L'étape suivante consiste à évaluer sur une échelle de 0 à 1, le degré de compétence de l'entreprise sur chacune de ces dimensions. Ici, la direction pense que sa compétence en marketing est grande (0,9), à l'inverse de la qualité de son implantation et de ses installations (0,3). La dernière étape consiste à multiplier les poids relatifs par les niveaux de compétence, afin d'obtenir une note globale indiquant la capacité de l'entreprise à lancer le produit avec succès sur le marché. Dans notre exemple, l'idée considérée obtient un score de 0,72, ce qui, d'après l'expérience passée, la place dans la frange supérieure du niveau intermédiaire.

| Facteurs de succès du lancement du produit | (A) Poids relatif | (B) Niveau de compétence de l'entreprise | | | | | | | | | | | Note (A × B) |
|---|---|---|---|---|---|---|---|---|---|---|---|---|---|
| | | 0 | .1 | .2 | .3 | .4 | .5 | .6 | .7 | .8 | .9 | 1 | |
| Personnalité et dynamique de l'entreprise | 0,20 | | | | | | | x | | | | | 0,120 |
| Marketing | 0,20 | | | | | | | | | | x | | 0,180 |
| Recherche et développement | 0,20 | | | | | | | | x | | | | 0,140 |
| Personnel | 0,15 | | | | | | | x | | | | | 0,090 |
| Services financiers | 0,10 | | | | | | | | | | x | | 0,090 |
| Production | 0,05 | | | | | | | | | x | | | 0,040 |
| Implantation et installations | 0,05 | | | | x | | | | | | | | 0,015 |
| Achats et fournitures | 0,05 | | | | | | | | | | x | | 0,045 |
| Total | 1,00 | | | | | | | | | | | | 0,720* |

TABLEAU 12.2
Grille de notation pour des idées de nouveaux produits

*Échelle : 0 à 0,4 mauvais ; 0,41 à 0,75 moyen ; 0,76 à 1 bon. Seuil d'acceptation : 0,70.

Naturellement, une telle grille est susceptible de nombreuses améliorations[15]. La check-list constitue une méthode d'évaluation rapide des idées de produit mais elle ne saurait se substituer à la prise de décision.

## Le développement et le test du concept

Les idées qui ont survécu au filtrage doivent être traduites en concepts de produit. Il est important de saisir la différence entre une idée, un concept et une image. Une *idée* est une possibilité de produit. Un *concept* est une description de cette idée sous l'angle des avantages que le consommateur doit en retirer. Une *image* est la représentation effective que le produit acquiert aux yeux des consommateurs.

**L'ÉLABORATION DU CONCEPT** ❖ Supposons qu'une société ait l'idée de fabriquer une poudre que les consommateurs pourraient mélanger au lait, afin d'augmenter son pouvoir nutritif et d'en rehausser le goût. Voilà une idée de produit. Les consommateurs, cependant, n'achètent pas des idées, mais des concepts.

Une même idée donne naissance à un grand nombre de concepts. On peut, en premier lieu, se poser la question : qui va consommer le produit ? Les nouveaux-nés, les enfants, les adolescents, les adultes, les personnes âgées, plusieurs de ces catégories ? En second lieu : quel avantage essentiel doit être associé au produit : le goût, le pouvoir nutritif, le rafraîchissement, l'énergie ? Enfin : à quelle occasion prendra-t-on cette boisson ? Au petit déjeuner, au milieu de la matinée, au déjeuner, au goûter, au dîner, tard dans la soirée ?

En répondant à ces questions, on découvre de nombreux concepts. Par exemple :

♦ Concept n° 1 : une *boisson instantanée* destinée aux adultes cherchant une manière rapide de s'alimenter au petit déjeuner.

♦ Concept n° 2 : un *rafraîchissement* pour le goûter des enfants.

♦ Concept n° 3 : un *reconstituant* pour personnes âgées, à prendre le soir avant de se coucher.

Chacun de ces concepts définit la catégorie dans laquelle le nouveau produit s'inscrira. Par exemple, une *boisson instantanée pour le petit déjeuner* entre en compétition avec le café, le thé, le chocolat et les diverses boissons consommées le matin. Une *boisson rafraîchissante pour le goûter* implique une concurrence avec les sodas, jus de fruit et autres boissons consommées à cette occasion. C'est le concept de produit, et non l'idée, qui définit la concurrence.

Analysons le premier concept. La figure 12.3-A présente *l'espace de positionnement des produits* correspondants. Il révèle la position d'une boisson instantanée par rapport aux autres produits de petit déjeuner, sur les deux dimensions du prix et de la rapidité de préparation. La boisson instantanée se situe dans le quadrant correspondant à un prix élevé et une préparation rapide. Le chocolat est peut-être son plus proche concurrent ; le café au lait, son concurrent le plus éloigné. Cela devra être gardé en mémoire tout au long du développement du produit, en particulier lors de l'élaboration de la stratégie de communication.

Si elle pénètre sur un marché existant, l'entreprise doit également considérer *l'espace de positionnement des marques*. Supposons que les entreprises A, B et C aient déjà introduit des marques de boissons instantanées, positionnées comme sur la figure 12.3-B.

L'entreprise doit décider du prix et de la teneur en calories de sa nouvelle marque, en supposant qu'il s'agisse des deux principales caractéristiques recherchées par les consommateurs. Une solution consiste à positionner la marque dans la zone centrale correspondant à un prix moyen et une valeur calorique moyenne ; une autre est de la placer dans le quadrant encore vierge du marché (prix peu élevé, faible valeur en calorie).

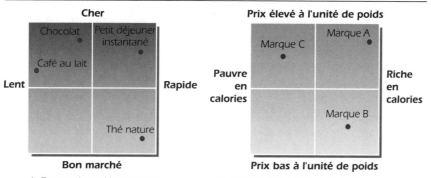

FIGURE 12.3
Positionnement
des produits
et des marques

A. Espace de positionnement
des produits (marché du petit déjeuner)

B. Espace de positionnement des marques
(marché du petit déjeuner instantané)

Ces deux choix donneraient à la marque un caractère distinctif, par opposition à son positionnement à côté d'une marque existante, qui conduirait à une confrontation directe avec la concurrence. Naturellement, une telle décision nécessite une analyse de la taille respective des différents segments.

Dans le cas où l'univers comporte de nombreux critères de choix pour les clients, on peut également comparer les profils des nouveaux concepts aux produits existants et au produit idéal. La figure 12.4 présente le cas d'un nouveau lait démaquillant. L'analyse de cette carte et du positionnement idéal, qui reflète les préférences des utilisatrices, montre qu'elles sont peu satisfaites des deux produits actuels. Le nouveau concept, même s'il ne répond pas complètement à leurs attentes, représente une nette amélioration.

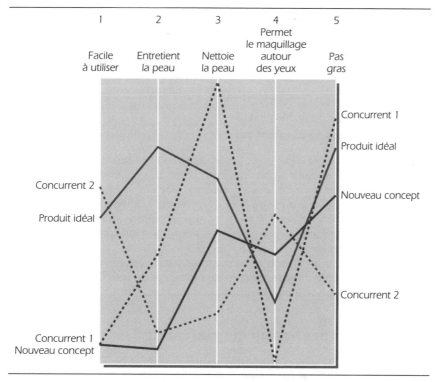

FIGURE 12.4
Carte perceptuelle
établie pour
un segment
d'utilisatrices
de lait démaquillant

*Source :* J.-M. Choffray et J. Akoka, « La Naissance d'un produit nouveau »,
*Revue Française de Gestion*, 1980, n° 2.

**LE TEST DU CONCEPT** ❖ À l'issue de la phase de développement, l'entreprise dispose d'un certain nombre de concepts de produits. La phase de test consiste à soumettre ces différents concepts à un groupe de consommateurs choisis au sein du marché-cible, et à enregistrer leurs réactions. Les concepts peuvent être présentés sous forme verbale ou imagée (dessin, maquette, concept board, réalité virtuelle[16]). On pourrait, par exemple, proposer aux consommateurs la description suivante du premier concept :

> *Un produit en poudre à ajouter au lait pour faire un petit déjeuner instantané savoureux, très facile à préparer, et donnant à la personne la nourriture matinale dont elle a besoin. Le produit serait offert en trois parfums : chocolat, vanille, fraise, et en paquets individuels, six par boîte, à 1 euro la boîte.*

On demande alors aux interviewés de réagir au concept global et à ses différents attributs. Le test comprend le plus souvent les questions suivantes :

1. Le produit est-il facile à comprendre ? (on mesure alors *la clarté du concept*)
2. Ses avantages sont-ils crédibles ? (*vraisemblance perçue*)
3. Le produit résout-il un problème pour vous ? (*niveau de besoin*)
4. D'autres produits résolvent-ils ce problème de façon satisfaisante ? (*écart de performance ; en multipliant le niveau de besoin par l'écart de performance, on a une mesure du niveau de l'intérêt éprouvé pour le nouveau produit*)
5. Le prix proposé est-il acceptable ? Ou bien, si l'on ne propose pas de prix : à quel prix, à votre avis, ce produit devrait-il être vendu ? (*valeur perçue*)
6. Qui consommerait ce produit et dans quelles circonstances ? (*marché-cible* et *fréquence d'achat*)

Les résultats du test aideront l'entreprise à sélectionner le meilleur concept. On lui associe en général une mesure d'*intention d'achat* que l'on formule ainsi :

> Quelle est parmi les phrases suivantes celle qui correspond le mieux à ce que vous pensez de ce produit :
> * Je l'achèterai certainement        1
> * Je l'achèterai probablement       2
> * Je ne sais pas si je l'achèterai ou non    3
> * Je ne l'achèterai probablement pas    4
> * Je ne l'achèterai certainement pas     5

Supposons que 40 % des personnes interrogées envisagent un achat certain et 30 % un achat probable. Certaines entreprises ont élaboré des normes qui leur permettent, en fonction des expériences passées, d'interpréter de telles réponses[17]. Ainsi une grande société de produits alimentaires élimine tout concept dont le score « d'intentions certaines » est inférieur à 50 %. Une autre utilise le même seuil mais en agrégeant les réponses indiquant un achat certain et un achat probable.

Des approches plus élaborées sont utilisées avec succès depuis plusieurs années, certaines intégrant les phases de filtrage et de test[18]. La plus connue est sans doute l'analyse conjointe illustrée dans l'encadré 12.7.

## L'élaboration de la stratégie marketing

Une fois le concept testé, le responsable du nouveau produit doit déterminer la stratégie de lancement qu'il juge la plus appropriée.

L'identification de la stratégie marketing comporte trois étapes. Dans la première, on spécifie : la taille, la structure et le comportement du marché-

# L'analyse conjointe : un exemple

Le directeur marketing d'une compagnie aérienne souhaite tester de nouvelles formules de voyage sur la ligne Paris-Los Angeles pour la saison d'été. Pour ce faire, il a entrepris une étude destinée à mieux connaître les préférences des voyageurs (hommes d'affaires et vacanciers). Il étudie les modalités suivantes :

♦ Prix par passager (AR éco) : 1000 euros ; 800 euros ; 600 euros.

♦ Trajet : Paris-Los Angeles direct ; Paris-Londres-Los Angeles ; Paris-New York-Denver-Los Angeles.

♦ Choix des horaires :
– libre choix du jour et de l'heure (matin ou après-midi) ;

– libre choix du jour mais non de l'heure ;

– choix limité à 3 dates (15/07, 22/07, 01/08) pour l'aller et 3 dates pour le retour (01/08, 10/08 et 22/08).

♦ Possibilité d'annuler sans frais : oui ; non.

♦ Vidéo personnelle à bord : oui ; non.

Au total, le directeur marketing pourrait imaginer 108 concepts différents ($3 \times 3 \times 3 \times 2 \times 2$) mais il est hors de question d'interroger les clients sur tous ces concepts. Dix-huit d'entre eux (voir ci-après) ont été sélectionnés et l'on a demandé à un échantillon de consommateurs d'indiquer leurs classements de préférence*. L'analyse conjointe consiste à déduire de ces classements les « utilités » sous-jacentes qui expriment la valeur attachée à chaque modalité de chaque attribut. Supposons que les résul-

| Concept | Prix | Trajet | Horaires | Poss. annul. | Vidéo | Rang |
|---------|------|--------|----------|--------------|-------|------|
| A | 600 € | Direct Paris-L.A. | Choix du jour et de l'heure | non | non | 2 |
| B | 800 € | Direct Paris-L.A. | Choix du jour | non | oui | 4 |
| C | 1 000 € | Direct Paris-L.A. | Dates limitées | oui | non | 13 |
| D | 800 € | Via Londres | Choix du jour et de l'heure | oui | oui | 5 |
| E | 1 000 € | Via Londres | Choix du jour | non | non | 8 |
| F | 600 € | Via Londres | Dates limitées | non | non | 15 |
| G | 1 000 € | Via New York et Denver | Choix du jour et de l'heure | non | oui | 10 |
| H | 600 € | Via New York et Denver | Choix du jour | oui | non | 12 |
| I | 800 € | Via New York et Denver | Dates limitées | non | non | 18 |
| J | 1 000 € | Direct Paris-L.A. | Choix du jour et de l'heure | oui | non | 1 |
| K | 600 € | Direct Paris-L.A. | Choix du jour | non | oui | 3 |
| L | 800 € | Direct Paris-L.A. | Dates limitées | non | non | 14 |
| M | 600 € | Via Londres | Choix du jour et de l'heure | non | non | 7 |
| N | 800 € | Via Londres | Choix du jour | oui | non | 6 |
| O | 1 000 € | Via Londres | Dates limitées | non | oui | 16 |
| P | 800 € | Via New York et Denver | Choix du jour et de l'heure | non | non | 8 |
| Q | 1 000 € | Via New York et Denver | Choix du jour | non | non | 11 |
| R | 600 € | Via New York et Denver | Dates limitées | oui | oui | 17 |

*Une autre procédure consiste à les regrouper deux à deux. Voir Richard M. Johnson « Trade-off Analysis of Consumer Values », *Journal of Marketing Research*, mai 1974, pp. 121-123.

CHAPITRE 12
Élaborer une nouvelle offre

tats obtenus auprès des voyageurs pour affaires indiquent les fonctions d'utilité suivantes :

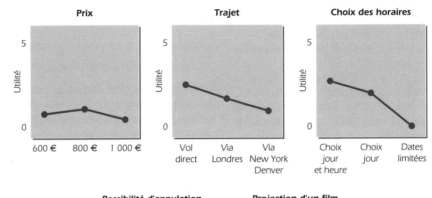

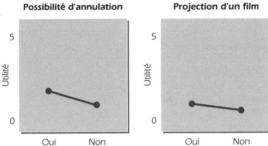

Ces résultats sont intéressants. Ils révèlent une grande sensibilité au trajet (le trajet direct est nettement préféré aux autres) et au choix des horaires (les dates limitées sont totalement rejetées). Inversement, la clientèle d'affaires est pratiquement insensible au prix, à la possibilité d'annulation et à la vidéo personnelle. De ce fait, le concept J (1 000 €, vol direct, choix total, poss. d'annulation mais pas de vidéo) est préféré à tout autre tandis que le concept I (800 €, vol via New York et Denver, dates limitées, ni annulation ni vidéo) vient en dernière position. Naturellement, les préférences des vacanciers pourraient être différentes et il devient en fait très utile de segmenter le marché sur de telles bases. En ce sens, l'analyse conjointe permet de tester l'attraction relative de nombreux concepts de produits auprès de différents publics.

*Sources :* cet exercice est adapté de Gilles Laurent, *Trois exercices d'analyse quantitative en marketing,* Document Groupe HEC. Voir également Jean-Claude Liquet, *Cas d'analyse conjointe* (Paris : Éditions TEC et Doc, 2001); Gary Baumgartner et Alain Jolibert « Le modèle des mesures conjointes : application et perspectives », *Revue Française de Marketing,* 1978, cahier 73, pp. 101-105; Jean-Philippe Faivre et Jurgen Schwoerer, « Une nouvelle approche des choix des consommateurs : le modèle trade-off », *Revue Française de Marketing,* mars-avril 1975, pp. 33-53; Jean-Philippe Faivre et Alain Pioche, « L'Analyse des déci-sions d'achat par le modèle trade-off », *Revue Française de Marketing,* 1976, cahier 64-65, pp. 171-202. Pour un exemple dans le domaine industriel (chariots élévateurs) voir le cas Clark Equipment dans Darral G. Clarke, *Marketing Analysis and Decision Making with Lotus 1-2-3,* 2e éd. (Palo Alto, Cal. : The Scientific Press, 1993), pp. 180-211. Pour une étude statistique des différentes utilisations de la méthode en Europe, voir Dick R. Wittink, Marco Vriens, et Wim Burhenne, « Commercial Uses of Conjoint Analysis in Europe : Results and Critical Reflections », *International Journal of Research in Marketing,* janv. 1994, pp. 41-52.

cible ; le positionnement choisi ; et les objectifs de chiffre d'affaires, de part de marché et de bénéfice pour les deux ou trois premières années. Dans le cas de notre boisson instantanée, on pourrait, par exemple, adopter la stratégie suivante :

*La cible se compose des familles nombreuses réceptives à une forme nouvelle et pratique de petit-déjeuner. La marque de l'entreprise sera positionnée dans le segment haut de gamme sous l'angle du prix et de la qualité. Les objectifs de vente sont de 50 000 caisses, soit 10 % du marché avec une perte limitée à 230 000 euros la première année. Au cours de la deuxième année, les ventes devraient atteindre 70 000 caisses, la part de marché 14 % et le résultat être équilibré.*

Dans une seconde phase, on précise le produit et son emballage, le prix de vente, le mode de distribution et de promotion ainsi que le budget marketing pour la première année. Ainsi :

*Le produit sera proposé avec un parfum au chocolat et présenté en doses individuelles vendues par 6 au prix consommateur de 1 €. Une caisse comportera 48 boîtes de 6 doses et sera offerte à la distribution au prix de 40 €. Pendant les deux premiers mois, les distributeurs auront droit à une caisse gratuite pour tout achat de quatre caisses ainsi qu'à un défraiement de dépenses publicitaires. Des échantillons seront distribués en porte à porte, en même temps qu'un coupon de réduction de 8 centimes. Le budget promotionnel s'élèvera à 300 000 € et le budget publicitaire, réparti par moitié entre presse et télévision, à 900 000 €. Le message publicitaire mettra l'accent sur les qualités nutritives du produit à l'aide d'un personnage de dessin animé. 75 000 € seront consacrés aux études de marché et aux panels afin de mesurer régulièrement les performances du produit.*

Enfin, la dernière phase consiste à identifier les objectifs de chiffre d'affaires et de bénéfice ainsi que l'évolution de la stratégie marketing. Par exemple :

*L'entreprise envisage, à terme, de prendre 25 % du marché et d'obtenir une rentabilité des investissements (après impôts) de 10 %. Pour y parvenir, un effort constant d'amélioration de qualité sera entrepris. Le prix, initialement fixé à un niveau d'écrémage, sera progressivement abaissé afin d'élargir le marché et décourager la concurrence de copier le produit. Le budget marketing s'accroîtra de 16 % et de 12 % la deuxième et la troisième année puis se stabilisera. La répartition entre publicité et promotion évoluera progressivement vers la parité (50/50). Le budget d'études sera en revanche réduit à 45 000 euros par an à l'issue de la première année.*

## L'analyse économique

Une fois définies les grandes lignes de la stratégie de lancement, le responsable du nouveau produit étudie de façon approfondie l'attrait commercial et financier de l'opération. L'analyse économique vise à prévoir les ventes, les coûts et les bénéfices futurs du produit, et à déterminer si ces chiffres sont conformes aux objectifs de l'entreprise. Le cas échéant, l'entreprise poursuivra la mise au point du produit ; autrement, il sera abandonné.

L'ESTIMATION DES VENTES ❖ Il n'existe pas de méthode qui permette d'estimer les ventes futures avec certitude, mais on peut obtenir de précieuses informations en examinant attentivement l'évolution de produits analogues et en sondant le marché. Les méthodes utilisées diffèrent selon qu'il s'agit d'un produit : 1) acheté une seule fois ; 2) dont l'achat se renouvelle rarement ; ou 3) d'achat fréquent. La figure 12.5-A illustre la courbe des ventes souvent observée pour des produits qui ne s'achètent qu'une fois. Ces ventes augmentent au début, puis diminuent progressivement, jusqu'à ce que le marché soit saturé. Si de nouveaux acheteurs continuent à se manifester, la courbe ne retombe pas tout à fait à zéro.

Les produits que l'on renouvelle de temps en temps comme l'automobile, l'électroménager, le matériel industriel et de nombreux autres biens durables, posent un problème différent. Les cycles de remplacement sont dictés soit par l'usure physique du produit, soit par son obsolescence perçue, due à des changements de technologie, de mode, ou à l'évolution des goûts. Pour prévoir les ventes de cette catégorie de produits, il faut procéder à une estimation distincte des ventes de premier équipement et des ventes de remplacement (voir figure 12.5-B[19]).

Enfin, les produits d'achat fréquent, tels que les biens de grande consommation et les biens industriels non durables, voient en général leurs ventes évoluer selon la courbe représentée à la figure 12.5-C. Le nombre de personnes qui achètent le produit pour la première fois commence par augmenter, puis diminue à mesure que les besoins sont satisfaits (en faisant l'hypothèse d'une population fixe). Les réachats interviennent rapidement, dans la mesure, naturellement, où le produit donne satisfaction. La courbe des ventes finit par se stabiliser au niveau des achats de remplacement.

**FIGURE 12.5**
L'évolution des ventes au cours du cycle de vie de trois types de produits

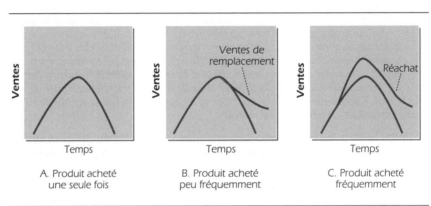

A. Produit acheté
une seule fois

B. Produit acheté
peu fréquemment

C. Produit acheté
fréquemment

**L'ESTIMATION DES COÛTS ET DES BÉNÉFICES** ❖ Les coûts sont évalués conjointement par les services en charge de la R&D, la production, le marketing et le contrôle de gestion. Le tableau 12.3 présente l'évolution du cash-flow à cinq ans, correspondant au lancement de la boisson instantanée pour le petit déjeuner.

La première ligne indique le *chiffre d'affaires prévisionnel*. L'entreprise espère vendre pour 1 980 euros la première année (soit à peu près 50 000 caisses à 40 euros l'unité). Les ventes s'accroîtront d'environ 34 % l'année suivante, de 20 % la troisième année, puis de 12 % et 5 % seulement. Ces chiffres découlent d'hypothèses faites sur le taux de croissance du marché et sur l'évolution de la part détenue par l'entreprise.

La deuxième ligne fait apparaître *le coût de fabrication* qui représente à peu près le tiers du chiffre d'affaires au début, progressivement réduit à 27 % grâce aux économies d'échelle. Il s'obtient en estimant les coûts de matière, de main-d'œuvre et de conditionnement.

La troisième ligne indique la *marge brute*, simple différence entre le chiffre d'affaires et le coût de fabrication.

La quatrième ligne enregistre les *coûts de développement*, estimés à 450 000 euros. Ces coûts comportent trois éléments : *les coûts de recherche*, y compris les tests et l'élaboration des prototypes ; les *études de marché initiales* comprenant les tests d'emballage, de nom, de produit et de marché ; et les *coûts d'investissement* en production, correspondant au développement ou à la rénovation de l'usine.

| | Année 0 | 1 | 2 | 3 | 4 | 5 |
|---|---|---|---|---|---|---|
| 1. Chiffre d'affaires | 0 | 1 980 | 2 660 | 3 204 | 3 570 | 3 740 |
| 2. Coût de fabrication | 0 | 653 | 798 | 897 | 964 | 1 010 |
| 3. Marge brute | 0 | 1 327 | 1 862 | 2 307 | 2 606 | 2 730 |
| 4. Coûts de développement (investissement) | −450 | 0 | 0 | 0 | 0 | 0 |
| 5. Dépenses marketing | 0 | 1 350 | 1 566 | 1 754 | 1 754 | 1 754 |
| 6. Frais généraux | 0 | 198 | 266 | 320 | 350 | 374 |
| 7. Contribution brute | −450 | −221 | 30 | 233 | 502 | 602 |
| 8. Contribution supplémentaire | 0 | 0 | 0 | 0 | 0 | 0 |
| 9. Contribution nette | −450 | −221 | 30 | 233 | 502 | 602 |
| 10. Contribution actualisée (10 %) | −450 | −201 | 25 | 175 | 343 | 374 |
| 11. Cash-flow actualisé cumulé | −450 | −651 | −626 | −451 | −108 | 266 |

**TABLEAU 12.3**
Évolution
du cash-flow
sur cinq ans
(en milliers d'euros)

La cinquième ligne précise les *dépenses marketing* comprenant la publicité, la promotion des ventes, les études de marché courantes, et un forfait représentant les frais de vente et d'administration commerciale. Au cours de la première année, le budget marketing s'élève à 68 % du chiffre d'affaires pour redescendre à 47 % au bout de l'année 5.

La sixième ligne spécifie les *frais généraux* affectés au nouveau produit.

La septième ligne identifie la *contribution brute*, différence entre la marge brute et les trois éléments précédents. Il apparaît une perte au cours de l'année 0 et de la première année puis un bénéfice à partir de la seconde année. Celui-ci s'élève à 16 % du chiffre d'affaires la dernière année.

La huitième ligne, appelée *contribution supplémentaire*, sert de structure d'accueil pour tout complément de revenu occasionné par le lancement. Naturellement, si l'impact du lancement sur les ventes de produits existants est négatif, il faudra déduire de la contribution une estimation de la *cannibalisation* ainsi engendrée[20].

La neuvième ligne fait apparaître la *contribution nette*, ici égale à la contribution brute en l'absence de contribution supplémentaire.

La dixième ligne calcule la *contribution actualisée*, c'est-à-dire la valeur de chaque contribution annuelle actualisée au taux de 10 %. Ainsi, une contribution de 602 000 euros au bout de la cinquième année est-elle équivalente à une contribution de 373 795 euros aujourd'hui[21].

Enfin, la dernière ligne indique le *cash-flow actualisé cumulé* qui n'est autre, en l'absence d'éléments de fonds de roulement, que l'accumulation des contributions apparaissant à la ligne précédente. La direction générale prendra en considération cette série de valeurs pour décider de l'avenir du nouveau produit. Deux éléments sont importants : l'*investissement maximal* qui correspond à la valeur négative la plus élevée de la période, ici 651 000 euros au cours de la première année, et l'*année de remboursement* qui permet de calculer la période nécessaire à la récupération de l'investissement.

Dans notre exemple, et sur la base d'un taux d'actualisation de 10 %, la période de remboursement couvre environ 4 ans et 4 mois. Il appartient à la direction générale de décider si elle accepte d'investir une somme maximale de 651 000 euros et d'attendre près de quatre ans et demi avant de récupérer son investissement.

Les entreprises utilisent parfois d'autres critères pour évaluer la rentabilité d'un nouveau produit. Le plus simple est le *point mort*, qui correspond à la quantité devant être vendue à un prix donné pour couvrir les frais fixes. Plus celui-ci est élevé (proportionnellement au marché potentiel), plus le risque de lancement est substantiel. L'une des méthodes les plus élaborées est l'*analyse du risque* qui invite le responsable du nouveau produit à formuler trois hypothèses (optimiste, pessimiste et moyenne) pour chaque variable affectant la rentabilité, dans des conditions données d'environnement et de stratégie. L'ordinateur calcule alors tous les résultats possibles et en déduit une courbe de distribution statistique de la rentabilité prévisionnelle[22].

## L'élaboration du produit

Les concepts de produit qui ont franchi le stade de l'analyse économique sont ensuite transmis au département de Recherche et Développement qui va élaborer un *prototype*. Cette étape est importante pour au moins trois raisons. D'abord, c'est le premier pas vers une concrétisation du produit. Jusqu'à présent, il n'y avait qu'une idée, peut-être un dessin ou une maquette. Ensuite, il s'agit d'un investissement important, bien supérieur à ceux réalisés au cours des étapes précédentes. Enfin, c'est au cours de cette étape que l'on saura si l'idée peut être traduite en un produit réalisable techniquement et commercialement.

La première tâche consiste à réaliser un prototype qui : réunisse les attributs spécifiés dans le concept ; fonctionne de façon satisfaisante dans des conditions normales d'utilisation ; et respecte les impératifs de coût et de délais de fabrication. L'une des méthodes les plus efficaces pour l'élaboration du prototype est connue sous le nom d'*ingénierie orientée client*[23]. Elle consiste à traduire la liste des attributs du produit souhaités par les clients, telle que les études de marché l'ont établie, en liste de caractéristiques techniques utilisées par les ingénieurs en charge de la conception. Par exemple, si le marketing indique que les clients attendent d'un nouveau camion une certaine vitesse d'accélération, ce critère sera traduit en un certain niveau de puissance du moteur et d'autres équivalents techniques. Cette méthode permet de comparer les coûts et avantages des différentes caractéristiques du produit souhaitées par le marché et améliore la communication entre le marketing, l'ingénierie et la production.

En pratique, la mise au point d'un prototype peut prendre plusieurs semaines, mois ou même années dans le cas de produits complexes comme l'automobile ou l'ordinateur. Des techniques de simulation par images virtuelles permettent d'accélérer le processus en étudiant rapidement certaines alternatives. Même l'élaboration d'un produit alimentaire peut prendre beaucoup de temps. Ainsi, la division Maxwell de la société General Foods avait découvert, à la suite d'enquêtes auprès des consommateurs, une préférence marquée pour un café qui frapperait le consommateur par son « goût inhabituel, vigoureux et prononcé. » Les techniciens de laboratoire passèrent plus de quatre mois à travailler sur différents mélanges et arômes, avant de mettre au point une formule d'un goût correspondant. Mais celle-ci se révéla très chère à fabriquer, et l'entreprise dut prendre des mesures destinées à réduire le coût du mélange. Le produit obtenu n'avait pas le goût attendu et ne réussit jamais sa percée sur le marché.

L'élaboration d'un prototype doit aujourd'hui obéir à des contraintes de plus en plus fortes de rapidité et de flexibilité (voir encadré 12.8).

En fait, les chercheurs doivent se préoccuper non seulement des caractéristiques fonctionnelles du nouveau produit, mais également de ses dimensions psychologiques. Il faut savoir comment le consommateur réagira à différentes couleurs, tailles et poids. Dans le cas d'un dessert tout préparé, un emballage bleu métallisé connote l'idée de fraîcheur, tandis qu'un pot blanc suggère un produit crémeux. Les décisions afférentes au produit doivent toujours être prises à travers une collaboration étroite entre la Recherche et Développement et le marketing.

## L'élaboration des ordinateurs personnels

L'exemple de l'ordinateur personnel (PC) illustre bien les conséquences d'un environnement turbulent. La rapidité d'innovation technologique des années 1980 et 1990 a permis une croissance spectaculaire de l'activité. Le cycle de vie des produits est passé d'un an il y a 20 ans à 3 mois en 1999. Les composants les plus rapides et les plus performants deviennent obsolètes en quelques mois. En conséquence, les fabricants de PC attendent la fin du processus d'élaboration de leurs nouveaux produits pour y intégrer les composants les plus vite dépassés, comme les microprocesseurs ou la mémoire. Plus encore, Dell permet à ses clients de concevoir des produits spécifiques, «customisés», sur son site Web, les fabrique à la demande et les livre sous dix jours.

Cependant, les difficultés rencontrées aujourd'hui par les start-ups Internet et autres entreprises de haute technologie montrent que la rapidité n'est qu'un atout concurrentiel parmi d'autres. Elle ne suffit pas à garantir le succès sur le marché.

*Source :* James Curry et Martin Kenney, «Beating the clock : Corporate Responses to Rapid Change in the PC Industry», *California Management Review*, 1er octobre 1999, p. 8.

Une fois le prototype élaboré, il faut tester tant ses qualités intrinsèques que son acceptation par le consommateur. Dans les secteurs de produits durables et de haute technologie, on nomme *alpha-tests* les tests réalisés en interne pour évaluer la performance intrinsèque du produit. Une fois le prototype jugé satisfaisant sur ce critère, on lance les *béta-tests* consistant à prêter le prototype à des clients et à recueillir leurs commentaires. Dans d'autres secteurs, on nomme *tests fonctionnels* les tests effectués en laboratoires qui consistent à vérifier que le produit fonctionne normalement, dans de bonnes conditions de sécurité : un café soluble doit se dissoudre ; un pneu doit adhérer à la route, etc. Pour les produits pharmaceutiques, les tests sont particulièrement longs et rigoureux : en France, on a pour habitude d'identifier les sept étapes suivantes : 1) recherche initiale (molécule) ; 2) développement préclinique (premiers tests sur animaux) ; 3) phase 1 (test sur l'homme sain) ; 4) phase 2 (tests sur le malade) ; 5) phase 3 (tests cliniques à grande échelle) ; 6) AMM (autorisation de mise sur le marché), délivrée par l'Agence française de sécurité sanitaire des produits de santé ; et 7) phase 4 (nouvelles indications thérapeutiques du produit). Il faut en général plusieurs années avant qu'un médicament ne soit homologué.

Certaines sociétés vont très loin dans les tests qu'elles font subir à leurs produits :

> *Apple plonge ses portables dans du Pepsi afin de tester leur étanchéité. Ils les couvrent de mayonnaise et les mettent dans des fours réglés à 140° pour simuler d'éventuelles salissures ou conditions de transport extrêmes. Chez Gillette, tous les jours, 200 employés acceptent de venir au bureau sans s'être rasé le matin. Ils subissent alors toutes sortes de tests destinés à améliorer les différentes phases du rasage*[24].

Les *tests effectués auprès des consommateurs* sont très divers. On peut leur demander de se rendre dans un laboratoire afin de donner leur avis sur différentes versions du produit. Par exemple, les produits alimentaires sont souvent testés avec des consommatrices dans des laboratoires «d'analyse sensorielle»[25]. Plus courants sont les *tests réalisés à domicile avec dépôt du produit*. À chaque fois qu'elle lance un nouveau shampooing, la société L'Oréal fait effectuer des tests de ce type qui durent en moyenne une quinzaine de

12.9

# Les tests de produit auprès des consommateurs

### Les classements

On demande au consommateur de ranger par ordre de préférence les produits testés. Cette méthode présente l'avantage de la simplicité. Mais elle n'indique ni l'intensité de la réaction à chaque produit, ni le sentiment global par rapport à l'ensemble testé. Elle suppose souvent que les intervalles entre les rangs sont égaux et ne s'applique que lorsque le nombre de produits est limité.

### Les comparaisons par paires

On présente une série de paires de produits. Le consommateur doit choisir l'un des deux produits de chaque paire. Des hypothèses de transitivité permettent de dégager un classement complet. Cette méthode a l'avantage d'être simple et bien acceptée. Elle favorise une comparaison systématique sur tous les aspects des produits testés et donne ainsi des pistes pour les améliorer. Elle permet de mesurer l'acceptabilité d'un nouveau produit face aux produits existants.

### Les tests monadiques

On demande au consommateur d'indiquer pour chaque produit son degré d'acceptation sur une échelle du type :

- Aime beaucoup
- Aime
- Aime un peu
- Indifférent
- N'aime pas beaucoup
- N'aime pas
- N'aime pas du tout

Cette méthode engendre beaucoup d'informations. En comparant les réponses, on peut connaître à la fois la préférence globale, les jugements relatifs à chaque produit ainsi que les écarts. Elle est facile à utiliser, et proche des conditions habituelles d'utilisation de la plupart des produits (où l'on en consomme un seul à la fois). En outre, elle permet les comparaisons au cours du temps et à travers les populations.

*Sources :* pour un exposé plus complet, voir Sophie Morin-Delerm, «Les tests de produits : quelle technique de test pour quel objectif?»; A. Bloch et D. Manceau, *De l'idée au marché : Innovation et lancement de produits* (Paris : Vuibert, 2000, pp. 127-139).

---

jours et portent sur une cinquantaine de personnes. Les techniques utilisées lors de ces tests sont très variées (voir encadré 12.9).

## Les marchés-tests

Une fois le produit au point et après avoir choisi son nom et son conditionnement (ces décisions seront étudiées en détail au chapitre 14), il est souhaitable de le tester dans les conditions normales de l'environnement commercial. Un *marché-test* a donc pour objet de comprendre comment les consommateurs et la distribution réagissent au nouveau produit, et de mesurer le marché potentiel.

Toutes les entreprises n'ont cependant pas recours aux marchés-tests. Ainsi, le directeur du marketing de Solitaire a déclaré :

> *Nous ne réalisons jamais de marché-test parce que c'est une technique assez lourde, longue et coûteuse. De plus, il existe des problèmes au niveau de la validité des résultats et de leur extrapolation. La structure de la distribution ne favorise pas toujours une bonne implantation du produit en test. Enfin, les forces de vente sont plus ou moins sensibilisées[26].*

De nombreuses entreprises estiment pourtant que les marchés-tests apportent une information indispensable pour préparer un lancement national. La principale question est alors : combien de tests et de quel type ?

La décision d'entreprendre des marchés-tests dépend, d'une part, du *montant de l'investissement et du risque correspondant* et, d'autre part, des *contraintes de temps et de budget*. Les produits qui représentent un engagement important méritent d'être testés sur le marché afin d'éviter une coûteuse erreur de lancement. Dans ce cas, le coût du test sera relativement limité par rapport au budget global. Les produits qui présentent un niveau de risque élevé, que ce soit parce qu'ils créent une nouvelle catégorie de produits (comme les premières lingettes détergentes) ou ont des caractéristiques innovantes (comme les yoghourts aux fruits entiers), doivent être testés plus longtemps que les simples modifications ou produits « moi aussi » *(me too)*. En revanche, un test ne peut se prolonger si la société ne dispose guère d'avance sur ses concurrents ou si la haute saison approche.

**LES MARCHÉS-TESTS DES PRODUITS DE GRANDE CONSOMMATION** ❖ Dans le cas des produits de grande consommation, les tests de marché s'adressent à la fois aux consommateurs et aux distributeurs. En testant le produit auprès des consommateurs, l'entreprise cherche à estimer le taux d'*essai* et de *réachat*, ainsi que la *fréquence* d'achat. Bien entendu, elle espère la valeur la plus forte possible pour chacun de ces facteurs. Pourtant, elle découvre souvent que de nombreux consommateurs essaient le produit mais ne le rachètent pas ; ou bien que le réachat n'entraîne pas un courant continu de vente (par exemple parce que les consommateurs ont associé le produit à des occasions particulières).

En testant le produit auprès des distributeurs, l'entreprise cherche à savoir combien et quels types de distributeurs vendent le produit, à quelles conditions et avec quelles méthodes (matériel PLV, promotion, linéaire, etc.).

Il existe de nombreuses sortes de marchés-tests. Les plus courantes sont présentées ci-dessous, en commençant par les moins onéreuses.

**Les tests de produit prolongés.** Il s'agit d'une extension du test de produit classique, selon laquelle on propose aux consommateurs à qui l'on a déjà demandé de tester le produit gratuitement, d'acquérir une nouvelle quantité de produit (de sa marque ou des concurrents) à des prix légèrement réduits.

L'offre est répétée quatre à cinq fois de façon à observer la fréquence avec laquelle la marque de l'entreprise est choisie au cours des réachats successifs. On interroge les consommateurs sur leurs réactions à des utilisations répétées du produit. On peut également tester des concepts publicitaires afin de mesurer leur impact sur le comportement.

Cette méthode fournit une estimation du taux de réachat dans des conditions caractérisées par une dépense effective d'argent par le consommateur et la possibilité de choisir entre différentes marques. Un avantage est lié à la capacité d'évaluer simultanément la stratégie publicitaire. En outre, les tests de produit prolongés garantissent la confidentialité, et peuvent être conduits rapidement, sans qu'il y ait besoin de l'emballage définitif ou d'une campagne publicitaire élaborée.

En revanche, une telle méthode ne peut fournir une estimation du taux d'essai en réponse à un effort promotionnel puisque les consommateurs participent d'abord à un test de produit gratuit. Bien sûr, la méthode ne permet de recueillir aucune donnée relative à la distribution ou à la présentation du produit sur le lieu de vente.

**Les marchés-tests simulés ou magasins-laboratoire.** La technique des marchés-tests simulés consiste à inviter une cinquantaine ou une centaine de personnes, recrutées par exemple dans un centre commercial, à regarder une série de messages publicitaires télévisés dans lesquels on a inséré la campagne relative au nouveau produit. On donne ensuite aux interviewés un bon d'achat qu'ils sont libres de conserver ou de dépenser dans un magasin expérimental dans lequel on a fait figurer le nouveau produit et ses principaux concurrents. La méthode permet de mesurer le taux d'achat en réponse à un effort publicitaire. On complète en général l'information en demandant aux interviewés d'expliquer leur comportement d'achat (ou de non-achat). Ceux-ci sont recontactés quelques semaines plus tard par téléphone et invités à décrire leurs attitudes, niveau de consommation, degré de satisfaction et intention de réachat. Une autre méthode, pratiquée par exemple par la société In-vivo dans un magasin expérimental du centre commercial de St-Quentin-en-Yvelines, consiste à enregistrer le comportement des clients sur bande vidéo, puis à leur faire commenter la bande.

L'essor des marchés-tests simulés a été rapide au cours des vingt dernières années. Aujourd'hui, de nombreux systèmes sont commercialisés tant en Europe qu'aux États-Unis. Apparu en 1968, le système LMT de Yankelovitch a été utilisé plusieurs milliers de fois. Il en est de même de Bases (Burke), Microtest (Research international), ESP (NPD), Designor (Novaction) et d'Assessor (groupe M/A/R/C), utilisé déjà plus de 3 000 fois, y compris par L'Oréal, Nestlé, Danone et Pernod Ricard[27].

La méthode des marchés-tests simulés présente l'avantage de mesurer l'essai, le réachat et l'efficacité publicitaire de façon rapide et confidentielle. Certains systèmes permettent également d'estimer quelle serait la notoriété du nouveau produit pour différents montants de budget publicitaire, d'évaluer l'élasticité de l'essai et du réachat au prix et incluent un diagnostic du marketing-mix. Les résultats sont en général introduits dans un modèle mathématique qui permet de calculer une prévision de vente. Les sociétés d'études qui offrent ce service indiquent qu'elles ont obtenu de très bonnes prévisions pour les produits qui ont été effectivement lancés sur le marché. La méthode permet aussi d'éliminer les mauvais produits. Sur 1 100 produits testés par Burke, seulement 200 sont lancés. Ces méthodes exigent un délai de quelques semaines pour un coût de 80 000 à 120 000 euros.

À noter que ce type de méthode semble aujourd'hui s'étendre à d'autres secteurs que la grande consommation. Dans l'industrie cinématographique, on fait traditionnellement peu d'études de marché, malgré des coûts de lancement de 75 à 120 millions d'euros pour les grosses productions hollywoodiennes. Les studios considèrent que les films sont des produits atypiques dont on ne peut prévoir l'audience. Pourtant trois chercheurs américains ont créé Moviemod, un outil de prévision de marché visant à anticiper les entrées dans les salles et à aider les décisions relatives aux dépenses publi-promotionnelles et à la distribution une fois le film produit mais non encore diffusé[28].

**Les «zones-tests»** (ou marchés-tests électroniques). Certaines sociétés d'études ont passé des accords avec un ensemble de magasins qui, dans une zone donnée, acceptent de commercialiser les nouveaux produits qu'on leur propose. La société qui envisage de lancer le produit spécifie le nombre, le type et l'emplacement des points de vente qu'elle souhaite inclure dans le test. La société d'études prend en charge la livraison du produit aux magasins choisis, contrôle leur emplacement sur le point de vente, le linéaire, la PLV, les promotions et les prix. Les résultats sont obtenus à partir d'observations faites en magasin (données de scanner), et de relevés d'achat scannérisés remplis par un panel de consommateurs.

L'entreprise peut simultanément tester une action publicitaire diffusée dans la presse locale ou à la télévision. La publicité télévisée est soit diffusée sur une chaîne câblée locale, soit sur une chaîne nationale où un décrochage par satellite permet de la substituer à un autre spot publicitaire vu dans le reste de la France[29]. En France, le Scannel, mis au point par Sécodip, fonctionne selon ce principe dans les trois villes de Sens, Château-Thierry et Brive-La-Gaillarde ; Marketing Scan, filiale de Médiamétrie et de GFK, gère deux zones similaires à Angers et au Mans. La présence de plusieurs villes permet de tester deux ou trois plans marketing alternatifs envisagés pour le nouveau produit. Dix mille foyers sont équipés d'une carte enregistrant leurs achats dans les grandes surfaces. Le coût d'un test se situe entre 75 000 et 400 000 euros pour une période de 3 à 6 mois[30].

La méthode des zones-tests permet à l'entreprise de mesurer l'impact de tous les facteurs liés à la présence du produit sur le point de vente et de la publicité sur le comportement d'achat ; cela se fait sans contact préalable avec les consommateurs qui, en revanche, peuvent être interrogés à l'issue du test. L'entreprise n'a pas besoin d'utiliser sa force de vente et ses stimulants habituels pour entrer dans la distribution. De ce fait, cette approche ne permet pas de tester les variables liées aux vendeurs. En outre, elle expose le produit à la concurrence.

**Les marchés-tests classiques ou marchés-témoins.** Les marchés-tests classiques représentent la procédure de test la plus élaborée pour lancer un produit. En général, l'entreprise s'assure la collaboration d'une société spécialisée qui l'assiste dans la sélection d'un certain nombre de villes dans lesquelles la force de vente proposera le nouveau produit et vérifiera son mode de présentation en magasin. L'entreprise élabore également une campagne publicitaire et promotionnelle, modèle réduit de celle qu'elle envisage au niveau national. En fait, la vente d'un produit en marché-témoin s'apparente à une répétition générale. Un marché-test réel coûte plusieurs centaines de millions d'euros, le budget final variant en fonction du nombre de zones choisies, de la durée du test et de la quantité de données que l'on recueille.

On attend plusieurs contributions d'un marché-test : une *prévision des ventes potentielles du produit*, mais aussi un *test des différents plans marketing envisagés pour le lancement*.

■ **COLGATE-PALMOLIVE.** Il y a quelques années, cette société décida d'utiliser quatre plans promotionnels dans quatre villes américaines, afin d'étudier le marché d'un nouveau savon. Les différentes approches étaient les suivantes : 1) une action publicitaire normale complétée par une distribution d'échantillons gratuits en porte à porte ; 2) une publicité massive plus des échantillons ; 3) une action publicitaire normale complétée par des bons de réduction envoyés par la poste ; et 4) une action publicitaire normale sans offre spéciale de lancement. Colgate découvrit que la troisième solution produisait le chiffre d'affaires le plus élevé.

La mise en place d'un marché-test soulève en pratique de nombreuses questions analysées dans l'encadré 12.10. Leur coût très élevé, leur longueur et l'information des concurrents incitent aujourd'hui de nombreuses entreprises à privilégier les méthodes précédentes, moins chères ou plus rapides, ou à lancer leurs nouveaux produits dans quelques petits « pays pilotes » avant de procéder à un lancement plus large.

**LES MARCHÉS-TESTS DES PRODUITS INDUSTRIELS ❖** Dans les secteurs industriels, lorsque les résultats des tests techniques (ou alpha-tests) sont satisfaisants, la plupart des entreprises s'empressent d'ajouter le produit au catalogue et stimulent l'effort de vente. Aujourd'hui, cependant, sous l'influence conjuguée d'une durée de vie raccourcie par l'évolution technologique et d'un souci croissant de rentabilité, de plus en plus de firmes éprouvent le besoin d'effectuer des *tests de marché* susceptibles de révéler : les performances du produit sous conditions normales d'utilisation ; les influences déterminantes dans le processus d'achat ; la réaction aux prix et aux arguments de vente ; la taille du marché potentiel ; et les segments sur lesquels concentrer les efforts de marketing.

Les marchés-tests ne sont pas monnaie courante en marketing industriel. Il serait évidemment beaucoup trop coûteux de produire en petite série des Concorde ou des centraux téléphoniques et de les tester sur un marché-test. Les acheteurs industriels ont en effet besoin de garanties et de services, notamment ceux liés à l'entretien et aux pièces détachées. Il faut donc avoir recours à d'autres méthodes dont les plus courantes sont présentées ci-après.

La technique la plus utilisée est celle du *test d'acceptabilité*, encore appelé test sur site ou bêta-test, équivalant au test de produit à domicile dans la grande consommation. Le fabricant choisit un petit nombre de clients qui acceptent d'utiliser le nouveau produit pendant une certaine période, généra-

---

**12.10**

 **Comment effectuer un marché-test ?**

La réalisation d'un marché-test, classique (marché-témoin) ou électronique (zone-test), exige de faire au préalable un certain nombre de choix :

♦ **Combien de villes utiliser ?** Le nombre de villes utilisées dans les marchés-tests est assez variable (de deux à quatre le plus souvent). En général, il s'accroît avec : la perte maximale estimée en passant à l'échelon national ; le nombre de plans marketing à tester ; les différences régionales dans la consommation du produit ; et la probabilité d'interférence avec la concurrence lors du test.

♦ **Quelles villes choisir ?** Les villes utilisées par les instituts commercialisant les zones-tests ont été choisies pour la représentativité de leur consommation par rapport à l'ensemble de la France. Mais elles font aujourd'hui l'objet de très nombreux tests.

Pour les marchés-tests classiques, les zones choisies varient davantage, même si l'on privilégie là encore la représentativité : les zones souvent utilisées sont Grenoble, Metz, Toulouse, Briare (pour les sondages politiques), ou certaines régions entières, comme l'Est de la France et le Sud-Est méditerranéen (qui sont en même temps des zones de couverture de télévision régionale).
Chaque entreprise établit ses propres critères de sélection. Telle société pourra limiter son choix aux villes qui ont plusieurs

industries, une bonne couverture publicitaire, une activité concurrentielle normale, et qui ne sont pas utilisées trop souvent pour des tests. On peut également introduire d'autres critères liés aux caractéristiques du produit. Par exemple, lorsque la société Pet Foods France voulut tester le marché français des aliments pour chiens et chats, elle choisit l'Eure et la Seine-Maritime, en fonction de leur représentativité nationale en matière de population animale, d'habitudes des propriétaires quant à l'alimentation de leurs chiens et chats, et de la connaissance et de la pénétration des marques concurrentes. De même Danone testa l'un de ses desserts dans le Nord en fonction des critères suivants : disponibilité des commerciaux ; représentativité de la population et de la structure de consommation des desserts et produits frais ; représentativité de la distribution ; proximité des lieux de production ; et intrapolation des médias.

♦ **Combien de temps le test doit-il durer ?** Un marché-test peut durer de quelques semaines à plusieurs années. Une étude de *Stratégies* aboutit aux résultats suivants :

| | |
|---|---|
| Plus d'un an | 4,5 % des entreprises interrogées |
| Un an | 13,5 % |
| Entre 6 et 12 mois | 32 % |
| Six mois | 32 % |
| Moins de 6 mois | 18 % |

En fait, il ne s'agit que de moyennes. Le test organisé par Yoplait pour sa « Perle de lait » n'a duré que deux mois alors que ceux organisés par Procter & Gamble pour Swiffer

---

lement dans leurs propres ateliers. Les techniciens du constructeur viennent observer la façon dont le client utilise le produit afin de détecter tout problème en temps réel. À l'issue du test, le client est invité à exprimer ses réactions et notamment son degré d'intention d'achat. Les résultats obtenus lors de ces tests doivent être interprétés avec prudence du fait du nombre réduit de clients participant au test et de leur caractère peu représentatif du marché-cible. En outre, on peut craindre qu'en cas d'impressions peu favorables sur le produit en test, les clients tests ne diffusent des informations préjudiciables à son avenir commercial.

Une seconde méthode, largement utilisée, est le *salon professionnel*. Le fabricant peut y mesurer le degré d'intérêt suscité par le nouveau produit, l'accueil réservé à ses différentes caractéristiques et le taux de commande ou d'inten-

---

### 12.10 suite

et Sunny Delight ont duré beaucoup plus longtemps.

En pratique, la décision dépend :

1. de la *période moyenne de réachat*, c'est-à-dire le laps de temps qui s'écoule normalement entre deux achats ;
2. de la *concurrence* (possibilités de réaction parfois très vives comme l'a montré le lancement de Pliz Dust & Go quelques mois seulement après celui de Swiffer par Procter & Gamble) ;
3. du *coût* (les dépenses engagées s'accroissent évidemment avec la durée du test).

♦ **Quelles informations recueillir ?** Le responsable du lancement doit déterminer les informations commerciales nécessaires à l'évaluation des avantages et des inconvénients du nouveau produit. En général, les sources d'information les plus utilisées sont :

1. les *statistiques internes de livraison* qui renseignent sur les mouvements de stocks ;
2. les *panels de détaillants* qui indiquent les ventes au détail et les parts de marché ;
3. les *panels de consommateurs* qui révèlent les caractéristiques des consommateurs et leur degré de fidélité ;
4. les *enquêtes consommateurs* qui permettent de sonder les attitudes, le comportement de consommation et le degré de satisfaction. On peut également recueillir des renseignements sur les attitudes des commerçants, la distribution et l'efficacité de la publicité, de la promotion et du matériel PLV. L'enquête précitée de *Stratégies* indique la répartition suivante des informations recherchées en priorité :

| | |
|---|---|
| 1. Chiffre d'affaires et bénéfices potentiels | 20,5 % |
| 2. Attitude de la distribution | 18 % |
| 3. Efficacité de la stratégie publicitaire | 15,5 % |
| 4. Profil des clients | 15,5 % |
| 5. Tests de différents plans marketing | 14 % |
| 6. Test du conditionnement | 11,5 % |
| 7. Réactions de la concurrence | 5 % |

♦ **Quelle décision prendre à l'issue du test ?** Si les valeurs observées au cours du test, à la fois pour le taux d'essai et de réachat, sont élevées, on sera tenté de lancer le produit. Si le taux d'essai est élevé, mais non le taux de réachat, c'est que les clients ne sont pas satisfaits du produit ; ce dernier doit, par conséquent, être soit modifié, soit abandonné. Si le taux d'essai est faible mais le taux de réachat élevé, le produit est satisfaisant, mais n'est pas suffisamment essayé. Il faut alors consentir un effort accru de publicité et de promotion. Enfin, si les deux taux sont faibles, le produit semble voué à l'échec.

L'enquête de *Stratégies* révèle que, lorsque le marché-test est positif, l'entreprise lance le produit dans 68 % des cas. Les comparaisons entre les résultats du test et ceux observés dans la réalité font apparaître que la moitié des entreprises interrogées ont connu le cas d'un échec commercial alors que le test était positif, mais que 20 % seulement des personnes contactées se souviennent de situations de succès alors que le test était négatif.

tion de commande qui en résulte. L'inconvénient est, évidemment, que le nouveau produit peut être facilement observé par la concurrence.

Un nouveau produit industriel peut également être testé dans le *hall d'exposition des agents et distributeurs*. Il est alors présenté pendant un certain temps à côté des autres produits de l'entreprise et même des produits concurrents. Cette méthode présente l'avantage de tester le produit dans ses conditions naturelles de vente, mais peut susciter des commandes en trop grand nombre pour être satisfaites ou bien en provenance de clients peu représentatifs du marché.

Les *tests de vente* sont aussi utilisés par certains industriels. On fabrique une quantité limitée de produit, en général avec l'assistance d'un sous-traitant, et on le commercialise à travers la force de vente dans un petit nombre de régions dans lesquelles on réalise un effort promotionnel (catalogue, mailing, etc.). De cette façon, l'entreprise espère anticiper les réactions du marché national.

## Le lancement

À l'issue des marchés-tests, l'entreprise dispose de suffisamment d'informations pour décider du sort du nouveau produit. Une décision de lancement entraîne des dépenses bien supérieures à celles de toutes les étapes précédentes : il faut construire une usine et l'aménager de façon à produire suffisamment pour répondre à la demande. Les coûts marketing s'accroissent également. Sur le seul marché national, on peut avoir besoin de 4 millions d'euros, rien que pour la publicité et la promotion. Pour des produits alimentaires, les dépenses marketing peuvent représenter jusqu'à 60 % du chiffre d'affaires de la première année. Ce rapport est 4 fois plus élevé que le ratio publicité/vente habituel (hors lancement) dans ce secteur.

D'une façon générale, la décision de lancement appelle quatre questions : quand ? où ? auprès de qui ? comment ?

QUAND ? ❖ La première décision concerne la date du lancement. Si le nouveau produit remplace un produit existant, il peut être judicieux d'attendre que les stocks s'épuisent. Si la demande est très saisonnière, il est parfois opportun de la commercialiser avant la haute saison pour profiter de la période de forte vente. Enfin, si l'on envisage des améliorations, il est parfois préférable d'attendre un peu pour profiter du produit optimal.

En même temps, la date d'entrée sur un marché doit tenir compte des hypothèses faites sur la concurrence. Certaines entreprises cherchent systématiquement à être les premières à commercialiser les innovations, d'autres se contentent, plus ou moins volontairement, d'être suiveuses. Les avantages associés à chacune de ces positions ont été évoqués dans les chapitres 9 et 11. Supposons qu'une entreprise soit sur le point de lancer un nouveau produit et qu'elle apprenne que son principal concurrent est dans une situation similaire. Trois solutions :

1. *Lancer tout de suite*. On bénéficie alors des avantages du pionnier et notamment d'un effet de verrouillage de la distribution et d'innovation auprès du marché. Le produit doit être absolument irréprochable. À noter que l'on peut aussi choisir d'être le premier à annoncer le lancement du produit, sans véritablement y procéder[31].

2. *Lancer en parallèle*. On attend alors la décision du concurrent et on l'imite. On neutralise son initiative tout en réduisant, relativement, les risques liés au produit. Pour les innovations majeures, un lancement simultané de deux produits concurrents crédibilise l'innovation tout en attirant l'attention du marché.

3. *Lancer plus tard*. On laisse l'initiative à l'adversaire. C'est alors à lui d'éduquer le marché et de prendre le risque d'un rejet. On pourra mieux calibrer les volumes à produire une fois connue la taille du marché du concurrent. On peut aussi avoir laissé passer une occasion qui ne se reproduira jamais[32].

OÙ ? ❖ Il faut aussi décider si on lance le produit dans une seule *ville*, une *région*, sur le *marché national* ou directement sur le *marché international*. Peu d'entreprises, en dehors de certains secteurs comme le luxe ou les cigarettes, ont suffisamment de capacité de production, de ressources et de confiance dans leur produit pour envisager d'emblée un lancement international. Elles adoptent en général une *stratégie d'élargissement progressif* à partir d'une base régionale ou nationale. Le choix de la région de départ se fait à partir de plusieurs critères : la *taille du potentiel*, l'*image de marque*, le *coût de distribution*, les *possibilités locales d'études de marché*, la *position de la concurrence*, et l'*impact sur les autres marchés*.

Dans le domaine des services, de nombreuses entreprises commencent par se lancer dans la région parisienne avant de s'étendre à l'ensemble de la France. Ce fut le cas des hard-discounters comme Ed, patronné par Carrefour, mais aussi des chaînes de restaurants (Léon de Bruxelles, Buffalo Grill, etc.) et des enseignes de réparation automobile (Midas, Speedy, etc.). Cependant, l'essor du web a quelque peu gommé les frontières et les nouveaux sites qui se créent visent souvent une audience internationale.

AUPRÈS DE QUI ? ❖ L'entreprise doit en même temps cibler sa distribution et sa promotion. En général, les étapes précédentes auront permis d'identifier la cible du nouveau produit. Pour un produit de grande consommation, une cible idéale possède quatre caractéristiques : 1) pouvoir être touchée au moindre coût ; 2) comporter un fort pourcentage d'utilisateurs réguliers ; 3) diffuser un bouche à oreille favorable en étant, si possible, investie d'un pouvoir de prescription ; et 4) adopter rapidement le produit[33].

Naturellement, une cible présente rarement toutes ces caractéristiques, mais ces critères peuvent servir à comparer différentes cibles potentielles. L'idée est d'identifier ceux qui achèteront le plus de produit le plus rapidement possible afin de motiver la force de vente et d'influencer le reste du marché.

COMMENT ? ❖ Enfin, il faut choisir la tactique de lancement. On doit répartir le budget entre les différents éléments du mix marketing et planifier la séquence des événements[34]. Lorsque Ford décida de lancer la KA, de nombreuses opérations promotionnelles furent mises en place. Le jour du lancement, plusieurs centaines de véhicules, stockés dans un parking, se répandirent dans les rues de la capitale, tandis que les concessionnaires bénéficiaient d'une décoration spéciale. La coordination des multiples activités concernées par le lancement d'un produit fait de plus en plus appel à des techniques élaborées de programmation, telles que l'analyse du chemin critique[35] décrivant les activités nécessaires au lancement, leur durée et leur articulation séquentielle ou simultanée. On peut ainsi analyser l'impact de tout retard dans l'une des activités et décider de mesures correctives.

# Le processus d'adoption
## par le consommateur

On appelle *processus d'adoption* le mécanisme à travers lequel les clients potentiels sont amenés à prendre conscience d'un nouveau produit, à l'essayer, et finalement à l'adopter (ou le rejeter). Le problème de l'entreprise est de comprendre son fonctionnement, de façon à faciliter la pénétration du marché. Il faut bien distinguer le processus d'adoption de celui de *fidélité du consommateur*, qui concerne un produit déjà établi.

Dans le passé, la méthode la plus couramment utilisée pour lancer un nouveau produit était de favoriser une distribution aussi large que possible et d'informer toute personne susceptible de devenir un acheteur. Cette façon d'aborder le marché présente deux inconvénients : elle nécessite un budget marketing très élevé et elle entraîne des frais inutiles occasionnés par les messages envoyés aux non-acheteurs potentiels. On préfère aujourd'hui une deuxième approche, centrée sur les gros utilisateurs (*le cœur de cible*). Une telle méthode se justifie dans la mesure où les gros utilisateurs peuvent être facilement identifiés et se trouvent souvent parmi les premiers à essayer un nouveau produit[36]. On a cependant observé que, même parmi les gros utilisateurs, il y avait des différences individuelles importantes dans l'intérêt éprouvé à l'égard des nouveaux produits et dans l'attitude adoptée à l'égard d'un essai. L'entreprise doit donc diriger en priorité son effort vers les personnes les plus susceptibles d'adopter le produit rapidement. Dans les secteurs de haute technologie, par exemple, on pourra privilégier les individus les plus ouverts à l'innovation (voir encadré 12.11).

Le concept central est celui de l'*innovation*, définie comme toute marchandise, prestation de service ou idée *perçue* comme nouvelle par quelqu'un. Une idée, même très ancienne, n'en constitue pas moins une innovation pour la personne qui la découvre pour la première fois.

Toute innovation s'insère progressivement dans le système social qui la reçoit. On appelle *processus de diffusion* « la propagation d'une idée nouvelle depuis son lieu d'invention ou de création jusqu'à ses utilisateurs terminaux ou ceux qui l'adoptent en dernier ressort[37] ». Le *processus d'adoption*, quant à lui, est « le schéma mental suivi par un individu depuis la première information qu'il reçoit à propos d'une innovation jusqu'au moment où il l'adopte définitivement. »

## Les étapes successives du processus d'adoption

De nombreux travaux ont montré que le consommateur passe par une série de phases au cours du processus d'adoption d'un nouveau produit. Rogers en a identifié cinq :

♦ *Prise de conscience :* l'individu apprend l'existence de l'innovation.

♦ *Intérêt :* il cherche à recueillir davantage d'information.

♦ *Évaluation :* il pèse le pour et le contre d'un essai.

♦ *Essai :* il essaie le nouveau produit afin de s'en faire une idée plus précise.

♦ *Adoption :* il décide d'utiliser complètement et régulièrement le nouveau produit.

L'intérêt d'un tel modèle est de sensibiliser l'entreprise à la façon dont un nouveau produit est accepté. Ainsi, un fabricant de téléviseurs à écran plat peut découvrir que certains foyers en restent au stade de l'intérêt sans aller jusqu'à l'essai, en raison de leur incertitude et de l'importance de l'investisse-

# Les stratégies de lancement des innovations de haute technologie

Dans les secteurs de l'informatique, de la téléphonie ou de l'électronique grand public, les entreprises lancent souvent leurs produits avec des stratégies marketing classiques et notamment une publicité intensive. Parasuraman et Colby remettent en cause une telle pratique et recommandent d'appliquer des approches particulières dans les activités de haute technologie :

♦ *l'évangélisme technologique* : les utilisateurs d'Apple sont passionnés par leur produit et diffusent un bouche-à-oreille très favorable ;
♦ *des caractéristiques évolutives* de manière à ce que le produit reste à la pointe pendant quelques années ;
♦ *la mise en avant des avantages* offerts par le produit ;
♦ *une politique de prix assez basse* pour attirer les segments de clientèle peu favorables à la technologie ;
♦ *une conception orientée vers le client* et privilégiant la facilité d'usage ;
♦ *un service après vente performant* pour aider les clients ;
♦ *une communication rassurante* fondée sur des démonstrations nombreuses, un nom de marque connu et l'offre de garanties.

Geoffrey Moore insiste, quant à lui, sur la nécessité de changer de politique marketing au fur et à mesure que l'on s'adresse à des segments de marché distincts. De nombreuses entreprises high tech connaissent des difficultés parce que, aveuglées par leur succès auprès des premières catégories d'adopteurs, elles maintiennent la même politique marketing. C'est pourtant à l'issue des premières phases de la diffusion qu'elles devraient être particulièrement vigilantes et modifier leur mix marketing. En effet, les groupes d'adopteurs, tels qu'ils apparaissent dans la figure 12.6, se caractérisent par des motivations et des freins différents à l'adoption des innovations :

♦ Les *innovateurs* sont enthousiasmés par les nouvelles technologies et aiment tenter de résoudre les difficultés posées par les nouveaux produits. Ils acceptent volontiers de participer aux bêta-tests et d'identifier les faiblesses des prototypes.
♦ Les *adopteurs précoces* sont des visionnaires qui recherchent les innovations susceptibles d'offrir de vrais avantages. Moins sensibles au prix que les précédents, ils adoptent les produits si on leur offre des solutions personnalisées et un bon niveau de service.
♦ La *majorité précoce* est composée de pragmatiques qui adoptent la technologie si elle a fait ses preuves techniquement et commercialement.
♦ La *majorité tardive* rassemble des conservateurs hostiles au risque, sensibles au prix et timides face à la technologie.
♦ Les *retardataires*, sceptiques, n'adoptent l'innovation que lorsqu'ils ne peuvent faire autrement.

Chacune des cibles doit faire l'objet d'une politique marketing distincte si l'entreprise veut que l'innovation se diffuse au sein de la population tout entière.

*Sources* : A. Parasuraman et Charles Colby, *Techno-Ready Marketing* (New York : The Free Press. 2001) ; Geoffrey Moore, *Dans l'œil du cyclone* (Paris : First Éditions, 1997).

ment. Ces mêmes foyers seraient peut-être d'accord pour utiliser un téléviseur à écran plat à l'essai contre le paiement d'une redevance. Si le fabricant en prend conscience, il peut mettre en place une campagne de location avec option d'achat.

# Facteurs pouvant influencer le processus d'adoption

Il est bien sûr difficile de généraliser mais on reconnaît aujourd'hui quelques vérités premières dans le processus d'adoption.

**LES DIFFÉRENCES INDIVIDUELLES DANS L'ATTRAIT DE L'INNOVATION** ❖ La théorie suggère que les gens diffèrent dans leur attitude à l'égard des nouveaux produits. Pour tout domaine d'intérêt, il existe des personnes susceptibles d'adopter rapidement les innovations et de favoriser leur diffusion. Ainsi, certaines femmes sont toujours prêtes à se mettre à la dernière mode et à adopter de nouveaux appareils ménagers ; certains médecins sont les premiers à prescrire de nouveaux médicaments et certains fermiers sont les premiers à adopter de nouvelles méthodes de culture.

En revanche, d'autres n'adoptent les innovations que beaucoup plus tard. Cette observation a conduit à une classification des consommateurs en *classes d'adoption*, ainsi que le montre la figure 12.6. Le processus d'adoption y apparaît sous la forme d'une distribution normale en fonction du temps. Après un départ assez lent, un nombre croissant de personnes adoptent l'innovation, puis ce nombre passe par un maximum, avant de diminuer progressivement, jusqu'à ce que les derniers « retardataires » se soient manifestés. On a pris l'habitude de découper cette distribution en zones correspondant aux différentes classes de consommateurs. On définit ainsi les innovateurs comme les premiers 2,5 % à adopter une idée nouvelle, les adopteurs précoces comme les 13,5 % suivants, et ainsi de suite. Bien que cette répartition, d'origine statistique, soit quelque peu arbitraire, elle permet la standardisation nécessaire pour faciliter les comparaisons entre différentes études concernant l'adoption des produits nouveaux.

**FIGURE 12.6**
Classification des consommateurs en fonction du temps nécessaire à l'adoption des innovations

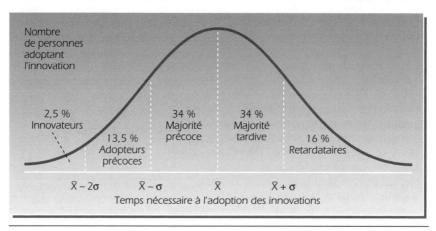

*Source :* d'après Everett M. Rogers, *Diffusion of Innovations* (New York : The Free Press, 1983).

Rogers a essayé de caractériser les cinq classes ainsi définies à l'aide de traits psychologiques. Selon lui, la caractéristique dominante des innovateurs est l'*esprit d'aventure ; ils aiment essayer les nouvelles idées, même si c'est un peu risqué, et ont des centres d'intérêt « cosmopolites ». La caractéristique dominante des adopteurs précoces est le* respect *qu'ils inspirent : jouissant d'un statut de leader d'opinion, ils adoptent les nouvelles idées de bonne heure, mais avec prudence. Le trait dominant de la majorité précoce est la* réflexion *; ces gens aiment les nouvelles idées ; mais sont rarement des meneurs. La majorité tardive se caracté-*

*rise par un certain* scepticisme ; elle n'adopte pas l'innovation tant que le poids de l'opinion n'en démontre pas l'intérêt. Enfin, la caractéristique dominante des retardataires est l'attachement à la *tradition* ; ils craignent toute évolution, se méfient de tout changement, et n'adoptent l'innovation que lorsque celle-ci fait elle-même partie de la tradition.

L'implication marketing de cette classification est qu'une entreprise innovatrice devrait essentiellement s'adresser aux consommateurs qui ont des chances d'adopter rapidement l'innovation concernée ; mais l'identification des adopteurs précoces n'est pas facile. Personne n'a encore vraiment démontré l'existence d'un trait de personnalité qui s'appellerait goût de l'innovation[38]. On est innovateur dans certains domaines et retardataire dans d'autres. Ainsi, un homme d'affaires qui s'habille de façon classique peut fort bien aimer la cuisine exotique.

Le problème de l'entreprise consiste donc à identifier les caractéristiques de ceux qui ont des chances de devenir des adopteurs précoces pour son produit. Sur la base de plusieurs études, Rogers a formulé les hypothèses suivantes :

> *Les adopteurs précoces ont tendance à être plus jeunes, à avoir une condition sociale plus élevée et une position financière plus favorable que les adopteurs tardifs. Ils utilisent des sources d'information plus cosmopolites, plus nombreuses et plus diversifiées. Ils ont davantage d'influence sur l'opinion[39].*

**LE RÔLE DE L'INFLUENCE PERSONNELLE** ❖ On entend par *influence personnelle* l'effet des déclarations faites par une personne sur l'attitude d'une autre. Bien que l'influence personnelle soit un facteur important tout au long du processus de diffusion, son rôle est plus significatif dans certaines circonstances et pour certains individus que pour d'autres. Elle semble être davantage présente au stade de l'évaluation, avoir plus d'impact sur les adopteurs tardifs que sur les adopteurs précoces, et jouer un rôle plus important lorsqu'il y a un risque perçu[40].

**L'INFLUENCE DES CARACTÉRISTIQUES DU PRODUIT SUR LE RYTHME D'ADOPTION** ❖ Il est enfin admis que *la nature même de l'innovation affecte son rythme d'adoption*. Cinq caractéristiques semblent avoir une influence déterminante :

La première est l'*avantage relatif* de l'innovation, c'est-à-dire le degré de supériorité qu'elle semble avoir sur ce qui la précédait. Plus cet avantage est grand, que ce soit en termes de coût, de performances ou de commodité d'emploi, plus l'innovation sera adoptée facilement.

La seconde est la *compatibilité* de l'innovation, c'est-à-dire la mesure dans laquelle elle est en harmonie avec le système de valeurs et l'expérience des individus concernés.

La troisième est la *complexité* de l'innovation, c'est-à-dire la mesure dans laquelle elle est difficile à comprendre ou à utiliser. Toutes choses égales par ailleurs, les innovations les plus complexes, par exemple les ordinateurs familiaux par rapport aux caméscopes prennent plus de temps à être acceptées.

La quatrième caractéristique est la *possibilité d'essai* sur une petite échelle. La possibilité de louer l'innovation ou de l'essayer chez des amis contribue à accélérer son adoption.

La dernière caractéristique est la *communicabilité* de l'innovation, c'est-à-dire la possibilité d'observer ou de décrire les résultats de son adoption aux autres. Les innovations qui se prêtent d'elles-mêmes à une meilleure démonstration ou description de leurs avantages connaissent en général une diffusion plus rapide.

D'autres caractéristiques pouvant affecter le rythme de diffusion d'une innovation sont le coût d'acquisition, le coût de fonctionnement, le risque perçu, l'innovativité perçue, la crédibilité scientifique et l'approbation sociale[41]. Il est dans l'intérêt de l'entreprise de faire attention à ces dimensions au cours de l'élaboration de son nouveau produit et de son plan marketing de lancement.

**L'INFLUENCE DES CARACTÉRISTIQUES DES ACHETEURS INSTITU-TIONNELS SUR LE RYTHME D'ADOPTION** ❖ Tout comme les individus, les organisations peuvent être classées en fonction de leur capacité à essayer et adopter les nouvelles idées. Ainsi, un fabricant de matériel pédagogique original a intérêt à se concentrer d'abord sur les écoles les plus dynamiques. De même, un constructeur d'appareillage médical souhaitera identifier les hôpitaux les plus ouverts à l'innovation. Les caractéristiques permettant d'identifier les entreprises les plus réceptives à la nouveauté semblent liées à l'environnement (dynamisme du marché local), aux caractéristiques internes de l'organisation (taille, résultats, esprit d'entreprise) et de son administration (niveau de formation, âge, ouverture vers l'extérieur). Une fois identifiés, de tels indicateurs peuvent être mis à profit pour sélectionner les meilleurs prospects.

## *Résumé*

1. De plus en plus d'entreprises reconnaissent l'intérêt, et même la nécessité, de renouveler leur offre sur le marché. Leurs produits connaissent, en effet, un cycle de vie de plus en plus court et doivent donc être remplacés plus tôt.

2. L'élaboration d'un nouveau produit n'est pas chose aisée. Les risques sont au moins aussi grands que les chances de réussite : un pourcentage important de nouveaux produits échouent une fois lancés sur le marché, et un nombre encore plus grand doivent être abandonnés avant même le stade de la commercialisation. Le secret d'une innovation réussie réside dans la mise en place d'une organisation propice à la gestion de l'innovation.

3. Le processus de développement d'un nouveau produit comprend huit phases : recherche des idées, filtrage, développement et test du concept, choix de la stratégie marketing, analyse économique, élaboration du produit, tests de marché et lancement. À l'issue de chaque étape, l'entreprise doit décider si le projet doit être poursuivi plus avant ou abandonné. Il lui faut donc définir des critères de décision visant à minimiser les chances de laisser passer une mauvaise idée et d'en rejeter une bonne.

4. La dernière étape, celle du lancement, comprend la commercialisation des produits qui ont survécu à toutes les étapes précédentes. Elle s'appuie sur un plan marketing et une stratégie fondés sur une analyse du processus d'adoption du produit par le consommateur.

# Notes

1. Sécodip, *Les Clés de l'innovation* (Paris : Sécodip, 1995).

2. Voir « Manger demain », *Le Nouvel Économiste*, 2 sept. 1988, pp. 22-27.

3. Voir Dwight Merunka et Patrick Topscalian, « La Croissance externe : mort des produits nouveaux », *Recherche et Applications en Marketing*, 1987, vol. 2, n° 3, pp. 36-52 et Dwight Merunka, « Produits nouveaux : Les nouvelles méthodes pour améliorer les chances de succès », *Encyclopédie du management* (Paris : Vuibert, 1992, tome 2, pp. 106-115).

4. Voir Thomas Kuczmarski, Arthur Middlebrooks et Jeffrey Swaddling, *Innovating The Corporation : Creating Value for Customers and Shareholders* (New-York : McGraw-Hill, 2000).

5. Voir Bernard Pras et Emmanuelle Le Nagard, « Innovation et Marketing », dans P. Mustar et H. Penan, *Encyclopédie de l'innovation* (Paris : Economica, 2003).

6. Deloitte et Touche, « Vision in Manufacturing Study », Deloitte Consulting and Kenan-Flager Business School, 6 mars 1998, et A.C. Nielsen, « New Product Introduction - Successful Innovation Failure : Fragile Boundary », A.C. Nielsen BASES and Ernst & Young global client consulting, 24 juin 1999.

7. J.-C. Andréani, « Marketing du produit nouveau : 95 % des produits nouveaux échouent. Les managers sont en cause, les études de marché aussi », *Revue française du marketing*, 2001/2002, n° 182, pp. 5-11.

8. Robert Cooper et Elka Kleinschmidt, *New Products : the Key Factors in Success* (Chicago : American Marketing Association, 1990).

9. Voir David S. Hopkins, *Options in New-Product Organization* (New York : Conference Board, 1974); Doug Ayers, Robert Dahlstrom et Steven J. Skinner, « An Exploratory Investigation of Organizational Antecedents to New Product Success », *Journal of Marketing Research*, février 1997, pp. 107-116. Voir aussi Volney Stefflre et Alain Somia-Taulera, « Le Nouveau produit : organisation ou recherche », dans *Innovation et produits nouveaux* (Paris : Dunod, 1973), pp. 109-116 et 143-160, respectivement.

10. Michelle Conlin, « Too Much Doodle ? », *Forbes*, 19 octobre 1998, pp. 54-55 et Tim Stevens, « Idea Dollars », *Industry Week*, 16 février 1998, pp. 47-49.

11. Voir Robert G. Cooper, « Stage-Gate Systems : A New Tool for Managing New Products », *Business Horizons*, mai-juin 1990, pp. 44-54. Voir aussi du même auteur « The New Prod System : The Industry Experience », *Journal of Product Innovation Management* 9 (1992) : 113-127, et *Product Leadership : Creating and Launching Superior New Products* (New York : Perseus Books, 1998).

12. Voir G. Aznar, *La Créativité dans l'entreprise* (Paris : Éditions d'Organisation, 1973). Pour une présentation des règles à respecter pour favoriser la créativité en entreprise, voir Isaac Getz, « Processus et système de créativité pour l'innovation », A. Bloch et D. Manceau, *De l'idée au marché : Innovation et lancement de produits* (Paris : Vuibert, 2000), pp. 71-92.

13. Voir Jacqueline Carof, « Un apport décisif à l'innovation : le consommateur » dans *Innovation et nouveaux produits* (Paris : Dunod, 1973), pp. 23-33. Voir également Eric Von Hippel, « Trouvez vos nouveaux produits chez vos clients », *Harvard l'Expansion*, automne 1982, pp. 62-68.

14. Voir Isabelle Royer, « L'escalade de l'engagement dans le développement de produits nouveaux », *Recherche et Applications en Marketing*, 1996, vol. II, n° 3, pp. 7-24.

15. Voir par exemple, John T. O'Meara Jr., « Selecting Profitable Products », *Harvard Business Review*, janv.-févr. 1961, pp. 83-89. La check-list de O'Meara est brièvement présentée dans Jean-Marie Choffray et Françoise Dorey, *Développement et gestion des produits nouveaux* (Paris : McGraw-Hill, 1983), p. 46. Pour une méthode informatisée d'évaluation, voir Jean-Marie Choffray et Stanislas Debreu, « MacStorming : Système expérimental de gestion du processus créatif », *Recherche et Applications en Marketing*, 1987, vol. 2, pp. 81-101.

16. Benjamin Wooley, *Virtual Worlds* (Londres : Blackwell, 1992).

17. En France, une telle approche est, par exemple, commercialisée par la société Burke Marketing Research sous le nom de Bases. Pour plus de détails, voir *Bases : Un système de marketing management permettant de réduire le coût et le risque afférents au développement des nouveaux produits*, Document commercial (Paris : Burke Marketing Research, 1983).

18. Voir par exemple les modèles Prodegy et Detector. Ils sont présents dans Choffray et Dorey, *op. cit.*, pp. 49-53.

19. Pour une approche originale, voir Dwight Merunka, *Une méthode d'estimation de la réponse du marché à l'introduction d'un produit durable nouveau*, thèse de Doctorat 1983, Université d'Aix-Marseille. Voir également du même auteur, « Produits durables : les mal aimés du marketing », *Harvard L'Expansion*, printemps 1984, pp. 44-52.

20. Voir Roger A. Kerin, Michael G. Harvey et James T. Rothe, « Cannibalism and New Product Development », *Business Horizons*, oct. 1978, pp. 25-31 et Mark Taylor, « Cannibalism in Multibrand Firms », *Journal of Consumer Marketing*, vol. 2, n° 2, printemps 1986, pp. 68-75.

21. La valeur actuelle ($V$) d'une somme ($I$) devant être reçue au bout de $t$ années est liée aux taux d'actualisation ($r$) de la façon suivante : $V = I/(1+r)^t$. Dans notre exemple, $602\,000 \, €/(1{,}1)^5 = 373\,795 \, €$.

22. Voir David B. Hertz, « Risk Analysis in Capital Investment », *Harvard Business Review*, janv.-févr. 1964, pp. 96-106.

23. V. Srinivasan, William S. Lovejoy, et David Beach, « Integrated Product Design for Marketability and Manufacturing », *Journal of Marketing Research*, février 1997, pp. 154-163. Cette méthode est également connue sous le nom de QFD (Quality Function Deployment) : voir Lawrence R. Guinta et Nancy C. Praizler, *The QFD Book : The Team Approach to Solving Problems and Satisfying Customers through Quality Function Deployment* (New York : Amacom, 1993).

24. Faye Rice, « Secrets of Product Testing », *Fortune*, 28 nov. 1994, pp. 172-174 ; Lawrence Ingrassia, « Taming the Monster : How Big Companies Can Change : Keeping Sharp : Gillette Holds Its Edge by Endlessly Searching for a Better Shave », *The Wall Street Journal*, 10 déc. 1992, A1 : 6.

25. Voir François Sauvageot, *L'Évaluation sensorielle des denrées alimentaires* (Paris : CDIUPA, 1986).

26. « À quoi servent vraiment les marchés-tests ? », *Stratégies*, 1982, n° 156, p. 37.

27. La plupart de ces modèles sont décrits dans Kevin J. Clancy, Robert S. Shulman, et Marianne Wolf, *Simulated Test Marketing : Technology for Launching Successful New Products* (New York : Lexington Books, 1994). Une présentation en français des marchés-tests simulés et de leurs développements récents est disponible dans le chapitre de Pascal Bourgeat et Dwight Merunka, « Les méthodes d'évaluation du potentiel des nouveaux produits », in Alain Bloch et Delphine Manceau, *De l'idée au marché : Innovation et lancement de produits* (Paris : Vuibert, 2000), pp. 156-180. Voir également Gérard Hermet et Alain Jolibert, *La part de marché - concept, déterminants et utilisation* (Paris : Economica, 1995). J.-M. Choffray et F. Dorey, *op. cit.*, pp. 67-70. Voir aussi Glen L. Urban, John R. Hauser, et Roberta A. Chicos, « Information Acceleration : Validation and Lessons from the Field », *Journal of Marketing Research*, février 1997, pp. 143-153.

28. Voir Jehoshua Eliashberg, Jedid-Jah Jonker, Mohanbir Sawhney et Berend Wierenga, « Moviemod : An Implementable Decision - Support System for Prerelease Market Evaluation of Motion Pictures », *Marketing Science*, n° 19 (été 2000), pp. 226-243.

29. La publicité télévisée est soit diffusée sur une chaîne câblée locale, soit sur une chaîne nationale où un décrochage par satellite permet de la substituer à un autre spot publicitaire vu dans le reste de la France.

30. Pour d'autres détails, voir « Tests marketing : ce qui se vend à Sens marchera dans toute la France », *Capital*, octobre 1999, pp. 112-116.

31. Voir Delphine Manceau, « Les effets des annonces préalables de nouveaux produits sur le marché : état des connaissances et propositions théoriques », *Recherche et Applications en Marketing*, 1996, vol. 11, n° 3, pp. 39-56.

32. Voir Frank H. Alpert et Michael A. Kamins, « Pioneer Brand Advantages and Consumer Behavior : A Conceptual Framework and Propositional Inventory », *Journal of the Academy of Marketing Science*, été 1994, pp. 244-253 ; Emmanuelle Le Nagard-Assayag et Delphine Manceau, « Faut-il être le premier à lancer une innovation ? Une analyse de l'avantage du pionnier », in Alain Bloch et Delphine Manceau (éd.), *op. cit.*, pp. 11-28.

33. Voir Philip Kotler et Gerald Zaltman, « Targeting Prospects for a New Product », *Journal of Advertising Research*, fév. 1976, pp. 7-20.

34. Voir Delphine Manceau, « Lancement de nouveaux produits et innovation », Philippe Mustar et Hervé Penan, *Encyclopédie de l'innovation*, (Paris : Economica, 2003).

35. Voir Keith G. Lockyer, *Critical Path Analysis and Other Project Network Techniques* (Londres : Pitman, 1984) ; C. Fontana « Le Lancement des produits », *Le Management*, fév. 1970, pp. 57-65 ; Arvind Rangaswamy et Gary L. Lilien, « Software Tools for New Product Development », *Journal of Marketing Research*, février 1997, pp. 177-184.

36. Voir à ce sujet Jean-Noël Kapferer et Gilles Laurent, « Peut-on identifier les innovateurs ? », *Revue Française de Marketing*, 1980, n° 4, pp. 21-39.

37. Cette section s'appuie sur l'ouvrage d'Everett M. Rogers, *Diffusion of Innovations* (New York : The Free Press, 1983). Pour une présentation succincte en français, voir J.-M. Choffray et F. Dorey, *op. cit.*, pp. 96-97.

38. Pour une comparaison internationale récente, voir cependant Jan-Benedict E.M. Steenkamp, Frenkel Hofstede et Michel Wedel, « A Cross-National Investigation into the Individual and National Cultural Antecedents of Consumer Innovativeness », *Journal of Marketing*, avril 1999, pp. 55-69 ; voir aussi Simon Nyeck *et al.*, « Standardisation ou adaptation des échelles de mesure à travers différents contextes nationaux : l'exemple d'une échelle de mesure de l'innovativité », *Recherche et Applications en Marketing*, 1996, vol. 11, n° 3, pp. 57-74 ; Gilles Roehrich, « Innovativité hédoniste et sociale : proposition d'une échelle de mesure », *Recherche et Applications en Marketing*, 1994, vol. 2, n° 2, pp. 19-42 ; Bernard Dubois et Renato Marchetti, « Le Comportement innovateur des foyers dans l'achat de biens électroniques au Brésil », *Recherche et Applications en Marketing*, janv. 1993, pp. 1-17.

39. Rogers, *op. cit.*, p. 192. Gilles Roerich, « Cause de l'achat d'un nouveau produit : Variables individuelles ou caractéristiques perçues », *Revue Française du Marketing*, 2001/2002, n° 182, pp. 83-98.

40. Voir Jean-Louis Moulins et Elyette Roux, « Bouche à oreille et publicité média », dans Sylvère Piquet (éd.), *La publicité : nerf de la communication* (Paris : Dunod, 1973).

41. Voir Hubert Gatignon et Thomas S. Robertson, « A Propositional Inventory for New Diffusion Research », *Journal of Consumer Research*, mars 1985, pp. 849-867.

CHAPITRE

# 13

# Gérer une offre globale

DANS CE CHAPITRE, NOUS ALLONS NOUS INTÉRESSER AUX QUESTIONS SUIVANTES :

- Quels facteurs sont à considérer avant de se lancer à l'international ?
- Comment évaluer et choisir les marchés étrangers sur lesquels s'implanter ?
- Quels sont les différents modes d'accès à un marché étranger ?
- Jusqu'où faut-il adapter ses produits et ses actions marketing à l'international ?
- Comment une entreprise doit-elle organiser ses activités internationales ?

*« Votre entreprise n'a rien à faire sur un marché où elle n'excelle pas. »*

L'accélération des moyens de communication, de transport et des flux financiers a permis l'avènement de la mondialisation. Des produits autrefois locaux, un hamburger McDonald's, un sac Gucci, un stylo Mont Blanc, une BMW sont devenus disponibles à l'échelle de la planète, du « village global mondial ». Rencontrer un Français vivant à Londres, portant un costume Armani, pour aller dîner dans un restaurant japonais avant d'aller au cinéma voir un film américain n'a rien de surprenant, même si la consommation et la pénétration de certains produits restent très variables selon les pays (voir tableau 13.1). En l'an 2000, les exportations représentaient 25 % du PIB mondial contre 12 % en 1960.

Bien sûr, certaines sociétés n'ont pas attendu pour s'internationaliser. Coca-Cola, Nestlé, Toshiba, Shell sont des noms mondialement connus depuis longtemps mais la concurrence internationale s'est intensifiée et a envahi les marchés jadis protégés. Dans des secteurs entiers (moto, hi-fi, horlogerie, équipement photo-cinéma), l'offre française a quasiment disparu. Honda, Sony, Seiko et JVC ont remplacé Motobécane, Teppaz, Lipp et Beaulieu. Et combien de marques apparemment françaises – Courvoisier, Darty, Cartier, Jacques Vabre, Vittel – sont en fait sous contrôle étranger ?

| | Catégorie de produits | Pays où la pénétration du produit est la plus faible | Pays où la pénétration du produit est la plus forte | Taux de pénétration en France |
|---|---|---|---|---|
| **TABLEAU 13.1** La pénétration de certains produits de grande consommation selon les pays | Shampooing | Suisse (61 %) | Chili (97 %) | 80 % |
| | Chips | Italie (61 %) | Grande-Bretagne (92 %) | 65 % |
| | Boissons gazeuses | Suisse (84 %) | Chili (99 %) | 91 % |
| | Céréales | Hong Kong (42 %) | Grande-Bretagne (96 %) | 66 % |
| | Yoghourts | États-Unis (68 %) | Espagne (98 %) | 97 % |
| | Papier toilette | Hong-Kong (41 %) | Italie (98 %) | 94 % |

*Source :* Nielsen (taux de pénétration annuelle), 2002.

## La concurrence globale

Bien que la tentation soit forte de se barricader derrière une législation protectionniste, la survie à long terme passe par une adaptation des entreprises et de leur compétitivité à la scène internationale.

Si l'internationalisation est devenue une nécessité, les risques qui y sont attachés n'ont, paradoxalement, jamais été aussi grands. L'endettement excessif de nombreux pays et les crises financières qui en résultent, l'instabilité politique, les obstacles aux échanges internationaux, les droits de douane dissuasifs, les barrières réglementaires à l'entrée des produits, la corruption et le « piratage » des technologies constituent autant de freins à l'internationalisation des activités[1].

Loin de décourager l'entreprise, ces difficultés devraient au contraire lui faire prendre conscience de la nécessité d'une approche rigoureuse dans l'attaque des marchés étrangers[2]. À terme, toute société opérant dans une industrie globale n'a pas d'autre choix que de se mondialiser. On peut définir une industrie globale comme *une industrie dans laquelle les positions stratégiques des concurrents se déterminent en fonction d'enjeux mondiaux*[3].

Une firme globale cherche donc à tirer parti des opportunités de recherche, de production, de logistique et de commercialisation à l'échelle de la planète. Les entreprises locales doivent réagir avant que la vague de la globalisation ne les engloutisse. Cela ne signifie pas qu'elles doivent se diversifier tous azimuts. Certaines parviennent à identifier des niches viables mondialement. D'autres jouent sur la spécificité de produits adaptés aux goûts locaux pour se différencier des marques globales[4].

Nous allons dans ce chapitre, examiner les principales décisions liées à une présence internationale (voir figure 13.1).

**FIGURE 13.1**
Les principales décisions de marketing international

Décider de s'internationaliser

Choisir les marchés-cibles

Choisir un mode d'entrée

Élaborer un plan de marketing international

Choisir un mode d'organisation

# La décision de s'internationaliser

Il n'y a pas si longtemps encore, de nombreux dirigeants d'entreprise, notamment en France, considéraient que l'essentiel de leur marché se trouvait sur le territoire national. À leurs yeux, le marché intérieur était suffisant pour absorber leur production. En outre, vendre à l'étranger leur paraissait complexe et risqué : il fallait traiter dans une autre langue, encourir des risques de change, assimiler une réglementation différente et adapter le produit aux attentes spécifiques des clients.

Aujourd'hui, la situation a radicalement changé. D'une part, la concurrence étrangère s'est, dans de nombreux secteurs, considérablement intensifiée, réduisant du même coup la part laissée aux fabricants nationaux. D'autre part, les ventes sur les marchés étrangers permettent de réaliser des économies d'échelle tout en réduisant sa dépendance par rapport à la conjoncture économique nationale et aux évolutions des goûts locaux. L'essor du marché unique européen a obligé les entreprises françaises à raisonner dans le cadre d'un espace où marchandises, services, hommes et capitaux circulent librement. Par ailleurs, l'Organisation Mondiale du Commerce (voir encadré 13.1) définit le contexte dans lequel s'opèrent les échanges internationaux. Se limiter à l'hexagone revient donc à ignorer des opportunités en même temps que prendre un risque sur son propre marché.

Une entreprise qui envisage de s'internationaliser doit modifier son mode de gestion, non parce que le marketing global fait appel à des notions ou principes nouveaux, mais parce que les différences entre pays et régions peuvent remettre en cause ses idées sur la façon dont les consommateurs réagissent aux stimuli commerciaux (voir l'encadré 13.2 pour quelques «gaffes» célèbres). Il importe donc de bien comprendre les attentes des consommateurs locaux, d'appréhender la culture et les mœurs locales de manière à connaître les pratiques commerciales en vigueur sur place, sans sous-estimer le poids éventuel des réglementations locales et des coûts qu'elles peuvent engendrer.

En pratique, une entreprise entre sur le marché international de deux façons. Soit elle est sollicitée par un exportateur de son pays, un importateur ou un gouvernement étranger, soit elle prend elle-même l'initiative de l'opération, en raison d'une surcapacité de production ou de possibilités plus intéressantes que sur le marché intérieur.

**Un cadre pour les échanges mondiaux : l'Organisation mondiale du commerce**

Depuis la création du GATT en 1947 par 27 pays, les conditions de réalisation du commerce international ont considérablement évolué. Les négociations commerciales multilatérales (NMC) menées au cours de cycles successifs ou « Rounds » ont permis de baisser les droits de douane de 40 % à 5 %, tandis que les échanges commerciaux étaient multipliés par 17. La disparition des droits de douane, au moins entre les pays développés, semble envisageable en 2010 ou 2015. L'Uruguay Round s'est conclu en 1994 par plusieurs décisions majeures, notamment :

♦ *La création de l'Organisation mondiale du commerce*, qui comprenait en octobre 2000 139 pays membres et 33 pays observateurs ayant engagé un processus d'adhésion.

♦ *L'élargissement du champ de la négociation* à l'agriculture, au textile, aux services et aux droits de propriété intellectuelle.

♦ *L'engagement dans un processus de définition des normes et des règles* internationales pour éviter le développement de formes déguisées de protection. En effet, à défaut de droits de douane, les États utilisent souvent des normes (techniques, sanitaires, environnementales) et des règles (en matière de propriété intellectuelle, d'investissement...) comme instruments de régulation commerciale.

Aujourd'hui, les négociations commerciales dépassent le cadre strict des politiques commerciales pour intégrer toutes les politiques qui ont un effet sur les échanges de biens, de services ou d'idées : politiques agricoles, environnementales, sociales sont donc concernées. Ce nouveau contexte, associé à la volonté des pays en développement de voir leurs positions davantage prises en compte, expliquent l'échec de la conférence de Seattle en 1999.

Les négociations qui se déroulent depuis 2000 portent sur les points suivants :

♦ *Le démantèlement de l'accord multifibre* qui limitait depuis les années 1970 les importations de textile en provenance des pays en voie de développement.

♦ *Le réexamen des accords en cours, notamment sur la propriété intellectuelle et les normes sanitaires* : alors que, pour les États-Unis, le commerce ne doit pas être restreint par des normes sanitaires tant que le risque qu'elles sont censées limiter n'est pas scientifiquement démontré, l'Union européenne défend le « principe de précaution » selon lequel une norme est justifiée tant qu'il y a incertitude sur le risque encouru ; les pays en développement, quant à eux, revendiquent une plus grande transparence de ces normes qui les empêchent souvent d'avoir accès aux marchés des pays développés.

♦ *L'agriculture et les services.*

♦ *La libéralisation des législations en matière d'investissement, la concurrence et la transparence des marchés* sont étudiées par des groupes de travail.

*Source :* ministère des Affaires étrangères. www.diplomatie.gouv.fr

## Quelques « gaffes » célèbres de marketing international

♦ Aux États-Unis, la SNIAS a dû abandonner le nom Écureuil pour ses hélicoptères, cet animal étant souvent considéré là-bas comme de mauvais augure.

♦ General Motors a dû changer le nom de son modèle Nova dans les pays de langue hispanique. No va en espagnol signifie : ça ne marche pas.

♦ Le nom du déodorant Rexona a dû être modifié au Portugal, celui-ci ayant des connotations obscènes.

♦ McDonald's n'a pu utiliser le clown Ronald au Japon, son visage blanc évoquant la mort.

♦ Coca-Cola a retiré sa maxi-bouteille (2 l) d'Espagne après avoir constaté que les réfrigérateurs espagnols n'étaient pas équipés pour de telles tailles.

♦ Philips n'a pas pu vendre ses percolateurs au Japon, les cuisines japonaises étant trop petites pour accueillir un tel appareil.

♦ Nike a dû retirer du marché un million de chaussures Nike Air en 1997 après s'être rendu compte que la typographie du nom inscrit à l'arrière des chaussures et sous la semelle évoquait le mot «Allah» en arabe – un symbole qui, porté aux pieds, était offensant.

## Le choix des marchés

En élaborant son plan international, l'entreprise doit définir ses objectifs et sa politique. Pour ce faire, elle doit considérer trois problèmes :

1. *La part des ventes réalisées à l'étranger sur le chiffre d'affaires total.* Certaines entreprises souhaitent limiter leur activité dans ce domaine tandis que d'autres envisagent de vendre davantage à l'étranger que dans leur pays d'origine. Parmi les 100 premières sociétés françaises, une quarantaine exporte plus de la moitié du chiffre d'affaires : Total, Saint-Gobain, Schneider, Michelin, Péchiney, Lafarge, Dassault, L'Oréal, LVMH, etc.

2. *Le nombre de pays concernés.* Une entreprise au budget limité a le choix entre deux stratégies : ne s'adresser qu'à un tout petit nombre de marchés et les travailler en profondeur (concentration) ou bien pénétrer de nombreux marchés simultanément (diversification). Une société comme Rémy-Cointreau est présente sur plus de cent cinquante marchés différents, tandis que la plupart des maisons d'édition françaises se limitent aux pays francophones. Une stratégie de concentration se justifie si le marché considéré représente un potentiel suffisant, requiert une certaine adaptation du produit, de sa distribution ou de sa communication, est peu structuré du point de vue de la concurrence et n'est guère susceptible d'affecter les autres marchés. Une stratégie de diversification est recommandée dans le cas inverse[5].

3. *Le type de pays concernés.* L'attrait d'un pays dépend surtout de ses caractéristiques géographiques, démographiques, économiques et politiques. Une entreprise peut, par ailleurs, exprimer des préférences pour travailler dans telle ou telle région du monde. Ainsi, les constructeurs automobiles européens s'étaient, avant l'arrivée des Japonais, «attribués» certains marchés mondiaux. Peugeot a toujours eu une position forte en Afrique noire, Volkswagen en Amérique du Sud, Fiat en Europe centrale (Pologne, Turquie, etc.). Aujourd'hui certains analystes recommandent aux multinationales de concentrer leurs efforts sur le «triangle d'or» : États-Unis, Europe et Japon[6]. Mais une telle approche peut s'avérer à courte-vue car elle ignore le potentiel de développement de «marchés émergents» comme la Chine, le Mexique,

**Approcher les marchés les plus pauvres**

Les pays développés et les zones prospères des pays en développement représentent moins de 15 % de la population mondiale. Peut-on approcher de manière rentable les 85 % restants, dont le pouvoir d'achat est si faible ? Certaines entreprises mettent en place des actions marketing originales à destination de ces « consommateurs invisibles ».

♦ Grameen-Phone propose des téléphones cellulaires dans 35 000 villages du Bengladesh en embauchant des femmes du village comme agents commerciaux : elles louent du « temps téléphonique » aux autres villageois, appel par appel.

♦ Colgate envoie des camions dans les villages de l'Inde pour y montrer un film vidéo sur les bienfaits du brossage de dents ; l'entreprise espère réaliser la moitié de son chiffre d'affaires indien dans les zones rurales d'ici 2003.

♦ Fiat a développé une voiture pour le tiers-monde, la Palio, beaucoup plus vendue que la Fiesta au Brésil et qui devrait être lancée dans d'autres pays en développement.

♦ Corporation GEO construit des logements pour les plus défavorisés au Mexique : de type modulaire, ils contiennent initialement deux chambres à coucher mais peuvent être étendus. L'entreprise se développe maintenant au Chili et dans le sud des États-Unis.

*Source :* Vijay Mahajan, Marcos Pratini De Moraes et Jerry Wind, « The Invisible Global Market », *Marketing Management*, hiver 2000, pp. 31-35.

---

l'Inde ou le Brésil (voir encadré 13.3 pour des exemples d'approches originales dans les pays en développement).

Souvent, les pays limitrophes, géographiquement ou culturellement, viennent d'abord à l'esprit car ils semblent plus accessibles. Ainsi, beaucoup de sociétés américaines exportent d'abord au Canada tandis que Scania s'est implanté internationalement selon le schéma suivant : 1) Scandinavie ; 2) Europe (dans les années 1950) ; 3) Amérique de Sud (années 1960) ; 4) Moyen-Orient, Afrique (années 1970 et 1980) ; 5) Extrême-Orient (années 1990). En fait, il faut élaborer une procédure systématique d'évaluation des différents marchés. Une telle procédure comporte cinq étapes[7] :

1. *Estimation du potentiel actuel.* La première phase consiste à estimer le potentiel actuel de chacun des marchés considérés ; ce travail s'effectue à partir de la documentation existante, complétée par des informations recueillies au moyen d'enquêtes. En France, le Centre Français du Commerce Extérieur (CFCE) dispose d'un grand nombre d'études réalisées sur les marchés étrangers.

2. *Prévision du potentiel futur.* Il s'agit alors d'anticiper l'évolution des conditions économiques, politiques, culturelles et commerciales locales, notamment à travers les prévisions des experts. Les médias d'affaires (*L'Expansion, The Economist, Le Monde Diplomatique*) présentent souvent d'intéressantes synthèses.

3. *Prévision de la part de marché.* Les difficultés normalement rencontrées dans la prévision d'une part de marché s'accroissent lorsqu'il s'agit d'un marché international. Celui qui vend à l'étranger se trouve en concurrence non seulement avec les entreprises locales, mais également avec d'autres exportateurs. Il doit évaluer la manière dont les acheteurs apprécieront les avantages relatifs du produit, et de l'entreprise qui le fabrique.

4. *Prévision des coûts et des bénéfices.* Les coûts dépendent de la stratégie envisagée par le vendeur pour pénétrer le marché. S'il exporte ou cède une licence, ses coûts sont stipulés par contrat. S'il crée une unité de production sur place, ses

estimations doivent prendre en considération les conditions de travail locales, le système fiscal, les pratiques commerciales et les exigences concernant l'emploi de ressortissants nationaux à des postes d'encadrement. Après avoir évalué ses coûts, le vendeur les déduit du chiffre d'affaires de façon à dégager les bénéfices de l'entreprise pour chaque année de l'horizon prévisionnel.

5. *Estimation de la rentabilité des investissements.* Pour estimer la rentabilité, il faut enfin rapporter les bénéfices aux investissements. Le taux de rentabilité doit être suffisant pour couvrir les objectifs habituels de rentabilité de l'entreprise, ainsi que le risque attaché à l'activité marketing dans le pays considéré.

Aujourd'hui, de plus en plus d'entreprises s'appuient sur les méthodes formalisées d'analyse du risque. Les analyses distinguent en fait deux types de risque : celui relatif aux investissements, lié aux actions que les gouvernements ou les populations peuvent prendre pour confisquer, détruire ou geler les avoirs ; et celui relatif aux opérations elles-mêmes et liées à la récession, la dévaluation, aux grèves, etc.

## Le choix d'un mode d'accès

Une fois les marchés choisis, il faut que l'entreprise détermine la meilleure façon d'y avoir accès. Cinq grandes options sont envisageables : l'exportation directe, l'exportation indirecte, la cession de licence, le partenariat et l'investissement[8].

Chacune d'elles (voir figure 13.2) comporte un niveau d'engagement, de risque et de rentabilité différent.

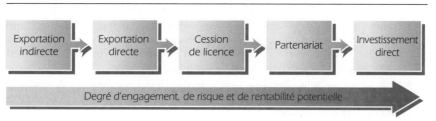

**FIGURE 13.2**
Cinq modes d'implantation à l'étranger

## L'exportation indirecte

Le moyen le plus simple, pour un fabricant, d'avoir accès à un marché étranger est d'y exporter une partie de sa production. Une exportation passive consiste à écouler de temps en temps un surplus de production de sa propre initiative ou en réponse à une commande non sollicitée. Une exportation active suppose une volonté de s'attaquer à un marché déterminé. Dans les deux cas, l'entreprise continue à fabriquer dans son pays, même si les produits sont adaptés aux marchés visés. L'exportateur se contente souvent d'une modification marginale de sa gamme, de son organisation, de ses investissements et de ses objectifs.

L'entreprise qui souhaite exporter le fait souvent d'abord de façon indirecte, c'est-à-dire par l'intermédiaire de sociétés spécialisées en import-export. La méthode indirecte requiert moins d'investissements car l'entreprise n'a pas à mettre en place une force de vente à l'étranger, ni même à y établir des contacts. D'autre part, elle entraîne un moindre risque, car l'intermédiaire apporte son savoir-faire et ses services, ce qui permet d'éviter un certain nombre d'erreurs[9]. Quatre possibilités s'offrent à l'entreprise exportatrice qui veut s'adresser à des intermédiaires :

1. La première consiste à prendre contact avec un *exportateur dans son propre pays*. Celui-ci achète la production du fabricant et la revend en son nom à l'étranger.

2. La deuxième possibilité consiste à contacter un *agent exportateur*. Dans ce cas, le fabricant assume certains risques, car l'agent exportateur se contente de rechercher des acheteurs étrangers en échange d'une commission.

3. La troisième consiste à se joindre à une *coopérative* qui exporte au nom de plusieurs producteurs qui en assurent collectivement la gestion et le contrôle. Cette méthode est souvent utilisée pour l'exportation de produits agricoles (par exemple la SOPEXA en France).

4. Enfin, le fabricant peut avoir recours au *piggy-back*. On désigne sous ce nom un système qui consiste à utiliser le réseau de distribution d'un tiers déjà implanté pour commercialiser ses propres produits.

## L'exportation directe

Les entreprises sollicitées par des acheteurs étrangers préfèrent souvent traiter directement, plutôt que de passer par des intermédiaires. Si cette solution entraîne des investissements et des risques plus importants, elle permet également d'espérer un bénéfice plus élevé[10].

Là encore, plusieurs solutions sont envisageables :

1. L'entreprise peut créer un *service export* chargé des ventes à l'étranger et faisant appel aux autres services de l'entreprise pour la publicité, le crédit, la distribution physique, etc. Ce service peut aussi prendre la forme d'un département d'exportation autonome directement responsable de ses résultats.

2. L'entreprise peut également créer une *filiale commerciale à l'étranger*, qui contrôle directement les opérations internationales, prend en charge la gestion des ventes, et parfois le stockage et la promotion. En outre, la filiale sert souvent de centre d'exposition et de service après-vente.

3. Une autre possibilité consiste à avoir recours à des *représentants de commerce internationaux*, qui sont envoyés à l'étranger pour prospecter la clientèle et prendre des commandes.

4. Enfin, l'entreprise peut passer des contrats avec des *distributeurs* ou des *agents locaux* qui assurent la distribution de ses produits. Les distributeurs achètent la marchandise au fabricant, tandis que les agents la vendent en son nom. Les uns comme les autres se voient accorder des droits de représentation exclusive ou simple.

Que l'entreprise exporte indirectement ou directement, il s'agit souvent d'une tentative pour se tester à l'international avant de s'implanter de façon plus durable. Aujourd'hui, la mise en place d'un site web facilite grandement la recherche de partenaires commerciaux (voir l'encadré 13.4).

## La cession de licence

Selon cette formule, le fabricant conclut un accord avec un partenaire étranger qui, en échange d'un droit ou d'une redevance, obtient l'autorisation d'utiliser un processus de fabrication, une marque, un brevet, un secret commercial ou tout autre élément ayant une valeur marchande. Le contrat de licence permet, à celui qui l'accorde, de s'implanter sur le marché sans courir de grands risques et, à celui qui exploite la licence, de bénéficier des compétences techniques du producteur ou d'un produit ou nom de marque connu. C'est ainsi que Coca-Cola distribue ses produits à travers le monde, passant des contrats

**Cinq conseils pour rendre votre site web attractif et pertinent à l'international**

De plus en plus d'entreprises qui n'auraient jamais imaginé prendre une initiative à l'export sans l'avoir mûrement réfléchie se retrouvent exposées, parfois avec de grands risques, dès lors qu'elles ont mis en place un site web. Voici cinq conseils pour disposer d'un site commercial qui ne soit pas préjudiciable aux exportations (actuelles ou futures).

♦ *S'assurer que vos clients internationaux peuvent faire défiler les pages de votre site à une vitesse acceptable.* Cela vaut la peine de tester votre site dans des conditions diversifiées d'utilisation. Vous pouvez aussi envisager une version texte de votre site lorsque des graphiques élaborés nécessitent un temps de transmission démesuré.

♦ *Vous assurer que vos clients peuvent commander vos produits dans la langue et la culture avec laquelle ils sont les plus familiers.* Comme chaque pays a une adresse URL unique, vous pouvez facilement mettre en place un logiciel qui détecte l'origine internationale de votre interlocuteur dès qu'il se connecte. Vous pouvez alors faire apparaître une page d'accueil spécialement conçue pour ce pays et écrite dans la langue correspondante. Il est également possible de lier votre site à des logiciels calculant les taux de conversion et mettant à jour les prix en permanence.

♦ *Éviter les caractères alphanumériques afin de rendre messages et adresses intelligibles.* Cela peut sembler être un détail mais les clients peuvent s'irriter de ne pouvoir entrer les accents et autres signes de ponctuation. De même, les adresses doivent tenir compte des codes postaux locaux.

♦ *Fournir suffisamment d'informations sur l'entreprise et rendre le contact facile.* Fournir des détails sur les points forts de votre entreprise est un moyen sûr d'accroître sa crédibilité. En outre, l'information relative au contact (noms, adresses e-mail, numéros de fax, de téléphone, etc.) ne devrait pas être noyée dans l'ensemble mais ressortir clairement.

♦ *Ne pas laisser à des techniciens le soin de développer votre site.* Impliquez les gens du marketing de façon à ce que votre site reflète bien votre image. Vous pouvez aussi faire valider votre site par vos agents ou vos fournisseurs à l'étranger de façon à garantir la bonne adaptabilité des informations fournies au marché que vous visez.

*Sources :* Eric J. Adams, «Electronic Commerce Goes Global», *World Trade,* avril 1998, pp. 90-92 ; Roberta Maynard, «Creating an Export-Friendly Site», *Nation's Business,* décembre 1997, p. 51 ; J.D. Mosely-Matchett, «Remember : It's the *World* Wide Web», *Marketing News,* 20 janvier 1997, p. 16.

---

de franchise avec des sociétés d'embouteillage auxquelles la société fournit le concentré (pour d'autres exemples, voir l'encadré 13.5).

La cession d'une licence présente cependant certains inconvénients, dans la mesure où l'entreprise a moins de contrôle sur ses licenciés que si elle avait créé ses propres moyens de production ou ses propres structures commerciales. D'autre part, si les licenciés obtiennent de bons résultats, l'entreprise n'en bénéficie qu'en partie, et le jour où le contrat arrive à expiration, elle peut s'apercevoir qu'elle a mis en place un concurrent. Pour éviter un tel écueil, le fabricant a intérêt à rester propriétaire de certains ingrédients ou composants (comme Coca-Cola) et à se maintenir à la pointe de l'innovation, afin que le licencié souhaite poursuivre la collaboration[11].

Au lieu d'accorder à une société étrangère une licence lui permettant de fabriquer et de vendre ses produits, une entreprise préfère parfois garder la responsabilité de sa stratégie marketing, sans aller toutefois jusqu'à créer sa

## La cession de licence : un outil clé du mix marketing

Estimé par la revue *Licensing Letter* à 100 milliards d'euros, le marché des licences se porte bien. Si les États-Unis représentent 66 milliards d'euros, l'Europe de l'Ouest génère près de 27 milliards (dont 7,3 milliards d'euros pour la France) et le Japon 11 milliards. La pratique du licensing concerne un très grand nombre de produits et services. Au-delà d'événements exceptionnels, comme celui du Mondial de football, ou plus réguliers, comme le tournoi de Roland-Garros qui permet d'animer de nombreuses marques (par exemple Descamps dans le textile et Lancaster pour les eaux de toilette), la cession de licences est devenue partie intégrante de l'activité marketing de nombreuses marques. C'est notamment le cas de Barbie où les licences rapportent quelque 40 % du chiffre d'affaires mondial (42 % des licences sont réalisées par les seuls vêtements et accessoires destinés aux petites filles). «Notre ambition, explique la directrice du licensing chez Mattel pour l'Europe, l'Afrique et le Moyen-Orient, est de faire de Barbie la première marque mondiale de produits pour petites filles, d'où la forte présence de Barbie dans tout ce qui touche à la pré-féminité, de la mode aux cosmétiques».

Chez Disney, la commercialisation des licences représente 12 % d'un chiffre d'affaires total et concerne toute une série de produits qui vont des jouets jusqu'aux produits alimentaires.

En fait, l'aspect licence est désormais systématiquement pris en compte dans le calcul de la valeur financière d'une marque : la marque peut-elle être déclinée, dans quels domaines et pendant combien de temps ?

*Source :* «Le licensing au cœur du marketing-mix», *Points de vente,* 10 mars 1999, pp. 60-68.

propre unité de production. Dans ces conditions, une solution consiste à passer un *contrat de fabrication* avec des producteurs locaux. C'est la solution adoptée par des grands distributeurs français ayant investi à l'étranger. La fabrication sous contrat présente l'inconvénient, pour la société qui y a recours, d'abandonner un certain contrôle sur le processus de production et les bénéfices qui en découlent. Elle lui permet, en revanche, de démarrer plus rapidement, avec moins de risques, et donne la possibilité, si le producteur local donne satisfaction, de conclure une association avec lui, ou même de le racheter.

Une autre possibilité est le *contrat de gestion*. Selon cette formule, l'entreprise apporte ses compétences de gestion à une société étrangère qui fournit les capitaux. Il s'agit donc, en fait, d'exporter un service plutôt qu'un produit. Le contrat de gestion, utilisé par la plupart des chaînes hôtelières mondiales, permet à une entreprise de s'implanter rapidement et à moindre risque, en même temps qu'il lui fournit un revenu immédiat. Il est particulièrement attrayant pour la firme qui a la possibilité de prendre, au bout d'un certain temps, une participation dans la société qu'elle gère. En revanche, il n'a guère de sens si l'entreprise peut trouver ailleurs une meilleure valorisation de ses talents, ou si elle espère gagner davantage en prenant en charge la totalité de l'affaire. En général, le contrat de gestion interdit à la société gérante de lancer sa propre activité avant un certain délai.

Enfin, une entreprise peut avoir recours à la *franchise*. Le franchiseur offre l'utilisation de son concept, de sa marque et de son système d'exploitation. En contrepartie, le franchisé prend à sa charge les investissements et paye une redevance généralement proportionnelle au chiffre d'affaires. McDonald's, Kentucky Fried Chicken (KFC) et Avis ont utilisé cette méthode pour entrer sur de nombreux marchés.

# Le partenariat (ou *joint-venture*)

Une formule de plus en plus utilisée par les investisseurs étrangers consiste à s'associer avec des partenaires locaux, afin de créer une affaire dont ils partagent la propriété et le contrôle. L'investisseur étranger prend une participation dans la société locale, et réciproquement. Ou bien les deux parties décident de créer une nouvelle entité. Du point de vue de l'investisseur étranger, un partenariat est souhaitable ou parfois même nécessaire, pour des raisons économiques ou politiques. Économiquement, l'entreprise peut estimer que ses moyens financiers, ses ressources physiques ou sa capacité de gestion sont insuffisants pour se lancer seule dans l'opération. Ainsi, lorsque la société Unilever a voulu commercialiser des glaces en Chine, elle s'est associée à une entreprise publique locale, Sumstar. Selon le PDG de l'entité créée, l'aide de Sumstar pour comprendre la bureaucratie chinoise a été essentielle pour parvenir à monter une usine locale opérationnelle en un an[12]. Politiquement, un gouvernement étranger peut faire de la prise de participation une condition d'entrée sur le marché.

Le partenariat présente toutefois certains inconvénients. Les partenaires peuvent ne pas être d'accord entre eux sur la politique à suivre. C'est souvent le cas lorsque l'entreprise étrangère souhaite réinvestir les bénéfices, alors que ses partenaires locaux préfèrent les encaisser. En outre, le partenariat remet souvent en cause le désir d'une société de pratiquer une politique uniforme à l'échelon mondial. Enfin, un accord de collaboration peut empêcher une entreprise de s'implanter sur des marchés où son partenaire est déjà installé[13].

# L'investissement direct

La dernière façon de s'implanter sur un marché extérieur consiste à investir dans une unité de production ou d'assemblage située à l'étranger. C'est le choix réalisé par Renault en Amérique latine (voir encadré 13.6). L'investissement direct offre, suivant les pays, divers avantages. Il permet d'abord de réaliser d'importantes économies sur les coûts de main-d'œuvre, de matières premières et de transport, et, parfois, de bénéficier de conditions spéciales (privilèges fiscaux, garanties). En second lieu, l'entreprise acquiert une meilleure image dans le pays considéré, du fait qu'elle y crée des emplois. Ensuite, elle entretient des relations plus étroites avec l'administration, la clientèle, les fournisseurs et les distributeurs locaux, ce qui lui permet de mieux adapter ses produits à l'environnement. Enfin, elle conserve un contrôle sur ses investissements et peut donc élaborer des politiques de fabrication et de marketing qui servent ses objectifs à long terme.

L'inconvénient majeur est que l'entreprise doit réaliser un lourd investissement dans un environnement qui comporte des risques monétaires, commerciaux et politiques. Parfois, cependant, elle n'a pas d'autre choix si elle veut s'introduire efficacement sur le marché étranger.

# Le processus d'internationalisation

De nombreuses entreprises choisissent un mode d'entrée privilégié. Telle société préférera l'export car elle souhaite éviter tout risque majeur ; telle autre préférera accorder des licences dans un but de rentabilité rapide ; telle autre enfin investira directement afin de conserver tout son contrôle. Dans le domaine du luxe, par exemple, où les marchés sont mondiaux, toutes les entreprises n'ont pas choisi de se développer à l'international de la même façon. Certaines marques comme Dior ont accordé beaucoup de licences ; d'autres comme Louis Vuitton souhaitent contrôler directement tous leurs produits.

**L'internatio-nalisation de Renault**

Aujourd'hui tous les constructeurs automobiles cherchent à acquérir une dimension mondiale. Cette tendance s'explique par l'élargissement du marché mondial, aujourd'hui ouvert à des pays dont les habitants n'ont longtemps pas eu accès à la voiture, et par la volonté de réduire les coûts de production grâce à l'allongement des séries et à la rationalisation des approvisionnements, de la logistique et des autres fonctions de l'entreprise. D'où la multiplication, depuis quelques années, des alliances, des partenariats, mais aussi des fusions et acquisitions entre les acteurs du secteur automobile. On peut citer les exemples, plus ou moins couronnés de succès, de BMW et Rover, General Motors et Saab, Daimler et Chrysler.

Dans ce contexte, le groupe Renault craignait de se marginaliser après son rapprochement raté avec Volvo. Comment atteindre une taille mondiale et avoir accès aux marchés internationaux, sachant que l'exportation est rendue difficile par les contraintes douanières qui imposent souvent d'assembler et de fabriquer des sous-ensembles localement ? Renault s'était concentré sur le marché européen depuis son échec aux États-Unis dans les années 1980. Depuis quelques années, l'entreprise a fait évoluer considérablement sa stratégie internationale.

♦ En Asie du Sud-Est, profitant de la crise financière de 1997, l'entreprise a pris 20 % puis 37 % du capital du Japonais Nissan et 71 % du Sud-Coréen Samsung. La fusion avec Nissan a doublé la production du groupe, aujourd'hui quatrième mondial avec 9 % de part de marché. Les opportunités de synergie offertes par cette fusion sont nombreuses : mise en place de plates-formes communes, utilisation par Renault des sites industriels de Nissan en Asie, restructuration de la distribution européenne de Nissan, ouverture du réseau japonais de Nissan à certains modèles Renault…

♦ En Amérique Latine, l'entreprise était historiquement implantée en Argentine avec une part de marché local de 20 %. Elle a décidé d'intensifier sa présence dans le Mercosur et d'attaquer le marché brésilien, septième en volume dans le monde. Des négociations avec les autorités locales ont abouti à l'ouverture du complexe industriel Ayrton Senna à Curitiba en 1998, en partie financé par les autorités locales. Un second site industriel, dédié à la fabrication des moteurs, a permis d'accroître le taux d'intégration locale à hauteur de 85 % en 1999 et de baisser le prix des véhicules produits. La crise économique de cette zone géographique, en 2001 et 2002, a réduit les ambitions commerciales de Renault, même si 89 000 véhicules avaient été vendus dans le Mercosur dès 1999 (dont 30 000 au Brésil et 56 000 en Argentine).

*Source :* Charles Croué, « Stratégie régionale pour entreprise mondiale : le cas Renault au Mercosur », *Décisions Marketing* n° 23, mai-août 2001, pp. 53-64.

Pourtant, le choix exclusif d'une formule n'est pas toujours possible. Certains pays imposent des quotas à l'importation ; d'autres exigent des accords de partenariat. Beaucoup de sociétés panachent en fait plusieurs formules dans le but de s'adapter à chaque situation.

Johanson et Wiedershein-Paul ont analysé le processus d'internationalisation des firmes suédoises[14]. Selon eux, on peut distinguer quatre stades :

1. Pas d'activité régulière d'exportation.

2. Exportation confiée à des agents.

3. Mise en place de filiales commerciales.

4. Mise en place de filiales de production.

La première difficulté consiste à passer du premier stade au second. L'étude des sociétés qui ont franchi cette étape fournit un éclairage intéressant[15]. La plupart des entreprises exportent d'abord par l'intermédiaire d'un agent dans un pays mentalement proche, c'est-à-dire partageant le même système de valeurs et les mêmes façons d'agir. Puis, en cas de succès, l'exportateur recrute d'autres agents et s'installe dans d'autres territoires. Au-delà d'un certain niveau d'activité, il trouve plus efficace de créer un service export pour gérer ses agents. Vient ensuite le moment où le chiffre d'affaires est suffisant pour justifier un représentant en lieu et place de l'agent. Petit à petit, le service export se transforme en département international. Finalement, si le potentiel le justifie, l'entreprise envisage la création d'unités de production à l'étranger. Elle se rapproche alors progressivement du profil d'une multinationale.

# L'élaboration du plan marketing international

Une entreprise présente sur un ou plusieurs marchés étrangers doit décider si elle veut ou non adapter son mix marketing aux conditions locales et si oui, dans quelles proportions. Une solution extrême consiste à offrir partout le même produit au même prix dans les mêmes circuits de distribution et avec la même communication. Une telle standardisation permet souvent de minimiser les coûts. À l'inverse, un marketing différencié consiste à modifier tous les éléments du mix pour les ajuster à chaque marché-cible, dans l'espoir de maximiser l'impact. Entre ces deux extrémités, de nombreuses voies intermédiaires sont envisageables. Le marketing global fait depuis de nombreuses années l'objet d'un vif débat dans les milieux académiques et professionnels (voir encadré 13.7) et, lorsqu'elle est privilégiée, la globalisation doit être mise en œuvre avec soin (voir encadré 13.8).

---

**13.7**

 ## Globalisation ou adaptation?

Vous avez dit «globaliser»? Érigé en précepte de management par les uns, tourné en dérision par les autres, le «marketing global» occupe désormais l'esprit des stratèges des multinationales et de leurs agences. L'optique marketing privilégie traditionnellement une certaine adaptation à chaque marché-cible. Pourtant, certaines entreprises ont pris conscience des limites d'une modularité excessive. Différents noms de marques sont utilisés pour les mêmes articles dans le monde tandis que la même marque peut recouvrir des produits très différents. Ainsi, certaines sociétés comme Unilever tentent aujourd'hui de réduire drastiquement le nombre de marques qu'elles gèrent, en homogénéisant leurs noms au niveau international. De même, selon son vice-président européen du marketing, «3M est souvent tombée dans le piège de la redondance. Nous reconcevons parfois de A à Z des programmes qui ont déjà été appliqués dans un autre pays».

Pour ces entreprises, l'absence de coordination apparaît comme un gaspillage. D'autant que, selon une étude de l'agence Saatchi et Saatchi, «le passage du local au global permet des économies d'échelle de 39 à 61 %». Ces économies, réalisées par standardisation de la production, de la distribution, de la communication (création et achat d'espace), du marketing et de la gestion, permettent aux entreprises globales d'investir dans la qualité de leurs produits et de réduire leurs prix. Ted Levitt, professeur à Harvard, est venu fournir une justification théorique : « Le monde devient progressivement un marché uniforme où les individus, où qu'ils vivent, désirent les mêmes produits et adoptent les mêmes modes de vie. Une génération globale qui boit du Coca-Cola, porte des Nike et regarde les mêmes séries télévisées a émergé. »

Levitt pense que l'avenir appartient aux entreprises globales qui se concentrent sur les similarités entre marchés : « Un concurrent global essaiera constamment de standardiser son offre partout ; il s'écartera de la standardisation seulement après avoir épuisé toutes les possibilités pour y rester, et il tendra à réintégrer la standardisation dès que les divergences se seront réduites. ».

Certaines entreprises (Sony, Hilton, Coca-Cola, Nike) utilisent déjà cette approche ; d'autres essaient aujourd'hui de s'en approcher. Ainsi, le groupe Woolmark, émanation des principaux pays producteurs de laine, a harmonisé toute sa communication au niveau mondial. De même, 3M a décidé de regrouper tous ses budgets de communication autour de quatre agences (contre quarante précédemment) avec une création unique par type de produit.

Pourtant de nombreux obstacles à la globalisation subsistent. Les uns sont externes (conditions d'environnement, systèmes de distribution, réglementation), d'autres internes (structure de l'appareil de production et de commercialisation, style de management plus ou moins centralisé). Certains chefs d'entreprises comme ceux de Nestlé ou de Pepsico affirment ne pas croire à l'uniformisation des goûts alimentaires. Une étude montre que les entreprises adaptent localement un ou plusieurs éléments du mix marketing pour 80 % des produits commercialisés à l'étranger. McDonald's propose du riz en Indonésie, des sauces salades à l'huile d'olive autour de la Méditerranée, de la sauce au chili en remplacement du ketchup au Chili. Même le Coca-Cola contient une quantité de sucre et un degré de gazéification variables selon les pays.

Aujourd'hui, certains experts soulignent la nécessité de distinguer les facteurs de globalisation qui relèvent des goûts plus ou moins homogènes des consommateurs, des produits concurrents (offre locale ou internationale) et des organisations choisies par les entreprises. Ils soulignent que la globalisation est souvent davantage favorisée par des facteurs d'offre que de demande.

---

*Sources :* voir Theodore Levitt, « Un seul marché, l'univers », *Harvard L'Expansion*, automne 1983, pp. 6-17 ; voir également Yoram Wind et Susan Douglas, « Le Mythe de la globalisation », *Recherche et Applications en Marketing*, octobre 1986, pp. 5-26 ; Bernard Dubois, « Tous pour un et un pour tous : faut-il globaliser la publicité à l'étranger ? », Grand Prix ESCP 1988, pp. 5-8 ; Bernard Roux, « Marketing global ou marketing éclaté ? », *La Vie française*, 17 déc. 1984, pp. 98-99 ; Shari Caudron, « The Myth of the European Consumer », *Industry Week*, 21 févr. 1994 ; David Szymanski, Sundar Bharadwaj et P. Varadarajan, « Standardization versus Adaptation of International Marketing Strategy : an Empirical Investigation », *Journal of Marketing*, octobre 1993, pp. 1-17 ; Nathalie Prime et Jean-Claude Usunier, *Marketing Global – Développement des marchés et Management des hommes* (Vuibert, 2003) ; *Capital*, « Nestlé ne croit pas à l'uniformisation des goûts alimentaires », juillet 2002, pp. 138-140 et *LSA*, « Avis d'expert – Charles Bouaziz, PDG de Pepsico France : Le produit universel qui marche partout est un mythe », supplément au n° 1784/1785, 10 octobre 2002, pp. 16-18.

## Les dix règles de gestion des marques globales

La globalisation des marques permet de réduire les coûts marketing et de réaliser des économies d'échelle. Mais si on ne la met pas en œuvre avec doigté, on peut sous-estimer les différences entre les comportements de consommation et les environnements concurrentiels nationaux. Voici quelques suggestions pour profiter des avantages de la globalisation tout en minimisant ses inconvénients :

**1.** Comprendre les points communs et les différences d'environnement entre les pays (marques en présence, comportements de consommation, réglementation).

**2.** Construire la marque avec soin : sa notoriété, son image, sa valeur pour les clients…

**3.** Établir une infrastructure marketing soit en partant de zéro, soit en utilisant ce qui existe ailleurs.

**4.** Adopter une stratégie de communication intégrée, ne se limitant pas à la publicité mais intégrant la promotion des ventes, le merchandising et le sponsoring.

**5.** Établir des partenariats sur les marchés internationaux.

**6.** Trouver un équilibre entre les éléments standardisés (nom de marque, packaging) et adaptés localement (réseaux de distribution).

**7.** Trouver un équilibre entre les outils de contrôle locaux et globaux, et entre les lieux de décision.

**8.** Établir des règles opérationnelles sur la manière de positionner et de promouvoir la marque de façon à guider les décideurs de tous les pays.

**9.** Mettre en œuvre un système d'information marketing global qui fournisse des informations permettant de prendre rapidement des décisions stratégiques et opérationnelles.

**10.** Tirer parti des éléments constituant l'identité de la marque qui peuvent accroître sa valeur dans le monde entier.

*Source :* Kevin Lane Keller et Sanjay Sood (2001), « The Ten Commandments of Global Branding », *Asian Journal of Marketing.*

## Le produit

Warren Keegan et Jean-Marc de Leersnyder ont identifié cinq stratégies d'attaque d'un marché étranger (voir figure 13.3). Trois d'entre elles concernent directement les produits[16].

|  | | **Produit** | | |
|---|---|---|---|---|
|  | | Inchangé | Adapté | Nouveau |
| **Promotion** | Inchangée | 1. Extension | 3. Adaptation du produit | 5. Création de produit |
|  | Adaptée | 2. Adaptation de la promotion | 4. Double adaptation |  |

**FIGURE 13.3**
Cinq stratégies de marketing international

La stratégie *d'extension* consiste à introduire à l'étranger le produit sous la même forme et de la même façon que sur le marché national. On considère alors qu'il s'adresse aux mêmes besoins fondamentaux. Cette stratégie, utilisée avec succès par Bic ou Hertz, n'a pas toujours réussi. Ainsi, les potages en boîte Campbell n'ont jamais percé en France en raison d'habitudes culinaires différentes. De même, la tentative de Renault de s'implanter aux États-Unis s'est soldée par un échec, les véhicules s'avérant inadaptés aux conditions de conduite outre-Atlantique. Une stratégie d'extension est néanmoins attrayante dans la mesure où elle n'entraîne aucun frais supplémentaire de recherche ou de fabrication.

La deuxième stratégie implique une *adaptation du produit* aux préférences ou coutumes locales, sans pour autant changer le soutien promotionnel. Ainsi, l'hôtel Hyatt de Singapour a dû être modifié car sa conception n'avait pas obéi aux principes du «feng shui» (géomancie) qui recommandaient une certaine orientation et agencement du bâtiment. Même une multinationale comme Nestlé modifie la recette du Nescafé, présent dans 120 pays, selon les goûts locaux. Ikea adapte 50 % de sa gamme aux États-Unis pour tenir compte de la taille spécifique des lits, des cuisines et des attentes particulières en matière de service[17].

Une solution souvent adoptée consiste à offrir une version moins élaborée du produit sur les marchés à faible pouvoir d'achat. Les laboratoires pharmaceutiques Novartis ont ainsi développé toute une gamme de produits simples (antibiotiques, par exemple), vendus à prix réduits, dans un conditionnement simplifié. De même, Holiday Inn implante en Europe Centrale ses «Holiday Inn Express» version simplifiée de la formule de base. Un tel concept, proche de celui de produit générique, s'applique dans de nombreux autres secteurs.

Parfois, ce sont les noms des produits qu'il faut modifier. Helen Curtis a dû transformer son shampooing «Every night» en «Every day», en Suède, où il est coutume de se laver les cheveux le matin plutôt que le soir. Cajoline dont le nom doit évoquer la douceur s'appelle Snuggle en Angleterre, Kuschelweich en Allemagne et Mimosin en Espagne.

La stratégie de *création d'un produit*, quant à elle, revêt deux modalités : soit on élabore des produits à technologie simplifiée, telles que les caisses enregistreuses à manivelle relancées par NCR au Nigeria, à un prix inférieur de moitié aux caisses automatiques ; soit on crée des produits entièrement nouveaux, tels que les éditions hebdomadaires internationales du journal *Le Monde*, non disponibles en France, ou le modèle Élysée, conçu spécifiquement par Citroën pour le marché chinois. La création de produit est certainement plus coûteuse, mais en cas de succès, elle permet d'obtenir de très bons résultats.

## La communication

Une entreprise internationale doit décider si elle adapte ou non à l'étranger la stratégie publipromotionnelle utilisée sur le marché intérieur.

En ce qui concerne le message, de nombreuses multinationales choisissent d'utiliser le même slogan partout[18]. Ainsi le tigre Esso «à mettre dans son moteur» a fait le tour du monde, même si le produit (carburant) est adapté aux conditions climatiques. On se contente parfois de modifier les couleurs ou le design afin d'éviter les incompatibilités culturelles flagrantes.

Pour le lancement de sa 405, Peugeot a utilisé partout le même slogan : «Un talent fou», sauf en Grande-Bretagne où une création a été spécialement conçue pour le marché britannique, insistant sur le côté «Made in Britain» de la 405, fabriquée à Coventry. L'effort se justifiait dans la mesure où la fibre nationale est, en Grande-Bretagne plus qu'ailleurs, un critère important dans l'acte d'achat. Pour le lancement de la 106, c'est l'Italie qui s'est désolidarisée du slogan européen («106, la surprise de taille») en lui préférant «106, Il tuo modo di essere» (106, ta manière d'être).

Dans d'autres cas, les campagnes varient selon les pays. On peut garder le même thème publicitaire mais modifier la création. On peut aussi, comme Coca-Cola, réaliser un ensemble de publicités globales, au sein desquelles chaque pays choisit celle qui lui paraît la plus adaptée à ses besoins.

Le media-planning devra également tenir compte des disponibilités locales. La publicité télévisée est interdite en Scandinavie, réglementée en France, et relativement libre en Grèce. Une société telle que Polaroid devra donc répartir différemment son achat d'espace en Europe pour faire passer le concept de photo instantanée, plus adapté à la télévision et au cinéma qu'à la presse ou à la radio.

Enfin, il faudra adapter les techniques de promotion des ventes aux lois et techniques locales. Les pays européens ont des réglementations hétérogènes en la matière. Par exemple, il est autorisé en France mais interdit en Allemagne de faire une promotion sur plusieurs produits à la fois.

## Le prix

Trois stratégies s'offrent en matière de prix :

1. *le même prix* partout, au risque d'ignorer les différences de niveau de vie ;
2. *un prix adapté à la demande de chaque marché*, au risque de favoriser des importations parallèles entre pays ;
3. *un prix tenant compte des coûts dans chaque marché,* au risque de générer des différences entre les pays pour des raisons internes.

De toute façon, le prix d'un produit à l'étranger risque d'être plus cher que sur le marché domestique. Les droits, les coûts de transport, les marges des intermédiaires, les fluctuations de change sont autant de facteurs de hausse. Au plan interne, la société doit également fixer le *prix de cession* accordé à ses filiales étrangères[19] : s'il est trop élevé, on réduit la marge de manœuvre des commerciaux ; s'il est trop bas, on peut être accusé de *dumping*. Il y a dumping lorsqu'une entreprise facture un prix inférieur à ses coûts ou au prix adopté dans son pays d'origine. Ainsi, il y a quelques années, Hoffman-La Roche fut condamné par la Commission britannique des monopoles pour avoir vendu son Librium à 22 dollars le kilo en Italie (où les taxes sont moins chères) contre 100 dollars en Grande-Bretagne (où les taxes sont élevées). Il y a enfin le problème des importations parallèles : Minolta vend moins cher ses appareils photo à Hong-Kong qu'en Allemagne mais l'écart est si grand que des distributeurs allemands achètent à Hong-Kong moins cher qu'à l'agent officiel Minolta en Allemagne. On peut parfois lutter contre les circuits parallèles en modifiant un peu les produits, mais dans certains domaines comme le parfum, où les consommateurs veulent avoir accès à l'original, le problème des circuits parallèles est un véritable fléau. On estime en effet que 20 % du marché total échappent aux circuits officiels[20].

## La distribution

Lorsqu'elle réfléchit à la manière dont elle distribuera ses produits, l'entreprise mondiale doit considérer le *circuit de distribution dans son ensemble*, c'est-à-dire jusqu'au consommateur final. La figure 13.4 identifie les trois principaux intermédiaires qui s'intercalent entre le vendeur et l'acheteur. Le premier, le *service international du vendeur*, supervise les différents canaux et constitue lui-même un des maillons du circuit. Le second, formé par les *canaux de distribution internationaux*, assure l'acheminement des produits jus-

**FIGURE 13.4**
Le circuit de distribution dans le contexte du marketing international

qu'aux portes des marchés étrangers et détermine les décisions relatives au choix des intermédiaires (agents, sociétés d'import-export), au mode de transport (mer, air), aux modalités financières et de gestion des risques. Le troisième, les *canaux intranationaux*, prend en charge l'écoulement des produits sur ces marchés. Trop d'exportateurs ont tendance à considérer que la distribution de leurs produits s'achève une fois ceux-ci introduits sur le marché étranger. Il suffit que, dans ce pays, les canaux de distribution soient inefficaces pour que les consommateurs visés ne soient pas satisfaits et que l'entreprise n'atteigne pas ses objectifs.

Les circuits de distribution varient considérablement d'un pays à l'autre. On constate notamment d'importantes différences dans le *nombre* et la *taille* des points de vente. En Suède, la distribution des produits alimentaires est dominée par de puissantes chaînes de supermarchés couvrant de vastes zones de chalandise. En France, en dépit du développement spectaculaire des grandes surfaces, la distribution alimentaire de certains produits (pain, légumes frais, fromages) est encore largement assurée par le petit commerce indépendant, tandis qu'en Inde, ces produits sont distribués par l'intermédiaire de milliers de vendeurs individuels offrant leur marchandise en plein air ou dans de toutes petites échoppes. À titre d'exemple, le tableau 13.2 présente l'évolution du « maxi-discompte » *(hard-discount)* en Europe.

| TABLEAU 13.2 Le « maxi-discompte » *(hard-discount)* en Europe (en nombre de points de vente) | 1993 | 1996 | 2000 |
|---|---|---|---|
| Allemagne | 8 865 | 8 910 | 8 930 |
| Autriche | 332 | 395 | 414 |
| Belgique | 608 | 628 | 634 |
| Danemark | 595 | 648 | 654 |
| Espagne | 873 | 1 275 | 1 560 |
| Finlande | 781 | 782 | 793 |
| France | 1 021 | 1 656 | 2 080 |
| Grande-Bretagne | 1 447 | 1 832 | 2 122 |
| Italie | 376 | 745 | 1 195 |
| Norvège | 879 | 890 | 895 |
| Pays-Bas | 543 | 584 | 615 |
| Portugal | 60 | 135 | 350 |
| Suède | 215 | 238 | 240 |
| Suisse | 600 | 615 | 625 |
| **TOTAL** | **17 195** | **19 333** | **21 107** |

*Source :* Euromonitor.

Les *services* offerts par les détaillants varient également dans de fortes proportions. Le contact humain et le marchandage occupent une place beaucoup plus grande en Europe du Sud qu'en Europe du Nord. D'autre part, l'assortiment des produits proposés tend à être plus restreint dans les économies à faible revenu.

Dans le domaine des biens industriels, les circuits de distribution se ressemblent davantage, tout au moins dans les pays industrialisés[21]. Dans les pays en voie de développement, les importateurs sont souvent tout-puissants, et le fabricant étranger est pratiquement obligé de passer par eux. Parfois, il devra même accorder un contrat de représentation exclusive et, dans ce cas, le destin de son produit sera étroitement lié à la performance de son intermédiaire.

De manière générale, lorsque les entreprises multinationales entrent dans un pays, elles préfèrent souvent avoir recours aux distributeurs locaux qui connaissent bien le marché local. Cependant des différends surviennent souvent par la suite : la multinationale reproche à son distributeur local de ne pas investir suffisamment, de ne pas respecter la politique de l'entreprise, de ne pas transmettre assez d'informations ; le distributeur local se plaint de ne pas être assez soutenu et de se voir attribuer des objectifs irréalistes et incohérents. Pourtant, une fois le distributeur choisi, il est essentiel que la multinationale investisse en lui et que les deux parties négocient des objectifs acceptables pour chacun[22].

# Le choix d'un mode d'organisation

Une entreprise peut organiser ses activités de marketing international selon trois principaux modes : 1) le service export ; 2) le département international ; et 3) l'entreprise globale.

## Le service export

Une société commence souvent ses activités de vente à l'étranger en répondant à quelques commandes isolées. Au début, elle se contente d'expédier ses produits. Si le volume de vente s'accroît, elle crée un service export, composé d'un responsable et de quelques administratifs. À mesure que ses ventes progressent, elle élargit ce service en incorporant différentes fonctions marketing qui lui permettent de travailler plus en profondeur chaque marché. Lorsque l'entreprise dépasse le stade de l'export pour se lancer dans des partenariats ou dans l'investissement direct, le service export, dans sa forme initiale, ne suffit plus.

## Le département international

De nombreuses entreprises finissent par être présentes sur plusieurs marchés internationaux. Une même société peut exporter dans un pays, accorder une licence dans un autre et avoir une filiale dans un troisième ; elle a alors intérêt à créer un département (ou une division) international chargé de coordonner l'ensemble de ses activités à l'étranger. Ce département est placé sous l'autorité d'un directeur (souvent membre du comité exécutif), qui, dans le cadre des objectifs fixés par la société, est responsable de la croissance internationale. Les départements internationaux ou « étrangers » peuvent être organisés de différentes façons. En général, l'état-major se compose de responsables marketing, production, recherche, finance, planification et gestion du personnel. Cet état-major établit le plan d'action des différentes unités opérationnelles, organisées de trois façons possibles : premièrement par *entités géographiques*, deuxièmement par *groupes de produits*, et troisièmement à travers des *filiales internationales*. Dans la première structure, on trouvera des directeurs de grandes régions telles que l'Europe, l'Amérique du Nord, l'Afrique Noire, le Moyen-Orient, l'Extrême-Orient, éventuellement regroupées en zones (par exemple, plusieurs chaînes hôtelières mondiales ont créé la zone EAME : Europe-Afrique-Moyen-Orient). Chaque directeur de région est responsable de sa force de vente, de ses filiales, et des distributeurs et franchisés travaillant dans sa région. Selon la structure par *groupe de produits*, un directeur prend en charge les ventes à l'échelle mondiale d'une gamme de produits en se faisant aider par les spécialistes fonctionnels du siège. Enfin, dans les *filiales internationales*, chacune a à sa tête un responsable soumis à l'autorité du directeur du département étranger.

## L'entreprise « globale »

Quelques entreprises ont dépassé le stade du département international pour devenir des sociétés multinationales, parfois même des entreprises « globales » planifiant leurs activités à l'échelle de la planète.

Dans de telles entreprises comme ABB[23], la direction générale et l'état-major sont responsables de la planification à l'échelon mondial des outils de production, des politiques de marketing, des mouvements de capitaux et des systèmes logistiques[24]. Les différentes unités opérationnelles sont placées sous l'autorité du directeur général ou d'un comité de direction, sans passer par l'intermédiaire d'un directeur de département. La société forme ses dirigeants à la gestion d'opérations d'envergure mondiale, et non seulement nationale ou internationale. Elle recrute ses cadres dans de nombreux pays, s'approvisionne là où cela coûte le moins cher, et investit là où cela est susceptible de lui rapporter le plus.

De plus en plus de sociétés se transformeront en entreprises globales dans les années à venir, si elles veulent poursuivre leur croissance. Elles évolueront d'une position ethnocentrique, où les affaires internationales sont traitées de façon périphérique, vers une position polycentrique, puis géocentrique, dans laquelle le marketing devient « planétaire ». À ce stade, certains problèmes pourront apparaître, notamment si un excès de décentralisation nuit à l'identité de l'ensemble[25].

## Résumé

1. La plupart des entreprises ne peuvent aujourd'hui prendre le risque de se limiter à leur marché intérieur. Beaucoup d'industries sont « globales » et, pour concourir, il faut opérer au niveau mondial.

2. Une démarche rigoureuse de marketing international comporte plusieurs étapes. Il faut d'abord définir des objectifs (part du chiffre d'affaires à réaliser à l'étranger) et déterminer si l'on veut être présent dans un nombre limité ou étendu de pays. On choisit ensuite les pays d'implantation en analysant l'attrait du marché, les risques encourus et l'avantage concurrentiel dont on peut disposer.

3. Il faut ensuite choisir le mode d'entrée dans les pays visés. Cinq solutions sont envisageables : l'exportation directe ou indirecte, la cession de licence, le partenariat et l'investissement (en pratique, elles sont souvent successivement adoptées).

4. L'entreprise doit également déterminer s'il faut, et jusqu'où, adapter le produit, la communication, le prix et la distribution aux différents marchés.

5. Enfin, elle doit mettre en place une organisation qui lui permette de poursuivre efficacement ses activités internationales. La plupart des entreprises débutent avec un service export et créent par la suite un département international. Quelques-unes dépassent ce stade et deviennent des sociétés globales gérées, à l'échelon planétaire, par l'équipe de direction générale.

# Notes

1. Terry Clark, «National Boundaries, Border Zones, and Marketing Strategy : A Conceptual Framework and Theoretical Model of Secondary Boundary Effects», *Journal of Marketing*, juil. 1994, pp. 67-80.

2. Nathalie Prime et Jean-Claude Usunier, *Marketing Global - Développement des Marchés et Management des Hommes* (Paris : Vuibert), 2003.

3. Voir D. Hennessy et Jean-Pierre Jeannet, *Global Marketing*, 2e édition, (Addison-Wesley, 1993). Voir également Bernard Pras, «Marketing international : quelques concepts et recommandations», *Encyclopédie du management* (Paris : Vuibert, 1992), tome I, pp. 875-895.

4. Pour plusieurs exemples dans l'alimentaire, voir Anne-Marie Schlosser, «Le destin des marques locales faces aux marques internationales», *L'Expansion Management Review*, septembre 2001, pp. 88-94.

5. Igal Ayal et Jehiel Zif, «Market Expansion Strategies in Multinational Marketing», *Journal of Marketing*, printemps 1979, pp. 84-94. Voir également Philip M. Parker, «Bien choisir ses marchés à l'étranger», *Les Echos*, 16 avril 1999, pp. 11-12.

6. Kenichi Ohmae, *La Triade : émergence d'une stratégie mondiale de l'entreprise* (Paris : Flammarion, 1985) et du même auteur, *L'Entreprise sans frontières* (Paris : InterÉditions, 1991).

7. Voir David R. Leighton, «Deciding When to Enter International Markets», dans *Handbook of Modern Marketing*, Victor Buell (Éd.), (New York : McGraw-Hill, 1970). Section 20, pp. 23-28.

8. L'analyse des différents modes d'accès est détaillée dans Jean-Marc de Leersnyder, *Marketing international* (Paris : Dalloz, 1982), chap. 6. Voir également Charles Croué, *Marketing international*, (Bruxelles : De Boeck-Wesmaels, 1999).

9. Voir Gérard Le Pan de Ligny, *Exportation : aspect commercial* (Paris : Dunod, 1979).

10. Voir S. Urban, *Réussir à l'exportation* (Paris : Dunod, 1990) et du même auteur, *Management international* (Paris : Litec, 1993); voir également Alain-Éric Giordan, *Exporter plus* (Paris : Economica, 1984) et Patrick Joffre *et al.*, *L'Exportation dans la turbulence mondiale* (Paris : Economica, 1986).

11. Voir Jacques Gaudin, «La Cession de licence et le transfert de technologie», *Revue Française de Gestion*, janv.-févr. 1980, pp. 101-106.

12. Paula Dwyer, «Tearing Up Today's Organisation Chart», *Business Week*, 18 novembre 1994, pp. 80-90.

13. Voir à ce sujet J. Peter Killing, «How to Make a Global Joint Venture Work», *Harvard Business Review*, mai-juin 1982, pp. 120-127 et, pour une analyse dans un contexte européen, Sabine Urban et Serge Vendemini, *Alliances stratégiques coopératives internationales* (Bruxelles : De Boeck-Wesmaels, 1994).

14. Voir Jan Johanson et Finn Wiedershein-Paul, «The Internationalization of the Firm», *Journal of Management Studies*, oct. 1975, pp. 305-322. Voir également Sabine Urban, «Stratégies d'internationalisation», *Encyclopédie du management* (Paris : Vuibert, 1992), tome I, pp. 896-906.

15. Voir Elyette Roux, «Les Modèles intégrés de la décision d'exporter en PME/PMI», *Recherche et Applications en Marketing*, oct. 1986, pp. 27-42 et Odile Deher, «Quelques facteurs de succès pour la politique de produits de l'entreprise exportatrice», *Recherche et Applications en Marketing*, oct. 1986, pp. 55-74.

16. Warren Keegan et Jean-Marc de Leersnyder, *Marketing sans frontières* (Paris : InterÉditions, 1994).

17. Nathalie Prime, «Ikea International Development», *European Cases in Retailing*, M. Dupuis et J. Dawson (ed). Blockwell, 1999, pp. 33-48.

18. Voir «The Ad biz Gloms onto "Global" », *Fortune*, 12 nov. 1984, pp. 61-64. Pour un exemple, voir «Parker : l'ère du prestige international», *Stratégies*, n° 394, pp. 32-33.

19. Voir Robert G. Eccles, «Prix de cession interne», *Harvard L'Expansion*, hiver 1984-85, pp. 28-44.

20. Voir «Parfum : sur la piste des trafiquants : enquête sur la distribution parallèle», *Challenges*, déc. 1999, pp. 64-66.

21. Voir Alain Némarq, *Comment attaquer les marchés internationaux de biens d'équipement* (Paris : Masson, 1981).

22. David Arnold, «Seven Rules of International Distribution», *Harvard Business Review*, novembre-décembre 2000, pp. 131-137.

23. Charles Fleming et Leslie Lopez, «The Corporate Challenge – No Boundaries : ABB's Dramatic Plan to Recast Its Business Structure Along Global Lines : It May not Be Easy – or Wise», *Wall Street Journal*, 28 sept. 1998, p. R16; voir aussi le site www.abb.com.

24. Voir Bernard Bonin, *Le Monde des multinationales* (Paris : Éditions d'Organisation, 1987).

25. Voir Yoram Wind, Susan P. Douglas et Howard V. Perlmutter, «Guidelines for Developing International Marketing Strategies», *Journal of Marketing*, avril 1973, pp. 14-23. Voir également le numéro spécial sur le Marketing International du MOCI, n° 634, 19 nov. 1984.

# QUATRIÈME PARTIE

# CONSTRUIRE L'OFFRE DE MARCHÉ

# Définir la stratégie de produit et de marque

DANS CE CHAPITRE, NOUS
EXAMINERONS LES QUESTIONS
SUIVANTES :

- Qu'est-ce qu'un produit ?

- Comment élaborer et gérer
  une gamme de produits ?

- Comment gérer une marque ?

- Dans quelle mesure l'emballage
  et l'étiquetage sont-ils des outils
  marketing ?

« *La meilleure façon d'attirer
et de conserver ses clients est
de toujours se demander
comment leur en offrir davantage
pour un prix inférieur.* »

Chaque année depuis 1987, via le panel Sécodip, les consommateurs français élisent «les produits de l'année» dans 29 catégories de produits de grande consommation. En 2002, se trouvaient par exemple parmi les lauréats les plats en barquettes micro-ondables Marie (dans la catégorie plats cuisinés), les Pim's Délice de Lu (biscuits sucrés), la crème colorante Lumia des Laboratoires Garnier (coloration des cheveux), Sun 3 en 1 Optimal (produits vaisselle) et les sacs de congélation «faciles à remplir» Albal (emballages ménagers). Pratiquement tous ces produits ont un point commun : ils sont soutenus par une grande marque. «Les consommateurs sont fidèles aux marques lorsque celles-ci font leur métier. C'est-à-dire lorsqu'elles innovent pour stimuler la consommation et le font savoir grâce à la publicité et la promotion en magasin» concluent les organisateurs du concours. Ce que 60 % des personnes interrogées à cette occasion confirment quand elles disent : «Je suis prêt à payer plus cher un nouveau produit s'il me satisfait.» De fait, alors que huit nouveaux produits sur dix disparaissent des linéaires avant deux ans, plus de 72 % des «produits de l'année» sont toujours présents en linéaires dix ans plus tard[1].

Le mariage d'une innovation et d'une grande marque semble donc une clé du succès commercial. À elles deux, elles déterminent une grande partie de l'offre que le consommateur juge d'après trois critères de fond : la qualité du produit, la qualité des services induits et la perception d'un «juste prix» (voir figure 14.1). Nous allons, dans ce chapitre, nous intéresser au produit et à la marque, alors que les deux chapitres suivants porteront sur les services et les prix.

**FIGURE 14.1**
Les composantes
de l'offre

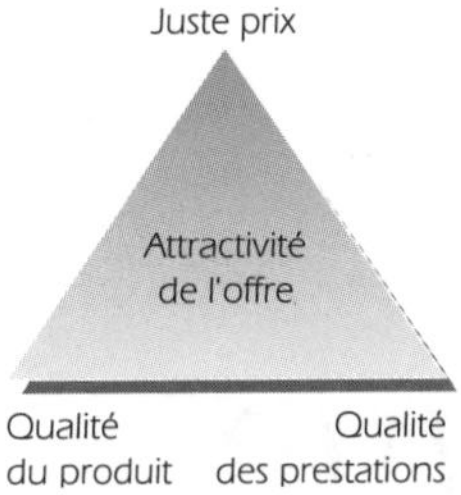

Juste prix

Attractivité
de l'offre

Qualité          Qualité
du produit   des prestations

## *La notion de produit*

❖ On appelle *produit* tout ce qui peut être offert sur un marché de façon à y satisfaire un besoin.

La notion de produit fait spontanément penser à des *biens tangibles* : une automobile, une paire de chaussures ou un livre ; mais il ne faut pas oublier les *services* : transports, soins, loisirs ; les *personnes* (leader politique qu'il s'agit de promouvoir, célébrité du monde du spectacle) ; les *endroits* (la Côte d'Azur, le Brésil) ; les *organisations* (la Ligue contre le cancer, l'Olympique de Marseille) ou encore les *idées* (la sécurité routière, le planning familial).

### Les cinq niveaux d'un produit

Il est, en pratique, utile de distinguer cinq niveaux de produits (voir figure 14.2). Chaque niveau augmentant la valeur de l'offre pour le consommateur. Au niveau le plus fondamental se trouve le *noyau du produit*, la réponse à la question : «Qu'est-ce que le client achète ?». Il s'agit de l'*avantage essentiel* offert à l'acheteur en regard du problème qu'il se pose : l'acquéreur d'une perceuse achète des trous, le client d'un hôtel du repos et du sommeil. La tâche du responsable marketing n'est pas de vendre des *caractéristiques*, mais bien des «avantages» ou «bénéfices consommateurs».

FIGURE 14.2
Les cinq niveaux
d'un produit

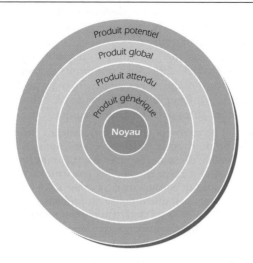

Le *produit générique* n'est autre que le noyau « enrobé » de toutes ses carac-téristiques. Une chambre d'hôtel contient un lit, une chaise, un lavabo. Le pro-duit générique c'est ce que l'on reconnaît immédiatement comme étant l'offre : un shampooing, un séminaire de formation ou un candidat politique.

Le *produit attendu* correspond à l'ensemble des attributs que l'acheteur s'attend à trouver dans le produit : une montre doit donner l'heure ; un hôtel doit être propre et son personnel accueillant.

Le *produit global*, parfois appelé métaproduit, représente la totalité de ce que le fabricant offre autour du produit générique afin de se différencier[2]. Ainsi, un constructeur informatique comme Bull a adopté la notion d'« offre globale » pour décrire ce qu'il propose au client : outre l'ordinateur, celle-ci comprend des logiciels de base, des logiciels d'application, un service de maintenance et différentes prestations intellectuelles (éducation, assistance, conseil, etc.). Il s'agit donc d'une « *solution* » et non d'un produit isolé.

La réflexion sur le produit global a amené de nombreux industriels à s'orien-ter vers la *vente de systèmes* plutôt que de produits. Atlas Copco a par exemple estimé plus intéressant de commercialiser des « trains de perçage » complets plutôt que de simples perceuses. La vente de systèmes prend en compte la manière dont l'acheteur d'un produit remplit toutes les tâches liées à l'utilisa-tion qu'il compte en faire[3]. Selon Levitt :

> « *La concurrence actuelle ne se situe pas au niveau de ce que les entreprises fabri-quent dans leurs usines, mais au niveau de ce qu'elles ajoutent à leur produit de base en matière de conditionnement, de service, de publicité, d'assistance aux clients, de crédit, de facilités de livraison et de stockage, ainsi que tout autre avantage valorisé par le marché[4].* »

Poussée à l'extrême, cette logique aboutit au produit sur-mesure que la flexibilité de la production rend applicable à de plus en plus de produits. En même temps, il faut s'assurer que les améliorations apportées accroissent vraiment la valeur du produit afin d'en justifier le surcoût. Si c'est le cas, on constate qu'au fil des ans, les consommateurs assimilent le produit global à un produit générique, s'habituant ainsi à des standards plus élevés. Qui aujour-d'hui achèterait un poste TV sans couleurs, ni prise péritel, ni télécommande ? Les fabricants doivent alors identifier d'autres caractéristiques pour se diffé-rencier. À l'inverse, lorsque la plupart des entreprises augmentent leur pro-duit global, certaines firmes proposent un produit basique à moindre coût.

CHAPITRE 14
Définir
la stratégie
de produit
et de marque

427

Par exemple, dans le transport aérien se développent aujourd'hui les compagnies *low cost* comme EasyJet ou Ryanair qui ont réduit les services au minimum et offrent le produit générique.

Enfin, il y a le *produit potentiel* qui comprend toutes les améliorations et transformations envisageables. Elles sont nombreuses, même pour des produits de base. Ainsi, pour dynamiser ses ventes, la marque de lait Candia qui voyait sa part de marché s'effriter sur le marché de base (brique UHT) a lancé un lait pour seniors et un autre pour les jeunes enfants[5].

■ THOMSON CUIVRE. Fil de cuivre et abrasif; qui pourrait croire à un marketing possible pour deux produits aussi banals ?... Chez Thomson Cuivre, on estime qu'il est toujours possible de se différencier en intégrant les besoins du client final. Ainsi, les recherches menées avec les constructeurs automobiles ont abouti au Toronix, un produit permettant de gagner 3 % sur le diamètre d'un fil traditionnel et constituant ainsi une réponse au problème de gain d'espace des fabricants de voiture. De même, un nouveau fil entamé a été conçu avec l'aide d'un câblier (Filotex) et trois fabricants de connecteurs (AMP, Socapex et Souriau).

■ VIRGIN ATLANTIC AIRWAYS propose un service de voyage complet à ses passagers d'affaires. À leur arrivée à l'aéroport, ils peuvent se rendre au salon clubhouse pour prendre une douche, faire une manucure gratuite ou un soin du visage, se faire couper les cheveux, se rendre au restaurant, à la bibliothèque ou dans le salon de musique. À bord de certains avions, ils peuvent se doucher, utiliser un jacuzzi, dormir dans une « cabine de bateau » ou surfer sur Internet. Le PDG, Richard Branson, envisage d'intégrer un casino et un centre commercial aux gros porteurs de 600 places que la compagnie achètera dans quelques années.

## La hiérarchie des produits

Tout produit fait partie d'une hiérarchie que l'on peut décomposer en six échelons :

1. *Le type de besoin concerné*. Il s'agit du besoin fondamental sur lequel vient se greffer le produit. Dans le cas de l'assurance, la sécurité.

2. *La famille de produits* regroupe toutes les catégories de produit qui satisfont un même besoin. Dans notre exemple, les différentes sources de revenu (salaire, transferts sociaux, etc.).

3. *La catégorie de produits* rassemble tous les produits qui, au sein d'une même famille, présentent une certaine cohérence fonctionnelle. Exemple : les placements financiers.

4. *La gamme de produits*. Il s'agit de produits appartenant à la même catégorie et étroitement liés entre eux parce qu'ils fonctionnent de la même façon ou sont vendus aux mêmes types de clients, dans les mêmes points de vente ou dans les zones de prix similaires. Exemple : l'assurance-vie.

5. *Le type de produit* correspond aux articles qui, au sein d'une gamme, représentent une forme donnée de produit. Exemple : l'assurance-vie de groupe.

6. *L'article (parfois appelé référence*, en anglais SKU, stock-keeping unit). C'est l'unité de base, caractérisée par une taille, un prix, un aspect ou tout autre élément de différenciation. Exemple : un contrat d'assurance décès-invalidité.

Tous les échelons ne sont pas forcément présents. Ainsi, pour identifier ses produits, Castorama considère cinq niveaux : rayons (sanitaire, par exemple), sous-rayons (accessoires), familles (accessoires WC), modules (abattants WC) et articles (abattant Allibert Baccarat bleu pacifique).

Deux autres termes se rencontrent parfois : le *package* qui relie entre eux certains éléments fonctionnant de façon complémentaire. Ainsi les tour-operators proposent simultanément un vol, une chambre d'hôtel, une location de voiture... *L'assortiment de produits* (ou mix produits) regroupe, en revanche, tous les produits qu'une entreprise donnée a choisi de commercialiser.

Les responsables marketing ont recours à plusieurs classifications pour décrire le type de produits qu'ils commercialisent (voir encadré 14.1). Chaque groupe correspond à une approche marketing spécifique.

---

**14.1**

 # Les classifications de produit

### Les biens durables, périssables et les services

Suivant leur durée de vie et leur tangibilité, on distingue :

♦ **Les biens périssables :** ce sont des biens tangibles consommés en une ou un petit nombre de fois (ex. : produits alimentaires, produits d'entretien). Ils sont offerts dans de multiples points de vente et font l'objet de nombreuses actions publicitaires et promotionnelles.

♦ **Les biens durables :** il s'agit de biens tangibles qui survivent en principe à de nombreuses utilisations (ex. : réfrigérateurs, vêtements). Les biens durables exigent en général un effort de vente et un certain niveau de service, reflétés dans une marge unitaire plus élevée.

♦ **Les services :** il s'agit d'activités, d'avantages ou de satisfactions qui font l'objet d'une transaction (ex. : réparations, soins médicaux, coupes de cheveux). Les services sont en général intangibles, inséparables et périssables. De ce fait, ils peuvent être offerts à des niveaux de qualité et d'adaptabilité très variables.

### Les biens de grande consommation

Une seconde classification, fondée sur les habitudes d'achat des consommateurs, distingue quatre catégories :

♦ **Les produits d'achat courant :** des biens de consommation que le client a l'habitude d'acheter fréquemment, rapidement et avec un minimum d'effort de comparaison (ex. : cigarettes, journaux, produits de toilette). Les produits d'achat courant sont eux-mêmes de trois types. *Les biens de première*

*nécessité* correspondent aux achats les plus courants : le pain, le lait, le dentifrice. *Les produits d'achat impulsif* sont acquis sans préméditation ni effort particulier d'information. Ces produits, tels le chewing-gum ou les friandises, sont disponibles en de nombreux endroits faciles d'accès : distributeurs automatiques, sorties de caisse, etc. *Les produits de dépannage*, enfin, sont achetés lorsque le besoin s'en fait sentir : un parapluie lorsqu'il pleut, un magazine lorsque l'on doit attendre son train. Les fabricants de tels produits multiplient les points de vente afin de bénéficier de l'achat dès que le consommateur se manifeste.

♦ **Les produits d'achat réfléchi :** il s'agit de biens de consommation que le client compare généralement sur certains critères tels que l'aspect, la praticité, la qualité, le prix et le style (ex. : meubles, vêtements, automobiles, gros électroménager).
On peut les répartir en produits homogènes et produits hétérogènes. *Les produits homogènes* présentent les mêmes caractéristiques fonctionnelles, mais diffèrent en qualité et surtout en prix. Le vendeur doit souvent argumenter pour négocier la vente. *Les produits hétérogènes* (meubles, vêtements) diffèrent également en caractéristiques et en style, ce qui rend leurs prix moins comparables. Il faut alors disposer d'un assortiment suffisamment vaste pour couvrir les goûts de chacun.

♦ **Les produits de spécialité :** ce sont des biens de consommation qui possèdent des caractéristiques uniques et/ou des images de marque bien définies, de sorte que de nombreux acheteurs sont disposés à faire un effort d'achat tout particulier (ex. : chaîne haute fidélité, parfums et bijoux de luxe, équipement vidéo). Le parfum Shalimar de Guerlain est ainsi un produit de spécialité, disponible dans quelques centaines de

CHAPITRE 14
Définir
la stratégie
de produit
et de marque

429

points de vente seulement. Il ne se compare vraiment à aucun autre parfum et c'est l'acheteur qui va à la rencontre du produit plus souvent que l'inverse. Un produit de spécialité n'a pas besoin d'une très vaste distribution. Il faut cependant promouvoir le produit et faire connaître ses points de vente.

♦ **Les produits non recherchés,** enfin, sont ceux que le consommateur ne connaît pas ou bien auxquels il ne pense pas naturellement. Il s'agit par exemple des innovations qui n'ont pas atteint une notoriété suffisante, ou bien de produits bien spécifiques : encyclopédies, marbres funéraires, etc.

De par leur nature, les produits non recherchés nécessitent un marketing attentif. Le plus souvent il prend la forme d'une publicité soutenue ou bien de techniques de vente élaborées.

### Les biens industriels

Les biens achetés par les entreprises comportent une vaste gamme de produits et services. Une classification utile pour mieux comprendre les diverses pratiques commerciales se fonde sur *la façon dont ils entrent dans le processus de production et dans la structure de coût de l'acheteur.* Ces critères déterminent trois catégories :

♦ **Les matières premières et composants** qui entrent en totalité dans le produit fini. *Les matières premières* comprennent les produits agricoles (ex. blé, coton, fruits et légumes) et les ressources naturelles (bois, pétrole brut, minerai de fer). Chaque catégorie fait l'objet d'un marketing spécifique. *Les produits agricoles* sont souvent le fruit de nombreux petits exploitants qui s'en remettent à des intermédiaires tels que les coopératives pour le conditionnement, le calibrage, le stockage, le transport et la vente. Les produits agricoles sont périssables et saisonniers. Leur nature limite les opérations publicitaires et promotionnelles, sauf exception. De temps en temps sont mises sur pied des campagnes de promotion collectives (ex. « mangez des huîtres », « beurrez frais ») ou même des actions destinées à promouvoir une marque (les avocats Carmel). *Les ressources naturelles* sont en quantité limitée. Elles sont souvent pondéreuses, de faible valeur unitaire et, de ce fait, sensibles au coût de transport. Les producteurs sont peu nombreux, puissants, et vendent souvent directement à l'utilisateur industriel. Les contrats d'approvisionnement de longue durée sont monnaie courante et, compte tenu de leur homogénéité, les ressources naturelles se négocient en termes de prix et délais de livraison.

*Les produits manufacturés* comprennent les composants (acier, ciment, fil métallique) et les pièces (moteurs, pneus, transformateurs). Les composants peuvent être plus ou moins élaborés (de la fonte à l'acier, des balles de coton au tissu). Leur caractère standardisé renforce l'importance des prix et des délais dans la décision d'achat. Les pièces entrent également dans la composition du produit fini. Ainsi, les petits moteurs synchrones sont utilisés dans de nombreux appareils ménagers (cafetières, robots, ouvre-boîtes, etc.). Produits manufacturés et pièces sont souvent vendus directement dans le cadre de contrats annuels ou pluriannuels.

♦ **Les biens d'équipement** n'entrent qu'en partie dans la fabrication du produit fini : ils comprennent l'équipement de base et les accessoires.

*L'équipement de base* se compose des bâtiments (usines, bureaux) et installations fixes (générateurs, machines, ordinateurs). Il s'agit d'achats importants directement effectués auprès du fabricant, à la suite d'une négociation parfois longue. Les fabricants utilisent une force de vente spécialisée, souvent composée d'ingénieurs technico-commerciaux. Il faut se conformer aux spécifications du client et assurer un service de maintenance. Une certaine forme d'action publicitaire est également mise en place, mais elle représente un budget très inférieur à celui de la force de vente.

*L'équipement accessoire* comprend le matériel d'usine léger et l'outillage ainsi que l'équipement de bureau. Il n'est pas incorporé au produit fini, mais facilite son élaboration. Il a une durée de vie inférieure à celle des équipements de base, mais supérieure aux fournitures. Même si certains accessoires sont achetés en direct, la plupart sont vendus par l'intermédiaire de distributeurs, du fait que les marchés sont géographiquement dispersés, les clients nombreux et les commandes faibles. La qualité, les caractéristiques fonctionnelles, le prix et le service sont les considérations les plus importantes dans le choix d'un fournisseur. La force de vente représente un investissement supérieur à la publicité, même si celle-ci joue un rôle souvent efficace.

♦ **Les fournitures et services** enfin, sont des produits industriels qui n'entrent pas dans la composition du produit fini.

On peut distinguer deux types de fournitures : les fournitures *d'exploitation* (lubrifiants, charbon, papier machine, crayons) et les fournitures *d'entretien* (peintures, clous). Les fournitures sont l'équivalent industriel des biens de consommation courante. Consommables, elles n'exigent guère d'effort de la part de l'acheteur. Elles sont vendues par les distributeurs étant donné l'atomicité des marchés. Le prix et le service l'emportent de loin sur la marque, en tant que critère d'achat.

Les *services* comprennent l'entretien et la réparation (nettoyage des vitres, maintenance de copieurs) ainsi que le conseil (juridique, publicitaire, fiscal...). Les services d'entretien et de réparation font, en général, l'objet de contrats négociés, avec de petites entreprises dans le premier cas, et le constructeur d'origine, dans l'autre. Les services de conseil donnent souvent naissance à une compétition entre les cabinets sur la base d'un appel d'offres.

Chaque type de produit, en fonction de ses caractéristiques, induit une stratégie marketing particulière. En même temps, la stratégie dépend de nombreux autres facteurs tels que la phase du cycle de vie, la position concurrentielle et le contexte économique.

*Sources :* les définitions sont tirées de *Marketing Definitions : A Glossary of Marketing Terms*, compilé par la Commission des définitions de l'American Marketing Association, sous la présidence de Ralph S. Alexander (Chicago : American Marketing Association, 1960). Pour des analyses sur la classification des produits de grande consommation, voir Richard H. Holton, « The Distinction between Convenience Goods, Shopping and Speciality Goods », *Journal of Marketing*, juil. 1958, pp. 53-56 ; Patrick Murphy et Ben Enis, « Classifying Products Strategically », *Journal of Marketing*, juillet 1986, pp. 24-42. Pour les biens durables, voir Dwight Merunka, « Produits durables : les mal aimés du marketing », *Harvard L'Expansion*, printemps 1984, pp. 44-52. Pour les biens industriels, voir Philippe Malaval, *Marketing Business-to-Business* (Pearson Education, 2001).

## *La gestion de l'assortiment*

❖ On appelle *assortiment* (ou *mix*) des produits l'ensemble des gammes et articles proposés à la vente par une entreprise.

Les sociétés commercialisant de multiples produits sont amenées à distinguer toute une série de strates. Ainsi, le groupe LVMH se compose de *filiales* (ex. : Dior), elles-mêmes réparties en *groupes* (ex. : le prêt à porter), *marques* (ex. : Babydior) et *articles* (les chaussons de bébé Babydior). L'ensemble constitue le *mix des produits*. Un supermarché de taille moyenne propose entre 10 000 et 50 000 références ; un grand magasin comme le Printemps ou les Galeries Lafayette en a plus de 200 000.

L'assortiment des produits d'une société peut être caractérisé par sa largeur, sa profondeur et sa cohérence :

♦ La *largeur* de l'assortiment se réfère *au nombre de gammes mises en vente par l'entreprise*. Avant son rachat, la société VSD par exemple, ne fabriquait qu'un seul produit : le magazine *VSD*. La société Moulinex, en revanche, fabrique des moulins à café électriques, des batteurs-mixeurs, des fers à friser, des aspirateurs, etc., soit au total une centaine de produits. La largeur de l'assortiment dépend naturellement de la façon dont on définit les frontières de chaque gamme.

CHAPITRE 14
Définir
la stratégie
de produit
et de marque

431

♦ La *profondeur* se réfère *au nombre moyen d'articles offerts dans chaque gamme.* Ainsi, le blé Ebly est commercialisé sous quatre versions selon la durée de cuisson et la présence ou non d'un sachet (en vrac pour une cuisson de 15-20 minutes, en vrac pour une cuisson de 10 minutes, sachet pour une cuisson de 10 minutes, sachet pour une cuisson de 2 minutes), tandis que les grains de blé précuits Blédor de Panzani existent sous deux références liées à la taille du paquet (250 et 500 grammes). En considérant toutes les autres gammes de d'une entreprise, on peut déterminer la profondeur moyenne de l'assortiment de la société.

♦ La *cohérence* de l'assortiment, enfin, a trait à l'*homogénéité des différentes gammes quant à leur utilisation finale, leurs impératifs de production ou leurs circuits de distribution.* Comparons l'assortiment de Moulinex avec celui de la société ITT. En dépit de leur nombre considérable, tous les produits Moulinex présentent une cohérence globale en ce qu'ils «libèrent la femme». ITT au contraire, a commercialisé des pompes (LMT), des téléviseurs (Schaub-Lorenz), des services de location de voitures (Avis), autant de produits non reliés entre eux.

Les trois dimensions de l'assortiment trouvent leur raison d'être dans l'élaboration de la politique de produit : en augmentant la largeur de l'assortiment, l'entreprise espère tirer profit de sa réputation et de ses points forts sur ses marchés actuels. En accroissant la profondeur, elle espère attirer la clientèle d'acheteurs aux goûts et besoins très diversifiés. En renforçant la cohérence, elle espère acquérir une réputation sans égale dans un certain domaine de compétence.

## La gestion des gammes de produits

Un assortiment se compose de plusieurs gammes de produit.

❖ On appelle *gamme* un ensemble de produits liés entre eux du fait qu'ils fonctionnent de la même manière, s'adressent aux mêmes clients, ou sont vendus dans les mêmes types de points de vente ou zones de prix.

Le tableau 14.1 présente l'ensemble des gammes vendues (en 2002) par Fiat-Auto France. Toute gamme de produit est, en général, placée sous l'autorité d'un responsable. Chez Fiat par exemple, il existe des gestionnaires spécifiques pour chacune des lignes de produit.

TABLEAU 14.1
Les gammes
de produits
de Fiat-Auto
(en France)

| **Les 22 modèles vendus (en 2002) se répartissent ainsi :** |
| --- |
| Fiat : *Seicento, Panda, Punto, Stilo, Doblo, Multipla, Marea, Ulysse, Barchetta* |
| Lancia : *Y, Z, Lybra* |
| Alfa Roméo : *147, 156, 166, Spotwagon, GTV et Spider* |
| Véhicules commerciaux : *Strada, Doblo Cargo, Scudo et Ducato* |

## L'analyse de la gamme

Le responsable d'une gamme doit maîtriser deux aspects fondamentaux. Il doit d'abord bien connaître les ventes et bénéfices des différents articles de sa gamme ; ensuite il doit analyser ses produits en regard de chacun de leurs concurrents.

**LES VENTES ET LES BÉNÉFICES** ❖ Les différents articles d'une gamme ne contribuent pas de la même façon au chiffre d'affaires et au bénéfice de l'entreprise.

Les entreprises peuvent classer leurs produits en quatre catégories :

- ◆ Les produits de base, qui génèrent de fortes ventes et font l'objet d'une communication intensive, s'accompagnent de faibles marges car ils sont peu différenciés. Pour un fabricant de PC, il s'agit des ordinateurs de base vendus à bas prix.
- ◆ Les produits phares génèrent des ventes moins élevées. Comme ils ne font pas l'objet d'opérations publi-promotionnelles, ils s'accompagnent de marges plus élevées (les ordinateurs plus puissants, par exemple).
- ◆ Les produits de spécialité, moins vendus, font l'objet d'une forte communication et peuvent générer des revenus élevés liés à leur fort degré de différenciation (équipement vidéo digital) ou aux services qui accompagnent la vente (livraison, installation, formation à l'utilisation).
- ◆ Les produits périphériques font peu l'objet de communication. Les consommateurs ont tendance à les acheter là où ils ont acquis l'équipement d'origine, ce qui limite les comparaisons de prix et permet des marges élevées (écrans, imprimantes, cartes sons…)[6].

Chaque catégorie se caractérise par un potentiel différent en termes de vente et de rentabilité et relève d'actions marketing distinctes (prix, opérations publi-promotionnelles…).

Le responsable d'une gamme devrait toujours pouvoir tracer un graphique tel que celui présenté à la figure 14.3. Sur cette figure, il apparaît que le premier article représente la moitié des ventes et 30 % des bénéfices. À eux deux, les deux premiers produits représentent 80 % des ventes et 60 % des bénéfices, ce qui met la gamme dans une position vulnérable. Ces deux articles doivent faire l'objet d'une attention toute particulière. Le dernier article, en revanche, ne représente que 5 % des ventes et des bénéfices et l'on est en droit de se demander s'il doit être conservé.

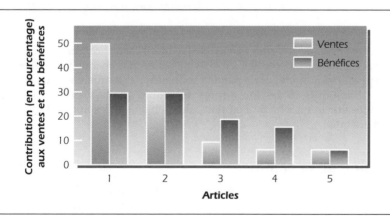

**FIGURE 14.3**
Exemple
de gamme indiquant
la contribution
de chaque produit
aux ventes
et aux bénéfices

**LE PROFIL DE GAMME** ❖ Le responsable de gamme doit également étudier le profil de sa gamme vis-à-vis de la concurrence. Considérons le cas d'un fabricant de papier-carton[7]. Les deux attributs les plus importants pour ce type de produit sont le poids (4 variétés différentes) et la qualité de finition (3 niveaux). Supposons que les profils des différents articles et de leurs concurrents soient ceux indiqués sur la figure 14.4. Il s'avère que le concurrent A offre deux produits très lourds de qualité variable ; la société B présente quatre articles assez différents ; la société C se limite aux articles de qualité et

CHAPITRE 14
Définir
la stratégie
de produit
et de marque

de poids proportionnel, tandis que le concurrent D n'offre que du papier-carton léger. Enfin, la société qui nous intéresse, la société X, commercialise trois articles de nature relativement diverse.

Un tel graphique est très utile pour l'analyse marketing car il identifie la concurrence pour chaque produit de la société. Ainsi, le produit $X_1$ a pour principal concurrent B. En revanche, $X_3$ n'a pas de réel concurrent. Le graphique révèle aussi des positionnements possibles pour de nouveaux produits. Ainsi, il n'y a pas de papier lourd de qualité inférieure. S'il existe une demande pour ce type de produit et s'il est techniquement réalisable à un niveau de prix acceptable, la société devrait s'y intéresser.

**FIGURE 14.4**
Mapping pour une gamme de papiers-carton

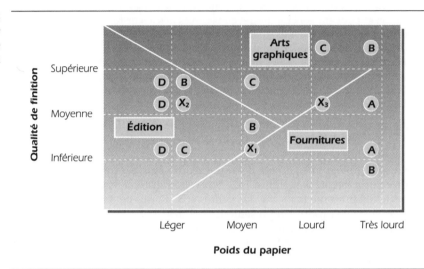

*Source :* Benson P. Shapiro, *Industrial Product Policy : Managing the Existing Product Line* (Cambridge, Mass. : Marketing Science Institute, sept. 1977), p. 101.

Un autre attrait de la figure 14.4 est de faciliter l'identification des différents segments de marché susceptibles d'être intéressés par chaque produit. Sur la figure apparaissent les types de papiers souhaités par les marchés de l'édition, des arts graphiques et des fournitures. Il semble que la société X soit bien positionnée sur le marché de l'édition, moins bien sur les autres, faute d'un produit adéquat.

## L'étendue de la gamme

L'une des décisions les plus importantes d'un responsable de produit concerne l'étendue de sa gamme, c'est-à-dire le nombre d'articles proposés. L'étendue correspond donc à la largeur de la gamme, multipliée par la profondeur. Une gamme trop courte traduit un manque à gagner, tandis qu'une gamme trop longue grève les coûts[8].

Quelle doit être l'étendue de la gamme ? Tout dépend des objectifs poursuivis. Un premier objectif est de favoriser la montée en gamme des clients : BMW encourage ses clients à passer de la série 3 aux séries 5 et 7. Un autre objectif consiste à favoriser la vente croisée en proposant des produits complémentaires (des couches-culottes et des lingettes pour bébé). Une gamme étendue permet également de se prémunir contre les variations de conjoncture économique et de goût des consommateurs. Ainsi, Renault peut profiter de l'engouement en faveur des monospaces sans être pénalisé par un retour en force des berlines traditionnelles. De façon générale, une entreprise qui souhaite acquérir une position de spécialiste assortie d'une part de marché élevée cherchera à avoir une gamme large. Une entreprise qui recherche avant tout la rentabilité pourra au contraire se concentrer sur les articles dégageant le profit le plus élevé.

Les gammes de produits ont tendance à s'étendre au fil des années : une capacité de production excédentaire favorise une gamme large. De même, les représentants poussent l'entreprise à développer de nouveaux produits afin de mieux satisfaire la clientèle. En même temps, à mesure que la gamme s'élargit, s'accroissent les coûts : de lancement ; de stockage ; de production ; de facturation ; de transport ; et de publicité. Finalement, la progression du nombre de produits se ralentit lorsque la capacité de production est atteinte, ou bien lorsque la rentabilité s'effrite à cause d'un trop faible nombre d'articles bénéficiaires. Il existe en réalité deux façons de faire progresser une gamme : l'étendre ; ou la consolider[9].

L'EXTENSION ❖ Toute gamme de produit couvre une certaine partie de l'ensemble proposé par le secteur d'activité. Ainsi, Rolex couvre le haut de gamme horloger, tandis que Swatch s'est spécialisé dans le bas et le milieu de gamme.

> ❖ *Étendre la gamme* consiste à attaquer une partie du marché que l'on ne couvrait pas jusque-là.

Trois stratégies d'extension sont possibles : vers le bas, vers le haut et dans les deux sens.

**L'extension vers le bas.** Nombreuses sont les sociétés qui commencent par attaquer le haut ou le milieu de gamme pour s'étendre ultérieurement vers le bas. En voici deux exemples :

■ MERCEDES. Pendant des années, Mercedes n'a produit que des voitures de haut de gamme. Avec l'apparition de la série C, puis surtout de la série A, la société s'est implantée sur le marché des petites voitures, ce qui lui a permis de concurrencer d'autres constructeurs tels que Renault ou Fiat.

■ FABERGÉ. Après avoir, dans un premier temps, développé une image de prestige construite sur la vente exclusive en parfumerie de la ligne Brut, la société Fabergé a décidé d'élargir considérablement sa gamme en commercialisant auprès des grandes surfaces des produits dérivés de l'ancienne gamme.

Souvent des entreprises ajoutent à leur gamme un modèle bon marché afin de bénéficier d'un effet d'image. Ainsi, Nouvelles Frontières proposait en 2002 un vol Paris-Papeete « à partir » de 721,96 euros et Leclerc, un PC à 599 euros. L'idée est d'attirer le client quitte à lui vendre ultérieurement un produit plus cher. Une telle approche doit être utilisée avec précaution. En particulier, le *produit d'appel* doit être réellement disponible, sauf à constituer, selon le droit de la consommation, une publicité mensongère.

Une stratégie d'extension vers le bas se justifie si :

♦ L'entreprise estime que le haut de gamme connaît une croissance ralentie.

♦ Elle voit sa position en haut de gamme compromise et doit contre-attaquer.

♦ Elle a investi dans une image qu'elle souhaite exploiter sur le marché de masse.

♦ Elle complète sa gamme vers le bas afin d'empêcher la concurrence d'entrer sur ce marché.

Naturellement, une telle stratégie comporte certains risques : 1) entraîner une cannibalisation des anciens produits, souvent générateurs de marges supérieures ; 2) provoquer une contre-attaque vers le haut des concurrents

CHAPITRE 14
Définir
la stratégie
de produit
et de marque

435

bien placés en bas de gamme ; 3) engendrer un mécontentement chez les distributeurs peu enclins à «démocratiser» leur activité ; 4) aboutir finalement à une dilution de l'image. C'est ce qui est arrivé à Fabergé et, dans une moindre mesure, à Pierre Cardin lorsque ce dernier accepta de commercialiser certains de ses produits chez Carrefour.

**L'extension vers le haut.** Une société bien placée en bas de gamme peut souhaiter rehausser sa ligne de produits pour : bénéficier d'un marché en plus forte croissance et/ou à marges plus élevées ; affaiblir des concurrents vulnérables ; ou repositionner son image. Ainsi, Renault a commercialisé l'Avantime pour élargir son offre de modèles haut de gamme, alors que la Safrane était remplacée par la Velsatis.

Là encore, les risques sont substantiels : les concurrents peuvent contre-attaquer en bas de gamme ; les consommateurs peuvent penser que la société n'a pas l'image suffisante pour fabriquer de la haute qualité (c'est ce qui est arrivé à Philips pour ses ordinateurs) ; ou bien l'entreprise peut ne pas disposer des compétences nécessaires (vendeurs et distributeurs) pour commercialiser des produits exclusifs.

**L'extension dans les deux sens.** Une société bien positionnée en milieu de gamme peut décider de s'accroître simultanément vers le haut et vers le bas. Ce fut la stratégie suivie par Texas Instruments pour les calculateurs de poche. Auparavant, le marché était dominé par deux marques : Bowmar (bas de gamme) et Hewlett-Packard (haut de gamme). Texas Instruments décida de lancer d'abord des calculateurs de milieu de gamme puis étendit sa ligne de produits aux deux extrémités. La société offrit de meilleurs calculateurs que Bowmar à prix égal et des produits bien moins chers que Hewlett-Packard à qualité égale. Une telle stratégie a été également utilisée par le groupe Accor (voir figure 14.5), ce qui lui a permis d'acquérir une position dominante sur le marché hôtelier.

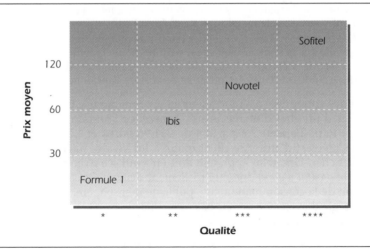

LA CONSOLIDATION ❖ Une gamme peut également s'accroître par adjonction de nouveaux articles entre les produits actuels. À l'origine d'une stratégie de consolidation, il y a souvent : 1) un désir d'accroître les bénéfices ; 2) une volonté de satisfaire les distributeurs qui s'inquiètent d'une gamme incomplète ; 3) la possibilité de produire à pleine capacité ; 4) le choix d'une position dominante sur le marché ; et 5) la tentative de garder la concurrence à distance.

## La Vosgienne : un exemple de « lifting » réussi

Lancé en 1927, le « Suc des Vosges » est une marque-produit qui avait bâti son succès grâce à sa boîte en métal, un peu rétro, son sucre cuit et son parfum à la fois étrange et inimitable. Marque au passé glorieux mais tombée en désuétude, le Suc des Vosges fut racheté par Kraft Jacobs Suchard qui s'employa à le redynamiser.

Dans un premier temps, il fut décidé de lancer de nouvelles variétés (Framboisette, Pinède, Jardin d'été) puis de renforcer la notoriété du produit, porteur des valeurs de la marque, ce qui paraissait indispensable pour faire évoluer favorablement les volumes. Une fois cet objectif atteint, la construction de la marque devint à partir de 1992 un objectif prioritaire.

La cible fut ainsi définie : les hommes et les femmes de plus de 15 ans, consommateurs de confiserie, qui désirent des produits sains, authentiques et qui sont à la recherche de plaisirs un peu rares, voir intenses ; la promesse : « sucer un bonbon "Suc des Vosges" de La Vosgienne, c'est connaître le plaisir un peu rare et empreint d'un certain bon goût, de savourer un bonbon de très grande qualité. » La campagne publicitaire télévisée fit appel à un porte-parole, Dominique Lavanant, incarnant le personnage d'une « bourgeoise un peu coincée qui raconte son expérience gourmande, sans avoir l'air de se rendre compte de ce qu'elle est en train de dire. » Le slogan était : « Je ne bois pas, je ne fume pas, mais qu'est-ce que je peux sucer comme "Suc des Vosges" », complété par « Suc des Vosges : déjà Maman était complètement zinzin de ces petits zigouigouis... »

Les résultats furent spectaculaires puisque la notoriété (assistée) du produit, stable à 50 % au début des années 1990, bondit à 69 % (1992) puis 73 % (1993). L'image progressa également ainsi que les intentions d'achat (plus 7 points en 1992). Enfin, les ventes annuelles s'accrurent de 14 % en 1992 et de 12 % en 1993 (22 % et 15 % en GMS) tandis que la part de marché augmentait de plus d'un quart (+ 27 % en 1992). La campagne reçut le prix Effie pour l'année 1994 dans la catégorie des produits alimentaires.

Un nouveau ton de communication fut adopté en 1999 autour du thème de la relaxation et de la nature : « Vous êtes un sapin, vous sentez la sève qui fait glouglou sous votre écorce. La Vosgienne : la forêt qui est en vous ». La marque fut rachetée par Cadbury Schweppes à Kraft Jacob Suchard en 2000 et réalise aujourd'hui plus de 60 % de ses ventes à l'étranger.

*Sources :* Bernard Dubois : « La Vosgienne : analyse », dans *La Communication efficace* (Paris : Dalloz, 1995), pp. 69-76 ; Jean Watin-Augouard, *Histoires de marques* (Éditions d'Organisation, 2001), p. 363.

Poussée trop loin, la stratégie de consolidation engendre cependant la confusion et la cannibalisation comme c'est le cas pour certains constructeurs automobiles qui présentent des modèles aux multiples options. Toute entreprise devrait s'efforcer de différencier chacun de ses produits dans l'esprit du consommateur tout en vérifiant que les clients perçoivent la différence entre les produits, qu'il existe dans chaque cas une demande et que l'on ne se contente pas de remplir un besoin purement interne.

## La modernisation, la différenciation et l'élagage

Parfois, l'étendue de la gamme est satisfaisante mais les articles ont vieilli et ont besoin d'être remis au goût du jour. De nombreux produits séculaires ont ainsi rajeuni leur look (pour un exemple, voir l'encadré 14.2).

Lorsqu'elle décide de **moderniser sa gamme**, une entreprise a le choix entre deux options : tester le nouveau style sur quelques modèles avant de

CHAPITRE 14
Définir
la stratégie
de produit
et de marque

437

l'étendre, ou bien modifier l'ensemble immédiatement. L'approche graduelle permet de réduire les risques mais révèle en même temps les intentions de l'entreprise et donne à la concurrence le temps de réagir.

En général, le responsable d'une gamme choisit un ou deux articles qui lui servent de «locomotive» pour **se différencier**. Parfois, le gestionnaire fait porter sa promotion sur le produit de bas de gamme afin d'attirer la masse. Ainsi, Air France propose sur la plupart de ses lignes des tarifs «Le Kiosque» qui font l'objet d'une large publicité. De nombreux distributeurs adoptent la pratique des «prix d'appel» sur des marques très connues. La pratique inverse existe aussi. En France, Patou s'efforce toujours d'avoir «le parfum le plus cher du monde» (Joy) afin de véhiculer une image de qualité pour l'ensemble de ses produits.

Souvent, une entreprise découvre qu'une partie de sa gamme se vend mieux qu'une autre. Elle peut alors concentrer son effort commercial sur les articles qui ont les moins bons résultats. Une telle stratégie s'avère cependant coûteuse si les faibles ventes sont dues à une absence de demande.

Les responsables de produit doivent enfin être prêts à **élaguer leur gamme**. Ainsi, les cosmétiques Vittel sont passés de 12 à 6 références en gardant celles qui se vendaient le plus. On élague la gamme lorsque certains produits, devenus des poids morts, consomment inutilement les ressources de l'entreprise. Ainsi, un fabricant de jus de fruits en boîtes a récemment découvert que certains jus (pêche, par exemple) avaient une rentabilité négative. Un élagage se justifie également lorsque l'entreprise est confrontée à une forte demande et ne possède pas la capacité de production nécessaire pour produire toute la gamme. Il faut alors examiner les marges bénéficiaires et donner la priorité aux articles qui dégagent le plus de bénéfice. La longueur d'une gamme peut ainsi varier en fonction de l'intensité de la demande.

## La gestion des marques

La marque est un élément clé de la stratégie d'une entreprise. Une marque contribue en effet à augmenter la valeur de l'offre et doit donc être gérée avec soin.

Cette prise de conscience de la valeur des marques par les responsables d'entreprises date du début des années 1980 sous l'effet conjugué de plusieurs phénomènes[10] : l'arrivée à maturité de nombreux marchés de grande consommation, qui a provoqué une intensification de la concurrence ; le nombre très élevé de marques encombrant les linéaires et l'esprit des consommateurs ; l'augmentation des coûts de publicité et donc des dépenses nécessaires pour construire la notoriété et l'image des marques. En réaction, les entreprises ont été amenées à investir fortement dans leurs marques quitte à en limiter le nombre. Cette volonté s'est traduite par de nombreuses fusions-acquisitions dans l'objectif d'acquérir des marques leaders. Ainsi, Pernod-Ricard a acheté les marques Chivas, Martell et Glen Grant, tandis que Unilever a acquis Slim Fast, Tetley, Amora et Maille. En parallèle, certaines entreprises (Danone, Nestlé, Philip Morris par exemple) se sont séparées de nombreuses marques afin de concentrer leurs budgets marketing sur celles qui leur paraissaient avoir le plus fort potentiel. Ainsi, Unilever a annoncé sa décision de se concentrer sur 600 marques fortes et mondiales.

Une marque forte présente en effet de nombreux intérêts : elle permet de fidéliser les consommateurs ; elle résiste mieux que les produits anonymes aux actions de la concurrence ; elle représente un outil privilégié pour conquérir de nouveaux marchés ; enfin, elle constitue un bon argument pour négocier le référencement des produits avec les distributeurs. En même temps, une marque est un capital fragile dont l'image peut être durablement affectée par des incohérences de gestion, des rumeurs ou une crise sur les produits.

## Qu'est-ce qu'une marque?

Avant d'examiner les différents problèmes liés à la marque, une définition s'impose :

❖ Une *marque* est «un nom, un terme, un signe, un symbole, un dessin ou toute combinaison de ces éléments servant à identifier les biens ou services d'un vendeur ou d'un groupe de vendeurs et à les différencier des concurrents»[11].

Au-delà de sa fonction d'identification et de différenciation, une marque est une promesse faite par le vendeur à l'acheteur. On peut, en fait, articuler le concept de la marque autour de six pôles :

1. *Un ensemble d'attributs.* Une marque évoque des caractéristiques qui lui sont attachées. Mercedes, c'est solide, cher, durable, etc. Pendant des années le slogan de l'entreprise a été : «Conçue comme aucune autre voiture au monde.»
2. *Un ensemble d'avantages ou bénéfices clients.* Au-delà des attributs, une marque communique les avantages, fonctionnels ou émotionnels qui lui sont associés. Ainsi, la durabilité signifie : «Je n'aurai pas besoin d'acheter une autre voiture avant des années»; la solidité : «Je suis en sécurité en cas d'accident».
3. *Un ensemble de valeurs.* La marque exprime également la culture de l'entreprise qui en est à l'origine. Mercedes, c'est aussi la performance, le prestige, la tradition.
4. *Une culture.* La marque traduit en même temps une affiliation culturelle. Mercedes est germanique tout comme Fiat est italienne et Renault française.
5. *Une personnalité.* La marque projette également une certaine personnalité. Que serait-elle si elle était une personne? un animal? un objet? Mercedes serait peut-être un patron, un lion ou un palais austère et prestigieux.
6. *Un profil d'utilisateur.* Enfin, la marque évoque un profil d'utilisateur. Une Mercedes ne convient guère à une secrétaire de vingt ans. On imagine plutôt un cadre supérieur ayant dépassé la cinquantaine.

Une marque a donc un contenu symbolique complexe qui va bien au-delà de son nom. Gérer une marque implique d'analyser et de faire évoluer ces significations symboliques en suscitant certaines perceptions et certains sentiments chez les consommateurs (voir encadré 14.3). Les valeurs, la culture, la personnalité de la marque et le profil de ses utilisateurs déterminent ces associations symboliques et émotionnelles dans l'esprit des clients. Elles expliquent qu'un consommateur puisse souhaiter posséder une marque pour elle-même, indépendamment ou presque des qualités techniques de ses produits (comme par exemple des chaussures Nike portées par des adolescents qui ne pratiquent aucun sport). Les significations symboliques permettent également d'utiliser la marque pour de nouvelles catégories de produits très éloignées de celles qu'elle a l'habitude de couvrir mais cohérentes avec sa personnalité ou son profil d'utilisateur.

Le gestionnaire de la marque doit décider des dimensions qu'il souhaite utiliser pour construire l'identité. C'est certainement une erreur de se limiter aux attributs, qui sont facilement imitables par la concurrence et risquent de se dévaluer avec le temps.

Une identité fondée sur les avantages semble plus pertinente, comme celle de Volvo (la sécurité), d'Harley-Davidson (l'aventure) ou de Nike (la performance). De tels positionnements sont efficaces s'ils inspirent la conception des produits et l'ensemble des décisions prises et si le marché pense que la marque est la mieux placée pour proposer cet avantage. Ainsi, lorsque certains clients ont demandé à Volvo de proposer des voitures décapotables, la

CHAPITRE 14
Définir
la stratégie
de produit
et de marque

439

marque y a renoncé car «les décapotables ne sont pas suffisamment sûres». Cependant, une identité de marque s'appuyant sur un seul avantage est risquée, dans la mesure où un concurrent peut le surpasser et où le marché peut progressivement privilégier d'autres avantages.

Les plus fortes marques s'appuient sur une identité émotionnelle fondée sur des bénéfices symboliques et des valeurs, et non sur des dimensions purement rationnelles, telles les marques Laguiole, symbole d'amitié comme l'indique le texte apposé sur les sachets d'emballage, ou Versace, univers de contrastes où le créateur fait figure de gourou[13]. Mercedes signifie la réussite, la haute technologie, la performance, et tout ce qui pourrait compromettre ces associations est néfaste pour la marque. Certains pensent d'ailleurs qu'elle prend un risque en commercialisant des modèles plus petits et meilleur marché comme la classe A. La marque Mercedes n'apparaît d'ailleurs pas sur la Smart, fabriquée par le groupe.

## Construire et gérer l'identité de marque

Une marque correspond à un nom (Nike par exemple), un logo (l'aile ou le «swoosh»), des couleurs (variables pour Nike), une signature (longtemps «Just Do It» et maintenant «I can»), parfois un symbole (comme le clown McDonald's). Cependant, au-delà de ces éléments, la construction de la marque exige de lui attribuer une mission et de définir ce que la marque doit être et faire. Le responsable marketing doit considérer qu'il s'engage vis-à-vis

---

**14.3**

### Analyser les associations mentales d'une marque

Parmi les méthodes permettant d'analyser la perception de la marque par les consommateurs, on peut citer :

♦ Les associations de mots : on demande au consommateur de citer tous les mots qui lui viennent à l'esprit lorsqu'on mentionne le nom de la marque. Dans le cas d'Andros, par exemple, les consommateurs évoquent les fruits, la confiture, la compote, l'enfant, le plaisir, les vitamines, le côté pratique[12].

♦ La personnification de la marque : on demande de décrire quel type de personne la marque évoque. Pour Oasis, les consommateurs mentionneront sûrement quelqu'un de bon vivant, d'optimiste, d'épanoui. La personne évoquée indique les qualités plus humaines de la marque.

♦ L'analyse de l'essence de la marque. L'essence de la marque correspond aux objectifs profonds et abstraits que les consommateurs cherchent à atteindre à travers la marque. Demandez à quelqu'un pourquoi il veut acheter un téléphone mobile Nokia. «Leurs mobiles ont l'air bien faits» (attribut). «Pourquoi est-il important qu'un mobile soit bien fait?» «Parce que les appareils seront solides» (avantage fonctionnel). «Pourquoi la solidité est-elle importante?» «Pour que ma famille et mes collègues puissent me joindre sans problème» (avantage émotionnel). «Pourquoi devez-vous être joignable à tout moment?» «Pour être au courant si on a besoin de moi» (essence de la marque). La marque permet aux clients de se sentir disponibles et prêts à rendre service. Ces questions de type «pourquoi» aident à comprendre la motivation profonde des individus et suggèrent des campagnes de communication possibles : Nokia peut communiquer sur l'essence de la marque ou descendre à des niveaux plus concrets, comme l'avantage émotionnel, l'avantage fonctionnel ou l'attribut.

des clients sur ce qu'offre la marque. L'engagement doit être honnête : Formule 1, par exemple, offre un couchage propre et bon marché pour trois personnes, mais non un service personnalisé ou un ameublement recherché.

On croit souvent que prix et publicité constituent les deux leviers d'action privilégiés pour construire et gérer les marques. C'est vrai seulement dans une certaine mesure. Les clients ont de nombreuses occasions d'entrer en contact avec la marque : bouche-à-oreille, rencontre avec le personnel de l'entreprise et ses distributeurs, articles de presse, salons professionnels, Internet, etc. Les entreprises doivent donc maintenir un équilibre entre les différents modes de communication (publicité, promotions, relations publiques, marketing direct, organisation d'événements et communication interne). Les quatre derniers leviers se développent de plus en plus. Certaines entreprises aux budgets limités privilégient les relations presse, les communautés d'acheteurs, les actions écologiques ou le placement de leurs produits dans des films, pour faire connaître leurs marques.

En outre, la communication ne suffit pas. Au mieux, elle stimule la notoriété de la marque, construit son image, parfois même elle génère des préférences, mais elle ne permet pas à elle seule de construire l'attachement à la marque, et ce quel que soit le budget investi. L'attachement à la marque se développe lorsque les clients vivent une expérience de consommation conforme aux promesses de l'entreprise.

Ce n'est donc pas la communication seule qui permet de construire les marques, mais bien l'expérience de la marque elle-même. Cela suppose que le personnel de l'entreprise comprenne et respecte les promesses de la marque, de manière à éviter toute distorsion entre le discours publicitaire et la nature des contacts réels des clients avec le personnel chargé de la prestation ou de la commercialisation. Trop d'entreprises négligent la dimension interne de construction de la marque[14]. À l'inverse, quelques entreprises mettent en place des formations internes à l'identité de la marque et adoptent une organisation conforme à leur approche du marché. Chez Hewlett Packard, par exemple, un cadre dirigeant est en charge de l'expérience client au sein de chaque division. Sous l'autorité directe du président de la division, il analyse, mesure et améliore la manière dont les clients utilisent les produits de la marque.

Cette dimension interne est encore plus importante dans les activités de service pour lesquelles les échanges des clients avec le personnel en contact constituent un élément-clé de l'offre. De manière plus générale, les méthodes de construction de la marque varient selon les secteurs d'activité et l'on ne peut pas appliquer dans toutes les entreprises les méthodes qui sont nées dans la grande consommation (voir encadré 14.4).

La multiplicité des dimensions impliquées conduit à s'interroger sur la fonction de chef de produit (également appelé chef de marque) comme garant du devenir de la marque. Les chefs de produits n'ont souvent pas une vision globale de l'entreprise. Leur pouvoir est limité. Ils sont évalués sur leurs résultats à court terme, alors que la gestion des marques exige une vision à long terme et un travail d'équipe. Certaines sociétés comme Canada Dry et Colgate-Palmolive ont nommé des responsables du capital-marque chargés de protéger l'image des marques, de surveiller les opérations de court terme qui pourraient la remettre en cause, et de gérer les crises liées à des événements imprévus.

# Le capital-marque

Toutes les marques n'ont pas la même force. Certaines sont peu *connues*, d'autres connues mais mal *acceptées* alors que d'autres sont *préférées* : elles sont choisies avant toute autre et parfois payées plus cher (« prix premium »).

CHAPITRE 14
Définir
la stratégie
de produit
et de marque

441

# Construire une marque hors de la grande consommation

La théorie de la marque a été fortement inspirée des méthodes appliquées aux biens de grande consommation : différencier le produit à partir d'attributs fonctionnels ou d'associations symboliques ; investir massivement en publicité en espérant stimuler la notoriété, l'essai, l'adoption et la fidélité à la marque.

Heidi et Don Schultz suggèrent que ce modèle de construction de la marque est de moins en moins pertinent, en particulier pour les entreprises high-tech, les sociétés financières et de services, les marques s'adressant à une clientèle d'entreprises et même pour les PME de grande consommation. Pour eux, la multiplication des médias et des moyens de délivrer un message a limité l'impact des mass médias. Ils proposent d'autres méthodes pour construire des marques puissantes :

♦ définir les valeurs de l'entreprise et construire la marque corporate, correspondant au nom de l'entreprise ; des firmes comme Sony, Hewlett Packard et American Express ont des marques corporate fortes qui transmettent à leurs produits et services une image de qualité et de valeur ;

♦ confier uniquement les choix tactiques aux chefs de marque, alors que la stratégie de marque est définie aux plus hauts niveaux hiérarchiques, puis acceptée et mise en œuvre par l'ensemble du personnel ;

♦ élaborer un plan complet de construction de la marque afin de faire en sorte que le client vive une expérience positive à chaque moment de contact (événements, téléphone, e-mail, contact en face-à-face) ;

♦ définir l'essence de la marque à fournir, quel que soit le lieu d'achat : la mise en œuvre locale peut varier tant que les clients perçoivent les éléments-clés auxquels elle est associée ;

♦ utiliser l'identité de marque comme vecteur de la stratégie de l'entreprise, des services offerts et du développement de nouveaux produits ;

♦ mesurer l'efficacité de la construction de la marque, non pas en recourant aux méthodes classiques de mesure de l'efficacité publicitaire (notoriété, reconnaissance et attribution), mais en mettant en place des indicateurs plus complets, tels que la valeur perçue par le client, la satisfaction, la part dans le panier d'achat, le réachat et le bouche-à-oreille diffusé.

*Source* : Heidi et Don Schultz, « Why the Sock Puppet got Sacked », *Marketing Management*, juillet-août 2001, pp. 34-39.

---

Enfin, certaines engendrent un comportement de *fidélité* dans le temps[15]. Un bon test de la fidélité à une marque est de savoir ce qu'un client fera s'il ne la trouve pas en magasin : changera-t-il de produit ou bien se dirigera-t-il vers un autre point de vente ? Un autre test consiste à observer si le client reste fidèle lorsqu'une marque concurrente réalise une promotion.

Peu de marques peuvent se prévaloir d'une telle fidélité de la part des consommateurs. Aaker et Lendrevie distinguent cinq types d'attitudes à l'égard de la marque[16] :

1. Le client change de marque, souvent motivé par le prix. Il n'y a pas de fidélité.
2. Le client est satisfait et ne voit pas de raison de changer de marque. Cette fidélité passive correspond à de l'inertie et peut être remise en cause par l'arrivée d'une marque plus performante.
3. Le client est satisfait et supporterait des coûts s'il changeait de marque.
4. Le client valorise la marque qu'il voit comme une amie.
5. Le client est très attaché à la marque.

Le capital d'une marque dépend du nombre de clients appartenant aux trois dernières catégories. Il est également lié à sa notoriété, sa qualité perçue et ses associations mentales. Il se traduit par une préférence marquée pour le produit par rapport à un autre article équivalent et par l'acceptation d'un différentiel de prix.

❖ Le *capital-marque* est « l'ensemble des associations et des comportements des consommateurs de la marque, des circuits de distribution et de l'entreprise, qui permettent aux produits marqués de réaliser des volumes et des marges plus importants qu'ils ne le feraient sans le nom de marque et qui lui donnent un avantage fort et distinctif par rapport à ses concurrents[17] ».

LA MESURE DU CAPITAL-MARQUE ❖ On peut mesurer la valeur du capital-marque selon deux approches distinctes[18].

♦ *L'approche individuelle* : d'inspiration marketing, elle s'intéresse à l'effet de la marque sur les consommateurs. On mesure le capital-marque à travers leurs perceptions. La présence de la marque peut conduire les clients à mieux évaluer les caractéristiques intrinsèques du produit (la voiture est jugée plus puissante, plus rapide) et à lui associer une valeur symbolique liée à l'identité de la marque et non au produit lui-même (cette voiture apparaît comme un signe de réussite sociale). La valeur de la marque est d'autant plus forte que (1) un nombre important de consommateurs la connaissent et s'en souviennent au moment du choix (attention à la marque) et que (2) ces consommateurs ont stocké en mémoire des associations fortes, nombreuses, distinctives et positives, liées à la marque. Par exemple, sur le marché des cosmétiques vendus en grandes surfaces, une dimension forte, spécifique et positive associée à la marque L'Oréal Paris est l'innovation, qui explique que de nombreuses consommatrices choisissent cette marque lors de leurs achats. On peut mesurer le capital-marque en comparant les préférences déclarées des clients et leurs choix réels avec les préférences pour le produit obtenues en test aveugle (sans connaître le nom de la marque). Ainsi, les études réalisées aux États-Unis révèlent que 60 % des consommateurs préfèrent le goût de Pepsi à celui de Coca-Cola en test aveugle, alors que les parts de marché indiquent les chiffres inverses lorsque les marques sont connues.

♦ *L'approche agrégée* s'intéresse à la valeur de la marque pour l'entreprise et considère qu'il s'agit d'un actif financier. On peut utiliser des méthodes comptables d'évaluation (fondées sur les coûts de construction de la marque) ou des méthodes financières (fondées sur la valeur boursière des firmes ou la valeur actuelle nette des flux financiers engendrés par la marque). On peut également recourir aux jugements des dirigeants ou d'experts.

Selon Interbrand, les dix marques mondiales ayant la plus forte valeur sont (dans l'ordre) : Coca-Cola (69 milliards de dollars), Microsoft (64), IBM (51), General Electric (41), Intel (31), Nokia (30), Disney (29), McDonald's (26), Marlboro (24) et Mercedes (21)[19]. Pour ces entreprises, la valeur estimée de la marque représente souvent plus de la moitié de la valeur boursière totale.

LA GESTION DU CAPITAL-MARQUE ❖ Un capital-marque élevé procure un grand nombre d'avantages : l'entreprise est en position de force face à la distribution, peut pratiquer un prix plus élevé, et procéder plus facilement à des lancements de nouveaux produits. En même temps, le capital-marque doit être entretenu à l'aide d'investissements continus en recherche-développement, en communication, en service aux consommateurs et aux distributeurs, de façon à maintenir et améliorer la notoriété, l'image et la qualité perçue.

Certaines sociétés considèrent qu'une marque bien gérée a une vie illimitée comme en témoigne la pérennité de noms comme Gillette, Campbell's, Goo-

CHAPITRE 14
Définir
la stratégie
de produit
et de marque

443

dyear, Colgate ou Coca-Cola, déjà leaders de leurs marchés respectifs il y a plus de 80 ans. Des sociétés comme Procter & Gamble, IBM, Sony ou Merril Lynch ont, au fil des années, su construire des marques particulièrement puissantes qui contrôlent leurs marchés.

Certains analystes pensent que la marque représente le capital suprême de l'entreprise[20]. En fait, il ne faut pas oublier que la marque ne vaut que ce qu'elle représente aux yeux des clients dont la fidélité de comportement représente le véritable enjeu. À terme, c'est donc le capital-client qu'il faut privilégier, la marque n'étant qu'un moyen privilégié de le développer[21].

## Les décisions relatives à la marque

Les décisions relatives à la marque sont nombreuses et complexes[22]. Les principales d'entre elles sont présentées à la figure 14.6 et commentées dans les sections qui suivent.

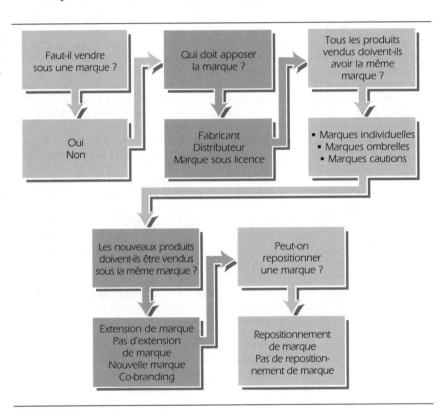

PRODUITS AVEC OU SANS MARQUE ❖ Faut-il ou non apposer une marque sur les produits de l'entreprise? Pendant de nombreuses années, les produits banalisés, tels que le sucre, le vin, le jambon, les vêtements, ont été vendus sans marque : le producteur expédiait sa marchandise au distributeur, qui la revendait directement sans qu'elle porte ni sa marque ni celle du fabricant. Seuls les produits artistiques tels que pièces de théâtre, peintures ou sculptures étaient signés de leurs auteurs.

C'est à partir de la fin du siècle dernier qu'une évolution commença à se faire jour sous l'effet du développement des grandes entreprises et des médias publicitaires. Le succès des marques a été tel qu'aujourd'hui, en France, il y a peu de produits qui en soient dépourvus. Le sel est emballé dans des paquets spécifiques aux fabricants, les oranges sont marquées, les boulons et les écrous les plus ordinaires sont vendus dans des sachets en plastique portant le nom du distributeur, et même les pièces détachées d'automobile, les bougies, les pneus, les filtres portent des noms de marque visibles et différents de ceux de la voiture. Au fil des années, certaines marques de composants (comme Intel) arrivent même à rejoindre, en notoriété, les marques des produits finis (IBM, Compaq, etc.).

Dans certains secteurs, notamment la distribution, on a essayé de relancer des produits dits « sans marque » destinés à offrir au consommateur une alternative bon marché aux articles les plus connus. Carrefour a lancé en 1976 une cinquantaine de produits « libres », vendus à un prix inférieur de 15 à 30 % aux produits vendus sous marque. La plupart des grands distributeurs lui ont emboîté le pas (produits oranges d'Euromarché, produits blancs de Continent, etc.) mais au fil des années, la stratégie a évolué vers la création de marques de distributeurs ou d'enseignes (H&M, Zara, Gap...).

On distingue aujourd'hui les marques de distributeur (MDD) qui proposent souvent une qualité comparable aux grandes marques pour un prix inférieur de 15 à 20 %, et les produits dits de « premier prix », nettement moins chers. Si les marques de distributeur progressent depuis de nombreuses années, atteignant plus de 23 % des ventes de grande consommation en 1999, les « premiers prix » semblent aujourd'hui moins attirer les consommateurs avec 4,8 % des ventes en 1999 contre 7,4 % deux ans plus tôt[23].

Pourquoi un fabricant (ou un distributeur) souhaite-t-il appliquer une marque sur son produit, alors que, de toute évidence, cela implique une dépense supplémentaire de conditionnement, de publicité et de protection légale, et un risque, au cas où le produit ne serait pas accepté par l'utilisateur ? Cinq raisons sont souvent avancées pour justifier l'emploi d'une marque :

1. Une marque facilite l'identification du produit et simplifie la manutention et le repérage.
2. Une marque déposée protège les caractéristiques du produit contre d'éventuelles imitations.
3. Une marque véhicule l'idée d'un certain niveau de qualité attaché au produit et permet de fidéliser la clientèle (certains labels jouent le même rôle ; voir encadré 14.5).
4. Une marque permet de cibler l'offre sur des segments spécifiques du marché.
5. Un nom de marque offre enfin la possibilité d'associer au produit une histoire et une personnalité, capables de justifier une différence de prix.

Parfois, c'est le distributeur ou l'acheteur qui souhaite que le fabricant appose une marque sur son produit. Le distributeur estime qu'une marque facilite la manutention du produit et que l'identification du fournisseur maintient une certaine qualité de production et accroît le niveau de préférence du consommateur. L'acheteur final, quant à lui, veut identifier facilement le produit qu'il désire[24]. Comment pourrait-il le faire sans marques dans un hypermarché aux 50 000 références ?

**MARQUE DE FABRICANT OU MARQUE DE DISTRIBUTEUR** ❖ Lorsqu'il décide d'apposer une marque sur ses produits, le fabricant a plusieurs options : il peut utiliser son propre nom (marque de fabricant) ou laisser le distributeur apposer sa propre marque (marque de distributeur). Il peut aussi adopter une politique intermédiaire consistant à accorder des licences à des sous-traitants.

Historiquement, ce sont les marques de fabricant qui ont dominé le marché. Il suffit, pour s'en convaincre, de penser à des noms aussi connus que Danone, Nestlé, Ariel ou Peugeot. Puis, des détaillants importants ont développé leurs

CHAPITRE 14
Définir
la stratégie
de produit
et de marque

445

## Une marque collective : le label

L'affaire de la vache folle a indubitablement sensibilisé les Français à la mise à disposition d'informations objectives sur la qualité des produits alimentaires et leur origine. Certaines entreprises ont réagi en développant de nouvelles marques (comme Valtero de Socopa) et en lançant des innovations (barquettes individuelles sécables). D'autres se sont positionnées autour des valeurs d'authenticité, de tradition et de naturel et l'on a vu fleurir dans les hypermarchés une pléthore de produits du terroir ou artisanaux, arborant médailles de qualité et références régionales diverses, parfois à l'origine d'une certaine confusion chez les consommateurs.

Il n'existe en France que quatre signes officiels de la qualité, délivrés par les pouvoirs publics :

♦ L'*AOC* (appellation d'origine contrôlée) est délivrée par l'Institut National des Appellations d'Origine (INAO) depuis 1935. L'AOC identifie un produit typique de par son origine. Elle a conquis ses lettres de noblesse dans le vin avant de s'appliquer aux fromages puis à tous les produits (par exemple le taureau de Camargue ou le miel corse). Les syndicats professionnels se chargent des tests de consommation, réalisés par prélèvements à l'aveugle, et l'INAO effectue des contrôles sur les conditions de production.

♦ Le *Label Rouge* a été mis en place par le ministère de l'Agriculture. Il distingue dans une catégorie de produits donnée les références de meilleure qualité, obéissant à un cahier des charges précis. Par exemple, pour être Label Rouge, le saumon fumé doit ne jamais avoir été congelé, être fumé à la sciure de bois, être prétranché manuellement, etc. En général, les produits Label Rouge sont vendus de 15 à 30 % plus cher que la moyenne des autres produits.

♦ Le *logo AB* identifie quant à lui les produits issus de l'agriculture biologique, c'est-à-dire une agriculture excluant l'utilisation de produits chimiques de synthèse et respectant le bien-être animal. Un aliment « bio » doit comprendre plus de 95 % de matières premières agricoles. Là encore, un différentiel de prix se constate dans les points de vente.

♦ Le *certificat de conformité* enfin, apparu en 1990, certifie l'existence de caractéristiques précises portant sur l'origine, la fabrication ou le conditionnement du produit. Auchan, Leclerc ou Carrefour l'utilisent pour certaines filières comme la filière viande.

Au niveau européen, trois systèmes coexistent : l'appellation d'origine protégée (AOP) qui est l'équivalent de l'AOC française ; l'indication géographique protégée (IGP), qui concerne des méthodes locales spécifiques (exemple : jambon d'Ardenne) ; et l'attestation de spécificité (STG) qui met en valeur la composition traditionnelle d'un produit (comme par exemple la mozzarella).

*Sources* : « Les efforts marketing paient », *Point de vente*, 4 mars 2002, pp. 54-62 ; « Labels, terroir AOC... le grand capharnaüm », *Les Echos*, 16 avril 1998, pp. I-58-59.

propres marques. Les marques de distributeurs sont ainsi devenues un élément-clé de la concurrence. Quel avantage les détaillants y trouvent-ils sachant qu'il leur faut rechercher des approvisionnements réguliers, maintenir la qualité, gérer des stocks et investir en promotion (les grands distributeurs français, Carrefour, Intermarché, Leclerc et Auchan, ont pris place parmi les 20 premiers annonceurs nationaux) ?

D'abord, le distributeur réalise souvent une marge plus élevée avec ses produits qu'avec les grandes marques de fabricant. Il achète ses produits à des prix inférieurs et ne supporte pas les mêmes dépenses en publicité, promotion, recherche et développement. Même s'il répercute une partie de ces économies auprès du consommateur, il peut garder une marge bénéficiaire confortable. Ensuite, les marques de distributeurs permettent à l'enseigne de se différencier de ses concurrents. Enfin, le fait de disposer de sa marque donne également au distributeur un plus grand contrôle sur ses prix et une certaine emprise sur le producteur, qu'il peut menacer d'abandonner.

Les fabricants qui choisissent de commercialiser leurs produits sans marque prennent ainsi un risque considérable comme l'a appris à ses dépens la société Celatose qui, après avoir produit plus d'un milliard et demi de couches pour bébés chaque année, tomba en faillite faute de pouvoir soutenir la concurrence avec les géants du secteur.

On a parfois désigné sous le nom de « guerre des marques » la concurrence que se font fabricants et distributeurs. Dans cet affrontement, le distributeur dispose de nombreux atouts. Le linéaire est limité, et de nombreux producteurs, surtout s'ils sont nouveaux ou petits, ne peuvent distribuer leurs produits. Les distributeurs s'attachent également à maintenir la qualité des produits vendus sous leur marque (voir encadré 14.6), suscitant ainsi la confiance du consommateur, tout en adoptant un prix inférieur aux marques de fabricant. Les distributeurs accordent enfin une meilleure présentation à leurs marques sur le lieu de vente et s'assurent d'avoir des stocks en quantité suffisante. Pour toutes ces raisons, certains spécialistes du marketing prédisent que les marques de distributeurs (MDD) finiront, dans certaines catégories de produit, par remplacer les marques de fabricant[25].

La société Nielsen, qui suit de près l'évolution des marques de distributeurs a noté une progression continue (de 14,4 à 23,4 %) des ventes en valeur des marques de distributeurs sur la période 1990-1997, sur les produits de grande consommation, atteignant jusqu'à 32 % des ventes chez Intermarché en 2002.

Les fabricants vendant sous leur propre marque commencent à se trouver dans une situation embarrassante. Ils découvrent des consommateurs plus attachés à un rapport qualité-prix qu'à un nom. Leur première réaction est de dépenser davantage en publicité et en promotion, de façon à maintenir une forte préférence pour la marque. Mais leurs prix doivent alors être relevés afin de couvrir ces dépenses. En même temps, les distributeurs exercent une forte pression sur eux afin qu'ils dépensent davantage en promotion réseau ; ils en font même une condition d'octroi de linéaire. Si les producteurs acceptent ces

---

| 14.6 |

### Marques de distributeurs : la fin du *me-too* ?

Aujourd'hui, la plupart des distributeurs (mais à des degrés divers) évoluent vers un positionnement de leurs produits à marques propres de plus en plus qualitatif. Leur nouvelle philosophie, c'est au moins la qualité du produit leader sur le marché, avec des plus dans le choix des ingrédients : plus de vitamines, plus de lait, plus de cacao, plus de fer, etc. En outre les marques de distributeurs sont de plus en plus innovantes, tels Intermarché, Leaderprice, et ED

qui ont mis sur le marché les premières lessives liquides en doses (avant les grandes marques du secteur) ou Casino qui, le premier, a inclus du bitrex dans ses produits d'entretien afin de leur donner un goût désagréable et obliger les enfants qui en auraient absorbé à le recracher. Aujourd'hui, 120 personnes (vétérinaires, biologistes, ingénieurs qualité, responsables marketing, designers) développent les produits chez Auchan, 40 chez Cora, plus d'une centaine chez Carrefour.

*Sources :* « MDD : combattre les idées reçues », *LSA*, 16 mai 2002, pp. 48-53 ; « Marques de distributeurs : la fin du *me-too* ? », *LSA*, 25 mai 1995, pp. 32-35.

CHAPITRE 14
Définir
la stratégie
de produit
et de marque

447

conditions, il leur reste moins d'argent à dépenser en promotion consommateur, et leurs ventes s'effritent. C'est ce que l'on appelle le «cercle vicieux des marques».

Les fabricants peuvent réagir en investissant dans la recherche et dans l'innovation produit[26]. Certaines grandes entreprises tentent en outre de sortir d'une logique d'affrontement avec les distributeurs en développant une réflexion conjointe sur les comportements des consommateurs et sur l'aménagement des rayons (ce que l'on appelle le *category management*). Quelques-unes choisissent de commercialiser une partie de leur production sous marque de distributeur, afin d'être moins affectées par la hausse des MDD, d'accroître les volumes fabriqués et de réaliser des économies d'échelle. Elles restent cependant peu nombreuses à avoir fait ce choix puisque 63 % des fournisseurs de marques de distributeurs sont des PME[27].

UNE OU PLUSIEURS MARQUES ❖ Les fabricants ou distributeurs qui choisissent de vendre leur production sous leur propre marque doivent décider s'ils veulent utiliser un ou plusieurs noms. On peut, en réalité, distinguer au moins quatre stratégies :

1. *Des noms de marque individuels.* Cette politique est choisie par certaines sociétés, telles que Procter & Gamble (Ariel, Pampers, Lénor, Bonux, Mr. Propre) et Lever (Gibbs, Signal, Pepsodent, Omo, etc.). Un avantage essentiel de cette approche est que la société ne lie pas sa réputation au destin du produit. S'il échoue, la réputation de l'entreprise n'en souffre pas. Un fabricant de montres haut de gamme ou de produits alimentaires réputés peut ainsi lancer des produits de moindre qualité sans grand risque. Un autre avantage est de choisir le nom optimal pour chaque nouveau produit.

2. *Un seul nom générique couvrant tous les produits.* Peugeot, Moulinex, Hermès ou Canon préfèrent cette approche. Lorsque les produits appartiennent à des catégories différentes, on parle de *marque ombrelle*. Cette politique réduit les coûts de lancement car il n'est pas nécessaire de procéder à une recherche de nom ni de dépenser beaucoup en publicité. De plus, les ventes sont élevées si la réputation de l'entreprise est bonne. Ainsi, la société Géant Vert, leader du maïs en boîte, a lancé de nouveaux légumes (asperges) sous sa marque en obtenant une réaction immédiate du marché. Enfin, l'extension internationale est facilitée. Ainsi, en février 1996, Nestlé a remplacé la marque Chambourcy par sa propre signature afin d'harmoniser le développement international[28].

3. *Des noms génériques pour chaque gamme de produits.* Cette politique est par exemple suivie par Unigate avec la marque Marie pour les plats préparés (frais et surgelés), Luang pour les spécialités exotiques et Saint-Hubert pour les corps gras. Elle est pertinente lorsqu'une entreprise fabrique ou vend des produits très différents. Ainsi, Nestlé, qui commercialise en France du lait pour bébés et des aliments pour chiens et chats (Friskies) utilise des marques distinctes.

4. *La marque de l'entreprise combinée ou juxtaposée avec des noms de marque individuels.* Danone a souvent adopté cette solution : Danessa, Danette, Dan'up, Bio de Danone, Fjord de Danone. Dans ce cas le nom de l'entreprise authentifie le produit et sert de marque caution. Le nom individuel permet de différencier le produit et de lui donner une image spécifique. En cas de juxtaposition de deux noms, on parle de marque mère (Danone) et de marque fille (Bio).

Dans un même secteur, différents producteurs peuvent adopter des stratégies de marque tout à fait opposées. Dans l'industrie du dentifrice, par exemple, Procter & Gamble préfère utiliser des noms de marque individuels (Crest, Fixodent), tandis que Colgate-Palmolive fait appel à la marque générique Colgate.

Parfois, certaines sociétés choisissent de faire coexister toutes ces stratégies. Ainsi, le groupe L'Oréal utilise des noms spécifiques pour certains produits

(Dop, Narta), développe certaines marques ombrelles rassemblant plusieurs catégories de produits (Garnier, Lancôme, Vichy) et utilise la caution l'Oréal en la juxtaposant à d'autres marques (Elsève de l'Oréal, Elnett de l'Oréal).

Loin d'être le fruit d'une réflexion hasardeuse, le nom désignant la marque constitue un élément essentiel de la stratégie. En général, il est préférable qu'un nom de marque possède l'une ou l'autre des qualités suivantes[29] :

- *Il doit évoquer les avantages procurés par l'utilisation du produit.* Exemples : Tonigencyl, Taillefine, Conforama.
- *Il doit décrire la catégorie de produits ou de services.* Exemple : Monsavon, Jex Four, Air France, Nouvelles Frontières.
- *Il doit suggérer des qualités concrètes et valorisées.* Exemples : Espace, Mr Propre, Pierrot gourmand.
- *Il doit être facile à prononcer, à reconnaître et à mémoriser.* Les noms courts sont à cet égard préférables : Omo, Bic, Kiri.
- *Il doit être distinctif.* Exemples : Kodak, Obao.
- *Il ne doit pas être associé à des connotations négatives dans d'autres langues.* Contre-exemple : la voiture Nova dans les pays de langue espagnole.

Certaines sociétés d'études (voir encadré 14.7) ont mis au point des méthodes élaborées de recherche de noms ; les plus utilisés sont les *tests d'association* (quelles images viennent à l'esprit ?), les *tests d'élocution* (la prononciation est-elle aisée ?), les *tests de mémorisation* (est-il facile de se souvenir du nom ?), et les *tests de préférence* (quels noms sont préférés ?).

Le but final recherché par nombre d'entreprises est que leur marque s'identifie un jour avec le produit générique. Frigidaire, Kleenex, Klaxon et Scotch ont réussi un tel exploit. Toutefois, leur succès même peut conduire à la perte des droits exclusifs sur le nom. Ainsi, Cellophane est aujourd'hui tombé dans le domaine public. Quant à la marque Frigidaire, elle a purement et simplement disparu.

## Les stratégies de marque

Avant de définir une stratégie de marque, l'entreprise doit déterminer s'il s'agit d'une marque fonctionnelle, d'une marque d'image ou d'une marque expérientielle[30] :

- Les *marques fonctionnelles* répondent à un besoin fonctionnel, comme nettoyer la poussière ou voyager d'une ville à l'autre. Une telle marque satisfait les consommateurs si elle est perçue comme particulièrement performante (Swiffer) ou moins coûteuse que ses concurrents (Easyjet).
- Les *marques d'image* émergent lorsque la qualité intrinsèque du produit est difficile à différencier ou à évaluer par le consommateur, ou lorsque son usage donne une certaine image au client. Les stratégies pertinentes reposent alors sur le design du produit (Hermès), le recours à des stars dans la publicité (Dior avec Zinédine Zidane ou Emmanuelle Béart) ou la construction d'une image publicitaire forte (Golf). Le succès de ces marques dépend à la fois de la créativité publicitaire et des budgets investis en communication.
- Les *marques expérientielles*, enfin, impliquent le consommateur bien au-delà de la simple acquisition du produit : l'expérience vécue lors de la consommation est plus importante que les caractéristiques intrinsèques du produit[31]. Selon Patrick Hetzel, le marketing expérientiel peut reposer sur différents leviers, notamment la surprise en proposant au consommateur quelque chose d'inhabituel comme le concept de librairie-coffee-shop de Barnes & Noble et Starbuck aux États-Unis ou les alicaments qui sont des aliments aux vertus médicales (Actimel, œufs aux oméga 3 et 6, eaux minérales) ; l'extraordinaire, comme la possibilité de rencontrer une star dans les restaurants Planet Hol-

CHAPITRE 14
Définir
la stratégie
de produit
et de marque

449

## La création de noms

Y a-t-il un point commun entre Kangoo, la voiture, Ola, le téléphone et Natexis, le groupe bancaire ? Oui, toutes ces appellations ont été trouvées par des agences spécialisées en création de nom.

En France, l'INPI (Institut National de la Propriété Industrielle) qui recense tous les noms protégés a vu le nombre de dépôts multipliés par neuf en quinze ans (75 000 noms aujourd'hui). Dans le monde, on estime le nombre de noms protégés à plus de huit millions.

De fait, quel que soit le secteur, le nom est désormais considéré comme un atout stratégique. Les entreprises de tous les secteurs font aujourd'hui appel à des agences spécialisées dans la recherche de noms. Saunier-Duval, ELM Leblanc et Chaffoteaux et Maury, trois des leaders sur le marché des chaudières ont ainsi baptisé respectivement leur gamme Opalia, Melia et Elexia. De même, la Compagnie générale des eaux a été rebaptisée Vivendi. Sélectionné par Nomen, l'une des grandes agences spécialisées (avec Insight, Gimca, Kaos, ...) parmi 5 400 noms, le mot Vivendi a été choisi car il évoquait, selon le président du groupe de l'époque, « l'esprit d'ouverture » qui caractérise désormais l'entreprise et est facile à prononcer de par le monde, exempt de tout piège de traduction.

La recherche d'un nom, qui peut coûter de quelques dizaines à quelques centaines de milliers d'euros est un processus assez long qui dure souvent plusieurs mois. Outre les contraintes imposées par l'élocution et la mémorisation internationales, il faut aussi vérifier que le nom envisagé n'est pas déjà déposé ! Renault a ainsi découvert qu'on ne pouvait pas utiliser le mot Clio au Japon et a dû rebaptiser sa voiture Lutecia. De même, la banque Natexis devait au départ s'appeler Natexa, mais l'existence en France d'une société Texa dans le même secteur d'activité a obligé à changer la terminaison. Le processus de vérification est devenu d'autant plus ardu que dans certains secteurs, pratiquement tous les noms ont déjà été déposés (par exemple, toutes les variantes de la racine « nutri » en cosmétique). Pour se protéger, certaines sociétés déposent à l'avance des centaines de noms qu'elles pourront n'utiliser que bien plus tard (par exemple, Mégane déposé par Renault dès 1987).

À la mode des noms courts et des sigles a succédé la vague des noms symboliques, à fort contenu évocateur. Ainsi, selon l'agence Nomen, le recours à la lettre « x » (comme dans Dexia ou Natexis) suppose sérieux et solidité tandis que l'usage des « o » et des « a » (comme dans Twingo, Kangoo ou le parfum Sotto Voce) suggère rondeur et féminité.

*Sources* : adapté de « Profession : Inventeurs de noms », *L'Expansion,* 5 mars 1998, p. 82 ; « Pour exister sur des marchés mondiaux, chacun cherche son nom », *Le Monde,* 3 mars 1998, p. 18 ; et « Vivendi : un changement d'identité à 400 millions », *La Tribune,* 6 avril 1998, p. 12. Voir aussi Pierre et Muriel Bessis, *Name Appeal : créez des noms qui marquent* (Paris : Village Mondial, 2001) ; Marcel Botton et Jean-Jack Cégarra, *Le Nom de marque* (McGraw-Hill, 1990) ; Scott Ward, Larry Light et Jonathan Goldstine « What High-tech Managers Need to know about Brands », *Harvard Business Review,* juillet-août 1999, pp. 85-95.

lywood ; la stimulation des cinq sens, comme dans les magasins Nature et Découvertes ou Sephora ; ou encore la construction d'un lien particulier avec les clients, fondé sur la connivence (magazine *Elle*) ou sur des valeurs communes, identitaires ou éthiques (Ben & Jerry's).

Une fois la marque caractérisée, on peut la développer en ayant recours à quatre stratégies distinctes (voir figure 14.7) : procéder à des *extensions de gamme* ou à des *extensions de marque*, choisir une *stratégie de marques multiples*, ou bien lancer de *nouvelles marques*.

FIGURE 14.7
Quatre stratégies
de marque

| | Catégorie de produit | |
|---|---|---|
| | Existante | Nouvelle |
| Marque — Existante | Extension de gamme | Extension de marque |
| Marque — Nouvelle | Marques multiples | Nouvelles marques |

**L'EXTENSION DE GAMME** ❖ Une stratégie d'extension de gamme consiste à introduire de nouvelles variantes dans la même catégorie de produit sous le nom de marque actuel. C'est une stratégie très courante dans le domaine des biscuits ou des desserts dans lequel de nouvelles variétés sont sans cesse proposées. Ainsi :

- **DANETTE** cherche à étendre son emprise sur l'ensemble des desserts ultra-frais. Présente initialement sur le marché des crèmes desserts, la marque a successivement été élargie aux liégeois, puis aux mousses, et aux « à boire[32] ».

C'est parfois une situation de surcapacité de production qui est à l'origine de tels lancements. L'entreprise souhaite également satisfaire le désir de variété des consommateurs ou bien cherche à contrer un concurrent. Cette stratégie permet également d'accroître sa place en linéaire.

Certaines sociétés créent des *marques dérivées*, spécialement destinées à certains circuits de distribution ou certaines chaînes[33]. Dans le domaine des caméscopes par exemple, la même entreprise créera une demi-douzaine de variantes destinées aux différents types de client.

La stratégie d'extension de gamme n'est pas sans risque[34]. La marque peut perdre en signification et le coût des lancements répétés est parfois difficile à amortir. Même s'ils sont réussis, le danger de cannibalisation ne peut être écarté : s'agit-il d'un volume de vente additionnel ou bien d'une redistribution de chiffre d'affaires ? Dans le second cas, les gains en rentabilité compensent-ils les dépenses réalisées ?

**L'EXTENSION DE MARQUE** ❖ Une stratégie d'extension de marque consiste à utiliser une marque qui a fait ses preuves pour lancer un produit appartenant à une nouvelle catégorie. Il est courant, dans l'industrie du luxe, d'utiliser sa griffe dans de multiples secteurs d'activité. De même, la société Bic, après avoir construit sa notoriété dans le domaine des stylobilles, a décidé, avec des bonheurs divers, de commercialiser des briquets jetables, des planches à voile, des rasoirs et des parfums. Plus récemment :

- **LA LAITIÈRE**, une marque du groupe Nestlé qui a construit sa notoriété dans les produits frais, affirme sa présence depuis 1999 au rayon épicerie avec toute une gamme de desserts en boîte (gâteau de riz, riz au lait, semoule au lait, etc.) et depuis 2002 au rayon surgelé avec le lancement d'une gamme de glaces[35].

Une stratégie d'extension de marque offre de nombreux avantages. L'entreprise se sert d'un nom bénéficiant d'une forte notoriété et d'une image affirmée. Elle peut donc moins investir en communication et bénéficier d'un taux d'essai souvent plus élevé par comparaison avec une marque nouvellement créée. De

CHAPITRE 14
Définir
la stratégie
de produit
et de marque

451

nombreux produits lancés au moyen d'une extension de marque obtiennent des parts de marché élevées et ont de meilleures chances de survie[36].

En même temps, une telle stratégie n'est pas sans risque[37]. Le nouveau produit peut être défavorisé par la marque, si celle-ci véhicule des associations peu cohérentes avec la catégorie de produits concernée. Pire encore, le nouveau produit peut décevoir et jeter le discrédit sur la marque. Si l'extension concerne une activité éloignée, elle peut créer une confusion dans l'esprit du consommateur et brouiller son image. On parle alors de «dilution de marque». La marque Friskies a dû retirer un contraceptif pour chiens peu après son lancement, à cause des connotations négatives du produit sur la marque. De même, l'image de certaines marques de prestige a été dévalorisée par la multiplication des extensions réalisées. Une extension est véritablement réussie si elle favorise les ventes des anciens et du nouveau produit, et modérément réussie si elle favorise le nouveau produit sans affecter les anciens.

Pour prendre une décision adéquate, les sociétés tentées par une extension de leur marque doivent précisément étudier les évocations attachées à la marque et vérifier que celles-ci ne sont pas incompatibles avec la nouvelle catégorie de produit. Elles doivent également analyser avec soin l'image de leur marque car l'attitude des consommateurs envers une extension de marque est d'autant plus favorable que l'image de la marque est bonne[38].

LES MARQUES MULTIPLES ET LES NOUVELLES MARQUES ❖ Cette approche consiste à créer de nouvelles marques pour les nouveaux produits.

*Une stratégie multimarques consiste, pour un fabricant, à avoir plusieurs marques qui se concurrencent mutuellement.* La société Procter & Gamble a été la première à introduire cette stratégie. Lorsque la société lance un nouveau détergent, il est indéniable que ce nouveau produit enlève des ventes aux autres produits de la gamme, mais le pari de P&G est que le chiffre d'affaires total sera supérieur à celui réalisé avant le lancement. D'autres entreprises dans le même secteur (Lever, Henkel) ou dans d'autres (café, aliments pour animaux, bière, hygiène-beauté) ont progressivement adopté cette approche.

Il existe plusieurs raisons justifiant l'adoption d'une stratégie de marques multiples. D'abord, la bataille est sévère pour le linéaire en supermarché. En introduisant plusieurs marques, un fabricant bénéficie d'un linéaire plus important, au détriment de la concurrence. En second lieu, peu de consommateurs sont fidèles à une marque au point de ne jamais en essayer une autre. L'entreprise n'est alors pas pénalisée par le souhait de diversité. Troisièmement, le lancement de nouvelles marques est un facteur d'enthousiasme et d'efficacité chez le fabricant. Des sociétés telles que General Motors et P&G voient leurs marques individuelles se livrer, par l'intermédiaire de leurs responsables, une véritable guerre qui permet de maintenir le dynamisme de tous. Enfin, une stratégie multimarques permet de tirer profit de l'existence de segments au sein du marché. Les consommateurs de chaque segment répondent à des axes publicitaires spécifiques, et même des différences marginales entre les marques peuvent avoir une grande importance.

La principale erreur à éviter, dans ce type de stratégie, est de lancer un grand nombre de marques nouvelles sans qu'aucune obtienne une part de marché suffisante et soit, de ce fait, rentable. Les sociétés se trouvant dans une telle situation doivent éliminer les produits les plus faibles et mettre sur pied une procédure plus stricte de filtrage dans le choix des nouvelles marques à lancer. Dans la mesure du possible, la cannibalisation doit se faire au détriment de la concurrence[39].

Lorsqu'une société investit une nouvelle catégorie de produit, elle peut estimer qu'aucune de ses marques actuelles n'est adaptée. Par exemple si Timex se lançait dans les brosses à dents, elle ne les appellerait pas les brosses à dents Timex. Cela pourrait affecter son image sans aider aucunement le nouveau produit. De même, lorsque Toyota ou Nissan ont voulu pénétrer le marché des voitures de luxe, ils l'ont fait à travers de nouvelles marques (Lexus et Infiniti respectivement)[40]. À noter qu'une variante s'est récemment développée qui permet de partager les coûts de lancement : le «co-branding» (voir encadré 14.8).

LE REPOSITIONNEMENT ❖ Quel que soit le positionnement initial d'une marque, par exemple lorsque celle-ci était associée à un personnage qui a vieilli (Mamie Nova, Germaine Lustucru, la mère Denis), plusieurs facteurs peuvent le remettre en cause : un concurrent a lancé avec succès une marque semblable, destinée au même segment, ou bien les préférences des consommateurs ont évolué d'une façon défavorable à la marque[41]. Un exemple de repositionnement réussi est la stratégie adoptée pour le shampooing Mixa Bébé en France.

■ MIXA. Lancé au moment du boom démographique, le shampooing commença à connaître des difficultés lorsque le rythme des naissances se ralentit. La marque fut alors repositionnée auprès des mères en s'appuyant sur l'argument de la douceur. Cette promesse s'étant progressivement banalisée dans la catégorie des shampooings, la société L'Oréal décida de faire évoluer la marque vers le marché des produits de soin pour le corps, en fort développement. Trois nouveaux produits Mixa Soin Intensif Peaux Sèches furent introduits en 1996 : un stick pour les lèvres, une crème pour les mains et un lait pour le corps. Une grande campagne publi-promotionnelle mettait en scène Estelle Hallyday et un enfant, maintenant ainsi l'univers d'origine de la marque. En un an, la marque obtint un grand succès, devenant même la deuxième du marché derrière Nivéa pour les laits corporels.

■ DEVERNOIS a investi 4,5 millions d'euros dans la rénovation de ses magasins et de son logo, après avoir pris conscience que sa marque vieillissait. À l'issue de cette cure de lifting, le chiffre d'affaires a progressé ; la notoriété internationale s'est accrue et l'entreprise compte vendre 50 % de ses produits à l'étranger contre 39 % actuellement[42].

Le chef de produit doit prendre en compte deux facteurs avant d'effectuer son choix. Le premier a trait au coût du repositionnement de la marque, qui comprend les dépenses de modification du produit et de son emballage, et l'investissement publicitaire. En général, le coût s'accroît avec l'importance de la modification souhaitée. Le second est le profit que l'on pourrait dégager du nouveau positionnement. Celui-ci dépend : du nombre de consommateurs situés dans la zone de préférence, de leur fréquence moyenne d'achat, du nombre et de la force des concurrents déjà présents sur ce segment ou prêts à y entrer, et du prix de vente en vigueur.

# Le conditionnement et l'étiquetage

Avant d'être offerts sur le marché, de nombreux produits doivent être conditionnés et étiquetés. Chacun de ces domaines fait l'objet de décisions spécifiques.

## Le conditionnement

Le rôle du conditionnement (packaging) est variable. Il peut être mineur pour certains produits tels la petite quincaillerie, ou très important comme dans le cas des parfums. Certains emballages comme la bouteille de Perrier ou le flacon «L'Air du temps» de Nina Ricci sont devenus de véritables institutions.

CHAPITRE 14
Définir
la stratégie
de produit
et de marque

453

# Co-branding : 1 + 1 = 3 ?

Dim et Lycra, Yoplait et Côte d'Or, Intel et Compaq, Coca-Cola et Bacardi, Twingo et Kenzo, Häagen-Dazs et Bailey's, Nespresso et Krups, Petit Navire et Géant Vert, Philips et Nivéa, autant d'exemples récents d'alliances de deux marques pour concevoir et signer un produit conjointement. Pour le meilleur ou pour le pire. On peut définir le co-branding comme toute association de deux marques pour la commercialisation d'un même produit. L'un des exemples les plus réussis de co-branding est le rasoir Coolskin de Philips qui imprègne la peau de crème adoucissante Nivéa juste avant l'acte de rasage, éliminant ainsi le risque d'irritation, facteur n° 1 de rejet des rasoirs électriques au profit des rasoirs mécaniques. Au bout d'un an, 60 000 Coolskin étaient vendus en France, à 80 % à des adeptes du rasoir mécanique.

Mais le co-branding ne réussit pas toujours. Ainsi, la campagne Bacardi-Coca-Cola n'a pas eu les effets escomptés, beaucoup de consommateurs ayant simplement compris que Coca-Cola lançait un nouveau produit. De même, l'apparition du logo « Intel Inside » sur les publicités (et les produits !) des principales marques de micro-ordinateurs semble bien s'être faite au détriment de ces derniers. L'objectif de départ était apparemment d'apporter un plus technologique aux ordinateurs grâce à la caution du premier fabricant mondial de microprocesseurs. Résultat : le micro apparaît désormais comme une simple caisse dont l'intelligence est fournie par un prestataire extérieur, Intel. Les constructeurs ont compris, mais un peu tard, que le co-branding devenait gênant pour eux et certains d'entre eux ont abandonné toute référence à Intel dans leurs publicités, trouvant le microprocesseur de plus en plus envahissant.

Les principaux avantages et les inconvénients de la formule sont les suivants :

| Avantages | Inconvénients |
|---|---|
| • Originalité | |
| • Transfert d'image entre les marques et recrutement de clients attachés à l'autre marque | • Longueur de la mise en œuvre du contrat de partenariat |
| • Signal de qualité lié à l'intégration d'un produit de marque dans le produit co-brandé | • Risque de cannibalisation du produit d'un des partenaires |
| • Alliance avec un leader pouvant permettre d'accroître la notoriété de la marque partenaire | • Dilution de l'image des marques<br>• Risque d'image si les deux partenaires ne sont pas perçus comme de qualité comparable |
| • Réduction du temps de pénétration d'un nouveau produit | • Multiplication des alliances nécessairement limitée |
| • Encerclement possible d'un concurrent | • Répartition des retombées entre les deux marques : délicate à établir *a priori* et pas toujours équitable *a posteriori* |
| • Partage des coûts de mise au point du nouveau produit, de distribution et de communication | |

*Sources* : Jean-Jack Cégarra et Géraldine Michel « Co-branding : clarification du concept », *Recherche et Application en Marketing*, 16-4, 2001, pp. 57-70. « Lancer un produit en co-branding », *L'Usine Nouvelle*, 11 février 1999, pp. 80-82 ; « Co-branding : recettes du bonheur à deux », *Stratégies*, 24 juin 1995, pp. 40-41 ; « Les Marques se marient aussi », *Challenges*, 4 janv. 1996, pp. 64-65 ; « Co-branding : le bonheur à deux », 19 sept. 1995, p. 22 ; « Le Co-branding ou comment trouver ses marques à plusieurs » dans J.-P. Benardet, A. Bouchez et S. Pihier, *Précis de marketing* (Paris : Nathan, 1996), p. 71.

On définit le conditionnement comme :

❖ *L'ensemble des activités liées à la conception et à la fabrication de l'emballage du produit.*

On identifie jusqu'à trois niveaux de conditionnement : le *conditionnement primaire* correspond à ce qui contient directement le produit, par exemple : la bouteille d'Orangina. Le *conditionnement secondaire* comprend tout ce qui protège le conditionnement primaire et est jeté lorsque le produit est utilisé. Exemple : le cartonnage qui relie les six petites bouteilles d'Orangina. Il sert à la fois de protection et de support promotionnel. Le *conditionnement d'expédition* enfin, est l'emballage nécessaire au stockage, à l'identification, et au transport. Les caisses contenant les packs d'Orangina appartiennent à ce groupe. Par ailleurs, *l'étiquette* est la partie du conditionnement qui contient l'information décrivant le produit. Elle apparaît sur ou dans le conditionnement (comme dans le cas des produits pharmaceutiques).

Autrefois, en matière d'emballage, les deux préoccupations essentielles étaient la *protection du produit* et l'*économie*. Un troisième objectif, la *commodité*, apparut bientôt. Au fil des années, un quatrième rôle, la *promotion*, fut progressivement reconnu, notamment par les fabricants de biens de grande consommation. Aujourd'hui, une cinquième dimension, l'*écologie* devient de plus en plus présente. Différents facteurs expliquent le rôle croissant joué par le conditionnement en tant qu'outil de vente autonome et puissant :

♦ *Le libre-service.* À la suite du développement des supermarchés et du discount, un nombre croissant de produits sont vendus en libre-service. Le conditionnement doit alors accomplir la plupart des fonctions inhérentes à la vente : attirer l'attention, décrire les caractéristiques du produit, inspirer confiance au consommateur, et donner une impression d'ensemble favorable.

♦ *La progression du niveau de vie.* L'amélioration constante du niveau de vie a amené les consommateurs à attacher de plus en plus d'importance à d'autres facteurs que le prix. Ils sont souvent prêts à payer un peu plus cher pour une commodité, un aspect, une sécurité ou un prestige supérieurs. Le conditionnement est un bon moyen de faire valoir ces qualités.

♦ *L'image de marque.* Les entreprises essaient de plus en plus de doter leurs marques de personnalités distinctes. Ces personnalités sont transmises par l'image générale de l'entreprise, les messages publicitaires, le choix du nom mais également le conditionnement. Par exemple, le beurre La Motte de Président évoque la tradition et la qualité grâce à la forme du produit.

♦ *Les possibilités d'innovation.* Le conditionnement est un domaine où une petite innovation peut apporter une amélioration sensible du produit et, partant, une augmentation du chiffre d'affaires[43]. Il suffit, pour s'en convaincre, de penser aux biscuits emballés par deux pour le goûter des enfants, aux jus de fruits en briquettes avec une paille ou au riz en sachets.

Le choix d'un emballage comporte un grand nombre de décisions. Il faut d'abord déterminer le *concept du conditionnement*, c'est-à-dire une description, ce qu'il doit *être* ou *faire* pour le produit concerné. La fonction primordiale est-elle d'offrir une protection ? d'introduire une nouvelle présentation ? d'évoquer certaines qualités du produit ou de l'entreprise ? Il y a quelques années, la société Lever lança Vigor, un nettoyant ménager pour le lessivage des sols. Son conditionnement rappela le fût en usage pour les nettoyants industriels ; au dos du paquet, on précisait que « Vigor est utilisé dans les hôpitaux, collectivités, commerces, hôtels, industries mécaniques et garages ». Plus récemment, en 1999, une société d'assurance vendant un forfait le présente dans un même emballage (boîte ronde) que celui utilisé par les opérateurs de téléphonie mobile.

Une fois le concept défini, toute une série de décisions doivent être prises concernant l'emballage proprement dit : *sa taille, sa forme, les matériaux* qui le

CHAPITRE 14
Définir
la stratégie
de produit
et de marque

455

composent, *sa couleur* et *sa marque commerciale*. Pour chaque élément, de nombreuses possibilités : avoir un texte long ou court, choisir du papier, du carton ou du plastique, etc. De plus, chaque élément doit être établi en harmonie avec les autres ; la taille impose certaines contraintes de matériaux, les matériaux imposent des limites aux couleurs, et ainsi de suite. On doit également choisir les éléments du conditionnement en accord avec les décisions sur les prix, la publicité et les autres variables du mix marketing.

Après avoir défini le conditionnement, beaucoup d'entreprises le soumettent à des tests avant de l'adopter définitivement : des *tests visuels*, permettant de vérifier que le texte est lisible et les couleurs harmonieuses ; des *tests de distribution*, pour savoir si les détaillants le trouvent attirant et facile à manipuler. On s'assure enfin, par des *tests auprès des consommateurs*, que ceux-ci réagissent de manière favorable et que les perceptions associées à l'emballage envisagé sont conformes au positionnement souhaité.

L'élaboration d'un conditionnement peut coûter plusieurs centaines de milliers d'euros et prendre de quelques mois à plusieurs années. En pourcentage du prix de sortie-usine, il représente 10 % pour le lait, 30 % pour la bière mais jusqu'à 60 % pour les chocolats. L'importance du conditionnement ne doit pas être sous-estimée compte tenu de son impact auprès des consommateurs. Selon une enquête de la Sofres, 45 % des maîtresses de maison attachent beaucoup d'importance à l'emballage et en particulier au matériau (55 %). Elles demandent en priorité qu'un emballage n'ait pas d'effet sur le goût du produit, qu'il assure une conservation durable, qu'il soit sain, solide et résistant.

Les décisions de packaging font souvent intervenir des sociétés spécialisées aux moyens d'étude sophistiqués[44] :

- **CARRÉ NOIR.** Pour cette agence, ce qui fait la différence, c'est l'émotion. Aussi, utilise-t-elle des techniques psychophysiques pour mesurer l'impact émotionnel d'un packaging : des électrodes placées sur la peau permettent de détecter l'émotion que tel ou tel emballage provoque chez le sujet. Le cabinet s'est par ailleurs associé à un laboratoire pour mettre au point une technique de relaxation proche de l'hypnose pour accéder aux images censurées par la conscience. Ces expériences ont abouti à la création d'une banque de symboles fort utile pour l'élaboration d'un emballage. Le système contient 4 500 couleurs et 72 formes symboliques en mémoire. Tous les projets sont testés en vidéo, ce qui permet de mettre le packaging en situation, dans un linéaire de grande surface, par exemple, et de corriger sur écran ses défauts.

## L'étiquetage

L'entreprise doit enfin *concevoir l'étiquette* qui accompagnera le produit. Il peut s'agir d'une simple fiche attachée au conditionnement ou d'une création graphique sophistiquée. L'information contenue varie du simple nom du produit à une description complète de ses ingrédients ou de son mode d'utilisation. Pour de nombreux produits, la loi a réglementé les informations minimales devant figurer sur une étiquette.

Une étiquette remplit plusieurs fonctions parmi lesquelles l'entreprise effectuera son choix. Au minimum, elle sert à *identifier* le produit ou la marque, comme dans le cas des agrumes ou des légumes. Elle sert aussi à définir le calibre du produit comme dans le cas des œufs. Elle est souvent utilisée pour *décrire* le produit : son origine, son mode de fabrication, sa date limite de consommation, ses ingrédients, son mode d'utilisation et éventuellement un label de qualité. Les étiquettes de produits alimentaires doivent aujourd'hui indiquer la composition du produit, son poids, sa valeur nutritive, et sa date de fabrication ou date limite de consommation. De même, les distributeurs doivent depuis, quelques années, indiquer sur leurs étiquettes les prix à l'unité de poids (prix au litre, prix au kilo). L'étiquette peut enfin *promouvoir* le produit, notamment grâce à son graphisme.

Les étiquettes des marques connues passent de mode avec le temps et doivent être remises au goût du jour. La tête de Sénégalais ne figure plus qu'en filigrane sur le paquet de Banania, alors qu'elle en a constitué l'élément figuratif principal pendant des années. Le logo de la marque qui apparaît sur l'étiquette constitue lui aussi un signe d'identification qui doit être réactualisé régulièrement[45].

Par ailleurs, il existe une abondante jurisprudence concernant les fraudes en matière d'étiquettes. Les étiquettes de nombreux produits inconnus s'apparentent souvent à celles des marques leader afin de favoriser une confusion dans l'esprit du consommateur. Une réglementation de la protection des logos a progressivement été mise en place.

## *Résumé*

1. Le produit est la variable la plus importante du mix marketing. Par produit, il faut entendre tout ce qui peut être offert sur un marché en vue d'y être remarqué, acquis ou consommé. Élaborer la stratégie de produit consiste à définir de manière cohérente l'assortiment des produits, les gammes, la politique de marque, le conditionnement et l'étiquetage.

2. Tout produit s'analyse à cinq niveaux. Le noyau correspond à l'avantage que le consommateur recherche. Le produit générique est défini par l'offre de base dans la catégorie. Le produit attendu correspond aux attributs espérés par le consommateur ; le produit global, à l'ensemble des services et avantages associés au produit ; et le produit potentiel, à toutes les améliorations envisageables.

3. On a proposé différents modes de classification des produits, fondés sur leur durée de vie (biens durables, biens périssables, services), les habitudes d'achat du consommateur (produits d'achat courant, d'achat réfléchi, de spécialité et produits non désirés) et leur mode d'utilisation (matières premières et pièces détachées, biens d'équipement, fournitures et services).

4. La plupart des entreprises commercialisent plus d'un produit et leur assortiment se caractérise par une certaine largeur, profondeur et cohérence. Les principales gammes doivent être périodiquement évaluées du point de vue de leur croissance et leur rentabilité. Il est très souhaitable que chaque gamme soit placée sous l'autorité d'un responsable autonome. Celui-ci étudie les ventes et la contribution de chaque article ainsi que son positionnement face à la concurrence. À partir d'une telle information, il décide si sa gamme doit être étendue (vers le haut, vers le bas ou dans les deux sens), consolidée, modernisée, différenciée, ou élaguée.

5. La marque constitue un élément-clé de la politique marketing. L'identité de marque doit être construite avec soin sur le long terme, de manière à attirer et fidéliser les clients. L'entreprise pourra alors se prévaloir d'un capital-marque valorisable financièrement. Elle doit également décider si elle souhaite utiliser ou non des marques, les siennes ou celles des distributeurs, une marque distincte pour chaque catégorie ou une marque multiproduits (ombrelle, caution). De nombreux fabricants utilisent une politique d'extension de gamme, d'extension de marque, de marques multiples ou de nouvelles marques. Elles procèdent également à des repositionnements occasionnels.

6. Il faut enfin choisir le conditionnement qui apportera protection, économie, et commodité en même temps qu'il servira d'outil de promotion. On développera d'abord un concept d'emballage ultérieurement testé, tant en laboratoire qu'auprès des consommateurs. Un étiquetage approprié permettra d'identifier le produit, ses caractéristiques et son mode d'utilisation. Toute une réglementation existe aujourd'hui en matière d'étiquetage informatif, notamment dans le domaine des produits alimentaires.

CHAPITRE 14
Définir
la stratégie
de produit
et de marque

457

# Notes

1. *LSA*, « Les produits de l'année », 12 févr. 1998, p. 37 et *Faire, savoir faire*, « Grand Prix Marketing Innovation 2002 », février 2002, n° 471, pp. 78-56.

2. Voir Carl Eric Linn, « The Metaproduct and The Market » (Scanorama, 1988).

3. Voir Harper W. Boyd Jr et Sidney J. Levy, « New Dimensions in Consumer Analysis », *Harvard Business Review*, nov.-déc. 1963, pp. 129-140.

4. Theodore Levitt, *L'Esprit marketing* (Paris : Éditions d'Organisation, 1972), p. 2.

5. Voir Frédéric Brillet, « Les produits banalisés font de la résistance », *Les Echos*, 8 décembre 1999, p. 45.

6. Les exemples tirés de l'informatique sont adaptés du *White Paper* d'Hamilton Consultants, 1er décembre 2000.

7. Cet exemple est tiré de Benson P. Shapiro, *Industrial Product Policy : Managing the Existing Product Line* (Cambridge, Mass. : Marketing Science Institute, sept. 1977), pp. 3-5 et 98-101.

8. Voir Francis Salerno, « Gammes de produits », *Encyclopédie du management* (Paris : Vuibert, 1992), tome 2, pp. 474-490. Guy Van Loye « La Gamme des produits de banque et sa diffusion aux entreprises », *Direction et gestion*, n° 3, pp. 43-50.

9. Voir David Reibstein, Karl Ulrich et Taylor Randall, « Extension de gamme : des enjeux pour l'image », *L'Art du Marketing* (Paris : Village Mondial, 1999), pp. 107-111.

10. Sophie Changeur, « Le capital-marque : concepts et méthodes », *Cahier de recherche* n° 648, IAE d'Aix en Provence, 2002.

11. Voir *Marketing Definitions : A Glossary of Marketing Terms*, op. cit.

12. Géraldine Michel, « L'évolution des marques : approche par la théorie du noyau central », *Recherche et Applications Marketing*, vol. 14, n° 4, 1999, pp. 33-53.

13. Patrick Hetzel, *Planète conso : marketing expérientiel et nouveaux univers de consommation* (Paris : Éditions d'organisation, 2002) et Marc Gobe, *Emotional Branding* (New York : Allworth Press, 2001).

14. Donald Tosti et Roger Stotz, « Building Your Brand from the inside out », *Marketing Management*, juillet-août 2001 et P. Berthon, JM Hulbert, L. Pitt, « Brand Management Prognostications », *Sloan Management Review*, hiver 1999, pp. 53-65.

15. Voir Bernard Dubois et Patrick Duquesne « Un Concept essentiel pour comprendre la valeur des marques : la force de conviction », *Revue Française de Marketing*, 1995, n° 2, pp. 23-34.

16. David Aaker et Jacques Lendrevie, *Le Capital-marque* (Paris : Dalloz, 1994).

17. L. Lenthesser, « Defining, Measuring and Managing Brand Equity », *Report 88-104*, 1988, Marketing Science Institute, Cambridge.

18. Voir Sophie Changeur, « Le capital-marque : concepts et méthodes », *Cahier de recherche* n° 648, IAE d'Aix en Provence, 2002. ; Sandor Czellar et Jean-Émile Denis, « Un modèle intégrateur du capital-client de la marque : une perspective psycho-cognitive », *Recherche et Applications Marketing*, 17 janvier 2002, pp. 43-56 ; Philippe Jourdan, « Le capital-marque : proposition d'une mesure individuelle et essai de validation », *Recherche et Applications Marketing*, 16 avril 2001, pp. 3-24 ; voir également le numéro spécial de *l'International Journal of Research in Marketing*, automne 1993, ainsi que P. Barwise *et al.*, *Accounting for brands* (London : Institute of Chartered Accountants in England and Wales, 1990).

19. *Business Week*, « Best Global Brands », 5 août 2002. Pour une discussion des méthodes de calcul utilisées, voir Kevin Keller, *Strategic Brand Management : Building, Measuring and Managing Brand Equity* (Upper Saddle River : Prentice Hall, 1998), pp. 361-363.

20. Voir par exemple Jean-Noël Kapferer ; *Les Marques, capital de l'entreprise*, 3e éd. (Paris : Éditions d'Organisation, 1999).

21. Voir Bernard Dubois et Patrick Duquesne, « Valeur imaginaire de la marque, valeur fonctionnelle des produits : les scénarios de l'échange », *Séminaire IREP* « Marque et innovation », 26 juin 1996.

22. Voir Barbara Kahn, « Les stratégies de marque et le comportement des consommateurs », *L'Art du Marketing* (Paris : Village Mondial, 1999), pp. 100-106.

23. Étude AC Nielsen France, « Synthèse sur les prix et les marques distributeurs », www.acnielsen.com

24. Sur la notion de sensibilité à la marque, voir : J.-N. Kapferer et G. Laurent, *La Sensibilité aux marques : marchés à marques, marchés sans marques* (Paris : Éditions d'Organisation, 1992).

25. Voir « Comment les distributeurs défendent leurs marques », *LSA*, 15 févr. 1996, pp. 66-67.

26. Voir « Quelle stratégie face aux marques de distributeurs ? », *L'Essentiel du management*, 23 févr. 1996, n° 102-108. Voir aussi Price Auchenthaler, « Les marques, un rôle catalyseur dans l'innovation », *Les Echos*, 15 septembre 1998, p. 47 ; et « Marketing : innover pour séduire », *Entreprendre*, 1er avril 1998, pp. 86-87.

27. « MDD : combattre les idées reçues », *LSA*, 16 mai 2002, pp. 48-53

28. Voir « Chambourcy cède la place à Nestlé », *Le Revenu français*, 5 mars 1996, p. 11.

29. Voir Marcel Botton et Jean-Jack Cégarra, *Le Nom de marque* (Paris : McGraw-Hill, 1990) ; Kim Robertson, « Strategically Desirable Brand Name Characteristics », *Journal of Consumer Marketing*, automne 1989, pp. 61-70 ; C. Kohli et D. La Bahn, « Creating Effective Brand Names : A Study of the Naming Process », *Journal of Advertising Research*, janvier-février 1997, pp. 67-75.

30. Alice Tybout et Gregory Carpenter, « Creating and Managing Brands », dans P. Iacobucci (ed),

*Kellogg on Marketing* (New York : John Wiley & Son, 2001), pp. 74-98 ; C. Park, S. Milberg et R. Lawson, « Evaluation of Brand Extensions : The Role of Product Feature Similarity and Brand Concept Consistency », *Journal of Consumer Research*, 18, 1991, pp. 185-193.

31. Patrick Hetzel, *Planète conso : marketing expérientiel et nouveaux univers de consommation* (Paris : Éditions d'organisation, 2002) ; voir aussi D. Bourgeon et M. Filser, « Les apports du modèle expérientiel à l'analyse du comportement dans le domaine culturel, une exploration conceptuelle et méthodologique », *Actes du congrès de l'Association française du marketing*, 1993, pp. 309-328 ; E. Hirschman et E. Holbrook, « The experiential Aspects of Consumption : Consumer Fantasies, Feelings and Fun », *Journal of Consumer Research*, 1982, vol. 9, pp. 132-140.

32. « Danette veut devenir incontournable dans les desserts », *CB News*, 19 octobre 1998, p. 11 ; et « Danette, c'est aussi à boire », *Stratégies*, 22 octobre 1998, p. 13.

33. Voir Steven Shugan, « Branded Variants », *Actes de la conférence annuelle de l'American Marketing Association* (Chicago : AMA, 1989), pp. 33-38 ; M. Bergen, S. Dutta et S. Shugan, « Branded Vanants : A Retail Perspective », *Journal of Marketing Research*, 33, février 1996, pp. 9-21.

34. John A. Quelch et David Kenny, « Extend Profits, Not Product Lines », *Harvard Business Review*, sept.-oct. 1994, pp. 153-160 ; et Bruce G. S. Hardie *et al.*, « The Logic of Product-Line Extensions », *Harvard Business Review*, nov.-déc. 1994, pp. 53-62.

35. « Nestlé veut faire passer La Laitière du frais au sec sans publicité », *CB News*, 25 janvier 1999, p. 8.

36. Géraldine Michel, *La Stratégie d'extension de marque*, Paris : Vuibert, 2000.

37. Barbara Loken et Deborah Roedder-John, « Diluting Brand Beliefs : When Do Brand Extensions Have a Negative Impact ? », *Journal of Marketing*, juill. 1993, pp. 71-84 ; voir également le numéro spécial de mai 1994 du *Journal of Marketing Research*, entièrement consacré aux marques ; Peter S. Fader et Bruce S.G. Hardie, « Le produit au-delà de la marque », *L'Art du Marketing*, (Paris : Village Mondial, 1999), pp. 111-116 ; M. Tauber, « Brand Franchise Extension : New Product Benefit from Existing Brand Names », *Business Horizons*, 24/2 (1981), pp. 36-41.

38. Sophie Changeur et Jean-Louis Chandon, « Le territoire-produit : étude des frontières cognitives de la marque », *Recherche et Applications en Marketing*, 1995, vol. 10, n° 2, pp. 31-52 ; Chantal Lai, « Les déterminants de l'attitude envers les extensions de marques », *Recherche et Applications en Marketing*, 2001, vol. 17, n° 1, pp. 21-42.

39. Voir Mark B. Taylor, « Cannibalisation in Multi-Brand Firms », *Journal of Business Strategy*, printemps 1986, pp. 69-75.

40. « Pour tout changer, les constructeurs automobiles lancent de nouvelles marques », *Le Monde*, 6 mai 1998, p. 20.

41. Jean-Marie Lehn, « Personnages emblématiques : la vieillesse peut être un naufrage », *La Revue des Marques*, juillet 1998, pp. 6-21.

42. « Devernois remodèle son image », *Les Echos*, 15 juin 1998, p. 48.

43. Voir « Packaging : exprimer le degré d'innovation », *Stratégies*, 26 mai 1995, p. 10.

44. Voir Christopher Lorenz, *La Dimension design, atout concurrentiel décisif* (Paris : Éditions d'Organisation, 1990). Voir également le numéro spécial de la *Revue Française de Marketing*, « Design et marketing », 1990, n° 129.

45. Benoit Heilbrunn, *Le Logo* (Paris : PUF, « Que sais-je », 2001).

CHAPITRE 14
Définir
la stratégie
de produit
et de marque

459

# Concevoir et gérer les services

DANS CE CHAPITRE, NOUS ÉTUDIERONS LES QUESTIONS SUIVANTES :

- Comment définir et classer les services ?

- En quoi les services diffèrent-ils des produits ?

- Comment les entreprises de service peuvent-elles accroître leurs performances ?

- Comment les fabricants peuvent-ils améliorer leurs services ?

« *Toute activité est une activité de services. Votre service parvient-il à satisfaire le client ?* »

Parce que la différenciation fondée sur des attributs tangibles apparaît comme de plus en plus difficile, certaines entreprises se tournent vers les services comme argument distinctif : livraison dans les délais, réponse rapide et efficace aux demandes des clients, réaction pertinente aux réclamations sont souvent mises en avant. De nombreux auteurs soulignent d'ailleurs les profits accrus des entreprises qui offrent le meilleur service[1].

Pourtant cette stratégie-marketing est rarement mise en œuvre de manière uniforme. La plupart des entreprises opèrent de manière différenciée. Ainsi, les hôtels, les banques et les sociétés d'assurance soignent leurs meilleurs clients en leur proposant des tarifs préférentiels et des services spécifiques. Les autres segments de clientèle se voient proposer des prix plus élevés, des services amoindris et un message pré-enregistré en réponse à leurs appels.

Cette évolution s'explique par deux phénomènes. D'abord, elle constitue une réponse à la baisse de rentabilité des services. Les consommateurs comparent davantage les prix et sont de moins en moins fidèles à un prestataire. En réaction, certaines entreprises opèrent une distinction entre les clients ponctuels, qui se voient proposer un service simple et plus coûteux, et les fidèles, particulièrement choyés. Ensuite, cette évolution est liée au fait que les sociétés de service disposent aujourd'hui de nombreuses données individualisées qui leur permettent d'opérer une segmentation précise du marché et de personnaliser le service offert. Aux États-Unis, la maison de courtage Charles Schwab répond au téléphone en 15 secondes à ses meilleurs clients, contre 10 minutes aux autres. En Europe, les compagnies d'assurance et les sociétés spécialisées dans le crédit à la consommation adoptent leurs tarifs aux caractéristiques individuelles des clients par des méthodes de scoring. Une telle approche différenciée empêche toutefois de communiquer sur la qualité du service et rend délicate la gestion de l'image institutionnelle.

Nous étudierons dans ce chapitre comment les entreprises peuvent encore améliorer la qualité des services offerts à l'ensemble des clients, même si certaines privilégient seulement les clients les plus rentables. Nous analyserons la nature et la diversité des services, avant de nous intéresser aux problèmes marketing qui les caractérisent.

## La nature et la classification des services

L'une des tendances les plus significatives de notre époque est la prodigieuse croissance des activités de service. Le secteur tertiaire, qui emploie plus de treize millions de personnes, représente, aujourd'hui en France, plus de la moitié du produit intérieur brut.

Les activités de services sont extraordinairement diversifiées : il y a le *secteur public* avec ses tribunaux, agences pour l'emploi, hôpitaux, casernes, postes et écoles ; il y a aussi le *secteur associatif* avec ses musées, églises, organismes d'aide et d'assistance ; enfin, une large part du *secteur privé* se consacre également aux services : compagnies aériennes, banques, informatique, loisirs, réparations, etc. Enfin, de nombreux salariés des secteurs industriels,

## Les fabricants se mettent aux services

À mesure qu'elles voient leurs marges bénéficiaires se réduire, les entreprises de fabrication tentent de rentabiliser les services proposés. Dans certains cas, elles tarifent des services qu'elles accordaient gratuitement. Dans d'autres, elles augmentent leurs prix ou proposent de nouveaux services payants.

Il existe sept façons pour un industriel de se lancer dans le service :

1. *Transformer son produit en solution.* Par exemple un fabricant d'engrais personnalisera son offre en l'adaptant à chaque client, prenant même parfois en charge l'activité d'épandage.

2. *Commercialiser des services internes.* Par exemple, Xerox a commercialisé ses programmes internes de formation en créant une entité spécifique : Xerox Learning Systems.

3. *Prendre en charge chez soi les activités de service d'autres entreprises.* Ainsi, Kimberley-Clark a sa propre flotte d'avions qu'elle entretient elle-même. Il lui arrive de proposer ses services de maintenance à d'autres entreprises également propriétaires d'avions.

4. *Proposer d'aller rendre des activités de service « à domicile ».* Par exemple, Scott, une société de semences agricoles propose à ses clients d'entretenir leurs pelouses et leurs jardins.

5. *Commercialiser des services financiers.* Toute entreprise industrielle peut, vis-à-vis de ses clients, offrir les facilités de crédit d'une banque.

6. *Développer ses activités de distribution.* Tout fabricant peut décider de se diversifier en aval. Panzani a ouvert une chaîne de fast-food de pâtes, Via Gio.

7. *Utiliser les ressources d'Internet pour offrir de nouveaux services.* De nombreux sites offrent, au-delà du produit qu'ils vendent, de nouveaux services. Par exemple, sur le site des *Echos* (www.lesechos.fr), il est possible, d'enregistrer la composition de son portefeuille d'actions et d'OPCVM et de suivre en permanence son évolution. Alors que ce service est gratuit, d'autres comme, par exemple, la consultation des articles passés consacrés à une société donnée sont payants.

*Sources :* Voir Ronald Henkoff, « Service is Everybody's Business », *Fortune,* 27 juin 1994, pp. 48-60 ; Irving D. Canton, « Learning to love the Service Economy », *Harvard Business Review*, mai-juin 1984, pp. 89-97 et Mark Hanan, *Profits Without Products : How to Transform Your Product Business into a Service* (New York : AMACOM, 1992).

comme les médecins d'entreprise, les formateurs internes, les comptables ou les informaticiens, sont des prestataires de service interne.

❖ Un *service* est une activité ou une prestation soumise à un échange, essentiellement intangible et qui ne donne lieu à aucun transfert de propriété. Un service peut être associé ou non à un produit physique.

L'offre d'une entreprise comporte le plus souvent un élément de service qui peut être plus ou moins déterminant. On distingue en fait cinq situations :

1. *Le pur produit tangible.* L'offre se limite à un bien tangible tel que du savon, de la pâte dentifrice ou du sel, sans qu'aucun réel service y soit attaché.

2. *Le produit tangible accompagné de plusieurs services.* L'entreprise propose alors un produit central entouré de services périphériques (voir l'encadré 15.1). Par exemple, un constructeur automobile vend, en plus du véhicule, une garantie, un service d'entretien, etc. Theodore Levitt a observé à ce propos que : « plus un produit est technologiquement avancé (une voiture, un ordinateur), plus sa vente dépend de la qualité et de la disponibilité des services qui l'accompagnent (présentation, livraison, réparation, entretien, assistance tech-

CHAPITRE 15
Concevoir
et gérer
les services

nique, garantie...). De cette façon, on peut dire que General Motors est davantage une société de service qu'une entreprise industrielle »[2].

3. *Le produit-service*. Il comprend, en parties égales, une composante produit et une composante service. Par exemple, dans un restaurant, il y a à la fois consommation de nourriture et prestation de service.

4. *Le service accompagné de produits ou d'autres services*. L'offre de l'entreprise consiste en un service central complété par certains produits ou services annexes. Ainsi, le transport aérien se compose d'un service de base (transport) comprenant plusieurs produits complémentaires (nourriture, boissons, journaux et magazines). La réalisation de ce type de services exige l'achat d'un produit très coûteux (l'avion), mais la prestation offerte est un service.

5. *Le pur service*. L'entreprise propose cette fois uniquement un service, par exemple l'assistance d'un avocat ou le concours d'un psychologue. Aucun produit ne l'accompagne.

Compte tenu d'une telle diversité, il est assez difficile de généraliser sur les services à moins d'introduire d'autres distinctions complémentaires.

On classe ainsi les services suivant qu'ils requièrent du *personnel* ou de *l'équipement* : un psychiatre n'a guère besoin d'équipement, contrairement à un chirurgien-dentiste. Les services à base de personnel se répartissent à leur tour en fonction de son degré de spécialisation tandis que les services à base d'équipement peuvent être plus ou moins automatisés.

Un second critère de classification prend en compte la *présence du client*. Est-elle ou non nécessaire ? La chirurgie à cœur ouvert nécessite bien évidemment la présence du patient, pas la réparation automobile. Si le client est présent, il faudra tenir compte de ses besoins et souvent investir dans un décor de qualité et un accueil agréable (c'est le cas par exemple des salons de coiffure et des instituts de beauté).

En troisième lieu, on peut considérer *la nature de la clientèle*. On distingue les services aux particuliers et aux entreprises. Les entreprises qui s'adressent aux deux clientèles, comme les loueurs de voiture ou les compagnies aériennes, développent une approche marketing distincte et proposent des services différents.

Enfin, les *objectifs* de l'entreprise de service (à but lucratif ou non) et son statut (privé ou public) permettent, en les croisant, d'identifier quatre types de service nécessitant des stratégies marketing distinctes. On ne fera pas de la même façon la promotion d'une clinique privée et celle d'un hôpital public[3].

## Les caractéristiques des services

Les services présentent quatre caractéristiques majeures influençant l'élaboration des actions marketing qui leur sont destinées[4].

### L'intangibilité

Les services sont intangibles. On ne peut les voir, les toucher, les sentir, les goûter ou les entendre avant de les acheter. La cliente se faisant faire un soin du visage dans un institut de beauté ne peut connaître le résultat à l'avance pas plus que le malade dans le cabinet du psychologue.

Pour réduire son incertitude, l'acheteur cherche activement des signes démontrant la qualité du service. Il attache une signification à tout ce qu'il voit : les locaux, le personnel, l'équipement, l'information, les logos et les prix.

La mission du prestataire de service est donc de favoriser la confiance du client en «accroissant la tangibilité du service[5]». Alors que le chef de produit doit ajouter une valeur imaginaire à son produit, le responsable d'un service doit concrétiser une offre abstraite.

De nombreuses approches permettent de concrétiser un service. Supposons qu'une banque ait décidé de développer un service de guichet rapide et efficace[6]. Elle dispose de nombreux points d'appui :

1. *Les locaux.* L'extérieur comme l'intérieur de la banque peuvent être réaménagés : multiples entrées, canalisation du trafic, postes d'accueil multifonctions afin d'éviter la queue, musique d'ambiance.

2. *Le personnel.* Facilement identifiable et habillé de manière sobre et professionnelle.

3. *L'équipement.* Moderne, il doit donner de la banque l'image d'une entreprise à la pointe du progrès. Les guichets automatiques, les distributeurs et les bornes interactives contribuent à donner cette image de modernité, tout en libérant du temps de contact pour que le personnel se consacre au conseil et semble plus disponible.

4. *L'information.* Les brochures doivent être claires et engageantes, les photos appropriées. Toute la documentation doit exprimer le souci d'image de la banque.

5. *Les logos.* La banque doit choisir un nom, parfois un symbole pour chaque service.

6. *Les tarifs.* Ils doivent être clairement expliqués à chaque occasion.

Carbone et Haeckel conseillent d'accroître la tangibilité du service par *l'ingénierie de l'expérience du client*[7] : les entreprises définissent précisément la manière dont elles souhaitent que les clients vivent leur expérience de consommation et conçoivent un ensemble d'*indices de performance et de contexte* cohérents avec ce type d'expérience. Dans une banque, par exemple, le fait que l'employé au guichet donne le montant exact d'argent liquide demandé est un indice de performance, alors que sa tenue vestimentaire est un indice de contexte. Les indices de contexte peuvent être humains ou mécaniques. Les indices prévus par l'entreprise doivent être présentés dans un projet d'expérience. Dans la mesure du possible, ils doivent faire appel aux cinq sens, comme dans les parcs Disney ou les restaurants McDonald's.

## L'indivisibilité

Un service est fabriqué en même temps qu'il est consommé. On ne peut, comme dans le cas des produits tangibles, concevoir, fabriquer, puis commercialiser en autant d'actions séparées. Si le service comporte une prestation humaine, la personne incarnée fait partie intégrante du service.

Un concert de Johnny Hallyday n'a plus du tout la même valeur si le chanteur est malade et remplacé au dernier moment. Il s'ensuit que la capacité de production est limitée à la disponibilité de l'artiste. Plusieurs stratégies permettent de contourner cet écueil. On peut élargir l'audience comme dans le cas de la psychothérapie de groupe, réduire la durée du service (fast-food), ou développer un réseau en formant des prestataires de services (salons de coiffure Jacques Dessange).

Parce que le client est présent pendant la fabrication du service, l'interaction entre prestataire et client constitue un élément-clé du marketing des services.

## La variabilité

Un service est éminemment variable selon les circonstances qui président à sa réalisation. Un repas préparé par Joël Robuchon lui-même sera peut-être plus réussi que s'il le confie à l'un de ses assistants. Même dans le premier cas, la qualité du repas variera selon l'humeur et l'inspiration du chef. C'est probablement la variabilité des services qui explique le volume de bouche à oreille constaté à leur propos.

Les entreprises de service améliorent le contrôle de qualité de plusieurs manières. Elles investissent dans un personnel qualifié et lui font suivre des formations de façon à harmoniser le niveau du service rendu. Dans certains cas, elles codifient de façon précise la nature des contacts avec la clientèle. La figure 15.1 présente ainsi le schéma adopté par un fleuriste. Elles mesurent également la satisfaction obtenue à travers lettres de réclamation, boîtes à idées, enquêtes et comparaisons avec la concurrence[8].

**FIGURE 15.1**
Un exemple
de gestion
de service :
la livraison florale

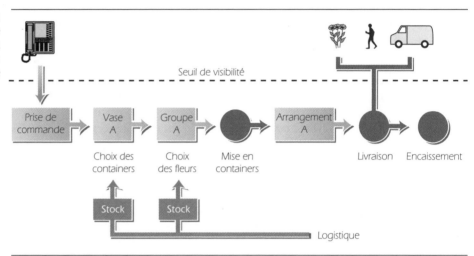

Source : G. Lynn Shostack, « Service Positioning through Cultural Change »,
Journal of Marketing, 1987, p. 39.

## La périssabilité

Les services ne se stockent pas. C'est la raison pour laquelle les compagnies aériennes introduisent des pénalités en cas d'annulation sur certains billets : un billet non vendu est perdu à jamais. La périssabilité d'un service n'est pas un écueil si la demande est stable et donc connue d'avance. Quand elle fluctue, elle crée en revanche des problèmes d'infrastructure, comme pour les transports en commun, insuffisants aux heures de pointe, suréquipés le reste du temps.

Earl Sasser a proposé différentes stratégies pour synchroniser l'offre et la demande dans le domaine des services[9].

Pour ce qui est de la demande :

♦ *Proposer des tarifs différents* afin de faire basculer une partie de la demande aux heures creuses. C'est le cas pour les tour-operators hors période scolaire et les *happy hours* (avant 19 heures) dans les bars.

♦ *Cultiver la demande aux heures creuses.* La chaîne des restaurants Flunch offre par exemple des avantages spéciaux (gâteau d'anniversaire, menu-enfant à prix réduit) pour ses repas du soir.

♦ *Offrir des services supplémentaires* afin d'occuper la clientèle en attente. Ainsi certains aéroports proposent des programmes de vidéo en salle d'embarquement[10].

♦ *Mettre en place un système de réservation* comme ont appris à le faire hôtels, restaurants, compagnies aériennes et médecins.

Pour ce qui est de l'offre :

♦ *Employer du personnel à temps partiel* pour les périodes de pointe. C'est ce que font les clubs et organismes de vacances.

♦ *Réduire à l'essentiel le service en période de pointe.* À l'occasion des grandes fêtes religieuses (Pâques, semaine sainte), certaines églises ont réduit la durée des offices, de façon à en accroître le nombre.

♦ *Accroître la participation du consommateur,* par exemple en mettant des pompes à essence en libre service.

♦ *Partager les services* comme pour le Palais Omnisport de Paris Bercy utilisable pour les rencontres sportives comme pour les variétés.

♦ *Prévoir les extensions futures.* L'aéroport Paris-Charles de Gaulle a été conçu pour recevoir jusqu'à quatre pistes ainsi que plusieurs aérogares et leurs satellites.

■ NOUVELLES FRONTIÈRES. Cette société a abordé le problème de la périssabilité de manière originale : tous les mardis, à 11 h, elle organise sur son site web une vente aux enchères des billets ou séjours invendus. Les participants se sont inscrits au préalable et ont communiqué leur numéro de carte de crédit de façon à ce que la vente soit effective dès l'enchère gagnante identifiée. Les économies réalisées sur le tarif catalogue peuvent atteindre et même dépasser 50 %.

Ces quatre caractéristiques des services ont un certain nombre de conséquences sur les approches marketing qui leur sont appliquées. Par exemple, les politiques de prix sont souvent spécifiques (voir encadré 15.2).

---

**15.2**

 ## Les politiques de prix appliquées aux services

Agnès Durrande-Moreau a étudié les prix des services et montré que l'intangibilité, l'indivisibilité, la variabilité et la périssabilité expliquent les pratiques spécifiques qui leur sont appliquées. Elle a identifié cinq approches :

♦ *Un prix unique pour des prestations hétérogènes* : il peut s'agir d'un forfait pour un usage illimité (parc à thème, abonnement à une piscine) ou un tarif unique, quel que soit le service acheté (comme le tarif postal unique en vigueur en Europe, que la lettre soit envoyée à 2 ou 2 000 km). Ce type de tarification répond à un souci de simplicité face à la complexité et à l'hétérogénéité des besoins des acheteurs.

♦ *Un prix variable selon les caractéristiques individuelles des clients,* que ces caractéristiques soient identitaires (tarif étudiant ou senior au cinéma) ou situationnelles (gâteau d'anniversaire offert au restaurant). Si ces pratiques correspondent à une approche classique de segmentation de la clientèle, elles sont rendues possibles par la présence du client au moment où le service est produit.

♦ *Un prix adapté au degré de participation du client à la prestation* : prix réduit lorsque le client joue un rôle actif dans la réservation (par Internet par exemple), dans la prestation (réduction à l'entrée de certaines boîtes de nuit si l'on s'y rend déguisé) ou dans la vente à d'autres clients (tarif de parrainage chez les coiffeurs). Cette spécificité est elle aussi liée à la présence du client au moment de la production et à l'intangibilité des services qui rend les conseils d'amis particulièrement importants pour la décision d'achat.

♦ *Un prix variable selon le moment,* qu'il s'agisse du moment de consommation (tarif réduit en période creuse pour le tourisme et les transports) ou du moment d'achat (tarif de dernière minute au théâtre ou dans le tourisme et, à l'inverse, tarif préférentiel en cas de réservation très anticipée). Ces approches se justifient par la périssabilité des services. Les tarifs élevés pour un service rapide (pour le développement photographique par exemple) tirent parti de la valeur du temps pour le client puisque le service est produit pendant son achat.

♦ *Le Yield management* ou gestion du rendement, enfin, consiste à faire varier le prix d'un service dans l'objectif de gérer efficacement les capacités et de maximiser le revenu global de l'entreprise. On adapte en temps réel le nombre de places commercialisées à chaque tarif en fonction des achats déjà effectués et des prévisions sur les achats futurs, en gardant des places à des tarifs élevés pour répondre à la demande de clients non prévoyants et peu sensibles au prix. Un même service, fourni au même moment, peut ainsi être réservé à un prix variant de 1 à 5, voire de 1 à 10. Cette approche, initialement développée dans le transport aérien, se développe aujourd'hui dans le tourisme et l'hôtellerie et sera pro-bablement amenée à se généraliser avec le développement d'Internet. Accor a mis en œuvre une telle approche en Europe en l'appliquant conjointement à l'ensemble de ses hôtels présents dans une zone donnée, généralement une ville (système de «revenue management par place»).

*Sources :* Agnès Durrande-Moreau, «Services et tactiques de prix : quelles spécificités?», *Décisions Marketing* n° 25, janvier-mars 2002, pp. 17-26 ; Jean-Marc Lehu, «Internet comme outil de Yield Management dans le tourisme», *Décisions Marketing* n° 19, janvier-avril 2000, pp. 7-19 ; Gilles Beluze et Véronique Guilloux, «Revenue management par place : une spécificité Accor», *Décisions Marketing* n° 26, avril-juin 2002, pp. 7-15 ; Véronique Guilloux, «Le *yield* en marketing : concepts, méthode et enjeux stratégiques», *Recherches et Applications en Marketing*, vol. 15, n° 3, 2000, pp. 55-73.

# Le marketing des services

Le marketing des services a longtemps été en retard sur le marketing des produits de grande consommation. Le faible intérêt des sociétés de service pour le marketing s'explique aisément : les sociétés de service sont souvent de petites entreprises, (coiffeurs, cordonniers) peu formées à la gestion ; d'autres (notaires, médecins, avocats) n'y ont pas accès pour des raisons légales (interdiction de publicité et de démarchage) ; enfin, certaines sont, ou étaient, en situation de surdemande (écoles, hôpitaux) et ne se préoccupaient pas jusqu'ici de prospecter la clientèle.

Cependant c'est de moins en moins vrai et les activités de services mettent en œuvre un marketing de plus en plus performant. Même les services publics, considérant désormais qu'ils ont des clients et non plus des «usagers», cherchent à améliorer leur interface client en modernisant les lieux d'accueil, en accroissant la fiabilité du service, en sensibilisant le personnel en contact avec la clientèle, voire en pratiquant la discrimination tarifaire[11].

## Les compléments au mix marketing

Une activité de service est assez difficile à gérer dans l'optique marketing classique : contrairement au produit standardisé, la qualité du service finalement rendu au consommateur dépend pour une large part de facteurs liés au processus de production lui-même. Ces facteurs sont reproduits à la figure 15.2. Illustrons-les. Un consommateur A se rend dans une agence bancaire pour obtenir un prêt (service X). Sur place, il rencontre d'autres clients venus pour le même ou d'autres services. Il voit aussi un environnement composé d'un bâtiment, d'un décor intérieur, d'un mobilier, etc. Il entre enfin en contact avec le personnel de la banque. Dans les coulisses, tout un système d'organisation et de production supporte la partie visible du service rendu. Pour appréhender cette complexité, Gronroos a suggéré d'ajouter aux 4 P traditionnels du marketing externe classique deux nouvelles variables : le marketing interne et le marketing interactif[12] (voir figure 15.3).

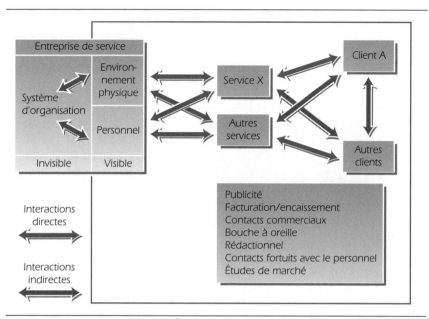

**FIGURE 15.2**
Les éléments
d'une prestation
de service

*Source :* Adapté de Pierre Eiglier et Éric Langeard, « A Conceptual Approach of the Service Offering » dans *Proceedings of the EMAC Annual conference*, Éd. H. Hartvig Larsen et S. Heede, Copenhagen : School of Economics and Business Administration, 1981.

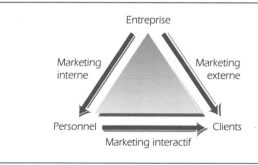

**FIGURE 15.3**
Les trois formes
de marketing
dans les services

*Source :* adapté de Christian Gronroos, « A Service Quality Model and its Marketing Implications », *European Journal of Marketing*, 1984, n° 4, pp. 36-44.

Le *marketing interne* signifie que l'entreprise doit former l'ensemble de son personnel dans l'optique de la satisfaction du client. Il ne suffit donc pas de créer un département marketing spécifique ; il faut « mobiliser l'ensemble de l'entreprise à la pratique du marketing »[13].

Le *marketing interactif* souligne que la qualité perçue du service est étroitement liée à l'interaction acheteur/vendeur. Cela est particulièrement net dans le cas des professions libérales[14]. Il s'ensuit que le client ne juge pas seulement la qualité technique du service (l'opération a-t-elle réussi ?) mais également sa qualité fonctionnelle (le chirurgien inspirait-il confiance ?).

En fait, il n'est pas certain que le client puisse toujours apprécier la qualité technique des services fournis. La figure 15.4 classe différents produits et services selon leurs difficultés d'évaluation. À gauche apparaissent des biens que l'on peut facilement apprécier avant l'achat, que l'on appelle «produits d'apprentissage»; au milieu, des produits et services que l'on peut évaluer après l'achat et l'expérience de consommation («les produits d'expérience»); et à droite des produits et services «de croyance» pour lesquels même cette évaluation est difficile. C'est dans ce cas que le bouche à oreille joue un rôle particulièrement important, que les clients utilisent des indicateurs comme le prix, le personnel ou les indices physiques pour évaluer la qualité et qu'ils sont fidèles à un fournisseur.

**FIGURE 15.4**
Facilité d'évaluation
de différents
produits
et services

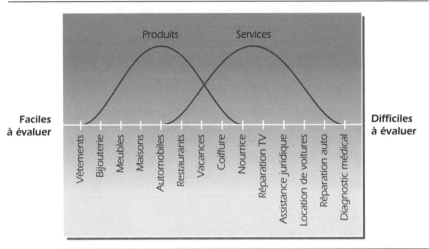

Source : Valérie A. Zeithaml, «How Consumer Evaluation Processes Differ between Goods and Services» dans James H. Donnelly et William R. George (Eds), *Marketing of Services* (Chicago : American Marketing Association, 1981).

À mesure que la concurrence s'intensifie, il semblerait que les entreprises de service soient confrontées à un triple défi : celui de la *différenciation*, celui de la *qualité* et celui de la *productivité*. Considérons-les tour à tour.

## La différenciation

Les entreprises de service se plaignent souvent de la difficulté à différencier leur offre face à la concurrence. La tendance à la déréglementation qui souffle sur certains marchés (télécommunications, transports, énergie, banque) a renforcé cette menace. Ainsi, à Paris, on a vu se multiplier les entreprises de transport de courrier entrant en concurrence avec La Poste.

La solution face à une guerre de prix menaçante consiste à différencier son image et son offre. On peut y parvenir en ajoutant des innovations au service rendu. Par exemple, certaines compagnies aériennes proposent désormais en vol des services de secrétariat. De plus en plus de chambres d'hôtels sont équipées de prises permettant de se connecter à Internet. Le principal problème dans cette approche est la difficulté de se protéger contre l'imitation. Seul un courant continu d'innovation permet d'y parvenir[15].

On peut également se différencier à travers la rapidité et la qualité avec laquelle le service est rendu. Ainsi, sur l'autoroute A6, l'une des sociétés qui gère les restaurants d'autoroute a lancé un nouveau type de service, «Express 20 minutes», destiné à la clientèle soucieuse de gérer au mieux son temps. La différenciation par la qualité peut reposer sur la fiabilité du service rendu, en limitant les erreurs et les variations de qualité, ou sur la capacité de réaction à des urgences ou à des questions des clients. Ces axes reposent sur des facteurs organisationnels souvent difficiles à imiter pour les concurrents.

Une dernière approche consiste à se différencier par l'image, à l'aide de marques et de logos. Le Club Med a ainsi adopté le trident comme emblème et s'en est largement servi dans sa communication interne et externe. Cela a, semble-t-il réussi à lui donner une image à la fois forte et sympathique (voir encadré 15.3).

## La qualité

L'une des stratégies concurrentielles majeures, dans le domaine des services, est de garantir un niveau de qualité suffisant[16]. Les clients développent certaines attentes vis-à-vis du service offert en fonction de leurs expériences d'achat antérieures, du bouche-à-oreille et de la publicité. Ils comparent le service perçu avec le service attendu et sont satisfaits si leur perception est comparable ou supérieure à leurs attentes. Une entreprise se doit donc d'abord de connaître les attentes et souhaits des clients en matière de qualité (que veulent-ils ? quand ? où ? et sous quelle forme ?). Ainsi, le client d'une banque peut souhaiter : 1) ne pas avoir à attendre à un guichet plus de cinq minutes[17]; 2) recevoir un accueil attentionné, compétent et courtois ; et 3) obtenir un service rapide.

Une fois les souhaits analysés, il n'est pas nécessaire de les prendre tous en charge. Le coût occasionné serait peut-être supérieur au bénéfice attendu. Il convient donc de choisir les niveaux de satisfaction que l'on s'efforcera d'atteindre et de les communiquer tant au client qu'au personnel.

Parasuraman, Zeithaml et Berry ont élaboré un modèle qui recense les principaux écueils en matière de gestion de la qualité. Il est représenté à la figure 15.5. Cinq zones de difficultés apparaissent :

1. *L'écart entre les perceptions de l'entreprise et celles des clients.* L'entreprise ne perçoit pas toujours ce que les consommateurs attendent ni la manière dont ils jugent la qualité des services proposés. Ainsi, les compagnies aériennes peuvent croire que la majorité des voyageurs sont très intéressés par le cinéma en vol alors qu'elle concerne les touristes et non les hommes d'affaires.

2. *L'écart entre les perceptions de l'entreprise et les normes de qualité.* L'entreprise peut fixer des normes floues ou inadéquates. Par exemple, il ne sert à rien de dire que l'on va répondre à tous les coups de téléphone avant la cinquième sonnerie si l'on ne dispose pas du standard téléphonique nécessaire.

3. *L'écart entre les normes de qualité et les prestations effectives.* Les prestations de service peuvent être handicapées par de nombreux facteurs : un personnel mal préparé ou surchargé, des pannes d'équipement, parfois des directives contradictoires. Dans certaines banques par exemple, les normes de productivité qui poussent à l'efficacité maximum du personnel entrent en conflit avec les souhaits du marketing pour un contact courtois et amical avec chaque client.

4. *L'écart entre la prestation et les communications externes.* Les attentes des clients sont influencées par les promesses faites dans la publicité. Si une brochure vante le calme d'un hôtel situé au bord d'une autoroute, il ne peut y avoir que déception.

5. *L'écart entre le service perçu et le service attendu.* Cet écart résulte de tous les écarts précédents et détermine la qualité perçue du service.

**FIGURE 15.5**
Un modèle
de la qualité

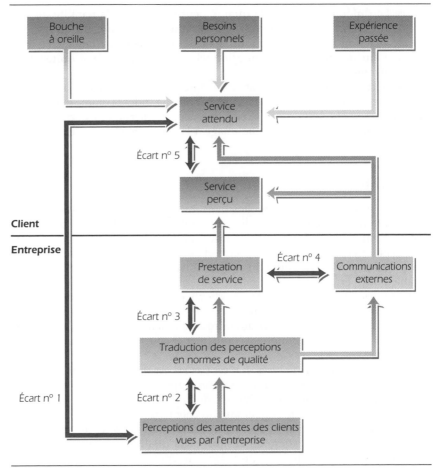

*Sources : A. Parasuraman, Valérie A. Zeithaml et Leonard L. Berry, « A Conceptual Model
of Service Quality and its Implications for Future Research »,* Journal of Marketing,
automne 1985, p. 44. Voir également A. Parasuraman, Valarie A. Zeithaml et Leonard
L. Berry, «Servqual : une échelle multi-item de mesure des perceptions de la qualité de
service par les consommateurs», *Recherche et Applications en Marketing,* vol. 5, 1990, pp. 19-42
et Michael Brady et Joseph Crorin, «Some New Thoughts on Conceptualizing Perceived
Service Quality», *Journal of Marketing,* 2001, nº 65, pp. 34-49.

Les mêmes chercheurs ont élaboré une liste des *déterminants de la qualité* qui
semble relativement indépendante du service considéré[18] :

1. *La fiabilité.* La prestation de service doit être complète et correspondre aux
   promesses réalisées.

2. *La capacité de réaction.* Le personnel doit réagir rapidement et efficacement à
   toute requête ou problème du client.

3. *La compétence et la confiance.* Le personnel doit avoir les connaissances nécessaires pour assurer la prestation de service et inspirer confiance.

4. *Le souci du client.* Le personnel doit porter attention aux besoins de la clientèle.

5. *La matérialisation de qualité.* Les produits attachés au service (équipements,
   matériels de présentation, outils de communication) doivent correspondre au
   niveau de qualité annoncé.

# Du concept de vacances au groupe de loisirs : le Club Med

Fondé par Gilbert Trigano et Gérard Blitz en 1955, le Club Med repose sur un concept simple : fournir aux «Gentils Membres» un moment d'évasion par rapport à leur univers quotidien, un environnement privilégié où ils n'ont pas de décisions angoissantes à prendre, où ils peuvent s'habiller comme ils l'entendent et nouer des relations simples et informelles avec autrui.

Depuis le premier village ouvert en Grèce, le Club a fait beaucoup de chemin puisque l'on compte aujourd'hui plus de 80 villages répartis dans une trentaine de pays et ayant attiré 1,7 million de clients en 1999. Après le succès des années 1980, le Club Med a connu de nombreuses difficultés au cours des années 1990 avec un taux de remplissage en déclin (62 % en 1993).

Comme le souligne Gérard Mermet, «l'utopie fondatrice d'un monde sans argent, fait d'amitié et de convivialité, de lieux féeriques et de logements sommaires a vécu. Endormi sur ses lauriers, le Club n'avait pas senti les changements qui se produisaient dans les attentes des vacanciers pour qui l'authenticité, la découverte des pays et des gens et la satisfaction individuelle ou en couple comptent désormais davantage que l'euphorie collective. Ils ne considèrent plus le tutoiement comme un signe de décontraction et souhaitent rester en contact avec le monde extérieur.»

Depuis sa nomination à la tête du groupe en 1997, Philippe Bourguignon a tenté de prendre en compte ces évolutions en réalisant de nombreuses réformes : rénovation des villages, fermeture de certains d'entre eux, réduction de leurs coûts de fonctionnement, élargissement de leur période d'ouverture, remise à plat de la politique de transport aérien, modification de la structure de prix en structurant l'offre en quatre catégories (un à quatre tridents) et en augmentant les tarifs, introduction d'un système d'information de pointe, création d'une direction de la qualité analysant les quelque 250 000 questionnaires de satisfaction renvoyés chaque année par les Gentils Membres (soit un taux de réponse de 42 %, extrêmement élevé) et les analyses des «clients mystères»…

Au-delà de ces profonds changements, la stratégie du groupe a considérablement changé puisqu'il s'agit aujourd'hui de «transformer une société de villages de vacances en une société de services, un des leaders mondiaux du loisir sous toutes ses formes.» Pour cela, le groupe s'appuie sur sa marque qui bénéficie d'un taux de notoriété mondiale de 85 % et d'une image très favorable, évocatrice de bonheur, de farniente et de plaisir.

Cette nouvelle stratégie s'est traduite par la multiplication des licences, accordées à L'Oréal pour les produits solaires, Delsey pour les valises et Coty pour l'hygiène-beauté ; par l'ouverture de centres de loisirs urbains sous la marque Club Med World à partir de juin 2000 ; par l'acquisition en mai 2001 du réseau de salles de sport Gymnase Club, rénovées puis rebaptisées Club Med Gym en septembre 2002. Les années à venir indiqueront si cette politique de marque s'avère efficace pour reconquérir les clients, les attirer vers les villages et les autres activités de loisirs du groupe.

---

*Sources : Management*, «Le Club Med peut-il s'en sortir», janvier 2002, pp. 16-21 ; *LSA*, «Club Med, une marque mondiale pour Coty», 24 janvier 2002, p. 37 ; *Challenges*, «Club Med : les bronzés font du cash», juin 2000, pp. 106-110 ; «Sun, Sea, Sand and Service», *International Journal of Health Care Quality Assurance*, 1994, vol. 7, n° 4, pp. 18-19 ; Gérard Mermet, *Tendances 1996 : le nouveau consommateur* (Paris : Larousse, 1996), pp. 265-266.

L'analyse de sociétés de service performantes révèle qu'elles partagent une certaine pratique de la qualité, que l'on peut résumer ainsi[19] :

♦ *Une philosophie de la qualité ancrée depuis longtemps.* Des sociétés comme Walt Disney, Federal Express ou Hilton croient depuis longtemps à la qualité. Leur management est très attentif à ce que les normes soient respectées, avant même les objectifs financiers. Cette préoccupation est particulièrement présente pour les sociétés organisées en franchise (Accor, McDonald's, etc.).

♦ *Un niveau de normes élevées.* Les sociétés performantes se donnent des standards élevés. Chez City Bank, par exemple, on a fixé pour objectif au personnel de répondre aux appels téléphoniques en moins de 10 secondes et aux lettres sous 48 heures.

♦ *Des technologies permettant le self-service.* Les guichets automatiques de banque (GAB), les distributeurs automatiques de banque (DAB), les stations service en libre-service, les automates de paiement dans les hôtels et les aéroports, l'achat de tickets sur Internet et la définition des caractéristiques de certains produits sur Internet se substituent à de nombreuses interactions en face-à-face. Ces prestations automatisées n'améliorent pas toute la qualité du service, mais elles accroissent sa fiabilité et sa rapidité.

♦ *Un suivi systématique des performances.* Les sociétés de service tenant le haut du pavé procèdent à un suivi régulier de leurs performances, comparées à celles de leurs concurrents. General Electric envoie chaque année 700 000 cartes invitant la clientèle à évaluer son service. D'autres sociétés utilisent la méthode des inspecteurs anonymes (appelés «clients mystères») pour sonder la réalité. L'une des méthodes les plus fructueuses consiste à demander à un échantillon de consommateurs d'indiquer leurs réactions aux différentes prestations de service, tant sous l'angle de l'importance que de la performance. L'encadré 15.4 fournit un exemple.

♦ *Un système de prise en charge des réclamations.* La quasi-totalité des entreprises de service performantes ont mis en place des mécanismes de traitement des réclamations des clients. En moyenne, un client fait part de son expérience de consommation à trois personnes lorsqu'il en est satisfait et à onze personnes en cas d'insatisfaction. Il est donc essentiel de bien traiter les réclamations pour limiter le bouche-à-oreille négatif, d'autant qu'un client dont la réclamation a été bien traitée devient souvent un fervent défenseur de l'entreprise. Certaines firmes cherchent même à encourager les réclamations afin d'identifier les clients mécontents et de les reconquérir[20].

♦ *La satisfaction du personnel en même temps que la clientèle.* Les meilleures sociétés de service ont compris que la satisfaction de la clientèle passe par celle du personnel, compte tenu du rôle de celui-ci dans la prestation de service[21]. Elles s'efforcent donc de maintenir une atmosphère chaleureuse en récompensant les efforts accomplis. Elles leur offrent des perspectives d'évolution de carrière et leur proposent régulièrement des formations. Elles mesurent régulièrement le niveau de satisfaction de leurs employés.

L'une des sociétés à avoir le mieux compris tout cela est certainement l'entreprise Damart (voir encadré 15.5).

## La productivité

Comme l'activité de service est consommatrice de main-d'œuvre, son coût peut s'envoler rapidement. Il existe sept principales manières d'améliorer la productivité d'un service.

La première est de *renforcer la qualification du personnel* à tous les niveaux hiérarchiques grâce à un meilleur recrutement et une formation plus poussée. La deuxième est d'*accroître la prestation quantitative par unité de temps* en accélérant la prestation. La troisième consiste à *«standardiser» le service* en automatisant tout ou partie de la production. Levitt recommande en fait aux

## La mesure de la qualité du service : le cas d'un réparateur auto

Quatorze types de services que l'on peut trouver chez un réparateur automobile ont été classés par la clientèle selon leur importance («très important», «important», «moyennement important» et «peu important») et leur performance («excellente», «bonne», «moyenne» et «insuffisante»). Ainsi, le premier élément, «travail bien effectué dès la première fois» a été jugé très important (3,83) mais moyennement rempli par le réparateur (2,63). La figure reprend les différents éléments du tableau sous forme graphique. Le quadrant A révèle les poches d'insuffisance sur lesquelles il faut se concentrer en priorité (éléments 1, 2 et 9); le quadrant B fait apparaître les points de force du réparateur tandis que les autres quadrants indiquent des positions intermédiaires. Il semblerait que l'envoi de notices d'entretien, fort bien réalisées au demeurant (quadrant D), n'intéresse guère les clients alors que d'autres services assez mal fournis ne sont pas tellement importants (quadrant C). Une telle classification fournit au responsable marketing un guide utile lui permettant de mieux orienter ses efforts.

| Éléments de service | Note d'importance[a] (moyenne) | Note de performance[b] (moyenne) |
|---|---|---|
| 1 Travail bien effectué dès la première fois | 3,83 | 2,63 |
| 2 Réponse rapide aux réclamations | 3,63 | 2,73 |
| 3 Respect de la garantie | 3,60 | 3,15 |
| 4 Capacité de prendre en charge n'importe quel travail | 3,56 | 3,00 |
| 5 Disponibilité du service, en cas de besoin | 3,41 | 3,05 |
| 6 Service courtois et aimable | 3,41 | 3,29 |
| 7 Voiture prête pour la date promise | 3,38 | 3,03 |
| 8 Travail limité à ce qui est nécessaire | 3,37 | 3,11 |
| 9 Prix compétitifs | 3,29 | 2,00 |
| 10 Voiture rendue propre | 3,27 | 3,02 |
| 11 Emplacement proche du domicile | 2,52 | 2,25 |
| 12 Emplacement proche du lieu de travail | 2,43 | 2,49 |
| 13 Prêt de voiture pendant la réparation | 2,37 | 2,35 |
| 14 Envoi de notices d'entretien | 2,05 | 3,33 |

a : Notes de 1 à 4 : «peu important», «moyennement important», «important» et «très important».
b : Notes de 1 à 4 : «insuffisante», «moyenne», «bonne» et «excellente».

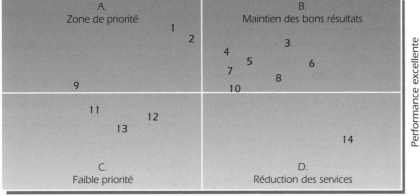

# Le service chez Damart

« Votre courrier m'offre la chance de vous dire combien j'apprécie vos produits. Je ne suis pas un très gros client – un prêtre n'est évidemment pas père d'une famille nombreuse. J'ai enseigné toute ma vie sans jamais prendre la moindre précaution pour passer d'une salle de classe surchauffée à une pièce en plein courant d'air aux fenêtres grandes ouvertes. J'ai campé en montagne pendant les vacances et mes soixante-dix ans ne m'empêchent pas de continuer. Je crois devoir un immense merci à Damart et suis heureux de vous le dire. Je recommande vos produits à toutes les occasions possibles. Recevez, Messieurs, mes sincères salutations. »

Abbé de Montigny

Chaque année, Damart reçoit un demi-million de lettres de ses clients. Beaucoup sont de ce style. Ce n'est rien de dire qu'ils sont fidèles. Ils le clament haut et fort.

Fondée en 1953 par trois frères de la famille Despature, Damart s'est spécialisée dans la fabrication et la vente (principalement par correspondance) de vêtements de protection contre le froid. Le client Damart, âgé de soixante à quatre-vingts ans, accorde plus d'importance à la valeur intrinsèque des vêtements qu'à son style. Il trouve en outre un grand plaisir à prendre contact avec l'entreprise. « C'est notre meilleur agent de publicité » affirme l'entreprise.

Damart concentre sa stratégie sur l'instauration d'une relation de confiance avec le client : « Chez Damart, nous ne vendons pas, nous conseillons, explique-t-on. Nous nous engageons à trouver l'article qui correspond le mieux aux besoins. » Les vendeuses des 51 boutiques réparties sur le territoire français ne disent pas autre chose : « Notre tâche consiste à aider les clients à exprimer leurs besoins. » Dans ces boutiques, l'ambiance est agréable : de nombreux sièges sont là pour permettre aux clients de prendre tout le temps voulu pour flâner et consulter le catalogue avant d'acheter. Chaque client reçoit jusqu'à 15 courriers dans l'année pour des envois de catalogues ou des offres spéciales comprenant des jeux et articles à prix réduit. Toutes les documentations font apparaître le nom du client.

Cette approche a permis de garder les clients habituels tout en recrutant de nouveaux clients plus jeunes (51 ans en moyenne). Elle a également favorisé l'élargissement de la gamme au-delà du célèbre thermolactyl et en faveur de nouveaux matériaux, comme l'Outlast, fibre élaborée par la Nasa pour tenir chaud quand il fait froid et conserver le frais quand il fait chaud.

Damart considère les 500 000 lettres reçues chaque année comme sa « bible » de renseignements. À l'occasion de commandes, ses clients ajoutent souvent des commentaires pour suggérer des idées d'amélioration. Damart analyse toutes les lettres et envoie un cadeau aux clients qui ont fait d'utiles suggestions. Le délai de réponse au courrier est suivi et Damart vérifie en permanence que les délais de livraison (3 jours maximum) ont été respectés. Le souci du client est également présent dans le recrutement et la formation des vendeuses de boutique. Celles-ci, âgées d'une trentaine d'années pour la plupart, sont en quelque sorte les « filles accomplies » de leurs clientes féminines. Pour rester dans le ton des plus de quarante-cinq ans, elles s'appellent toutes M$^{me}$ ou M$^{lle}$ Untel. Il n'est jamais question d'un simple prénom.

*Sources* : adapté de Jacques Horovitz et Michèle Jurgens-Panak, *La Satisfaction totale du client* (Paris : InterÉditions, 1994), pp. 292-301 et « Damart se relève de son coup de froid », *Le Nouvel Économiste*, 15 octobre 1999, pp. 80-81.

entreprises de service d'adopter des réflexes de chaîne d'assemblage afin de systématiser la production[22]. La quatrième invite à *préparer l'évolution qui permettra de repenser la conception même du service*. La cinquième cherche à toujours *améliorer l'existant*. La sixième consiste à *transférer auprès du client certaines opérations* de service, tandis que la dernière s'appuie sur le *progrès technologique* pour découvrir de nouvelles sources de productivité (voir encadré 15.6).

Il ne faut toutefois pas chercher à pousser le souci de productivité au point de réduire la qualité, ce qui serait contre-productif. Une standardisation excessive détourne parfois les clients du service, alors qu'ils seraient prêts à participer à la production d'une prestation adaptée à leurs besoins personnels.

---

**15.6**

 ## Multimédia : la montée en puissance des clients

Les applications Internet n'ont pas besoin d'être sophistiquées ni complexes pour changer le cours des affaires. La messagerie électronique en fournit la preuve. La possibilité donnée aux clients d'avoir accès à certaines informations et d'entrer en contact les uns avec les autres est source de valeur.

### L'initiative du contenu
En laissant les clients créer leur propre contenu, les entreprises accroissent la valeur de leur activité tout en réduisant leur charge de travail. Par exemple, *Geocities*, maintenant possédé par Yahoo, donne à ses utilisateurs la possibilité de créer leur propre page et, contre paiement, de lancer une activité commerciale à partir de cette page. *Ace Hardware's* comporte un calculateur de surface qui indique de combien de peinture les clients ont besoin pour un projet de rénovation particulier.

### La collaboration
En utilisant les outils de communication, la clientèle accroît la valeur de sa contribution. Il en va ainsi des forums de discussion qui permettent à des communautés virtuelles d'acheteurs de se constituer et d'effectuer ensemble des achats. Ainsi, *E-Trade : The Game* permet aux clients d'exprimer, à tra-

vers une simulation concurrentielle, leurs préférences pour différentes sortes de produits, soigneusement enregistrées par les entreprises concernées.

### Les services éducatifs
L'enseignement en temps réel devient une réalité d'autant plus tangible que la clientèle peut immédiatement mettre en œuvre les connaissances acquises. Par exemple, le MIT permet un accès libre et gratuit au matériel pédagogique utilisé pour presque tous ses cours.

### Les échanges commerciaux
Les transactions en ligne se développent d'autant mieux qu'elles permettent un vaste choix, une absence d'attente, et une assistance en cas de besoin. Ainsi, l'entreprise de vente par correspondance Lands' End propose aux internautes d'enregistrer leurs mensurations afin de créer un vêtement en trois dimensions et de « l'essayer » sur le modèle virtuel du site.

### De nouvelles plates-formes
Les agendas électroniques, les ordinateurs de bord, les téléphones cellulaires offrent aujourd'hui la possibilité de contrôler de nombreuses autres applications. Par exemple, *Audible.com* a lancé un terminal mobile permettant d'écouter à distance des livres pré-enregistrés.

*Source :* adapté de « The Technologies of Customer Empowerment », *New Media,* octobre 1998, p. 36.

# Les services attachés aux produits

Nous avons jusqu'ici accordé notre attention aux industries de service. Il ne faut toutefois pas oublier les secteurs industriels dans lesquels les produits sont accompagnés de services[23]. Dans l'informatique, par exemple, l'activité de service engendre aujourd'hui plus de chiffres d'affaires que la vente de matériel. Les possibilités de différenciation et de recherche d'avantage concurrentiel y semblent d'ailleurs plus grandes[24].

## Le service avant-vente

Une société qui fournit, autour de son produit, des services de haute qualité peut espérer l'emporter sur la concurrence. Les entreprises doivent donc analyser en détail les besoins des clients pour concevoir leurs prestations de services. Ceux-ci ont en général trois préoccupations : 1) la fiabilité des équipements et la fréquence des pannes, 2) le temps d'immobilisation du matériel en cas de réparation et 3) les coûts de maintenance et de réparation[25]. Un acheteur prend en compte ces différents éléments lorsqu'il procède à un achat. Il évalue le coût d'achat complet, qui intègre les coûts de maintenance et de réparation actualisés, moins la valeur de revente éventuelle actualisée. Les vendeurs doivent détenir des informations précises sur ces éléments pour convaincre les clients potentiels. L'importance des trois dimensions évoquées varie selon les secteurs d'activité et les clients.

Toute société est donc confrontée au choix du «mix de services» qui améliorera l'attractivité de son offre. Par exemple, dans le cas d'équipements complexes tels que les systèmes d'imagerie médicale, les fabricants devront au moins offrir :

1. *Des services d'architecture* de façon à assister le client dans le choix des locaux destinés à recevoir l'équipement.
2. *Des services d'installation.*
3. *Des services de formation* à destination du personnel devant utiliser les machines.
4. *Des services de réparation et d'entretien.*
5. *Des services financiers.*

Chaque concurrent peut ensuite ajouter les services supplémentaires qui lui donnent un avantage. Il est, en fait, souhaitable que la réflexion sur les services et sur les caractéristiques des produits soit menée en parallèle[26]. Canon a ainsi modifié sa conception des copieurs de façon à réduire le temps de service. Kodak et 3M ont incorporé à leurs appareils des dispositifs qui diagnostiquent automatiquement les pannes et, dans la plupart des cas, suggèrent une solution.

## Le service après-vente

Cette fois, les fabricants doivent déterminer la nature et l'amplitude des services après-vente. Quatre solutions s'offrent à eux :

1. Ils prennent en charge eux-mêmes le SAV.
2. Ils passent des accords avec leurs revendeurs et distributeurs.
3. Ils confient le SAV à une société tierce.
4. Ils laissent à leur clientèle le soin d'entretenir leurs propres machines.

Les fabricants commencent souvent par choisir la première solution. Elle leur permet de rester à l'écoute du marché ; elle est également à l'origine de substantiels bénéfices tant que les fabricants sont les fournisseurs exclusifs de pièces de rechange. Dans l'industrie des compresseurs, il n'est par exemple pas rare de voir le profit réalisé sur les pièces détachées supérieur au bénéfice dégagé sur la vente du matériel d'origine. Dans le secteur du poids lourd, on estime que le coût d'acquisition ne représente qu'un sixième du coût total d'exploitation du véhicule. D'où l'apparition de fabricants-pirates de pièces.

Avec le temps cependant, de nombreux fabricants transfèrent les activités d'entretien et de réparation auprès des distributeurs. Ceux-ci sont plus près des clients, plus nombreux, et peuvent offrir un service plus rapide.

Apparaissent alors des sociétés tierces qui, ayant identifié un créneau, s'y engagent en se spécialisant. Dans le domaine des accessoires automobiles, on a ainsi vu se développer des chaînes franchisées spécialisées dans le remplacement des pots d'échappement ou des amortisseurs (Midas, Speedy...). Ils se battent sur la rapidité d'intervention avec des prix plus attractifs.

Enfin, certains gros clients finissent par prendre en charge eux-mêmes leurs activités de réparation. Il peut s'agir par exemple de transporteurs disposant d'une importante flotte de camions.

Dans ce domaine, Lele a finalement noté les grandes tendances d'évolution suivantes[27] :

1. Les fabricants cherchent à construire du matériel de plus en plus fiable et facile à réparer. Cela est largement dû à une conception modulaire de la production et à l'insertion de systèmes de contrôle électronique.

2. Les clients deviennent de plus en plus sophistiqués dans l'achat des services, qu'ils préfèrent voir tarifés séparément des produits qu'ils achètent.

3. Les clients aiment de moins en moins avoir affaire à une multitude de prestataires de service. Les sociétés tierces s'occupent ainsi d'une gamme de matériel de plus en plus large.

4. Les contrats de service sont «une espèce en danger». Du fait de la fiabilité des équipements, de moins en moins de clients sont enclins à ajouter 2 à 10 % par an du prix d'achat pour un service dont ils contestent la nécessité.

5. Les choix disponibles en matière de service s'accroissent rapidement au détriment des prix et des marges. De nombreux fabricants ne peuvent plus aujourd'hui uniquement compter sur les contrats d'entretien mais doivent réaliser leur bénéfice directement sur la vente de l'équipement.

6. Les centres d'appel et les vendeurs de services, de plus en plus performants, permettent d'améliorer le service, de réduire les insatisfactions et de fidéliser les clients.

## *Résumé*

1. On appelle service une activité ou une prestation soumise à l'échange mais qui ne donne pas lieu à un transfert de propriété. Il peut ou non accompagner un produit tangible.

2. Les services sont intangibles, indivisibles, variables et périssables. Chacune de ces caractéristiques entraîne des problèmes de marketing spécifiques. Il faut en particulier « concrétiser » l'intangible ; accroître la productivité de ceux qui « produisent » le service ; contrôler la qualité afin d'en réduire les variations ; et influencer les mouvements d'offre et de demande pour réduire les inconvénients de la périssabilité.

3 Le marketing des services a pris quelque retard sur le marketing des produits mais la situation se redresse rapidement. Le marketing des services n'est pas seulement externe mais également interne et interactif, afin de mobiliser les employés.

4. Une entreprise de service est confrontée à trois défis. Il lui faut : 1) différencier son offre, son système de commercialisation, et/ou son image ; 2) gérer la qualité des prestations fournies en regard des attentes de la clientèle ; et 3) toujours améliorer la productivité de son personnel tout en le sensibilisant à l'écoute et au respect du client.

5. Même les sociétés industrielles fournissent des services en accompagnement des produits qu'elles vendent. Le mix de services comprend à la fois l'avant-vente (assistance technique, livraison) et l'après-vente (entretien et formation). Chaque entreprise doit décider de la composition et de la qualité des services à proposer en fonction des attentes de la clientèle. Elle peut décider de les assurer elle-même ou de les confier à des distributeurs, des sociétés tierces, voire aux clients eux-mêmes.

## *Notes*

1. Leonard Berry, *Discovering the Soul of Service : The Nine Drivers of Sustainable Business Success* (New York : The Free Press, 1999) ; Fred Wiersema (ed.), *Customer Service : Extraordinary Results at Southwest Airlines, Charles Schwab, Lands' End, American Express, Staples, and USAA* (New York : Harper-Business, 1998).

2. Theodore Levitt, « Production-Line Approach to Service », *Harvard Business Review*, sept.-oct. 1972, pp. 41-42.

3. Voir par exemple « Des Managers dans les salles d'op. », *L'Obs Économie*, 14 oct. 1988, pp. 79-80. Pour d'autres classifications des services, voir Christopher Lovelock et Denis Lapert, *Le Marketing des services* (Publi-Union, 1999) ; M. Lejeune, « Un Regard d'ensemble sur le marketing des services », Revue française de marketing, 1989, 1, n° 12, pp. 2-20 ; John E. Bateson, *Managing Services Marketing : Text and Readings*, 3e éd. (Hinsdale, IL : Dryden Press, 1995) ; et pour une classification des services aux entreprises, voir Jean-Paul Flipo, « Activités de service et relations interentreprises : vers une gestion stratégique des facteurs relationnels et des éléments d'interface », *Revue Française du Marketing*, n° 171, 1999, pp. 63-76.

4. Voir également Pierre Eiglier et Éric Langeard, « Une Approche nouvelle du marketing des services », *Revue française de gestion*, nov. 1975.

5. Voir Theodore Levitt, « Pour vendre vos produits intangibles, matérialisez-les ! », *Harvard l'Expansion*, hiver 1981-1982, pp. 107-110 ; Leonard Berry, « Services Marketing is Different », pp. 24-29 ; Jean-Paul Flipo, « Marketing des services : un mix d'intangible et de tangible », *Revue française de marketing*, n° 121, 1989, pp. 21-29.

6. Voir Michel Badoc, *Marketing management pour les sociétés financières* (Paris : Éditions d'Organisation, 1995) et Anne-Marie Schlosser, « Relations à distance, relations automatisées ou relations personnalisées : les évolutions de la relation banque-clients », *Revue Française du Marketing*, 1999, n° 171, pp. 53-62.

7. Lewis Carbone et Stephan Haeckel, « Engineering Customer Experience », *Marketing Management*, hiver 1994.

8. Pour un exemple d'enquête de satisfaction utilisée par Kodak, voir Jacqueline Carof, Roger Glicksman et Philippe Perrot, « Mise au point et utilisation concrète d'indicateurs d'efficacité et de

qualité de service », *Esomar Congress Proceedings*, 1983, General Sessions, pp. 243-280.

9.  Voir W. Earl Sasser, « Match Supply and Demand in Service Industries », *Harvard Business Review*, nov.-déc. 1987, pp. 133-140.

10. Pour un exemple dans le domaine de l'énergie, voir « Un marketing à coups de services haute technologie », *La Tribune*, 9 septembre 1998, p. 32.

11. Voir Jérôme Bon et Marianne Conde-Salazar, « Gestion de l'interface client et marketing du service public », *Revue Française du Marketing*, n° 171, 1999, pp. 77-85 ; Jérôme Bon, Frédéric Jallat et Christian Le Borgne, « Contrats de service et discrimination tarifaire », *Revue française de gestion*, mars 2001, pp. 5-13 ; *Marketing magazine*, « Le service public s'engouffre dans la gestion de la relation client », 1ᵉʳ janvier 2002, pp. 40-41.

12. Christian Gronroos, « A Service Quality Model and its Marketing Implications », *European Journal of Marketing*, 1984, n° 4, pp. 36-44. Voir également, du même auteur : « Le Marketing des services : consommation et marketing des processus », *Revue française du marketing*, n° 171, 1999, pp. 9-20 et Jean-Paul Flipo, « Service Firms : Interdependence of External and Internal Marketing Strategies », *European Journal of Marketing*, vol. 20, 1986.

13. Leonard Berry, « Big Ideas in Services Marketing », *Journal of Consumer Marketing*, printemps 1986, pp. 47-51 ; voir aussi Walter E. Greene *et al.*, « Internal Marketing : The Key to External Marketing Success », *Journal of Services Marketing*, 1994, n° 4, pp. 5-13.

14. Voir Philip Kotler et Paul N. Bloom, *Marketing Professional Services* (Englewood Cliffs, N.J., Prentice-Hall, 1984).

15. Voir Jean-Paul Flipo, *L'Innovation dans les activités de service. Une démarche à rationaliser* (Paris : Éditions d'organisation, 2001) ; Michel Crozier, *L'Innovation dans les services* (Paris : IREP ; Stratégie d'innovation et politique d'études, 1984) ; Frédéric Jallat, « Innovation dans les services : les facteurs-clé de succès », *Décisions marketing*, mai-août 1994, n° 2, pp. 23-29 ; Lynn Shostack, « Services : Sachez innover ! », dans *Lovelock* et *Lapert, op. cit.*, pp. 335-342.

16. Voir Pierre Eiglier, Éric Langeard et Catherine Dageville, « La qualité des services », *Revue française de marketing*, n° 121, 1989/1, pp. 50-57. Voir également B. Pavie-Latour, « La compétitivité par la qualité », *Revue française de gestion*, juil.-août 1983 et E. Collignon *et al.*, « La gestion de la qualité », *Enseignement et gestion*, hiver 1985.

17. Voir à ce sujet « La diminution du temps d'attente, un plus concurrentiel », *Les Echos*, 7 avril 1998, p. 41.

18. Voir Leonard Berry et A. Parasuraman, *Marketing Services : Competing Through Quality,* (New York : The Free Press, 1991), p. 16.

19. Voir également Jacques Horovitz et Michèle Jurgens-Panak, *La Satisfaction totale du client* (Paris : InterÉditions, 1994).

20. Stephen Tax et Stephen Brown, « Recovering and Learning from Service Failure », *Sloan Management Review*, automne 1998, pp. 75-88.

21. Voir Frédéric Jallat, « Gestion de l'interface et multiplicité des acteurs : une analyse exploratoire des systèmes complexes de relations et d'échanges au sein des activités de service », *Revue française du marketing,* 1999, n° 71, pp. 21-32.

22. Voir Theodore Levitt, « Appliquons aux services les méthodes de production », *Harvard L'Expansion*, automne 1986, pp. 111-116 ; voir également Theodore Levitt, « The Industrialization of Service », *Harvard Business Review*, sept.-oct. 1976, pp. 63-74.

23. Voir Olivier Furrer, « Le Rôle des stratégies des services autour des produits », *Revue française de gestion*, mars-mai 1997, pp. 98-110 ; James C. Anderson et James A. Narus, « Capturing the Value of Supplementary Services », *Harvard Business Review,* vol. 73, n° 1, janv.-fév. 1995, pp. 75-83.

24. Voir Monique Lejeune, « Services et produits : de la différence à la complémentarité », *Revue française de marketing*, 1989/1, n° 121.

25. Milind Lele et Uday Karmakar, « Good Product Support is Smart Marketing », *Harvard Business Review*, novembre-décembre 1983, pp. 124-132 ; Shirley Taylor, « Waiting for service : The Relationship between delays and evaluations of service », *Journal of Marketing*, avril 1994, pp. 56-69 ; - Michael Hui et David Tse, « What to tell consumers in waits if different lenghts : An Integrative Model of Service Evaluation », *Journal of Marketing*, avril 1996, pp. 81-90.

26. Voir Hervé Mathé, « Une nouvelle approche de la notion de produit », *Revue française de gestion*, juin-juil-août 1986 ; voir également Irving D. Canton, « Apprenons à apprécier l'économie de services », *Harvard L'Expansion*, automne 1987 ; James Heskett, « Services : les leçons de l'expérience », *Harvard L'Expansion*, printemps 1988 ; Éric Langeard et Pierre Eiglier, « Le couple produit-service dans l'offre globale de services aux entreprises », *Revue d'économie industrielle*, n° 43, 1ᵉʳ trimestre 1988.

27. Milind M. Lele, « How Service Needs Influence Product Strategy », *Sloan Management Review*, automne 1986, pp. 63-70. Voir également Olivier Ruyssen, « Nouveaux services et renouveau des services », *Revue d'économie industrielle*, n° 43, 1ᵉʳ trimestre 1988 ; Hervé Mathé, « Le service après-vente : enjeux politiques et organisations », *Encyclopédie du management* (Paris : Vuibert, 1992, tome I, pp. 21-31).

DANS CE CHAPITRE,
NOUS CONSIDÉRERONS
TROIS QUESTIONS :

■ Comment fixer un prix de vente
pour la première fois ?

■ Comment ajuster les prix en fonction
des circonstances et opportunités ?

■ Quand prendre une initiative
de changement de prix et
comment répondre à une attaque
de la concurrence par les prix ?

# *Choisir une politique de prix*

« *Vendez de la valeur,
pas un prix.* »

L e prix est la seule variable du marketing-mix à apporter un revenu à l'entreprise, alors que les autres constituent une source de dépenses[1]. Il est facilement et rapidement modifiable, alors que les changements en matière de produit, de distribution ou de communication prennent du temps. Il communique au marché le positionnement visé par le produit ou la marque. Sa détermination soulève de nombreuses questions : comment réagir aux baisses agressives des concurrents ? quels prix choisir lorsqu'un produit est commercialisé par plusieurs canaux de distribution ou dans plusieurs pays ? quel prix adopter pour la nouvelle génération d'un produit alors que l'ancienne version reste sur le marché ?…

Autrefois, le prix résultait d'une négociation individuelle entre l'acheteur et le vendeur. Fixer un prix unique pour tous est une idée relativement récente, qui a grandement bénéficié du développement du commerce moderne, à la fin du 19e siècle, sous l'impulsion d'hommes comme Aristide Boucicaut ou Félix Potin. Aujourd'hui encore, certaines enseignes, comme Monoprix, conservent dans leur nom cette vocation. Le développement d'Internet remet d'ailleurs parfois en cause cette évolution. Les sites d'enchères, comme www.ebay.com ou www.ibazar.fr, constituent un retour aux prix variables pour de nombreux articles, depuis les ordinateurs d'occasion jusqu'aux trains miniatures[2]. Sur www.priceline.com, le client indique le prix maximum qu'il est prêt à payer pour un billet d'avion ou une nuit d'hôtel et le site identifie si certains prestataires proposent une offre adaptée.

Jadis, le prix jouait un rôle de tout premier plan dans le comportement d'achat et il en est encore ainsi dans les pays en développement et pour les produits les plus banalisés. Au fil des années cependant, d'autres facteurs (publicité, promotion, vendeur) ont vu leur importance s'accroître, mais le prix reste un élément fondamental, notamment de par son impact sur la part de marché et la rentabilité des détaillants comme des fabricants.

En dépit de leur importance, les décisions de tarification sont rarement optimales. Trop souvent, le prix de vente :

♦ est déterminé à partir du seul prix de revient ;
♦ n'est pas assez rapidement modifié pour prendre en considération les évolutions intervenues sur le marché ;
♦ est élaboré sans référence aux autres variables d'action marketing ;
♦ tient peu compte de la variété des produits offerts, des segments de marché, des occasions d'achat et des canaux de distribution.

La responsabilité de la fixation des prix est très diversement localisée dans l'entreprise. Dans les PME, elle appartient souvent à la direction générale. Dans les grandes sociétés, elle est exercée par les directeurs de division et les chefs de produits, même si la direction générale fixe les grandes orientations. Lorsque la tarification est particulièrement importante (aéronautique, industrie lourde, transports), l'entreprise dispose d'un service spécialisé dans l'élaboration des prix, soumis à l'autorité de la direction commerciale ou de la direction générale. Naturellement, les prix font également l'objet de discussions avec les responsables des ventes, de la production, de la finance et de la comptabilité.

# *La fixation des prix*

Quand elle lance un nouveau produit, s'attaque à un nouveau marché ou circuit de distribution, ou encore répond à un appel d'offres, l'entreprise est confrontée à un problème de fixation de prix.

Pour ce faire, elle doit d'abord positionner son produit en termes de rapport qualité-prix. La figure 16.1 identifie neuf possibilités. Les stratégies 1, 5 et 9 peuvent coexister sur un même marché. Un fabricant peut ainsi vendre un produit de haute qualité à prix supérieur, tandis que des concurrents interviennent en milieu et bas de gamme. Chacun s'attaque à un segment spécifique dans sa sensibilité à la qualité et au prix du produit.

Les stratégies 2, 3 et 6 correspondent toutes à la recherche d'un avantage concurrentiel. Elles sont d'autant plus performantes que les acheteurs sont sensibles au prix pour un niveau donné de qualité. Les stratégies 4, 7 et 8 correspondent à une surcharge tarifaire. Elles supposent un marché captif et peuvent engendrer le mécontentement de la clientèle.

**FIGURE 16.1**
Neuf stratégies de gestion du rapport qualité/prix

| QUALITÉ \ PRIX | Élevé | Moyen | Bas |
|---|---|---|---|
| Élevée | 1. Stratégie du luxe | 2. Stratégie du rapport qualité/prix supérieur | 3. Stratégie du cadeau |
| Moyenne | 4. Stratégie de surprime | 5. Stratégie du milieu de gamme | 6. Stratégie du bon rapport qualité/prix |
| Basse | 7. Stratégie d'exploitation | 8. Stratégie de la fausse économie | 9. Stratégie d'économie |

La fixation d'un prix doit se faire en relation avec la valeur offerte au client et perçue par lui. Si le prix excède la valeur offerte, l'entreprise rate des opportunités de ventes. Si le prix se situe en deçà de la valeur offerte, elle limite sa rentabilité (voir figure 16.2).

De nombreux facteurs interviennent en fait dans l'élaboration d'un prix. Nous proposons dans ce qui suit une approche en six étapes, schématisée dans la figure 16.3.

## Étape 1 : déterminer l'objectif

Toute entreprise doit d'abord clarifier l'objectif qu'elle s'efforce d'atteindre à travers sa tarification. Si la cible et le positionnement ont été clairement identifiés, le mix marketing et donc le prix en découlent logiquement[3]. Un fabricant de matériel hifi comme Bang et Olufsen a décidé de se spécialiser dans le matériel de haut de gamme ; il pratique donc des tarifs élevés. Une politique de prix peut en fait servir jusqu'à cinq objectifs.

**FIGURE 16.2**
Niveau de prix
et valeur offerte
au client

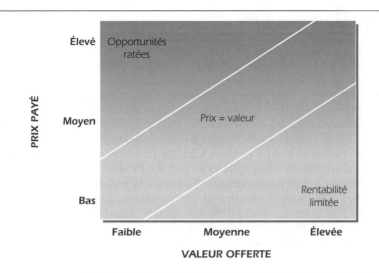

**FIGURE 16.3**
Les différentes
étapes dans
la fixation
d'un prix

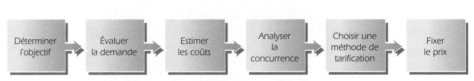

**LA SURVIE** ❖ Lorsque l'entreprise est en position de surcapacité dans un environnement concurrentiel défavorable, elle a tendance à baisser les prix pour couvrir simplement les coûts variables et quelques coûts fixes. C'est la stratégie suivie aujourd'hui par les constructeurs d'autocars de tourisme qui offrent des remises atteignant jusqu'à la moitié du prix de vente. Les marges sont alors à peine suffisantes pour continuer à exister.

**LA MAXIMISATION DU PROFIT** ❖ C'est l'un des objectifs de tarification les plus fréquemment adoptés. On utilise une fonction de demande, reliant prix et quantités vendues, et une fonction de coût identifiant coûts fixes et coûts variables. On calcule alors le prix qui maximise le profit défini comme le revenu total (quantité × prix) moins les coûts totaux. Dans la réalité, les fonctions de coût et de demande sont difficiles à estimer. En outre, ce modèle ne tient pas compte des autres variables du mix, de la réaction des concurrents et du cadre réglementaire.

**LA MAXIMISATION DE LA PART DE MARCHÉ** ❖ Certaines entreprises estiment qu'un volume de vente supérieur entraîne, grâce aux économies d'échelle, des coûts réduits et donc des profits plus importants. C'est l'essence d'un *prix de pénétration*, largement pratiqué par des entreprises comme Texas Instruments ou Moulinex. Plusieurs conditions doivent être réunies pour optimiser cette approche : 1) le marché est sensible au prix ; 2) les coûts de production et de distribution à l'unité baissent fortement lorsque le volume s'accroît ; et 3) un prix bas décourage la concurrence d'entrer ou de se maintenir sur le marché.

## 16.1

### Quelques approches de détermination du prix

Beaucoup de managers s'inquiètent de la complexité croissante de la tarification. Mais d'autres ont une attitude différente, tournant l'arme du prix à leur avantage. Ainsi :

♦ *Le prix au service de la valeur.* Le laboratoire pharmaceutique Glaxo lança le Zantac pour concurrencer le Tagamet. Normalement, les habitudes du secteur auraient voulu que le second produit lancé soit vendu dix pour cent moins cher que le premier. Mais le président de Glaxo estima que, parce qu'il offrait moins d'incompatibilités médicamenteuses et provoquait moins d'effets secondaires, le Zantac pouvait être vendu avec une forte surprime tout en continuant à viser la première place du marché, qu'il obtint.

♦ *Le prix personnalisé en fonction de la valeur.* Le produit anti-cafards Bug Killer se vend jusqu'à cinq fois le prix des concurrents car le produit est particulièrement apprécié par les hôtels et restaurants, le segment le plus sensible à la performance. Un tel écart permet de rendre un service personnalisé à chaque client et donc d'accroître encore la valeur du produit.

♦ *Le prix personnalisé en fonction des coûts et de la concurrence.* Aux États-Unis, la compagnie d'assurance Progressive est réputée pour la connaissance détaillée des sinistres survenus et sa capacité à tarifer en conséquence, proposant même des contrats aux clients que les autres compagnies hésitent à assurer.

*Source :* Adapté de Robert J. Dolan et Hermann Simon, « *Power Pricing: How Managing the Price Transforms the Bottom Line* », New York : Free Press, 1997.

---

**L'ÉCRÉMAGE ❖** D'autres entreprises préfèrent être leader en qualité plutôt qu'en volume. Elles adoptent un *prix d'écrémage* qui, pour chaque innovation, valorise les efforts de recherche et la supériorité du produit par rapport à ses concurrents.

■ **SONY.** Quand, en 1990, Sony a lancé la première télévision haute définition sur le marché japonais, l'entreprise a opté pour un prix de 43 000 euros en visant un nombre très limité de clients à haut pouvoir d'achat. Elle a ensuite progressivement réduit son prix pour élargir la clientèle. En 1993, il atteignait 6 000 euros pour un écran de 70 cm ; en 2001, 2 000 euros pour un écran d'un mètre[4].

Un prix d'écrémage se justifie si : (1) un nombre substantiel d'acheteurs éprouvent un réel besoin pour le produit ; (2) les coûts de fabrication ne sont pas rédhibitoires en cas de faibles volumes ; (3) un prix élevé n'a pas pour effet d'attirer les concurrents sur le marché ; (4) il confère au produit une image de haute qualité.

**LA RECHERCHE D'IMAGE ❖** Une entreprise peut souhaiter avant tout défendre son image exclusive par une politique de prix élevés. Le parfum Joy de Jean Patou s'est ainsi enorgueilli d'être « le parfum le plus cher du monde ».

Les organismes publics et associations sans but lucratif poursuivent parfois d'autres objectifs qui les amènent à pratiquer un *prix coûtant* ou même *sous-valorisé* (lorsqu'il est subventionné) ou encore un *prix social*, destiné à faciliter l'accès au produit par les plus démunis.

Quel que soit l'objectif poursuivi, de plus en plus d'entreprises utilisent le prix comme un outil stratégique, qui prend en considération bien davantage de paramètres que la demande et les coûts (voir encadré 16.1).

## Étape 2 : évaluer la demande

Chaque prix a un impact différent sur le niveau de la demande. La relation prix-marché s'analyse à partir des courbes de demande (voir figure 16.4-A et B) qui indiquent le nombre d'unités achetées pour chaque prix. En principe, la courbe a une pente négative : plus le prix est bas, plus la demande pour le produit est élevée. Cependant, la relation peut s'inverser dans le cas des produits de prestige. Le prix est alors interprété, dans certaines limites, comme un symbole de qualité.

**LA SENSIBILITÉ AU PRIX** ❖ Estimer une courbe de demande implique d'abord de déterminer ce qui affecte la sensibilité au prix. De manière générale, les clients sont plus sensibles au prix des produits qui coûtent cher ou qui sont achetés fréquemment. Ils sont moins sensibles au prix si[5] :

- ◆ le produit offre des avantages spécifiques ;
- ◆ les clients connaissent mal les produits de substitution ;
- ◆ les clients peuvent difficilement comparer la qualité du produit avec celle des autres produits du marché ;
- ◆ la dépense représente une faible part du revenu de l'acheteur ;
- ◆ le prix d'achat ne représente qu'une faible part du coût de possession global du produit, qui inclut d'autres frais de mise en fonctionnement et d'entretien tout au long de la durée de vie du produit ;
- ◆ la dépense est faible par rapport au coût total de l'acquisition (l'achat d'un accessoire dans une voiture par exemple) ;
- ◆ la dépense est partagée avec quelqu'un d'autre ;
- ◆ le produit est utilisé avec d'autres matériels déjà achetés ;
- ◆ le produit est perçu comme de qualité accrue ou de prestige ;
- ◆ le produit ne peut être stocké.

Internet a accru la sensibilité au prix en permettant des comparaisons immédiates entre les prix proposés par différents sites. Cependant, ce phénomène est nuancé par l'importance de la confiance dans le site, par le coût d'accès à l'information (qui, bien que réduit sur Internet, n'est pas nul et correspond au temps de recherche et de consultation, ainsi qu'à l'effort intellectuel de mise en parallèle des informations pour comparaison) et par la difficulté de considérer comme totalement équivalentes les prestations offertes par deux sites, comme pour deux achats de séjour hôtelier[6]. En outre, tous les clients ne sont pas sensibles au prix. Une étude de McKinsey a montré que 84 % des acheteurs de jouets sur Internet et 81 % des acheteurs de musique n'avaient consulté qu'un seul site avant de procéder à l'achat.

**LES MÉTHODES D'ESTIMATION DE LA COURBE DE DEMANDE** ❖ Plusieurs méthodes permettent de mesurer la relation prix-volume. La première repose sur une analyse statistique des prix passés et des quantités vendues, soit au cours d'une période de temps (séries chronologiques), soit sur des zones géographiques différentes (coupes instantanées)[7].

Une autre méthode repose sur l'expérimentation en faisant systématiquement varier les prix et en observant les niveaux de demande, soit dans un même magasin, soit sur des zones ou des groupes d'individus différents mais comparables. Sur Internet, on peut modifier le prix proposé tous les 40 visiteurs, par exemple, et comparer le niveau des achats. Ce type de pratique doit toutefois être manié avec précaution comme en témoigne l'expérience d'Amazon qui testa des réductions de 30 %, 35 % et 40 % pour l'achat de DVD et observa principalement que… les clients ne s'étant vu proposer que –30 % étaient furieux[8] !

Une troisième approche repose sur l'interrogation des consommateurs, en leur demandant s'ils achèteraient ou non le produit pour différents niveaux de prix. On peut également leur demander le prix maximum qu'ils seraient prêts à payer pour le produit et le prix en dessous duquel ils douteraient de sa qualité, et en déduire ensuite des courbes de prix minima et maxima[9].

En estimant la courbe de demande, l'analyse doit considérer tous les autres facteurs susceptibles d'intervenir. Si elle modifie son budget publicitaire en même temps que ses prix, l'entreprise ne saura jamais quelle cause a entraîné quel effet.

**L'ÉLASTICITÉ DE LA DEMANDE PAR RAPPORT AU PRIX** ❖ Reportons-nous à la figure 16.4. Dans le schéma de gauche (figure 16.4-A), un fort écart de prix se traduit par une faible modification de demande ; on dit alors que la demande est peu élastique. Dans le cas contraire (figure 16.4-B), on dit qu'elle est très élastique. On définit l'élasticité par :

$$\frac{\text{Élasticité de la demande}}{\text{par rapport au prix}} = \frac{\%\ \text{modification de la demande}}{\%\ \text{modification du prix}}$$

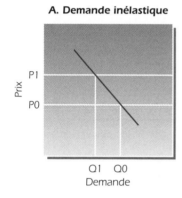

A. Demande inélastique

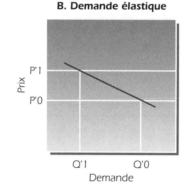

B. Demande élastique

**FIGURE 16.4**
Courbes de demande

Une élasticité égale à −1 signifie que la demande diminue (ou augmente) dans la même proportion que le prix augmente (ou diminue). Le revenu total ne change pas. Une élasticité supérieure à 1 (en valeur absolue) exprime une modification de la demande plus que proportionnelle au changement de prix ; une élasticité inférieure à 1 (en valeur absolue), l'inverse.

Une recherche réalisée à partir des données du panel IRI-Sécodip sur 389 points de vente et 52 semaines a permis d'évaluer les élasticités-prix des marques dans un certain nombre de catégories de produit[10] (tableau 16.1). Il apparaît qu'une hausse de prix de 1 % provoque une diminution moyenne des ventes de 5,32 % pour les marques de beurre, contre seulement 0,61 % pour le riz. Généralement, la demande est particulièrement élastique au prix lorsque 1) la catégorie représente des dépenses annuelles importantes (parce que les produits sont achetés fréquemment ou parce qu'ils sont chers), 2) les marques en présence sont nombreuses et obtiennent des parts de marché comparables, 3) qu'elles ont des prix proches et 4) font l'objet de peu de publicité. Cependant, il faut utiliser les chiffres d'élasticité-prix avec précaution. D'abord, les chiffres du tableau 16.1 sont des moyennes et cachent de fortes disparités entre marques d'une même catégorie. La demande à une marque donnée est d'autant plus sensible au prix que ce prix est élevé par comparaison avec la marque de distributeur, que la marque contient de nombreuses références et qu'elle réalise de nombreuses opérations promotionnelles. De plus, l'élasticité à long terme peut différer de l'élasticité à court terme mentionnée dans le tableau. Après une augmentation de prix, les acheteurs peuvent, à court terme, continuer de consommer la marque, même si, ultérieurement, ils envisagent de réduire leurs achats. Dans ce cas, la demande est plus élastique à long terme. L'inverse se produit aussi : dans un mouvement de colère, les acheteurs abandonnent le produit (tabac devenu plus cher) mais reprennent ultérieurement leurs habitudes. Cette différence entre l'élasticité à court et à long terme fait que le vendeur ne sait pas tout de suite s'il a bien fait de modifier son prix[11].

**TABLEAU 16.1**
Coefficients
d'élasticité moyenne
au prix des marques
pour quelques
catégories de produit
de consommation
courante

| Catégorie | Élasticité moyenne |
| --- | --- |
| Anisés | − 1,47 |
| Boissons aux fruits gazeuses | − 0,71 |
| Boissons aux fruits plates | − 1,55 |
| Beurre | − 5,32 |
| Café | − 2,20 |
| Aliments secs pour chiens | − 2,17 |
| Colas | − 1,24 |
| Couches | − 2,00 |
| Dentifrices | − 0,67 |
| Eaux plates | − 2,31 |
| Mouchoirs en papier | − 2,11 |
| Riz | − 0,61 |
| Tonics | − 0,55 |
| Whisky | − 4,59 |
| Yaourts nature | − 2,13 |

*Source :* Michel Dietsch, Anne-Sophie Bayle-Tourtoulou et Florence Kremer,
« Les déterminants de l'élasticité-prix des marques »,
*Recherche et Applications en Marketing*, 2000, vol. 15, n° 3, pp. 43-53.

## Étape 3 : estimer les coûts

Alors que la demande détermine souvent le prix plafond, les coûts induisent le prix plancher. Toute entreprise souhaite fixer un prix qui couvre les coûts de production, de distribution et de vente, et procure une juste rémunération de l'effort fourni et du risque encouru.

LES TYPES DE COÛTS ❖ On distingue différents types de coûts. Les *coûts fixes* ne varient pas avec le volume d'activité. Quel que soit le chiffre d'affaires, l'entreprise doit payer ses loyers, ses charges, ses salaires. Les *coûts variables*, en revanche, évoluent avec le volume de production. Chaque autocuiseur Seb coûte une cuve en inox, un bouchon de plastique, un joint de couvercle, etc. Ces coûts sont fixes par unité produite, mais varient avec le volume de production.

Le *coût total* correspond à l'ensemble coût fixe plus coût variable pour un niveau donné de production et le *coût moyen* au coût total divisé par le nombre d'unités produites. Le prix de vente doit au moins couvrir le coût total unitaire.

Avant de le définir, l'entrepreneur doit savoir comment évoluent ses coûts avec le volume de production. Reprenons le cas de Seb et supposons que cette entreprise dispose d'une usine lui permettant de produire 1 000 unités par jour. La figure 16.5-A fait apparaître la courbe en U classique de l'évolution du coût moyen à court terme. Ce dernier est élevé si le volume de production est très inférieur à la capacité, réduit pour 1 000 unités, et s'accroît pour un volume supérieur en raison de problèmes liés à la surproduction : engorgement des trains d'assemblage, pannes consécutives à la surutilisation, etc.

Si Seb estime qu'il faut passer à 2 000 unités/jour, une extension s'impose. Les aménagements peuvent être repensés et le coût moyen unitaire diminuera. C'est ce que révèle la courbe de la figure 16.5-B qui indique également que le coût s'abaisserait encore pour un volume de 3 000 unités, mais s'élèverait à nouveau pour 4 000 unités/jour en raison de dysfonctionnements dus à la taille : personnel trop nombreux, bureaucratie envahissante, etc. Il apparaît que la taille optimale de l'usine se situe autour de 3 000 unités/jour, en supposant bien sûr que la demande absorbe ce volume[12].

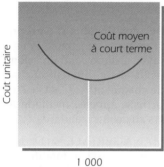
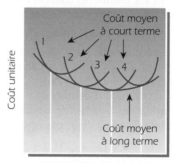

**A. Évolution du coût moyen pour une taille d'usine donnée**

Coût unitaire

Coût moyen à court terme

1 000

Quantité produite/jour

**B. Évolution du coût moyen pour différentes tailles d'usines**

Coût unitaire

Coût moyen à court terme

1 2 3 4

Coût moyen à long terme

1 000  2 000  3 000  4 000

Quantité produite/jour

**FIGURE 16.5**
Évolution des coûts et volume de production

**LA PRODUCTION CUMULÉE** ❖ Supposons que Seb dispose d'une usine fabriquant 3 000 autocuiseurs par jour. À mesure que l'entreprise accroît son expérience, elle améliore son savoir-faire. Les employés rationalisent leur travail, la gestion des matières premières et des stocks devient de plus en plus performante... Il s'ensuit que le coût moyen par unité baisse. C'est ce qu'illustre la figure 16.6. Le coût de production du 100 000ᵉ autocuiseur est 24 euros. Lorsque la 200 000ᵉ unité est produite, le coût s'est abaissé à 21 euros. Si l'on atteint une production cumulée de 400 000, il descend à 18. Cette diminution des coûts correspond à l'*effet d'expérience*[13].

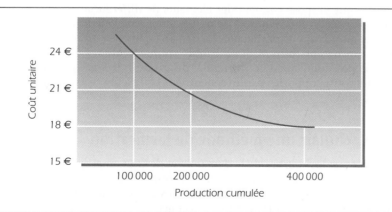

24 €

21 €

18 €

15 €

Coût unitaire

100 000  200 000  400 000

Production cumulée

**FIGURE 16.6**
La courbe d'expérience

Lorsque la pente de la courbe d'expérience est forte, une stratégie de volume se justifie. Un prix bas génère une forte demande et conduit à de nouvelles réductions de coût. Une telle stratégie a été utilisée avec succès par Texas Instruments dans le domaine des calculateurs de poche, lui permettant d'acquérir une part de marché dominante.

Capitaliser sur l'effet d'expérience n'est toutefois pas sans risque[14]. Un prix agressif peut détériorer l'image du produit ou provoquer une réaction de la concurrence. Il peut également inciter l'entreprise à exploiter une technologie dépassée dans le simple but d'accroître le volume. Un concurrent investissant dans une nouvelle technologie permettant de réduire les coûts se trouverait alors à terme en position de force.

Même si la plupart des effets d'expérience analysés concernent les coûts de production, il est clair que tous les autres coûts, y compris les coûts marketing, y sont soumis. Il en va de même dans les services. Les entreprises ayant investi les premières dans la distribution de pizzas à domicile jouissent ainsi d'un avantage substantiel sur leurs concurrents[15].

LA DIFFÉRENCIATION DE L'OFFRE ❖ De plus en plus d'entreprises essaient aujourd'hui d'adapter leur offre aux différents acheteurs. Ainsi un fabricant alimentaire négociera différemment avec chaque centrale selon les exigences (délais de livraison, stock, etc.). Les coûts étant différents à chaque fois, il convient d'estimer la rentabilité réelle de chaque offre. C'est ce à quoi s'emploie la *comptabilité des coûts fondés sur l'activité,* appelée méthode ABC (*Activity Based Costing*) par opposition au recours aux coûts standards[16].

ÉVOLUTION DES COÛTS ET VOLONTÉ MANAGÉRIALE ❖ De même que les coûts évoluent avec l'expérience, ils peuvent aussi se modifier sous l'effort délibéré d'un programme de réduction voulue par la direction générale. Avec la crise, de nombreuses entreprises ont entrepris de réduire systématiquement leurs coûts dans tous les domaines. Au Japon, beaucoup de firmes partent d'un prix de vente permettant une conquête agressive du marché et s'organisent ensuite en interne de façon à respecter ce prix[17].

## Étape 4 : analyser les prix et les offres des concurrents

Entre le prix plafond issu de la demande et le prix plancher imposé par les coûts, les prix pratiqués par les concurrents constituent un troisième pôle de référence. Pour les connaître, plusieurs méthodes : les *relevés de prix* qui s'effectuent directement dans les points de vente, l'*analyse des tarifs* catalogue de la concurrence et les enquêtes auprès des consommateurs destinées à apprécier le rapport qualité/prix perçu pour chaque concurrent important.

Si le produit proposé contient des éléments de différenciation positifs par rapport aux concurrents, l'entreprise doit évaluer leur valeur pour les clients et l'ajouter au prix qu'ils pratiquent. La démarche inverse est appliquée si les produits concurrents offrent des attributs supplémentaires. En fait, le prix exprime le positionnement concurrentiel du produit. Il doit également tenir compte des coûts supportés par les concurrents et de leurs réactions probables au prix adopté.

## Étape 5 : choisir une méthode de tarification

Une fois connus les courbes de la demande et de coût ainsi que les prix de la concurrence, l'entreprise est en mesure de choisir son prix.

La figure 16.7 résume les trois facteurs-clés dans l'élaboration d'un prix. Les coûts déterminent le prix minimal ; la concurrence et les produits de substitution fournissent un pôle de référence ; la valeur perçue du produit fixe la limite supérieure. Les différentes méthodes de tarification mettent l'accent sur tel ou tel de ces facteurs. On distingue sept approches.

FIGURE 16.7
Les variables-clés
de la fixation
d'un prix

LE « COÛT-PLUS-MARGE » ❖ La méthode la plus élémentaire consiste à définir le prix à partir d'un taux de marge appliqué au coût total. Les consultants et les avocats, par exemple, appliquent un taux de marge sur leur temps et leurs coûts. Prenons le cas d'un fabricant de grille-pains dont les coûts variables s'élèvent à 10 euros par pièce, les coûts fixes à 300 000 euros pour des ventes évaluées à 50 000 pièces. Le coût unitaire du produit est égal au coût variable additionné au coût fixe divisé par les volumes vendus, soit $10 + (300 000 / 50 000) = 16$ euros. S'il souhaite réaliser une marge de 20 %, il adoptera le prix suivant :

Prix = coût unitaire $/ (1 - $ taux de marge$) = 16 / (1 - 0,2) = 20$ euros.

Les marges varient considérablement selon les produits et les points de vente. Ainsi, les boulangers perçoivent une marge qui peut aller de 20 % pour le pain jusqu'à 50 % et plus pour les pâtisseries ; les grands magasins perçoivent, en moyenne, une marge brute de 3,5 % contre 7,25 % pour les magasins à succursales multiples et 1,25 % pour la vente par correspondance. De même, dans le secteur de l'épicerie, des produits comme le café, l'huile, ou le sucre ont tendance à avoir de faibles marges, tandis que des articles comme les aliments congelés, les produits pour apéritifs ou les plats cuisinés ont des marges supérieures. Cependant, on trouve souvent une grande dispersion dans une même catégorie de produit. Dans les surgelés, par exemple, une étude a révélé que les marges pouvaient varier de 13 à 53 %. D'une façon générale, elles tendent à être plus fortes sur les articles saisonniers, à faible rotation et à demande inélastique.

La pratique du coût-plus-marge est-elle logique ? En général, non. Une approche qui ne tient compte ni de la demande, ni de la valeur perçue, ni de la concurrence dans la fixation des prix a peu de chances de conduire au profit maximal, qu'il soit à court ou à long terme. Cette approche perd son sens si les ventes ne correspondent pas aux anticipations.

Pourtant, une telle méthode reste courante en pratique. Pourquoi ? D'abord, l'incertitude sur les coûts est généralement moins forte que l'incertitude sur la demande. En l'asseyant sur le coût unitaire, le vendeur simplifie considérablement la fixation du prix, car il n'a pas à réajuster ses tarifs continuellement. En outre, lorsque toutes les firmes d'un secteur adoptent cette approche, leurs prix tendent à être semblables, pour autant que leurs coûts et leurs marges soient identiques, et l'on réduit ainsi les risques de conflit ouvert. Enfin, la fixation des prix en fonction de la marge est socialement plus équitable, aussi bien pour le vendeur que pour l'acheteur.

LE TAUX DE RENTABILITÉ SOUHAITÉ ❖ Une autre approche fondée sur les coûts consiste à déterminer le prix qui permet d'obtenir un taux de retour sur investissement donné, compte tenu du volume de vente attendu. Cette méthode a été développée par General Motors, qui fixe les prix de ses auto-mobiles de manière à dégager un taux de retour sur investissement de 15 à 20 %. Elle inspire également la politique tarifaire de certains services publics tels l'électricité ou les transports qui doivent financer de lourds investisse-ments et sont contraints par décision gouvernementale d'appliquer des prix visant à équilibrer leurs opérations.

Supposons que notre fabricant de grille-pains ait investi un million d'euros dans l'activité et souhaite obtenir un retour sur investissement de 20 %, soit 200 000 euros. L'objectif de prix se calcule ainsi :

$$\begin{array}{c}\text{Objectif} \\ \text{de prix}\end{array} = \begin{array}{c}\text{Coût} \\ \text{unitaire}\end{array} + \frac{\text{Taux Rentabilité souhaité} \times \text{Investissement}}{\text{Ventes en volume}}$$

$$= 16 + \frac{0,2 \times 1\,000\,000}{50\,000} = 20\ \text{€}$$

Mais que se passe-t-il si l'on ne vend pas les 50 000 unités à ce prix ? Pour répondre à cette question, il faut faire appel à la notion de *point mort* représen-tée dans la figure 16.8. Le point mort correspond au nombre d'unités à vendre pour que le revenu de l'entreprise couvre ses coûts. Dans notre exemple, les coûts fixes s'élèvent à 300 000 euros, quel que soit le volume vendu. Les coûts variables, non indiqués dans la figure, augmentent avec le volume. Le coût total correspond à la somme des coûts fixes et des coûts variables. Le revenu, quant à lui, part de zéro et croît linéairement avec le volume : sa pente corres-pond au prix de vente. Les deux droites se rencontrent au point mort, lorsque le revenu et le coût total sont égaux. Dans notre exemple, le point mort est atteint à un volume de 30 000 unités. En dessous de ce seuil, l'entreprise perd de l'argent. Au-dessus, l'activité est rentable.

**FIGURE 16.8**
Schéma de point mort utilisé pour la détermination du prix en fonction d'un objectif

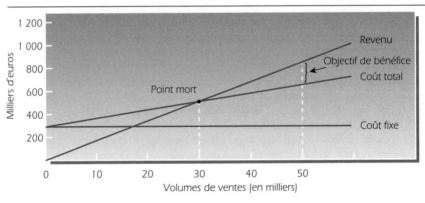

La fixation d'un prix en fonction d'un objectif présente une difficulté majeure : on s'est servi d'une estimation du volume de vente pour calculer le prix, or le prix est précisément l'un des facteurs qui déterminent le volume de vente ! Un prix de 20 euros peut ainsi être trop élevé ou trop bas pour vendre 50 000 unités. On a, en fait, ignoré l'élasticité de la demande ainsi que les prix des concurrents. Il faudrait tester différents niveaux de prix et estimer leur impact probable sur le volume et le bénéfice.

**LA VALEUR PERÇUE** ❖ De plus en plus d'entreprises fixent leur prix à par-tir de la *valeur perçue* du produit par le client. Elles s'efforcent alors d'estimer cette valeur et de fixer ensuite un prix qui lui corresponde[18].

## La mesure de la valeur perçue par enquête auprès des clients potentiels

On peut mesurer la valeur perçue en interrogeant les consommateurs sur la valeur qu'ils attachent au produit. Trois techniques sont utilisées en pratique :

♦ *La méthode d'évaluation :* les acheteurs sont alors invités à fixer le prix qui reflète à leurs yeux la valeur du produit.

♦ *La méthode des sommes constantes :* l'acheteur répartit 100 points entre plusieurs produits concurrents en fonction de leur valeur perçue.

♦ *La méthode des attributs :* on évalue chaque produit sur un ensemble d'attributs en répartissant pour chacun d'eux 100 points entre les différents produits et en procédant de la même façon pour apprécier leur im-portance relative. Supposons que les résultats obtenus pour trois produits soient ceux du tableau ci-dessous. En multipliant les scores obtenus pour chaque produit par les notes d'importance, on découvre que le produit A jouit d'une valeur perçue supérieure à ses concurrents. La société A pourrait donc adopter un prix plus élevé. Si le produit B est vendu 30 euros, elle peut fixer son prix à :

$$\frac{30 \times 4165}{3265} = 38,27 \ €$$

Si toutes les sociétés faisaient de même, les parts de marché devraient se stabiliser puisque le rapport valeur perçue/prix est stable. Mais la société A peut tarifer son produit à un prix inférieur et jouir ainsi d'un avantage différentiel et d'une part de marché plus élevée. Elle mettra alors ses concurrents en difficulté. Ceux-ci pourront réagir soit en abaissant leurs prix, soit en accroissant la valeur offerte, par exemple en réduisant les délais de livraison ou en améliorant le service après-vente.

| Importance de l'attribut | Attribut | Produits | | |
|---|---|---|---|---|
| | | A | B | C |
| 25 | Durabilité du produit | 40 | 40 | 20 |
| 30 | Fiabilité du produit | 33 | 33 | 33 |
| 30 | Respect des délais de livraison | 50 | 25 | 25 |
| 15 | Qualité du service après-vente | 45 | 35 | 20 |
| 100 | Valeur perçue | 4165 | 3265 | 2490 |

■ **Du Pont.** Cette entreprise utilise l'approche de la valeur perçue dans la fixation de ses prix. Lorsqu'elle a conçu une nouvelle fibre synthétique pour la moquette, elle a montré à ses clients – les fabricants de moquette – qu'ils pouvaient la payer 3 euros le kilo tout en réalisant des bénéfices. La valeur d'usage fut donc évaluée à 3 euros. Adopter un tel niveau pour le prix de vente aurait laissé les acheteurs indifférents à l'achat. Du Pont a donc opté pour un prix inférieur, afin de créer de la valeur pour ses clients et de stimuler l'adoption du produit. L'entreprise a ensuite analysé le niveau des coûts pour vérifier qu'à ce niveau de prix, le nouveau produit serait rentable.

Même lorsque le prix choisi crée de la valeur, tous les clients ne décideront pas d'acheter le produit. La valeur perçue varie selon les clients et certains d'entre eux recherchent toujours le prix le plus bas. L'objectif doit être d'offrir plus de valeur que les concurrents et de le montrer aux clients. Cette démarche suppose d'identifier les caractéristiques créatrices de valeur pour les clients et de comprendre leur processus d'achat. Pour ce faire, on peut utiliser différentes méthodes : le jugement des responsables de l'entreprise, la valeur accordée à des produits équivalents, des enquêtes auprès des clients (voir encadré 16.2), des expérimentations ou l'analyse conjointe.

CHAPITRE 16
Choisir
une politique
de prix

**LE PRIX À LA VALEUR** ❖ Aujourd'hui, de nombreuses entreprises choisissent de proposer un tarif relativement bas pour un produit de haute qualité. Là où d'autres pratiquent un prix plus élevé «pour un produit meilleur», celles-ci proposent le «meilleur moins cher». La politique du prix à la valeur s'appuie sur un programme complet de «réingénierie» de l'entreprise et de ses procédés d'approvisionnement, de fabrication et de distribution, de façon à concilier coût réduit et haute qualité. Ikea, par exemple, adopte ce type d'approche.

Une variante récente de la tarification à la valeur est le «prix bas tous les jours», mis en place par Procter & Gamble qui en avait assez de voir ses produits soumis à des promotions constantes susceptibles d'éroder l'image. En renonçant à toute promotion, P&G a choisi de baisser de façon permanente le prix de ses produits. Aux États-Unis, des distributeurs ont également adopté cette approche, certains avec succès (Wal-Mart), d'autres moins (Sears)[19]. L'idée sous-jacente à une telle approche est que la multiplication des promotions est coûteuse et engendre une perte de confiance des consommateurs qui ne comprennent plus à quoi les prix correspondent. Cependant, les promotions attirent l'attention des clients, créent de l'intérêt et le sentiment de «faire une bonne affaire», ce qui constitue un moteur d'achat indéniable.

**LE PRIX DU MARCHÉ** ❖ C'est une méthode de fixation des prix qui prend d'abord en considération la concurrence. L'entreprise décide de vendre plus cher, moins cher ou au même prix que son concurrent principal. Dans les oligopoles (acier, engrais...), les entreprises évitent en général de se battre sur les prix. Quant aux petites sociétés, elles n'ont guère d'autre possibilité que d'épouser les choix du leader.

La pratique du prix de marché est assez répandue. Lorsqu'il est difficile de mesurer les coûts, on considère que le prix du marché traduit la sagesse collective de l'industrie pour dégager une rentabilité satisfaisante. On pense en même temps que l'adoption d'un prix commun sauvegarde l'harmonie du secteur.

**LES ENCHÈRES** ❖ La fixation du prix par une procédure de type enchères est de plus en plus fréquente et se renforce avec Internet. Elle s'applique à toutes sortes de produits, depuis l'achat de cochons jusqu'à celui de produits chimiques ou de cargaisons. La procédure peut également porter sur des biens d'occasion. Il existe plusieurs types d'enchères :

♦ *Les enchères classiques* (ascendantes) intègrent un acheteur et plusieurs vendeurs ; elles s'appliquent aux objets anciens, aux biens immobiliers, au bétail et aux équipements d'occasion.

♦ *Les enchères descendantes ou inversées* rassemblent soit un vendeur et plusieurs acheteurs, soit un acheteur et plusieurs vendeurs. Dans le premier cas, le vendeur annonce un prix élevé pour un produit, puis le baisse progressivement jusqu'à ce qu'un acheteur se porte acquéreur. C'est ainsi que fonctionne Aalsmer, le premier marché mondial de fleurs implanté aux Pays-Bas, sur lequel sont vendus chaque jour 19 millions de tiges. Dans ce système, appelé dans ce secteur la «vente au cadran», le premier acheteur qui se présente remporte l'achat. De nombreuses matières premières alimentaires sont également vendues par enchères descendantes. Dans le second cas, un acheteur annonce son désir d'acquérir un objet et les vendeurs potentiels entrent en concurrence : chacun voit quelle a été la dernière offre et décide s'il baisse davantage son prix ou non.

♦ *Les procédures par appel d'offre ou adjudication* sont surtout employées par les collectivités locales, les entreprises publiques et les entreprises privées pour leurs achats importants. Elles consistent à rassembler les offres de plusieurs vendeurs en réponse à un cahier des charges. Contrairement aux procédures précédentes, chaque vendeur ne soumet qu'une seule fois. Sa soumission est donc fonction de son appréciation des soumissions des concurrents ; il espère évidemment obtenir le contrat et s'efforce donc de proposer un prix plus faible que les autres soumissionnaires. Il ne peut cependant descendre en dessous de son coût sans affaiblir sa position. À mesure qu'il élève son prix, il augmente son bénéfice potentiel mais réduit ses chances de gagner. Il en résulte un *bénéfice espéré* pour chaque soumission (tableau 16.2). Cette notion, qui fait appel aux probabilités, n'a cependant de sens que pour une entreprise qui fait de nombreuses soumissions et dont la survie ne dépend pas d'un contrat particulier. Une firme qui a absolument besoin d'obtenir un contrat cherchera plutôt à maximiser sa probabilité de succès, quitte à réduire son bénéfice.

| Soumission de l'entreprise | Bénéfice de l'entreprise | Probabilité (estimée) d'obtenir le contrat | Bénéfice espéré |
|---|---|---|---|
| 9 500 € | 100 € | 80 % | 80 € |
| 10 000 € | 600 € | 40 % | 240 € |
| 10 500 € | 1 100 € | 20 % | 220 € |
| 11 000 € | 1 600 € | 10 % | 160 € |

**TABLEAU 16.2**
Effets de différentes soumissions sur les bénéfices espérés

Les appels d'offre sur Internet (par exemple sur le site www.freemarkets.com) fonctionnent de la même façon. L'acheteur indique son cahier des charges en précisant s'il souhaite contacter un nombre limité ou illimité de fournisseurs potentiels. Ceux-ci répondent par une offre de prix, assortie éventuellement d'annexes sur les caractéristiques du produit ou de la prestation proposée. Les postulants peuvent par la suite observer sur Internet comment leur prix se situe par rapport aux concurrents mentionnés de manière anonyme et éventuellement réajuster leur proposition. C'est une spécificité d'Internet par rapport aux appels d'offre classiques.

**LE PRIX PAR GROUPEMENT D'ACHAT** ❖ Via Internet, des acheteurs individuels ou d'entreprises peuvent se regrouper pour acheter à un prix inférieur. Quand un client trouve le produit recherché, il voit le prix proposé en fonction du nombre de commandes enregistrées (jusqu'à présent et si des commandes supplémentaires interviennent). Le site www.answork.com regroupe ainsi les achats généraux (voyages, fournitures…) de plusieurs banques, tandis que www.avisium.com est plutôt utilisé par les PME.

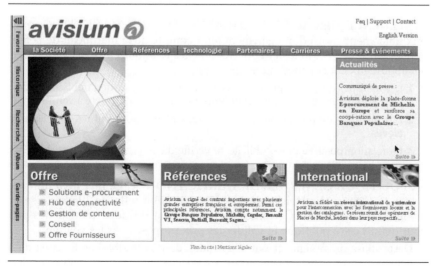

*Source :* www.avisium.com

## Étape 6 : fixer le prix final

L'objectif des étapes précédentes était de réduire les fourchettes de prix acceptables. Il s'agit maintenant d'optimiser le prix final proposé sur le marché.

**LES PRIX PSYCHOLOGIQUES** ❖ L'entreprise doit analyser les dimensions psychologiques et non seulement économiques du prix. Nombreux sont les consommateurs qui considèrent le prix comme un indice de qualité. Cela semble particulièrement net dans le cas de produits de luxe tels que parfums, bijoux, voitures de sport... Une analyse approfondie de la *relation prix-qualité* dans le domaine automobile a conclu à l'existence d'un double effet[20] : les voitures vendues à prix élevé sont jugées de meilleure qualité qu'elles ne le sont en réalité et l'on surestime le prix des voitures de très bonne qualité. Lorsque d'autres informations sur la qualité sont disponibles, le prix est moins utilisé comme indicateur de qualité.

Lorsqu'ils envisagent d'acquérir un produit donné, les acheteurs comparent le prix affiché à un *prix de référence*, qui peut être interne ou externe[21]. Le prix de référence interne est stocké dans la mémoire du consommateur et dépend des expériences d'achat antérieures ou des informations collectées sur le produit ou ses concurrents. Le prix de référence externe provient de l'environnement : il peut s'agir du prix original par rapport auquel on exprime un rabais, d'un prix maximum conseillé mentionné dans la communication ou du prix des produits concurrents présents en rayon.

Enfin, de nombreuses entreprises croient aux *prix non arrondis*. Au lieu de proposer un aspirateur à 30 euros, on le vendra 29 euros, en espérant que le consommateur l'associe à « vingt euros et quelques[22]... ». Les distributeurs semblent particulièrement friands de cette approche. Certains psychologues soutiennent même que chaque chiffre a sa symbolique. Ainsi le chiffre 8 suggérerait la symétrie et l'harmonie, tandis que le 7 serait le plus abrupt[23].

**LE PARTAGE GAIN/RISQUE** ❖ Pour lever les réticences des acheteurs face au risque de ne pas obtenir la valeur attendue du produit, certaines entreprises proposent des offres « satisfait ou remboursé ». Système plus sophistiqué, certaines firmes commercialisant des produits qui sont supposés permettre à leurs clients de réaliser des économies, comme des systèmes d'information vendus à des entreprises, remboursent la différence en cas d'efficacité inférieure aux engagements pris.

**L'INFLUENCE DES AUTRES VARIABLES DU MIX MARKETING** ❖ Le prix finalement choisi doit également tenir compte de la marque et de l'effort publicitaire. Farris et Reibstein ont examiné les relations entre ces variables et ont abouti aux conclusions suivantes :

1. Les marques avec une qualité moyenne mais un fort soutien publicitaire peuvent faire payer un peu plus cher leurs produits. La notoriété a son prix.
2. Les marques de qualité supérieure fortement promues ont les prix les plus élevés.
3. La relation positive prix-publicité se vérifie davantage en fin de cycle de vie pour les marques leaders[24].

**LA POLITIQUE GÉNÉRALE DE TARIFICATION** ❖ Le prix final doit respecter les lignes directrices de la politique habituelle de l'entreprise en matière de tarification. Certaines sociétés créent un département des prix pour définir cette politique et valider les prix proposés par les vendeurs.

■ **DELL** utilise un système élaboré de fixation de prix flexibles en fonction de la demande et des coûts de l'entreprise. Ce système, mis en place depuis le ralentissement économique survenu en 2001, tient compte des objectifs de rentabilité, des dates de livraison et de la concurrence, et propose un prix pour chaque segment de marché (marché public, PME, particuliers...)[25].

LES AUTRES INTERVENANTS ❖ Le responsable marketing doit enfin tenir compte des réactions anticipées des différents intervenants sur le marché. Comment les distributeurs et revendeurs accueilleront-ils le nouveau tarif ? La force de vente acceptera-t-elle de vendre au prix proposé sans rechigner ? Quelle sera la réaction des concurrents sachant que les ententes entre eux sont le plus souvent réglementées[26] ? Et celle des fournisseurs ? Les pouvoirs publics interviendront-ils ? Enfin, le responsable marketing devra vérifier que son prix est bien en accord avec la législation et la réglementation.

# Les variations de prix

Une entreprise ne fixe pas un prix de façon isolée, mais définit toute une cascade de tarifs. Considérons tour à tour les différents éléments d'une telle structure : harmonisation géographique, remises et rabais, prix promotionnels, prix discriminatoires.

## Prix et géographie

Une entreprise doit décider si elle tarife ou non au même prix dans différentes régions ou pays. En Europe, cette question est devenue primordiale depuis l'adoption de l'euro (voir encadré 16.3).

Une autre question est de définir le mode de paiement, un sujet essentiel lorsque l'on s'adresse à des pays à devise faible[27]. Les accords de compensation consistent à annuler ou diminuer le flux financier dans l'échange et à le remplacer par l'obtention d'autres produits en contrepartie. Cette solution est privilégiée lorsque l'acheteur manque de moyens de paiement. Longtemps l'apanage de l'ancien bloc soviétique, elle est aujourd'hui utilisée dans plus de 140 pays et constitue, pour certains pays en développement, le seul moyen de participer aux échanges internationaux. Les formes de compensation sont multiples. On peut notamment citer les suivantes :

♦ *Le troc :* un échange direct, sans intermédiaire ni argent, entre l'acheteur et le vendeur. Par exemple, en 1993, le fabricant de sous-vêtements Éminence a échangé avec l'Europe centrale pour 25 millions d'euros de marchandises et services de toutes sortes.

♦ *Le contre-achat :* le vendeur fournit un équipement et reçoit en échange une partie de la production future obtenue avec cet équipement. Certains accords sont particulièrement complexes. Par exemple, il y a quelques années Mercedes a vendu des camions en Roumanie en échange de jeeps vendues en Équateur contre des bananes, revendues sur le marché allemand !

♦ *L'offset.* Le vendeur est payé en argent mais s'engage à en dépenser une partie dans le pays où a eu lieu la transaction. Par exemple, Pepsico vend son sirop de Cola en Russie et s'engage à acheter de la vodka russe à un certain tarif pour la revendre aux États-Unis.

## Les remises et rabais

De nombreuses entreprises modifient leur prix de vente afin de tenir compte de situations telles que paiement comptant, achat en volume, achat hors

# Fixer ses prix en euros

Depuis le 1er janvier 2002, onze pays ont adopté la monnaie euro, modifiant ainsi les comportements domestiques et les modes de fixation des prix à l'international.

Au plan domestique, le passage à l'euro s'est traduit partout, sauf en Irlande, par une baisse du prix nominal et donc des écarts de prix : deux dentifrices précédemment vendus 13,90 F et 15,15 F sont désormais aux prix de 2,09 et 2,31 euros. Plusieurs études réalisées avant 2002 ont conclu que cet «effet d'accordéon» se traduirait par une baisse de l'élasticité-prix et une hausse des ventes des marques les plus chères au détriment des marques de distributeurs. Ce phénomène pourrait toutefois avoir une ampleur limitée et ne concerner que les produits peu coûteux. Pour les produits chers, la disparition des repères personnels pourrait conduire les consommateurs à comparer davantage les prix et donc, à l'inverse, augmenter la sensibilité au prix.

Au-delà de ces phénomènes, la fixation des prix en euros et les arrondis inévitables pourraient modifier les marges réalisées sur les produits les moins coûteux et conduire certaines entreprises à (1) privilégier des conditionnements plus volumineux (pour limiter la baisse des marges) et (2) à délaisser les promotions fondées sur un prix réduit pour privilégier des promotions liées au volume comme les produits-girafes. Les changements de seuils psychologiques chez les consommateurs et la recherche d'arrondis en euros affecteront également les politiques de prix.

Au plan international, un problème d'harmonisation apparaît. L'euro va en effet faciliter les comparaisons de prix entre les onze pays, mais l'impact ne devrait pas être le même selon les secteurs d'activité :

♦ Pour certains produits comme les jouets, les habitudes culturelles peuvent conduire, malgré l'euro, à poursuivre la pratique de positionnements différenciés selon les pays. Par exemple, comparés aux Allemands, les Espagnols achètent plus de jouets, mais de valeur unitaire moins élevée.

♦ De même, pour des services comme la restauration ou l'hôtellerie, les tarifs, même exprimés en euros, continuent d'obéir aux contraintes du marché local (prix de l'immobilier, niveau de vie local, ...).

♦ Dans les secteurs industriels, par contre, les entreprises ont intérêt à limiter les écarts de prix pour limiter les importations parallèles : lorsque le différentiel de prix entre deux pays est important, il est intéressant d'acheter dans les pays à bas prix et de réimporter les produits dans les pays à prix élevé ; l'euro accentue ce «marché gris» en provoquant une brutale transparence des prix. L'industrie pharmaceutique européenne fait état de pertes de plusieurs centaines de millions d'euros à cause de telles importations. De nombreux secteurs ont essayé de contourner le problème par des décisions ne concernant pas le prix. En 1998, par exemple, le groupe Volkswagen a été condamné par la Commission européenne pour avoir empêché systématiquement la vente en Allemagne de voitures en provenance d'autres pays «à bas prix». L'adoption d'un corridor de prix limite les importations parallèles tout en permettant une légère différenciation nationale.

Il est encore trop tôt pour savoir dans quelle mesure les entreprises ont modifié leurs modes de fixation des prix en fonction de ces phénomènes. Si de nombreuses études ont été réalisées avant 2002 pour anticiper les conséquences du passage à l'euro, on en connaît encore mal les effets réels, si ce n'est que, globalement, l'inflation n'a pas augmenté malgré de nombreuses hausses de prix sur des produits de consommation courante.

*Sources* : Pierre Desmet, «Les prix en euros : questions, méthodes et premiers résultats», *Décisions Marketing*, 2002, n° 25, p. 7-25 ; Pierre Desmet et Charlotte Gaston-Breton, «Mesure de l'effet euro sur la demande des marques à prix bas : une réplication de l'étude de Diller et Ivens pour des produits à prix faibles», *Recherche et Applications en Marketing*, 2001, 16/4, pp. 47-56 ; Hermann Diller et Bjorn Sven Ivens, «Passage à l'euro et psychologie des prix», *Recherche et Applications en Marketing*, 2000, 15/3, pp. 29-42 ; Hermann Simon *et alii*, «Optimiser le résultat par une stratégie prix européenne», *Décisions Marketing*, 2000, n° 21, pp. 37-46 ; «Que choisir évoque des hausses de prix plus fortes que celles officiellement recensées», *Le Monde*, 25 décembre 2002, p. 11 ; «Marketing : Fixer ses prix en euros», *L'Essentiel du Management*, 1er juillet 1998, pp. 28-31 ; «Marketing : L'ABC de l'euro», *Les Échos*, 28 octobre 1998, pp. 1-55.

saison, etc. Les principaux types de remises et rabais sont décrits dans le tableau 16.4.

| | | TABLEAU 16.4<br>Remises et rabais |
|---|---|---|
| **Les escomptes** | Un escompte pour paiement comptant correspond à une réduction dont bénéficie le client qui s'acquitte immédiatement de son achat. De telles formules sont très courantes dans les achats industriels et permettent une gestion améliorée de la trésorerie et des créances douteuses. | |
| **Les remises pour quantité** | Il s'agit d'une réduction consentie pour un volume d'achat plus important. Ainsi le propriétaire d'un manège peut afficher les tarifs suivants : «1 € le tour, 4 € les cinq, 7 € les dix». Dans le domaine alimentaire, les «ristournes de fin d'année» (RFA) accordées aux distributeurs peuvent atteindre 15 % du chiffre d'affaires annuel total et correspondent à une remise cumulée par opposition à une remise à l'acte. Les cartes de fidélité s'inspirent également de ce principe. Les remises pour quantité ont principalement pour but d'inciter l'acheteur à concentrer ses achats sur le même fournisseur. | |
| **Les remises fonctionnelles** | Elles sont offertes en échange de la prise en charge d'une activité qui reviendrait normalement au vendeur. Un fabricant rémunère ainsi un distributeur qui vient prendre la marchandise à l'usine. De même, le «prix emporté» d'un magasin d'électroménager signifie que c'est l'acheteur lui-même qui procède au transport et à l'installation de l'appareil. | |
| **Les rabais saisonniers et les soldes** | Un solde est une réduction de prix consentie à un client qui achète hors saison. Les boutiques de prêt-à-porter et de chaussures y ont largement recours. De même, les hôtels, clubs de vacances, stations de sports d'hiver consentent des tarifs «basse saison». | |
| **Les reprises et avoirs** | Ce sont des réductions accordées pour des raisons particulières : reprise d'un ancien article en échange d'un nouveau (meubles, automobiles), défaut dans la marchandise. Dans les magasins d'usine, des fabricants proposent ainsi des articles de second choix, fins de série, invendus... à des prix inférieurs de 30 à 60 %. | |

Il incombe aux responsables commerciaux de surveiller la proportion de clients qui bénéficient d'un rabais, le montant moyen des réductions et les vendeurs qui ont souvent recours à cette pratique. La direction de l'entreprise doit analyser le prix net pratiqué afin de connaître le prix réel de ses prestations.

Selon Kevin Clancy, entre 15 et 35 % des acheteurs sont sensibles au prix dans la plupart des catégories de produits. Les clients bénéficiant de hauts revenus ou fortement impliqués dans la catégorie privilégient d'autres critères comme les caractéristiques du produit, le service au client, la qualité, la practicité ou la marque[28]. Dans ce contexte, consentir des remises en réponse aux attaques de concurrents peut-être inopportun. Les rabais donnent l'impression que la structure de tarification est floue et diluent la valeur perçue. À l'inverse, les remises et rabais semblent pertinents lorsque le client signe un contrat d'achat pluriannuel, lorsqu'il accepte de passer commande de manière électronique – faisant ainsi faire des économies à l'entreprise – et lorsqu'il achète en très grandes quantités.

## Les prix promotionnels

Dans certaines circonstances, une entreprise est amenée à baisser temporairement ses prix, parfois même en dessous de ses coûts. Les prix promotionnels revêtent de multiples formes :

♦ Grands magasins et hypermarchés proposent des *articles à prix coûtant* destinés à attirer la clientèle qui, une fois sur place, achètera également d'autres produits au prix normal. Le choix des marques vendues à prix coûtant provoque souvent des conflits avec les sociétés concernées soucieuses de défendre leur image.

♦ Les fabricants mettent en place des *offres spéciales* destinées à promouvoir un nouveau produit, un conditionnement, ou à relancer la marque.

♦ Ils proposent aussi des *offres de remboursement* (partiel ou total) destinées à faciliter l'écoulement d'un produit sans avoir à changer son prix de base. Une telle pratique est moins coûteuse qu'une réduction de prix dans la mesure où tous les consommateurs n'exploitent pas leurs droits (oubliant par exemple de renvoyer le coupon de réduction).

♦ Le *crédit gratuit* ou à taux réduit est très pratiqué par les distributeurs et les constructeurs automobiles. Dans certains cas, l'offre est présentée sous forme de paiement différé (« Vous achetez maintenant, vous payez l'année prochaine ! »).

♦ Enfin, producteurs et distributeurs ont souvent recours à des *rabais exceptionnels* faisant apparaître le prix initial, parfois artificiellement gonflé, et le prix réduit de 20 %, 30 % ou même plus. Cette forme d'action promotionnelle, comme d'ailleurs la plupart des autres, fait l'objet d'une réglementation assez stricte.

Le principal écueil des pratiques de promotion par les prix est, en cas de succès, le risque d'imitation et même de surenchère. Le marché de la télévision par satellite, par exemple, repose sur des promotions permanentes depuis 1996 : TPS et Canal Satellite proposent tout au long de l'année des paraboles gratuites et des chaînes en option[29]. Certaines règles sont donc à observer (voir encadré 16.4).

## Les prix discriminatoires

Une autre méthode de modulation des prix en fonction de la demande consiste à offrir le même produit à plusieurs prix sans que ces différences

---

**16.4**

### Les sept commandements d'une réduction de prix

♦ Tu n'offriras pas de réduction de prix simplement parce que tous les autres le font.
♦ Tu exerceras ton imagination dans tes offres de réduction.
♦ Tu auras recours aux réductions pour écouler tes stocks ou obtenir de nouveaux clients.

♦ Tu assortiras tes réductions de prix d'un délai maximum.
♦ Tu t'assureras que les réductions de prix sont bien répercutées au client final.
♦ Dans un marché mûr, tu n'auras recours aux réductions de prix que dans un but de survie.
♦ Tu mettras fin à tes offres de réductions dès que possible.

*Source :* Jack Trout, « Prices: Simple Guidelines to Get Right », *Journal of Business Strategy*, novembre-décembre 1998, pp. 13-16.

soient justifiées par des écarts de coûts. Dans la forme la plus simple de discrimination, le prix demandé à chaque client varie selon les volumes achetés. Dans une forme plus élaborée, on distingue entre les catégories de clients.

♦ La *discrimination entre les clients* intervient lorsque tous ne paient pas le même prix pour un produit ou service donné. Les cinémas ont ainsi des tarifs différents pour les étudiants, les retraités, etc.

♦ La *discrimination entre les produits* se rencontre lorsqu'un fabricant vend à des prix différents des versions légèrement modifiées d'un même article, sans que les écarts de prix soient proportionnels aux coûts marginaux. La version «luxe» d'un modèle automobile coûte plusieurs milliers d'euros de plus que la version de base, alors que la différence se limite bien souvent à quelques chromes et accessoires.

♦ La *discrimination d'image*, consiste à proposer le même produit sous des noms et à des prix différents. Dans le domaine des caméscopes par exemple, Philips vend certains de ses modèles moins chers sous marque Radiola.

♦ La *discrimination selon le réseau de distribution* consiste à faire payer, comme Coca-Cola, un prix différent pour le même produit selon qu'il est acheté dans un café, un fast-food ou un distributeur automatique.

♦ La *discrimination selon l'endroit* est également fort répandue. Bien que le coût de tous les fauteuils de théâtre soit identique, les prix pratiqués varient considérablement, par suite de différences dans la demande pour les diverses places.

♦ La *discrimination en fonction du temps* enfin correspond au cas où la demande d'un produit varie en fonction de son cycle de vie, des saisons, des jours, parfois même des heures. Des services comme l'électricité ou le téléphone sont offerts à des tarifs qui diffèrent selon les jours de la semaine (jour ouvrable ou jour férié), et même selon les heures de la journée. C'est le cas par exemple de France Telecom qui pratique un tarif réduit le week-end et les jours de semaine, avant 7 h et après 19 h.

■ COCA-COLA a, à un moment, envisagé d'augmenter le prix des cannettes vendues dans les distributeurs automatiques les jours de grande chaleur et de le baisser lorsqu'il fait froid. Les clients ont si mal réagi que le projet a été abandonné.

Parfois des entreprises pratiquent plusieurs formes discriminatoires simultanément. Par exemple, les compagnies aériennes varient leurs tarifs en fonction des clients, de la classe, du moment (de réservation et de vol) et d'autres critères encore, afin d'optimiser le taux d'occupation et, en bout de course, la recette globale. C'est ce que l'on appelle le «Yield Management» (voir encadré 15.2).

Pour qu'un prix discriminatoire ait un effet, plusieurs conditions doivent être remplies. Premièrement, le marché doit pouvoir être découpé en segments correspondant à différentes intensités de demande. Deuxièmement, il faut que les clients qui paient le prix le moins élevé n'aient aucune possibilité de revendre le produit à ceux qui l'achètent plus cher. Troisièmement, il ne faut pas que la concurrence puisse s'implanter sur les segments correspondant aux prix les plus élevés. Quatrièmement, le coût d'une segmentation par les prix ne doit pas excéder le revenu attendu de la politique de discrimination. Cinquièmement, cette pratique ne doit pas créer un mécontentement au sein de la clientèle qui serait préjudiciable à la progression des ventes. Enfin, le recours à un prix discriminatoire doit bien sûr se faire dans le respect de la législation, devenue peut-être plus difficile à appliquer au moment où la technologie de l'information favorise la «personnalisation» des prix.

# La fixation des prix d'une gamme de produits

Lorsque le produit dont il faut fixer ou changer le prix fait partie d'une gamme, il faut étendre l'approche que nous avons présentée dans le cas d'un produit individuel. On doit, en effet, rechercher l'ensemble de prix relatifs qui maximisera les bénéfices de toute la gamme. Cette recherche est difficile, car les différents produits d'une gamme sont, d'une part, liés entre eux au niveau de la demande et des coûts, et, d'autre part, soumis à des situations concurrentielles différentes. Nous distinguerons six cas.

**LES PRIX DE GAMME** ❖ Il est rare qu'une entreprise ne vende qu'un seul produit. Ainsi, Seb offre ses autocuiseurs en deux qualités (inox et aluminium), sept tailles (de 4,5 l à 22 l), en couleur ou décorés, etc. Quelle structure de prix proposer pour la gamme ? Les prix choisis doivent tenir compte des différences de coût, des perceptions de la clientèle et des prix des concurrents. Si l'écart entre deux modèles est trop faible, la demande se reportera sur le modèle le plus sophistiqué et inversement.

Souvent, l'entreprise met sur pied un système de « points » lui permettant de calculer les prix correspondants. Cela conduit en général à distinguer plusieurs niveaux de qualité : élevé, moyen, réduit, correspondant à différents segments du marché.

**LES OPTIONS** ❖ De nombreuses entreprises proposent des accessoires optionnels en complément du produit standard. Un acheteur automobile se voit par exemple proposer une combinaison quasi-infinie d'options. La tarification de ces options n'est pas aisée. Beaucoup de constructeurs ont un modèle de base offert à un prix susceptible d'attirer la clientèle dans les halls d'exposition des concessionnaires : on espère souvent que le choix de l'acheteur se portera sur un modèle plus cher. Une stratégie similaire est adoptée par les restaurateurs qui, au sein d'un menu de base, proposent des suppléments pour les spécialités. L'écart doit cependant rester raisonnable pour ne pas induire chez le client un sentiment de tromperie et de frustration.

**LES PRODUITS « LIÉS »** ❖ Dans d'autres cas, le produit principal nécessite d'autres produits pour pouvoir fonctionner. Il en va ainsi des lames de rasoir et des pellicules photographiques. La stratégie consiste alors à mettre un prix bas sur l'équipement de base de façon à faciliter sa diffusion et un prix élevé sur les fournitures destiné à engendrer l'essentiel du bénéfice. Kodak et Gillette utilisent depuis longtemps cette approche. De même, les opérateurs de téléphones portables proposent certains appareils à prix très réduit aux clients qui souscrivent un abonnement d'un ou deux ans.

Il ne faut pas cependant pousser cette approche trop loin, sous peine de donner naissance à de nombreux concurrents attirés par la partie la plus lucrative du marché (par exemple les pièces détachées pour les produits industriels)[30].

**LES PRIX « À DOUBLE DÉTENTE »** ❖ Les entreprises de service adoptent souvent une politique qui consiste à tarifer un service de base et faire payer un supplément pour toute prestation supplémentaire. Certains parcs d'attraction font payer un droit d'entrée auquel vient s'ajouter un tarif supplémentaire au-delà d'un certain nombre d'attractions. À Paris, la cité des Sciences de la Villette a choisi une stratégie de ce type. Le prix d'entrée devrait toutefois toujours représenter l'essentiel de la dépense sous peine d'engendrer la surprise puis le mécontentement du client.

**LES SOUS-PRODUITS** ❖ Dans la découpe des produits de boucherie, dans le raffinage du brut et dans la fabrication de nombreux autres articles apparaissent des sous-produits. S'ils sont susceptibles d'être vendus, leur prix doit couvrir au moins les coûts qui leur sont directement associés. Les ressources ainsi dégagées permettent de réduire le prix du produit principal et donc d'élargir le marché. Aux États-Unis, une société s'est ainsi spécialisée dans la collecte et la commercialisation des déchets des animaux de zoo[31].

LES PRIX «PAR LOTS» ❖ Enfin, certains vendeurs groupent leur offre afin de proposer un tarif global attractif. Ainsi, les salles de théâtre et de concerts offrent des prix d'abonnement à la saison qui reviennent moins cher que les tickets individuels. L'idée est de constituer un noyau fidèle de clientèle qui facilite à la fois les prévisions de vente et la gestion de trésorerie[32]. On favorise également une hausse de la consommation des individus qui acquièrent le lot, alors qu'ils n'auraient acheté que certains produits qui le composent.

## Les initiatives et les réactions aux modifications de prix

Une fois la stratégie et la tactique de tarification adoptées, l'entreprise a de nombreuses occasions de modifier ses prix, soit de sa propre initiative, soit en réponse à la concurrence (voir l'exemple de la X-Box et de la Game Cube dans l'encadré 16.5).

---

**16.5**

### Les baisses successives de prix des consoles de jeu

Lorsque le 14 mars 2002 Microsoft lance en Europe sa première console de jeu, la X-Box, quelques mois après la commercialisation aux États-Unis, l'entreprise adopte un prix de 479 euros. Sa concurrente principale, la PlayStation 2 de Sony, sur le marché depuis un an et demi, est alors proposée à 299 euros. Le différentiel de prix est justifié par un microprocesseur et une puce graphique plus puissants, la possibilité de lire des DVD vidéo et la présence d'une carte ethernet pour se connecter à Internet haut débit.

Un mois plus tard, Microsoft décide de baisser son prix de 37 % pour atteindre… 299 euros! Les responsables de l'entreprise indiquent que le prix de lancement a freiné les achats et que les éditeurs de jeux et la distribution ont souhaité voir le prix baisser. Interrogés sur l'alignement au prix de la PlayStation2, ils indiquent que ce tarif de 299 euros constitue un seuil psychologique.

Ils révisent leurs objectifs de vente à la baisse. Reste à dédommager les premiers clients qui avaient payé le prix fort, en leur offrant deux jeux et une manette, ce qui représente à l'euro près le différentiel entre l'ancien et le nouveau prix.

Trois jours après cette décision, Nintendo, le troisième intervenant du marché, déclare que sa console, la Game Cube, dont le lancement est prévu pour mai 2002, sera vendue au prix de 199 euros au lieu des 249 annoncés précédemment (– 20 %). Les responsables de cette entreprise expliquent que l'idée d'une baisse faisait son chemin depuis longtemps et rappellent que Nintendo ne gagne pas d'argent sur la console et répercute ses baisses de coûts sur les prix.

Ces décisions parallèles relèvent probablement à la fois de la réactivité aux actions des concurrents et de la prise en compte parallèle des évolutions du marché.

---

*Source : LSA*, «Microsoft et Nintendo écrasent leurs prix», 25 avril 2002, pp. 36-37 ; *Management*, «Microsoft brade en urgence sa console X-Box», juin 2002, p. 42.

## L'initiative d'une baisse de prix

Plusieurs circonstances peuvent conduire une société à baisser ses prix, même si cela risque de déclencher une guerre. La première est une *capacité de production excédentaire*. Dans ce cas, l'entreprise a besoin de ventes supplémentaires, qu'elle n'a pas obtenues à l'aide de son effort commercial habituel. La seconde est une *baisse de part de marché* due à une intensification de la concurrence. Troisièmement, la volonté de *répercuter des baisses de coûts* peut pousser certaines entreprises désireuses de conquérir une vaste partie du marché à baisser leurs prix en espérant bénéficier d'économies d'échelle. Cette dernière stratégie présente toutefois trois dangers :

♦ *Le risque de dégradation d'image*. En baissant ses prix, l'entreprise doit convaincre sa clientèle que ses produits sont toujours d'aussi bonne qualité.

♦ *Le risque de volatilité de la clientèle*. Un prix bas permet d'augmenter la part de marché mais rarement la fidélité. Les clients attirés par les bas prix se tournent rapidement vers d'autres entreprises si leur offre est plus alléchante.

♦ *Le risque financier*. Une baisse de prix non suivie d'effet de volume affaiblit considérablement les finances.

Une entreprise peut également avoir besoin de baisser ses prix en période de récession économique, du fait que les consommateurs sont moins nombreux à acheter le haut de gamme. De nombreuses options s'offrent alors à elle (voir encadré 16.6).

## L'initiative d'une hausse de prix

Beaucoup d'entreprises pratiquent régulièrement des hausses de prix tout en sachant que cela peut entraîner certains mécontentements de la part des consommateurs, des distributeurs ou même des vendeurs de l'entreprise.

Une hausse de prix acceptée par le marché constitue un levier puissant. Supposons qu'une entreprise vende, à 10 €, 100 unités de produit qui lui ont coûté au total 970 €. Le bénéfice s'établit à 30 €, soit 3 % du chiffre d'affaires (voir tableau 16.5). En accroissant son prix de 10 centimes (1 % d'augmentation), l'entreprise dégage un profit de 40 €, soit un tiers de plus (en supposant le volume de vente inchangé).

TABLEAU 16.5
Impact d'une hausse de prix

|  | AVANT | APRÈS |  |
|---|---|---|---|
| Prix | 10 € | 10,10 € | (1 % d'augmentation) |
| Volume vendu | 100 € | 100 € |  |
| Chiffres d'affaires | 1 000 € | 1 010 € |  |
| Coûts | 970 € | 970 € |  |
| Bénéfice | 30 € | 40 € | (33,3 % d'augmentation) |

La principale raison invoquée pour justifier une hausse de prix est la *répercussion de l'augmentation des coûts* pour éviter une baisse de rentabilité. Souvent, d'ailleurs, les entreprises accroissent leurs prix dans des proportions supérieures afin d'anticiper un accroissement ultérieur du taux d'inflation ou des coûts. C'est souvent le cas des firmes qui ne peuvent pas facilement réviser leurs tarifs en cours d'année, telles les sociétés liées par contrat ou les

# Les stratégies marketing en période de récession

Supposons que les produits de l'entreprise A soient plus chers et de meilleure qualité que B. La situation économique s'est dégradée et de plus en plus de clients se tournent vers B. Comment A doit-elle réagir ? Huit possibilités :

| STRATÉGIE MARKETING | JUSTIFICATIONS | RÉSULTATS |
|---|---|---|
| 1. Maintenir les prix et la qualité. Sélectionner la clientèle. | Il existe un noyau de clients qui resteront fidèles à A. | Part de marché et rentabilité réduites. |
| 2. Accroître les prix et la qualité perçue. | L'accroissement de prix couvrira les coûts. L'amélioration de la qualité justifiera l'accroissement du prix. | Part de marché réduite. Rentabilité maintenue. |
| 3. Maintenir les prix et accroître la qualité perçue. | On apporte une réponse aux clients soucieux d'optimiser le rapport qualité/prix. | Part de marché réduite. La rentabilité est réduite à court terme mais accrue à long terme. |
| 4. Baisser légèrement les prix et accroître la qualité perçue. | On accède à la demande des clients pour des prix plus bas et l'on accroît la valeur de l'offre. | Part de marché maintenue. Rentabilité réduite à court terme, mais maintenue à long terme. |
| 5. Baisser fortement les prix et maintenir la qualité perçue. | Décourager la concurrence. | Part de marché maintenue. Rentabilité affaiblie au moins à court terme. |
| 6. Baisser fortement les prix et la qualité perçue. | Décourager la concurrence mais maintenir les marges. | Part de marché et marges maintenues à court terme, mais rentabilité réduite sur le long terme. |
| 7. Maintenir les prix et réduire la qualité perçue. | Réduire les coûts. | Part de marché réduite, marges maintenues, mais rentabilité réduite sur le long terme. |
| 8. Lancer un modèle moins cher. | Donner au client ce qu'il veut. | Un volume accru mais au prix d'une certaine cannibalisation. |

Le choix final dépend d'un grand nombre de facteurs : la part de marché détenue par A, sa capacité de production, le taux de croissance du marché, la sensibilité de la clientèle au prix et à la valeur, la relation part de marché/rentabilité et les hypothèses faites sur les réactions de la concurrence. La société doit évaluer chaque option du point de vue des ventes, de la part de marché, des coûts, des bénéfices et de la rentabilité à long terme.

entreprises de vente par correspondance. Dans les fournitures de gaz industriel par exemple, où les contrats portent souvent sur des périodes très longues (10 voire 20 ans), des clauses d'indexation sont souvent incorporées au mécanisme de tarification.

La seconde situation susceptible d'engendrer une hausse de prix est *l'excès de demande*. Lorsqu'une entreprise ne peut satisfaire tous ses clients, elle peut augmenter ses prix ou bien instaurer des quotas.

Il existe de nombreuses façons de répercuter une hausse de prix auprès de la clientèle. Parmi celles-ci :

♦ *La tarification différée*. L'entreprise ne fixe son prix définitif qu'une fois le produit fini et livré. De telles pratiques sont courantes dans les secteurs où les délais de production ou d'installation sont substantiels (bâtiment, équipement lourd) mais existent également pour certains services (laboratoires d'analyse médicale, honoraires notariaux).

♦ *Les clauses d'indexation*. L'entreprise demande au client de s'acquitter du prix correspondant à la transaction originale auquel viendra s'ajouter un certain pourcentage lié à l'inflation. Les sociétés d'études de marché tarifent souvent de cette manière leurs services. Il en va de même des loyers, révisés en fonction de l'indice du coût de la construction.

♦ *La tarification séparée*. Le prix facturé pour le produit n'est pas modifié, mais certains éléments qui lui étaient traditionnellement associés sont tarifés à part. Certains constructeurs informatiques comme IBM vendent maintenant séparément leurs programmes d'assistance et de formation.

♦ *La restructuration des remises*. La hausse de prix se cache alors derrière une réduction des remises ou une révision des conditions présidant à leur octroi.

En répercutant une hausse de prix auprès de sa clientèle, une entreprise devrait toujours justifier sa position. Il est souvent utile de mettre en place une action de communication destinée à expliquer les raisons à l'origine de la hausse. C'est ce que font, par exemple, les journaux et magazines qui ont décidé d'augmenter leur tarif, en insérant dans leur numéro un encart spécialement rédigé par la direction. Les vendeurs peuvent également utilement contribuer à apaiser les clients.

Il faut enfin signaler qu'il existe de nombreuses autres façons de répercuter des hausses de coûts sans toucher au prix[33]. Par exemple :

♦ Réduire la quantité de produit (le « fond voleur » de certains emballages de desserts ultra-frais).

♦ Remplacer des composants ou des ingrédients par d'autres meilleur marché (par exemple du bois aggloméré au lieu de bois massif).

♦ Modifier à la baisse certaines caractéristiques du produit (par exemple en lançant des versions plus économiques car plus dépouillées).

♦ Réduire la durée ou l'amplitude des services attachés à la vente (garantie, installation, etc.).

♦ Changer le conditionnement afin de réduire le coût d'emballage (par exemple utiliser de la matière plastique plutôt que du métal).

♦ Réduire le nombre et la variété des modèles de la gamme.

## Les réactions aux changements de prix

Quelle que soit la tactique adoptée, il est prudent d'anticiper les réactions des acheteurs (distributeurs ou consommateurs) et des concurrents, ainsi que des médias et des pouvoirs publics.

**LES RÉACTIONS DES CLIENTS** ❖ Lorsqu'une modification de prix intervient, les clients peuvent l'interpréter de façons très diverses, et parfois contre-intuitives[34]. Une réduction de prix peut en effet vouloir dire : l'article va être remplacé par un modèle plus récent ; l'article ne se vend pas bien ; l'entreprise connaît des difficultés financières ; le prix va encore baisser et il vaut mieux attendre ; ou encore la qualité a baissé.

Une hausse de prix qui, normalement, devrait se traduire par une baisse des achats, peut à l'inverse être interprétée de manière positive : l'article est très demandé et, si on ne l'achète pas tout de suite, on risque de ne plus le trouver ; il a une valeur toute particulière et son prix va encore augmenter.

LES RÉACTIONS DES CONCURRENTS ❖ Une entreprise qui envisage de modifier ses prix doit également se préoccuper des réactions de ses concurrents. Celles-ci sont d'autant plus vives qu'ils sont en nombre limité, que le produit est homogène, et que les acheteurs sont compétents et bien informés.

Il existe deux manières d'anticiper les réactions d'un concurrent : l'une est d'observer ses réactions antérieures aux changements de prix ; l'autre est de considérer que le concurrent gère chaque changement au coup par coup, en fonction de son propre intérêt. L'entreprise doit alors étudier sa situation financière, son chiffre d'affaires, sa capacité de production, sa stratégie de positionnement et ses objectifs. S'il poursuit un objectif de part de marché par exemple, il est probable qu'il s'alignera sur une réduction de prix. Au contraire, s'il poursuit un objectif de rentabilité, il pourra réagir sur d'autres terrains, tels que la publicité ou la qualité du produit.

Le problème est cependant complexe, car la réaction dépend de l'interprétation que le concurrent donne à la modification de prix. Dans le cas d'une réduction, il peut par exemple penser que l'entreprise essaie de s'approprier son marché, qu'elle est en difficulté et cherche à augmenter ses ventes, ou qu'elle espère que l'ensemble de la branche va réduire ses prix dans le but de stimuler la demande. Lorsqu'il y a plusieurs concurrents importants, la société doit essayer de prévoir la réaction de chacun d'eux.

## Les réactions de l'entreprise aux modifications de prix des concurrents

Posons-nous maintenant la question inverse et demandons-nous comment une entreprise confrontée à une modification de prix décidée par un concurrent va choisir la forme de réponse la plus appropriée.

Sur certains marchés caractérisés par l'homogénéité des produits offerts, l'entreprise n'a guère le choix et doit s'aligner. C'est le cas pour les matières premières : si l'entreprise ne suit pas une réduction de prix, elle perdra la plupart de ses clients qui préféreront traiter avec le fournisseur le moins cher. En cas de hausse, au contraire, on s'aligne rarement sauf si la décision prise va dans le sens de l'intérêt global du secteur.

Pour les produits différenciés, l'entreprise a davantage de latitude pour réagir. Les clients achètent sur la base de multiples facteurs qui les rendent moins sensibles au prix. Avant de prendre une décision, l'entreprise a intérêt à se poser de nombreuses questions : 1) pourquoi le concurrent a-t-il modifié son prix ? Est-ce pour augmenter sa part de marché, pour écouler son stock, pour prendre en compte l'évolution des coûts ? 2) le concurrent a-t-il modifié son prix de façon temporaire ou permanente ? 3) qu'adviendra-t-il de la part de marché et des bénéfices de l'entreprise si elle ne réagit pas ? Les autres entreprises vont-elles réagir ? 4) comment l'entreprise ayant modifié son prix et les autres concurrents réagiront-ils aux différentes mesures envisagées ?

Le leader d'un marché est souvent la cible d'une guerre des prix déclenchée par d'autres entreprises soucieuses d'augmenter leur part de marché. C'est par le prix que Fuji attaque Kodak, ou Bouygues attaque Orange. Lorsque les produits concurrents offrent la même qualité, le leader a toutes chances de voir sa part de marché s'effriter. Il peut alors réagir de plusieurs façons :

♦ *Maintenir ses prix*. Un leader s'engagera dans cette voie s'il croit : 1) qu'il perdrait trop d'argent en alignant ses prix ; 2) que sa perte en part de marché restera limitée ; 3) qu'il sera capable de la reconquérir ultérieurement ; et 4) que les clients fidèles lui resteront acquis. Les adversaires d'une telle stratégie avancent plusieurs arguments : les concurrents s'enhardissent lorsqu'ils constatent que le leader ne réagit pas ; la force de vente du leader est démoralisée ; la perte en part de marché est presque toujours significative et conduit le leader à baisser plus fortement ses prix par la suite ; la reconquête de part de marché n'est jamais facile.

♦ *Maintenir ses prix en contre-attaquant sur d'autres terrains*. L'entreprise leader décide alors d'améliorer son produit, sa politique de service ou ses actions de communication de façon à contourner les comparaisons de prix effectuées par les consommateurs. Cette stratégie fut utilisée avec succès par Colgate-Palmolive pour combattre les progrès des marques de distributeurs dans le domaine des liquides vaisselle. La société modifia sa formule de produit (Paic Citron) et diffusa une campagne publicitaire axée sur les différences de concentration.

♦ *Réduire ses prix*. Dans ce cas, le leader donne la priorité au maintien de sa part de marché. Une telle position se justifie si : 1) les économies d'échelle en matière de coût sont substantielles ; 2) le marché est très sensible au prix ; et 3) la reconquête de part de marché est difficilement envisageable. Naturellement, une décision de baisse des prix conduit à une réduction du bénéfice à court terme.

♦ *Augmenter les prix et contre-attaquer sur le produit*. C'est la forme de réponse la plus agressive. Lorsque Wolfschmidt attaqua Smirnoff, le leader américain du marché de la vodka, avec un produit identique vendu 1 dollar de moins, Smirnoff contre-attaqua en augmentant son prix d'un dollar et consacra tout l'argent ainsi engendré à la publicité.

♦ *Lancer un produit moins cher*. Il peut s'insérer dans la gamme actuelle ou reposer sur la création d'une nouvelle marque, ce qui a pour avantage de préserver l'image de la marque leader.

La décision finale dépend de l'élasticité de la demande par rapport au prix, de l'étape du produit dans son cycle de vie, de son importance stratégique pour l'entreprise, de la relation coût/volume et de la capacité de production des concurrents. Ainsi, le maintien de la marge se justifie si l'élasticité est faible (du fait que l'entreprise a construit une solide réputation et jouit d'une bonne fidélité à sa marque) ou si les coûts ne sont pas trop sensibles au volume.

On n'a pas toujours le loisir, lors d'une modification de prix décidée par la concurrence, d'entreprendre une analyse détaillée de toutes les solutions pouvant être choisies. Le concurrent a préparé sa décision longtemps à l'avance, mais l'entreprise n'a parfois que quelques jours ou même quelques heures pour se décider. La seule approche réaliste consiste à anticiper les initiatives des concurrents et à préparer un programme d'action. La figure 16.9 illustre un programme de ce genre adapté au cas d'une réduction de prix. De tels modèles sont particulièrement utiles lorsque les modifications de prix sont fréquentes et qu'il est important de réagir rapidement. L'industrie de l'emballage, l'industrie du pétrole et l'industrie du bois en constituent certainement des exemples.

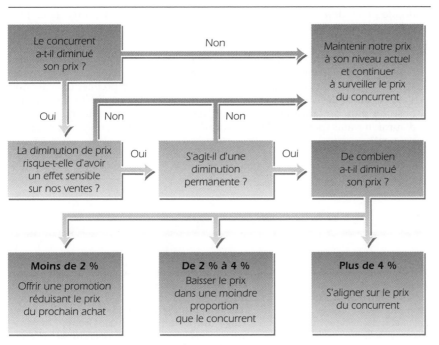

**FIGURE 16.9**
Séquence
de décisions
à envisager
pour faire face
à une diminution
de prix
d'un concurrent

## Résumé

1.  En dépit du rôle joué par les autres leviers d'action marketing, le prix demeure plus que jamais un élément essentiel de la stratégie marketing d'une entreprise. C'est le seul élément du mix marketing qui génère des revenus et non des coûts.

2.  Pour fixer ses prix, une entreprise doit résoudre successivement six problèmes : d'abord déterminer ses objectifs : profit, chiffre d'affaires, image, etc., puis évaluer la réaction du marché à partir d'une analyse des courbes de demande (moins la demande est élastique, plus le prix pourra être élevé). L'entreprise doit également estimer ses coûts pour différents niveaux de production, analyser la concurrence, choisir parmi les différentes méthodes de tarification et enfin procéder au choix final.

3.  Les entreprises font varier leurs prix de multiples manières autour du prix de base. Elles mettent en place différentes sortes de remises et rabais (escomptes, remises pour quantité, remises fonctionnelles, soldes et reprises) et ont souvent recours à des prix promotionnels (prix coûtant, offres spéciales, offres de remboursement, crédit gratuit, rabais exceptionnels) ou à des prix différenciés (selon les clients, les produits, les images, les réseaux, les lieux ou les moments). Dans le cas d'une gamme, l'entreprise définit la hiérarchie de prix en tenant compte des options, des produits liés entre eux, des sous-produits et des lots.

4.  Une entreprise qui a défini sa stratégie de prix rencontre parfois des situations l'incitant à modifier ses choix. L'initiative d'une baisse de prix peut résulter d'une capacité de production excédentaire, d'une baisse de part de marché ou d'une volonté de répercuter la réduction des coûts pour accroître sa part de marché. L'initiative d'une hausse des prix correspond souvent à la répercussion de l'augmentation des coûts ou à un excès de demande. Lorsqu'une entreprise

décide de modifier ainsi l'un de ses prix, elle doit anticiper les réactions probables des clients et de la concurrence.

5. Une société qui se trouve confrontée à une modification de prix décidée par un concurrent doit s'efforcer d'identifier l'objectif de ce dernier et le caractère temporaire ou permanent de sa décision. Sa réaction est différente si le marché rassemble des produits homogènes ou différenciés. Dans le premier cas, elle doit s'aligner sur la décision de son concurrent. Dans un marché différencié, elle dispose de plus de latitude et peut soit modifier ses prix, soit répondre sur d'autres terrains (par exemple la qualité du produit ou les services qui l'accompagnent).

## *Notes*

1. Sur ce point et sur différentes problématiques conceptuelles liées au prix, voir le numéro spécial de *Recherche et Applications en Marketing*, coordonné par Pierre Desmet et Monique Zollinger, 2000, vol. 15, n° 3. Voir également, des mêmes auteurs, *Le Prix : de l'analyse conceptuelle aux méthodes de fixation* (Paris : Economica, 1997).

2. «Ils sont tous dingues d'Internet», *Capital*, juillet 1999, pp. 24-26.

3. Voir Laurent Maruani, «Approche stratégique de la détermination d'un prix», *Revue française de gestion*, janv.-fév. 1989, pp. 1-19.

4. Kara Swisher, «Electronics 2001 : The Essentiel Guide», *Wall Street Journal*, 5 janvier 2001.

5. Thomas Nagle et Reed Holden, *The Strategy and Tactics of Pricing*, 3e édition (Upper Saddle River : Prentice Hall, 2001), chapitre 4.

6. Pierre Desmet, «Politiques de prix sur Internet», *Revue française du marketing*, 2000, n° 177/178, pp. 49-68.

7. Voir Pierre Desmet et Monique Zollinger, *Le Prix : de l'analyse conceptuelle aux méthodes de fixation* (Paris : Economica, 1997).

8. Walter Baker, Mike Marn, and Craig Zawada, «Price Smarter on the Net», *Harvard Business Review*, février 2002, pp. 122-127.

9. Voir Pierre Desmet et Monique Zollinger, *op. cit.* On peut aussi utiliser l'analyse conjointe. Pour un exemple, voir Jonathan Weiner, «Forecasting Demand : Consumer Electronics Marketer Uses a Conjoint Approach to Configure Its New Product and Set the Right Price», *Marketing Research*, été 1994, pp. 6-11.

10. Michel Dietsch, Anne Sophie Bayle-Tourtoulou et Florence Kremer, «Les déterminants de l'élasticité-prix des marques», *Recherche et Applications en Marketing*, 2000, vol. 15, n° 3, pp. 43-53.

11. Voir Gene Epstein, «Economic Beat : Stretching Things», *Barron's*, 15 décembre 1997, p. 65.

12. Pour une analyse des fonctions de coût, voir P. Gilbert et Ph. de Lavergne, *L'Analyse des coûts pour le management* (Paris : Economica, 1978).

13. Pour une excellente présentation de cette notion, voir Arnold C. Hax et Nicolas S. Majluf, «Competitive Cost Dynamics : The Experience Curve», *Interfaces*, oct. 1982, pp. 1-12. Voir également l'ouvrage du Boston Consulting Group, *Les Mécanismes fondamentaux de la compétitivité* (Paris : Hommes et Techniques, 1980).

14. Voir William W. Alberts, «The Experience Curve Doctrine Reconsidered», *Journal of Marketing*, juil. 1989, pp. 36-49.

15. Voir «La guerre de la pizza à domicile», *Figaro Économie*, 2 sept. 1991 et «La bataille de la pizza», *L'Expansion*, juin 1991.

16. Voir Robin Cooper et Robert S. Kaplan, «Profit Priorities from Activity-Based Costing», *Harvard Business Review*, mai-juin 1991, pp. 130-135. Voir aussi le chapitre 22.

17. Voir «Japan's Smart Secret Weapon», *Fortune*, 12 août 1991, p. 75.

18. Tung-Zong Chang et Albert Wildt, «Price, Product Information, and Purchase Intention : An Empirical Study», *Journal of the Academy of Marketing Science*, hiver 1994, pp. 16-27 ; G. Kortge et Patrick Okonkwo, «Perceived Value Approach to Pricing», *Industrial Marketing Management*, mai 1993, pp. 133-140. Pour une étude empirique de 9 méthodes utilisées en pratique, voir James C. Anderson, Dipak C. Jain et Pradeep K. Chintagunta, «Customer Value Assessment in Business Markets : A State-of-Practice Study», *Journal of Business-to-Business Strategy*, 1993, n° 1, pp. 3-29.

19. Voir Stephen J. Hoch, Xavier Drèze, et Mary Purk, «EDLP, Hi-Lo, and Margin Arithmetic», *Journal of Marketing*, oct. 1994, pp. 16-27 ; Rajv Lal et R. Rao, «Supermarket Competition : The Case of Everyday Low Pricing», *Marketing Science*, 1997, 16, 1, pp. 60-80 ; *Progressive Grocer*, «No Consensus on Pricing», novembre 1998, pp. 87-90.

20. Voir Gary M. Erickson et Johny K. Johansson, «The Role of Price in Multi-Attribute Product-Evaluations», *Journal of Consumer Research*, sept. 1985, pp. 195-199 ; Lakshman Krishnamurti, «La

Fixation des prix : un art autant qu'une science », *L'Art du Marketing*, pp. 77-82 (Paris : Village Mondial, 1999).

21. Voir Pierre Desmet et Monique Zollinger, *op. cit.*, pp. 67-73 ; Monique Zollinger, « Le concept de prix de référence dans le comportement du consommateur », *Recherche et Applications en Marketing*, 1993, vol. 8, n° 2, pp. 61-78 ; Monique Zollinger, « Le prix de référence interne : existence et image », *Décisions Marketing*, 1995, n° 6, pp. 89-101 ; Jordan Hamelin, « Le prix de référence : un concept polymorphe », *Recherche et Applications en Marketing*, 2000, vol. 15, n° 3, pp. 75-88 ; K. N. Rajendran and Gerard J. Tellis, « Contextual and Temporal Components of Reference Price », *Journal of Marketing*, janvier 1994, pp. 22-34.

22. Voir Robert M. Schindler et Thomas Kibarian, « Testing for Perceptual Underestimation of 9-Ending Prices », *Advances for Consumer Research*, 1993, pp. 580-585.

23. Sur la connaissance des prix par les consommateurs, voir F. Hirn, « La Mémorisation des prix et des produits courants », *Revue française de marketing*, n° 106, 1986, pp. 55-61.

24. Voir Paul W. Farris et David J. Reibstein, « How Prices, Expenditures and Profits are Linked », *Harvard Business Review*, nov.-déc. 1979, pp. 173-184. Makoto Abe, « Price and Advertising Strategy of a National Brand Against Its Private-Label Clone : A Signaling Game Approach », *Journal of Business Research*, July 1995, pp. 241-50.

25. Gary McWilliams, « How Dell Fine-Tunes Its PC Pricing to Gain Edge in a Slow Market », *Wall Street Journal*, 8 juin 2001, p. A1.

26. Voir Philip Parker « Ententes sur les prix : les mécanismes », *L'Art du marketing*, pp. 86-91 (Paris : Village Mondial, 1999).

27. Voir Michael Rowe, *Countertrade* (Londres : Euromoney Books, 1989) ; P. Agarwala, *Counter trade : A global Perspective* (New Delhi : Vikas Publishing House, 1991).

28. Kevin J. Clancy, « At What Profit Price ? », *Brandweek*, 23 juin 1997.

29. *LSA*, « Les chasseurs de promos », 17 octobre 2002, pp. 68-72.

30. Voir Robert E. Weigand, « Buy In-Follow On Strategies for Profit », *Sloan Management Review*, printemps 1991, pp. 29-37.

31. Susan Kraft, « Love, Love Me Doo », *American Demographics*, juin 1994, pp. 15-16.

32. Voir Gerald Tellis, « Beyond The Many Faces of Prices : an Integration of Pricing Strategies », *Journal of Marketing*, oct. 1986, pp. 146-160 ; Dilip Solman et John Gourville, « Transaction Decoupling : How Price Bundling Affects the Decision to Consume », *Journal of Marketing Research*, février 2001, vol. 38, pp. 30-44.

33. Eric Mitchell, « How Not to Raise Prices », *Small Business Reports*, novembre 1990, pp. 64-67.

34. Voir F. Rostand et I. Le Roy, « Le Prix comme élément d'analyse du comportement du consommateur », *Revue française de marketing*, 1986, n° 106, pp. 31-34. Voir également Kent B. Monroe, « Buyers' Subjective Perceptions of Price », *Journal of Marketing Research*, févr. 1973, pp. 70-80.

# CINQUIÈME PARTIE

# GÉRER LES PLANS D'ACTION MARKETING

DANS CE CHAPITRE, NOUS
ÉTUDIERONS, DU POINT DE VUE
DES FABRICANTS, LES CINQ
QUESTIONS SUIVANTES :

- Qu'est-ce qu'un système en réseau
  intégrant les partenariats et
  les circuits de distribution ?

- Quel est le rôle des circuits
  de distribution ?

- Comment concevoir, gérer,
  évaluer et adapter une politique
  de distribution ?

- Comment la dynamique
  de la distribution évolue-t-elle ?

- Comment résoudre les conflits
  de canaux ?

# *Choisir et animer les circuits de distribution et les partenariats*

> *« Il faut choisir ses circuits de distribution en fonction des cibles visées et rechercher la productivité, le contrôle et la souplesse. »*

Les entreprises conçoivent de plus en plus leurs activités comme des réseaux créateurs de valeur. Au lieu de s'intéresser seulement à leurs fournisseurs, leurs distributeurs et leurs clients directs, elles examinent toute la filière depuis les matières premières et les composants jusqu'aux produits manufacturés utilisés par les utilisateurs finaux. Elles s'intéressent aux étapes qui précèdent l'intervention de leurs fournisseurs et au devenir de leurs produits au-delà de leurs propres clients.

Pour analyser l'ensemble du processus, on parle souvent de *chaîne d'approvisionnement* (en anglais, *supply chain*). Ces termes font référence aux étapes en amont de l'entreprise et suggèrent que le fonctionnement de la filière est déterminé par les matières premières et les éléments incorporés dans le processus de production. C'est pourquoi le terme *chaîne de demande* paraît plus pertinent : il met en évidence l'importance des besoins des clients comme vecteur du mode d'allocation des ressources. Certains experts critiquent les deux termes car ils se focalisent sur les opérations verticales d'achat, de production et de consommation. Les réseaux auxquels les entreprises appartiennent intègrent effectivement des relations d'échange et de collaboration plus nombreuses et plus complexes. Ford, par exemple, a récemment noué un accord d'achat avec General Motors et Daimler Chrysler pour obtenir des prix plus bas de leurs équipementiers, en se mettant d'accord sur les caractéristiques des produits achetés et en associant leurs commandes. Le réseau intègre alors des partenariats horizontaux.

## Qu'est-ce qu'un système en réseau intégrant les partenariats et les circuits de distribution ?

❖ On appelle *réseau* un système de partenariats et d'alliances créé par une entreprise pour approvisionner, enrichir et distribuer son offre.

En développant une vision globale de son réseau, l'entreprise peut étudier si l'amont de ses activités est plus ou moins rentable que l'aval et en tenir compte pour ses décisions d'intégration verticale. Elle peut également surveiller les acteurs de la filière et anticiper tout changement susceptible d'affecter ses conditions de fonctionnement. Enfin, elle peut accélérer les communications et les transactions avec ses partenaires grâce à Internet et aux technologies de l'information. Les systèmes ERP (Enterprise Resource Planning) comme SAP ou Oracle permettent de gérer conjointement les revenus, la fabrication, les achats, les ressources et d'autres fonctions. Ils permettent de réduire les coûts, d'accélérer la diffusion de l'information et d'améliorer les décisions prises.

Les responsables marketing s'intéressent traditionnellement à la part du réseau qui concerne le client et le produit. Cette dimension sera développée dans le prochain chapitre à propos de la logistique commerciale. Les évolutions actuelles devraient toutefois encourager les personnes en charge du marketing dans les entreprises à élargir leur vision en participant aux activités en amont et en appréhendant l'ensemble du réseau dans lequel leur firme s'insère.

Aujourd'hui, il est assez rare que le fabricant vende directement sa marchandise à l'utilisateur final. Une multitude d'intermédiaires, aux noms variés, s'interposent entre le producteur et le consommateur, afin de remplir tout un ensemble de fonctions. Ils constituent le circuit de distribution de l'entreprise. Certains intermédiaires, tels les grossistes et les détaillants, achètent en leur nom propre les biens qu'ils revendent : ce sont des marchands. D'autres, les courtiers, les représentants, les attachés commerciaux, prospectent la clientèle et passent des contrats au nom du fabricant, mais ne s'engagent pas à titre personnel : on les appelle des agents. D'autres enfin, les compagnies de transport, les sociétés d'entrepôts, les banques, facilitent les opérations de distribution sans prendre part à la négociation commerciale : ce sont des relais.

❖ On appelle *circuit de distribution* l'ensemble des intervenants qui font passer un produit de son état de production à son état de consommation[1].

Deux considérations font du choix d'un circuit de distribution l'une des décisions les plus importantes en marketing. D'une part, *la nature des canaux choisis a une incidence sur toutes les autres variables du mix marketing*. Une entreprise ne saurait fixer ses prix avant de savoir si elle distribuera par l'intermédiaire de revendeurs exclusifs ou bien de la grande distribution. Elle doit intégrer à sa politique publicitaire la collaboration éventuelle des distributeurs. Elle organise enfin différemment sa force de vente selon qu'elle vend directement aux détaillants ou passe par l'intermédiaire de grossistes.

D'autre part, *le choix des circuits de distribution lie l'entreprise pour une période relativement longue*. Lorsqu'un constructeur automobile signe un contrat avec un concessionnaire exclusif, il lui est difficile de le remplacer du jour au lendemain par une succursale. Lorsqu'un fabricant de hi-fi distribue ses produits par l'intermédiaire de spécialistes, il se heurte à de vives résistances s'il décide un jour de s'adresser aux grandes surfaces. Dans les accords passés avec les distributeurs, il existe une forte pression en faveur du *statu quo* ; aussi l'entreprise doit-elle choisir ses circuits en fonction de ses plans de développement aussi bien que de sa situation actuelle[2].

De nombreuses entreprises privilégient aujourd'hui des circuits de distribution hybrides. IBM, par exemple, a recours à sa propre force de vente pour les grands comptes, au télémarketing pour les clients d'importance moyenne, à des détaillants indépendants pour les plus petits clients et à Internet pour les produits spécialisés. Une telle politique implique de vérifier que les circuits employés sont compatibles entre eux et correspondent aux souhaits de chaque segment de marché. Dans ce chapitre, nous analyserons le choix des circuits de distribution par les fabricants. Dans le chapitre suivant, nous nous intéresserons au marketing des distributeurs.

## Le rôle des intermédiaires

Pourquoi un producteur accepte-t-il de déléguer la vente de ses produits à des tiers ? Une telle délégation signifie en effet la perte d'un certain contrôle sur le choix de la clientèle, les méthodes de vente et la marge[3]. Le recours à des intermédiaires, souvent inévitable, présente en réalité de nombreux avantages :

♦ La plupart des fabricants ne disposent pas des ressources suffisantes pour se lancer dans la vente directe. La marque Hollywood, par exemple, vend ses chewing-gums dans plusieurs centaines de milliers de points de vente. Il est évidemment impossible qu'elle les possède tous.

♦ Une stratégie de vente directe impliquerait pour de nombreux producteurs de devenir eux-mêmes distributeurs de produits complémentaires destinés

CHAPITRE 17
Choisir et animer
les circuits de
distribution et
les partenariats

519

au même marché. Ainsi, une société comme Rolex n'aurait aucun intérêt à créer des points de vente spécialisés dans la vente des montres. Il est beaucoup plus aisé de passer par l'intermédiaire de réseaux de distribution déjà implantés et organisés.

♦ Même les fabricants qui disposent du capital nécessaire à l'implantation de points de vente découvrent souvent qu'il est plus rentable d'accroître leurs investissements dans d'autres domaines. Si, par exemple, une entreprise agroalimentaire obtient un taux de rentabilité de 20 % sur ses activités actuelles et prévoit d'atteindre 10 % sur ses investissements en distribution, il faudra qu'elle trouve des avantages substantiels pour se lancer dans une telle opération[4].

Le recours aux intermédiaires se justifie d'abord par leur plus grande efficacité dans l'accomplissement de certaines *fonctions*. De par leur spécialisation, leurs contacts et leur niveau d'activité, ils offrent au fabricant une expérience que celui-ci ne pourrait acquérir que progressivement.

Les intermédiaires commerciaux ont également pour rôle de transformer les gammes de produits des différents fabricants en un *assortiment* cohérent avec les besoins des acheteurs.

La figure 17.1 illustre l'un des types d'économie réalisée en faisant appel aux intermédiaires. La partie gauche du schéma représente trois producteurs vendant directement à trois clients. Un tel système exige neuf contacts. La partie droite représente trois producteurs passant par un seul intermédiaire en contact avec tous les clients. Un tel système n'exige plus que six contacts.

**FIGURE 17.1**
Comment un intermédiaire permet de réduire le nombre de transactions

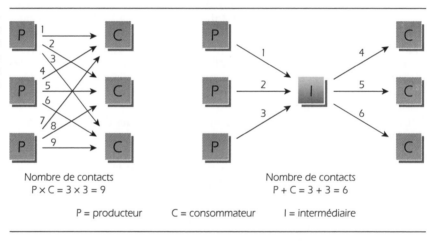

Nombre de contacts
$P \times C = 3 \times 3 = 9$

Nombre de contacts
$P + C = 3 + 3 = 6$

P = producteur          C = consommateur          I = intermédiaire

## Les fonctions de la distribution

Un circuit de distribution est un mode d'organisation permettant d'accomplir des activités qui ont toutes pour but d'amener au bon endroit, au bon moment, et en quantité adéquate les produits appropriés. Ces activités gravitent autour de neuf *fonctions* principales :

♦ Le *recueil d'information* sur les clients actuels et potentiels mais également sur les concurrents et les autres acteurs de l'environnement marketing.

♦ La *communication*, c'est-à-dire l'élaboration et la diffusion d'informations persuasives susceptibles de stimuler l'achat.

♦ La *négociation*, c'est-à-dire la recherche d'un accord sur les termes d'échange.

♦ La *prise de commande*, transmise au fabricant à partir des intentions d'achat des clients.

- Le *financement*, en particulier des stocks nécessaires à chaque niveau du circuit de distribution.
- La *prise de risque*, liée aux différentes opérations de distribution.
- La *distribution physique :* transport, stockage, manutention.
- La *facturation* et la gestion des encaissements.
- Le *transfert de propriété* du vendeur vers l'acheteur.

Ces fonctions concernent tout à la fois des flux aval (promotion, transfert de propriété), amont (prise de commande, facturation) et bidirectionnels (négociation, risque). La figure 17.2 illustre cinq flux dans le cas de la distribution des chariots élévateurs. La représentation simultanée de tous les flux sur un seul schéma illustrerait la grande complexité d'un circuit de distribution. Un fabricant qui vend des biens et des services doit élaborer trois circuits : un pour la vente, un pour la livraison et un pour les services. Dell, par exemple, utilise le téléphone et Internet comme circuits de vente, le courrier rapide et les sous-traitants pour la livraison et du personnel local pour les services.

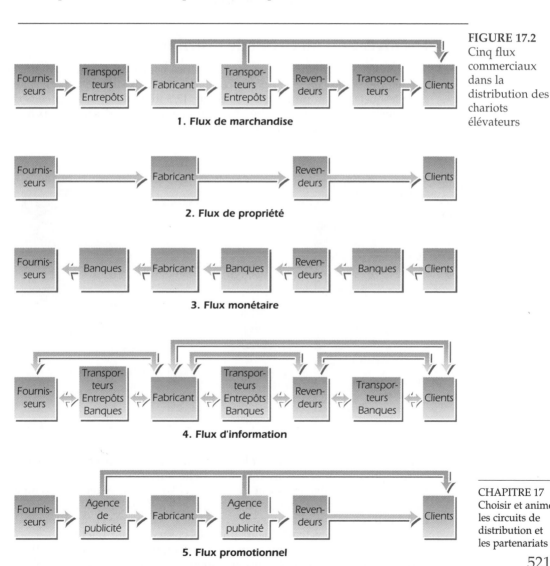

**FIGURE 17.2**
Cinq flux commerciaux dans la distribution des chariots élévateurs

L'analyse des fonctions et des flux est intéressante car elle met en évidence la question centrale de la distribution : le problème n'est pas de savoir s'il faut ou non remplir ces fonctions (qui doivent l'être de toute façon) mais de savoir *qui* va les remplir. Toutes les activités commerciales partagent trois caractéristiques : elles mobilisent certaines ressources ; elles bénéficient d'une certaine spécialisation ; et elles sont partiellement permutables entre les différents membres du circuit. Si le producteur les prend en charge, il devra les répercuter dans ses prix de vente. Si c'est le consommateur, il devra bénéficier de tarifs préférentiels ; si c'est un intermédiaire, enfin, c'est la marge qui sera affectée. Le problème de la répartition des fonctions est donc celui de la productivité économique. Pour autant que des intermédiaires spécialisés (transporteurs, entreposeurs, détaillants) bénéficient d'économies d'échelle dans la gestion de leurs opérations, il est de l'intérêt du producteur et du consommateur de leur confier les activités correspondantes. En définitive, toute l'histoire de l'appareil commercial et toutes les innovations qui y ont été introduites ne sont que le résultat d'efforts visant à modifier la répartition des fonctions dans le sens d'une amélioration de l'efficacité.

## Les niveaux d'un circuit de distribution

Tout circuit de distribution peut être caractérisé par sa *longueur*, c'est-à-dire le nombre de *niveaux* qu'il comporte, correspondant aux différents partenaires entre lesquels le produit transite. La figure 17.3 illustre différents circuits de longueur variable (voir l'encadré 17.1 pour une définition des nouveaux mots du commerce et de la distribution).

**FIGURE 17.3**
Exemples de circuits de distribution à plusieurs niveaux (biens de grande consommation)

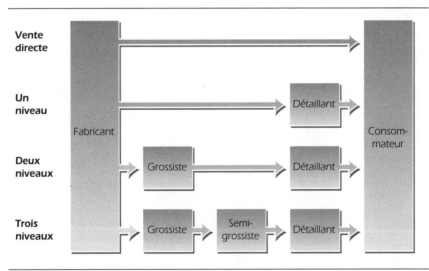

Le circuit de distribution le plus court ne comporte aucun intermédiaire entre le producteur et le consommateur. Cette forme de *vente directe* est pratiquée dans un nombre croissant de secteurs[5]. La société Avon, par exemple, emploie des déléguées chargées de vendre ses produits de beauté à domicile. IBM vend ses gros ordinateurs directement à la clientèle et de nombreuses sociétés vendent directement leurs produits et services sur Internet.

Un circuit de distribution à un niveau comporte un seul intermédiaire. Pour des produits de grande consommation, cet intermédiaire est le plus sou-

**Les nouveaux mots du commerce**

**Commerce** (rappel). Activité de revente en l'état, sans transformation, de produits achetés à des tiers. Cette activité peut inclure quelques opérations annexes telles que le conditionnement.

**Category Management.** Concept d'organisation marketing de la distribution en vue de l'optimisation du mix magasin dans une logique d'achat. Cela entraîne l'enseigne à réfléchir en catégories de produits et non plus en marques individuelles ; chaque catégorie formant un domaine d'activité stratégique, dans le cadre de la politique globale d'enseigne.

**CPFR** (*Collaborative Planning Forecasting and Replenishment*). Planning élaboré entre fournisseurs et distributeurs pour la prévision des ventes et le réapprovisionnement. Il s'agit pour l'enseigne et le fabricant d'échanger leurs pronostics de ventes selon les promotions prévues et ainsi de définir les volumes, la production, les stocks, les livraisons et les prix. Ces systèmes ne fonctionnent pas encore en France, même si Carrefour, par exemple, y travaille.

**EAN.** Code à barres permettant la description complète d'un produit à partir de chiffres représentés par des barres suivies d'espacement.

**ECR** (*Efficient consumer response :* réponse efficace au consommateur). Réflexion globale sur les moyens d'améliorer l'efficacité de la promotion, de la logistique, des lancements de produits nouveaux et de l'assortiment des points de vente.

**EDI** (Échange de données informatisées). Service qui assure le transfert par télécommunication des documents Gencod et EAN entre partenaires en s'appuyant sur une messagerie. Il s'agit en fait de connecter les ordinateurs des entreprises partenaires afin d'éviter une resaisie de l'information. En France a été mis au point pour la grande distribution le réseau Allegro créé par Gencod.

**GENCOD** (Groupement d'études de normalisation et de codification). Organisme paritaire fabricants/distributeurs, créé en 1972 et chargé de toutes les missions de normalisation et codification dans le domaine de la distribution. C'est le Gencod qui a créé les codes EAN par exemple.

**GPA** (*Gestion partagée des approvisionnements*). De nombreuses grandes enseignes de distribution confient les données sur les stocks de leurs entrepôts à certains de leurs fournisseurs par EDI, ce qui permet d'automatiser les commandes et la facturation, et d'accélérer les livraisons.

**Marketing direct.** Système de marketing interactif qui s'appuie sur la publicité d'un fabricant pour engendrer un acte d'achat.

**PDP** (Profit direct par produit). Calcul du profit réel dégagé par produit à partir de l'évaluation des coûts directement imputables à ce produit, depuis son stockage jusqu'à son linéaire.

**Trade Marketing.** Approche business to business du marketing, considérant le distributeur comme un client. L'objectif consiste à repérer les attentes de chaque distributeur pour développer avec lui des relations personnalisées à long terme. Le Trade Marketing concerne les assortiments, les politiques produits, le merchandising, la logistique, la promotion.

*Sources : La France des commerces 1999* (ministère des Petites et Moyennes Entreprises, du Commerce et de l'Artisanat) ; « Ne dites plus Trade, parlez d'ECR », *Communication CB News*, 3 juil. 1995, pp. 38-45 ; « L'industrie adapte son organisation commerciale », *LSA*, 11 avril 2002, pp. 54-60.

vent le détaillant. Sur les marchés industriels, il peut s'agir d'un revendeur spécialisé.

Un circuit de distribution à deux niveaux comporte deux intermédiaires. Sur les marchés de consommation, il s'agit en général d'un grossiste et d'un détaillant ; en milieu industriel on peut trouver un agent commercial et un grossiste.

Un circuit de distribution à trois niveaux comporte trois intermédiaires. On rencontre un tel circuit dans l'industrie de la salaison, où un semi-grossiste intervient souvent entre le grossiste et le détaillant. Des circuits encore plus complexes existent dans certains secteurs. Par exemple, dans l'industrie du diamant, on peut identifier jusqu'à sept échelons : les mines, les organismes de commercialisation de diamants bruts (principalement la CSO de la société de Beers, située à Londres), les centres de taille, les négociants diamantaires, les fabricants de bijoux, les détaillants HBJO (horlogers-bijoutiers-joailliers-orfèvres) et les consommateurs[6]. Naturellement, le problème du contrôle s'aggrave à mesure que s'accroît le nombre de niveaux, le fabricant n'étant le plus souvent en contact qu'avec le niveau situé juste en dessous de lui.

Bien que l'on associe généralement le terme de circuit de distribution à des transferts de produits vers le marché, on peut également l'appliquer à des processus «remontants», par exemple pour les produits susceptibles d'être modernisés (comme les ordinateurs), réutilisés (containers), recyclés (papier) ou pour le traitement des détritus (piles). Selon Zikmund et Stanton :

> «Il s'agit d'un problème écologique majeur. Bien que le recyclage soit théoriquement possible, faire remonter les détritus à travers les circuits de distribution représente un véritable défi. Les circuits actuellement utilisés sont artisanaux et les motivations financières insuffisantes. Il faut transformer le consommateur pour en faire un véritable agent de changement et le point de départ d'un système de distribution à l'envers[7].»

En France, certaines municipalités comme La Rochelle ou Paris ont encouragé les habitants à séparer leurs détritus en diverses catégories, en isolant notamment les bouteilles en plastique, les papiers et les boîtes en métal.

## La distribution des services

La notion de circuit de distribution ne s'applique pas seulement aux biens tangibles, mais également aux services. Ceux-ci ont, en effet, besoin d'être *disponibles* et *accessibles*. De nombreuses entreprises et organismes ont cherché à se décentraliser sous forme d'unités mobiles, au cours de ces dernières années. Il en est ainsi des banques qui se déplacent dans les campus universitaires, des bibliobus dans les petites villes ou des troupes de théâtre en tournée. Les heures de permanence assurées en mairie par un avocat ou une psychologue relèvent de la même approche.

Plus généralement, la mise en place d'un système de distribution requiert, dans le domaine des services, une bonne connaissance des besoins du public et du coût des différentes opérations. Les hôpitaux expérimentent aujourd'hui des formules de soins à domicile tandis qu'Internet offre de nouvelles possibilités dans de nombreux secteurs. Même en marketing politique, les candidats recherchent de nouvelles approches (gestion d'événements, participation à des manifestations sportives et culturelles...) pour accroître leur visibilité[8].

## La distribution de l'information

Il fut une époque où l'information était seulement diffusée par le bouche-à-oreille, le courrier et les affiches. L'invention du télégraphe a permis une communication rapide sur de longues distances. Le téléphone, la radio, la télévision, le câble et le satellite ont ensuite pris le relais en restant spécialisés dans certains types de contenus (la voix, l'image, les données...). Aujourd'hui, les circuits de distribution de l'information peuvent prendre en charge des contenus de volumes croissants et de formes multiples. Le développement d'Internet et des systèmes Intranet et Extranet a encore accru les besoins de transmission de données extrêmement volumineuses. Les évolutions technologiques en cours, notamment à partir des fibres optiques et des transmissions sans fil, cherchent à répondre à ce nouveau besoin.

Les activités d'information font intervenir quatre types d'acteurs : les fournisseurs de contenu (comme Disney, Time Warner, Sony Music ou Pearson), les fabricants de matériel électronique utilisé par les consommateurs (Nokia, Motorola, Dell, Sony, Palm), les fabricants de composants (Lucent, Cisco) et les sociétés en charge de la transmission des données (France Telecom, AT&T). Chaque acteur a des problématiques marketing distinctes.

# La mise en place d'un circuit de distribution

Lors de la mise en place d'un système de distribution, un fabricant doit accepter un compromis entre l'idéal et le réalisable. Prenons le cas d'une nouvelle entreprise qui, compte tenu de ses ressources, s'adresse au marché local. Son capital étant limité, elle devra en général faire appel aux intermédiaires déjà en place. Le nombre de ces intermédiaires sera le plus souvent réduit : quelques agences commerciales, quelques grossistes, un réseau pré-établi de détaillants, quelques entreprises de transport et un petit nombre d'entrepôts. Le problème consistera à convaincre un nombre suffisant d'entre eux de prendre en charge le produit.

L'entreprise, si elle réussit, décidera d'attaquer de nouveaux marchés. Là encore, elle s'efforcera de passer par les intermédiaires existants, bien que ce ne soit pas forcément les mêmes. Sur les petits marchés, elle s'adressera directement aux détaillants ; sur les marchés plus importants, elle passera des accords avec des revendeurs. En milieu rural, elle traitera avec des distributeurs à compétence générale ; en milieu urbain, elle s'adressera plutôt à des points de vente spécialisés. Dans une partie du pays, elle pourra accorder des concessions exclusives ; dans d'autres, traiter avec tous les intermédiaires susceptibles de commercialiser sa marchandise. Il est clair que le système de distribution d'un fabricant doit s'établir en fonction des opportunités et conditions locales.

Les moyens consacrés à la mise en place des circuits de distribution dépendent également de l'arbitrage fait par l'entreprise entre une stratégie *push* et une stratégie *pull*. Une *stratégie push* consiste à utiliser principalement la force de vente et le réseau de distribution pour promouvoir et vendre le produit au consommateur final. Cette approche est généralement utilisée lorsque les clients sont peu fidèles à la marque dans la catégorie de produits, font leur choix en magasin, comprennent mal les attributs du produit et/ou procèdent par achat impulsif.

À l'inverse, une *stratégie pull* repose sur la communication en général et la publicité en particulier pour développer chez le consommateur final une préférence pour la marque. L'objectif sera atteint si le consommateur se rendant au point de vente exige la marque, qui sera alors commandée par le détaillant au grossiste et par le grossiste à l'entreprise. Cette approche paraît pertinente dans les catégories de produit suscitant une forte implication et une forte fidélité, lorsque les consommateurs perçoivent de fortes différences entre les marques et lorsque le choix de la marque précède celui du point de vente. Même dans un secteur donné, les entreprises diffèrent parfois quant à leur préférence à l'égard de telle ou telle stratégie.

Mettre en place un système de distribution comporte plusieurs étapes : il faut successivement étudier les besoins des clients, définir les objectifs poursuivis, identifier les solutions de distribution envisageables et les évaluer.

CHAPITRE 17
Choisir et animer
les circuits de
distribution et
les partenariats

525

# L'étude des besoins de la clientèle

Il s'agit de comprendre qui achète quoi, où, quand, comment et pourquoi au sein du marché visé. Les attentes s'expriment le plus souvent à travers cinq dimensions :

1. *Le volume unitaire d'achat*. Il traduit la quantité de produit souhaitée par un client à chaque occasion d'achat. Plus il est réduit, plus le service rendu par le circuit s'élargit (stockage, éclatement, etc.).
2. *Le délai*. Il sépare la commande du moment de livraison. Plus il est court, plus le client est satisfait.
3. *L'endroit*. Il est pratique pour un consommateur de trouver ce qu'il désire dans de multiples endroits, ce qui exige un réseau composé de nombreux points de vente.
4. *Le choix*. Il correspond à la largeur de l'assortiment du distributeur. En général, les clients apprécient un large choix.
5. *Le service*. Il comporte tous les éléments intangibles (crédit, livraison, installation, réparation) fournis par le circuit. Plus ceux-ci sont nombreux, plus les fonctions dévolues au circuit s'accroissent.

Pour chaque dimension, il convient d'apprécier le niveau attendu par le client et la dispersion des attentes selon les segments du marché. La recherche du rapport optimal entre le prix de vente et les services rendus est à l'origine de bien des formules de distribution (vente à domicile, hypermarché, boutique de luxe, etc.).

# La définition des objectifs et des contraintes

L'objectif d'un mode de distribution se détermine à partir du niveau de service souhaité. En pratique, le choix des segments et celui des circuits sont donc étroitement liés. Chaque producteur doit ensuite concevoir ses objectifs de distribution à partir des principales contraintes qui lui sont imposées par les produits, les intermédiaires et l'environnement.

LES CARACTÉRISTIQUES DU PRODUIT ❖ Les plus importantes sont la durée de vie, le volume, le degré de standardisation, la technicité et la valeur unitaire. Les produits *périssables* exigent en général un circuit court, en raison de la nécessité de les acheminer rapidement. Les produits *volumineux*, tels que les matériaux de construction ou les liquides, requièrent des circuits qui minimisent les distances et le nombre de manipulations. Les produits *non standardisés*, tels que les produits à façon ou les biens d'équipements spéciaux, sont le plus souvent vendus directement par les représentants de l'entreprise, en raison de la difficulté de trouver des intermédiaires ayant la compétence technique nécessaire. Les produits qui ont besoin d'un *service après-vente* intensif sont en général vendus et entretenus soit directement par l'entreprise, soit par un réseau de concessionnaires exclusifs. Enfin, les produits ayant une *valeur unitaire élevée*, notamment les équipements industriels, ont tendance à être pris en charge par la force de vente de l'entreprise plutôt que par des intermédiaires.

LES CARACTÉRISTIQUES DES INTERMÉDIAIRES ❖ Les forces et faiblesses des différents types d'intermédiaires dans l'accomplissement des fonctions de distribution jouent également un rôle important. Les agents multicartes, par exemple, représentent un moyen peu onéreux de toucher la clientèle, du fait que les coûts sont partagés entre plusieurs fabricants, mais l'effort de vente par contact est moins intense que celui fourni par un représentant exclusif (voir chapitre 20). En général, tous les intermédiaires n'ont pas les mêmes aptitudes à assumer des fonctions aussi variées que le transport, la promotion, le stockage et le contact avec le client, pas plus qu'ils n'ont les mêmes exigences en matière de crédit, de remises, et de délais.

LES CARACTÉRISTIQUES DE L'ENVIRONNEMENT ❖ Lorsque la *conjoncture économique* est mauvaise, les producteurs sont soucieux de distribuer leurs produits au moindre coût. Ils ont alors tendance à privilégier les circuits courts et à renoncer aux services non indispensables. La *réglementation* en vigueur est également très importante. En général, le législateur s'efforce d'empêcher la formation du tout système de distribution qui aurait pour résultat d'affaiblir la concurrence et de favoriser la création de monopoles. Les domaines d'application les plus courants concernent le refus de vente, les accords d'exclusivité, et les contrats de concession et de franchise. Le développement du marché unique européen a considérablement renforcé cette réglementation et dans la plupart des secteurs, des dates butoirs ont été décidées pour la suppression du tout système exclusif.

## L'identification des solutions possibles

Après avoir identifié les objectifs et les contraintes de sa politique de distribution, l'entreprise doit procéder à une analyse des différentes solutions possibles en identifiant leurs avantages et leurs inconvénients. Si elle envisage d'avoir recours à plusieurs circuits en parallèle (franchise et succursales, force de vente et Internet), elle doit s'assurer qu'ils toucheront des segments de marché distincts et n'entreront pas en concurrence. Une « solution » en matière de distribution comporte trois éléments : 1) la *nature des intermédiaires* qui assurent la vente et le transfert des produits sur le marché ; 2) le *nombre d'intermédiaires* utilisés à chaque stade de distribution ; et 3) les *responsabilités et engagements respectifs* du producteur et de ses intermédiaires.

LA NATURE DES INTERMÉDIAIRES ❖ L'entreprise doit d'abord identifier les principaux intermédiaires susceptibles de distribuer ses produits. Considérons l'exemple suivant :

■ SYSTEL. Il y a quelques années, cette société, qui fabrique et commercialise en France des postes de téléphone, cherchait à mettre en place un système de distribution pour ses produits. Sept canaux furent identifiés :

1. Les grands magasins (BHV, Samaritaine, Printemps, Nouvelles Galeries, etc.).
2. Les magasins populaires (Monoprix).
3. Les magasins de meubles (Real, Darnal), d'électroménager (Darty), ainsi que les magasins mixtes (Conforama, But).
4. Les quincailleries et les magasins de bricolage (Castorama, Leroy Merlin).
5. Les Bâti-Centers (Comptoir des Matériaux Modernes, Lambert, etc.).
6. Les hypermarchés (Carrefour, Auchan...).
7. Les téléboutiques (agences France Télécom).

Chaque type de point de vente fut analysé du point de vue de sa surface utile et de son aptitude à vendre des appareils téléphoniques. Des comptes d'exploitation prévisionnels sur trois ans furent préparés en fonction d'une série de scénarios simulant différents systèmes de distribution (combinaisons de canaux) évalués sous l'angle de leur couverture et de leur poids commercial[9].

Il est important, à ce stade, non seulement d'examiner les systèmes de distribution traditionnels, mais aussi d'imaginer de nouvelles approches. C'est ainsi que la société Tupperware, qui commercialise des boîtes en plastique, a

CHAPITRE 17
Choisir et animer
les circuits de
distribution et
les partenariats

527

mis sur pied un système original de ventes-démonstrations chez des ménagères jouant le rôle d'hôtesses. De même, la société Timex a, il y a quelques années, choisi de vendre ses montres aux buralistes plutôt qu'aux horlogers-bijoutiers.

LE NOMBRE D'INTERMÉDIAIRES ❖ Le nombre d'intermédiaires qu'il convient d'utiliser pour chaque niveau de distribution est fonction du degré de *couverture du marché* visé par l'entreprise. On peut imaginer trois types de couverture :

**La distribution intensive.** Les fabricants de produits de grande consommation recherchent en général une distribution intensive, c'est-à-dire une implantation dans un grand nombre de points de vente. Bic, par exemple, essaie de placer ses produits dans le maximum d'endroits, de façon à avoir la plus forte exposition possible pour la marque. Une telle politique peut aboutir à un nombre total de points de vente proche de 300 000, soit la quasi-totalité de l'appareil commercial français pour les produits les plus courants.

**La distribution exclusive.** Certains fabricants préfèrent, au contraire, limiter le nombre de points de vente autorisés à distribuer leur marque. Parfois, ils demandent en contrepartie à leurs revendeurs de signer un accord de *vente exclusive* ; ceux-ci s'engagent alors à ne pas vendre de marques directement concurrentes. Des accords de ce type se rencontrent fréquemment pour des produits tels que les automobiles, les cosmétiques et certaines marques de vêtements. Une société comme Estée Lauder ne possède ainsi que 500 dépositaires en France. En octroyant le privilège de l'exclusivité, le producteur espère susciter un effort de vente plus vigoureux, conserver un meilleur contrôle des intermédiaires et conférer à son produit une image de prestige autorisant un prix élevé.

**La distribution sélective.** Entre la distribution intensive et la distribution exclusive, on trouve une série de formules intermédiaires que l'on regroupe sous le nom de distribution sélective. Ce mode de distribution est utilisé aussi bien par des entreprises déjà implantées que par de nouvelles firmes cherchant à attirer des intermédiaires. En opérant une certaine sélectivité dans sa distribution, le fabricant évite de disperser son effort entre de nombreux points de vente, dont certains seraient marginaux. Il peut établir de bonnes relations de travail avec ses intermédiaires et attendre d'eux un effort de vente supérieur à la moyenne. En général, une distribution sélective permet à un fabricant d'obtenir une couverture satisfaisante du marché et un bon contrôle de son réseau à un coût inférieur à celui d'une distribution intensive.

LES RESPONSABILITÉS ET ENGAGEMENTS DES MEMBRES DU CIRCUIT ❖ En élaborant son système de distribution, le fabricant doit préciser les engagements et responsabilités de chacun. Les principaux éléments d'une politique de relations commerciales sont : la politique de prix, les conditions de vente, les droits territoriaux et la prestation de service devant être fournie par chaque partie[10].

**La politique de prix,** définie par le fabricant, inclut le prix catalogue et les remises destinées à rémunérer les intermédiaires. En établissant ces remises, auxquelles viennent parfois s'ajouter des ristournes sur quantités, le producteur doit justifier ses choix et tenir compte des attentes respectives des grandes surfaces et des détaillants.

**Les conditions de vente** recouvrent essentiellement les conditions de paiement et les garanties offertes par le producteur. La plupart des fabricants accordent un escompte (souvent 2 %) pour paiement immédiat de leurs factures. Les conditions de paiement ont de profondes répercussions sur les coûts du producteur et du distributeur, dans la mesure où elles déterminent la façon dont les stocks sont financés. La plupart des grandes surfaces ont un taux de rotation très supérieur aux échéances de paiement et, de ce fait, arrivent non seulement à faire financer la totalité de leurs stocks par leurs fournisseurs, mais encore à dégager de la trésorerie.

**Les droits territoriaux** constituent le troisième volet de la politique de relations commerciales. Un concessionnaire a besoin de savoir quels seront les autres concessionnaires dans sa région. Il désire bénéficier de toutes les ventes réalisées dans son secteur, qu'elles soient ou non le résultat direct de ses efforts.

**Les prestations de services** devant être fournies par chacun doivent, enfin, faire l'objet d'une définition complète, notamment lorsque les liens entre le producteur et le distributeur sont étroits (franchise et exclusivité). Chez McDonald's, le franchisé doit respecter toute une série de règles précises : par exemple, les frites qui ne sont pas vendues doivent être jetées au bout de 7 minutes (voir encadré 17.2 pour les conditions de distribution en grandes surfaces).

## L'évaluation des solutions envisagées

Après avoir identifié les systèmes de distribution possibles, le producteur doit décider lequel d'entre eux répond le mieux à ses objectifs. Il prend en compte trois critères : le coût, le contrôle et la souplesse.

LE COÛT ❖ Chaque circuit envisagé permet un niveau de vente différent et s'accompagne d'un coût distinct. La figure 17.4 montre la valeur ajoutée et les coûts par transaction générés par six circuits. Par exemple, pour un produit industriel d'une valeur située entre 2 000 et 5 000 €, le coût par transaction peut passer de 10 € (sur Internet) à 50 € (vente par téléphone), 200 € (distributeurs indépendants) ou même 500 € (force de vente interne). Les circuits les moins coûteux s'accompagnent souvent de peu de contacts avec le client et sont adaptés aux produits simples. Les acheteurs apprécient souvent les relations interpersonnelles pour les produits complexes.

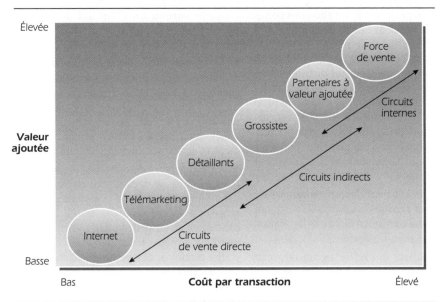

**FIGURE 17.4**
Exemple
de valeur ajoutée
et de coût
pour différents
circuits

CHAPITRE 17
Choisir et animer
les circuits de
distribution et
les partenariats

*Source :* Oxford Associates, adapté de Dr. Rowland T., Cubex Corp.

# Les conditions de négociation entre fabricant et enseignes de la grande distribution

En France, la concentration de la grande distribution fait de quelques enseignes les clients privilégiés des fabricants de produits de grande consommation. Ainsi, une enseigne peut représenter jusqu'à 30 % du CA d'un fabricant alors que ce dernier ne représente au mieux que 5 % du CA du distributeur. Lors des négociations, le rapport de force est donc très nettement en faveur des distributeurs, pour les PME mais aussi pour les plus grandes marques.

Une étude réalisée en 1994 a fait le point sur ces négociations. Plus de 40 % des accords nationaux étaient renégociés au niveau régional ou à celui du point de vente. Dans 74 % des cas, le montant net concédé par le fabricant était inférieur à celui de l'année précédente, ce qui correspondait à une pression accrue des distributeurs sur les fabricants. Les services proposés par les distributeurs, depuis l'acceptation de référencement et la mise en avant de certains produits par des têtes de gondole ou des prospectus jusqu'à la rénovation des points de vente, faisaient l'objet de contreparties financières substantielles.

Depuis lors, l'État a tenté de rééquilibrer les relations entre fabricants et distributeurs à travers la loi Galland de 1996 puis la loi NRE (nouvelles régulations économiques) de 2001. La *loi Galland* a limité la concurrence par les prix entre les magasins et provoqué plusieurs changements dans les pratiques de négociation entre fabricants et distributeurs.

♦ Un fabricant peut désormais refuser de vendre ses produits à un détaillant, ce qui était auparavant interdit par la législation relative au refus de vente.

♦ Le détaillant qui référence un nouveau produit en contrepartie d'une rémunération doit s'engager par écrit sur « un volume d'achat proportionné » au droit d'entrée versé.

♦ Sauf cas spécifiques, la rupture d'une relation commerciale et le déréférencement des produits doivent être accompagnés d'un préavis écrit.

♦ Il est interdit de vendre à un prix « abusivement bas ». En outre, la revente à perte est plus que jamais interdite sauf cas précis (soldes, fins de série…). Les services de collaboration commerciale comme les têtes de gondole sont facturés à part. Concrètement, ces dispositions ont abouti à la création des *marges arrière*, c'est-à-dire des remises accordées par le fabricant au distributeur et qui ne peuvent pas être répercutées dans le prix de vente au consommateur. Elles regroupent les remises conditionnelles, par exemple liées aux objectifs de chiffres d'affaires, et les remises liées à des actions de coopération commerciale (voir schéma de la page suivante).

La *loi NRE* a, quant à elle, défini des pratiques morales. En voici quelques points-clés et le bilan qu'en font aujourd'hui les professionnels.

♦ Au lieu d'obtenir des remises, les distributeurs vendent des référencements, des espaces de linéaires et des prospectus.

♦ La loi a instauré des délais de préavis en cas de déréférencement. Cependant, certains fabricants regrettent que le préavis imposé aux marques de distributeurs (et qui concerne surtout les PME) soit deux fois plus long que celui des marques d'industriels, ce qui affaiblit ces dernières.

♦ Une commission d'examen des pratiques commerciales étudie les documents commerciaux, les factures et les contrats, et formule un avis à leur sujet. Beaucoup de professionnels approuvent cette mesure et considèrent qu'elle contribuera à terme à établir un dialogue et un code de bonnes pratiques.

♦ La loi a instauré de nouvelles règles relatives à l'abus de dépendance économique dans l'objectif d'éviter l'exploitation abusive d'un fournisseur par un client. En conséquence, les distributeurs veillent aujourd'hui à ne pas peser trop lourd dans le chiffre d'affaires des petites sociétés (entre 15 et 20 %) de peur de se mettre en situation d'insécurité juridique. Certains dirigeants de PME le regrettent et craignent qu'ils ne limitent leurs commandes.

♦ Enfin, la réduction des délais de paiement et les pénalités de retard envisagées par la loi semblent, en pratique, peu mises en œuvre pour l'instant.

Le bilan que font les fabricants et les distributeurs de la loi NRE est aujourd'hui mitigé. Certains fabricants regrettent encore le déséquilibre de leurs relations avec les distributeurs.

*Sources :* Marc Filser, Véronique des Garets et Gilles Poché, *La Distribution : organisation et stratégie* (Paris : Éditions EMS, 2001), pp. 147-163 ; «La loi NRE n'a pas répondu aux attentes», *LSA*, 13 juin 2002 pp. 52-57 ; «Négociations 2003 : La nouvelle donne», *LSA*, 12 septembre 2002, pp. 24-26 ; «Négocier avec les hypermarchés», *L'Essentiel du Management*, mai 1995, pp. 75-81.

**Les remises accordées aux distributeurs**

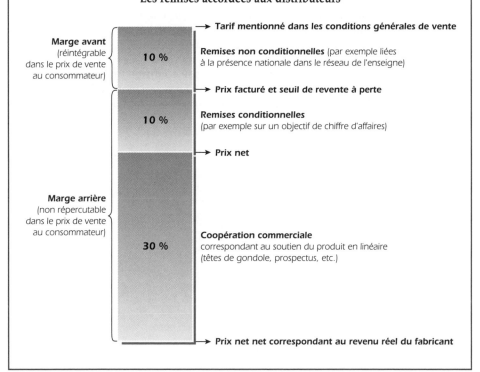

Si les fabricants découvrent un circuit pratique et moins coûteux, ils incitent les clients à l'utiliser. Ainsi, la compagnie aérienne SAS donne des points aux clients qui achètent leurs billets électroniques sur Internet. Les entreprises qui parviennent à faire évoluer les clients vers des circuits à moindre coût sans provoquer une baisse des ventes ou une détérioration du service, bénéficient d'un véritable avantage concurrentiel[11].

La première étape de l'analyse consiste à déterminer le chiffre d'affaires généré par les différents circuits envisagés. Si une entreprise hésite entre l'embauche de dix représentants et le recours à une agence commerciale déjà implantée dans la région, elle détermine quelle option permettra le chiffre d'affaires le plus élevé. Un responsable marketing choisirait peut-être la première solution : un représentant ne s'occupe que des produits de son entreprise ; il a reçu une formation ; il est plus motivé ; et il a souvent un meilleur contact avec le client, surtout lorsque celui-ci préfère avoir affaire directement au fabricant. Mais on peut très bien concevoir que l'agence engendre un

CHAPITRE 17
Choisir et animer
les circuits de
distribution et
les partenariats

531

chiffre d'affaires supérieur. Tout d'abord, le fabricant est représenté par trente vendeurs, au lieu de dix dans le premier cas. Ensuite, les vendeurs de l'agence peuvent être tout aussi dynamiques, leur attitude dépendant de la commission perçue. D'autre part, il n'est pas évident que les clients préfèrent toujours avoir affaire au fabricant. Lorsque le produit est standardisé et que les conditions de vente sont identiques, la clientèle est souvent indifférente. Elle préfère même traiter avec un agent qui gère une gamme plus vaste. Enfin, un atout essentiel de l'agence est la richesse des contacts noués au fil des ans, alors que la force de vente part de zéro.

Une fois les ventes évaluées, il faut estimer le coût des deux systèmes. La figure 17.5 les représente sous forme d'un diagramme. Dans le cas de l'agence, les charges fixes sont inférieures à celles entraînées par la gestion d'une force de vente. En revanche, les coûts variables s'élèvent plus vite du fait d'une commission plus importante. La figure fait apparaître le niveau du chiffre d'affaires $V_B$, pour lequel les coûts de distribution des deux systèmes sont équivalents. Toutes choses égales par ailleurs, il faut faire appel à l'agence si le niveau de ventes espéré est inférieur à $V_B$ et engager une force de vente dans le cas contraire. Cette analyse confirme une observation souvent faite dans la pratique : le système des agences commerciales est surtout utilisé par les petites entreprises (ou les grandes entreprises pour leurs petits secteurs).

**FIGURE 17.5**
Diagramme
de coût et de chiffre
d'affaires :
choix entre
une agence et
une force
de vente interne

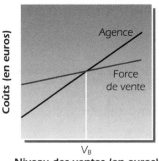

LE CONTRÔLE ET LA SOUPLESSE ❖ Le recours à une agence commerciale soulève un certain nombre de problèmes relatifs au contrôle du fabricant sur son circuit. L'agent est un homme d'affaires indépendant qui cherche avant tout à maximiser son profit. Il refuse souvent de collaborer avec l'agent d'un secteur voisin, bien qu'une telle coopération puisse être profitable au fabricant. Il concentre ses efforts sur les clients qui sont, pour lui et compte tenu des produits dont il assure la représentation, les plus importants. Enfin, il peut ne pas avoir les compétences techniques nécessaires pour vendre le produit du fabricant.

En outre, chaque type de circuit implique un engagement à plus ou moyen long terme. Un fabricant qui a recours à une agence doit signer un contrat pour plusieurs années ; si, au cours de cette période, d'autres méthodes de vente prennent de l'importance, le fabricant lié par ses engagements antérieurs, est dans l'impossibilité d'en tirer parti. Pour envisager un circuit rigide, il faut que ses avantages soient substantiels, que ce soit en termes de coût ou de contrôle.

# La gestion d'un circuit de distribution

Une fois déterminées les grandes lignes de son système de distribution, l'entreprise doit sélectionner, motiver et évaluer ses intermédiaires. Il lui faut, en outre, anticiper leur évolution.

## Le choix des intermédiaires

Le choix des intermédiaires est essentiel car ceux-ci incarnent l'entreprise aux yeux des clients. Or les producteurs diffèrent quant à leur aptitude à attirer des intermédiaires. Certains, peu connus, éprouvent de grandes difficultés à trouver un nombre suffisant d'intermédiaires compétents. D'autres n'ont aucun mal à trouver des établissements qui acceptent de s'intégrer au circuit qu'ils envisagent. Leurs propositions attirent plus de distributeurs qu'il n'en faut, soit parce qu'ils jouissent d'une très bonne réputation, soit parce que le produit (ou la gamme) semble très rentable. La division Coiffure de L'Oréal, par exemple, n'a guère de difficulté à faire accepter ses produits dans les salons. Le principal problème est un problème de sélection. Le fabricant doit déterminer les caractéristiques des intermédiaires qui sont les plus à même de révéler leurs compétences.

Qu'il éprouve ou non des difficultés à recruter ses intermédiaires, le producteur doit déterminer les caractéristiques qui permettent de distinguer les meilleurs d'entre eux. En effet, même s'il envisage une distribution intensive, il ne peut accepter que son produit soit associé à des distributeurs défaillants. Le fabricant s'efforce donc de connaître l'expérience des intermédiaires, leur solvabilité, leur aptitude à coopérer et leur réputation. S'il s'agit d'une agence commerciale, il cherche, en outre, à évaluer le nombre et la nature des autres produits qu'elle distribue, la taille et la qualité de sa force de vente, ainsi que son aptitude à vendre les produits qu'il fabrique. S'il s'agit d'un grand magasin, il souhaite évaluer son emplacement, son rythme de croissance et la nature de sa clientèle. Les problèmes posés par la mise en place d'un réseau sont illustrés par l'expérience d'Epson aux États-Unis (voir l'encadré 17.3).

## La formation des intermédiaires

De plus en plus d'entreprises mettent en place un programme complet de formation à destination de leurs revendeurs. Ainsi :

- **MICROSOFT** demande à tous les ingénieurs de maintenance appartenant à des sociétés tierces de suivre un cours débouchant sur le diplôme de *Professionnel Certifié Microsoft*.
- **FORD** transmet par satellite des programmes de formation à ses 6 000 concessionnaires. Les techniciens participent à des vidéoconférences qui détaillent toutes les opérations de réparation, et au cours desquelles ils obtiennent des réponses à toutes leurs questions.

## La motivation des intermédiaires

Les intermédiaires doivent être motivés pour travailler au mieux de leurs possibilités. Les raisons qui les ont conduits à s'intégrer au circuit de distribution représentent déjà une certaine forme de motivation, mais celle-ci doit être renforcée par une attention et un encouragement constants de la part du fournisseur. Le fabricant ne doit pas se contenter de vendre *par* les intermédiaires,

CHAPITRE 17
Choisir et animer
les circuits de
distribution et
les partenariats

533

## La mise en place d'un réseau de distribution : le cas d'Epson

La société japonaise Epson, spécialisée dans la fabrication d'imprimantes, avait décidé d'élargir sa gamme en incorporant des ordinateurs. Elle estima ne pas pouvoir utiliser son réseau actuel et fit appel à une entreprise de recrutement en lui donnant les critères suivants :

♦ avoir une expérience de la distribution à deux niveaux (fabricant → distributeur → revendeur);

♦ être prêt à investir dans l'affaire;

♦ accepter un salaire de 80 000 $ par an plus 375 000 $ de frais d'établissement avec obligation d'investir 25 000 $ de fonds propres en échange d'une participation au capital;

♦ ne commercialiser que du matériel Epson mais pouvoir vendre des logiciels d'autres marques.

La société chargée du recrutement eut les plus grandes difficultés à obtenir des candidatures valables. On contacta alors tous les numéros 2 des distributeurs actuels de micro-informatique et on sélectionna, après interview, douze candidats.

Il fallut alors informer le réseau actuel de revendeurs de la fin de leurs activités avec un préavis de 3 mois. Malgré toutes ces étapes, Epson ne réussit jamais à se faire reconnaître en tant que fabricant d'ordinateurs.

*Source :* Arthur Bragg, « Undercover Recruiting : Epson America's Sly Distributor Switch », *Sales and Marketing Management*, 11 mars 1985, pp. 45-49.

---

mais également *aux* intermédiaires. Le problème de la motivation est un problème difficile, car il y a autant de terrains de conflit que de coopération entre un producteur et ses distributeurs.

La motivation des membres du circuit doit commencer par l'étude de leur comportement. McVey a énoncé trois règles caractérisant l'intermédiaire :

♦ L'intermédiaire se considère d'abord comme le garant des achats de ses clients, et ensuite seulement comme le représentant de ses fournisseurs. Il est prêt à vendre tous les produits que ses clients peuvent désirer trouver chez lui.

♦ L'intermédiaire cherche à regrouper toutes ses références en une famille de produits qui peuvent être vendus ensemble à chaque client. Il cherche à vendre un assortiment, et non des produits isolés.

♦ À moins d'être motivé pour le faire, l'intermédiaire ne collecte pas de statistiques de vente par produit et par marque. Des informations qui pourraient être utilisées lors du développement de nouveaux produits ou de l'élaboration de la stratégie de prix, de conditionnement ou de promotion sont mal répertoriées, et quelquefois même soigneusement cachées aux fournisseurs[12].

En fait, la motivation des distributeurs s'inscrit dans le cadre de la politique adoptée vis-à-vis des intermédiaires. On distingue trois approches : la coopération, le partenariat et le Trade Marketing.

LA COOPÉRATION ❖ De nombreux fabricants recherchent avant tout la coopération de leurs distributeurs. Selon le cas, ils utilisent la carotte (marges, offres spéciales, primes, concours) ou le bâton (refus d'approvisionnement, allongement des délais, menaces d'exclusion). Avec une telle approche, on se contente de choisir dans l'éventail des recettes de stimulation sans se soucier de la relation à long terme.

**LE PARTENARIAT** ❖ Dans cette approche, le fabricant et le distributeur s'entendent sur ce qu'ils attendent l'un de l'autre et planifient leurs accords en conséquence. Dans cet esprit, une société a décidé de remplacer la commission de 35 % par le système suivant : 5 % pour un niveau de stock adéquat ; 15 % pour l'atteinte des quotas de vente ; 5 % pour un service après-vente efficace ; 5 % pour une information régulière sur le marché ; 5 % pour une gestion diligente des effets à recevoir.

D'autres entreprises ont imaginé des approches créatives dans la construction d'une relation de partenariat. Timken entretient des contacts à tous les niveaux chez ses distributeurs (depuis le directeur général jusqu'au vendeur). Dayco (plastiques et caoutchoucs) organise chaque année un séminaire de réflexion d'une semaine associant vingt cadres de l'entreprise et vingt distributeurs.

**LE TRADE MARKETING** ❖ représente la forme la plus sophistiquée de gestion des rapports fabricants-distributeurs[13]. Le fabricant crée, au sein ou en dehors du département marketing, un service spécialement chargé des relations avec les distributeurs et dont la mission est de suivre l'évolution de leurs besoins et leurs activités. Ce service établit en liaison avec les distributeurs, les objectifs commerciaux, les niveaux de stocks, les opérations de merchandising et les campagnes publi-promotionnelles. L'objectif est de convaincre les distributeurs de porter leurs efforts sur la vente à la clientèle plutôt que sur les négociations d'achat avec le fabricant. Procter & Gamble France, par exemple, définit le trade marketing comme «une volonté de l'industriel et du distributeur d'intégrer les contraintes et les objectifs de leurs partenaires respectifs afin de mieux répondre aux attentes des consommateurs.» Casino le résume dans la formule : « 1+1=3. »

On peut, en fait, contraster le trade marketing du traditionnel marketing de négoce sur différents critères (tableau 17.1).

| Marketing de négoce | Trade Marketing |
|---|---|
| Centré sur la transaction | Centré sur la relation |
| Centré sur la marque | Centré sur le client et ses besoins |
| Centré sur le produit | Centré sur la catégorie de produits |
| Prix et négociation | Service |
| Transférer les coûts | Réduire les coûts en créant de la valeur |
| Profit à court terme | Profit à long terme |
| Mentalité d'adversaire | Mentalité de partenaire |
| Rapports standardisés | Rapports personnalisés |

**Tableau 17.1**
Comparaison entre le marketing de négoce et le trade marketing

Dans la pratique, le trade marketing comporte toute une série d'actions qui vont bien au-delà des transactions commerciales (achat/vente) habituelles. Par exemple :

♦ *les marques co-gérées*. Il s'agit d'une collaboration entre un producteur et un distributeur pour concevoir, lancer et gérer une marque commune, soit de façon temporaire, soit de façon permanente en en partageant les responsabilités et les résultats ;

♦ *les lancements de produit en partenariat*. Par exemple, Dim a lancé une gamme complète de sous-vêtements testée en exclusivité chez Monoprix. La publicité fut commune à la marque et à l'enseigne. De même, Häagen-Dazs a accordé une exclusivité de quelques mois à Monoprix lors du lancement de nouvelles gammes comme le Frozen Yogurt ;

♦ *les systèmes d'échange d'information* (EDI) entre fabricants et distributeurs. Par exemple, la société Luissier Bordeaux Chesnel qui fabrique des rillettes a adopté le système Allegro qui permet de dématérialiser les factures au profit d'une informatisation qui relie directement et en temps réel les ordinateurs des clients à ceux de l'entreprise. Cela permet de réduire considérablement les coûts (et les erreurs) de facturation puisque, notamment, la nécessité de double saisie de l'information a disparu. De même, Procter & Gamble et Casino ont adopté un système d'EDI qui leur a permis de diviser par dix le coût de traitement d'une facture. Aujourd'hui, 35 % du textile d'Auchan et 85 % des articles de Leroy Merlin sont traités en EDI ;

♦ *les opérations promotionnelles « sur mesure »*. Chaque magasin a des événements qui lui sont propres (anniversaire, semaine commerciale, etc.). De plus en plus de fabricants conçoivent des opérations promotionnelles spécifiquement dédiées à ces événements.

Où doit se situer le trade marketing dans l'entreprise et qui doit en assumer la responsabilité ? La question reste ouverte aujourd'hui. Les distributeurs ont mis en place des *category managers* responsables d'une famille de produits tandis que les fabricants créaient des « gestionnaires de clientèle » (ou *account managers*), dédiés à tel ou tel distributeur. Chez Nestlé-France, chaque directeur général adjoint a pris en charge une enseigne. Aujourd'hui, de plus en plus de fabricants calculent leur rentabilité pour chacune des enseignes qu'ils approvisionnent. En fait, le trade marketing est surtout un état d'esprit et une démarche stratégique que l'ensemble de l'entreprise doit partager, pour son propre bénéfice comme pour celui de ses clients (ou fournisseurs).

La collaboration entre fabricants et distributeurs a abouti depuis le milieu des années 1990 au développement du *category management*, consistant à développer conjointement des plans stratégiques relatifs aux catégories de produits dans leur ensemble. Cette démarche implique un certain nombre de choix : la définition de la catégorie (son « périmètre ») et de son rôle stratégique au sein de l'enseigne ; l'analyse de ses performances, de son potentiel et de ses objectifs ; la hiérarchisation des marques au sein de la catégorie.

Certains distributeurs comme Casino, pionnier du *category management* en France, désignent un fabricant comme « capitaine de la catégorie » et le chargent d'optimiser la catégorie pour l'enseigne. Il a alors accès à de nombreuses données sur le marché et prend des décisions essentielles, quitte à parfois devoir réduire le nombre de produits présentés dans les linéaires (y compris les siens !), voire à soutenir les marques concurrentes qui s'avéreraient pertinentes par rapport à la dynamique de la catégorie !

D'autres distributeurs entendent rester maîtres de leur assortiment de produits. Carrefour, par exemple, commercialise ses données de ventes et de panels en laissant les fournisseurs libres de les acheter et de lui proposer des pistes convaincantes.

Le category management a également permis le développement d'univers-produits originaux, comme les univers mode, culture, loisirs et maison chez Carrefour. Wal-Mart utilise aux États-Unis sa gigantesque base de données pour identifier les catégories de produits fréquemment associées dans un panier d'achat par les consommateurs et ainsi rapprocher des produits en linéaire (céréales pour le petit-déjeuner et bananes, mouchoirs en papier et médicaments pour le rhume…).

Aujourd'hui, certaines entreprises ont complété les notions de trade marketing et de *category management* par celle d'*ECR (Efficient Consumer Response)*. Selon Louis-Claude Salomon, directeur commercial chez Procter, « l'ECR recoupe le trade marketing, le *category management* et la sélection de gamme partagée avec le distributeur, l'accélération de la mise en rayon des nouveaux produits et le contrôle de la logistique : ce qui nous intéresse, explique-t-il, c'est que nos produits soient présents à tout moment, aux meilleures conditions dans les points de vente, sans surstockage ni rupture. Dans l'idéal, vous avez les sorties de caisse et vous faites les programmes de réapprovisionnements automatiques avec les ventes de la veille et les impondérables (comme la météo). » C'est la gestion partagée des approvisionnements (GPA).

L'ECR permet à un industriel et à un distributeur de travailler plus intelligemment en visant à augmenter leurs chiffres d'affaires respectifs et à diminuer leurs coûts afférents. Aux États-Unis, Procter et Wal-Mart ont ainsi créé une banque de données commune, qui leur a permis de découvrir qu'en valeur, 10 à 12 % du CA pouvait être économisé. En France, Danone et Auchan ont mis en place à Nice un système de réapprovisionnement automatique. Solinest, la société qui vend les marques Tetley, Freedent et Ricola, gère 60 % de ses livraisons dans la grande distribution par un logiciel lui donnant accès aux niveaux de stock et de sortie quotidiens des entrepôts de Carrefour, Auchan et Casino. Chez Monoprix, les chefs de rayon ont même évolué vers des positions de chefs de produit, assurant une fonction intégrant l'achat et la vente, et responsables du compte d'exploitation de la catégorie. Beaucoup considèrent l'ECR comme l'évolution logique du trade marketing.

## L'évaluation des intermédiaires

Un fabricant doit régulièrement évaluer les résultats de son réseau de distribution et de ses revendeurs. Les terrains sur lesquels il convient d'être vigilant concernent la couverture du marché, le niveau moyen des stocks, les délais de livraison, la prise en charge des marchandises détériorées ou perdues, la coopération publicitaire et les prestations de service dues au client. Le producteur élabore en général des quotas de vente qui explicitent les résultats attendus. C'est ainsi que, dans l'automobile et dans l'électroménager, des quotas sont fixés non seulement pour les ventes totales, mais également par modèle. Dans certains cas, ces quotas ne sont utilisés qu'à titre indicatif ; dans d'autres, ils représentent de véritables objectifs. Certains fabricants vont même jusqu'à dresser et diffuser dans l'ensemble du réseau la liste des intermédiaires les plus méritants.

## La modification d'un circuit de distribution

Un fabricant ne peut se contenter de mettre en place un circuit de distribution et de veiller à son bon fonctionnement. De temps à autre, il devient nécessaire d'adapter le circuit à l'évolution du marché et au cycle de vie du produit (voir encadré 17.4).

Lorsque l'on étudie les décisions de modification d'un système de distribution, il est utile de distinguer trois niveaux. La modification peut porter sur l'addition ou la suppression de certains membres du circuit, l'addition ou la suppression de certains circuits, ou sur la refonte complète du système.

La décision d'inclure ou d'abandonner un intermédiaire repose sur une analyse marginale classique. La question est de savoir quels seraient les bénéfices de l'entreprise avec et sans cet intermédiaire. L'analyse se complique, toutefois, lorsque la décision a des répercussions sur l'ensemble du système. En accordant une nouvelle concession dans une ville, un constructeur automobile doit non seulement prendre en compte les ventes attendues du nouveau concessionnaire, mais aussi les accroissements ou diminutions de vente des concessionnaires déjà établis dans la zone.

Parfois, un fabricant décide d'éliminer non pas un intermédiaire, mais tous ceux dont les résultats tombent en dessous d'un certain niveau. Le cas

CHAPITRE 17
Choisir et animer
les circuits de
distribution et
les partenariats

537

**L'évolution du système de distribution en fonction du cycle de vie**

Aucun système de distribution n'est adapté à toutes les phases du cycle de vie d'un produit. En début de cycle, les premiers acheteurs sont prêts à payer une surprime chez un détaillant spécialisé. Lorsque le produit est largement diffusé, des distributeurs moins chers paraîtront plus attractifs. Ainsi, les télécopieurs étaient au départ surtout vendus chez les spécialistes. On les trouve aujourd'hui en vente dans les hypermarchés, à côté des ordinateurs et des téléphones portables.

Milan Lele a développé le cadre d'analyse ci-dessous qui montre comment les circuits de distribution se sont modifiés tout au long du cycle de vie des micro-ordinateurs. Plus généralement :

♦ *En phase de lancement :* les nouveaux produits apparaissent d'abord dans les points de vente et boutiques spécialisés.

♦ *En phase de croissance :* les circuits de distribution de masse commencent à apparaître, mais ils offrent du conseil et des services (grands magasins).

♦ *En phase de maturité :* les grandes surfaces s'emparent du produit qu'elles distribuent à bas prix.

♦ *En phase de déclin :* le produit se retrouve chez les discounters et dans les catalogues de vente par correspondance les plus banalisés.

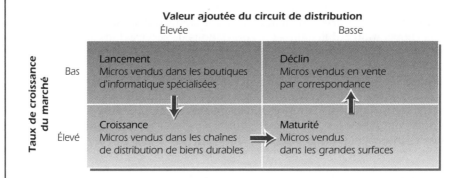

**Valeur ajoutée du circuit de distribution**
Élevée — Basse

**Taux de croissance du marché**

Bas — **Lancement** Micros vendus dans les boutiques d'informatique spécialisées — **Déclin** Micros vendus en vente par correspondance

Élevé — **Croissance** Micros vendus dans les chaînes de distribution de biens durables — **Maturité** Micros vendus dans les grandes surfaces

*Source :* Milind M. Lele, *Creating Strategic Leverage* (New York : John Wiley & Sons, 1992), pp. 249-251.

s'est produit lorsque Navistar, vendant ses camions par l'intermédiaire de concessionnaires exclusifs, s'aperçut que 5 % des distributeurs ne vendaient que trois ou quatre camions par an. Selon les calculs du contrôleur de gestion, continuer à travailler avec ces distributeurs coûtait davantage à l'entreprise que ne lui rapportait la vente des camions. Si l'on avait eu recours à une analyse marginale, on aurait probablement décidé d'éliminer ces concessionnaires. Mais une telle décision aurait accru les coûts unitaires de production, les frais généraux étant répartis sur un nombre plus faible d'unités ; certaines catégories de personnel et d'équipement se seraient trouvées sans activité ; des commandes se seraient reportées sur les concurrents ; enfin, d'autres concessionnaires de l'entreprise auraient pu se sentir menacés. Seule une simulation de l'ensemble du système permit d'analyser tous les effets induits.

La décision de modification la plus difficile est celle qui concerne l'ensemble du système de distribution[14]. Un constructeur automobile, par exemple, peut se demander s'il n'a pas intérêt à remplacer ses filiales par des concessionnaires. De telles décisions sont prises au plus haut niveau, car elles entraînent un réexamen de l'ensemble de la stratégie marketing de l'entreprise.

Stern et Sturdivant ont mis au point une méthodologie destinée à faire évoluer un système de distribution. Elle tient en six étapes[15] : 1) identifier les perceptions et les désirs des clients visés à propos des services fournis par les circuits de distribution ; 2) analyser la performance du système actuel de l'entreprise et de ses concurrents ; 3) déterminer les écarts avec les souhaits des clients ; 4) étudier les contraintes qui limitent les possibilités de changement ; 5) imaginer un nouveau système de distribution et 6) mettre en place le système envisagé.

# L'évolution des circuits de distribution

La distribution ne cesse de se modifier. De nouvelles entreprises de gros ou de détail continuent d'apparaître. Parfois, c'est un réseau complet qui voit le jour comme dans le cas de la vente par Internet ou télévisée (téléshopping). Nous allons, dans ce qui suit, analyser l'évolution des systèmes intégrés de distribution avant d'étudier la façon dont ils coopèrent ou, au contraire, se combattent.

## Le développement des systèmes marketing verticaux

Un phénomène important est apparu dans de nombreux secteurs : les systèmes marketing verticaux. Dans un circuit traditionnel, les fabricants, les grossistes et les détaillants, séparés les uns des autres, discutent âprement les conditions de vente et se comportent de façon indépendante. Au contraire, un système marketing vertical est constitué de réseaux centralisés et professionnellement gérés, construits de façon à réduire les frais d'exploitation et à avoir le plus d'impact possible sur le marché. Un tel système concurrence le circuit traditionnel, dans la mesure où, de par sa taille et son pouvoir d'achat, il permet de réaliser d'importantes économies. Trois types de systèmes marketing verticaux peuvent être distingués : les systèmes intégrés, les systèmes contrôlés et les systèmes contractuels (voir encadré 17.5).

Pour survivre, beaucoup d'entreprises se sont regroupées en systèmes marketing verticaux. Celles qui voulaient rester indépendantes se sont spécialisées en s'adressant à certains segments spécifiques du marché que la distribution de masse ne pouvait atteindre. Il s'est ainsi produit une certaine polarisation du commerce de détail, avec d'un côté les grands organismes intégrés verticalement et, de l'autre, des boutiques spécialisées indépendantes. Cette évolution pose des problèmes aux fournisseurs, qui, d'une part, ne peuvent abandonner le commerce traditionnel, mais, de l'autre, doivent également traiter avec la grande distribution. Dans ce dernier cas, il leur faut en général accepter des conditions peu avantageuses, car le rapport de forces n'est pas en leur faveur. En outre, les distributeurs intégrés peuvent toujours décider de se passer des fabricants et créer leurs propres unités de production si cela leur semble plus opportun. Aujourd'hui, la concurrence dans le commerce de détail est moins une concurrence entre magasins qu'entre groupes puissants à gestion centralisée qui se livrent une guerre acharnée pour réaliser les bénéfices les plus élevés possibles en attirant un maximum de clientèle.

CHAPITRE 17
Choisir et animer
les circuits de
distribution et
les partenariats

539

# Le développement des systèmes marketing horizontaux

Une autre évolution importante en marketing est le développement des systèmes marketing horizontaux. Typiquement, deux entreprises travaillant dans le même secteur décident de former une alliance provisoire ou permanente, ou de fonder une filiale commune, afin d'exploiter ensemble les possibilités du marché. Aucune des deux entreprises ne peut ni ne veut amasser le capital, le savoir-faire, les ressources de production et de marketing nécessaires pour faire cavalier seul. Sans doute pensent-elles que les risques sont trop importants et espèrent-elles que la voie de l'association leur permettra de partager les risques.

---

**17.5**

 ## Les principaux types de systèmes marketing verticaux

**Le système intégré.** Dans un système intégré, les niveaux successifs de production et de distribution appartiennent à une seule et même société. Par exemple, la moitié des produits vendus par la société Sears proviennent de fournisseurs dans lesquels la société détient une part du capital. La chaîne d'hôtels Holiday Inn possède ses propres usines de fabrication de moquettes, de meubles et de nombreuses installations de distribution. De telles sociétés constituent, en fait, des systèmes marketing verticalement intégrés. Les considérer comme des « détaillants », des « fabricants », ou des « exploitants d'hôtels » simplifie à l'extrême la complexité de leurs activités et ignore la réalité du marché.

**Le système contrôlé.** Dans un système contrôlé, les étapes de la production et de la distribution sont coordonnées non par une participation au capital, mais par la prédominance d'une des parties dans le système. Ainsi, les fabricants d'une marque leader peuvent s'assurer une collaboration fidèle et soutenue de la part des distributeurs. Des entreprises comme Kodak ou L'Oréal Coiffure obtiennent une coopération efficace de la part de leurs distributeurs dans des domaines tels que la publicité sur le lieu de vente, la gestion du linéaire, les promotions et les prix.

**Le système contractuel.** Un système contractuel se compose d'entreprises indépendantes, situées à différents stades du cycle production-commercialisation qui décident de coordonner leurs programmes d'action, afin de réduire leurs coûts et/ou augmenter leur emprise sur le marché.

On distingue trois types de systèmes marketing vertical contractuel. Le premier est la *chaîne volontaire*, née des efforts consentis par les grossistes en vue de défendre leur clientèle de détaillants indépendants contre la concurrence faite par les grandes surfaces. Dans un tel système, le grossiste « tête de chaîne » met en place auprès des détaillants indépendants un programme destiné à uniformiser l'enseigne et les pratiques commerciales et à obtenir des remises à l'achat permettant de faire face à la concurrence. En France, la principale chaîne volontaire alimentaire est la société SPAR, filiale d'un groupe international.

Un second type de système marketing contractuel est la *coopérative de détaillants*. Celle-ci résulte du regroupement de détaillants indépendants qui veulent se défendre contre le commerce intégré. Ces détaillants créent une centrale d'achat destinée à assurer les fonctions de grossiste et parfois même celles de fabricant. Les membres adhérents doivent grouper une partie de leurs achats, et les bénéfices tirés de l'exploitation de la centrale leur sont restitués sous forme de ristournes. Ils doivent également s'identifier comme membre du groupe et participer à la publicité collective. En général, cependant, ils ne sont pas tenus de s'approvisionner uniquement auprès de la centrale. En France, les coopératives de détaillants les plus importantes sont Leclerc, Intermarché et Système U.

Un troisième type de système contractuel est la *franchise*. Dans ce cas, plusieurs étapes du processus de production et de distribu-

# Le développement des systèmes multi-circuits

Traditionnellement, les entreprises avaient pour habitude de s'adresser à un seul marché à travers un seul circuit. Puis, on vit se développer des systèmes bi-circuits impliquant deux réseaux différents. Aujourd'hui, du fait de la fragmentation des marchés et de la multiplicité des réseaux, de nombreuses sociétés pratiquent une distribution multi-circuits encore appelée *multi-marketing* :

■ **L'Oréal.** Ainsi, dans le domaine des cosmétiques, L'Oréal commercialise des gels et sprays de coiffage à la fois par l'intermédiaire des coiffeurs (Modeling) et des grandes surfaces (Studio Line, Grafic). De même, ses produits solaires sont vendus tantôt en hypermarché (Ambre solaire), tantôt en parfumerie (Lancôme), tantôt en pharmacie (Vichy).

---

**17.5** suite

---

tion sont reliées entre elles sous l'autorité d'un franchiseur. La franchise constitue certainement, dans la distribution, l'un des développements les plus rapides et les plus significatifs de ces dernières années. On peut identifier trois systèmes :

♦ *La franchise accordée à un détaillant par un producteur.* C'est le système utilisé dans l'industrie automobile. Un constructeur comme Peugeot autorise des concessionnaires à vendre ses voitures. Ceux-ci sont des entrepreneurs indépendants tenus néanmoins de respecter les conditions générales de vente et de service.

♦ *La franchise accordée à un grossiste par un producteur.* C'est ce qui se passe pour les boissons non alcoolisées. Le producteur (par exemple Coca-Cola) autorise des embouteilleurs (grossistes) à acheter ses concentrés, à gazéifier, à mettre en bouteilles et à vendre à des détaillants locaux.

♦ *La franchise accordée à un détaillant par une entreprise de service.* On en trouve de nombreux exemples dans la location de véhicules (Hertz), l'hôtellerie-restauration (McDonald's) et la distribution (Carrefour). Le franchiseur apporte au franchisé son nom, son effort publicitaire, ses connaissances et sa réputation ainsi qu'une assistance technique (études, gestion) pendant toute la durée du contrat. Il lui garantit également une exclusivité territoriale. En contrepartie, le franchisé paye une redevance financière généralement proportionnelle au chiffre d'affaires, à laquelle s'ajoute parfois un droit d'entrée, et s'engage à respecter certaines règles destinées à assurer l'unité de la politique commerciale (enseigne, marque, approvisionnement, décoration du magasin, présentation des articles et de la comptabilité, participation aux promotions, tenue vestimentaire du personnel). En regroupant autour de lui un grand nombre de franchisés, le franchiseur peut, notamment dans ses approvisionnements et sa publicité, bénéficier d'économies d'échelle lui permettant de lutter efficacement contre la concurrence, en particulier la concurrence isolée.

Notons que de nombreux réseaux adoptent une *pluralité de formes*, mixant franchise et succursales détenues en propre dans des proportions variables. Dans la boulangerie-viennoiserie par exemple, La Brioche dorée privilégie le succursalisme (86 % des établissements) mais intègre également la franchise (14 %), alors que la Mie câline a opté pour la franchise à 67 %.

---

*Sources* : voir Russell Johnston et Paul Lawrence, «Beyond Vertical Integration : The Rise of Value-Adding Partnership», *Harvard Business Review*, juil.-août 1988, pp. 94-101 ; voir aussi : Judy A. Siguaw, Penny M. Simpson, et Thomas J. Baker, «Effects of Supplier Market Orientation on Distributor Market Orientation and the Channel Relationship: The Distribution Perspective», *Journal of Marketing*, juillet 1998, pp. 99-111 ; Gérard Cliquet, «Les réseaux mixtes franchise-succursalisme : apports de la littérature et implications pour le marketing des réseaux de points de vente», *Recherche et Applications en Marketing*, 2002, vol. 17, n° 1, pp. 57-73 ; Narakesari Narayandas et Manohar U. Kalwani, «Long-Term Manufacturer-Supplier Relationships: Do They Lay off for Supplier Firms ?», *Journal of Marketing*, janvier 1995, pp. 1-16 ; sur la franchise, voir J.-M. Leloup, *La Franchise* (Paris : Delmas, 1987).

Une telle approche vise à optimiser le volume grâce à une meilleure couverture du marché, une diversification des risques et une adaptation des produits ; en même temps, elle suppose une organisation par divisions séparées afin de limiter les zones de conflit.

En fait, les entreprises attirées par cette forme de distribution doivent repenser l'ensemble de leur *architecture commerciale*. Pour les y aider, Moriarty et Moran ont suggéré la grille reproduite à la figure 17.6. Cette grille repose sur l'idée que ce sont les tâches à réaliser et non les circuits qui définissent la structure de l'ensemble. Les six tâches de base peuvent être remplies par un seul circuit, comme dans le cas de la force de vente directe mais également par différents canaux, selon la taille des clients. Moriarty et Moran recommandent d'élaborer des banques de données marketing rassemblant l'information sur les clients, les prospects, les produits, les plans marketing et les méthodes. Alors, les prospects sont recrutés à l'aide d'opérations de marketing direct, ils sont qualifiés et approchés par un vendeur interne. En cas de vente, le SAV est assuré par télémarketing. De cette façon, l'entreprise articule le rôle des circuits par rapport aux différentes tâches, ce qui permet d'optimiser les coûts, la couverture, l'adaptation, la coopération et le contrôle.

**FIGURE 17.6**
La grille
tâches-circuits

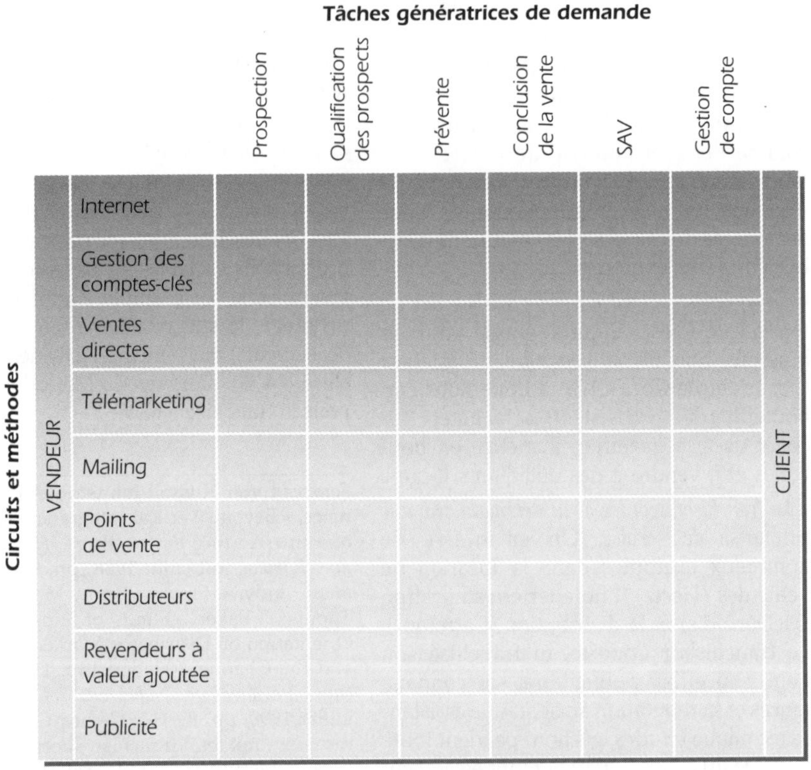

**Tâches génératrices de demande**

Circuits et méthodes / VENDEUR

Colonnes : Prospection — Qualification des prospects — Prévente — Conclusion de la vente — SAV — Gestion de compte

Lignes : Internet — Gestion des comptes-clés — Ventes directes — Télémarketing — Mailing — Points de vente — Distributeurs — Revendeurs à valeur ajoutée — Publicité

CLIENT

*Sources :* Rowland T. Moriarty et Ursula Moran, « Marketing Hybrid Marketing Systems », *Harvard Business Review*, nov.-déc. 1990, p. 150 ; voir aussi Gordon S. Swartz et Rowland T. Moriarty, « Marketing Automation Meets the Capital Budgeting Wall », *Marketing Management*, vol. 1, n° 3, 1992.

# Coopération, concurrence et conflit

Il est clair, d'après ce qui précède, que les circuits de distribution se caractérisent par un degré de coopération, mais aussi de concurrence et de conflit.

**La coopération** est souvent privilégiée. Les différents membres du circuit harmonisent leurs intérêts pour bénéficier d'un effet de synergie. Fabricants, grossistes et détaillants s'entendent pour respecter un ensemble de normes qui leur permet, collectivement, d'obtenir de meilleurs résultats que ceux auxquels ils pourraient prétendre isolément. La coopération trouve sa justification dans la division du travail et le souci de satisfaire le plus économiquement possible les aspirations du marché-cible.

**Le conflit** est cependant un phénomène relativement courant[16]. On peut distinguer les *conflits horizontaux* qui opposent des entreprises situées à un même stade dans le circuit de distribution, par exemple les petits commerçants et les grandes surfaces, et les *conflits verticaux* tels que celui qui oppose un franchiseur à ses franchisés (voir encadré 17.6). Les causes de conflit les plus courantes tiennent à un désaccord sur les objectifs, une évolution dans la définition des rôles ou une divergence d'appréciation de l'environnement[17]. Quant aux solutions, elles peuvent prendre la forme de la négligence lorsque l'enjeu n'est pas vraiment important, de l'accommodation, lorsqu'une partie est prête à faire des concessions, de la domination, c'est-à-dire l'exploitation d'une position de force, du compromis, résultat de concessions réciproques et de la collaboration, articulée autour d'une solution satisfaisant chaque partie.

**La concurrence,** enfin, entre dans le contexte normal des relations commerciales. Il y a *concurrence horizontale* lorsque des entreprises luttent au même niveau pour la conquête d'un marché-cible et *concurrence verticale* lorsque plusieurs systèmes de distribution s'opposent. C'est alors la productivité économique et les attentes spécifiques de chaque segment qui servent à définir les zones d'activités de chacun. Il est à noter que, sur de nombreux marchés (alimentaires, textiles, cosmétiques, etc.), coexistent de multiples systèmes témoignant de la grande diversité des besoins.

Récemment, la multiplication de la vente directe des produits sur Internet crée souvent une nouvelle concurrence horizontale pour les détaillants. Décathlon, Natalys ou Alain Manoukian vendent des produits sur Internet et

---

## 17.6

### Moving : un exemple de conflit vertical

La chaîne de salles de gymnastique et de remise en forme «Moving» comporte plus de 100 franchisés sur le territoire français. À la suite de la mise à l'écart du fondateur Lionel Bourillon, en décembre 1998, consécutive à la reprise de Moving par le Gymnase Club, lui-même repris par la CGIS, des tensions sont apparues entre le nouveau franchiseur et les franchisés.

Le nouveau directeur général a commencé par augmenter les royalties versées par les salles à la franchise (5 %), puis s'est heurté de front à plusieurs «barons» du réseau en interdisant la détention de plus de dix clubs.

Les franchisés se sont alors regroupés en une association de défense des franchisés, elle-même rapidement en proie à la zizanie. Tout cela sur fond de rumeurs de cession de la CGIS à des investisseurs financiers.

*Source :* Adapté de «L'agitation bat son plein chez les franchisés de Moving», *Management*, janvier 2000, p. 32.

CHAPITRE 17
Choisir et animer
les circuits de
distribution et
les partenariats

543

dans leurs magasins. Pour éviter que ces derniers ne réagissent négativement, certaines enseignes comme Du pareil au même limitent l'assortiment de produits présenté sur le Web. D'autres soulignent que la plupart des connexions visent à collecter des informations et sont suivies par un achat dans les boutiques. Ainsi, 60 % des visiteurs du site Fnac.com indiquent qu'ils achèteront en magasin[18].

D'une façon plus générale, plusieurs mesures peuvent servir à harmoniser les relations au sein d'un système de distribution[19] :

♦ *L'adoption d'objectifs globaux* tels que la qualité, le leadership ou la satisfaction client, seuls capables de mobiliser l'ensemble des énergies.

♦ *La rotation du personnel* entre différents échelons du système de distribution. General Motors demande ainsi à certains de ses cadres de travailler pour un temps chez un concessionnaire tandis qu'un concessionnaire est invité à occuper, temporairement, un poste chez le constructeur.

♦ *La cooptation* qui permet d'associer et les uns et les autres à la gestion de l'ensemble et notamment de décider des règles relatives à l'extension du réseau ou à l'autodiscipline.

♦ *La gestion en commun d'associations professionnelles* permettant par exemple l'élaboration de normes de qualité ou de systèmes de codification des produits.

♦ Le recours systématique à des *médiateurs,* chargés de trouver une solution diplomatique à tout conflit et dont l'arbitrage est par avance accepté.

## *Résumé*

1. Peu d'entreprises choisissent de vendre directement à l'utilisateur final. Elles préfèrent en général recourir à divers types d'intermédiaires. Le choix d'un circuit de distribution est l'une des décisions les plus difficiles et risquées que doit prendre une société. Tout système de distribution peut être caractérisé par son potentiel de vente, mais également par les coûts qu'il entraîne. Une fois qu'elle a choisi un circuit, l'entreprise se trouve engagée pour une période relativement longue.

2. Le recours aux intermédiaires se justifie lorsqu'ils remplissent les fonctions de distribution plus efficacement que les producteurs. Ces fonctions concernent tout à la fois l'information, la promotion, la négociation, la prise de commande, le financement, la gestion du risque, la distribution physique, la facturation et le transfert de propriété.

3. Une entreprise a de multiples manières d'atteindre son marché. La mise en place d'un circuit de distribution suppose l'étude des besoins de la clientèle, la définition des objectifs et des contraintes (caractéristiques du produit, des intermédiaires et de l'environnement), l'identification des solutions possibles (nature et nombre d'intermédiaires, responsabilités et engagements des membres du circuit) et leur évaluation (critères de coût, de contrôle et de souplesse).

4. L'animation d'un circuit de distribution suppose que l'entreprise choisisse avec soin les intermédiaires avec qui elle va travailler et qu'elle renforce sans arrêt leurs motivations. Il s'agit en fait d'établir une véritable relation de partenariat. Il faut également évaluer périodiquement les performances individuelles en les comparant au passé ou à d'autres membres du circuit.

5. Étant donné l'évolution rapide des marchés et de leur environnement, l'entreprise doit enfin savoir adapter ses circuits de distribution. Il faut souvent éliminer ou ajouter des revendeurs, modifier les circuits existants, et quelquefois réorganiser complètement l'ensemble du système de distribution.

6. Loin d'être statiques, les circuits de distribution sont soumis à une évolution constante et parfois profonde, comme en témoigne le récent développement des systèmes verticaux, horizontaux et multi-circuits, créant de nouvelles opportunités de coopération mais aussi de concurrence et de conflit.

# Notes

1. Voir Armand Dayan, *La Distribution* (Paris : Hachette, 1973).

2. Voir Louis Stern et Fred Sturdivant, « Quand la distribution se met à l'écoute du client », *Harvard L'Expansion*, printemps 1988, pp. 34-47.

3. Bruce Mallen, « Le Concept de délégation des fonctions de marketing », *Encyclopédie du marketing* (Paris : Éditions Techniques, 1977), vol. 4, pp. 4-21 A.

4. Certains choisiront toutefois de posséder une partie des points de vente afin de mieux contrôler la mise en œuvre de leur politique marketing. Ainsi, en France, McDonald's possède en pleine propriété environ le quart de ses restaurants. La société peut ainsi élaborer de nouveaux concepts de service et même tester en grandeur réelle de nouvelles gammes de produits. Par exemple, en 1994, McDonald's testa à Toulouse l'adjonction de pizzas à ses menus traditionnels. De même, Fiat-Auto France possède en région parisienne quelques succursales qui permettent à l'entreprise de maintenir un contact direct avec le marché.

5. Voir Pierre-Louis Dubois et Patrick Nicholson, *Le Marketing direct intégré* (Paris : Chotard & Associés, 1987) ; voir également *L'Annuaire du marketing direct*, remis à jour chaque année et « Le marketing direct séduit enfin les industriels de la grande consommation », *Les Echos*, 27 févr. 1996.

6. Voir « Les secrets de la filière diamant », *Capital*, juillet 1999, pp. 56-74.

7. William Zikmund et William Stanton, « Recycling Solid Wastes : A Channels-of-Distribution Problem », *Journal of Marketing*, juil. 1971, p. 34 ; voir aussi Marianne Jahre, « Household Waste Collection as a Reverse Channel : A Theoretical Perspective », *International Journal of Physical Distribution and Logistics*, vol. 25, n° 2, 1995, pp. 39-55.

8. Voir Irving Rein, Philip Kotler et Martin Stoller, *High Visibility* (New York : Dodd, Mead, 1987).

9. Pour une analyse détaillée, voir Bernard Dubois, *Dix cas européens de marketing management*, 2e éd. (Paris : Publi-Union, 1995, pp. 115-143).

10. Voir Jan Heide, « Interorganizational Governance in Marketing Channels », *Journal of Marketing*, janv. 1994, pp. 71-85.

11. Lawrence Friedman et Timothy Furey, *The Channel Advantage : Going to Marketing with Multiple Sales Channels* (Woburn : Butterworth-Heinemann, 1999).

12. Voir Philip McVey, « Les circuits de distribution sont-ils vraiment comme on le dit dans les livres ? » dans Michel Chevalier et Richard Fenwick (eds), *La Stratégie marketing* (Paris : PUF, 1975), pp. 253-261.

13. Les fondements de cette approche ont été posés par Bert C. McCammon Jr. dans : « Perspectives for Distribution Programming », et dans Louis P. Bucklin (Ed.), *Vertical Marketing Systems* (Glenview, Ill. : Scott, Foresman, 1970), p. 43. Sur la pratique du trade-marketing, voir le numéro de la *Revue française de gestion* de juin-juillet-août 1999 consacré à la distribution et coordonné par André Tordjman. Voir en particulier, de cet auteur, « De la confrontation à la coopération », pp. 112-113 et Charles Waldman, « Efficacité et limites du *category management* », pp. 115-121. Voir également Christian Dussart, « Le *category management* », Claude Chinardet « Le trade-marketing : situation et perspectives » et Myriam Manzano « Évolution des relations entre fabricants et distributeurs », tous trois dans Alain Bloch et Anne Macquin (eds.), *Encyclopédie de Vente et de Distribution* (Paris : Economica, 2001, pp. 81-104, 105-116 et 117-140) ; « Ne dites plus Trade, parlez d'ECR », *Communication CB News*, 3 juil. 1995, pp. 38-45 ; Alain Picot, *Trade Marketing* (Paris : Dunod, 1997) ; Claude Chinardet, *Le Trade Marketing, marques et enseignes : Agir ensemble ?* (Paris : Éditions d'Organisation, 1994) ; « Les vrais enjeux du *category management* », *Points de Vente*, 25 novembre 1998, pp. 8-15 ; « Le *category management* se répand en Europe », *Marketing Magazine*, juin 1998, pp. 48-49 ; « L'industrie adapte son organisation commerciale », *LSA*, 11 avril 2002, pp. 54-60 ; « Contrats d'exclusivité : pourquoi ils se multiplient », *LSA*, 4 avril 2002, pp. 38-39.

14. Voir à ce sujet Howard Sutton, *Rethinking the Company's Selling and Distribution Channels* (New York, The Conference Board, 1986), rapport n° 885, 26 pages.

15. Louis Stern et Adel El-Ansary, *Marketing Channels*, 5e édition (Upper Saddle Rive : Prentice Hall, 1996), p. 189.

16. Voir Reinhard Angelmar, « Les Conflits dans les canaux de distribution », *Encyclopédie de la gestion* (Paris : Vuibert, 1992), pp. 285-298 ; voir également Bernard Pras, « Stratégies génériques et de résistance dans les canaux de distribution : commentaires et illustrations », *Recherche et Applications en Marketing*, 1991, vol. 6, n° 2, pp. 111-123.

17. Reinhard Angelmar et Charles Waldman, « Les conflits dans les canaux de distribution », *Revue française de gestion*, mai 1975, pp. 57-68. Pour un exemple complet, voir H. Heinsbroek et P. Colson, « Les conflits avec les concessionnaires et la mise au point d'un système d'alarme : l'exemple des distributeurs automobiles », *Revue française de marketing*, oct.-nov. 1976, pp. 47-76.

18. Interview de Jean-Christophe Hermann, PDG de Fnac Direct, *Le Journal du Net* (www.journaldunet.com), 13 février 2002.

19. Voir Stern et El-Ansary, *Marketing Channels*, 5e édition (Upper Saddle River : Prentice Hall, 1996), chapitre 6.

DANS CE CHAPITRE,
NOUS ÉTUDIERONS
TROIS QUESTIONS :

■ Quelle est la nature et l'importance
de l'appareil commercial français ?

■ Quelles sont les décisions marketing
auxquelles il est confronté ?

■ Quelles sont les tendances actuelles
et les perspectives d'évolution ?

# *Gérer le commerce de gros, de détail et la logistique commerciale*

*« Les grossistes, les détaillants
et les entreprises
de logistique pratiquent
leur propre marketing. »*

Nous avons, dans le chapitre précédent, considéré les intermédiaires du point de vue du fabricant. Nous allons, dans ce chapitre, nous intéresser aux problèmes de marketing des sociétés de distribution : détaillants, grossistes et entreprises de logistique. Certaines d'entre elles sont si puissantes qu'elles imposent leur loi aux fabricants. Elles ont su, au fil des années, construire des stratégies articulées afin de faire face aux difficultés auxquelles elles étaient confrontées.

Nous allons dans un premier temps présenter l'appareil commercial français avant de nous intéresser au mix marketing d'une entreprise de distribution puis à la logistique.

## *La distribution en France et son évolution*

Le premier constat qui s'impose à l'observateur de l'appareil commercial français est son poids économique. Au 1er janvier 2001, on comptait 660 000 entreprises de commerce pour un chiffre d'affaires au détail de 402 milliards d'euros. Le commerce représente plus d'une entreprise sur quatre et occupe une personne active sur six. Il représente 14 % de la valeur ajoutée nationale[1].

Le second constat concerne son extraordinaire diversité. Qu'il suffise, pour s'en convaincre, d'imaginer le nombre d'endroits où l'on peut acheter une tablette de chewing-gum : boulangerie, grande surface, distributeur automatique, ouvreuse de cinéma, station-service, confiseur, etc. Il existe de nombreux critères permettant de classer les établissements de distribution : place dans le circuit et forme de commerce (grossiste/détaillants), méthode de vente (magasin avec vendeur/en libre-service/vente par correspondance), statut juridique (entreprises capitalistes/coopératives), surface de vente (grandes surfaces/supérettes) ou degré de spécialisation (bijoutier-horloger/grand magasin). L'INSEE établit sa nomenclature de magasins selon les produits vendus en distinguant les magasins spécialisés et les magasins non spécialisés. Les magasins non spécialisés sont classés selon leur surface et selon la part que représente la vente de produits alimentaires dans le chiffre d'affaires (Figure 18.1).

### Les différents types de commerces

Pour analyser les principaux types de commerces, nous utiliserons successivement plusieurs critères : la place dans le circuit et le degré d'intégration des fonctions de détail et de gros, puis la méthode de vente employée. Selon le premier critère, on distingue trois formes de commerce : le commerce intégré, le commerce indépendant et le commerce associé (pour des définitions, voir encadré 18.1).

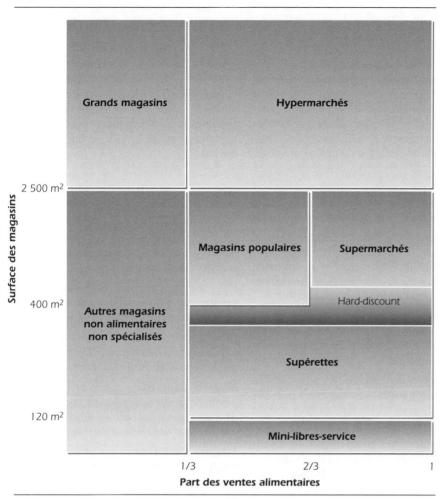

**FIGURE 18.1**
Typologie
des magasins
non spécialisés

Surface des magasins

2 500 m²

400 m²

120 m²

Grands magasins

Hypermarchés

Magasins populaires

Supermarchés

Hard-discount

Autres magasins
non alimentaires
non spécialisés

Supérettes

Mini-libres-service

1/3

2/3

1

**Part des ventes alimentaires**

*Source :* INSEE dans *Les Chiffres-clés du commerce*
(Paris : ministère de l'Économie, des Finances et de l'Industrie, 2000), p. 101.

---

# Définitions des principaux concepts de la distribution

*Cash and carry :* libre service géré par un grossiste à destination des détaillants.

**Centrale d'achat :** organisme ayant pour objet de centraliser les commandes d'un certain nombre de magasins et d'effectuer les achats directement auprès des fabricants aux meilleures conditions.

**Centre commercial :** ensemble de magasins réunis sous une même enseigne globale.

**Chaîne volontaire :** association entre grossistes et détaillants aux termes de laquelle les détaillants effectuent leurs achats par l'intermédiaire du grossiste selon des contrats d'approvisionnement.

**Circuit de distribution :** ensemble des intervenants qui prennent en charge les acti-

CHAPITRE 18
Gérer le
commerce de
gros, de détail
et la logistique
commerciale

vités de distribution pour un produit ou un service donné.

**Commerce associé :** forme de commerce intermédiaire entre le commerce intégré et le commerce indépendant. Se compose d'entreprises qui coordonnent, sans cependant les fondre totalement au sein d'une même organisation, les fonctions de gros et de détail.

**Commerce indépendant :** forme de commerce dans laquelle les fonctions de gros et de détail sont dissociées et donc remplies par des entreprises différentes.

**Commerce intégré (ou concentré) :** forme de commerce selon laquelle les fonctions de gros et de détail sont remplies par une seule organisation qui intervient donc directement entre le producteur et le consommateur.

**Commerce spécialisé :** commerce qui a pour objet la vente d'une seule famille de produits ou de produits appartenant à des familles voisines.

**Coopérative de consommateurs :** sociétés de personnes à capital variable, ayant pour vocation d'approvisionner au meilleur compte les besoins propres de leurs membres.

**Coopérative (ou groupement) de détaillants :** organisme réunissant des détaillants dans le but d'acheter ensemble afin de bénéficier de prix inférieurs et d'harmoniser les méthodes commerciales.

**Détaillant :** intermédiaire de commerce achetant la marchandise à un grossiste (ou à un fabricant) pour la revendre à l'utilisateur ou au consommateur final.

**Discounter :** entreprise intégrée de commerce cherchant à offrir les prix les plus bas en rationalisant par tous les moyens les méthodes de distribution.

**Distribution :** ensemble des activités qui s'exercent depuis le moment où le produit, sous sa forme d'utilisation, entre dans le magasin commercial du producteur ou du dernier transformateur, jusqu'au moment où le consommateur en prend possession.

**Franchisage :** collaboration continue où un franchiseur accorde à un franchisé une licence lui donnant le droit d'exercer une activité de vente de produits ou services sous sa raison sociale et sa marque et de bénéficier d'une assistance, en contrepartie d'une redevance.

**Grand magasin :** ensemble formé par un ou plusieurs point(s) de vente de vastes dimensions non spécialisé(s), le plus souvent implanté(s) en centre ville, et une centrale d'achat.

**Grossiste :** intermédiaire de commerce achetant la marchandise directement au fabricant pour la revendre aux détaillants.

**Groupement de grossistes :** association regroupant des grossistes qui s'entendent pour effectuer en commun leurs achats auprès des fabricants.

**Hypermarché :** magasin en libre-service, à prédominance alimentaire, d'une surface de vente supérieure à 2 500 m$^2$.

**Libre-service :** méthode de vente caractérisée par la présentation et le libre accès de produits généralement conditionnés.

**Magasin populaire :** ensemble formé de points de vente de surface moyenne, vendant un assortiment réduit d'articles à forte rotation, et d'une centrale d'achat.

**Magasin d'usines :** magasin présentant des produits directement issus des fabricants, souvent dégriffés, à des prix discount.

**Maison à succursales multiples (ou succursaliste) :** ensemble formé par un grand nombre de petits points de vente urbains, à dominante alimentaire, et une centrale d'achat.

**Mini-libre service :** magasin alimentaire en libre service d'une surface de vente inférieure à 120 m$^2$.

**Supérette :** magasin alimentaire en libre-service d'une surface de vente comprise entre 120 et 400 m$^2$.

**Supermarché :** magasin en libre-service à prédominance alimentaire, d'une surface de vente comprise entre 400 et 2 500 m$^2$.

**Supermarché « maxi-discompte »** *(hard-discount)* **:** magasin d'une surface de vente comprise entre 400 et 800 m$^2$ spécialisé dans la vente à bas prix avec un personnel et un assortiment réduit.

**LE COMMERCE INTÉGRÉ** ❖ comporte à la fois des entreprises privées et des sociétés coopératives.

♦ *Les Grands Magasins* rassemblent environ 150 points de vente. Ils représentent 1,3 % du commerce de détail total, avec une part de marché de 1,9 % pour la vente de produits non alimentaires et 0,4 % pour les produits alimentaires. Leurs caractéristiques sont : une implantation urbaine, un très large assortiment (250 000 articles à Paris, de 40 à 80 000 en province) et un niveau de service élevé (vendeurs spécialisés par rayons, politique d'échange ou de remboursement). Le premier d'entre eux fut fondé en 1852 par Aristide Boucicaut (Au Bon Marché). Aujourd'hui, les principales enseignes sont les Galeries Lafayette / Nouvelles Galeries (71 magasins pour un chiffre d'affaires hors taxe de 1,8 milliards d'euros en 2000) et le BHV (14 magasins, 635 millions d'euros) qui appartient au même groupe, Le Printemps (21 magasins, 846 millions) du groupe PPR, ainsi que Le Bon Marché et La Samaritaine appartenant tous deux au groupe LVMH (un magasin chacun pour un chiffre d'affaires respectif de 201 et 156 millions).

Les grands magasins connaissent depuis plusieurs années une situation assez difficile[2]. Leur localisation urbaine et leurs frais de personnel ne leur permettent pas de se développer suffisamment, malgré leurs efforts pour s'implanter dans les centres commerciaux (ex. : le Printemps à Parly 2). Pour résoudre ces problèmes, ils peuvent : *identifier leur spécificité* par des campagnes d'image forte et des services accrus ; *jouer sur l'achat impulsif* pour augmenter le panier moyen grâce à l'aménagement des magasins, à l'installation de *corners* et à la mise en place de cartes de crédit (l'impulsion atteint 40 % de l'achat moyen aux Galeries Lafayette) ; *augmenter la fréquence d'achat* en fidélisant la clientèle de proximité (75 % des clients urbains des Nouvelles Galeries viennent plus d'une fois par semaine) ; *adapter davantage la taille et l'offre des magasins en fonction du marché local* et développer les rayons en croissance (prêt-à-porter masculin, arts de la table, ameublement et linge de maison pour les Galeries Lafayette) ; enfin, *serrer la gestion*, en dynamisant la force de vente, en réorganisant la logistique et en optimisant l'assortiment (vendre ce qui rapporte et éliminer tout ce qui ne rapporte pas).

♦ *Les magasins populaires* représentent 0,6 % du commerce de détail, 0,3 % en non-alimentaire et 1,1 % en alimentaire. Introduits en France en 1927, ils correspondent à une version simplifiée des grands magasins : assortiment réduit (7 000 à 10 000 articles) surtout alimentaire, frais généraux limités et effort sur les prix. La chaîne la plus puissante est Monoprix / Prisunic qui réalise un chiffre d'affaires de 3,6 milliards d'euros (2001) avec 262 points de vente. Elle se positionne aujourd'hui autour du concept de « CityMarché » qui offre de multiples produits et services en centre-ville, dans un cadre agréable pour faire ses courses. Ce positionnement se traduit dans les services offerts (ouverture tard le soir, libre-service associé au service traditionnel et au conseil), l'ambiance des magasins (mobilier conçu pour que le vendeur aille vers le client) et le respect de l'environnement (gamme de produits équitables Alter Eco, sacs moins polluants, normes sociales de sélection des fournisseurs)[3]. Les magasins populaires connaissent aujourd'hui une évolution assez semblable à celle des grands magasins, liée à leur implantation en centre ville et à leur personnel important (environ 60 % des charges d'exploitation). Leurs difficultés sont cependant moins prononcées dans la mesure où les frais généraux y sont plus réduits et où la prédominance alimentaire a favorisé la mise en place de méthodes de vente plus modernes (libre-service).

♦ *Les maisons à succursales multiples* (MAS) sont constituées de petits points de vente détenus par l'enseigne, qui desservent une clientèle de quartier. Dans l'alimentaire, il s'agit par exemple des magasins Casino ; dans la parfumerie des enseignes Marionnaud (plus de 500 magasins pour 35 % de parts de marché) et Sephora (180 magasins en France, 170 en Europe hors France et 73 aux États-Unis). En centralisant à l'extrême les méthodes de gestion et en

CHAPITRE 18
Gérer le
commerce de
gros, de détail
et la logistique
commerciale

551

appliquant les techniques de vente moderne (libre service, cash and carry), les succursalistes connaissent une certaine prospérité.

♦ *Les discounters et grandes surfaces* rassemblent des sociétés s'efforçant de rationaliser le plus possible les méthodes de distribution de façon à proposer des prix de vente réduits. Ils sont souvent implantés à la périphérie des villes, de façon à construire de vastes parkings à peu de frais, et leur assortiment est concentré en priorité sur les articles à forte rotation. Dans le domaine alimentaire, il s'agit par exemple de Carrefour qui détenait tous ses magasins en propre avant la fusion avec Promodes (certains magasins du groupe Promodes, précédemment en franchise, le sont restés). Il s'agit également d'Auchan (120 hypermarchés et 320 supermarchés).

■ CARREFOUR est aujourd'hui le deuxième groupe mondial de la distribution derrière l'Américain Wal-Mart. Depuis la fusion avec Promodes en 1999, le groupe rassemble sur le territoire français environ 220 hypermarchés, 1 000 supermarchés, 400 magasins de discount et 1 600 magasins de proximité avec, notamment, les enseignes Carrefour, Champion, Ed, Dia, Shopi, 8 à 8 ou Proxi. Il obtient une part de marché de 26 % dans l'Hexagone, qui ne représente aujourd'hui que 49 % de son chiffre d'affaires. Le groupe s'est en effet considérablement développé à l'étranger, d'abord en Europe (l'Espagne avec environ 3 000 points de vente, l'Italie avec près de 900, la Belgique, le Portugal et la Grèce), en Europe centrale, en Amérique du Sud (Brésil, Argentine, Mexique) et en Asie (Taiwan, Chine, Corée). Compte tenu de l'hétérogénéité des habitudes alimentaires locales, le groupe adapte son assortiment dans chaque région du monde[4].

Dans le secteur non alimentaire, on trouve des grandes surfaces dans le domaine du meuble (Ikea), de l'électroménager (Darty), du bricolage (Castorama et Leroy Merlin). Les grandes surfaces alimentaires et spécialisées sont en croissance depuis de nombreuses années, même si, récemment, le hard-discount et les supermarchés se développent davantage que les hypermarchés (voir encadré 18.2 sur le hard-discount).

♦ Les *magasins d'usines* vendent à des prix inférieurs de 20 à 50 % au prix catalogue des articles hors séries (marchandises déclarées de second choix), hors cours (qui n'appartiennent pas à la collection en cours) ou des invendus, dégriffés ou non. Au départ, le magasin d'usines, est un simple hangar, sans décor, avec une présentation de la marchandise très simplifiée, et sans service après-vente : les articles ne sont ni repris ni échangés et l'on paie cash. Le secteur privilégié des magasins d'usine a été initialement le textile, mais aujourd'hui, la formule a évolué vers une présentation et des services plus élaborés. Ainsi, en septembre 1983, a été ouvert à Troyes le premier centre commercial de magasins d'usines, bientôt repris à Roubaix (1984), puis à Villepinte (1985), Massy (1986) et Évry (1987). Il s'agit désormais de véritables magasins regroupant plusieurs dizaines de fabricants dans les domaines les plus divers : textile, sport, chaussures, électroménager, bricolage, hifi, etc.

Selon Boss et Tordjman, les magasins d'usines représentent « une sorte de contre-pouvoir visant à modifier le rapport de force production-distribution : les industriels, soumis à la pression croissante de la grande distribution, y trouvent un moyen d'écouler rapidement leur marchandise. Les détaillants y voient une forme de concurrence déloyale notamment dans le cas des articles de premier choix[5]. »

♦ Le secteur intégré non capitaliste se compose essentiellement des *coopératives de consommateurs*, au nombre de 200 en France, qui contrôlent plusieurs milliers de points de vente, 15 usines, 40 cafétérias et 60 centres-auto. Le plus important est la Coop-Atlantique. Il existe également des coopératives d'entreprises et des groupements d'achat.

LE COMMERCE INDÉPENDANT ❖ Il se compose de grossistes et de détaillants. Les *grossistes*, au nombre d'environ 130 000, représentent chaque année un chiffre d'affaires supérieur à 450 milliards d'euros. Leur évolution est

# Le développement du hard-discount

Venu d'Allemagne où il représente 35 % du commerce alimentaire de détail, le hard-discount connaît un développement rapide depuis bientôt quinze ans en France. Il représentait en juin 2002 une part de marché de près de 11 % et comptait 60 % des foyers comme clients.

Cette croissance s'explique notamment par le fait que, pendant longtemps, les petites surfaces de vente en « hard-discount » (environ 600 m²) ne tombaient pas sous le coup de la loi Royer soumettant l'ouverture des supermarchés à autorisation au-dessus d'une certaine taille (1 500 m² en général). Depuis que la limite a été abaissée à 300 m², leur croissance s'est un peu ralentie. Entre juin 2001 et 2002, on a cependant enregistré 190 ouvertures de magasins de hard-discount (120 créations et 70 transferts), soit une progression de 6 % de la surface, pour atteindre plus de 2 800 points de vente.

Outre l'effet mécanique de l'accroissement du parc, la principale raison du succès de ces magasins réside dans leur nature même : vendre au prix le plus bas en travaillant avec des marges d'exploitation très faibles, ce qui est particulièrement attractif dans un contexte économique incertain. D'autres raisons contribuent également à ce succès :

♦ un référencement limité : 2 000 à 3 000 produits alimentaires et d'entretien ;

♦ une taille réduite conçue pour permettre de faire ses courses en un minimum de temps, à l'heure où les consommateurs sont de plus en plus soucieux de faire leurs achats rapidement ;

♦ un assouplissement du concept intégrant désormais des produits frais et certaines grandes marques ;

♦ un recours croissant à la publicité pour un budget global de 80 millions d'euros entre juin 2001 et 2002 (+ 23 %), dont 59 millions pour Lidl ; à titre de comparaison, Auchan avait dépensé sur cette période près de 100 millions et Intermarché 70 millions.

Les éléments du tableau ci-dessous présentent une photographie récente du hard-discount en France.

*Sources : LSA, « Le grand réveil du hard-discount », 10 octobre 2002, pp. 22-24 et « Faut-il travailler avec le hard-discount », 4 juin 2002, pp. 46-48.*

| Enseigne | Nombre de magasins au 1er mars 2002 |
|---|---|
| Lidl | 930 |
| Aldi | 465 |
| Leader Price | 346 |
| Ed Marché discount | 302 |
| Netto | 241 |
| Le Mutant | 210 |
| Ed l'Épicier | 119 |
| Norma | 101 |
| *Total hard-discount* | *2854* |

*Source :* AC Nielsen.

CHAPITRE 18
Gérer le commerce de gros, de détail et la logistique commerciale

contrastée car ils subissent une double attaque. En amont, de plus en plus de producteurs souhaitent contrôler leur système de distribution et implantent un réseau de succursales régionales qui progressivement supplantent les grossistes. En aval, les détaillants les plus dynamiques se groupent pour traiter directement avec les fabricants. Aussi, les grossistes, qui jouaient un rôle essentiel jusqu'au milieu de ce siècle, ont vu leur développement compromis au cours des années 1960 et 1970. Certains, cependant, ont vigoureusement réagi en s'associant, en se spécialisant ou en modernisant leurs méthodes de vente (cash and carry), de sorte que leur situation globale s'est améliorée depuis une vingtaine d'années. Les grossistes restent particulièrement puissants lorsque les fabricants d'une part, et les détaillants d'autre part, sont nombreux et disséminés sur tout le territoire. La logistique (transport, stockage) devient alors essentielle surtout si les clients ont des exigences de délai. Toutes ces conditions sont réunies dans le domaine de la distribution des médicaments où quatre grossistes répartiteurs (OCP, CERP, IFP et EMPI) contrôlent 90 % du marché. Pour l'avenir, les experts s'attendent à une sophistication de plus en plus poussée des fonctions remplies (commerciales et financières) s'accompagnant d'une recherche intense des gains de productivité, propre à redonner au grossiste un rôle de partenaire à part entière des filières commerciales[6].

Les *détaillants* indépendants, au nombre d'environ 370 000 aujourd'hui, représentent encore l'essentiel du système de distribution en France ; on compte, par exemple, 43 000 boulangeries et 8 600 charcuteries indépendantes. Cependant, le poids des détaillants isolés va s'amenuisant. Ils sont principalement victimes de leur petite taille : 45 % d'entre eux n'emploient aucun salarié et le volume des achats ne leur permet pas de proposer des prix compétitifs. Ils sont d'autant plus vulnérables qu'ils ne sont pas spécialisés. Les plus dynamiques ont réagi en s'associant, les autres en s'efforçant, grâce à leur nombre, de faire pression sur les pouvoirs publics pour freiner le développement des grandes surfaces. En se regroupant dans les *centres commerciaux*, au nombre d'environ 600 en France (Vélizy 2, les Quatre Temps, Carré Sénart, Val d'Europe, etc.), certains détaillants ont bénéficié d'un nouveau développement de leurs activités[7].

**LE COMMERCE ASSOCIÉ** ❖ Il représente un mode de commerce intermédiaire et la principale forme de réponse du commerce indépendant au commerce intégré. On distingue quatre formes de commerce associé : 1) les groupements de grossistes ; 2) les groupements de détaillants ; 3) les chaînes volontaires ; et 4) le franchisage.

♦ *Les groupements de grossistes* ont pour objet d'augmenter leur pouvoir de négociation vis-à-vis des fabricants en accroissant leurs volumes de commande. Ils sont surtout puissants dans le domaine non alimentaire (jouet, sanitaire, céramique, ...).

♦ *Les groupements (ou coopératives) de détaillants* relèvent de la même idée : plusieurs détaillants se réunissent pour court-circuiter le grossiste et effectuer ensemble une partie de leurs achats. En outre, ils harmonisent leurs méthodes de gestion et la présentation de leurs points de vente. La différence essentielle avec le commerce intégré est qu'ils demeurent propriétaires de leurs points de vente et libres de quitter à tout moment la coopérative. Par ailleurs, les associés ne sont pas tenus d'effectuer tous leurs achats auprès de celle-ci. Les groupements de détaillants les plus importants sont, dans l'alimentaire, Leclerc, Intermarché et Système U ; dans le non-alimentaire : Conforama, But et Mobilier européen. Après avoir connu un certain développement dans les années 1960-1970, il semble aujourd'hui que ce type de commerce s'essouffle, à l'exception, bien sûr des plus dynamiques d'entre eux.

## La nouvelle approche marketing de Leclerc

Avec une part de marché de près de 17 % en 2001, Leclerc a réussi à redevenir la première enseigne de grande distribution en France, malgré la fusion Carrefour-Promodes et la limitation des baisses de prix autorisées consécutive à la loi Galland de 1997. Ce succès est avant tout lié à la mobilisation des 460 propriétaires des 539 magasins Leclerc.

En organisant des groupes de travail transversaux et en introduisant une dose de centralisation, le mouvement a su modifier sa stratégie et abandonner son ancienne logique de discounter, rendue impossible par la réglementation.

♦ L'aménagement des magasins a été revu en faisant appel à des architectes et en jouant sur la lumière (avec des baies vitrées) et des matières naturelles locales (silex, brique rouge) ; par exemple, la propriétaire du magasin du Cannet a investi plus de 9 millions d'euros pour moderniser son magasin.

♦ L'enseigne a choisi de développer ses marques propres, ce qu'elle s'était long-temps refusé à faire : «Repère» (20 à 25 % moins cher que les grandes marques nationales), «Eco +» (premiers prix) et «Nos régions ont du talent» (produits du terroir). La filiale créée dans cet objectif a recruté une équipe de 120 permanents et de 35 adhérents, a lancé plus de 2000 produits en moins de cinq ans et a réalisé une part de marché de 24 % pour les MDD (derrière Intermarché mais devant Carrefour).

♦ L'enseigne a harmonisé ses systèmes informatiques, développé ses préconisations de gammes de produits et concentré ses moyens logistiques : près de 85 % des achats transitaient par un entrepôt en 2002, contre 25 % cinq ans plus tôt. La centrale de référencement, le Galec, s'est dotée de nouvelles compétences (chefs de marché, chargés d'études, responsables merchandising...).

♦ Enfin, Leclerc a intensifié ses actions de communication promotionnelle nationale. Alors que les cartes de fidélité se banalisent, la carte Leclerc a été adoptée par 6,5 millions de clients contre 4,3 pour Champion et 2 pour Carrefour. Cette carte permet aux clients de cumuler des bons d'achat *via* les tickets de caisse et constitue ainsi un outil de fidélisation.

*Source : Management*, «Leclerc dit merci à ses managers», février 2002, pp. 18-23.

♦ *Les chaînes volontaires* représentent une forme d'association entre un ou plusieurs grossistes (têtes de chaîne) et un ensemble de magasins adhérents. Les plus puissantes chaînes volontaires se rencontrent dans l'alimentaire (SPAR, Sopegros) et dans divers secteurs tels que la droguerie (France Droguerie), la quincaillerie (Catena) et le textile (Sermo)[8].

♦ *La franchise* (franchisage), enfin, est un accord passé entre un fabricant (franchiseur) et un réseau de détaillants (franchisés) qui permet au premier de bénéficier d'un système de distribution sans avoir à investir et aux seconds de tirer parti d'une image, d'une assistance ou d'une expérience en matière de gestion. En France, la franchise s'est développée depuis les années 1970 pour atteindre 32 000 franchisés en 2001, chiffre sans équivalent en Europe, pour 571 franchiseurs et un chiffre d'affaires de 32 milliards d'euros. La franchise couvre aujourd'hui de nombreux secteurs dont le textile (Rodier, Phildar, Dorotennis), l'hygiène-beauté (Yves Rocher, L'Onglerie), l'équipement de la maison (Villeroy et Bosch), la restauration (La Croissanterie, McDonald's, la Brioche dorée), l'hôtellerie (Balladins, Climat de France). La tendance actuelle est à la mixité des réseaux consistant à associer la franchise avec des

CHAPITRE 18
Gérer le commerce de gros, de détail et la logistique commerciale

succursales détenues en propre. Les succursales permettent une meilleure maîtrise du concept, constituent des lieux privilégiés pour tester les nouveaux produits et services, et facilitent l'évolution des enseignes arrivées à maturité. La franchise favorise un développement rapide, limite les risques et les investissements et assure un fort dynamisme commercial. En cas de réseau mixte, il faut veiller à éviter les conflits locaux et à limiter les coûts suscités par une double organisation[9].

Le tableau 18.1 retrace, sous forme abrégée, l'évolution du chiffre d'affaires et les parts de marché du commerce de détail en France. Ce tableau fait clairement apparaître la progression du grand commerce au détriment du commerce indépendant. Ce sont surtout les grandes surfaces alimentaires qui assurent cette progression, tandis que, chez les petits commerçants, les non-spécialistes sont les plus durement touchés.

**TABLEAU 18.1**
Répartition des ventes au détail de produits par forme de vente (en %), hors véhicules automobiles

| FORMES DE VENTE | 1995 | 1996 | 1997 | 1998 | 1999 | 2000 |
|---|---|---|---|---|---|---|
| Alimentation spécialisée, artisanat commercial et petites surfaces d'alimentation générale | 11,5 | 11,3 | 11,0 | 10,9 | 10,3 | 10,1 |
| Grandes surfaces d'alimentation générale | 33,0 | 33,4 | 33,5 | 34,0 | 34,0 | 34,4 |
| Supermarchés | 13,8 | 13,8 | 13,8 | 13,8 | 13,9 | 14,4 |
| Magasins populaires | 0,6 | 0,5 | 0,5 | 0,5 | 0,6 | 0,6 |
| Hypermachés | 18,7 | 19,1 | 19,2 | 19,3 | 19,5 | 19,5 |
| Grands magasins et autres magasins non alimentaires non spécialisés | 1,4 | 1,4 | 1,4 | 1,4 | 1,3 | 1,3 |
| Pharmacies | 6,0 | 6,0 | 6,0 | 6,1 | 6,0 | 6,2 |
| Magasins non alimentaires spécialisés (hors pharmacie) | 27,3 | 27,2 | 26,9 | 27,2 | 26,8 | 26,8 |
| Commerce hors magasin | 4,6 | 4,5 | 4,5 | 4,4 | 4,3 | 4,2 |
| Vente par correspondance | 2,2 | 2,1 | 2,1 | 2,1 | 2,1 | 2,0 |
| Autres | 2,4 | 2,4 | 2,4 | 2,2 | 2,2 | 2,1 |
| Réparations d'articles personnels et domestiques[1] | 0,7 | 0,6 | 0,6 | 0,5 | 0,5 | 0,5 |
| **Ensemble commerce de détail et artisanat à caractère commercial** | **84,4** | **84,4** | **83,9** | **84,1** | **83,3** | **83,6** |
| Vente au détail du commerce automobile[2] | 9,8 | 10,0 | 10,4 | 10,3 | 10,8 | 10,7 |
| Autres ventes au détail[3] | 5,8 | 5,6 | 5,6 | 5,6 | 5,9 | 5,7 |
| **Ensemble des ventes au détail et réparation en %** | **100** | **100** | **100** | **100** | **100** | **100** |
| **Ensemble des ventes au détail et réparations (en milliards d'euros TTC)** | **345** | **352** | **360** | **372** | **383** | **402** |

(1) Pour leurs ventes au détail et leurs prestations de réparation.
(2) À l'exclusion des ventes et réparations de véhicules automobiles, y compris les ventes et réparations de motocycles.
(3) Ventes au détail du commerce de gros, de divers prestataires de services et ventes directes des producteurs.

*Source* : INSEE, *Comptes du commerce.*

L'évolution de l'appareil commercial est donc un phénomène complexe que l'on a parfois qualifié de «destruction créatrice». Certaines innovations peuvent être expliquées à l'aide de la théorie du *cycle de la distribution*[10]. Selon cette théorie, les nouvelles formes de commerce commencent toutes par offrir des prix plus bas, des marges plus faibles et un service restreint. Elles concurrencent alors sérieusement les points de vente traditionnels. Leur succès même les conduit cependant à améliorer progressivement leurs installations et à offrir davantage de services. Cela entraîne une augmentation des coûts, et donc une augmentation des prix, de sorte que ces nouveaux circuits finissent par ressembler aux points de vente qu'ils ont voulu supplanter. Ils sont alors eux-mêmes concurrencés par de nouvelles formes de commerce, et le cycle recommence. Cette théorie semble pouvoir expliquer le succès initial, puis les difficultés des grands magasins, des supermarchés et des hypermarchés. En revanche, elle n'explique guère le succès des centres commerciaux régionaux, qui, dès l'origine, ont pratiqué des marges et des prix élevés.

On trouvera à la figure 18.2 un positionnement des différentes formes de commerce sur la classique courbe du cycle de la vie.

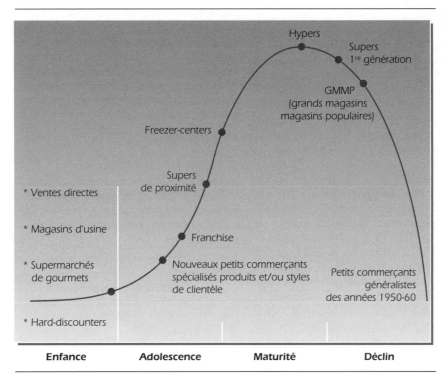

**FIGURE 18.2**
Le cycle de vie des formes de commerce

*Source :* Étude GIRA.

## Les méthodes de vente

La vente en magasin représente aujourd'hui 93 % du commerce de détail. Elle regroupe la vente en magasin traditionnel et le libre-service (voir encadré 18.4). Il existe également d'autres formes de vente, principalement la vente à distance, à domicile, sur les marchés et en distributeur automatique.

**LA VENTE À DISTANCE** ❖ Elle représentait un chiffre d'affaires de 7,9 milliards d'euros en 2001, soit 2,1 % du commerce de détail[11]. Elle est stable. Elle rassemble en réalité divers modes de vente : la vente sur catalogue, bien-sûr, qui représente 70 % du chiffre d'affaires mais aussi la vente par téléphone, Minitel, télévision, Internet, annonce-presse et mailing.

## Les grandes surfaces alimentaires

On répartit les magasins alimentaires en libre-service en plusieurs catégories en fonction de leur surface de vente.

♦ Les *hypermarchés* (surface de vente supérieure à 2 500 m²) étaient au nombre de 1 170 en 2000 pour une part de marché de 19 % du commerce de détail (35 % en alimentaire et 13 % en non alimentaire). Nés en France dans les années 1960 (le premier hypermarché fut ouvert par Carrefour en juin 1963 à Sainte-Geneviève-des-Bois), ils ont connu une croissance très rapide jusqu'à la loi Royer de 1973 qui subordonne l'ouverture d'une grande surface à l'autorisation d'une commission départementale. Depuis les années 1990, les hypermarchés connaissent des difficultés liés à la limitation des baisses de prix imposée par les lois Galland puis NRE (voir chapitre 17), à la concurrence des hard-discounters dans l'alimentaire et des chaînes de centre-ville dans l'habillement et la chaussure, et à la volonté des clients de ne pas consacrer trop de temps aux courses. Ils réagissent en développant des rayons porteurs d'image et de rentabilité (téléphonie, électronique, CD…) au détriment du textile, en réaménageant les magasins, en multipliant les bons d'achat et les cartes de fidélité, en investissant massivement en communication, et, pour certains, en décentralisant les décisions pour laisser plus de place aux initiatives locales des magasins.

♦ Les *supermarchés* (surface comprise entre 400 et 2 500 m²) sont environ 8 000 en France. Ils représentant une part de marché de 14 %, 30 % dans l'alimentaire et 7 % dans le non-alimentaire. Souvent situés en centre-ville, ils progressent aujourd'hui plus vite que les hypers. Ce sont les produits périssables qui offrent la meilleure marge et la meilleure rotation. Pour améliorer le rendement, trois solutions : 1) intensifier la vente de produits périssables, 2) développer les services, 3) optimiser l'assortiment en baissant les prix (selon une logique de hard-discount).

♦ Les *supérettes* (120 à 400 m²) *et les mini-libres-services* (moins de 120 m²), au nombre de 8 000 et 118 000 respectivement, constituent l'ossature commerciale de dépannage. L'élément le plus dynamique de cette catégorie est constitué par les supérettes de hard-discount (Ed Discount, Leader Price, Lidl, Aldi).

*Sources :* INSEE ; *LSA*, «Hypermarché : le modèle s'essouffle», 2 mai 2002, pp. 40-52 et «Les hypermarchés ne déclarent pas forfait», 18 avril 2002, pp. 50-54.

---

Ce dernier consiste à envoyer une documentation (tract, invitation, lettre) à des prospects souvent choisis sur des fichiers loués ou achetés à des sociétés spécialisées[12]. Le mailing est devenu une technique courante dans la vente de produits et services tels que l'assurance, l'abonnement à des magazines ou même les produits de luxe. Les organisations à but non lucratif l'utilisent également. La vente télévisuelle, quant à elle, consiste à présenter, sous forme de spots ou d'émissions «informerciales», des produits que les téléspectateurs peuvent ensuite commander par téléphone ou Minitel. Assez réglementée en France, elle porte sur les produits les plus divers, du «masseur à douze doigts électriques» à l'appartement clé en main.

De même que les modes de vente sont hétérogènes, les commandes à distance se font de différentes manières (figure 18.3) : le courrier reste prédominant mais décline ; le minitel baisse également au profit du téléphone et d'Internet.

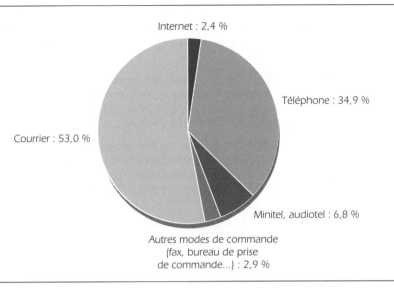

**FIGURE 18.3**
Répartition du CA
vente à distance
TTC en 2001

Internet : 2,4 %

Téléphone : 34,9 %

Courrier : 53,0 %

Minitel, audiotel : 6,8 %

Autres modes de commande
(fax, bureau de prise
de commande...) : 2,9 %

*Source :* Fédération des entreprises de vente à distance (FEVAD).

La figure 18.4 montre que la vente à distance est surtout bien implantée
pour les achats de textile, mais que tous les secteurs sont représentés. Les
principales entreprises de ce secteur sont La Redoute, Les Trois Suisses et la
Camif. Toutes ces entreprises ont développé des sites Internet qui représentent une part croissante de leur activité (voir l'exemple du Club des Créateurs
de beauté, encadré 18.5).

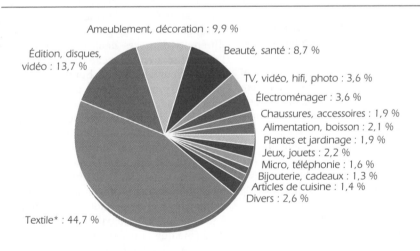

**FIGURE 18.4**
Les produits
vendus à distance
(en part de chiffre
d'affaires)

Ameublement, décoration : 9,9 %

Édition, disques,
vidéo : 13,7 %

Beauté, santé : 8,7 %

TV, vidéo, hifi, photo : 3,6 %

Électroménager : 3,6 %

Chaussures, accessoires : 1,9 %
Alimentation, boisson : 2,1 %
Plantes et jardinage : 1,9 %
Jeux, jouets : 2,2 %
Micro, téléphonie : 1,6 %
Bijouterie, cadeaux : 1,3 %
Articles de cuisine : 1,4 %
Divers : 2,6 %

Textile* : 44,7 %

\* Dont : 35 % équipement de la personne et 9,7 % équipement de la maison.

*Source :* FEVAD, chiffres 2001.

CHAPITRE 18
Gérer le
commerce de
gros, de détail
et la logistique
commerciale

**LA VENTE À DOMICILE** ❖ Très réglementée, elle est aujourd'hui surtout
présente dans l'édition (36 %), l'électroménager (18 %), la vaisselle et les
ustensiles de cuisine (12 %), les cosmétiques (12 %), les produits d'entretien

(11 %) et également certains services (assurance, produits d'investissement financier). On rapproche de cette forme de commerce les ventes effectuées à travers un système d'hôtesses recrutées parmi les consommatrices elles-mêmes (système Tupperware)[13].

**LA VENTE SUR MARCHÉS** ❖ Elle représente environ 3 % du chiffre d'affaires total. Un certain nombre d'experts avaient prévu son déclin, mais le renouveau de la vie de quartier et de l'animation urbaine semble lui avoir donné une seconde jeunesse, notamment à Paris.

**LA VENTE AUTOMATIQUE** ❖ Elle ne représente, en revanche, que moins de 1 %, en raison de contraintes réglementaires (interdiction de la vente de cigarettes, par exemple) et d'habitudes culturelles. Les distributeurs automatiques proposent notamment des boissons et des en-cas alimentaires (biscuits, chips).

---

**18.5**

 **Le développement du Club des Créateurs de beauté**

Le Club des Créateurs de beauté a été créé en 1987 par L'Oréal et Les 3 Suisses. Le nom choisi résume le concept de l'enseigne : 1) l'expertise et la créativité de spécialistes de la beauté renommés (parmi lesquels Agnès b, Jean Cotte, Jean-Marc Maniatis, Michel Klein) qui apportent notoriété, personnalité et expertise à l'enseigne, interviennent dans la conception des produits et impriment leur personnalité dans les packagings, le choix des parfums, des textures et des couleurs; 2) l'exclusivité des produits, et par là, l'appartenance à une communauté de clientes, un « club »; 3) la promesse d'innovations puisque 25 produits nouveaux sont intégrés à chaque catalogue. La vente directe permet d'exploiter au mieux la capacité d'innovation, puisque les volumes de produits à écouler pour atteindre un seuil de rentabilité acceptable sont beaucoup moins élevés en vente par correspondance qu'en grande distribution.

Le Club édite deux catalogues par an, conçus comme de véritables magazines. Ils décrivent les tendances de la beauté et mettent en valeur les produits pour stimuler l'achat impulsif. Le catalogue constitue un lien concret avec l'enseigne et, surtout, il appartient à la cliente qui le conserve. S'y ajoute toutes les trois semaines un mailing centré sur une catégorie de produits.

Après s'être développé en France, le Club des Créateurs de beauté s'est lancé dans d'autres pays : la Belgique en 1992, l'Allemagne en 1995, le Royaume-Uni et le Japon en 1997, les États-Unis en 1999. Si les produits et la politique marketing sont différents dans ces deux derniers pays, l'entreprise a en revanche opté pour une grande homogénéité en Europe : même gamme de produits, mêmes packagings en plusieurs langues limitant les coûts de production, traduction littérale du catalogue, système d'information et entrepôts situés en France. Cette gestion globale permet une meilleure efficacité et des économies d'échelle. Cependant, les différences de législation rendent difficile la conception d'animations et de promotions communes à tous les pays. L'animation commerciale, de même que la responsabilité des résultats et le suivi des fichiers clients, incombent donc aux équipes locales pour une meilleure adéquation aux spécificités nationales.

Le Club des Créateurs de beauté est présent sur Internet depuis 1997 avec, d'abord un site vitrine, puis un site de vente en ligne depuis 1999. Dans un premier temps, l'enseigne a considéré ce support comme un nouveau débouché, un moyen de recruter sur un marché plus large. Puis elle s'est rendu compte qu'il s'agit d'un nouveau mode de prospection et de vente adapté à l'ensemble du marché.

Le développement de la vente sur Internet modifie le modèle économique en développant une approche marketing plutôt *pull* que *push*, exigeant de faire vivre la marque et de générer du trafic sur le site, alors que le catalogue traditionnel reçu par la clientèle, constitue traditionnellement un outil de fidélisation favorable aux achats spontanés. Internet conduit donc à repenser les méthodes de prospection et de fidélisation. Ces spécificités incitent à jouer sur la complémentarité entre la vente par correspondance classique et la vente en ligne, dont le coût de prise de commande est inférieur.

*Source :* Delphine Manceau, *Cas ccb-paris.com, Le Club des créateurs de beauté*, Centrale des cas et des médias pédagogiques, 2001.

*Source :* www.ccb-paris.com

# Le mix marketing du distributeur

Les distributeurs sont aujourd'hui confrontés à un environnement particulièrement mouvant[14]. Autrefois, il suffisait d'avoir un bon emplacement et un bon assortiment de produits et de services. Aujourd'hui, les assortiments se sont banalisés et les clients sont devenus plus sensibles aux prix et à l'atmosphère des magasins. Les distributeurs doivent donc redéfinir leur stratégie. Les décisions à prendre sont nombreuses et concernent tout à la fois le marché visé, l'assortiment, les services, l'ambiance, les prix, la communication et le merchandising[15]. Ces différents outils contribuent à la fois au *marketing d'entrée* visant à faire venir les clients dans les points de vente, au *marketing de transformation* destiné à maximiser leurs achats et au *marketing de fidélisation* ayant pour objectif de les faire revenir.

## La zone de chalandise et le marché-cible

La première tâche d'un distributeur est de déterminer sa zone de chalandise, définie comme l'aire géographique de laquelle le magasin tire ses ventes. Elle correspond donc à la cible géographique.

CHAPITRE 18
Gérer le commerce de gros, de détail et la logistique commerciale

Dans la pratique, la façon dont les entreprises analysent les zones de chalandise des emplacements qu'elles envisagent est très variable. Les petites s'en tiennent aux statistiques de population officielles et à de simples comptages de circulation. Les sociétés plus importantes entreprennent des études complètes sur les habitudes d'achat des consommateurs et élaborent des prévisions de vente précises. En France, plusieurs cabinets spécialisés dans l'étude des zones de chalandise proposent leurs services aux promoteurs et aux établissements commerciaux qui envisagent de nouvelles implantations.

■ **VÉLIZY 2.** Ce centre commercial a été ouvert à la suite d'une série d'études conduites par le cabinet d'études Larry Smith. Ces études ont porté sur les perspectives de développement des voies de communication situées à proximité (voie rapide N 118 et autoroute A 86) et de la zone industrielle de Vélizy, sur l'attraction probable de la clientèle vivant dans différentes zones concentriques situées autour de l'emplacement envisagé, sur le pouvoir d'achat de la population concernée, et sur la concurrence existante, notamment dans les villes appartenant à la zone de chalandise (Versailles, Meudon).

Avant de procéder à l'analyse commerciale d'un emplacement, une entreprise commence, en général, par préparer des cartes du site envisagé indiquant la densité de la population et la localisation de la concurrence. Ces cartes doivent également faire apparaître les voies de communication et leurs indices de trafic. On améliore la connaissance de ce trafic en observant les plaques d'immatriculation des voitures stationnées sur les parkings des concurrents ou en menant des enquêtes auprès des magasins. On peut également recourir aux techniques de géomarketing évoquées dans le chapitre 17.

Le service d'études immobilières s'informe ensuite sur la disponibilité et le prix d'acquisition des emplacements au sein de la zone. Le potentiel de chaque site est alors estimé. Une série de cercles sont tracés autour du site envisagé, afin de faire apparaître la zone d'attraction primaire, la zone d'attraction secondaire et la zone d'attraction marginale. Certains modèles ont été proposés pour aider les investisseurs à mesurer l'attractivité relative de plusieurs zones. On distingue en particulier ceux qui, telle la loi de Reilly, s'appuient sur les déplacements induits et ceux qui comme Huff, prennent en considération les achats passés des consommateurs[16]. Une fois le point de vente ouvert, on s'assure que la clientèle correspond bien à celle visée et qu'elle est satisfaite des prestations fournies.

## L'assortiment

L'assortiment d'un distributeur doit être défini en fonction de la cible visée. Il peut être plus ou moins large et plus ou moins profond. Considérons un restaurant. Un café de quartier offre un assortiment réduit et peu profond à base de sandwichs et de quelques assiettes. Un restaurant de cuisine régionale ou exotique offre un assortiment étroit, mais profond : de nombreuses variétés autour de plusieurs plats de base. Un self-service opère le choix inverse : nombreux plats différents (poisson, viande, œufs...), mais peu de variété autour de chaque plat. Enfin, un restaurant classique peut avoir un menu de plusieurs pages. Le tableau 18.2 résume quelques stratégies d'assortiment et leurs implications dans la distribution alimentaire.

La composition de l'assortiment est l'arme-clé du distributeur. Son succès dépend en grande partie de ses arbitrages face aux attentes des consommateurs. Dans certaines enseignes, ces décisions sont centralisées au niveau du siège ; dans d'autres, elles incombent à chaque magasin. Une étude d'AC Nielsen montre que les décisions de référencement sont influencées, dans l'ordre, par les preuves fournies par le fabricant de l'intérêt que le produit éveille chez les clients, les actions de communication publi-promotionnelle prévues et les incitations financières au référencement et à l'animation du rayon. Une fois le référencement accordé, il faut optimiser l'approvisionnement de manière à éviter les ruptures de stock.

**TABLEAU 18.2**
Quelques stratégies d'assortiment

| Stratégie | Assortiment | Produits | Image du magasin | Attraction | Niveau de prix | Exemple |
|---|---|---|---|---|---|---|
| Occupation du territoire (défensive) | Large et peu profond | – Banalisés (aliment. et non-aliment.) | – Proximité – Dépannage | La plus forte du quartier | Moyen | Supermarché |
| Offensive | Étroit mais profond | – Spécialité – Shopping | – Compétences – Spécialistes | Forte | Élevé ou bas selon la forme de commerce | – Petit indépendant – Grande surface spécialisée |
| Dépannage | Étroit et peu profond | – Banalisés (aliment.) | – Service de proximité – Service d'heures d'ouverture | Faible | Élevé | – Épicerie d'alimentation – Station essence – Drugstore |
| D'attraction | Large et profond | – Commodité – Shopping – Biens de spécialité | Choix et prix | Très forte | Faible ou élevé selon la forme de commerce | – Hypermarché – Grands magasins |

*Source :* A. Tordjman, *Stratégies de concurrence dans le commerce* (Paris : Éditions d'Organisation, 1983).

## Les services et l'ambiance

Les distributeurs doivent également définir les *services* qu'ils souhaitent offrir à la clientèle. L'épicier de quartier offre le contact humain, le crédit et parfois la livraison. Chez les grossistes, les entreposeurs frigoristes ou les transporteurs offrent des prestations moins larges mais plus profondes que les grossistes à service complet.

Un distributeur a souvent le choix entre trois politiques de services[17] :

♦ *La stratégie du plein service (service compris).* Elle repose sur un éventail complet de services qui ne sont pas facturés au client. Une telle stratégie a pour avantage de renforcer l'image du magasin, d'éviter la concurrence par les prix et de satisfaire les attentes des clients exigeants. En contrepartie, elle entraîne souvent, du fait d'un mauvais contrôle, une inflation qui fait supporter aux non-utilisateurs le coût des services imposés. On peut considérer que la Fnac a choisi cette stratégie.

♦ *La stratégie de services limités.* On se soucie alors avant tout de vendre le produit en n'offrant, en matière de service, que le strict minimum, pas de conseil, peu de choix, peu de décor. Une telle stratégie permet de réduire les coûts, donc les prix ; en revanche, elle ne permet pas de construire une image sauf précisément sur le terrain des prix. C'est la stratégie suivie par le maxidiscount (Aldi, Leader Price, Lidl, etc.).

♦ *La stratégie des services à option (services payants).* Une telle stratégie est intermédiaire dans la mesure où elle propose plusieurs prix en fonction du service rendu. C'est ainsi que de nombreux distributeurs de meubles présentent un «prix emporté» et facturent séparément la livraison. De même, les concessionnaires automobiles proposent, au moment de l'achat, toute une série de contrats de garantie (garantie deux ans, garantie longue durée...).

Le tableau 18.3 présente une liste de services pouvant être offerts par un détaillant, selon qu'ils interviennent avant l'achat, après l'achat ou de façon annexe.

TABLEAU 18.3<br>Les différentes<br>dimensions<br>du service

| Services antérieurs à l'achat | Services postérieurs à l'achat | Services annexes |
|---|---|---|
| – Information et conseil<br>– Publicité<br>– Vitrine<br>– Décor intérieur<br>– Salles d'essayage<br>– Heures d'ouverture<br>– Défilés<br>– Reprise du matériel remplacé | – Livraison<br>– Livraison rapide<br>– Paquets cadeaux<br>– Finitions<br>– Retours<br>– Petites modifications<br>– Sur-mesure<br>– Installation<br>– Initiales gravées | – Modes de paiement acceptés<br>– Commandes par Internet, téléphone ou courrier acceptées<br>– Parking gratuit<br>– Restaurant<br>– Réparations<br>– Service de décoration<br>– Crédit<br>– Toilettes<br>– Crèche ou garderie |

Pour les magasins, les services constituent un moyen de se différencier et de répondre aux tendances actuelles de consommation. Ainsi, les conférences des magasins Nature et Découvertes ou les stages d'initiation au bricolage de Castorama répondent au désir actuel d'accomplissement et de développement personnels, tandis que les rencontres de la Fnac ou le club d'œnologie du Auchan Val d'Europe créent une certaine forme de lien social, aujourd'hui recherchée par de nombreux individus[18].

*L'ambiance des magasins* constitue également un outil de différenciation privilégié, de plus en plus utilisé (encadré 18.6). Elle permet aux magasins de sortir d'une logique fonctionnelle, dans laquelle le client compare les coûts et les avantages de sa visite, pour privilégier un positionnement expérientiel : la visite du magasin procure au consommateur une expérience gratifiante, hédoniste, composée de loisir et d'interaction sociale[19].

## Le prix

Les intermédiaires calculent en général leur prix de vente à partir d'une marge additionnée au prix de revient. Il est traditionnel dans les relations commerciales de calculer cette marge en pourcentage du prix de vente. Ainsi un grossiste qui perçoit une marge de 20 % sur une marchandise vendue 100 euros au détaillant, a acheté celle-ci 80 euros au fabricant. De même, un détaillant qui souhaite percevoir une marge de 33 % sur cette marchandise la revendra 150 euros.

De toutes les variables dont ils disposent, le prix est certainement celle qui préoccupe le plus les distributeurs, qui se battent en permanence à coups de «prix écrasés» et de «prix coûtants». Souvent, ils réduisent le prix de certains articles (prix d'appel) pour se rattraper sur d'autres.

# Le marketing expérientiel des points de vente

Un certain nombre d'enseignes mettent soigneusement en scène leurs points de vente, afin de faire de la visite du magasin une expérience unique, source de plaisir et d'amusement, où l'expérience vécue compte plus que l'achat réalisé. Ainsi, les boutiques Ralph Lauren, Sephora ou Nature et Découvertes stimulent les cinq sens. Le développement par certaines enseignes d'un ou plusieurs magasins amiraux, comme le megastore Armani de Milan, les Nike Town ou les complexes « Parc de la forme » de -Décathlon, repose sur cette approche : l'ambiance est plus importante que les produits présentés (parfois même vendus plus cher qu'ailleurs) et la visite devient une expérience ludique et hédoniste. On parle de *fun-shopping* et de *retailtainment*, contraction des termes *retailing* (distribution) et *entertainment* (divertissement).

Développer une ambiance spécifique passe par des jeux de couleur et d'éclairage, par un décor et une musique, parfois même par des senteurs. Sophie Rieunier et Pierre Volle citent l'exemple du magasin new-yorkais The Monastery qui vend des produits simples autour de la notion de bien-être : « Le client pénètre dans une clairière reconstituée au moyen d'arbres, de lumières tamisées, de senteurs de bois et d'une musique New Age sur fond de bruits naturels. Puis, au bout de quelques secondes, il se découvre un compagnon de visite hors du commun : un hologramme géant représentant un moine, habitant de cette forêt, donne la sensation de suivre le visiteur. Cet environnement d'achat ne manque pas de susciter la curiosité des passants et de favoriser tout à la fois le trafic, l'exploration du magasin et l'émergence d'un lien affectif fort » avec l'enseigne.

Les recherches réalisées sur l'ambiance des magasins montrent que, de manière générale, cette variable influence le temps passé en magasin et l'état affectif du client. On n'observe pas, en revanche, d'impact sur le montant des achats réalisés. Il semble donc s'agir d'un outil de différenciation, de fidélisation et de construction de l'image plutôt que d'un moyen d'accroître les ventes à court terme.

*Sources :* Patrick Hetzel, *Planète conso : marketing expérientiel et nouveaux univers de consommation* (Paris : Éditions d'Organisation, 2002) ; Marc Filser, « Le magasin amiral : de l'atmosphère du point de vente à la stratégie relationnelle de l'enseigne », *Décisions marketing*, n° 24, septembre-décembre 2001, pp. 7-16 ; Sophie Rieunier et Pierre Volle, « Tendances de consommation et stratégies de différenciation des distributeurs », *Décisions marketing* n° 27, juillet-septembre 2002, pp. 19-30 ; Sophie Rieunier (éd.), *Le Marketing sensoriel du point de vente* (Paris : Dunod, 2002). Voir aussi Mary Jo Bitner, « Servicescapes : The Impact of Physical Surroundings on Customers and Employees », *Journal of Marketing*, avril 1992, pp. 57-71 et B. Joseph Pine II and James H. Gilmore, *The Experience Economy* (Boston : Harvard Business School Press, 1999).

Lassés des guerres promotionnelles, certains détaillants ont mis en place une politique de « prix bas tous les jours » *every day low price*[20]. C'est par exemple la stratégie choisie par Wal-Mart aux États-Unis.

Cela suppose que le prix soit le principal critère de choix du client. De nombreuses études révèlent au contraire que :

♦ Le consommateur n'a qu'une connaissance très imparfaite des prix des produits, se contentant souvent de quelques prix de référence pour apprécier l'offre d'un magasin.

♦ Le consommateur compense souvent une différence de prix par un avantage lié aux services et surtout à la proximité du point de vente.

## La communication

Les distributeurs ont recours à toutes les techniques de communication y compris la publicité, la force de vente, la promotion des ventes et les relations publiques. En France, les chaînes d'hypermarchés figurent même parmi les plus gros annonceurs. Les magazines de consommateurs connaissent depuis quelques années un véritable engouement pour une diffusion annuelle cumulée de 129 millions d'exemplaires (*Tati Magazine*, *Vivre Champion*, le *Journal* de Carrefour…)[21].

La communication d'un distributeur vise généralement deux objectifs : à long terme, elle cherche à conférer une image au point de vente[22] ; à court terme, elle cherche à accroître le trafic. Dans le premier cas, le distributeur utilise surtout la publicité d'enseigne et les relations publiques mais aussi… l'agencement de son magasin et sa flotte de camions de livraison. Dans le second, il utilise davantage la publicité presse, la PLV (publicité sur le lieu de vente), les vendeurs et les animations promotionnelles (anniversaires, opérations podium, etc.). Le budget de communication d'un distributeur est souvent réparti (inégalement) en trois parties : un budget pour la communication d'image ; un budget pour les activités saisonnières et un budget de dépannage pour les activités promotionnelles conjoncturelles[23].

## Le merchandising

Les distributeurs aiment à dire qu'il y a trois règles de succès dans leur métier : 1) l'emplacement, 2) l'emplacement, et 3) l'emplacement. Le choix du lieu de vente est évidemment capital. Nous avons vu précédemment comment un distributeur pouvait évaluer la zone de chalandise correspondant à un emplacement donné. Plus localement, le distributeur doit aussi décider de l'implantation des rayons et de l'utilisation du linéaire.

❖ On désigne généralement sous le nom de *merchandising*, l'ensemble des techniques destinées à améliorer la présentation des produits dans un espace de vente[24].

Les principes de base du merchandising, né aux États-Unis dans les années 1960, sont aujourd'hui appliqués par tous les grands distributeurs français.

En matière d'agencement de rayon par exemple, on s'efforce d'optimiser l'exposition du client à un maximum de produits sans pour autant compromettre la clarté de l'offre. Quelques contraintes techniques issues du magasin lui-même doivent également être prises en compte. Par exemple, on place les rayons des produits pondéreux (liquides) à proximité immédiate des réserves.

Beaucoup de points de vente sont conçus autour d'une allée centrale que l'on rénove en permanence avec des présentations d'actualité (Noël, la Fête des Mères, la rentrée, etc.) ou à caractère promotionnel. Les améliorations sont effectuées à partir d'une connaissance des flux de clientèle dans le magasin. On peut également mettre à profit les apports de la sémiologie[25].

La présentation des produits en rayonnage se fait à partir d'une analyse précise de la rentabilité de chaque emplacement que l'on contrôle en permanence à l'aide des données de vente. Toutefois, afin de rompre la monotonie de présentation, on peut alterner les principes de présentation. Par exemple, utiliser tantôt la présentation horizontale (les produits de la même famille se trouvent juxtaposés sur toute la longueur de l'étagère), tantôt la présentation verticale (en colonne). Dans tous les cas, les emplacements en «tête de gondole» représentent des espaces privilégiés et font l'objet d'une location préférentielle à l'occasion des promotions.

En conclusion de cette partie consacrée au marketing des enseignes de distribution, soulignons quelques tendances actuelles en la matière :

♦ le développement de nouvelles formes et de nouvelles combinaisons de distribution, comme les restaurants présents dans les boutiques vestimentaires (Armani, Lanvin) ou les soins esthétiques proposés dans les grands magasins (Printemps) ;

♦ la concurrence croissante entre des enseignes de type différent qui proposent les mêmes catégories de produits aux mêmes clients ;

♦ le développement de géants de la distribution qui disposent d'excellents systèmes d'information, d'énormes moyens logistiques et d'un très large pouvoir d'achat, et qui internationalisent leurs activités (Wal-Mart, Carrefour, ToysRUs, Gap, Benetton…) ;

♦ la croissance des investissements technologiques visant à améliorer les prévisions de vente et à automatiser les approvisionnements ;

♦ la vente d'expériences et non plus seulement de produits, afin de faire des courses une expérience hédoniste et de se différencier des concurrents ;

♦ la concurrence entre la distribution en magasin et hors magasin résultant de l'ouverture de sites de vente directe sur Internet par certaines marques et enseignes (Barbie, Fnac, Du Pareil au Même, Castorama…).

# La logistique commerciale

## Qu'est-ce que la logistique commerciale ?

On a, pendant longtemps, donné le nom de *distribution physique* au processus par lequel les marchandises transitent jusqu'au client final. Il s'agit, en fait, d'un ensemble composé de points d'entreposage et de modes de transport conçu pour gérer au meilleur coût quantités et délais.

On a récemment élargi la notion de distribution physique à celle de *chaîne d'approvisionnement*, qui, en amont de la distribution physique, se préoccupe également d'obtenir les ressources adéquates (matières premières, composants, biens d'équipement), de les transformer en produits finis et de les transmettre à leurs destinataires. Une perspective encore plus large intégrerait la façon dont les fournisseurs eux-mêmes se fournissent, en remontant jusqu'à l'extraction de la matière première. La notion de chaîne d'approvisionnement peut aider une entreprise à améliorer sa productivité à travers une optimisation des relations avec les fournisseurs ; malheureusement, cette approche ne considère le marché que comme une destination, et il serait plus judicieux de partir des besoins du marché et de remonter ensuite la filière. Une telle notion est au cœur de la *logistique commerciale* qui considère la chaîne d'approvisionnement comme une chaîne de satisfaction de la demande.

Par exemple, une société de logiciels se définit normalement comme un éditeur de cédéroms et de manuels, transmis aux grossistes pour être vendus, via les détaillants, à l'utilisateur final. Celui-ci installe lui-même ses logiciels sur le disque dur de sa machine. La logistique remettrait en cause cette approche en explorant les possibilités de téléchargement par Internet ou, plus simplement, d'équipement en première monte des ordinateurs neufs. De telles solutions éliminent tout besoin d'édition, d'envoi et de stock des supports. Des solutions comparables sont disponibles pour l'achat de journaux, de films, de jeux vidéo, de produits musicaux, en fait de tout produit composé de textes, de sons et d'images.

■ **IKEA.** Ingvar Kamprad, son fondateur, a construit l'ensemble de son entreprise sur une idée logistique. Des prix bas peuvent être consentis au client car : 1) l'entreprise achète de larges volumes de meubles «à plat» moins chers et plus faciles à stocker ; 2) le client transporte et assemble lui-même les meubles qu'il achète ; et 3) Ikea se contente d'une marge réduite.

La construction d'une chaîne d'approvisionnement intégrée repose sur quatre étapes[26] : 1) décider de l'offre que l'on souhaite proposer aux clients (par exemple, le degré de ponctualité dans la livraison et d'exactitude dans la facturation) ; 2) choisir la meilleure stratégie de distribution pour atteindre les clients (nombre d'intermédiaires, nombre et localisation des entrepôts, choix des usines d'approvisionnement) ; 3) élaborer les systèmes de prévision des ventes et de gestion des entrepôts, des stocks et des transferts de marchandises ; 4) mettre en place le système en cherchant à optimiser les procédures employées.

La chaîne de satisfaction de la demande oblige l'entreprise à faire preuve de créativité dans la gestion de ses opérations[27]. Par exemple, un fabricant d'électroménager comme Whirlpool qui d'ordinaire : 1) prévoit la demande pour chaque modèle de machine ; 2) élabore la production en conséquence ; et 3) gère la distribution en espérant que ses prévisions se révèlent exactes, pourrait complètement inverser la démarche et : 1) se contenter de présenter des modèles d'exposition ; 2) enclencher la production à partir des commandes fermes des clients, à l'aide d'un système complètement modulaire ; 3) expédier dans les plus brefs délais la machine produite (en vérifiant, bien sûr, que ce délai reste acceptable pour le client). C'est l'approche employée par Dell dans la micro-informatique.

On peut finalement définir ainsi la logistique commerciale :

♦ La *logistique commerciale* rassemble toutes les activités mises en œuvre pour gérer, de façon rentable, les flux de produits et de marchandises depuis leur point d'origine jusqu'à leur lieu d'utilisation, en fonction des besoins exprimés par le marché.

Un système de logistique commerciale comprend de nombreux éléments reliés entre eux. Le rouage initial est la prévision des ventes qui permet d'établir les programmes de production et de stockage. Le programme de production spécifie, quant à lui, les matières premières devant être achetées. Une fois commandées, celles-ci sont livrées à l'entreprise, réceptionnées et emmagasinées jusqu'à utilisation. Elles sont alors transformées en produits finis. Le stock de produits finis assure le lien entre les commandes des clients et l'activité de fabrication : les commandes font baisser le niveau des stocks, alors que la fabrication le fait remonter. Les produits finis correspondant aux commandes sont successivement emballés, stockés à l'usine, expédiés, entreposés près des lieux d'utilisation puis livrés au client accompagnés des services qui leur sont attachés.

De plus en plus d'entreprises s'inquiètent du coût de la distribution physique qui peut atteindre jusqu'à 30 à 40 % du prix des marchandises vendues et l'on estime que d'importantes économies peuvent être réalisées. Les outils de gestion modernes qui permettent de déterminer les quantités optimales de stocks, les séries économiques à lancer en production, les modes de transport les plus efficaces et les emplacements les plus appropriés pour les usines, les entrepôts et les points de vente sont de plus en plus utilisés. Les systèmes d'information y jouent un rôle fondamental : les terminaux informatiques présents dans les points de vente, les codes-barres, l'échange électronique d'informations et de fonds permettent de raccourcir les délais d'approvisionnement et de réduire les erreurs. Tout manque de coordination s'avère extrêmement coûteux, s'il provoque des ruptures de stocks et des pertes de ventes pour le fabricant et le distributeur[28].

# Les objectifs de la logistique commerciale

De nombreuses sociétés assignent à leur logistique commerciale l'objectif *d'apporter les produits adéquats aux endroits adéquats au moment adéquat et au moindre coût*. Malheureusement, une telle définition n'est pas opérationnelle. Aucun système de distribution physique ne peut à la fois maximiser le service offert à la clientèle et minimiser son coût. Un service clientèle élaboré implique une politique de stocks abondants, de transport rapide, de points d'entreposage multiples, ce qui entraîne des frais de distribution élevés. Un coût de distribution réduit implique, à l'inverse, des modes de transport bon marché, de faibles stocks et un nombre limité d'entrepôts[29].

Une entreprise ne peut gérer efficacement sa logistique si elle laisse à chaque responsable le soin de minimiser les coûts dont il s'occupe. Les différentes composantes de la logistique commerciale réagissent en effet les unes sur les autres, souvent avec un effet contraire :

♦ Le responsable des transports choisit le rail de préférence au fret aérien, de façon à réduire les coûts d'acheminement. Cependant, le transport par rail étant plus lent, le capital de l'entreprise est immobilisé plus longtemps, le paiement des factures est retardé, et les clients peuvent s'adresser à des concurrents qui offrent un service plus rapide.

♦ Le service des expéditions utilise des caisses de moindre qualité pour réduire les frais d'expédition. Mais cela augmente la proportion de marchandise détériorée en cours de transport et affecte la confiance du client.

♦ Le responsable des stocks réduit les volumes entreposés afin de minimiser les coûts de stockage. Mais cela entraîne un nombre élevé de ruptures et de commandes en retard, de la paperasserie supplémentaire, de toutes petites séries de fabrication et des expéditions coûteuses.

À travers ces exemples, il est clair que, du fait des interrelations étroites entre les différentes activités de distribution physique, les décisions doivent être prises en tenant compte de l'ensemble du système. Pour ce faire, il convient d'abord de déterminer le niveau de service attendu par la clientèle ainsi que la pratique des concurrents.

Aux yeux du client, le service revêt au moins cinq formes : 1) la rapidité avec laquelle les commandes sont enregistrées et exécutées ; 2) la capacité du fournisseur à répondre à une demande urgente de marchandise ; 3) le soin avec lequel on s'assure que la marchandise est livrée en bon état ; 4) la facilité avec laquelle le fournisseur reprend une marchandise défectueuse et la rapidité avec laquelle il la remplace ; et 5) la possibilité, pour le client, de faire assurer par le fournisseur la gestion de ses stocks.

Il appartient naturellement au fournisseur de déterminer l'importance relative de ces éléments, compte tenu des marchés visés et de la stratégie des concurrents. L'entreprise doit définir son « mix » de services.

En pratique, l'entreprise fixe un niveau de service standard à partir duquel elle conçoit son système de distribution physique. Parfois, le respect de ce niveau devient un argument de vente. Ainsi, Les Trois Suisses ont créé le service « Demain chez moi ». Tout le système logistique est conçu en vue de respecter ce délai lorsque le client choisit cette option.

L'entreprise doit également considérer les services offerts par la concurrence. En général, elle préfère offrir des services au moins équivalents, mais son objectif est d'optimiser le bénéfice plutôt que le chiffre d'affaires. Il faut donc tenir compte du coût d'un service supplémentaire. Tantôt, on réduira les services afin d'offrir un prix attractif ; tantôt on se différenciera de la concurrence par un meilleur service, quitte à pratiquer un prix plus élevé.

Une fois ces analyses effectuées, l'entreprise établit son objectif de distribution physique, par exemple : 1) satisfaire 95 % des commandes dans un délai inférieur à une semaine ; 2) s'assurer que la marchandise endommagée ne représente jamais plus de 1 % des ventes.

Un système de logistique commerciale consiste en une série de décisions relatives au nombre, à l'emplacement et à la dimension des entrepôts ainsi qu'à la politique de transport et à la politique de stockage. Tout système se caractérise par un *coût total de distribution* que l'on exprime à l'aide de la formule suivante :

$$D = T + FE + VE + V$$

avec :

$D$ = Coût total logistique
$T$ = Coût de transport
$FE$ = Coût fixe d'entreposage
$VE$ = Coût variable d'entreposage (y compris les coûts de stockage)
$V$ = Coût des ventes perdues en raison des retards moyens à la livraison.

Le choix final repose sur l'analyse du coût total de la distribution associé aux différents systèmes envisagés, le système sélectionné correspondant au coût minimal. Si $V$ s'avère trop difficile à mesurer, on peut toujours s'efforcer de minimiser $T + FE + VE$ pour un seuil de service donné.

## Les décisions de la logistique commerciale

Nous examinons maintenant les éléments les plus importants d'un système de logistique commerciale à partir de quatre questions : comment traiter les commandes ? Où implanter les entrepôts ? Comment gérer les stocks ? Comment transporter la marchandise[30] ?

**LE TRAITEMENT DES COMMANDES** ❖ La commande du client constitue le point de départ du système. Le service de facturation prépare les factures en plusieurs exemplaires et les transmet aux services concernés. Les articles en rupture de stock sont réassortis et les expéditions notifiées.

L'entreprise et sa clientèle cherchent à ce que le traitement des commandes soit rapide et fiable. On s'est beaucoup préoccupé de savoir comment améliorer ce traitement. L'approche consiste à décomposer le processus de facturation en ses différents éléments et étudier chacun d'eux : comment les commandes parviennent-elles jusqu'à l'entreprise ? Combien de temps faut-il pour vérifier la solvabilité du client ? Comment s'assure-t-on que les stocks sont disponibles ? Quand la production est-elle alertée d'un stock insuffisant ? etc.

■ **GENERAL ELECTRIC** a mis au point un système informatique de traitement des commandes qui, dès réception, vérifie la situation du compte client et l'état des stocks. Un ordre de livraison et de facturation est alors émis en même temps que la mise à jour du stock, la commande d'approvisionnement et un message destiné au vendeur. Le tout prend moins de 15 secondes[31].

**L'ENTREPOSAGE** ❖ Toute entreprise a besoin de stocker la marchandise en attente d'être vendue. Le stockage est rendu nécessaire du fait que la production et la consommation s'harmonisent rarement dans le temps. La production agricole dépend des conditions climatiques, alors que la consommation se fait tout au long de l'année. L'inverse est vrai pour les jouets ou tout autre produit soumis à une forte saisonnalité des ventes.

L'entreprise doit décider du nombre et de la localisation de ses entrepôts. Plus les points d'entreposage sont nombreux et mieux ils sont répartis, plus le service de livraison est rapide, mais plus son coût est élevé. Le nombre d'entrepôts doit donc représenter un juste équilibre entre le niveau de service rendu à la clientèle et son coût. National Semiconductor a ainsi fermé six de ses entrepôts au profit d'un centre mondial de distributeurs situé à Singapour. Les délais de livraison ont été réduits de 47 % et les coûts de 2,5 % tandis que les ventes progressaient de 34 %[32].

L'entreprise choisit de posséder ou bien de louer l'espace de stockage. Le degré de contrôle est plus grand dans le premier cas, mais la flexibilité, tant logistique que financière, plus restreinte. Les centres d'entreposage, tels que la Silic dans la région parisienne, offrent davantage de souplesse tout en fournissant certains services tels que conditionnement, manutention, facturation et réfrigération.

**LA GESTION DES STOCKS** ❖ La politique de stockage constitue un autre élément affectant la satisfaction de la demande. S'il le pouvait, le responsable marketing promettrait à ses clients une exécution et une livraison immédiates des commandes. Il est, hélas, économiquement irréaliste de maintenir un niveau de stock qui éliminerait complètement les ruptures. En effet, le coût de stockage augmente à un rythme exponentiel à mesure que le risque de rupture s'approche de zéro. Il faut donc choisir un niveau de stock qui optimise le bénéfice global.

Une politique de stockage consiste à déterminer quand et combien commander en fonction du niveau de stock atteint. C'est ce qu'on appelle le seuil de commande. Le seuil de commande inclut en général un stock de sécurité et est déterminé de façon à trouver un juste équilibre entre le surstockage et la rupture.

Quant à la taille de la commande, elle dépend du coût de stockage comparé au coût de passation d'une commande ; plus ce dernier est élevé, plus il est avantageux d'espacer les commandes. La figure 18.5 montre comment le coût unitaire de passation d'une commande décroît avec le volume commandé, alors que le coût de stockage s'accroît du fait d'une durée d'immobilisation plus longue. Le point d'inflexion de la courbe du coût total correspond au volume optimal de commande (V*) que l'on appelle *lot économique*[33].

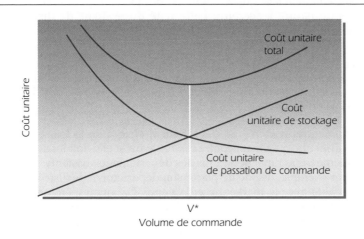

**FIGURE 18.5**
Le lot économique

Le développement des méthodes de production *juste-à-temps* modifie aujourd'hui les procédures de gestion des stocks. Il s'agit, en fait, d'acheminer les fournitures à l'usine seulement lorsque celle-ci en a besoin. Un certain nombre d'entreprises fonctionnent déjà selon ce principe. Ainsi, l'usine Fiat qui fabrique le moteur Fire pour l'ensemble de l'Europe a été entièrement

CHAPITRE 18
Gérer le
commerce de
gros, de détail
et la logistique
commerciale

571

conçue à partir des exigences de la «production juste-à-temps». La tendance la plus récente consiste à fabriquer à la commande et non en vue de stocker le produit. Sony appelle ce système SOMA : *sell-one, make-one* (vendre un produit, fabriquer un produit). C'est également ainsi que procède Dell : l'entreprise enregistre la commande du client par Internet et encaisse le prix du produit ; elle utilise cet argent pour acheter les composants aux fournisseurs.

**LE TRANSPORT** ❖ Le responsable marketing doit enfin s'intéresser à la façon dont la marchandise est transportée. Le transport a un impact sur le prix de vente, les délais de livraison et le bon état de la marchandise livrée, autant de facteurs affectant la satisfaction de la clientèle.

D'une façon générale, cinq moyens de transport sont disponibles : le rail, l'eau, la route, le pipeline et le fret aérien.

En choisissant un mode de transport, l'entreprise tient compte des exigences de *rapidité*, de *fréquence*, de *fiabilité*, de *disponibilité* et de *coût*. Le transport par container a considérablement facilité l'utilisation successive de plusieurs modes de transport.

Les décisions liées au transport sont en général complexes de par leur impact sur l'entreposage et le stockage. Aussi l'entreprise doit-elle réexaminer régulièrement ses options en matière de logistique.

**L'ORGANISATION DE LA LOGISTIQUE COMMERCIALE** ❖ À ce stade de l'analyse, il devrait être clair que les décisions relatives à l'entreposage, au transport et aux niveaux de stocks nécessitent une excellente coordination. Pourtant, dans l'entreprise, les responsabilités de logistique tendent à être partagées de façon incohérente et souvent arbitraire entre plusieurs départements (transports, stocks, ventes, etc.). En fait, chaque département se soucie avant tout de ses propres objectifs.

De plus en plus d'entreprises se rendent compte de l'intérêt d'une intégration. Pour ce faire, deux solutions : certaines sociétés ont mis en place un comité permanent, composé de tous les responsables des différentes activités de logistique commerciale, qui se réunit périodiquement pour prendre toutes les mesures de nature à accroître l'efficacité du système de distribution. D'autres ont centralisé les activités, en les confiant à une seule personne à un haut niveau hiérarchique. Par exemple :

■ **SEARS** a conclu une alliance avec Total Systems Services (TSYS), une société spécialisée dans les paiements par carte bancaire. Un nouveau responsable a été nommé à la tête de l'entité ainsi créée, qui supervise l'ensemble de la logistique commerciale du groupe[34].

Lorsqu'une entreprise crée un département chargé de la logistique commerciale, la difficulté qu'elle rencontre est de savoir si elle doit lui accorder un statut autonome ou le rattacher à l'un des départements existants. La société Danone a, par exemple, décidé de placer son département de distribution sur un pied d'égalité avec le marketing et la vente. Danone espère qu'une telle structure permettra à ce département de s'imposer dans l'entreprise, de développer une plus grande objectivité, et d'éviter de se laisser dominer unilatéralement par le marketing ou le commercial.

Toutefois, la position ou même la création d'un tel département est une question relativement secondaire. L'important est que l'entreprise se rende compte que, si elle ne coordonne pas la planification et l'exécution des différentes activités de logistique commerciale, elle perd l'occasion de réaliser des économies souvent substantielles et d'améliorer les prestations de service. Une fois que cette prise de conscience a eu lieu, chaque société peut décider du système de coordination qu'elle juge le plus approprié.

# Résumé

1. L'appareil commercial se compose de tout un ensemble d'entités conçues pour acheminer les produits de leur lieu de production à leur lieu de consommation. En France, il est devenu classique de distinguer le commerce intégré qui prend en charge toutes les fonctions intervenant entre le producteur et le consommateur, le commerce indépendant, composé de grossistes et de détaillants, et le commerce associé, au statut intermédiaire. Parmi les entreprises de commerce intégré on trouve les grands magasins, les magasins populaires, les maisons à succursales multiples, les discounters, les magasins d'usines et les coopératives. Les grossistes et détaillants indépendants peuvent, quant à eux, être ou non spécialisés et offrir une gamme de services plus ou moins étoffée. Le commerce associé, enfin, comprend les groupements de grossistes, les groupements de détaillants, les chaînes volontaires et la franchise. L'évolution de l'appareil commercial français est complexe, même si certains croient à l'existence de cycles relativement permanents.

2. Chacune de ces formes de commerce peut faire appel à une ou plusieurs méthodes de vente. Parmi celles-ci, on a coutume de distinguer la vente en magasin, la vente directe, la vente à domicile, la vente sur marchés, et la vente automatique.

3. Les principales décisions auxquelles sont confrontées les entreprises de distribution concernent la zone de chalandise et l'identification du marché-cible, ainsi que l'assortiment, les services et l'ambiance du point de vente, les prix, la communication et le merchandising.

4. Enfin, au moment où la plupart des entreprises reconnaissent le bien-fondé de l'optique marketing, un nombre croissant d'entre elles commencent à accepter la notion de logistique commerciale. La logistique commerciale constitue en effet tout à la fois un terrain d'économie potentielle, d'amélioration du service client et d'avantage concurrentiel. Lorsque le responsable des transports, le responsable des stocks et le responsable des entrepôts prennent une décision dans l'optique de leur fonction spécifique, ils influent chacun sans s'en rendre compte sur leurs coûts respectifs et sur le développement de la demande. Dans l'optique de la logistique commerciale, de telles décisions doivent être prises dans le cadre d'un système unifié. Le problème essentiel devient alors celui de la conception du système qui minimisera le coût de mise en œuvre pour un niveau donné de service client.

# Notes

1. Voir le site Internet du secrétariat d'État aux PME, au commerce, à l'artisanat, aux professions libérales et à la consommation : www.pme-commerce-artisanat.gouv.fr Voir également l'ouvrage *Les Chiffres clés du commerce*, publié chaque année par le ministère de l'Économie, des Finances et de l'Industrie.

2. Jean du Closel, *Les Grands Magasins, cent ans après* (Paris : Institut du commerce et de la consommation, 1990) et *LSA*, «Les Galeries Lafayette se replient sur le cœur de métier», 3 octobre 2002, p. 30.

3 Valérie Charrière et Gérard Gallo, «Les mutations des magasins populaires : le cas Monoprix», dans A. Bloch et A. Macquin, *Encyclopédie vente et distribution* (Paris : Economica, 2001), pp. 163-181 ; *Marketing magazine*, «Monoprix devance les envies et l'éthique de ses clients», 1er mai 2002, p. 34

et *Management*, «L'étonnante croisade verte de Monoprix», septembre 2002, pp. 26-27.

4 Voir Enrico Colla et Marc Dupuis, «Carrefour / Wal-Mart : questions autour d'un combat global», *Décisions marketing*, n° 20, août-décembre 2000, pp. 73-79 et *Enjeux*, «Carrefour : un géant en crise de croissance», octobre 2001, pp. 90-98 ; voir aussi Enrico Colla, «L'internationalisation des groupes de distribution» dans A. Bloch et A. Macquin, *op. cit.* pp. 65-80.

5. Voir J.-François Boss et André Tordjman, «L'Appareil commercial français : structures, évolutions, tendances», *Cahiers de la recherche*, Groupe HEC, 1985.

6. Voir André Tordjman, *Le Rôle économique du commerce de gros* (Paris : Institut de recherche du commerce de gros, 1984).

7. Voir M. Guidet, *Le Commerce et la ville : un volontarisme bien tempéré : les centres commerciaux* (Paris : Centre national de la consommation, Institut du commerce et de la consommation, janv. 1991) ; voir également Jean-Luc Koehl, *Les Centres commerciaux* (Paris : PUF, Que sais-je, n° 2541, 1990) et Jean-Claude Fauveau, *Le Monde de la distribution 1995* (Paris : Presses du Management, 1994).

8. Voir les brochures d'information de la Fédération française des chaînes volontaires nationales (FFCVN).

9 Voir Gérard Cliquet, « Les réseaux mixtes franchise/succursalisme : apports de la littérature et implications pour le marketing des réseaux de points de vente », *Recherche et applications en marketing*, vol. 17, n° 1, 2002, pp. 57-73. Voir aussi Claude Nègre, « Franchise et nouvelles théories de la firme », dans A. Bloch et A. Macquin, *op. cit.* pp. 195-202 et *LSA*, « La nouvelle maturité de la franchise », 14 mars 2002, pp. 58-64.

10. Voir Stanley Hollander, « Le cycle de la distribution », dans Michel Chevalier et Richard Fenwick, *La Stratégie marketing* (Paris : PUF, 1975), pp. 244-261.

11. *Source* : Fédération des entreprises de vente à distance : www.fevad.com. Sur les problématiques spécifiques de la vente à distance, voir Élisabeth Tissier-Desbordes, « La vente directe : situation et perspectives », dans A. Bloch et A. Macquin, *op. cit.* pp. 183-195.

12. M. David, *La Vente par correspondance* (Paris : ICC, 1986) ; Pierre-Louis Dubois, « Les trois âges de la VPC », *Revue française de marketing*, 1987 ; Pierre-Louis Dubois et Patrick Nicholson, *Le Marketing direct intégré* (Paris : Chotard, 1987).

13. Voir Yves Chirouze, *La Vente à domicile* (Paris : Cujas, 1981).

14. Voir Marc Filser, « Quelles formules de distribution pour demain ? », *Recherche et applications en marketing*, août 1986, n° 1, pp. 3-16 ; Marc Dupuis, « Innovation dans la distribution : Les paradoxes de la prospective », *Revue française du marketing* n° 188, 2002/3, pp. 61-68 et du même auteur, « Les stratégies du distributeur », dans A. Bloch et A. Macquin, *op. cit.*, pp. 39-65.

15. Voir Gérard Cliquet, *Management stratégique des points de vente* (Paris : Sirey, 1992) ; Marc Filser, « Distribution », *Encyclopédie du management* (Paris : Vuibert, 1992, tome 1, pp. 515-532) ; Marc Filser, Véronique des Garets et Gilles Paché, *La Distribution : organisation et stratégie* (Paris : Éditions EMS, 2001) ; Sandrine Macé, *La Politique marketing du point de vente* (Paris : Vuibert, 2000).

16. Gérard Cliquet, « Les Modèles gravitaires et leur évolution », *Recherche et applications en marketing*, 1988, n° 3, pp. 39-52.

17. A. Tordjman, *Les Services de la distribution* (Paris : Fondation Turner), juin 1982, pp. 61-62 ; Philippe Bloch, Ralph Hababou et Dominique Xardel, *Service compris* (Paris : Hachette, 1986) et Michael Treacy et Fred Wiersema, *L'Exigence du choix* (Paris : Village Mondial, 1995).

18. Sophie Rieunier et Pierre Volle, « Tendances de consommation et stratégies de différenciation des distributeurs », *Décisions marketing* n° 27, juillet-septembre 2002, pp. 19-30.

19. Marc Filser, « Le magasin amiral : de l'atmosphère du point de vente à la stratégie relationnelle de l'enseigne », *Décisions marketing*, n° 24, septembre-décembre 2001, pp. 7-16.

20. Voir Frank Feather, *The Future Consumer*, (Toronto : Warwick Publishing, 1994) ; voir aussi Stephen J. Hoch, Xavier Drèze et Mary J. Purk, « EDLP, Hi-Lo, and Margin Arithmetic », *Journal of Marketing*, oct. 1994, pp. 1-15.

21. Géraldine Michel et Jean-François Vergne, « Un outil de communication pour la distribution : le magazine de consommateurs », *Décisions marketing*, n° 19, janvier-avril 2000, pp. 53-60.

22. Voir F. Guilbert, « Les budgets de publicité des distributeurs », *Points de vente*, 20 déc. 1983, pp. 87-88 ; voir également, du même auteur : « La promotion : outil marketing », *Action commerciale*, n° 47, sept. 1986, pp. 39-41.

23. Voir A. Fady et M. Seret, *Le Merchandising, techniques modernes du commerce de détail*, 2e édition (Paris : Vuibert, 2000) ; voir également André Fady, « Le Merchandising », *Encyclopédie du management* (Paris : Vuibert, 1992, tome 2, pp. 78-95).

24. Voir Jean-Marie Floch, « La Contribution d'une sémiologie structurale à la conception d'un hypermarché », *Recherche et applications en marketing*, 1989, n° 2, pp. 37-60.

25. Voir Rita Koselka, « Distribution Revolution », *Forbes*, 25 mai 1992, pp. 54-62 ; Ronald Henkoff, « Delivering the Goods », *Fortune*, 28 nov. 1994, pp. 64-78 ; Marita Van Oldenborgh, « Power Logistics », *International Business*, oct. 1994, pp. 32-34 ; et James Aaron Cooke, « Will Logistics Be the Magic Bullet ? Part 3 », *Traffic Management*, mai 1995, pp. 35-38.

26. William Copacino, *Supply Chain Management* (Boca Raton : St. Lucie Press, 1997).

27. Serge Lacrampe et Anne Macquin, *La Logistique commerciale* (Paris : Éditions d'Organisation, 1989).

28. *LSA*, « Rupture : les grands perdants », 25 avril 2002, pp. 24-27.

29. Voir également Hervé Mathé et Daniel Tixier, « La Logistique de l'entreprise », *Encyclopédie du management* (Paris : Vuibert, 1992, tome 2, pp. 6-19).

30. Tom Stein et Jeff Sweat, « Killer Supply Chains – Six Companies are Using Supply Chains to Transform the Way They Do Business », *Information Week*, 11 novembre 1998, p. 36.

31. E.J. Muller, « Faster, Faster, I Need It Now ! » *Distribution*, févr. 1994, pp. 30-36.

32. Ronald Henkoff, « Delivering the Goods », *Fortune*, 28 novembre 1994, pp. 64-78.

33. Voir Richard J. Tersine, *Principles of Inventory and Materials Management*, 4e édition (Englewood Cliffs, N.J. : Prentice Hall, 1994) et en français, voir Gérard Baglin *et al.*, *Management industriel et logistique* (Paris : Economica, 1996).

34. « Sears Announces Strategic Alliance With Total Systems », Sears Press Release, 14 mai 1998.

NOUS NOUS ATTACHERONS
DANS CE CHAPITRE À TROIS
QUESTIONS :

■ Comment fonctionne
la communication ?

■ Quelles sont les étapes
de développement d'un plan
de communication ?

■ Qui doit en être responsable ?

# *Gérer une communication marketing intégrée*

« *Une communication marketing
intégrée suppose de regarder
l'ensemble de l'activité
marketing de l'entreprise
du point de vue du client.* »

L'activité marketing ne se limite pas à l'élaboration d'un produit et au choix d'un prix et d'un mode de distribution. Une entreprise qui veut aller au-delà d'un courant de vente spontané doit concevoir et transmettre des informations à ses clients actuels et potentiels, à ses détaillants, à ses fournisseurs, à ses actionnaires ainsi qu'aux différentes parties prenantes composant son environnement (médias, administration, opinion publique, etc.). Toute entreprise est agent de communication. Pour la plupart d'entre elles la question n'est pas de savoir s'il faut ou non communiquer, mais de décider quoi dire, à qui et avec quelle fréquence.

Il existe cinq grands modes de communication définissant le *mix des communications* (parfois appelé *mix promotionnel*) :

♦ *La publicité :* toute forme monnayée de présentation et de promotion non individualisée d'idées, de biens et de services émanant d'un annonceur identifié.

♦ *La promotion des ventes :* tout stimulant à court terme destiné à encourager l'achat d'un produit ou d'un service.

♦ *Les relations publiques :* toute action (événement, manifestation) ayant pour but d'améliorer l'image d'un produit ou d'une entreprise.

♦ *La vente :* toute conversation orale avec un ou plusieurs acheteurs potentiels, dans le but de présenter un produit, répondre à des objections et conclure une affaire.

♦ *Le marketing direct et interactif :* tout message transmis directement aux clients ou prospects par courrier postal ou électronique, téléphone, fax, minitel ou Internet, sollicitant parfois une réponse ou une réaction[1].

Ce chapitre analyse le processus de communication. Le chapitre 20 traite de la publicité, de la promotion des ventes, des relations publiques, du marketing direct et interactif; le chapitre 21 de la force de vente. Chaque mode de communication comprend de nombreux outils, présentés dans le tableau 19.1. Une telle liste s'allonge sans cesse avec l'évolution technologique (téléphonie mobile, WAP, Internet, etc.) qui éloigne progressivement l'entreprise des outils de communication de masse au profit de contacts plus personnalisés. En même temps, les supports de communication vont bien au-delà des outils

**TABLEAU 19.1**
Quelques outils de communication

| PUBLICITÉ | PROMOTION DES VENTES | RELATIONS PUBLIQUES | VENTE | MARKETING DIRECT |
|---|---|---|---|---|
| Messages TV presse, radio et cinéma | Jeux et concours | Dossiers de presse | Démonstrations | Catalogues |
| | Loteries | | Réunions de vente | Mailings |
| | Primes | Communiqués | | Télémarketing |
| Brochures | Échantillons | Séminaires | Essais | Téléachat |
| Posters | Stands | Rapports annuels | Foires et salons | Vente directe |
| Annuaires | Bons de réduction | | | Messagerie électronique |
| Présentoirs | Remises | Mécénat | | |
| Symboles et logos | Animations podium | Parrainage | | Fax |
| | | Lobbying | | Répondeur |
| Cassettes vidéo | Programmes de fidélisation | Journaux internes | | Magazines de consommateurs |
| Insertion dans les films | | Événements | | |

spécifiques : les caractéristiques d'un produit, son style, son prix, son emballage, la façon dont il est vendu représentent autant de signaux émis par l'entreprise et c'est cet ensemble qu'il faut gérer afin que l'impact global soit optimal.

# Le processus de communication

On considère de plus en plus la communication comme un véritable dialogue entre l'entreprise et ses clients, qui se déroule avant et pendant la vente, pendant et après la consommation. Compte tenu des possibilités offertes par les technologies de l'information, l'entreprise ne doit plus simplement se demander : «Comment contacter mes clients ?» mais aussi : «Comment permettre à mes clients de me contacter ?».

Le point de départ d'une réflexion sur la communication prend la forme d'un audit de toutes les interactions reliant l'entreprise à son marché, actuel et potentiel. Ainsi, l'acheteur d'un ordinateur portable voudra en parler à ses amis, regardera des émissions de télévision, lira des magazines spécialisés, se rendra dans différents points de vente. Le constructeur informatique doit comprendre la manière dont toutes ces expériences et impressions influencent les différentes étapes du processus d'achat afin de mieux répartir ses investissements en communication.

Pour communiquer efficacement, il faut également comprendre les différents éléments du processus de communication (figure 19.1) : deux éléments, l'*émetteur* et le *récepteur* décrivent les *partenaires* de la communication ; deux autres, le *message* et les *médias* en constituent les *vecteurs* ; quatre autres correspondent à des *fonctions : codage, décodage, réponse et feedback.* Le dernier élément identifie le *bruit* induit dans la communication[2].

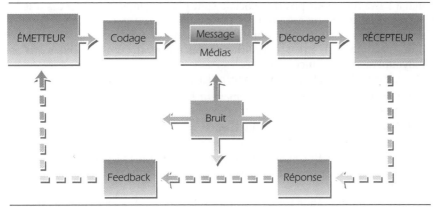

**FIGURE 19.1**
Les éléments de la communication

Un tel modèle permet d'identifier les conditions d'une communication efficace. L'émetteur doit : 1) connaître son audience et la réponse qu'il en attend ; 2) coder son message de manière à ce que les récepteurs le décodent comme il le souhaite ; 3) transmettre le message à travers des véhicules appropriés pour atteindre l'audience visée ; et 4) mettre en place des supports de feedback adaptés. Un message a davantage de chances d'être efficace s'il s'inscrit à la fois dans le champ d'expérience de l'émetteur et du récepteur.

CHAPITRE 19
Gérer une
communication
marketing
intégrée

577

La difficulté pour l'émetteur est de faire parvenir son message jusqu'au destinataire dans un environnement où les «bruits» sont nombreux. Trois difficultés surgissent :

♦ *L'attention sélective* : on a calculé qu'un individu pouvait être exposé jusqu'à 1 600 messages publicitaires par jour. Il n'en remarque consciemment que 80 et seule une douzaine d'entre eux génère une réaction. D'où l'importance de capter l'attention en jouant sur la nouveauté, le contraste, la force des images et des titres, parfois la provocation.

♦ *La distorsion sélective* : les récepteurs entendent le message dans un sens conforme à leur système de croyances. Ils ajoutent parfois des éléments absents au message (complication) et en retranchent d'autres (simplification). D'où l'intérêt de privilégier des messages simples et clairs et de jouer sur la répétition.

♦ *La rétention sélective* : les individus n'intègrent à leur mémoire de long terme qu'une faible part des messages qu'ils perçoivent.

Le message doit d'abord franchir le seuil de la mémoire temporaire, qui dépend de l'activité cognitive du récepteur, en particulier de sa *remémorisation* du message. Par remémorisation, il faut non seulement entendre répétition, mais également élaboration de la signification du message[3]. Si l'attitude initiale d'une personne est positive et si elle se remémore souvent les arguments favorables, le message a plus de chances d'être accepté et enregistré. Si l'attitude initiale est négative et si la personne développe des contre-arguments, il sera probablement rejeté, même s'il est conservé en mémoire. Un message qui se heurte à des réactions du type : «J'ai déjà entendu ça» ou «C'est impossible», n'est guère capable de provoquer un changement d'attitude. La persuasion passe souvent par l'autopersuasion.

Mais les individus diffèrent dans leur capacité à traiter l'information selon l'éducation qu'ils ont reçue et leur style cognitif[4]. Une audience «intellectuelle», par exemple, a davantage de facilité pour décoder des signes complexes, mais est plus difficile à convaincre. À l'inverse, les gens qui se sentent mal à l'aise dans leur position sociale sont plus facilement influencés que les autres. Il en va de même pour les personnes qui ont peu confiance en elles, encore que, sur ce dernier point, des recherches aient conclu à l'existence d'une relation en U inversé, les plus faciles à convaincre étant celles qui ont moyennement confiance en elles[5].

De leur côté, Fiske et Hartley énoncent les principes suivants :

♦ Plus l'influence exercée par l'émetteur sur le récepteur est grande, plus un message favorable à l'émetteur est accepté par son destinataire.

♦ Les messages ont d'autant plus d'effets qu'ils sont en phase avec les opinions préexistantes chez le récepteur.

♦ Un message peut cependant modifier d'autant plus facilement une opinion qu'il porte sur une question secondaire, périphérique ou marginale aux yeux du récepteur.

♦ Une communication est plus efficace si la source est perçue comme un émetteur expert, de statut élevé et objectif, si elle est appréciée et génère une certaine identification.

♦ Le contexte social et les groupes de référence servent de caisse de résonance dans l'évaluation (positive ou négative) des messages[6].

# L'élaboration d'une action de communication

La figure 19.2 présente les huit étapes d'élaboration d'une communication marketing intégrée.

## La cible de communication

Un responsable marketing doit commencer par définir l'audience à laquelle il souhaite s'adresser. Il peut s'agir d'acheteurs actuels ou potentiels, de revendeurs, ou encore de prescripteurs. La cible de communication se distingue ainsi de la cible marketing : un fabricant de produits cosmétiques hypoallergéniques peut s'adresser aux dermatologues pour qu'ils conseillent la marque, même s'ils ne constituent pas des acheteurs potentiels du produit ; un éditeur de livres de jeunesse achetés par les parents peut orienter sa communication vers les enfants ou vers les parents ; un constructeur automobile peut privilégier une partie de sa cible marketing (les fans de voitures, les jeunes…) en espérant qu'elle sera imitée par les autres membres de la cible. Le choix de la cible de communication exerce une profonde influence sur ce qu'il faut dire, comment le dire, où et quand le dire, et à qui il faut le dire.

**L'IMAGE** ❖ L'entreprise doit commencer par analyser les différentes composantes de son image auprès de la cible.

> ❖ On appelle image *l'ensemble des perceptions qu'un individu entretient à l'égard d'un objet.*

Pour l'appréhender on mesure d'abord le *degré de familiarité* à l'aide d'une échelle comme celle-ci :

Si une majorité de répondants choisissent les deux premières catégories, le problème est d'abord d'accroître la *notoriété*.
La deuxième phase vise à mesurer *l'attitude de la cible* :

Si la majorité de l'audience coche l'une des deux premières cases, l'entreprise a un *déficit d'image*.

En combinant ces deux échelles, on comprend mieux la nature du problème à résoudre. Supposons par exemple que l'on demande à des étudiants d'indiquer leur degré de connaissance et de préférence à l'égard de quatre entreprises françaises : Michelin, Danone, L'Oréal et la SNCF[7]. Les réponses apparaissent à la figure 19.3.

Selon cette figure, L'Oréal a la meilleure image : une grande majorité d'étudiants connaissent cette entreprise et aimeraient y travailler. Le groupe Danone est moins connu, mais ceux qui le connaissent l'apprécient. La SNCF

**FIGURE 19.2**
Les étapes de développement d'une communication efficace

Identifier la cible de communication

Fixer les objectifs

Élaborer le message

Choisir les canaux de communication

Établir le budget

Définir le mix de communication

Mesurer les résultats

Gérer la communication marketing intégrée

**FIGURE 19.3**
Familiarité et attitude

est très connue, mais n'engendre guère d'enthousiasme; pas plus que Michelin, qui, en outre, paraît peu familier.

Chaque entreprise est confrontée à un problème différent. Pour L'Oréal, il s'agit d'entretenir sa notoriété et son image. Le groupe Danone doit davantage se faire connaître afin de bénéficier de sa bonne image. La SNCF doit comprendre pourquoi son image est mauvaise avant d'entreprendre quelque action de communication. Quant à Michelin, elle doit faire progresser de concert sa notoriété et son image.

Au-delà de ce constat, il faut analyser le contenu de chaque image. L'un des outils qui permet d'y parvenir est le différentiel (ou différenciateur) sémantique[8]. Son utilisation comporte cinq étapes :

1. *L'identification des critères d'image.* L'analyste demande à des membres du groupe cible d'indiquer les critères qu'ils utilisent pour juger les produits ou les entités concernées. Dans l'étude mentionnée plus haut, la question posée était : «Quels sont les caractéristiques d'une entreprise auxquelles vous attachez de l'importance dans la recherche d'un emploi?» Une première liste de facteurs est ainsi obtenue : taille, qualité de la gestion, atmosphère de travail, intérêt des produits, compétitivité des salaires, etc.

2. *La réduction du nombre de critères.* On restreint ensuite l'ensemble obtenu afin d'éviter d'avoir des facteurs interdépendants ou redondants. Dans l'étude évoquée, les critères de choix pouvaient être rangés en trois catégories selon qu'ils exprimaient l'évaluation (bien gérée/mal gérée), la puissance (grande/petite) ou l'activité (dynamique/peu dynamique).

3. *Le recueil des scores d'image.* On recueille l'opinion des répondants sur chaque entité traitée isolément, en ayant recours à l'instrument présenté à la figure 19.4. Chaque dimension est exprimée sous forme bipolaire et l'ordre des critères est tiré au sort, de manière à ce que les adjectifs favorables ne soient pas tous du même côté.

4. *L'analyse des profils moyens.* La figure 19.4 révèle que chaque entreprise a un profil bien spécifique. Ainsi L'Oréal est perçue comme une société bien gérée, compétitive sur le plan des salaires, jouissant d'une atmosphère de travail agréable, mais moyennement soucieuse de sa responsabilité sociale. La SNCF a un profil pratiquement inverse.

5. *La mesure de la variance de l'image.* Étant donné que les profils moyens résultent de l'agrégation de réponses individuelles, il est souvent utile de mesurer séparément l'image dans chaque segment. On trouve soit une relative cohérence de l'image correspondant à un consensus d'opinion, soit une *image dispersée,* auquel cas il faudra différencier la communication par segment.

À l'aide de ces données, il devient possible d'établir un diagnostic de l'image *actuelle* face à l'image *désirée.* On oriente alors la politique de communication à partir des réponses aux questions suivantes : En quoi une amélioration de l'image sur ce critère engendrerait-elle une meilleure image globale? Quel en est le coût? Quel en est le délai? Les images sont tenaces et évoluent lentement. Une entreprise qui a eu, dans le passé, une mauvaise image a, du fait de l'attention et de la distorsion sélective, beaucoup de difficultés à progresser.

## Les objectifs de communication

L'étape suivante, pour le responsable marketing, consiste à définir la réponse qu'il attend de la cible. L'objectif poursuivi ne sera pas bien sûr le même s'il s'agit d'une communication institutionnelle ou d'une communication produit[9]. Dans ce dernier cas, la réponse finale prendra, bien sûr, la forme d'un

**FIGURE 19.4**
L'image de quatre
sociétés françaises
mesurées à l'aide
du différentiel
sémantique

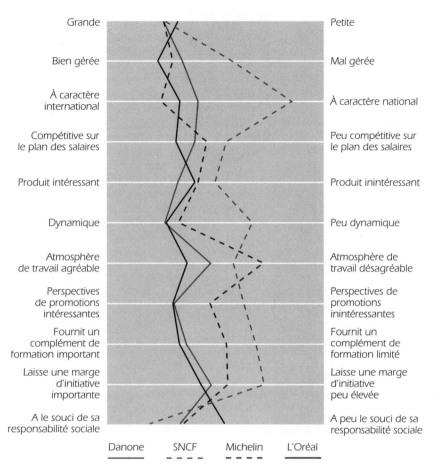

| Grande | | Petite |
| Bien gérée | | Mal gérée |
| À caractère international | | À caractère national |
| Compétitive sur le plan des salaires | | Peu compétitive sur le plan des salaires |
| Produit intéressant | | Produit inintéressant |
| Dynamique | | Peu dynamique |
| Atmosphère de travail agréable | | Atmosphère de travail désagréable |
| Perspectives de promotions intéressantes | | Perspectives de promotions inintéressantes |
| Fournit un complément de formation important | | Fournit un complément de formation limité |
| Laisse une marge d'initiative importante | | Laisse une marge d'initiative peu élevée |
| A le souci de sa responsabilité sociale | | A peu le souci de sa responsabilité sociale |

Danone    SNCF    Michelin    L'Oréal

achat. Mais avant de se décider à acheter, un consommateur passe à travers différents stades qu'il est important d'identifier.

En général, un responsable marketing attend de sa cible une réponse *cognitive, affective* ou *comportementale*. En d'autres termes, la réaction souhaitée peut prendre la forme d'une connaissance, d'un sentiment ou d'un comportement. On considère souvent que le stade cognitif précède l'affectif, qui lui-même précède le comportement. Cette séquence « savoir-ressentir-agir » est pertinente lorsque la cible est fortement impliquée dans l'achat et considère qu'il existe des différences majeures entre les produits existants. C'est, par exemple, le cas des achats de voitures. Une séquence alternative « agir-ressentir-savoir » s'applique lorsque l'implication est forte mais les produits peu différenciés (revêtement en aluminium). Une troisième séquence, « savoir-agir-ressentir » correspond aux produits peu impliquants et peu différenciés (le sel, la farine)[10]. Plusieurs modèles ont été proposés pour décrire les réponses des individus à une campagne de communication. La figure 19.5 en présente quatre. Nous considérons dans ce qui suit les différentes étapes du modèle de hiérarchie des effets (deuxième colonne de la figure) applicable aux produits impliquants et différenciés.

CHAPITRE 19
Gérer une
communication
marketing
intégrée

581

**FIGURE 19.5**
Modèles
des niveaux
hiérarchiques
de réponse

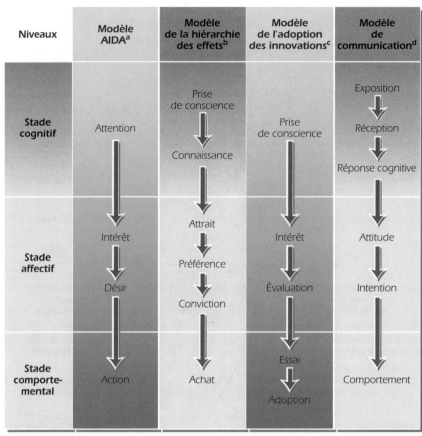

| Niveaux | Modèle AIDA[a] | Modèle de la hiérarchie des effets[b] | Modèle de l'adoption des innovations[c] | Modèle de communication[d] |
|---|---|---|---|---|
| **Stade cognitif** | Attention | Prise de conscience ⟱ Connaissance | Prise de conscience | Exposition ⟱ Réception ⟱ Réponse cognitive |
| **Stade affectif** | Intérêt ⟱ Désir | Attrait ⟱ Préférence ⟱ Conviction | Intérêt ⟱ Évaluation | Attitude ⟱ Intention |
| **Stade comportemental** | Action | Achat | Essai ⟱ Adoption | Comportement |

*Sources :* a) E.K. Strong, *The Psychology of Selling* (New York : McGraw-Hill Book Company, 1925), p. 9 ; b) Robert J. Lavidge et Gary A. Steiner, « Un Modèle de prévision des effets de la publicité », dans M. Chevalier et R. Fenwick, *La Stratégie marketing* (Paris : PUF, 1975), pp. 176-182 ; c) Everett M. Rogers, *Diffusion et innovations* (New York : The Free Press, 1962) ; pp. 79-86 ; d) Diverses sources.

♦ *La prise de conscience.* Si l'audience visée n'a pas conscience du produit concerné, la première tâche est de construire la notoriété, en général à l'aide de messages simples et répétitifs. Par exemple, en 1992, le Conseil général des Hauts-de-Seine a décidé la création d'une université privée appelée Léonard de Vinci. Le premier problème de marketing de cette université a été de faire connaître son existence auprès des divers publics qui l'intéressent. On avait pensé mesurer les résultats obtenus en termes de notoriété spontanée (Pouvez-vous me citer le nom d'universités ?), ou assistée (Voici une liste d'universités. Pouvez-vous m'indiquer celles que vous connaissez, ne serait-ce que de nom ?).

♦ *La connaissance.* La simple notoriété ne suffit pas et il serait de peu d'utilité pour la nouvelle université de se contenter de promouvoir son nom. Elle préférerait certainement que les étudiants intéressés par ses programmes d'études reconnaissent sa spécificité, notamment en la différenciant de la concurrence universitaire (Dauphine, Nanterre) et en identifiant ses orientations pédagogiques (par exemple la place réservée aux enseignements de gestion).

- *L'attrait.* Une audience peut très bien connaître un produit et y être indifférente, voir hostile. Il s'agit ici, pour la nouvelle université, de donner envie aux étudiants de s'y inscrire en mettant en avant la qualité de ses programmes, sa nouveauté et son dynamisme, ses liens privilégiés avec les entreprises, son emplacement, etc.

- *La préférence.* Une cible peut *aimer* un produit, mais non le *préférer.* Cette fois, l'accent est mis sur les caractéristiques *distinctives* de l'université, ses points de *supériorité* et non plus ses aspects descriptifs. Une mesure régulière de la préférence est l'un des indicateurs-clés d'une action de communication.

- *La conviction.* La préférence elle-même reste insuffisante tant qu'elle ne s'accompagne pas d'une *conviction*[11]. Dans le cas de l'université, on mesurerait probablement la conviction en termes d'*intention,* saisie à travers les demandes de documentation, d'inscription, etc.

- *L'achat.* Enfin, l'intention doit se transformer, pour une partie de la cible au moins, en achat. L'objectif de la communication est alors de faciliter cette ultime démarche. Une université peut y parvenir en diffusant largement des dossiers d'inscription clairs, en invitant des candidats à assister à des cours, voire en proposant des facilités de paiement.

Spécifier la réponse attendue de la cible est une phase-clé de l'élaboration d'une campagne de communication. L'analyse des liens qui unissent ces différentes réponses a donné naissance à des outils de diagnostic tels que le Megabrand System (voir encadré 19.1).

---

**19.1**

## Un système de mesure des différentes étapes de la relation à une marque : le Megabrand System

La prise de conscience du capital que représente une marque a poussé de nombreuses entreprises à chercher à en mesurer la valeur. Le Megabrand System, élaboré par la Sofres, consiste à décomposer les différentes étapes de la relation à une marque en cinq stades, présentés à la figure ci-dessous. La notoriété est ici mesurée de façon assistée tandis que la richesse d'évocation mesure l'amplitude des associations entretenues à l'égard de la marque. La qualité perçue isole les perceptions qui correspondent aux attentes du client. Enfin, la force

de conviction de la marque correspond à la fréquence avec laquelle cette marque serait choisie avec certitude si un achat devait être effectué dans la catégorie de produit. Ainsi, Michelin dispose d'une force de conviction supérieure à 50 % tandis que Skoda n'arrive pas à dépasser quelques pour cent. L'analyse des relations existant entre les différentes étapes fournit un outil puissant de diagnostic de la valeur d'une marque. Ainsi, à notoriété égale, la richesse d'évocation ou la qualité perçue peuvent grandement varier d'une marque à une autre. De même, la contribution relative de la qualité perçue et de l'utilisation révèle le poids des éléments mentaux et comportementaux dans la construction de la conviction.

*Source :* Voir Bernard Dubois et Patrick Duquesne, «Un concept essentiel pour gérer les marques : la force de conviction», *Revue française de marketing,* juillet 1995, pp. 3-32.

CHAPITRE 19
Gérer une
communication
marketing
intégrée

583

## Le message

Ayant identifié la cible et la réponse souhaitée, le responsable marketing doit élaborer un message approprié. Quatre problèmes se posent :

♦ Que dire? *(contenu du message)*
♦ Comment le dire au plan logique? *(structure du message)*
♦ Comment le dire au plan symbolique? *(format du message)*
♦ Qui doit le dire? *(source du message)*

**LE CONTENU DU MESSAGE** ❖ Émettre une communication revient à imaginer ce qu'il faut dire pour provoquer la réponse désirée chez le récepteur. On distingue les axes rationnels, émotionnels et éthiques. Un *axe rationnel* s'efforce de démontrer que le produit délivrera ses promesses. Un message rationnel évoque donc la qualité, l'économie, ou la performance. On soutient volontiers que les acheteurs industriels sont sensibles à une argumentation rationnelle. Ils connaissent les produits et leurs caractéristiques et doivent rendre compte de leur choix. En outre, ils ont le temps de comparer les offres des fournisseurs et sont également réceptifs à un message centré sur la qualité, la solidité, ou tout autre élément rationnel.

Les *axes émotionnels* sont destinés à engendrer une réaction affective (positive ou négative) de nature à provoquer l'achat. Les approches négatives font principalement appel à la peur (voir encadré 19.2), la culpabilité ou la honte,

---

**19.2**

 **Faut-il utiliser la peur en publicité ?**

Le recours à des messages fondés sur la peur ou la menace a fait l'objet de nombreuses recherches en marketing et dans d'autres domaines tels que la science politique ou l'éducation des enfants. On pensait autrefois que l'efficacité du message était proportionnelle au degré de peur suscitée : plus la crainte était grande, plus la tension était forte, et plus vif était le désir de la combattre. Une célèbre étude de Janis et Feshbach montra, au contraire, qu'un message modéré était plus efficace.

Selon Ray et Wilkie, la peur engendre deux effets : «D'abord, il y a l'effet de visibilité, souvent ignoré en marketing. Si la peur renforce la motivation, il se peut que l'attention et l'intérêt éprouvés pour le produit soient plus forts qu'en l'absence d'une telle stimulation. Mais la peur s'accompagne aussi d'un effet d'inhibition. Une peur trop intense peut déclencher, chez l'individu, un mécanisme de défense qui le conduit à éviter le message

publicitaire, à nier la menace, à choisir ou à déformer les éléments du message, ou encore à considérer la solution proposée sans rapport avec l'ampleur du danger.»

Selon d'autres chercheurs, certains consommateurs tolèrent davantage la peur que d'autres, et la force du message doit être adaptée en fonction de chaque segment. En outre, pour être totalement efficace, la communication doit présenter une solution qui soit crédible et en rapport avec la peur suscitée; sinon, l'acheteur ignore ou minimise la menace.

*Sources :* Irving Janis et Seymour Feshbach, «Effects of Fear-Arousing Communications», *Journal of Abnormal and Social Psychology,* janv. 1953, pp. 78-92; Michael Ray et William Wilkie, «Fear : The Potential of an Appeal Neglected by Marketing», *Journal of Marketing,* janv. 1970, pp. 55-56; voir J. Burnett et Richard L. Oliver, «Fear Appeal Effects in the Field : A Segmentation Approach», *Journal of Marketing Research,* mai 1979, pp. 181-190. Pour un résumé des études sur le sujet, voir Brian Sternthal et C. Samuel Craig, «Fear Appeals : Revisited and Revised», *Journal of Consumer Research,* déc. 1974, pp. 22-34; Michael Solomon, *Consumer Behavior* (Upper Saddle River : Prentice Hall, 1996), pp. 208-210.

notamment lorsqu'il s'agit de mettre en place des comportements socialement valorisés (don aux organismes charitables, port de la ceinture de sécurité) ou de supprimer des comportements indésirables (tabagie, alcoolisme, toxicomanie).

Les messages émotionnels positifs sont le plus souvent construits sur l'humour, l'amour, l'orgueil ou la joie. Ainsi, un spot télévisé célèbre fait apparaître un personnage de la série *Mission impossible* qui, tout de suite après avoir pris connaissance de sa mission, téléphone à l'UAP pour s'assurer! Un tel message est-il efficace? Les spécialistes restent perplexes[12]. D'un côté, l'humour attire davantage l'attention et la sympathie. En revanche, il semblerait que la compréhension soit affectée. David Ogilvy, l'un des publicitaires ayant eu le plus d'influence sur sa profession, pense que l'on a trop souvent recours à l'humour en publicité : «Les clowns amusent les gens, constate-t-il, mais ne leur vendent rien[13]!» Quant à l'amour et à l'affection, de nombreuses études de motivation indiquent que l'individu agit plus volontiers pour faire plaisir à quelqu'un que par peur de quelque chose.

Les *axes éthiques*, enfin, s'appuient sur le sens moral du récepteur. Ils sont souvent utilisés pour des campagnes d'intérêt général tels que la protection de l'environnement, l'aide aux pays du tiers-monde, le soutien aux handicapés. En France, les campagnes pour l'UNICEF mettent l'accent sur la détresse des jeunes enfants en faisant appel au sens de la responsabilité des nantis. L'approche éthique est plus rarement utilisée pour des produits de consommation courante, le ton moralisateur s'y prêtant moins.

Les entreprises qui vendent leurs produits dans plusieurs pays doivent être prêtes à modifier leurs messages en fonction de l'audience (voir encadré 19.3).

LA STRUCTURE DU MESSAGE ❖ Le pouvoir de persuasion d'un message dépend non seulement de la nature et de l'intensité de son thème, mais également de sa structure. Lors d'une expérimentation auprès de consommateurs n'ayant pas utilisé leur carte de crédit depuis trois mois, on a transmis à une partie des clients un message expliquant l'intérêt d'utiliser la carte et à une autre un message décrivant les inconvénients de ne pas l'utiliser. Ce deuxième groupe a enregistré un taux de réutilisation deux fois plus élevé que le groupe ayant reçu un message positif[14]. Cette expérience montre que la manière de présenter une information a une incidence majeure sur son efficacité.

Les nombreuses études conduites par Hovland et ses disciples, à l'université de Yale, ont permis de répondre à un certain nombre de questions concernant la rhétorique d'un message[15]. *L'émetteur doit-il lui-même tirer les implications du message pour son audience, ou au contraire les laisser implicites?* Les premières recherches avaient établi que le message était plus efficace lorsque la conclusion était explicitement déclarée. D'autres travaux, cependant, aboutirent à des résultats inverses, et il semble que, dans certaines situations, il vaille mieux renoncer à expliciter la conclusion. Ainsi :

♦ Lorsqu'elle n'a pas confiance dans l'émetteur, l'audience peut être hostile à une démarche visant à l'influencer.

♦ Lorsque le message est simple et l'audience experte, elle peut considérer que la conclusion va de soi.

♦ Lorsque le message touche à des problèmes d'ordre personnel, l'audience peut s'opposer à une interférence de l'émetteur.

En marketing, présenter une conclusion de façon trop explicite peut, notamment pour un nouveau produit, limiter le succès commercial. Si ceux qui ont lancé la Peugeot 206 avaient répété que cette voiture était destinée aux jeunes, une telle présentation aurait pu écarter d'autres classes d'âges attirées par cette voiture[16]. Une certaine *ambiguïté dans le stimulus* facilite l'extension

CHAPITRE 19
Gérer une
communication
marketing
intégrée

585

# Les défis lancés à la communication globale

Les sociétés multinationales se heurtent à un certain nombre de difficultés dans l'élaboration de leurs campagnes de communication globale. Elles doivent décider si la campagne est adéquate pour chaque pays, s'assurer que la cible choisie est appropriée, définir si le style est acceptable et enfin se déterminer sur le lieu de conception le plus pertinent pour les campagnes (création locale ou globale).

## 1. La campagne

La bière, le vin et les spiritueux ne peuvent être promus dans les pays musulmans. La publicité pour le tabac est réglementée dans de nombreux pays. Des discussions sont en cours pour l'harmonisation des actions de communication portant sur les cosmétiques. En Grande-Bretagne, Dior a dû modifier la campagne pour sa crème No Age Essential car le bureau britannique de vérification des publicités a jugé que la marque ne pouvait prouver que l'utilisation de son produit rendait dans presque 80 % des cas la peau plus résistante et plus jeune d'aspect.

## 2. La cible

Coca-Cola vend plus de 230 marques dans 200 pays. L'entreprise dispose d'un ensemble de spots parmi lesquels les filiales peuvent choisir en fonction des segments visés dans chaque pays. Quand Douglas Daft a pris la direction générale de l'entreprise en 2000, il a fixé comme règle de «penser de manière globale tout en agissant de manière locale». Autre exemple, McDonald's a dû mettre en avant la famille plutôt que les enfants en Europe du Nord lorsque la société apprit que les publicités destinées aux enfants de moins

de 12 ans étaient interdites en Suède et en Norvège.

## 3. Le style

Le style est également important car, si la publicité comparative, par exemple, est courante en Amérique du Nord, elle est très réglementée en Europe et interdite en Inde ou au Brésil. Pepsi-Cola l'apprit à ses dépens lorsqu'elle tenta de diffuser mondialement son spot comparant, en test aveugle, Pepsi et Coca. De même, en Chine, on n'a pas le droit d'utiliser l'expression «le meilleur» pour qualifier un produit, ce qui oblige de nombreuses sociétés à adapter leurs spots.

## 4. Création locale ou globale

Aujourd'hui, de nombreuses multinationales s'efforcent de donner de leur marque une image globale à l'aide d'une création publicitaire centralisée. La marque L'Oréal Paris utilise le même slogan dans le monde entier («Parce que je le vaux bien», «*Because I am worth it*»...). Après la fusion Daimler-Chrysler, la nouvelle entité a communiqué dans près de 100 pays par des insertions de 12 pages dans les magazines et une brochure de 24 pages autour du même thème : «Attendez de l'extraordinaire».

*Sources :* «Working in Harmony», *Soap Perfumery & Cosmetics*, 1er juillet 1998, p. 27 ; Rodger Harrabin, «A Commercial Break for Parents», *Independent*, 8 septembre 1998, p. 19 ; Naveen Donthu, «A Cross Country Investigation of Recall of and Attitude Toward Comparative Advertising», *Journal of Advertising*, 27, 22 juin 1998, p. 111 ; *Associated Press*, «EU to try again on Tobacco Advertising Ban», 9 mai 2001 ; *Asian Wall Street Journal*, «Coca-Cola Restructuring Effort Has Yet to Prove Effective», 2 mars 2001, p. N4 ; et *Management*, «Incapable de prouver son slogan, Dior a dû retirer une publicité des magazines britanniques», octobre 2001, p. 34.

du marché et une utilisation spontanée du nouveau produit. Une conclusion explicite est plus adaptée au cas de produits complexes ou destinés à une utilisation précise.

*L'émetteur doit-il se contenter de mettre en valeur les avantages de son produit ou également mentionner ses faiblesses ?* Intuitivement, il semblerait qu'un meilleur résultat soit obtenu avec une présentation à sens unique ; c'est d'ailleurs l'approche la plus couramment pratiquée dans les argumentations commerciales, les discours politiques ou l'éducation des enfants. La question, toutefois, n'est pas aussi simple. Tout dépend de l'attitude initiale de l'audience, de son niveau d'éducation et de son exposition éventuelle à d'autres communications[17] :

♦ Un message à sens unique est d'autant plus efficace que l'audience est initialement favorable au point de vue développé dans le message. Inversement, un message à double sens est plus approprié dans le cas d'une audience hostile.

♦ Un message à double sens est d'autant plus efficace que le niveau de connaissance de l'audience est élevé.

♦ Un message à double sens est plus efficace auprès d'une audience soumise à une contre-propagande.

Enfin se pose la question de l'ordre de présentation des arguments. *Faut-il avancer d'emblée ses arguments les plus percutants ou les réserver pour la fin ?* Dans le cas d'un message à sens unique, présenter d'entrée de jeu les arguments les plus puissants permet d'éveiller l'attention et de retenir l'intérêt. C'est particulièrement utile pour une annonce-presse où l'audience ne capte qu'une petite partie du message. Si l'audience est captive (conférence, présentation commerciale), l'ordre inverse peut se révéler plus efficace. Dans le cas d'un message à double sens, si l'audience est *a priori* hostile, il vaut mieux commencer par les arguments contraires. Celle-ci se trouve alors désarmée, et l'on peut conclure sur le message le plus fort.

**LE FORMAT DU MESSAGE** ❖ Il faut par ailleurs choisir les formes symboliques les plus appropriées pour mettre en œuvre le contenu et la structure du message. S'il s'agit d'une annonce presse, l'annonceur doit choisir le format du titre, du texte, de l'image et de la couleur. S'il s'agit d'un spot radio, il faut sélectionner les mots, le ton de voix et le rythme. La bande son d'un message annonçant une vente de liquidation de stocks ne ressemble pas à celle d'un spot présentant un nouveau parfum. Si le message est télévisé, tous ces éléments ainsi que le langage non verbal (langage du corps) sont concernés. Un leader politique doit faire attention à ses expressions faciales, gestes, vêtements, attitude et style de coiffure. Enfin, si le message s'exprime à travers le produit ou son emballage, il faut en surveiller l'aspect, l'odeur, le bruit, la forme et la couleur.

■ **BMW** a conçu une série de petits films à mi-chemin entre la publicité et le cinéma, avec des acteurs aussi connus que Mickey Rourke ou Madonna, et mis en scène par des réalisateurs célèbres comme John Frankenheimer ou Ang Lee. On peut les voir sur Internet (www.bmwfilms.com). Afin de créer du trafic sur son site, l'entreprise a présenté les bandes annonces de ces films comme spots télévisés en 2001. Lors des six premières semaines de diffusion, plus de 3 millions de personnes ont regardé les films sur le Web et nombre d'entre elles ont ensuite demandé des informations sur les voitures[18].

**LA SOURCE DU MESSAGE** ❖ L'émetteur influence également son audience par la façon dont le message est perçu par le public. On donne à ce dernier élément le nom d'*effet de source*. Une source crédible renforce d'autant l'efficacité du message. Ainsi, les laboratoires pharmaceutiques font appel à des médecins pour promouvoir les avantages de leurs médicaments ; les organismes de lutte antitabac à d'anciens fumeurs pour témoigner de l'efficacité de leur programme de désintoxication ; et les publicitaires à des vedettes de cinéma ou du sport pour vanter les mérites de leurs produits.

CHAPITRE 19
Gérer une
communication
marketing
intégrée

587

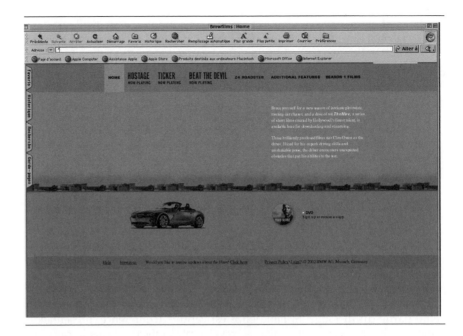

Mais quels facteurs confèrent de la crédibilité à une source ? Trois éléments ont été identifiés : l'expertise, la confiance, et la popularité[19]. L'*expertise* est liée aux compétences que la personne est censée posséder pour parler du produit. Les médecins, savants et professeurs sont perçus comme des experts. La *confiance* est accordée à la source dans la mesure où elle est perçue comme désintéressée. On fait davantage confiance à un ami qu'à un vendeur. La *popularité*, enfin, est fonction de l'attrait que la source exerce sur l'audience. Une source est d'autant plus crédible qu'elle est perçue favorablement sur chacun de ces traits.

Si une personne a une attitude positive ou négative à la fois à l'égard de la source et de son message, on peut dire qu'il existe une cohérence. Mais qu'arrive-t-il si ces deux attitudes entrent en contradiction ? Supposons, par exemple, qu'une personne entende une célébrité qu'elle aime vanter une marque qu'elle n'aime pas. Dans une telle situation, Osgood et Tannenbaum prédisent qu'un changement d'attitude interviendra dans le sens d'une plus grande cohérence entre les deux appréciations[20]. Dans notre exemple, l'individu sera amené à moins aimer la célébrité ou à mieux apprécier la marque.

## Les canaux de communication

Après avoir défini la cible, les objectifs et le message, le responsable marketing doit réfléchir aux différents canaux à utiliser pour transmettre sa communication. Ceux-ci peuvent être classés en deux grandes catégories : les *canaux personnels* et les *canaux impersonnels*.

■ **GALLIMARD JEUNESSE** a associé différents canaux de communication pour le lancement de la série de romans japonais *Le Clan des Otori*, destinée aux adolescents de plus de 15 ans : canaux personnels avec l'envoi d'exemplaires un mois avant le lancement à 400 grands libraires identifiés comme des prescripteurs, canaux impersonnels à travers des publicités dans la presse professionnelle pour toucher les autres acteurs du secteur. Pour atteindre les lecteurs, l'éditeur a eu recours à la publicité dans les médias et sur les lieux de vente : quelques annonces presse, un site Internet dédié avec un concours, 300 présentoirs avec une phrase d'accroche («Une quête épique, un destin mystérieux, un roman envoûtant»), 650 kakémonos en tissu à suspendre au plafond des librairies, 700 «stop-piles» jaunes de 10 volumes, 3 000 affiches et 200 000 marque-pages à la silhouette du héros… pour un objectif de 40 000 ventes les deux premiers mois[21].

**LES CANAUX PERSONNELS** ❖ Ils comprennent tous les moyens permettant un contact individualisé et direct avec l'audience. Il peut s'agir d'un entretien de face à face, d'une communication téléphonique, ou d'une messagerie électronique. Les communications interpersonnelles tirent leur efficacité de ce qu'elles permettent un feedback et un ajustement permanent.

On les répartit en trois groupes : *les canaux commerciaux* constitués par les représentants et autres agents de l'entreprise qui vont au devant de l'acheteur dans le but de l'influencer ; les *canaux d'experts,* qui regroupent des personnes indépendantes (prescripteurs, consultants) jouissant d'un pouvoir d'influence sur l'acheteur en raison de leurs compétences ; et les *canaux sociaux,* constitués par les relations de l'acheteur, notamment ses voisins, ses amis, sa famille. Ces canaux, qui exercent souvent une influence considérable dans le domaine de la consommation, sont également appelés *bouche-à-oreille* (voir encadré 19.4). Une étude paneuropéenne effectuée dans sept pays a ainsi révélé que 60 % des acheteurs d'une nouvelle marque estimaient avoir été influencés par la famille ou les amis[22]. En général, on considère que l'influence personnelle pré-

---

**19.4**

## Comment obtenir un bouche-à-oreille favorable de ses clients

Très souvent, un individu demande à un autre – un ami, un collègue, un membre de sa famille – son avis à propos d'un artisan, d'un médecin, d'un restaurant, etc. S'il a confiance en la personne, il suivra normalement son avis. D'où l'intérêt d'identifier les sources de bouche-à-oreille favorables.

Il y a deux avantages à cela :

♦ **Le bouche-à-oreille est crédible**
C'est le seul média initié par les consommateurs à destination des consommateurs.

♦ **Le bouche-à-oreille est économique**
Entretenir la confiance d'un client satisfait coûte relativement peu, d'autant que, notamment en milieu business-to-business, on peut bénéficier de réciprocités au travers des recommandations croisées.
Michael Cafferky, un spécialiste du bouche-à-oreille, fait les cinq suggestions suivantes :

1. *Impliquez vos clients* dans la conception ou la commercialisation de vos produits et services.

2. *Invitez vos clients satisfaits à témoigner.* Faites remplir des questionnaires d'évaluation et utilisez, avec la permission de leurs auteurs, les commentaires les plus favorables.

3. *Racontez des anecdotes à vos clients* qui les raconteront à d'autres. Elles ont un contenu émotionnel fort.

4. *Formez vos meilleurs clients.* Ils seront plus fidèles.

5. *Traitez rapidement toute réclamation* : une réponse rapide et satisfaisante tue dans l'œuf toute velléité de bouche-à-oreille négatif.

---

*Sources* : Michael Cafferky, Free Word-of-Mouth Marketing Tips, 1999, disponible sur : www.geocities.com/wallstreet/cafferkys. Voir aussi Scott R. Herriot, «Identifying and Developing Referral Channels», *Management Decision*, 30, n° 1 (1992) : 4-9 ; et Jerry R. Wilson, *Word of Mouth Marketing* (New York : John Wiley, 1991).

CHAPITRE 19
Gérer une communication marketing intégrée

domine dans deux cas : 1) *lorsque le produit est cher, présente un risque ou fait l'objet d'un achat peu fréquent* et 2) *lorsque le produit présente un caractère social plutôt que privé* et confère un certain statut à ses utilisateurs (automobiles, vêtements ou même alcool et cigarettes), le consommateur étant alors souvent amené à choisir les marques jugées acceptables par les groupes sociaux auxquels il appartient[23].

Aujourd'hui, de nombreuses sociétés cherchent à tirer parti du pouvoir de recommandation des experts. Par exemple, Regis McKenna conseille à une entreprise de logiciels de promouvoir d'abord ses produits auprès de la presse, des leaders d'opinion et des analystes financiers, puis des revendeurs, et enfin des clients[24].

Une entreprise doit savoir utiliser à son profit les communications interpersonnelles, même si elles sont difficilement contrôlables. Elle peut[25] :

♦ Observer si certains individus ou entreprises exercent une influence et concentrer sur eux les efforts de vente, de mailing ou de publicité.

♦ Transformer certaines personnes en *leaders d'opinion*, en leur fournissant le produit à des conditions préférentielles ou faisant d'elles ses ambassadeurs (par exemple le Club 2000 d'Air France qui regroupe VIP, personnalités et journalistes).

♦ Travailler en collaboration avec les leaders d'opinion locaux, tels que les animateurs de radio, les chefs de classe, les responsables de clubs ou d'associations.

♦ Faire appel, dans le contenu même du message, à des témoignages ou échanges de vues à propos du produit (à l'instar du dialogue établi entre Éric Cantona et son frère pour la promotion des deux rasoirs Bic).

♦ Donner à son action publicitaire un style qui invite à la conversation.

♦ Encourager les clients satisfaits à témoigner.

♦ Créer un forum de discussion sur Internet.

♦ Faire appel aux techniques de marketing viral pour stimuler le bouche-à-oreille électronique (voir encadré 19.5).

**LES CANAUX IMPERSONNELS** ❖ Ils rassemblent tous les médias qui acheminent le message sans contact personnalisé avec l'audience. On peut les répartir en trois catégories. Les *mass media*, c'est-à-dire la presse, la radio, la télévision, le cinéma et l'affichage, sont surtout utiles pour toucher de larges audiences, peu différenciées (à l'exception des médias sélectifs, qui s'adressent à des publics spécialisés). On peut y ajouter Internet pour les bannières et les pages web.

■ **VOLVO** a principalement misé sur Internet pour lancer son nouveau modèle S60 aux États-Unis en 2000. L'entreprise a conclu un accord d'exclusivité avec AOL et développé un site web (www.revolvolution.com) décrivant le véhicule, permettant de configurer la voiture et de prendre rendez-vous avec un concessionnaire. Bien que plus d'un million de personnes se soient connectées au site, moins de 3 000 exemplaires ont été vendus en trois mois. Déçus, les responsables de la marque ont revu leur plan de lancement en y intégrant de la publicité presse et télévisée[26].

Les *ambiances* sont des environnements conçus pour susciter des réactions positives de la part de l'audience à l'égard d'une entreprise ou d'un produit. Ainsi, les dentistes ou les avocats décorent leur cabinet de façon à communiquer une atmosphère de confiance[27]. Les entreprises de services (hôtels, restaurants, banques) et les enseignes de distribution travaillent beaucoup ce canal de communication. Les *événements*, enfin, correspondent à des manifestations préparées à l'avance et relèvent des relations publiques (conférences de presse, soirées, mécénat, sponsoring sportif).

# Le marketing viral ou la stimulation du buzz

Les cartes Pokémon, le film *L'Affaire Blair Witch* ou le premier wap Nokia ont construit leur notoriété à travers le bouche-à-oreille électronique, également appelé «buzz». Pour le stimuler, certaines entreprises contactent directement des clients potentiels identifiés comme des leaders d'opinion, afin de les informer sur le produit ou même le leur prêter. Ces personnes transmettent le message à leurs collègues et amis en se l'appropriant, ce qui lui confère de la crédibilité. Ces leaders d'opinion deviennent ainsi acteurs de la marque.

Pour stimuler la transmission du message, certaines entreprises promettent un produit gratuit à qui fera suivre un message e-mail à un certain nombre de personnes. D'autres jouent sur l'humour (parodie, message décalé), l'appel à la curiosité (jeux de piste en ligne) ou les divertissements (bandes dessinées). D'autres encore signent certains messages. Par exemple, le fournisseur d'accès à Internet Hotmail a longtemps inséré à la fin des messages transmis par son intermédiaire, la phrase : «Obtenez un accès e-mail gratuit à http://www.hotmail.com»; avec moins de 500 000 dollars de budget marketing de lancement, il a réussi à attirer plus de 12 millions de clients en 18 mois.

Extrêmement utilisées dans les activités liées à Internet, ces pratiques se répandent aujourd'hui à d'autres secteurs d'activité où l'on apprécie leur faible coût. Skip a lancé une nouvelle lessive en adressant 13 000 e-mails aux «e-fluentials» (leaders d'opinion sur Internet) pour leur proposer de tester le produit en avant-première et de faire part de leur expérience. Le film *AI, Artificial Intelligence*, de Steven Spielberg a fait l'objet d'un jeu de piste géant en ligne, immergeant le spectateur dans son univers et favorisant la création de communautés virtuelles. La radio Europe 2, l'opérateur de téléphonie mobile Orange, le shampooing Pantène et les préservatifs Manix ont également eu recours au marketing viral.

Renée Dye considère que le buzz répond à quelques principes simples et bat en brèche cinq idées reçues à son sujet.

♦ Seuls les produits extravagants stimuleraient le bouche-à-oreille : c'est faux puisque même les médicaments vendus sur prescription peuvent faire l'objet d'un buzz intense.

♦ Le bouche-à-oreille surviendrait ou ne surviendrait pas, mais on n'y pourrait rien. Cette idée reçue est aujourd'hui largement remise en cause par les nombreux succès de marketing viral remportés par les entreprises qui s'appuient sur des célébrités, des clients d'avant-garde, des listes de diffusion et des sites de discussion sur Internet.

♦ Les plus gros clients constitueraient le meilleur point de départ du bouche-à-oreille. Or ce sont souvent les adeptes de la contre-culture et les clients atypiques qui jouent un rôle-clé.

♦ Pour s'appuyer sur le bouche-à-oreille, il faudrait agir le premier et être rapide. N'oublions pas que certains copieurs habiles peuvent également y recourir.

♦ Il serait nécessaire d'utiliser la publicité et les médias pour stimuler le buzz. Bien au contraire, si elles sont utilisées trop tôt ou trop intensément, les techniques de communication classiques peuvent étouffer le bouche-à-oreille électronique.

En conclusion, cette technique peut provoquer des succès commerciaux inespérés avec des budgets très réduits. Elle favorise également la propagation d'informations à travers le monde. Cependant, sa généralisation entraîne un risque de lassitude chez les consommateurs. Plus grave, il existe un risque de dénaturation du message qui peut se retourner contre son instigateur.

*Sources :* Gilles Bernard et Frédéric Jallat (2001), «Blair Witch, Hotmail et le marketing viral», *L'Expansion Management Review*, mars 2001, pp. 81-92; Renée Dye, «The Buzz on Buzz», *Harvard Business Review*, novembre-décembre 2000, p. 139; *Business Week on line*, «Buzz Marketing-Suddenly : this stealth strategy is hot but it's still fraught with risk», 30 juillet 2001; *CB News*, «Le Marketing viral va-t-il détrôner la publicité traditionnelle?», 29 octobre 2001, p. 74 et *Le Nouvel Hebdo*, «Le marketing viral : une arme à double tranchant», 30 novembre 2001, p. 19.

CHAPITRE 19
Gérer une communication marketing intégrée

Même si les moyens de communication de masse sont généralement moins influents que les canaux d'influence personnelle, la communication de masse reste souvent le meilleur moyen de stimuler l'influence personnelle. Beaucoup pensent, en effet, que les médias modifient les attitudes et les comportements selon un *processus de communication en deux temps*.

Cette approche suggère que l'influence des médias sur l'opinion n'est pas aussi directe, ni automatique qu'on peut le supposer ; elle passe par l'intermédiaire de *leaders d'opinion*, c'est-à-dire de personnes qui sont plus exposées aux mass médias que les autres, et dont les opinions sont respectées au sein des groupes auxquels elles appartiennent[28]. Ces personnes, en véhiculant le message, étendent le champ d'influence des communications de masse ; parfois, cependant, elles altèrent ou s'opposent à la diffusion d'un message, jouant ainsi un rôle de « censeur ».

En outre, cette vision remet en question l'idée selon laquelle les individus sont influencés dans leur comportement d'achat en fonction d'un mouvement descendant, c'est-à-dire par imitation des classes supérieures. Étant donné que les relations interpersonnelles se développent le plus souvent à l'intérieur d'un même groupe social, les nouvelles idées et modes sont transmises par ceux qui, au sein de chaque groupe, jouent le rôle de leaders d'opinion.

Enfin, il apparaît que l'émetteur d'une communication de masse qui veut diffuser son message de façon efficace a intérêt à concentrer son effort sur les leaders d'opinion, laissant à ceux-ci le soin de transmettre le message aux autres. Ainsi, un laboratoire pharmaceutique pourra orienter la promotion de ses nouveaux médicaments vers les médecins les plus influents. Sur de nombreux marchés, cependant, les leaders d'opinion ne peuvent guère être distingués des individus qu'ils influencent. Il est par conséquent difficile de leur adresser une communication spécifique destinée à renforcer l'image du produit.

## Le budget de communication

Toute entreprise doit décider du montant global de son investissement en communication, l'une des décisions les plus difficiles à prendre. John Wanamaker, le magnat des grands magasins américains, avait coutume de dire : « Je sais que la moitié de mon budget publicitaire est investie en pure perte, mais je ne sais pas laquelle. »

Quatre méthodes sont couramment employées.

**LA MÉTHODE FONDÉE SUR LES RESSOURCES DISPONIBLES** ❖ De nombreuses entreprises établissent leur budget de communication en fonction des ressources qu'elles estiment pouvoir y consacrer. Ainsi le directeur d'une entreprise importante raconte : « D'abord, je monte voir le contrôleur de gestion et je lui demande combien il peut m'accorder cette année. Mettons qu'il me réponde : "un million et demi". Lorsque le patron vient me voir et me demande combien nous allons dépenser cette année, je lui réponds "Eh bien, environ un million et demi[29]." »

Établir un budget de cette façon revient à éluder la relation entre l'effort de communication et la vente. D'autre part, une telle approche, réitérée chaque année, empêche tout plan de développement à terme.

**LE POURCENTAGE DU CHIFFRE D'AFFAIRES** ❖ Nombre d'entreprises fixent leur budget publicitaire à partir de leur chiffre d'affaires. Dans une entreprise de transport, la méthode adoptée est la suivante : « Nous établissons notre budget au 1er décembre de chaque année. Nous considérons alors notre chiffre d'affaires de l'année en cours, auquel nous ajoutons celui escompté pour le mois de décembre et fixons à 2 % du total notre budget publicitaire pour l'année suivante[30]. »

Une telle pratique présente un certain nombre d'avantages. D'abord, elle fait varier le budget en fonction du revenu de l'entreprise, ce qui satisfait la direction financière. Ensuite, elle stimule la réflexion sur la relation entre l'effort de communication, le prix de vente et la marge unitaire. Enfin, elle évite un conflit avec la concurrence, dans la mesure où les autres fabricants appliquent plus ou moins le même pourcentage.

En dépit de ses avantages, la méthode du pourcentage se justifie mal. Elle aborde le problème à l'envers, en considérant les ventes comme la cause, et non l'effet de la communication. Elle privilégie l'état des ressources existantes au détriment des opportunités de développement. Elle décourage toute expérience de promotion à contre-courant ou de dépense massive. En faisant dépendre le budget des fluctuations annuelles, elle empêche tout programme d'action s'étendant sur plusieurs années. Elle ne fournit aucun critère logique de fixation du pourcentage, en dehors des activités passées de l'entreprise ou de celle des concurrents. Enfin, elle ne facilite guère la répartition du budget entre les différents produits et secteurs de l'entreprise, si ce n'est en fonction des ventes.

L'ALIGNEMENT SUR LA CONCURRENCE ❖ D'autres entreprises préfèrent établir leur budget en fonction des dépenses de leurs concurrents, de façon à maintenir une certaine parité. Ainsi, on calcule la *part de voix* d'une marque, égale à la part que représente son budget publicitaire par rapport à l'ensemble des dépenses de publicité des marques de la catégorie[31]. Comparer sa part de voix avec sa part de marché permet d'analyser l'intensité des efforts publicitaires que la marque consent.

On avance deux arguments à l'appui de cette approche : 1) elle s'inspire de la sagesse collective de la branche; 2) elle évite toute guerre à coups de budgets de communication. À l'analyse, aucun de ces arguments ne tient. Il n'y a aucune raison pour que la concurrence dispose de meilleures méthodes de détermination, ni aucune garantie que le fait d'équilibrer les budgets stabilise une fois pour toutes les dépenses. En outre, la création d'une communication audacieuse, plus marquante que celle des concurrents, permet de bénéficier d'une visibilité supérieure malgré des investissements limités. La lessive Omo, avec sa campagne mettant en scène des singes, a ainsi augmenté ses ventes de 25 % en trois ans avec un budget inférieur aux leaders du secteur. Il est certainement très utile de connaître les investissements de communication des concurrents, mais cela ne peut suffire pour déterminer son propre budget.

LA MÉTHODE FONDÉE SUR LES OBJECTIFS ET LES MOYENS ❖ Cette méthode suppose que le responsable marketing définisse précisément ses objectifs de communication, identifie les moyens permettant de les atteindre, et évalue les coûts de ces moyens. C'est la somme totale obtenue qui constitue le budget.

Appliquée au cas du lancement d'une nouvelle cigarette, une telle approche s'articule autour de cinq étapes[32]. Il faut successivement déterminer :

1. *La part du marché à atteindre.* Supposons que l'annonceur veuille obtenir 8 % du marché. Sur un marché total de 10 millions de fumeurs cela représente 800 000 personnes.

2. *Le pourcentage d'individus devant être exposés au message.* Supposons que l'annonceur espère toucher 80 % du marché, soit 8 millions de fumeurs.

3. *Le pourcentage d'individus devant être persuadés d'essayer la nouvelle marque.* Imaginons que ce chiffre soit de 25 % des fumeurs exposés au message, soit 2 millions de personnes. Sur ces 2 millions, 40 %, soit 800 000, deviendraient des acheteurs réguliers (ce qui correspond à l'objectif de part de marché de 8 %).

4. *Le nombre d'expositions à obtenir.* Par exemple, on estime que 40 expositions pour chaque pourcent de la cible permettent d'obtenir un taux d'essai de 25 %.

5. *Le budget.* En supposant que le coût d'un contact avec 1 % du marché (que l'on appelle en publicité le GRP ou Gross Rating Point) soit de 150 €, le budget total s'élèvera à 3 200 GRP, (40×80), soit 480 000 €.

Une telle approche oblige le responsable marketing à expliciter ses hypothèses relatives aux liens existant entre les dépenses, le nombre d'expositions, le taux d'essai et le taux d'utilisation du produit. Des modèles informatisés existent pour l'assister dans cette tâche.

En définitive, le poids des dépenses de communication dans le mix marketing dépend du type de produit (différencié ou non), de son stade dans le cycle de vie et de sa facilité de vente. Certaines marques dans l'industrie cosmétique investissent 30 à 50 % de leur chiffre d'affaires en communication. Certaines firmes industrielles ne dépassent pas 5 %. En théorie, on devrait investir tant que l'euro marginal de communication apporte un profit équivalent à l'euro marginal investi dans les autres domaines (qualité du produit, système de distribution, etc.). Mais un tel principe n'est guère facile à appliquer en pratique.

## La répartition du budget de communication

Une fois le budget fixé, il faut le répartir entre les cinq principaux outils de communication : publicité, promotion des ventes, marketing direct, relations publiques et force de vente. Les entreprises diffèrent beaucoup dans la façon dont elles effectuent ce choix, même à l'intérieur d'un secteur donné. Ainsi, dans le domaine des cosmétiques, Avon met l'accent sur la force de vente tandis que Revlon privilégie la publicité. La figure 19.6 présente la ventilation des efforts de communication des annonceurs français.

Les entreprises s'efforcent d'accroître leur efficacité globale en remplaçant certains outils de communication par d'autres. Certaines d'entre elles, par exemple, essaient de remplacer la vente personnelle, coûteuse, par des actions de marketing direct. Parfois, les différents outils s'enchevêtrent les uns les autres, par exemple, lorsque l'on effectue une campagne de publicité pour faire connaître l'existence d'une promotion. De même, des actions de relations publiques préparent la venue des représentants. C'est cette imbrication qui rend nécessaire une gestion intégrée des différents moyens de communication au sein du département marketing.

**FIGURE 19.6**
La répartition des dépenses de communication en 2000 (total : 29 milliards d'euros)

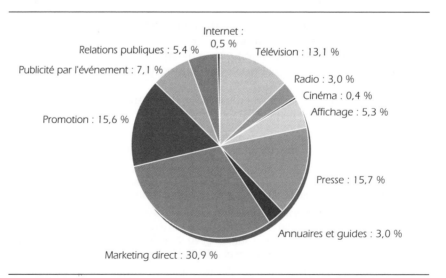

Internet : 0,5 %
Relations publiques : 5,4 %
Publicité par l'événement : 7,1 %
Télévision : 13,1 %
Radio : 3,0 %
Cinéma : 0,4 %
Affichage : 5,3 %
Promotion : 15,6 %
Presse : 15,7 %
Annuaires et guides : 3,0 %
Marketing direct : 30,9 %

*Source :* France Pub.

**LA NATURE DES OUTILS DE COMMUNICATION** ❖ Les cinq grands outils de communication ont chacun leurs avantages et leurs limites. Analysons-les tour à tour.

**La publicité.** En raison de ses multiples facettes, il est difficile de définir en quelques phrases la place de la publicité au sein du mix de communication. On peut cependant noter les caractéristiques suivantes[33] :

- *Un mode de présentation public :* la forte visibilité de la publicité confère une sorte de légitimité au produit et facilite la présentation d'une offre standardisée.

- *Une puissance d'action :* la publicité est un moyen puissant qui permet à une entreprise de répéter son message à de nombreuses reprises. Elle permet également à l'acheteur de recevoir et de comparer les messages concurrents. Une campagne de publicité massive constitue, en outre, un indice de l'importance et de la popularité de l'annonceur.

- *Une faculté d'expression exceptionnelle :* en jouant sur les images, les sons et les couleurs, la publicité offre à l'entreprise qui souhaite présenter ses produits de façon attrayante, une richesse d'expression de tout premier ordre.

- *Un caractère impersonnel :* l'audience ne se sent pas obligée de prêter attention ni de réagir. La publicité n'est pas capable d'engager un dialogue, elle ne peut que transmettre un monologue.

La publicité peut servir de multiples objectifs : la construction à long terme d'une image, le développement de la notoriété d'une marque, la diffusion d'une information relative à une vente ou un événement à court terme, etc. Elle permet en général, de toucher une large audience pour un coût relativement raisonnable. Certains médias (presse spécialisée) sont compatibles avec les petits budgets, tandis que d'autres (télévision) requièrent des investissements conséquents.

**La promotion des ventes.** En dépit de son hétérogénéité (échantillons, primes, concours, bons de réduction, etc.), la promotion des ventes présente trois caractéristiques :

- *Un pouvoir de communication.* Les opérations promotionnelles attirent l'attention et fournissent de l'information susceptible d'engendrer l'achat.

- *Un pouvoir de stimulation.* Une opération promotionnelle contient toujours un avantage supplémentaire destiné à stimuler l'acheteur.

- *Un impact à court terme.* Le pouvoir stimulant doit provoquer une réponse immédiate.

De nombreuses techniques de promotion des ventes ont un pouvoir d'attraction élevé, souvent suffisant pour interrompre momentanément les habitudes et l'inertie du consommateur à l'égard d'un produit.

**Le marketing direct.** Bien qu'il recouvre lui aussi de nombreux outils (mailing, marketing téléphonique, Minitel, Internet, ...), ses caractéristiques essentielles sont :

- *Son caractère sélectif.* En général, une opération de marketing direct ne s'adresse pas à l'ensemble de la population mais au contraire à un segment finement ciblé.

- *Son aspect «sur mesure».* La plupart des messages sont personnalisés.

- *Sa rapidité.* Une opération de marketing direct peut être préparée très rapidement.

- *Son interactivité.* Le contenu du message peut s'ajuster à la réponse de la demande.

CHAPITRE 19
Gérer une
communication
marketing
intégrée

595

**Les relations publiques.** Comparées aux autres modes de communication, les actions de relations publiques se caractérisent par :

- *Un haut niveau de crédibilité :* la présentation sous forme d'informations émanant des médias offre une crédibilité bien supérieure à un message publicitaire.
- *Une aptitude à vaincre les résistances :* une opération de relations publiques peut atteindre de nombreux prospects qui, habituellement, évitent les vendeurs et la publicité.
- *Une grande force d'expression :* tout comme la publicité, les relations publiques offrent un potentiel considérable pour la présentation attrayante d'un produit ou d'une entreprise.

Les relations publiques ont tendance à être sous-utilisées dans l'entreprise. Pourtant elles apportent, dans certaines conditions, une aide très efficace.

**La vente.** La vente est un outil de communication particulièrement efficace à la fin du processus d'achat pour construire la préférence, la conviction et l'achat. Ses principales spécificités sont :

- *Une dimension d'échange interpersonnel :* l'activité de vente suppose un contact direct et réciproque entre deux ou plusieurs personnes. Chaque partie peut observer de près les caractéristiques et les besoins de l'autre et s'adapter en conséquence.
- *Une vision à terme :* la vente permet l'établissement de toutes sortes de relations humaines, allant du simple contact commercial à une profonde amitié personnelle.
- *Une nécessité de réponse :* contrairement à la publicité, l'activité de vente engage l'acheteur, dans la mesure où celui-ci se trouve face à un vendeur qui consacre du temps à essayer de le convaincre.

**LES FACTEURS INFLUENÇANT LE CHOIX DU MIX DE COMMUNICATION** ❖ D'une manière générale, trois facteurs président au choix du mix de communication.

**Le couple produit/marché.** La répartition des budgets de communication des produits de grande consommation et des biens industriels fait apparaître de grandes différences. Dans les premiers, le principal poste de dépense est la publicité, suivie par la promotion, la force de vente et les relations publiques. Une étude menée par Low et Mohr a conclu que les marques de grande consommation accordent une part d'autant plus importante de leur budget de communication à la publicité que 1) elles sont en phase de lancement ou de croissance, 2) elles sont fortement différenciées de leurs concurrentes, 3) les responsables de la marque sont jugés sur des résultats à long terme et 4) sont anciens dans l'entreprise, et que 5) les distributeurs disposent d'un faible pouvoir dans le secteur[34].

Pour les produits industriels, la communication passe avant tout par la force de vente et la promotion, devant la publicité et les relations publiques. En général, la force de vente est d'autant plus utilisée que les produits sont complexes, coûteux et risqués, et que les entreprises sont puissantes et peu nombreuses.

Cependant, même en milieu industriel, la publicité n'en est pas moins susceptible de remplir un grand nombre de fonctions :

- Faire connaître l'existence de l'entreprise ou du produit.
- Expliquer certaines caractéristiques du produit.
- Rappeler l'existence du produit plus économiquement que par la visite d'un représentant.

- Faciliter le travail de prospection du représentant si la publicité comporte un coupon à renvoyer.
- Être mentionnée par le représentant lors de sa visite pour asseoir la légitimité de l'entreprise et de ses produits.
- Rappeler à la clientèle les différentes façons d'utiliser le produit et la rassurer sur ses achats.

Un grand nombre de travaux ont souligné l'importance de la publicité en milieu industriel. Par exemple, Morrill a montré que pour certains produits de base, la publicité couplée à un effort de vente accroissait les ventes de 23 %[35]. Une autre étude menée par Theodore Levitt, a cherché à déterminer les rôles respectifs de la réputation de l'entreprise (essentiellement due à la publicité) et de la visite du représentant (force de vente) dans le déclenchement d'une vente. Les résultats furent les suivants :

- La réputation générale d'une entreprise exerce une influence positive en permettant au représentant d'obtenir un premier rendez-vous et de mieux faire accepter le produit. Dans la mesure où elle contribue à développer cette réputation, la publicité institutionnelle constitue une aide précieuse pour le commercial.
- Le représentant d'une société très connue a davantage de chances de conclure la vente, à condition que sa présentation réponde aux attentes de la clientèle. Inversement, le représentant d'une entreprise moins connue qui effectue une excellente présentation peut surmonter son handicap initial. Pour une petite entreprise, il est, par conséquent, souvent plus rentable d'investir dans la sélection et la formation d'une très bonne force de vente, plutôt qu'en publicité.
- La réputation de l'entreprise est d'autant plus importante que le produit est complexe, le risque élevé et l'acheteur peu compétent[36].

De son côté, Gary Lilien a conclu, dans le cadre de son projet Advisor, que :
- L'entreprise industrielle consacre en moyenne 7 % de son chiffre d'affaires au marketing et 10 % de ce dernier à la publicité.
- Une entreprise dépense plus que la moyenne lorsque ses produits sont meilleurs, différenciés ou ont un rythme d'achat supérieur.
- Elle dépense également davantage lorsque le marché est en croissance et que la clientèle est dispersée[37].

De même, la force de vente d'une entreprise de grande consommation peut jouer un rôle plus grand qu'il n'y paraît à première vue. Dans ce secteur, de nombreuses sociétés utilisent essentiellement leurs représentants pour prendre les commandes et vérifier que les stocks sont suffisants et en bonne place. Il est généralement admis que «C'est le représentant qui place le produit en rayon, mais c'est la publicité qui l'en fait partir». Pourtant, une force de vente bien formée peut apporter une triple contribution :

- *Un meilleur «facing»* : un représentant persuasif peut obtenir des détaillants qu'ils augmentent leur stock en rayon et allouent davantage d'espace aux marques dont il a la charge.
- *Un enthousiasme pour l'innovation* : un représentant doit susciter chez ses distributeurs un enthousiasme pour tout nouveau produit de l'entreprise en leur présentant de façon vivante la campagne publicitaire et promotionnelle de lancement.
- *La prospection de nouveaux distributeurs* : seuls les représentants peuvent convaincre de nouveaux détaillants de commercialiser leurs marques.

En définitive, le mix de communication dépend du choix qu'a fait l'entreprise entre une *stratégie «push» ou «pull»*. Ces deux approches, présentées au chapitre 17, sont rappelées dans la figure 19.7.

CHAPITRE 19
Gérer une
communication
marketing
intégrée

597

**FIGURE 19.7**
Stratégie *push*
et stratégie *pull*

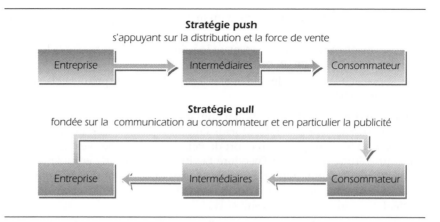

**FIGURE 19.8**
Efficacité du mix
de communication
à différents stades
du processus d'achat

**Le niveau de réponse de l'acheteur.** L'efficacité des outils de communication varie selon les différents stades du processus d'achat. La figure 19.8 montre que la publicité et les relations publiques sont plus efficaces que la force de vente pour développer la notoriété. La force de vente fait jeu égal avec la publicité pour assurer la compréhension mais vient en tête au stade de la conviction. Quant à l'achat, il est prioritairement influencé par le représentant et la promotion. Le réachat passe par les mêmes leviers, ainsi que par la publicité de rappel.

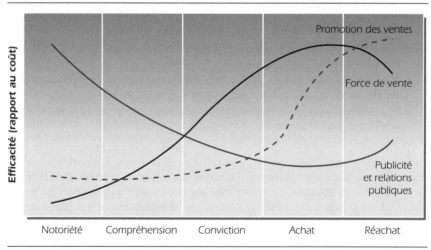

**L'étape dans le cycle de vie.** L'efficacité relative des principaux outils de communication varie également aux différents stades du cycle de vie du produit.

♦ En phase de *lancement*, ce sont la publicité et les relations publiques qui l'emportent, suivies par la promotion puis la force de vente. La promotion des ventes sert surtout à favoriser l'essai du produit tandis que la force de vente permet d'assurer la couverture en distribution.

♦ En phase de *croissance*, le bouche à oreille se développe et se substitue progressivement aux efforts de l'entreprise.

♦ La phase de *maturité* se caractérise, en revanche, par une intense activité promotionnelle destinée à contrer la concurrence et diversifier les utilisations du produit. L'accent est mis davantage sur les actions destinées au réseau que sur la publicité consommateur.

♦ Enfin, lorsque le produit *décline*, les actions de communication diminuent. Le budget de relations publiques est pratiquement réduit à zéro ; les vendeurs n'attachent plus guère d'importance au produit et la publicité se contente d'un rôle d'entretien. Seules les promotions sur les prix sont pratiquées avec régularité.

## La mesure des résultats

La direction de l'entreprise a besoin de connaître l'impact et la rentabilité des opérations réalisées. La communication est trop souvent présentée comme un poste de dépenses. Pour mieux négocier leurs budgets, les responsables de la communication dans les entreprises doivent évaluer avec soin ses effets. Dans ce but, on mènera une enquête auprès des consommateurs de la cible pour déterminer s'ils ont été exposés au message (et combien de fois), s'ils s'en souviennent, s'ils l'ont compris, s'ils l'attribuent bien à la marque et non à un concurrent, ce qu'ils en ont pensé et s'ils ont modifié leur attitude vis-à-vis de l'entreprise et de ses produits. On examinera bien entendu les évolutions de comportement obtenues en termes d'achat, de consommation et de bouche-à-oreille diffusé.

Afin d'établir un diagnostic précis, on pourra analyser le pourcentage de la cible situé à chaque étape du processus d'achat, et éventuellement établir une comparaison avant et après la campagne. La figure 19.9 montre la situation comparée de deux nouvelles marques. 80 % des consommateurs connaissent la marque A ; parmi eux, 60 % l'ont essayée et 20 % en ont été satisfaits. La campagne de communication a donc été efficace pour construire la notoriété et l'essai, mais le produit ne semble pas répondre aux attentes des clients. À l'inverse, seuls 40 % des consommateurs connaissent la marque B et seuls 30 % d'entre eux l'ont essayée, mais elle satisfait 80 % des clients qui l'ont essayée. Le produit, ici, ne pose pas problème. La communication, en revanche a été déficiente : elle n'a su générer une notoriété suffisante, ni un essai important (même si le taux d'essai doit également être analysé en fonction de la présence du produit en magasin).

# *La planification de la communication intégrée*

Beaucoup d'entreprises concentrent encore leurs efforts de communication sur un petit nombre d'outils, alors que la désintégration des marchés de masse appelle une multiplicité de leviers spécifiquement adaptés. Un nombre croissant d'entreprises adoptent aujourd'hui le concept du *mix de communication intégré* que l'on peut définir comme un plan d'ensemble qui évalue les rôles respectifs des différents modes de communication et les combine pour atteindre cohérence et efficacité.

Un tel concept s'oppose à la situation de conflit souvent rencontrée entre les différents spécialistes. Ainsi, le directeur des ventes a toujours du mal à comprendre comment l'entreprise peut espérer obtenir davantage de résultats avec un spot publicitaire de 30 secondes à 80 000 euros plutôt qu'en engageant un vendeur supplémentaire confirmé, pour un coût annuel équivalent. De même, le responsable des relations publiques a toujours l'impression que la société a affecté une partie insuffisante de son budget aux opérations de relations extérieures.

CHAPITRE 19
Gérer une
communication
marketing
intégrée

599

**FIGURE 19.9**
La mesure
des effets de
la communication :
situation comparée
de deux nouvelles
marques

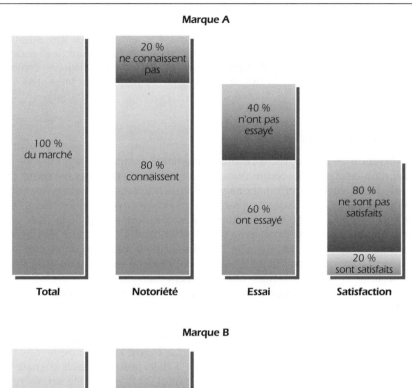

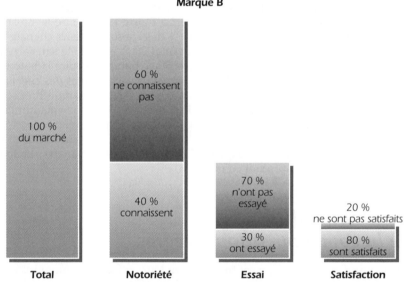

Au contraire, le concept de « mix de communication intégré » implique :

♦ La création d'un poste de directeur de la communication (DirCom) auquel incombe la responsabilité de conception et de mise en œuvre de la stratégie de communication globale de l'entreprise (interne et externe).

♦ L'émergence d'une philosophie relative au rôle et au poids relatif de chacun des différents moyens de communication dont dispose l'entreprise.

♦ L'analyse de tous les investissements de communication par produit, type d'activité, étape du cycle de vie, effet recherché, etc., de façon à améliorer la gestion de chaque instrument.

♦ La coordination des différentes actions de communication et leur programmation dans l'espace et dans le temps.

La plupart des grandes entreprises ont aujourd'hui pris conscience de cette évolution. Il existe ainsi une Direction de la Communication dans des sociétés aussi diverses que Renault, Alcatel, Alsthom, Bull, le Club Méditerranée ou la Société générale. Afin d'offrir à leurs clients des prestations globales, de nombreuses grandes agences de publicité comme Ogilvy et Mather ou Young & Rubicam ont racheté des agences spécialisées dans la promotion des ventes, les relations publiques ou le marketing direct. Cette approche globale est également privilégiée par certaines agences de taille moyenne comme Amazonie. Cependant, les clients ont longtemps préféré dissocier leurs demandes et intégrer eux-mêmes les actions de communication. Les pratiques évoluent toutefois. IBM, par exemple, fait aujourd'hui appel à Ogilvy pour l'ensemble de sa communication.

Une gestion intégrée des efforts de communication renforce en effet la cohérence de l'image de l'entreprise non seulement auprès de ses clients mais aussi en interne. Une équipe, et une seule, se trouve investie de la responsabilité de construire cette image, telle qu'elle apparaîtra à travers toutes les activités de l'entreprise.

## *Résumé*

1. Le marketing va au-delà de l'élaboration du produit et du choix de son prix et de son mode de distribution. Une entreprise doit aussi communiquer avec ses clients, actuels et potentiels, ses fournisseurs, ses revendeurs et toute autre partie prenante à l'activité de la firme. Le mix de communication comporte cinq modes d'action majeurs : la publicité, la promotion des ventes, les relations publiques, la vente et le marketing direct.

2. Communiquer met en scène neuf éléments : un émetteur, un récepteur, un message, un canal, un codage, un décodage, une réponse, du feedback et des bruits. Pour se faire comprendre, l'émetteur doit coder son message en fonction des capacités de décodage du récepteur. Il doit aussi le transmettre à travers des médias appropriés, et recueillir auprès de l'audience visée le feedback qui permettra de s'assurer que la réponse désirée a bien été obtenue.

3. L'élaboration d'une communication comporte huit étapes. Il faut successivement : 1) identifier l'audience-cible ; 2) déterminer les objectifs poursuivis ; 3) concevoir le message ; 4) choisir les canaux de communication ; 5) décider du budget ; 6) déterminer le mix de communication ; 7) mesurer les résultats ; et 8) coordonner le processus de communication dans son ensemble.

4. Pour identifier la cible, l'émetteur doit mesurer notoriété et attitude et apprécier les écarts éventuels entre les perceptions et l'image souhaitée. Les objectifs de communication peuvent être cognitifs (connaissances sur le produit, la marque ou l'entreprise), affectifs (attitudes) ou comportementaux (achat, consommation). En concevant le message, l'entreprise doit choisir un contenu (rationnel, émotionnel, éthique), une structure (à un seul ou double sens, avec ou sans conclusion), un format (écrit, parlé) et un émetteur (expert, inspirant confiance et populaire). Les canaux de communication sont soit personnels (commerciaux, experts ou sociaux) soit impersonnels (mass media, atmosphères, événements). Parmi les différentes méthodes de fixation du budget, seule la méthode fondée sur les objectifs et les moyens est logique.

CHAPITRE 19
Gérer une
communication
marketing
intégrée

601

5. Pour composer le mix de communication, l'entreprise tiendra compte de la nature du couple produit/marché, du niveau de réponse attendu de l'acheteur et de l'étape dans le cycle de vie. L'appréciation des résultats passe par la mesure de la reconnaissance et du souvenir, de la fréquence d'exposition, de l'agrément, de l'attribution à la marque et des modifications d'attitude qu'elle a éventuellement engendrées.

6. La coordination de l'ensemble des actions de communication aboutit à la mise en place d'une véritable stratégie de communication marketing intégrée.

## Notes

1. Ces définitions sont adaptées de Peter D. Bennett, *Dictionary of Marketing Terms* (Chicago : American Marketing Association, 1995). Voir également Jean-Marc Décaudin, *La Communication Marketing*, 2e éd. (Paris : Economica, 1999).

2. Pour un modèle alternatif spécifique à la publicité, voir Barbara B. Stern, «A Revised Communication Model for Advertising», *Journal of Advertising*, juin 1994, pp. 5-15. Voir aussi Tom Duncan et Sandra Moriarity, «A Communication-Based Marketing Model for Managing Relationships», *Journal of Marketing*, avril 1998, pp. 1-13.

3. L'analyse sémiologique est ici intéressante dans la mesure où elle fournit une rhétorique de décodage. Voir à ce propos Georges Péninou, *Intelligence de la publicité* (Paris : Laffont, 1972). Voir également Jean-Marie Floch, *Sémiotique, marketing et communication* (Paris : PUF, 1990) et le numéro spécial «Semiotics and Marketing Communication Research», *International Journal of Research on Marketing*, 1988, vol. 4, n°s 3 et 4, pp. 165-399.

4. Voir C.R.A. Pinson, N.K. Malhotra et A.L. Jain, «Les Styles cognitifs des consommateurs», *Recherche et Applications en Marketing*, 1988, vol. 3, pp. 53-74.

5. Donald F. Cox et Raymond A. Bauer, «Self-Confidence and Persuasibility in Women», *Public Opinion Quarterly*, automne 1964, pp. 453-466 ; Raymond L. Horton, «Some Relationships between Personality and Consumer Decision-Making», *Journal of Marketing Research*, mai 1979, pp. 233-246.

6. John Fiske et John Hartley, *Reading Television* (Londres : Methuen, 1980), p. 79. Voir aussi Elisabeth J. Wilson et Daniel L. Sherrell, «Source Effects in Communication and Persuasion Research: A Meta-Analysis of Effect Size», *Journal of the Academy of Marketing Science*, printemps 1993, pp. 101-112.

7. Cet exemple est tiré d'une étude réalisée par Bernard Dubois et Romain Laufer. Pour un exemple dans le domaine bancaire, voir Claude Biton, «À propos de l'image de la banque auprès des particuliers», *Direction et Gestion*, 1983, n° 4, pp. 21-33.

8. La méthode du différentiel sémantique a été développée par C.E. Osgood, C.J. Suci et P.H. Tannenbaum, dans *The Measurement of Meaning* (Urbana : University of Illinois Press, 1957). Elle est analysée par Bernard Pras dans «Échelles d'intervalles à supports sémantiques», *Revue française de marketing*, mars-avril 1976, pp. 87-96.

9. Voir Pierre Grégory, «La Communication institutionnelle», dans *Encyclopédie du management*, (Paris : Vuibert, 1992), tome 1, pp. 226-235.

10. Michael Ray, *Advertising and Communications Management* (Upper Saddle River : Prentice Hall, 1982).

11. Voir Bernard Dubois et Patrick Duquesne : «Un concept essentiel pour gérer les marques : la force de conviction», *Revue française de marketing*, juil. 1995, pp. 3-32.

12. Voir Marc G. Weinberger, Harlan Spotts, Leland Campbell et Amy L. Larsons, «The Use and Effet of Humor in Different Advertising Media», *Journal of Advertising Research*, mai-juin 1995, pp. 44-55.

13. David Ogilvy, *La Publicité selon Ogilvy* (Paris : Dunod, 1984).

14. Yoav Ganzach et Nili Karashi, «Message Framing and Buying Behavior : A Field Experiment», *Journal of Business Research*, janvier 1995, pp. 11-17.

15. Pour un résumé, voir Jacques Durand, *Les Formes de communication* (Paris : Dunod, 1981).

16. «Ventes historiques pour PSA», *La Tribune*, 7-8 janvier 2000, p. 14.

17. Voir Ann E. Crowley et Wayne D. Hoyer, «An Integrative Framework for Understanding Two-Sided Persuasion», *Journal of Consumer Research*, mars 1994, pp. 561-574, et pour un examen des liens avec la culture, Roy Toffoli et Michel Laroche, *L'Efficacité relative des messages à argumentation dans les deux sens par opposition aux messages à argumentation uniquement positive : une évaluation interculturelle et une proposition d'un modèle d'intégration* (Paris : Congrès de l'Association Française du Marketing), 10 mai 1994.

18. *USA Today*, «BMW Drives into New Ad World», 6 juin 2001, p. 33.

19. Herbert C. Kelman et Carl I. Hovland «Reinstatement of the Communicator in Delayed Measurement of Opinion Change» *Journal of Abnormal*

and Social Psychology, 48, 1953, pp. 327-335 ; sur la confiance, voir David Moore, John Mowen et Richard Reardon, « Multiple Sources in Advertising Appeals : When Product Endorsers Are Paid by the Advertising Sponsor », *Journal of the Academy of Marketing Science*, été 1994, pp. 234-43.

20. C.E. Osgood et P.H. Tannenbaum, « The Principle of Congruity in the Prediction of Attitude Change », *Psychological Review*, 62, 1955, pp. 42-55.

21. *LSA*, « Takeo emboîte le pas à Harry Potter », 14 novembre 2002, p. 64.

22. Michael Kiely, « Word-of-Mouth Marketing », *Marketing*, sept. 1993, p. 6 ; Aric Rindfleisch et Christine Moorman, « The Acquisition and Utilization of Information in New Product Alliances : A Strength-of-Ties Perspective », *Journal of Marketing*, avril 2001, pp. 1-18.

23. Jean Baudrillard, *Le Système des objets* (Paris : Gallimard, 1968) et, du même auteur, *La Société de consommation* (Paris : SGPP, 1970).

24. Regis McKenna, *Le Marketing selon McKenna* (Paris : InterÉditions, 1985) ; et Regis McKenna, *Relationship Marketing* (Reading, MA : Addison-Wesley, 1991). Voir également, du même auteur, *En Temps réel*, Village Mondial (Paris, 1998).

25. Pour une analyse plus approfondie, voir Michael Kiely, « Word-of-Mouth Marketing », *Marketing*, septembre 1993, p. 6 ; Michael Cafferky, *Let Your Customers Do the Talking* (Chicago : Dearborn Financial Publishing, 1995), pp. 30-33, chap. 9 ; et Peter H. Reingen et Jerome B. Kernan, « Analysis of Referral Networks in Marketing : Methods and Illustration », *Journal of Marketing Research*, nov. 1986, pp. 370-378.

26. *Wall Street Journal*, « Volvo Campaign Tests New Media Waters », 16 mars 2001, p. B5 ; *Wall Street Journal*, « Volvo's Web-Only Vehicle Launch Ends amid Ford Unit's Questioning of Tactic », 11 janvier 2001, p. B13.

27. Voir Philip Kotler, « Atmospherics as a Marketing Tool », *Journal of Retailing*, hiver 1973-1974, pp. 48-64.

28. Pour une présentation du rôle général des leaders d'opinion et l'analyse des caractéristiques des leaders pour Internet, voir Éric Vernette, « Le rôle et le profil des leaders d'opinion pour la diffusion de l'Internet », *Décisions marketing* n° 25, janvier-mars 2002, pp. 37-51.

29. Cité par Daniel Seligman, « How Much for Advertising ? », *Fortune*, déc. 1956, p. 123.

30. Albert Wesley Frey, *How Many Dollars for Advertising ?* (New York : The Ronald Press Company, 1955), p. 65.

31. Voir Jacques Lendrevie et Bernard Brochand, *Le Nouveau Publicitor* (Paris : Dalloz, 2001), pp. 232-238.

32. Adapté de G. Maxwell Ule, « A Media Plan for "Sputnik" Cigarettes », *How to Plan Media Strategy*, American Association of Advertising Agencies, Convention régionale de 1957, pp. 41-52.

33. Les traits spécifiques de la publicité et de la force de vente, tels qu'ils sont présentés dans ce chapitre, sont adaptés de Sidney J. Levy, *Promotional Behavior* (Glenview : Scott, Foresman & Company, 1971), chap. 4 ; voir également Sylvère Piquet, « La Place de la publicité dans le marketing mix », *Revue française de gestion*, sept.-oct. 1977.

34. Georges Low et Jakki Mohr, « Brand Manager's Perceptions of the Marketing Communications Budget Allocation Process » (Cambridge : Marketing Science Institute, Report n° 98-105, mars 1998).

35. *How Advertising Works in Today's Marketplace : The Morrill Study* (New York : McGraw-Hill, 1971), p. 4.

36. Theodore Levitt, *Industrial Purchasing Behavior : A Study of Communication Effects* (Boston : Division of Research, Harvard Business School, 1965). Voir également les travaux de Philippe Haymann décrits dans Philippe Haymann, Alain Némarq et Michel Badoc, *Le Marketing industriel* (Paris : Publi-Union, 1979).

37. Gary Lilien et John D.C. Little « The Advisor Project : A Study of Industrial Marketing Budgets », *Sloan Management Review*, printemps 1976, pp. 17-32, et Gary Lilien « Advisor 2 : Modeling the Marketing Mix Decision for Industrial Products », *Management Science*, févr. 1979. Les principaux résultats sont résumés dans Jean-Marie Choffray et Françoise Dorey, *Développement et gestion des produits nouveaux* (Paris : McGraw Hill, 1983), pp. 89-90.

CHAPITRE 19
Gérer une
communication
marketing
intégrée

603

DANS CE CHAPITRE, NOUS
NOUS INTÉRESSONS AUX CINQ
QUESTIONS SUIVANTES :

■ Quelles sont les étapes d'élaboration
d'une campagne publicitaire ?

■ Pourquoi la promotion des ventes
progresse-t-elle et comment la rendre
encore plus efficace ?

■ Comment tirer le meilleur parti
des relations publiques ?

■ Comment recourir efficacement
au marketing direct ?

■ Quels outils du marketing
électronique utiliser
dans la communication ?

# Gérer la publicité, la promotion, les relations publiques et le marketing direct

*« Ce sont les clients
satisfaits qui font
la meilleure publicité. »*

D ans ce chapitre, nous allons nous intéresser à quatre vecteurs de communication : la publicité, la promotion des ventes, les relations publiques et le marketing direct. Nous examinerons les formes traditionnelles et électroniques de ces outils.

Parmi ces vecteurs, on distingue traditionnellement la communication dans les grands médias, c'est-à-dire la publicité, et le hors-média (voir tableau 20.1). Alors que la publicité représentait jusque dans les années 1970 plus de la moitié des investissements totaux, elle ne correspond aujourd'hui qu'à 36 % des dépenses de communication.

## Gérer la publicité

On appelle *publicité* :

❖ Toute forme de communication non personnalisée utilisant un support payant, mise en place pour le compte d'un émetteur identifié en tant que tel.

TABLEAU 20.1
La répartition des dépenses de communication entre médias et hors-médias

| | Dépenses en 2001 (millions d'euros) | Évolution 2001-2000 | Part dans le total |
|---|---|---|---|
| **MÉDIAS** | | | |
| **Radio** | 809 | − 8,6 % | 2,8 % |
| **Télévision** | 3 571 | − 5,9 % | 12,3 % |
| **Cinéma** | 112 | − 11,4 % | 0,4 % |
| **Affichage** | 1 475 | − 3,9 % | 5,1 % |
| **Presse** | 4 403 | − 3,8 % | 15,2 % |
| dont – presse quotidienne | 1 077 | − 9,4 % | 3,7 % |
| – presse magazine | 1 689 | − 1,9 % | 5,98 % |
| **Total 5 grands médias** | **10 370** | **− 5,0 %** | **35,8 %** |
| **HORS MÉDIAS** | | | |
| **Annuaires imprimés** | 879 | 0,5 % | 3 % |
| **Marketing direct** | 9 243 | 3,0 % | 31,9 % |
| **Promotion des ventes** | 4 621 | 2,2 % | 15,9 % |
| **Événementiel** | 2 124 | 2,7 % | 7,3 % |
| dont salons et foires | 1 358 | 2,0 % | 4,7 % |
| **Relations publiques** | 1 650 | 5,5 % | 5,7 % |
| **Achat d'espaces Internet** | 115 | − 20 % | 0,4 % |
| **Total hors-médias** | **18 517** | **2,7 %** | **64,2 %** |
| **Total marché** | **29 002** | **− 0,2 %** | **100 %** |

*Source :* France Pub sur le site de l'Association des agences de conseil en communication (www.aacc.fr).

En France, la publicité a représenté en 2001 une industrie de 9,6 milliards d'euros. Un tel niveau de dépenses place ce pays à la troisième place européenne (5e mondiale), loin derrière l'Allemagne et la Grande-Bretagne mais devant l'Italie et l'Espagne[1].

L'activité publicitaire met en jeu trois principaux partenaires : les annonceurs, les médias et les agences.

## Les acteurs de la publicité

LES ANNONCEURS ❖ On appelle annonceur tout organisme qui «fait de la publicité». Loin de se limiter aux entreprises commerciales, les annonceurs comportent aujourd'hui toutes sortes d'organismes publics (l'Opéra de Paris, l'armée, la prévention routière) ou d'œuvres à caractère social, religieux ou politique. Les sommes investies dans la publicité par les annonceurs varient considérablement d'un secteur à l'autre (voir tableau 20.2). Le budget d'une campagne peut atteindre plusieurs millions d'euros, tels Orange qui a investi 30 millions d'euros dans la campagne visant à imposer ce nouveau nom ou Hollywood Chewing Gum qui a consacré 11 millions d'euros aux publicités de lancement de trois nouveaux produits sans sucre en 2001. En 2001, les dix plus gros annonceurs étaient France Telecom (353 millions), Renault (227), Nestlé (199), Carrefour (171), Universal Music (171), Citroën (143), Peugeot (142), Leclerc (122), Cegetel-SFR (113) et Procter & Gamble (111). Même si l'ordre de classement varie, on observe une certaine stabilité dans les entreprises présentes dans le peloton de tête.

| | Investissements en 2000 (M€) |
|---|---|
| 1 Distribution | 1 563,1 |
| 2 Alimentation | 1 486,7 |
| 3 Télécommunications | 1 428,0 |
| 4 Transport (automobile, deux roues) | 1 339,7 |
| 5 Banque, assurance, autres services | 1 142,1 |
| 6 Toilette, beauté | 1 013,5 |
| 7 Loisirs | 767,9 |
| 8 Information, médias | 753,9 |
| 9 Édition (audio, vidéo, imprimés) | 682,1 |
| 10 Voyage, tourisme | 450,2 |

TABLEAU 20.2
Les dix secteurs qui investissent le plus en publicité

LES MÉDIAS ❖ On appelle *support* tout vecteur de communication publicitaire, et *média* l'ensemble des supports qui relèvent d'un même mode de communication. On identifie traditionnellement cinq grands médias : la presse, la télévision, l'affichage, la radio et le cinéma. Au-delà, les supports publicitaires sont extraordinairement diversifiés (calendriers, catalogues, bus, taxis, etc.). La répartition des dépenses entre médias est présentée à la figure 20.1 : la presse est le premier média, devant la télévision (qui progresse), l'affichage, la radio et le cinéma. Cette répartition globale cache toutefois de grandes disparités entre secteurs : le secteur de la distribution, dont les conditions d'accès à la télévision sont fortement limitées par la réglementation, consacre 47 % de ses investissements à la presse contre 10 % seulement pour l'alimentaire (voir tableau 20.3)

CHAPITRE 20
Gérer
la publicité,
la promotion,
les relations
publiques et le
marketing direct

607

FIGURE 20.1
La répartition
des dépenses
de communication
entre cinq grands
médias (2001)

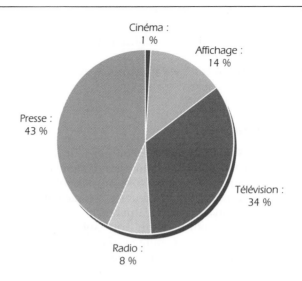

Cinéma :
1 %

Affichage :
14 %

Presse :
43 %

Télévision :
34 %

Radio :
8 %

TABLEAU 20.3
Le poids des grands
médias selon
les secteurs
annonceurs

|  | Presse | Radio | Télévision | Affichage | Cinéma |
|---|---|---|---|---|---|
| Ensemble du marché publicitaire | 14,8 % | 11,3 % | 34,1 % | 11,8 % | 1,0 % |
| Distribution | 46,9 % | 24,3 % | 2,5 % | 25,6 % | 0,8 % |
| Alimentation | 9,8 % | 2,5 % | 79,4 % | 7,2 % | 1,2 % |
| Transports | 37,6 % | 12,7 % | 34,8 % | 14,2 % | 0,6 % |
| Hygiène-beauté | 33,4 % | 1,2 % | 55,6 % | 8,2 % | 1,6 % |
| Télécommunications | 34,7 % | 23,9 % | 27,2 % | 12,7 % | 1,5 % |

**LES AGENCES** ❖ Une *agence* est un organisme indépendant, composé de spécialistes chargés, pour le compte des annonceurs, de la conception, de l'exécution et du contrôle des actions publicitaires. Les agences comportent à la fois des services techniques (études, création, fabrication, achat d'espace dans les médias) et des services commerciaux qui sont en contact avec les annonceurs pour la définition des objectifs, des budgets et de la stratégie de communication (voir encadré 20.1).

En France, les cinq premiers groupes publicitaires étaient en 2001 Euro RSCG France (351 M€ de marge brute), Publicis Conseil (284), TBWA France (213), DDB Communication France (202) et Ogilvy-France (112)[2]. Le classement se modifie en permanence sous l'effet des regroupements et des disparitions. En effet, les agences appartiennent souvent à des holdings puissants, tels Omnicom qui regroupe TBWA France, DDB et BBDO, ou Havas Advertising auquel appartiennent Euro RSCG et Arnold.

En fait, le marché est assez volatil et, selon qu'une agence réussit à décrocher quelques gros budgets ou, au contraire, laisse filer ses principaux clients, sa place sur le marché s'en ressent. Il n'y a pas de règle uniforme concernant les relations entre agences et annonceurs, en dehors de l'exclusivité réciproque (pour un marché donné). En général, les agences sont rémunérées sous forme d'honoraires. En France, la loi Sapin a modifié quelque peu les conditions de rémunération dans le sens d'une transparence plus grande des tarifs pratiqués.

## Comment fonctionne une agence de publicité ?

Bien que toutes les agences ne soient pas organisées de la même façon, on peut en général distinguer quatre grandes fonctions :

♦ La **création** imagine et met en œuvre les campagnes de publicité. Les concepteurs-rédacteurs qui travaillent souvent en équipe choisissent les thèmes puis les mots et les slogans. Les directeurs artistiques sont plus souvent chargés de l'expression visuelle (images, films) et sonores (musique). Une fois les choix effectués, le département de création met en forme et exécute les messages à l'aide de nombreux spécialistes (maquettistes, photographes, agences de casting et metteurs en scène).

♦ Le **département « médias »** a essentiellement pour fonction d'opérer les choix des médias et des supports tant au niveau stratégique que tactique (achat d'espace). C'est, historiquement, dans ce rôle que les agences de publicité se sont d'abord développées en France.

♦ Le **service études** procède à la fois aux analyses de marché qui contribuent à définir la stratégie publicitaire et aux nombreux tests permettant de mesurer la pertinence des concepts (pré-tests) ou l'efficacité réelle des campagnes (post-tests).

♦ Le **« commercial »**, enfin, assure le lien entre l'agence et le client annonceur. Les chefs de publicité, dirigés par des chefs de groupe ou chefs de clientèle, ont en charge un ou plusieurs clients (en fonction de leur taille) avec lesquels ils définissent les objectifs et la stratégie de toute action publicitaire. Porte-parole de l'agence en externe, ils représentent le client en interne, ce qui les amène à assurer la responsabilité de coordination de l'ensemble des services concernés.

Les agences sont, en général, indépendantes, c'est-à-dire sans lien direct ni avec les annonceurs ni avec les médias, afin de garantir l'objectivité de leurs analyses et de leurs choix.

Traditionnellement, les agences de publicité étaient rémunérées par un pourcentage (15 % le plus souvent) prélevé sur le budget média. Avec le développement des centrales d'achat d'espace, spécialisées dans ce rôle, de plus en plus d'agences préfèrent aujourd'hui le système des honoraires et donc de la rémunération au temps alloué. Dans le passé, des « surcommissions » payées par les médias venaient s'ajouter à ces rémunérations. En France, la loi Sapin les a considérablement réduites.

*Sources :* pour d'autres renseignements, on peut se reporter au site de l'AACC (aacc.fr) et au volume 5 (*Publicités*, 394 pages) du coffret *Shortlist* édité par *CB News* (Boulogne : CB News, 1996).

---

La mise en œuvre d'une campagne publicitaire suppose que l'on réponde à cinq questions, parfois appelées les cinq M (voir figure 20.2), successivement étudiées dans cette partie : 1) Quels sont les objectifs poursuivis ? (Mission) ; 2) Quelle doit être la taille du budget ? (Moyens) ; 3) Quel message faut-il transmettre ? (Message) ; 4) Quels médias doivent être employés ? (Médias) ; 5) Comment mesurer l'efficacité de l'action entreprise ? (Mesure). L'encadré 20.2 présente un exemple de campagne.

## Les objectifs publicitaires

La première phase dans l'élaboration d'une campagne publicitaire consiste à en déterminer les objectifs. Ceux-ci s'inscrivent dans le cadre de la politique marketing qui décrit la cible, le positionnement et le mix.

CHAPITRE 20
Gérer
la publicité,
la promotion,
les relations
publiques et le
marketing direct

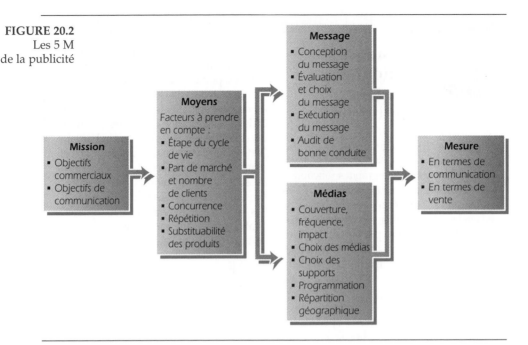

**FIGURE 20.2**
Les 5 M
de la publicité

**Mission**
- Objectifs commerciaux
- Objectifs de communication

**Moyens**
Facteurs à prendre en compte :
- Étape du cycle de vie
- Part de marché et nombre de clients
- Concurrence
- Répétition
- Substituabilité des produits

**Message**
- Conception du message
- Évaluation et choix du message
- Exécution du message
- Audit de bonne conduite

**Médias**
- Couverture, fréquence, impact
- Choix des médias
- Choix des supports
- Programmation
- Répartition géographique

**Mesure**
- En termes de communication
- En termes de vente

De nombreux objectifs peuvent être assignés à une action publicitaire. Dans son ouvrage *La Publicité se définit et se mesure*, Russell Colley en identifie jusqu'à cinquante-deux[3]. La méthode qu'il préconise, connue sous le nom de DAGMAR, consiste à traduire chaque objectif sous forme d'indicateurs de résultats chiffrés à obtenir auprès de cibles spécifiques dans un certain délai.

D'une façon générale, une action publicitaire a pour objet d'informer, de persuader, de rappeler ou de rassurer.

♦ La *publicité informative* est surtout utile au début du cycle de vie d'un produit, lorsqu'il s'agit d'attaquer la *demande primaire*. Ainsi, les fabricants d'enregistreurs DVD doivent d'abord présenter les avantages de ce produit pour espérer en augmenter les ventes.

♦ La *publicité persuasive* est dominante en univers concurrentiel, lorsqu'il s'agit de favoriser la *demande sélective* pour une marque particulière. Dans certains pays, dont la France, elle peut prendre la forme d'une *publicité comparative* indiquant, sous certaines conditions, les points de supériorité sur la concurrence[4].

♦ La *publicité de rappel* se pratique surtout en phase de maturité lorsqu'il s'agit d'entretenir la demande. Les publicités pour Coca-Cola n'ont guère besoin d'informer ou de persuader, mais plutôt de rappeler la marque à la mémoire du marché.

♦ La *publicité d'après-vente*, enfin, vise à rassurer les récents acheteurs sur la pertinence de leur choix.

Le choix de l'objectif publicitaire doit s'appuyer sur une analyse approfondie de la situation commerciale. Si le produit est mûr, l'entreprise leader et le taux d'utilisation faible, la publicité aura pour objectif d'accroître la demande globale. Si le produit est nouveau et l'entreprise faiblement présente, l'objectif sera de mettre en relief l'innovation de la marque face au leader. Si la marque est bien connue mais modifie son positionnement, il s'agit de le faire savoir pour que l'image perçue par le public évolue.

■ HOLLYWOOD CHEWING GUM a perdu la place de numéro un sur le marché des chewing-gums en avril 2000, passant derrière Freedent et ses 42,9 % de part de

## La campagne de publicité pour *Psychologies magazine*

Depuis son relancement en 1998, *Psychologies magazine* se veut un magazine de référence de la psychologie, tout en s'inscrivant clairement dans l'univers des journaux féminins. Le titre a enregistré une certaine croissance, dépassant le cap des 200 000 exemplaires en 2001 avec plus de 11 M€ de chiffre d'affaires. Il souffre toutefois d'un déficit d'image et de notoriété auprès du grand public comme des prescripteurs médias qui hésitent à l'intégrer aux plans médias de leurs campagnes. L'objectif de la campagne 2002 était de s'adresser à cette double cible de communication et de se faire connaître comme un magazine féminin haut de gamme.

Avec un budget de 2 M€, l'agence BETC Euro RSCG a élaboré une campagne en deux volets : l'un grand public, susceptible de toucher par ricochet les prescripteurs et décideurs médias, l'autre dans la presse professionnelle afin de toucher directement cette seconde cible.

Pour le grand public, le média choisi a été la radio, considérée comme «un média chaleureux et intime, qui crée du trafic» (pour un budget de 1,68 M€). Le message consistait à faire du magazine un moyen d'accès au bien-être, avec la signature «Être bien rend plus fort». L'agence a élaboré des messages évoquant la proximité et l'affectivité (des monologues énoncés d'une voix douce comme si l'orateur pensait tout haut), très

éloignés des spots radios habituels. Un message sur trois était prononcé par des personnalités en couverture du magazine : Emmanuelle Béart, Carla Bruni, Marie Trintignant... Lors de la première semaine de janvier 2002, 279 spots ont été diffusés sur RTL, Europe 1, Europe 2, RFM, Nostalgie, Chérie FM et quelques radios indépendantes. *Idem* en février et mars, soit un taux de couverture sur cible de 62 %.

En complément, l'agence a opté en avril 2002 pour des doubles pages dans les magazines *CBNews* et *Stratégies*, destinés aux professionnels de la communication (budget de 95 K€). Agrémentées de citations de Robert Doisneau, Platon ou Yves Saint-Laurent, elles mettaient en avant quelques repères forts : + 176 % de diffusion en cinq ans, premier magazine féminin sur les 25-49 ans …

Au global, la diffusion au numéro a progressé de 31 % et les abonnements de 16 % au premier trimestre 2002 par rapport à la même période de l'année précédente, alors que le marché dans son ensemble diminuait. *Psychologies magazine* est désormais le deuxième mensuel féminin haut de gamme par son audience, derrière *Marie-Claire*, mais devant *Marie-France*, *Biba* et *Cosmo*. Parallèlement, la pagination publicitaire du titre a augmenté de 22 % sur ces trois mois, avec 324 pages de publicité (contre 265 précédemment) et 40 nouveaux annonceurs.

*Sources :* cette campagne a été primée lors du prix Effie 2002 décerné par l'AACC. Voir l'étude de cas sur le site www.aacc.fr et l'article «Comment l'esprit vint aux féminins», *CB News*, 15 novembre 2002, pp. XXVI-XXVII.

---

marché. La marque détenait une part de marché de 95 % en 1986, mais les attentes des consommateurs ont changé au cours des années 1990 en faveur des produits sans sucre aux attributs fonctionnels (dents blanches, haleine…). En réaction, Hollywood a lancé trois nouveaux produits sans sucre en 2001. Trois films publicitaires de lancement jouant sur une mécanique commune («Hollywood change le cours de l'histoire») ont été diffusés au cinéma et à la télévision de mai à décembre 2001 (budget de 11,1 millions d'euros). Ils ont été suivis par des vagues plus légères et un soutien radio début 2002 (2,2 M€). En un an, la marque est redevenue leader avec 46,9 % de part de marché et son image s'est améliorée en ce qui concerne les qualités d'hygiène bucco-dentaire, tout en gagnant encore du capital de sympathie[5].

CHAPITRE 20
Gérer
la publicité,
la promotion,
les relations
publiques et le
marketing direct

611

# La détermination du budget

Une fois les objectifs fixés, l'entreprise doit déterminer le budget publicitaire. Les méthodes les plus couramment pratiquées ont déjà été décrites dans le chapitre précédent.

Les cinq facteurs devant être pris en compte dans l'élaboration du budget publicitaire sont les suivants[6] :

♦ *L'étape dans le cycle de vie.* Un nouveau produit a besoin d'efforts publicitaires soutenus pour voir sa notoriété progresser. Une marque bien établie n'a besoin que d'une publicité d'entretien.

♦ *La part de marché et le nombre de clients.* Une marque leader investit moins en publicité qu'une marque à faible part qui cherche à progresser. Une analyse des investissements publicitaires automobiles montre par exemple que les petites marques doivent investir plus, en proportion de leur part de marché.

♦ *La concurrence.* Dans un marché encombré, une marque doit investir beaucoup pour percer le brouhaha publicitaire du secteur.

♦ *La répétition.* Si le message implique un nombre élevé de répétitions, le budget s'accroît substantiellement.

♦ *Le degré de substituabilité avec les produits concurrents.* Les produits de commodité, relativement standardisés, exigent des efforts importants pour construire une image différenciée.

Certains analystes se sont attachés à modéliser l'impact du budget publicitaire sur les ventes. Connaître la courbe de réponse permettrait, en effet, d'identifier l'investissement optimal. Plusieurs conceptions existent quant à la forme de cette courbe, mais de nombreux spécialistes considèrent qu'une forme en S est logique : un certain niveau d'investissement est nécessaire pour provoquer un impact mais au-delà d'un certain seuil, on rencontre une résistance croissante du fait qu'on s'adresse à des couches de clientèle plus attachées à leurs habitudes et aux produits concurrents.

Selon d'autres chercheurs, la courbe publicité/vente présenterait une forme concave dès le début, c'est-à-dire que les rendements seraient immédiatement décroissants[7]. John Little a élaboré un modèle évolutif permettant d'optimiser l'investissement publicitaire grâce à une réactualisation périodique des données en provenance du marché[8]. Supposons que, pour la période à venir, une entreprise ait fixé un niveau d'investissement publicitaire à partir de son estimation actuelle de la courbe de réponse des ventes. Elle applique ce taux à l'ensemble de ses marchés, à l'exception de 2 $n$ d'entre eux, choisis au hasard. Dans $n$ de ces marchés, elle investit beaucoup moins et dans les $n$ restants, beaucoup plus. Une telle expérience permet de connaître les ventes résultant d'un niveau faible, moyen et élevé de dépenses publicitaires, ce qui affine l'estimation. À son tour, cette estimation servira à déterminer le niveau d'investissement pour la période suivante. En répétant cette procédure, on arrivera à approcher l'investissement optimal. Un certain nombre de sociétés, telles que Dupont de Nemours ou Esso, ont mis au point des expériences de ce type, de façon à mesurer les effets de leur action publicitaire.

# L'élaboration du message

L'influence de la publicité sur les ventes n'est pas seulement fonction du *montant* des sommes engagées, mais également de la *manière* dont elles sont utilisées, et en particulier du contenu et de la forme du message choisi pour la campagne.

La création publicitaire joue en effet un rôle fondamental. Elle détermine la mémorisation de la campagne et l'image associée à la marque.

■ **VOLKSWAGEN**, la marque automobile européenne la plus vendue aux États-Unis, dépense pourtant en publicité trois fois moins, en moyenne, que Ford, Peugeot ou Honda. Elle utilise des campagnes marquantes alliant provocation, sobriété, simplicité et humour. L'un des premiers visuels utilisés au pays des Cadillac, en 1963, présentait une minuscule Coccinelle en haut d'une page blanche et, tout en bas, le slogan *Think small* (pensez petit). De nombreux slogans utilisés par la suite sont à l'avenant : «C'est laid, mais ça vous y conduit», accompagnant un visuel d'engin spatial; «Vivez au-dessous de vos moyens», soulignant le bas prix des véhicules; «C'est pourtant facile de ne pas se tromper», montrant que l'acheteur de la marque est intelligent[9].

Concrètement, l'élaboration d'un message peut être décomposée en quatre phases : 1) sa conception; 2) son évaluation; 3) son exécution; et 4) son «audit de bonne conduite».

**LA CONCEPTION DU MESSAGE** ❖ En principe, le thème du message a été défini en même temps que le concept du produit, qui exprime l'avantage concurrentiel proposé au consommateur. Pourtant, les messages que l'on peut décliner sur un même concept restent très nombreux.

Les publicitaires ont élaboré différentes théories pour aider la création publicitaire. Pour certains, il faut associer la marque à un seul bénéfice, comme la blancheur des dents pour Émail Diamant. D'autres recommandent la création d'un personnage incarnant les caractéristiques de la marque comme le Géant vert ou le cow-boy Marlboro. D'autres, enfin, privilégient une approche narrative mettant un consommateur en situation problématique et montrant la solution apportée par le produit.

■ **AVENIR.** Le 31 août 1981, on pouvait voir sur les murs de Paris une affiche représentant une jeune baigneuse en maillot deux pièces indiquant d'un sourire : «Le 2 septembre, j'enlève le haut.» Le 2 septembre, la même Myriam, en monokini, annonçait : «Le 4 septembre, j'enlève le bas.» Enfin, le 4 septembre, Myriam, nue de dos, révélait son parrainage : «Avenir : l'afficheur qui tient ses promesses.» Cette campagne a réussi à faire passer les trois points-clés du message :

1. On peut afficher en 24 heures tous les panneaux d'une même campagne (contre 3 jours auparavant).
2. On peut afficher n'importe quel jour (et non à jours fixes).
3. On peut vérifier la pose et l'entretien de l'affiche.

Concrètement, la conception d'un message publicitaire se décompose en plusieurs étapes, au cours desquelles l'annonceur transmet des informations à l'agence et les créatifs élaborent un ou plusieurs messages[10] :

1. *Briefing de l'annonceur à l'agence,* au cours duquel l'annonceur présente le contexte lié à la marque, au marché et à la concurrence, les objectifs de la campagne, les axes possibles du message et les contraintes éventuelles à prendre en compte.
2. *Choix des créatifs* qui concevront le message.
3. *Briefing créatif* réalisé par le commercial de l'agence en charge du budget de la marque et destiné aux *créatifs.* Ce briefing peut être plus ou moins formel. Il peut prendre la forme d'un plan de travail créatif, tel que présenté à la figure 20.3. Ce document est plus étoffé que la *copy-stratégie* qui décrit essentiellement le bénéfice-consommateur, les raisons justifiant la mise en avant de ce bénéfice et le ton du message.
4. *Création du ou des messages par les créatifs.* Certains d'entre eux procèdent de façon inductive en allant interroger des consommateurs, des distributeurs ou des experts. D'autres adoptent une démarche déductive fondée sur les choix de positionnement établis dans le briefing créatif.

CHAPITRE 20
Gérer
la publicité,
la promotion,
les relations
publiques et le
marketing direct

613

FIGURE 20.3

Le plan
de travail
créatif

1. **Fait principal**
C'est l'élément-clé à partir duquel la publicité cherche à agir.
Exemple : aucune marque d'autoradio n'a d'image vraiment précise.

2. **Problème à résoudre par la publicité**
Exemple : Les consommateurs ne voient pas de raison d'acheter Blaupunkt
plutôt que Philips ou Brandt.

3. **Objectif de la publicité**
Exemple : Installer de façon durable l'image de Blaupunkt,
spécialiste autoradio de qualité.

4. **Stratégie créative**
   a. Cible.
   Exemple : les possesseurs de voiture.
   b. Principaux concurrents : X, Y, Z.
   c. Promesse. Une description de l'avantage proposé au consommateur.
   Exemple : Blaupunkt vous permet d'écouter la radio dans votre voiture
   dans les meilleures conditions de qualité de restitution du son.
   d. Support de la promesse.
   Exemple : 50 ans d'expérience.
   e. Ton de la communication.
   Exemple : factuel, démonstratif.

5. **Instruction et contraintes**
Contraintes légales ou de mise en forme de la campagne.

*Source :* adapté d'un texte de J.-N. Kapferer, *Le Plan de travail créatif,* Document HEC.

Combien d'annonces faut-il créer? Plus on crée d'annonces, plus on a de chances d'en trouver une bonne mais, bien sûr, plus les coûts s'élèvent. Si l'agence était totalement remboursée par le client des frais engagés dans la création, elle chercherait probablement à multiplier ses créations. Étant donné le système de rémunération actuel, elle n'a guère intérêt à se lancer dans la création de nombreuses annonces. Heureusement, la conception assistée par ordinateur a, aujourd'hui, tendance à réduire les coûts et une agence peut donc proposer un assez grand nombre de projets.

**L'ÉVALUATION ET LA SÉLECTION DU MESSAGE** ❖ Pour choisir un message, il faut évaluer la stratégie créative correspondant à l'axe. Pour ce faire, les agences ont coutume d'utiliser des grilles incluant plusieurs critères d'appréciation. Dik Twedt suggère de prendre en considération trois facteurs : l'*attrait,* l'*exclusivité* et la *crédibilité,* reliés entre eux de façon multiplicative, c'est-à-dire qu'une insuffisance sur l'un quelconque des critères nuit à l'efficacité de l'ensemble[11].

On peut également tester les messages envisagés auprès des consommateurs de la cible. Les appréciations portées ne peuvent toutefois être considérées comme totalement fiables, car elles reflètent des opinions, pas des comportements. Le publicitaire doit donc utiliser des procédures expérimentales pour savoir quels sont les thèmes les plus percutants[12].

**L'EXÉCUTION DU MESSAGE** ❖ L'impact d'une publicité ne dépend pas seulement du contenu du message, mais également de ses caractéristiques formelles. Elles sont d'autant plus importantes que les thèmes de campagne sont peu différenciés d'une marque à l'autre au sein de la catégorie (détergents, cigarettes, café).

■ **ABSOLUT VODKA** a réussi à construire une préférence et une fidélité fortes des consommateurs, alors que la vodka est traditionnellement considérée comme un produit de commodité peu sujet à la différenciation. Pour se construire une image spécifique, la marque a joué sur sa bouteille originale qui est au centre des visuels publicitaires et dont certains modèles ont été créés par les plus grands artistes (Warhol, Haring, Sharf…), accompagnée d'un slogan humoristique contenant le mot *Absolut* : «Absolut Warhol», «Absolut bug», «Absolut Profile», etc.[13]

L'exécution d'un message publicitaire suppose une série de décisions sur le *style*, le *ton*, les *mots*, et le *format* de l'annonce[14].

En ce qui concerne le *style d'exécution*, de nombreuses approches sont possibles :

♦ *Tranche de vie.* On montre une ou plusieurs personnes utilisant le produit au foyer ; par exemple, une famille, à table, exprime sa satisfaction à propos de la purée Mousline.

♦ *Style de vie.* On s'efforce de montrer en quoi le produit s'intègre à un style. Les annonces pour le thé vert Tchaé mettent en scène un homme ayant adopté un mode de vie zen.

♦ *La fantaisie.* On crée un univers imaginaire autour du produit. Pour montrer que l'eau d'Évian régénère le corps, la marque met en scène des ballets aquatiques, d'abord avec des bébés, puis avec des seniors octogénaires.

♦ *L'image ou l'ambiance.* Le produit est replacé dans un contexte de beauté, d'affection, de sérénité ou de luxe. Ainsi, les annonces pour Le Bon Marché mettent en scène un univers raffiné.

♦ *Le slogan musical.* On associe au produit quelques notes, parfois une courte chanson (Dim, Darty).

♦ *Le personnage symbole.* Le produit est personnifié sous forme imaginaire (Mr. Propre) ou réelle (Alain Afflelou).

♦ *L'expertise technique.* On met l'accent sur le soin avec lequel les ingrédients sont choisis ou la fabrication élaborée (Bonduelle).

♦ *La preuve scientifique.* On montre des tests, si possible commentés par un personnage en blouse blanche (Colgate, Pampers).

♦ *Le témoignage.* Des personnes connues, respectées, ou bien auxquelles on pourrait s'identifier, apportent leur caution au produit, comme Pierre Brosnan, alias James Bond, pour les montres Omega (voir encadré 20.3).

Il faut ensuite choisir un *ton*. Celui de nombreux lessiviers (Ariel, Skip) est positif, démonstratif, fondé sur des arguments qui acheminent vers une conclusion logique. Celui de Volkswagen est humoristique, parfois à double sens. Celui de Benetton, direct et provocateur.

Les *mots* doivent être simples, accrocheurs et facilement mémorisables. Les campagnes ci-dessous auraient probablement eu beaucoup moins d'impact sans le slogan qui leur a été associé :

| Thème | Création |
|---|---|
| *Petit Bateau conçoit des vêtements confortables.* | *À quoi ça sert d'imaginer des vêtements si on peut rien faire dedans ?* |
| *Renault propose des voitures innovantes par leur design et leur technologie.* | *Renault, créateur d'automobiles.* |
| *Le Crédit agricole est une banque sérieuse attachée à répondre à vos besoins.* | *Le bon sens près de chez vous.* |
| *Ricard est le meilleur des apéritifs.* | *Un Ricard, sinon rien.* |

CHAPITRE 20
Gérer
la publicité,
la promotion,
les relations
publiques et le
marketing direct

615

# L'utilisation des stars en publicité

La publicité a de tout temps utilisé des célébrités dans ses messages. Une star bien choisie améliore l'attention portée au produit, comme Zinedine Zidane et l'Eau sauvage de Dior. Ou bien, l'image de la star peut rebondir sur le produit : Alain Prost et les amortisseurs Midas ; Virginie Ledoyen et L'Oréal Paris. Le recours à une star permet avant tout d'améliorer la notoriété du produit et de faire évoluer son image. Ainsi, le recours à Gérard Depardieu a permis à - Senoble d'augmenter sa notoriété assistée de 25 points en 2002, pour une croissance des ventes de 10 %. La présence de Jean-Pierre Coffe, reconnu pour son goût de l'authenticité, marquait l'évolution du positionnement de Weight Watchers vers la naturalité.

Le choix de la star est toutefois difficile. Celle-ci doit être suffisamment connue et aimée, mais le lien avec le produit doit être crédible. Éric Cantona est un excellent footballeur, mais est-ce suffisant pour vendre des rasoirs Bic ? Johnny Halliday est connu et apprécié, mais est-il crédible pour recommander Optic 2000 ? Un autre risque tient à la « vampirisation » du produit par la star. On peut se souvenir de la star mais pas de la marque concernée.

En outre, il faut tenir compte du coût. Michael Jackson s'est fait payer 15 millions de dollars pour tourner une série de spots pour Pepsi. L'investissement était-il rentable ? D'autant que la vie de la star est difficilement contrôlable. Nestlé pouvait-il imaginer que Magic Johnson avouerait en public sa séropositivité ou que Michael Jackson ferait un jour l'objet de rumeurs sur des relations coupables avec de jeunes enfants ? Enfin, certaines stars ont offert leurs services à de nombreuses marques, ce qui ne facilite guère une exclusivité « mentale » aux nouveaux produits qu'ils supportent.

*Sources :* Irving Rein, Philip Kotler et Martin Stoller, *The Making and Marketing of Professionals Into Celebrities* (Chicago : NTC Books, 1997) ; « Publicité : des stars à consommer avec modération », *LSA,* 7 novembre 2002, pp. 72-73 ; « Faut-il mettre une vedette dans votre pub ? », *L'Essentiel du management,* août 1996, n° 18, pp. 34-39, et « Marketing : les stars font-elles vendre ? » *LSA,* 22 février 1996, pp. 82-83.

On peut utiliser plusieurs formes de discours : l'*information* (« Une nouvelle fréquence Air France : Paris/La Havane »), la *question* (« La liberté d'opinion est-elle mortelle ? » Amnesty International), la *narration* (« Quand je prends un Cointreau... »), l'*ordre* (« Ne soyez pas cambriolables ! ») et la séquence *pourquoi-quoi-comment* (« Comment prendre des couleurs ? ... Kodak ! »).

Les décisions relatives au *format,* enfin, concernent la taille, la couleur et le rapport illustration/texte. Elles ont une profonde incidence à la fois sur l'impact commercial et sur les coûts. Un réaménagement mineur dans une annonce peut, en effet, accroître sensiblement son pouvoir d'attention, par exemple en jouant d'un effet de contraste. Toutes choses égales par ailleurs, il semblerait que la taille de l'annonce joue un rôle important mais moins que proportionnel aux coûts correspondants. Il en serait de même pour l'utilisation des couleurs[15].

Un certain nombre de spécialistes de la publicité-presse croient que, par ordre d'importance, l'*image* précède le *titre* qui précède lui-même le *texte.* L'image correspond à ce que le lecteur découvre. Elle doit donc attirer l'attention. Le titre n'a qu'un but : inviter à lire la suite. Enfin le texte doit être équilibré et bien composé. Malgré toutes ces précautions, une bonne annonce presse ne sera remarquée que par 50 % de l'audience ; 30 % pourront se souvenir du titre ; 25 % de la marque et moins de 10 % du contenu du texte. Une étude sur les caractéristiques favorisant la mémorisation des annonces publicitaires a mis en évidence la hiérarchie suivante : l'innovation (nouveaux produits, nouveaux usages) ; la « valeur de l'histoire » (capacité à attirer l'attention) ; les comparaisons avant-après ; les démonstrations ; la résolution d'un problème ; et l'utilisation de personnes ou symboles caractérisant la marque[16].

**« L'AUDIT DE BONNE CONDUITE »** ❖ De nos jours, les annonceurs et leurs agences doivent également vérifier que leurs publicités ne heurtent ni la loi ni les bonnes mœurs[17]. La réglementation se préoccupe tout à la fois de la protection du consommateur (publicité mensongère), du respect d'une saine concurrence (diffamation), de la défense des droits des créateurs (propriété artistique et intellectuelle) et ... du respect de la langue française !

La loi sur la publicité mensongère (loi du 27 décembre 1973 intégrée depuis dans le code de la consommation) condamne par exemple toute « allégation ou présentation de nature à induire en erreur », même si le caractère trompeur n'est pas intentionnel.

■ **LES 3 SUISSES** ont dû retirer, en août 1995, la campagne publicitaire qui comparait ses délais de livraisons à ceux de la Redoute, bien que les propos tenus ne soient ni mensongers ni calomnieux, le tribunal ayant estimé qu'elle était « déloyale et agressive, donnait de la SA les 3 Suisses l'image résolument moderne et dynamique d'une société créant la révolution, par opposition à celle sereine et discrète de la SA La Redoute. »

Par contre, le droit à l'exagération reste permis : ainsi, un spot publicitaire pour Samsonite, dans lequel une valise faisait office de ballon dans un match de football entre bulldozers, a été admis par la Cour de Cassation dès lors que « l'outrance ou l'exagération de l'image publicitaire ne peut tromper personne. »

Enfin, une campagne de publicité ne doit pas choquer outrageusement. Benetton a ainsi été condamné à verser plus de 20 000 euros aux associations de lutte anti-sida pour avoir explicitement fait appel à ce thème dans certaines de ses annonces. Il n'en reste pas moins que les condamnations sont rares en France et que certaines marques ont recours à la provocation pour marquer les esprits et dans l'esprit de favoriser la mémorisation. Quel impact le retour aux tabous ou à la nudité a-t-il sur l'image de la marque et les intentions d'achat ? Ici encore, les éléments d'exécution paraissent déterminants, l'esthétique ou l'humour rendant ces thématiques beaucoup plus acceptables par le public[18].

## Le choix des médias et des supports

En même temps qu'il élabore son message publicitaire, le responsable marketing doit choisir les médias qui le véhiculeront. Il faut d'abord déterminer la couverture, la fréquence et l'impact désirés ; puis répartir l'effort entre médias et supports ; enfin, arrêter la programmation.

**LA COUVERTURE, LA FRÉQUENCE ET L'IMPACT** ❖ Choisir des médias revient à sélectionner la meilleure manière d'obtenir le nombre d'expositions désirées auprès de la cible.

En général, le publicitaire attend de son action une réponse spécifique de la part du marché visé, par exemple, un certain *taux d'essai*. Le taux d'essai dépend à son tour d'un certain nombre de facteurs, par exemple la *notoriété* de la marque. Considérons la relation entre notoriété et essai décrite sur la figure 20.4-A ; pour obtenir un taux d'essai de $S^*$, il faut avoir une notoriété de $N^*$.

CHAPITRE 20
Gérer
la publicité,
la promotion,
les relations
publiques et le
marketing direct

617

L'étape suivante consiste à déterminer combien d'expositions E* sont néces-saires pour atteindre le niveau de notoriété choisi. L'effet du nombre d'exposi-tions sur la notoriété dépend de la couverture, de la fréquence et de l'impact :

♦ La *couverture (C)* est le nombre d'individus (ou foyers) exposés à un message au moins une fois au cours de la campagne ; le *taux de couverture* est le pour-centage de la cible exposé au moins une fois.

♦ La *fréquence (F)* est le nombre de fois qu'un individu (ou foyer) est, en moyenne, exposé au message au cours de la campagne.

♦ L'*impact (I)* correspond à la valeur qualitative d'un message dans un support (ainsi, une annonce pour une nouvelle machine-outil a davantage d'impact dans *L'Usine Nouvelle* que dans *La Croix*).

**Figure 20.4**
Relations
entre l'essai,
la notoriété
et l'exposition
au message

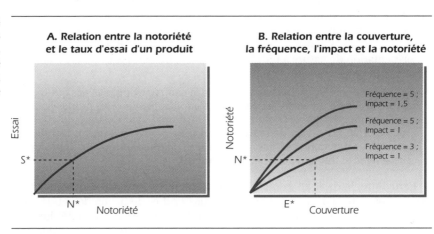

La figure 20.4-B illustre la relation entre notoriété et couverture ; naturelle-ment, la notoriété sera d'autant plus grande que la couverture, la fréquence et l'impact seront élevés. Ces éléments, cependant, doivent s'équilibrer. Suppo-sons que le média-planner dispose d'un budget d'1 000 000 € et que le coût pour mille expositions soit de 5 €. Il peut acquérir 200 millions d'expositions. S'il cherche à obtenir une fréquence moyenne de 10, son objectif de couverture sera de 20 millions de personnes. S'il désire, au contraire, investir dans les médias à meilleur impact, vendus 10 € les mille expositions, il ne peut plus atteindre que 10 millions de personnes sauf s'il accepte de modifier la fréquence.

Plus généralement :

♦ *Le nombre total d'expositions (E)* n'est autre que la couverture multipliée par la fréquence moyenne, soit $E = C \times F$.

♦ Le *GRP (Gross Rating Point)* est le nombre total d'expositions rapporté à la taille de la cible, soit le taux de couverture multiplié par la fréquence d'expo-sition. Ainsi, lorsqu'un plan média prévoit d'atteindre 80 % des foyers ciblés en moyenne 3 fois, le GRP est égal à 240. Comparé à un autre plan dont le GRP serait de 200, on peut dire qu'il a plus de poids, sans savoir cependant si cela tient à la couverture ou à la fréquence[19].

♦ *Le nombre réel d'expositions (EP)* est égal au nombre total d'expositions multi-plié par l'impact moyen ; ainsi $EP = C \times F \times I$.

Le problème de la sélection des médias se ramène ainsi à une simple ques-tion : pour un budget donné, quelle est la meilleure combinaison de couver-ture, de fréquence et d'impact ? On privilégie une large couverture lorsque le produit est nouveau, le marché porteur, les achats peu fréquents et lorsqu'il s'agit de l'extension d'une marque bien connue. La fréquence est essentielle lorsque la concurrence est intense, le message complexe, la résistance du consommateur réelle et les achats fréquents[20].

De nombreux publicitaires pensent qu'il faut une certaine fréquence pour que la publicité produise son effet, un faible taux de répétition étant synonyme de gaspillage. Toutefois, une répétition trop forte est inutile, voire dangereuse, si elle engendre l'ennui ou l'irritation. Herbert Krugman estime que trois expositions sont souvent suffisantes[21] :

> « La première est, par définition, essentielle. Elle provoque une réponse cognitive du type "De quoi s'agit-il ?" La seconde engendre plusieurs effets : soit une réponse similaire à la précédente si l'audience n'a pas remarqué le premier passage [...], soit une réponse évaluative du type "Qu'en penser ?" Enfin, la troisième exposition sert de rappel. Elle permet également à l'audience de se dégager d'une "histoire" qu'elle estime maintenant connaître. »

La thèse de Krugman doit être nuancée. D'abord, ce qu'il considère est le nombre d'expositions réelles au cours desquelles le consommateur accorde de l'attention au message, et non le nombre d'occasions de le voir. Il faut acheter plus de trois passages si l'on veut être certain que l'audience a été exposée et stimulée trois fois. Ensuite, Krugman oublie... l'oubli. Il faut certainement rappeler le message pour le remettre en mémoire.

**LE CHOIX ENTRE LES GRANDS MÉDIAS** ❖ Étant donné ses objectifs de couverture, de fréquence et d'impact, le média-planner doit sélectionner les médias les plus adéquats[22]. Ainsi, la télévision permet d'obtenir une bien meilleure couverture et l'affichage une bien meilleure fréquence que le cinéma. Celui-ci, en revanche, a davantage d'impact. Les avantages et les inconvénients des grands médias sont résumés dans le tableau 20.4.

| Médias | Points forts | Points faibles |
|---|---|---|
| Presse quotidienne | Flexibilité<br>Bonne couverture locale (presse quotidienne régionale)<br>Profondeur de l'audience<br>Crédibilité | Courte durée de vie<br>Qualité de reproduction médiocre<br>Audience diffuse<br>Peu créateur d'image |
| Presse périodique (magazines) | Sélectivité de l'audience<br>Crédibilité<br>Prestige<br>Bonne qualité de reproduction<br>Longue durée de vie des messages<br>Bonne circulation des messages | Longs délais d'achat<br>Invendus importants<br>Pas de garantie d'emplacement<br>Média lent |
| Radio | Audience massive<br>Sélectivité géographique et démographique<br>Faible coût | Peu créateur d'image<br>Attention réduite<br>Audience fuyante |
| Télévision | Bonne qualité de reproduction<br>Bonne couverture<br>Bonne attention | Coût élevé<br>Faible sélectivité<br>Longs délais d'achat |
| Cinéma | Excellente qualité de reproduction<br>Bonnes conditions de réception du message<br>Grande sélectivité | Faible pénétration<br>Distribution lente des contacts<br>Longs délais d'achat<br>Faible standardisation des achats<br>Coût élevé (production et diffusion) |
| Affichage | Flexibilité<br>Bonne fréquence<br>Faible concurrence | Attention faible<br>Sélectivité limitée<br>Qualité de reproduction moyenne |

TABLEAU 20.4
Profils des grands médias

*Source :* Étude France Pub/Havas.

CHAPITRE 20
Gérer
la publicité,
la promotion,
les relations
publiques et le
marketing direct

619

Le choix final dépend de quatre facteurs :

♦ *Les habitudes de la cible en matière d'information.* Par exemple, la meilleure façon d'atteindre les enfants ou les personnes âgées est d'utiliser la télévision.

♦ *Le produit.* Chacun des grands médias présente un certain nombre de caractéristiques qui lui procurent un pouvoir de démonstration, de visualisation et d'explication plus ou moins élevé. Un produit comme un nettoyant ménager a probablement besoin d'une démonstration qui ne peut être réalisée qu'à la télévision ou au cinéma.

♦ *Le message.* Un message annonçant une grande vente promotionnelle s'accommode mieux de la radio, des quotidiens ou de l'affichage. Un message comportant une longue argumentation technique sera plus à sa place dans la presse.

♦ *Le coût.* La télévision est un média relativement onéreux par rapport à la presse périodique ou la radio. Cependant, les tarifs bruts ne peuvent être comparés directement et doivent tenir compte de la nature et de la composition de l'audience. Sur la base d'un coût par mille contacts, la télévision peut revenir moins cher que la presse.

Les hypothèses relatives à l'impact et au coût des médias doivent être réexaminées périodiquement. Aujourd'hui, il semblerait que la multiplication des messages publicitaires télévisés entraîne un phénomène de saturation. L'émergence des nouveaux médias comme la télévision par câble et surtout Internet (voir encadré 20.4) a réduit l'impact des spots traditionnels. De nouveaux supports publicitaires apparaissent (voir encadré 20.5). Le choix final se concrétise finalement dans un plan média faisant apparaître la répartition du budget.

**LE CHOIX DES SUPPORTS** ❖ Une fois les médias choisis, il faut sélectionner les supports qui véhiculeront le message. Supposons que l'on ait affecté 150 000 euros à la presse périodique, sur un total de 200 000 euros. Il reste à déterminer les magazines qui seront utilisés et le nombre d'insertions dans chaque magazine. À ce moment, le média-planner se tourne vers les données fournies par l'OJD (Office de justification de la diffusion), le CESP (Centre

---

**20.4**

# La publicité sur Internet

Le développement d'Internet a donné naissance à de nouveaux supports publicitaires. La communication sur Internet représentait en 2001 115 millions d'euros et 0,4 % des investissements de communication. Elle prend de multiples formes (voir figure ci-après) :

♦ Les *bannières* (ou bandeaux) publicitaires s'affichent à l'insu de l'internaute pour attirer son attention sur un produit ou une marque distincts du site qu'il consulte. Leur efficacité et donc leur prix peuvent être éva-

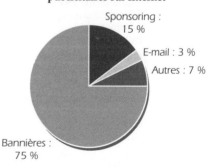

**La répartition des dépenses publicitaires sur Internet**

Sponsoring : 15 %
E-mail : 3 %
Autres : 7 %
Bannières : 75 %

*Source :* IAB/Price Waterhouse Coopers sur www.journaldunet.com, données sur le premier semestre 2001.

lués par deux indicateurs différents : le nombre de personnes voyant la page (c'est-à-dire l'audience) et le taux de clics correspondant au pourcentage de l'audience cliquant sur la bannière pour avoir accès au site de l'annonceur. Certains annonceurs plaident même pour une tarification indexée sur les ventes résultant des clics effectués.

♦ Les « *pop-up* » correspondent au même principe. Il s'agit de fenêtres qui s'affichent, générant ainsi une meilleure visibilité.

♦ Le *référencement par un moteur de recherche* est, selon les cas, gratuit ou payant. Dans le second cas, il s'agit d'un mode de communication orientant l'internaute vers certains sites à son insu, puisqu'il croit souvent que le moteur fait des choix neutres.

♦ L'*envoi d'e-mails* se rapproche du marketing direct classique mais renvoie également au site de l'annonceur.

♦ Les *sites des marques* correspondent à une approche différente, dans la mesure où l'internaute fait la démarche volontariste de se connecter.

♦ Le *sponsoring* sur Internet, enfin, consiste à parrainer un site ou une rubrique. Contrairement à la bannière, l'affichage de la marque sponsor est alors permanent.

Aux débuts d'Internet, les internautes cliquaient sur 2 à 3 % des bannières. On observe aujourd'hui une baisse généralisée des taux de clics, évalués en moyenne à 0,5 % mais plus élevés pour les bannières de grande taille ou animées. Cependant, la créativité des bannières est encore limitée par les contraintes techniques et la crainte d'allonger les délais de chargement de la page Web. Plus un internaute est expérimenté, plus il fréquente le web, et moins il clique. Plus gênant encore, les internautes avertis voient de moins en moins les bannières : en moyenne, une publicité n'est vue que par 48 % des visiteurs.

Malgré ces défauts, les avantages de la communication sur Internet restent réels : faible coût d'entrée, ciblage très fin, interactivité, adressabilité (c'est-à-dire capacité de s'adresser individuellement à chaque consommateur), accès aux consommateurs du monde entier, mesure précise de l'efficacité des communications et de l'itinéraire suivi par les internautes de site en site et au sein des sites (grâce aux *cookies*), possibilité de modifier les bannières et autres messages en temps record en fonction des résultats obtenus et de les adapter au profil de chaque internaute. C'est pourquoi ce nouveau média attire de plus en plus d'annonceurs exerçant des activités en dehors d'Internet, tels Renault ou Bouygues Telecom.

**Les secteurs qui investissent
le plus en publicité sur Internet**

| Secteur | % des investissements publicitaires sur Internet |
|---|---|
| Vente par correspondance | 19 % |
| Banque | 12 % |
| Nouveaux médias | 10 % |
| Informatique | 9 % |
| Voyages | 9 % |

Source : IAB/Price Waterhouse Coopers
sur www.journaldunet.com ;
données sur le premier semestre 2001.

*Sources :* Philippe Jourdan, « GRP et Internet : une transposition sans risque », *Décisions marketing*, n° 27, juillet-août 2002, pp. 73-78 ; Jean-Philippe Galan et Isabelle Fontaine, « Le placement des bannières publicitaires sur le Web », *Décisions marketing*, n° 26, avril-juin 2002, pp. 71-81 ; Emmanuelle Le Nagard-Assayag, « Autour de la notion d'interactivité : vers différents médias interactifs ? », Jacques Lendrevie, « Internet est-il doué pour la publicité ? » et Nathalie Varille « Réglementation de la publicité : l'Internet, un autre visuel publicitaire », tous trois dans le numéro spécial de la *Revue française du marketing* consacré à Internet, n° 177-178, 2000, respectivement pp. 29-47, 102-118 et 135-152 ; Stéphane Bourliataux, « Marketing et Internet : le cas de l'e-publicité », *Revue française de gestion*, juin-août 2000, pp. 101-107 ; P. Husserl, *La publicité sur Internet* (Paris : Dunod, 1999) ; Yseulis Costes, « La mesure d'audience sur Internet : un état des lieux », *Recherche et applications marketing*, vol. 13, n° 4, pp. 53-67.

CHAPITRE 20
Gérer
la publicité,
la promotion,
les relations
publiques et le
marketing direct

## Les nouveaux supports publicitaires

À mesure que les segments de marché se fragmentent, que les médias traditionnels sont saturés et de plus en plus coûteux, et que l'attention des consommateurs devient chaque jour plus difficile à capter, les publicitaires partent à la recherche de nouveaux supports.

♦ D'abord, *dans les points de vente*. À côté du matériel de PLV classique (étiquettes, tête de gondole, etc.), on voit apparaître des caddies décorés ou équipés d'écrans vidéo, des moniteurs de télévision en sortie de caisse, tandis que les supermarchés commencent à commercialiser leurs sols et leurs murs. Il existe aujourd'hui dans certains supermarchés des «linéaires parlants» qui délivrent un message auditif lorsque le consommateur s'approche du rayon.

♦ Ensuite, *à la télévision et au cinéma*. Les marques peuvent payer pour apparaître dans des films et bénéficier ainsi du capital de sympathie des comédiens. La 406 de Peugeot est ainsi apparue tout au long des films *Taxi* et *Taxi 2*, moyennant un coût de

230 000 euros correspondant à la fourniture de véhicules. De même, grâce au succès de *Men in Black*, Ray Ban a vu les ventes de son modèle Wayfarer multipliées par trois.

♦ Enfin, sur des *objets* : peuvent servir de supports publicitaires des tables de café, des appuie-têtes de cinéma, des places de parking, des taxis, des avions, des montgolfières... et même la tour Eiffel, sur laquelle l'Aérospatiale a posé une bâche à la gloire de la fusée Ariane 5!

---

*Source :* Isabelle Fontaine, «Impact persuasif du rôle accordé aux marques au sein de supports non publicitaires : le cas du placement de marques dans les films», *Actes du congrès de l'Association française de marketing*, 2002 ; Joël Brée, «Le placement de produit dans les films : une communication originale», *Décisions marketing* n° 8, 1996, pp. 65-74 ; «Pour faire sa pub au cinéma, il suffit de payer», *Capital*, novembre 2001, pp. 140-142 ; «Publicité : ce que valent les nouveaux supports», *Management*, septembre 2001, pp. 48-52 ; «Du caddie considéré comme un média», *Marketing direct*, n° 4 ; «L'hyperpromotion : les écrans de télévision en démonstration dans les hypermarchés deviennent des supports publicitaires», *La Vie française*.

---

d'étude des supports de publicité), les panels (comme l'audimat pour la télévision) et le *tarif média*. Dans le *tarif média*, par exemple, les prix sont donnés pour différentes tailles d'annonces, options (noir et blanc, couleur), place de l'annonce dans le support et niveaux d'insertion. La plupart des supports proposent des réductions en fonction du nombre d'insertions effectuées au cours d'une année.

Voici quelques exemples de tarifs en 2002 : la diffusion d'une page de publicité dans *Paris Match* coûtait environ 30 000 € ; d'un spot télévisé de 30 secondes à 20 h sur TF1 80 000 € ; d'un message de 30 secondes à 8 h sur Europe 1 10 000 € ; de 3 000 affiches 4 m × 3 m dans 62 villes pendant une semaine 500 000 € ; et d'un film de 30 secondes dans 1 140 salles de cinéma pendant une semaine 150 000 €.

Dans le cas de la presse écrite, on prend généralement en compte :

♦ La *diffusion* : le nombre d'exemplaires effectivement distribués.

♦ L'*audience globale* : une estimation du nombre de personnes exposées au support (lorsqu'un magazine circule de main en main, son audience est très supérieure à sa diffusion).

♦ L'*audience utile* : c'est la partie de l'audience qui correspond à la cible visée.

♦ L'*audience effective* : le nombre de ceux qui, appartenant à la cible, ont effectivement vu le message.

Muni de ces informations, le média-planner calcule le *coût par mille personnes touchées* pour chaque support considéré. Il classe alors les supports envisagés en fonction de leur coût par mille et passe ses annonces dans ceux qui, à impact égal, ont le coût le plus faible.

Le critère du coût par mille a, au moins dans sa version originale, fait l'objet de nombreuses critiques. Son défaut majeur est d'utiliser les chiffres d'audience totale, sans tenir compte des différents groupes qui la composent et de son *affinité avec la cible*. Pour une publicité d'aliments pour bébés, par exemple, la valeur d'impact varie dans des proportions considérables selon le nombre de jeunes mères faisant partie de l'audience. Un deuxième défaut a trait à la notion d'exposition au message : on considère que les lecteurs de *Paris-Match* sont exposés au message lorsqu'une annonce a été passée dans ce magazine ; en fait, seule une fraction d'entre eux verra le message. Le coût par mille ne tient pas non plus compte de différences qualitatives existant entre le climat rédactionnel et l'image des supports. Même si deux magazines atteignent la même cible, une annonce passée dans l'un sera perçue comme plus prestigieuse ou plus crédible que dans l'autre et, ainsi, avoir davantage d'impact.

Aujourd'hui, toutes les agences font appel à des modèles mathématiques complexes et informatisés pour construire leur plan média[23]. Le plan obtenu par ce biais sert de point de départ avant d'être modifié sur la base de facteurs subjectifs.

## La programmation de la campagne

Une autre décision publicitaire importante concerne la programmation de la campagne dans le temps. Ce problème comporte deux volets : la programmation globale et la micro-programmation.

**LA PROGRAMMATION GLOBALE** ❖ Le problème consiste à déterminer comment le budget publicitaire doit être réparti sur l'année. Supposons que la demande d'un produit soit très forte en décembre et faible en mars. Trois options sont possibles : l'entreprise module ses dépenses publicitaires en concordance avec les ventes, en opposition avec les ventes, ou bien elle les maintient constantes. Une majorité d'entreprises préfère la première solution, mais il leur faut alors déterminer si la campagne doit coïncider avec les ventes ou les anticiper.

Forrester a proposé d'utiliser son modèle de dynamique industrielle pour comparer des stratégies alternatives de publicité saisonnière[24]. Selon lui, la publicité agit après un certain délai sur la prise de conscience du consommateur, qui agit elle-même à retardement sur les ventes de l'entreprise, lesquelles, toujours avec un effet différé, influent sur la détermination du budget publicitaire. Les paramètres du modèle correspondant sont estimés à partir des données fournies par l'entreprise et complétées par les jugements des dirigeants. On simule différentes programmations publicitaires, afin de tester leur impact sur les ventes, les coûts et les bénéfices.

Alfred Kuehn a élaboré un modèle permettant de programmer la publicité pour des produits d'achat courant, très saisonnier et de faible valeur unitaire. Sous certaines conditions, il a montré que la programmation optimale dépend de l'*effet décalé de l'action publicitaire et des habitudes du consommateur dans le choix des marques*. L'effet décalé se mesure par la rapidité avec laquelle l'impact initial s'estompe. Un effet à 75 % signifie que l'impact actuel d'une action publicitaire passée est égal aux trois quarts de son impact initial. La force des habitudes correspond à la fidélité à la marque qui s'instaure indépendamment de toute action publicitaire. Une fidélité de 0,5 signifie que 50 % des consommateurs continuent à acheter la même marque quelle que soit l'activité marketing déployée.

CHAPITRE 20
Gérer
la publicité,
la promotion,
les relations
publiques et le
marketing direct

623

Kuehn a pu montrer que, dans le cas d'un effet décalé nul et d'une absence de fidélité, la meilleure stratégie consiste à fixer le budget publicitaire au prorata des ventes. La programmation optimale coïncide alors avec les variations saisonnières de la demande. Si, au contraire, il existe une certaine répercussion de l'impact initial ou si une fidélité à la marque se manifeste, il vaut mieux anticiper les dépenses publicitaires par rapport aux ventes. Plus le délai de réponse est long, plus l'anticipation doit être accentuée. En outre, le budget doit être d'autant plus stable que la fidélité à la marque est forte[25].

Notons enfin que certaines sociétés, afin de bénéficier d'un effet de surprise et d'éviter d'être noyées dans le brouhaha publicitaire du secteur, décident parfois d'investir en périodes « creuses ». Ce fut, en France, le cas des parfums Caron qui, il y a quelques années, concentrèrent l'essentiel de leurs efforts au printemps plutôt qu'en fin d'année.

**LA MICRO-PROGRAMMATION** ❖ Comment répartir un ensemble de contacts publicitaires sur une courte période, de façon à obtenir le meilleur impact ? Supposons qu'une entreprise ait décidé de passer trente messages radio au cours du mois de septembre. La figure 20.5 illustre la diversité des solutions possibles. L'axe vertical fait apparaître trois grandes stratégies : la concentration dans le temps (« matraquage »), la dispersion continue, et la dispersion intermittente. L'axe horizontal distingue un niveau d'activité constant, croissant, décroissant ou alterné.

**FIGURE 20.5**
Différentes micro-programmations publicitaires

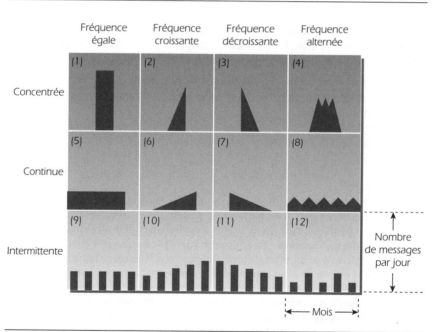

L'efficacité de tel ou tel programme dépend des objectifs de la publicité, des caractéristiques du produit, du marché-cible, des canaux de distribution et des autres éléments du mix marketing. Trois autres facteurs doivent être pris en compte : un rythme élevé d'*apparition de nouveaux consommateurs* de la catégorie, une forte *fréquence d'achat* du produit par le client et une grande *rapidité d'oubli* de la marque plaident en faveur d'un rythme continu plutôt que concentré ou intermittent. En France, la programmation des campagnes a beaucoup bénéficié des travaux d'un chercheur de l'agence Publicis, Armand Morgensztern. Celui-ci a étudié les lois de l'apprentissage et de l'oubli pour chaque média et en a tiré des coefficients, les «Bêta», qui permettent de calculer l'impact prévisionnel d'une campagne et d'optimiser sa programmation dans le temps, compte tenu des médias choisis[26].

LA RÉPARTITION GÉOGRAPHIQUE ❖ Un annonceur doit enfin décider de répartir son investissement publicitaire dans l'espace. On peut diffuser une campagne nationalement, internationalement ou localement. Les distributeurs et l'hôtellerie-restauration adoptent souvent cette dernière approche :

■ PIZZA HUT prélève 4 % du chiffre d'affaires de ses franchisés pour la publicité. Le franchiseur investit la moitié du budget ainsi obtenu nationalement et l'autre localement. Sa part du marché de la restauration rapide variant dans des proportions considérables selon les zones géographiques, la société peut ainsi ajuster ses dépenses en fonction des objectifs commerciaux.

## La mesure de l'efficacité publicitaire

Bien que l'on ne puisse gérer efficacement la publicité si l'on est pas capable d'en mesurer les résultats, fort peu de recherches concluantes ont été conduites jusqu'ici sur ce sujet[27]. Selon Forrester, «on n'utilise pas plus de 0,2 % du total des budgets publicitaires pour savoir comment on va dépenser les 99,8 % restants[28]».

Les mesures utilisées dépendent de ce que l'annonceur ou l'agence cherchent à atteindre. Sachant que l'objectif ultime de l'action publicitaire est de modifier un comportement d'achat, on pourrait s'attendre à ce que les méthodes d'évaluation centrées sur les ventes prédominent. En fait, de nombreux spécialistes pensent que la relation publicité/vente est trop faible, trop complexe et à trop long terme pour qu'il soit possible de la mesurer directement. Aujourd'hui, les publicitaires préfèrent mesurer l'impact d'une campagne en termes de notoriété, de connaissance ou d'attitude, c'est-à-dire en termes de communication.

LA MESURE DE L'EFFICACITÉ EN TERMES DE COMMUNICATION ❖ Il existe de nombreux moyens d'apprécier la valeur de communication d'une annonce publicitaire[29]. Certains sont mis en œuvre avant que la publicité ne soit diffusée dans les médias : il s'agit du pré-testing. L'objectif des *prétests* est d'améliorer les divers éléments de la création publicitaire. Trois principales méthodes sont utilisées :

◆ L'*interview de consommateurs* consiste à leur demander de réagir après avoir été exposés au message. On peut adopter une approche qualitative en organisant une réunion de groupe ou des entretiens individuels si l'on souhaite seulement vérifier l'adéquation du message aux objectifs de la marque. Les approches quantitatives, quant à elles, consistent à faire remplir un questionnaire sur les points suivants : 1) le principal message retenu, 2) des indicateurs correspondant aux objectifs attribués au message (en termes de connaissance, de sentiment ou de comportement), 3) la probabilité d'influencer le comportement, 4) les éléments qui fonctionnent bien et ne fonctionnent pas dans le message, 5) l'impression générale et les sentiments générés par la campagne, 6) les supports susceptibles de favoriser l'attention accordée au message. Dans l'ensemble, il faut reconnaître que les grilles d'évaluation ne sont pas aussi fiables que les techniques mesurant directement l'impact de l'annonce sur les consommateurs. Elles sont plus aptes à détecter les mauvaises annonces qu'à identifier les meilleures.

◆ Les «*folder tests*». Cette technique consiste à présenter à un certain nombre de personnes un «portefeuille» d'annonces, parmi lesquelles on trouve, à raison d'une par série, celle que l'on cherche à tester. On demande ensuite

CHAPITRE 20
Gérer
la publicité,
la promotion,
les relations
publiques et le
marketing direct

625

aux interviewés d'indiquer les annonces dont ils se souviennent et de décrire le plus d'éléments possible concernant chaque annonce. Les résultats sont utilisés pour mesurer la capacité de l'annonce à attirer l'attention et à véhiculer le message.

♦ Les *tests de laboratoire*. Un certain nombre de chercheurs préfèrent mesurer l'impact d'une publicité à partir de mesures physiologiques, tels que le rythme cardiaque, la pression artérielle, la sudation de la peau (psychogalvanomètre), la dilatation de la pupille ou la transpiration. On peut également demander aux consommateurs d'appuyer sur un bouton pour indiquer à chaque instant s'ils apprécient la publicité ou y trouvent un intérêt. Ces techniques permettent de mesurer que la valeur d'attention et de stimulation d'un message, et non sa valeur de communication. D'autre part, les conditions de laboratoire introduisent un certain nombre de biais qu'il faut essayer de contrôler. L'utilisation de caméras oculaires (*eye tracking*), quant à elle, permet de suivre l'évolution du regard face à une annonce et de savoir ce qui est vu.

D'une façon générale, Haley, Stafforoni et Fox pensent que les pré-tests sont aujourd'hui tellement utilisés qu'on en oublie leur principale limite, à savoir leur focalisation sur les réactions rationnelles et verbales. Ils plaident pour une meilleure prise en compte des aspects non verbaux qui influencent fortement les comportements[30].

D'autres techniques de mesure (*post-tests*) interviennent, une fois la publicité diffusée dans les médias. Les indicateurs les plus utilisés sont les suivants[31].

♦ *La mémorisation*. Ces tests consistent à interroger l'audience de différents supports sur les annonces qu'elle a remarquées et les produits qui y figuraient. On demande aux interviewés d'indiquer tout ce dont ils se souviennent[32].

♦ *La reconnaissance*. On parcourt le magazine ou le quotidien page par page avec l'interviewé, et on lui demande d'indiquer ce qu'il se souvient avoir vu ou lu.

♦ *L'attribution*. On demande aux personnes qui reconnaissent la publicité quelle marque est concernée. Il s'agit de vérifier que la campagne n'est pas attribuée à un concurrent ou à une marque d'un autre secteur.

♦ *L'agrément*. Les consommateurs indiquent s'ils ont beaucoup ou peu aimé le message.

♦ *L'incitation à l'achat*. On demande aux consommateurs si l'annonce leur a donné envie d'acheter le produit. Cet indicateur doit être manié avec précaution car il est purement déclaratif.

Au-delà des chiffres bruts, ces indicateurs fournissent des normes par médias, ce qui permet aux agences d'évaluer leur annonce par rapport aux messages concurrents et d'établir des comparaisons. Cependant, ces indicateurs restent très indirects car ils ne mesurent pas l'influence réelle de la campagne sur les comportements. Une étude d'Effipub a en outre montré que la mémorisation et la reconnaissance n'étaient pas corrélées entre elles, et qu'une meilleure mémorisation n'entraînait pas systématiquement un accroissement de la notoriété de la marque[33]. D'où l'utilisation de *mesures comparées, avant et après la campagne* pour analyser son impact sur la notoriété ou l'image de la marque.

LA MESURE DE L'EFFICACITÉ EN TERMES DE VENTE ❖ Les tests évoqués ci-dessus permettent aux agences d'améliorer le contenu et la présentation de leur campagne, mais ne révèlent pratiquement rien de la façon dont les ventes sont affectées, à supposer qu'elles le soient. Or l'impact d'une publicité sur les ventes sera toujours beaucoup plus difficile à mesurer que l'influence sur l'attitude ou la notoriété. Les ventes dépendent en effet de très nombreux facteurs tels que le produit, son prix, son niveau de distribution ou encore les actions des concurrents. En outre, la publicité a souvent des effets à long terme et il est parfois difficile d'associer une campagne précise avec certains chiffres de vente. Autant on peut mesurer l'impact du marketing direct et de certaines opérations promotionnelles, autant il est difficile d'identifier les effets commerciaux de publicités construisant l'image de la marque ou de l'entreprise.

D'une façon générale, l'entreprise veut savoir si elle dépense trop ou pas assez en publicité. Une approche consiste à étudier la relation représentée à la figure 20.6.

**FIGURE 20.6**
L'impact commercial d'une publicité

En d'autres termes, les investissements publicitaires entraînent une part de voix (le pourcentage que représentent les investissements publicitaires pour ce produit par rapport à l'ensemble de la catégorie) qui agira à son tour sur la part de marché. Peckham a analysé ces relations pour de nombreux produits pendant plusieurs années et a découvert une relation de 1 pour 1 dans le cas des produits existants et un ratio de 1 à 1,5-2 pour des nouveaux produits[34]. Comment utiliser ces résultats ? Supposons que l'on observe les données du tableau 20.4 pour trois sociétés vendant un produit quasiment identique au même prix. L'entreprise A dépense 200 000 euros sur un total de 350 000 ; sa part de voix est donc de 57 % mais sa part de marché n'est que de 40 %. En divisant la part de marché par la part de voix, on obtient un indice d'efficacité de 70 révélant soit un surinvestissement soit une mauvaise utilisation du budget.

La société B a une part de marché égale à sa part de voix ; elle a donc une efficacité normale. Quant à la société C qui a une part de marché deux fois supérieure à sa part de voix, elle devrait peut-être accroître son effort publicitaire.

| | DÉPENSES PUBLICITAIRES | PART DE VOIX | PART DE MARCHÉ | EFFICACITÉ PUBLICITAIRE |
|---|---|---|---|---|
| A | 200 000 | 57,1 % | 40,0 | 70 |
| B | 100 000 | 28,6 % | 28,6 | 100 |
| C | 50 000 | 14,3 % | 31,4 | 220 |

**TABLEAU 20.4**
Exemples de parts de voix et de parts de marché

Au-delà du critère de la part de voix, deux approches sont utilisées pour mesurer la relation publicité-vente.

L'*approche historique* invite l'analyste à découvrir une relation entre les ventes passées de l'entreprise et les budgets publicitaires correspondants, en tenant éventuellement compte d'un effet décalé dans le temps. En général, la recherche d'une simple corrélation ne permet guère d'aboutir à des résultats satisfaisants, et il faut introduire tout un ensemble de variables qui, elles aussi ont une incidence sur les ventes. Kristian Palda est ainsi parvenu à mesurer l'influence de la publicité sur les ventes d'un produit alimentaire pour la période 1908-1960, à l'aide d'une équation comportant cinq variables indépendantes. Il a mesuré les effets immédiats et décalés des dépenses publicitaires sur les ventes, ce qui lui permet de calculer le taux de rentabilité marginal à court et à long terme de l'investissement publicitaire[35].

La seconde approche repose sur l'*expérimentation*. L'idée consiste à choisir un certain nombre de marchés comparables dans lesquels on fait varier pendant un certain temps les dépenses publicitaires. On pourra, par exemple, dépenser 50 % de plus dans une première zone, 50 % de moins dans une deuxième, et

CHAPITRE 20
Gérer
la publicité,
la promotion,
les relations
publiques et le
marketing direct

627

garder l'effort publicitaire constant dans une troisième, qui servira de contrôle. À l'issue du test, on compare les résultats obtenus selon les dépenses publicitaires. L'encadré 20.6 présente plusieurs outils expérimentaux utilisés en France.

Récemment, certains résultats globaux ont pu être dégagés[36]. Les résultats ne sont pas toujours positifs. Ainsi, Tellis a analysé les achats effectués par les ménages concernant les douze principales marques d'une catégorie de produit. Il a conclu que la publicité contribue davantage à accroître les quantités achetées par les clients actuels qu'à conquérir de nouveaux clients. Elle semble également peu capable d'engendrer des effets cumulatifs qui se traduiraient

---

**20.6**

## Quelques outils de mesure de l'impact de la publicité sur les ventes

♦ Ad-visor est né de la mise en convergence de deux outils proposés en France par la société d'étude Burke : le Day After Recall, qui mesure la mémorisation publicitaire et Bases, un test simulé de prévision des probabilités d'achat. Ad-visor s'appuie sur un modèle qui intègre de nombreuses données : parts de marché de la marque testée, nombre de produits médiatisés dans la catégorie étudiée, ancienneté de la marque, pénétration, notoriété spontanée et assistée, dépenses publicitaires annuelles, part de voix et disponibilité-valeur (DV). En calculant la probabilité d'achat de la marque pour les consommateurs qui ont vu la publicité et ceux qui ne l'ont pas vue, Ad-visor donne un indice de la variation de cette probabilité entre les deux populations, et donc de l'impact de la publicité en termes de ventes, toutes choses restant égales par ailleurs.

♦ Scannel TV, géré par la société Sécodip, s'appuie sur l'outil Scannel mis en place dans les zones closes de Sens et Brive-La-Gaillarde, à partir d'accords passés avec les grandes surfaces constituant l'essentiel de l'infrastructure commerciale des zones et un panel de 3000 foyers par ville équipé d'une carte d'identification qui permet d'enregistrer leurs achats en sortie de caisse de magasin. Le principe du Scannel TV est de remplacer l'un quelconque des spots TV apparaissant sur les écrans publicitaires de TF1 par un spot expérimental, diffusé conformément au programme d'investissement publicitaire de l'annonceur (pression, répétition, GRP, etc.), puis de juger l'impact sur les comportements effectifs d'achat des foyers dans les GMS. Toutes les autres variables étant neutralisées, les résultats de vente peuvent être directement rapprochés des actions publicitaires ; pour faciliter la mise en œuvre du test, Sécodip a mis en place un «spot club» d'annonceurs qui acceptent par avance qu'un de leur spot soit remplacé par un autre (dans la zone de l'émetteur TDF de Sens) sans qu'il soit nécessaire de demander l'autorisation à chaque fois.

♦ Behaviorscan, exploité par GFK en Allemagne et par IRI en France (depuis 1994) fonctionne sur un principe comparable, permettant de mesurer sur une zone fermée, l'exposition-média d'un panel, sa consommation et les ventes des magasins de la zone.

♦ Marketing Scan, géré conjointement par GFK et Médiamétrie, est un outil assez comparable dans son principe au Scannel TV. Il intègre deux villes tests, Angers et Le Mans, aux caractéristiques très proches des moyennes nationales. Marketing Scan mesure la part de marché des marques en fonction de l'exposition publicitaire réelle.

---

*Sources* : adapté de J.-M. Décaudin, *La Communication marketing : concepts, techniques et stratégies* 2ᵉ édition (Paris : Economica, 1999); voir également A. Schweiker, «Les Tests publicitaires de la mesure de mémorisation et du pouvoir de persuasion», *Revue française de marketing*, 1988, nº 118, 3, ainsi que les brochures commerciales de Burke, de Sécodip et d'IRI. Voir aussi Maryse Delamotte, «Les Nouveaux panels scannérisés : vers de meilleures décisions en marketing», *Décisions marketing*, nº 7, janv.-avril 1996, pp. 53-65.

par une fidélité. Les caractéristiques du produit, son mode de présentation en magasin, et son prix ont davantage d'influence que la publicité sur les ventes[37]. Ces résultats n'ont bien sûr pas été très bien accueillis par les publicitaires et certains ont émis des réserves sur les données de Tellis et sa méthodologie. Une série de tests effectués par IRI a montré que l'impact de la publicité est sous-estimé lorsqu'on l'analyse sur une année seulement, à cause des effets décalés.

# La promotion des ventes

La promotion des ventes prend une place de plus en plus importante en marketing et représente aujourd'hui près de 16 % des dépenses de communication. On peut la définir comme :

❖ Un ensemble de techniques destinées à stimuler la demande à court terme, en augmentant le rythme ou le niveau des achats d'un produit ou d'un service effectué par les consommateurs ou les intermédiaires commerciaux[38].

Alors que la publicité donne une raison d'acheter, la promotion offre une incitation à l'achat. Elle intègre des *promotions* destinées aux *consommateurs* (dont les plus courantes sont les bons de réduction, les offres spéciales, les primes et les échantillons), les *promotions réseaux* (remises sur quantités, bonifications produit, défraiements publicitaires), et les *promotions représentants* (concours, cadeaux, bonus et primes spéciales).

La promotion des ventes est aujourd'hui utilisée par toutes sortes d'organisations : fabricants, grossistes, détaillants, syndicats professionnels et même organismes à but non lucratif, comme en témoignent les concours organisés au profit d'organisations caritatives. Cependant, certains secteurs y ont davantage recours que d'autres[39]. Ainsi, la distribution est le premier secteur investissant dans les promotions (54 % des dépenses), devant l'alimentaire (25 %), le non-alimentaire (16 %), et les services (5 %). Quant aux techniques utilisées, ce sont des réductions de prix dans plus d'un cas sur deux (57 %), puis des primes (23 %), des jeux concours (14 %) et des offres d'essai et échantillons (5 %). Environ 15 % des achats en grandes surfaces concernent des produits en promotion, même si cette moyenne cache des différences entre catégories de produits (27 % pour les bières et cidres et 57 % pour le foie gras frais contre 15 % pour l'épicerie)[40].

Un grand nombre de facteurs, à la fois internes et externes à l'entreprise, expliquent la forte croissance de la promotion depuis 20 ans[41] : sa meilleure reconnaissance par la direction générale comme un outil marketing efficace, les compétences croissantes des chefs de produit dans ce domaine et le souci d'obtenir des résultats à court terme. Des facteurs externes ont également joué : la prolifération des marques, l'intensification des actions de la concurrence, les réactions favorables des consommateurs aux offres promotionnelles, la pression de la distribution à l'égard des fabricants, une certaine désaffection vis-à-vis de la publicité en raison de ses coûts et de la dispersion des médias.

## À quoi sert la promotion des ventes ?

De par sa diversité, la promotion des ventes sert une multitude d'objectifs. La remise d'un échantillon facilite l'essai tandis qu'une offre de défraiement publicitaire instaure de bonnes relations avec les distributeurs. Une promotion est souvent utilisée par un vendeur pour attirer les utilisateurs des marques concurrentes. Elle attire plus facilement les clients non fidèles, mais ne les retient guère. Dans les catégories caractérisées par une forte similarité

CHAPITRE 20
Gérer
la publicité,
la promotion,
les relations
publiques et le
marketing direct

629

entre produits concurrents, les promotions accroissent les ventes à court terme mais s'accompagnent rarement de gains de part de marché à long terme. Leurs effets sont plus durables dans les catégories au sein desquelles les produits sont fortement différenciés[42].

Farris et Quelch[43] reconnaissent de nombreux avantages à l'action promotionnelle : elle permet d'ajuster à court terme la demande à l'offre, de tester l'élasticité au prix, d'inciter les consommateurs à essayer les nouveaux produits, de développer leur connaissance des prix et de faire varier le prix payé par différents segments de marché. Pour certaines catégories, la promotion accroît les volumes consommés. Pour les consommateurs, elle génère un gain utilitaire, mais s'accompagne également de bénéfices psychologiques liés à la découverte de nouvelles marques et au sentiment de faire une bonne affaire[44].

À l'inverse, la promotion peut donner aux clients le sentiment que le prix habituel n'a pas de réel fondement. En outre, un recours trop systématique aux promotions risque de dénaturer l'image de la marque en lui donnant une image trop «bon marché[45]». Cela dépend toutefois des promotions et il importe de distinguer celles qui reposent sur une baisse de prix de celles qui ajoutent de la valeur (comme les bouteilles Évian en verre décoré à Noël, les jeux-concours Rice Crispies ou les échantillons de parfums).

Une étude sur 2 500 acheteurs de café a révélé que :

♦ la promotion des ventes agit plus vite que la publicité ;

♦ elle ne contribue guère à augmenter les ventes à long terme du fait qu'elle attire surtout les consommateurs à l'affût qui changeront de marque à la première occasion ;

♦ les acheteurs fidèles ne modifient pratiquement pas leur comportement ;

♦ seule la publicité semble capable d'accroître à terme la fidélité à une marque[46].

Les marques à faibles notoriété et part de marché bénéficient plus que les autres des opérations promotionnelles, car elles ne peuvent ni s'aligner sur les budgets publicitaires des leaders, ni obtenir des linéaires sans stimulation ponctuelle des distributeurs, ni inciter les consommateurs à essayer leurs produits sans opération sur le lieu de vente[47]. Elles jouent donc sur les réductions de prix, les produits girafes, les têtes de gondoles, les présentoirs, et les promotions réseau.

Enfin, il semble que la promotion des ventes accroisse son efficacité lorsqu'elle est combinée avec une action publicitaire : au cours d'une étude, on a découvert que des présentoirs qui reprenaient l'argumentation publicitaire télévisée engendraient 15 % de ventes en plus que les présentoirs ordinaires. On a également montré qu'un échantillonnage couplé à une action TV était beaucoup plus efficace que l'action TV seule ou même l'action TV complétée par un coupon[48].

## Les étapes d'élaboration d'une opération promotionnelle

La mise en place d'une opération promotionnelle comporte six étapes. Il faut : définir les objectifs, choisir les techniques, élaborer le plan d'action, le prétester, le mettre en œuvre et en contrôler les résultats.

LA DÉFINITION DES OBJECTIFS ❖ Les *objectifs* assignés à une action promotionnelle découlent directement de la *stratégie de communication* qui résulte elle-même de la *stratégie marketing* :

♦ Une promotion destinée aux *consommateurs* peut s'efforcer de stimuler l'utilisation du produit, d'encourager l'achat de tailles plus importantes, de provoquer l'essai chez les non-utilisateurs ou de favoriser un changement de marque.

♦ Une promotion destinée au *réseau* (détaillants) incite à stocker davantage, encourage des achats hors-saison, répond à des promotions concurrentes, gagne la fidélité du détaillant ou aide à pénétrer un nouveau canal de distribution.

♦ Une promotion destinée à la *force de vente* suscite l'enthousiasme pour un nouveau produit, facilite la prospection ou stimule un effort commercial en période difficile.

LE CHOIX DES TECHNIQUES ❖ Le responsable marketing qui élabore une promotion a le choix entre une multitude de techniques. Les plus connues sont présentées dans l'encadré 20.7, tandis que leur fréquence d'utilisation

---

**20.7**

 **Quelques techniques promotionnelles usuelles**

**Ventes avec primes**

*Prime directe :* offre d'un article supplémentaire gratuit remis en même temps que la marchandise achetée.

*Prime différée :* offre d'un avantage supplémentaire (prime) dont la remise est différée par rapport à l'achat.

*Prime à échantillon :* technique consistant à remettre en prime un produit échantillon.

*Prime contenant :* technique consistant à transformer le conditionnement pour en faire un contenant réutilisable par l'acheteur.

*Prime produit ou prime « girafe » :* offre d'une plus grande quantité de produit pour le même prix.

*Offre prime autopayante :* proposition d'un produit ou service d'une autre marque à un prix particulièrement avantageux.

**Jeux et concours**

*Concours :* promesse d'un gain substantiel acquis à la faveur d'une compétition faisant appel aux qualités d'observation, de sagacité et de créativité des participants.

*Jeu, loterie, sweepstake :* formes diverses de jeux du type « tirage au sort » avec promesse d'un gain acquis grâce à l'intervention du hasard.

*Winner per store (« Un gagnant par magasin ») :* réalisation d'un tirage au sort dans

un point de vente permettant de faire gagner un de ses clients, sans qu'il y ait obligation d'achat.

**Réduction de prix et rabais**

*Bon de réduction :* coupon ou titre donnant droit à une réduction sur le prix normal du produit.

*Offre spéciale :* prix spécial consenti au public pendant une période déterminée.

*3 pour 2 :* technique consistant à proposer trois produits pour le prix de deux, quatre pour le prix de trois, etc.

*Vente groupée :* ensemble de produits vendus en même temps.

*Offre de remboursement :* réduction différée sur le prix d'une marchandise et donnée sur présentation d'une preuve d'achat.

*Reprise de produit :* rachat par un fabricant d'un produit usagé.

**Essais et échantillonnage**

*Échantillon :* taille réduite d'un produit diffusée gratuitement pour faire connaître une nouveauté.

*Cadeau gratuit :* distribution d'un cadeau pour inciter le public à une action déterminée (ex. : s'abonner à un journal, ou visiter un supermarché).

*Essai gratuit :* offre d'un essai gratuit d'un nouveau produit, sans aucune obligation d'achat.

*Démonstration :* présentation commentée des qualités d'un produit, avec, le cas échéant, dégustation de celui-ci ou essai pratique.

---

*Sources : LSA et BIPP.*

CHAPITRE 20
Gérer
la publicité,
la promotion,
les relations
publiques et le
marketing direct

631

apparaît dans le tableau 20.5. Le choix final doit prendre en considération la nature du marché, l'objectif poursuivi, les actions de la concurrence et le rapport coût/efficacité de chaque outil.

**TABLEAU 20.5**
L'utilisation relative des différents outils promotionnels

| Les offres de prix | | | |
|---|---|---|---|
| En nombre | 1993 | 1998 | Évolution |
| Offre spéciale | 7 840 | 7 926 | + 1,1 % |
| Vente groupée | 879 | 2 578 | + 193,3 % |
| Bons de réduction | 470 | 1 524 | + 224,3 % |
| Offre de remboursement | 771 | 231 | − 70 % |
| 3 pour 2 | 426 | 1 036 | + 143,2 % |
| Reprise de produit | 328 | 219 | − 33,2 % |
| Bon de réduction à valoir | 157 | 342 | + 117,8 % |
| Vente jumelée | 283 | 437 | + 54,4 % |
| Satisfait ou remboursé | 172 | 360 | + 109,3 % |
| **Total famille** | **11 326** | **14 653** | **+ 29,4 %** |

| Les ventes à primes | | | |
|---|---|---|---|
| En nombre | 1993 | 1998 | Évolution |
| Prime directe | 1 053 | 1 068 | + 1,4 % |
| Prime produit en plus | 470 | 1 458 | + 210,2 % |
| Prime différée | 568 | 823 | + 44,9 % |
| Offre autopayante | 318 | 202 | − 36,5 % |
| Prime échantillon | 111 | 162 | + 45,9 % |
| Prime fiche recette | 130 | 246 | + 89,2 % |
| Prime parrainage | 98 | 225 | + 129,6 % |
| Contenant réutilisable | 37 | 54 | + 45,9 % |
| Prime emballage | 44 | 32 | − 27,3 % |
| **Total famille** | **2 829** | **4 270** | **+ 50,9 %** |

| Les jeux et concours | | | |
|---|---|---|---|
| En nombre | 1993 | 1998 | Évolution |
| Loterie | 2 315 | 1 905 | − 17,7 % |
| Animation | 602 | 975 | + 62 % |
| Concours | 269 | 76 | − 71,7 % |
| Winner per store | 60 | 1 083 | + 1 705 % |
| Sponsoring | 65 | 195 | + 200 % |
| **Total famille** | **3 311** | **4 234** | **+ 27,9 %** |

| Les produits à l'essai | | | |
|---|---|---|---|
| En nombre | 1993 | 1998 | Évolution |
| Cadeau gratuit | 599 | 379 | − 36,7 % |
| Essai gratuit | 215 | 522 | + 142,8 % |
| Démonstration | 232 | 319 | + 37,5 % |
| Échantillon gratuit | 130 | 232 | + 78,5 % |
| Dégustation gratuite | 74 | 371 | + 401,4 % |
| **Total famille** | **1 250** | **1 823** | **+ 45,8 %** |

*Source :* BIPP.

**Les techniques utilisées par les fabricants auprès des consommateurs.** Lorsque l'objectif est de contrer une promotion concurrente, une *offre spéciale* (réduction de prix) fait souvent l'affaire. Lorsqu'il s'agit, en revanche de stimuler l'essai d'un produit, l'*échantillon gratuit* délivré en porte à porte, envoyé par la poste, attaché à un autre produit ou distribué en magasin, s'avère le plus efficace, même s'il est plus coûteux. Deux autres techniques très utilisées pour les nouveaux produits sont les *bons de réduction* qui peuvent être imprimés sur l'emballage, envoyés par la poste ou insérés dans la publicité, et les *primes* qui peuvent être directes ou différées (par rapport à l'achat). Les promotions différées (primes ou bons de réduction) touchent surtout les clients sensibles au prix ou à la promotion qui font la démarche de renvoyer leur preuve d'achat, alors que les promotions à effet immédiat bénéficient à l'ensemble des consommateurs, même à ceux qui auraient acheté le produit sans qu'il soit en promotion.

Les *primes auto-payantes* sont plus rares : la société Kellogg's (corn flakes) a long-temps proposé aux consommateurs français de développer leurs pellicules photo à des prix préférentiels. Parfois, c'est le conditionnement lui-même, réuti-lisable, qui fait l'objet de la prime (emballages de Noël par exemple). Pour des marques déjà établies, les actions promotionnelles servent surtout à défendre la part de marché et à stimuler la consommation.

■ COCA-COLA a conçu une opération de promotion pour valoriser son image auprès des jeunes de 12 à 29 ans. Ceux-ci sont invités à récolter les «ch'tons» sur les bouteilles et canettes et à s'inscrire sur le site Internet de la marque pour gagner des cadeaux (scooters, platines de mixage, téléphones WAP). L'efficacité de l'opération est évaluée à partir de la fréquentation du site et du nombre de participants[49].

**Les techniques utilisées par les détaillants auprès des consommateurs.** Le détaillant est surtout soucieux du volume de clientèle et de sa fidélité au point de vente, aussi les promotions qu'il met en place servent-elles avant tout cet objectif. Les *mises en avant* (displays, présentoirs, publicité sur lieu de vente ou PLV), les *prospectus* et les *produits d'appel* prédominent dans les grandes sur-faces alimentaires. Les *cartes de fidélité* donnant droit à des réductions, des points, voire à des services particuliers, connaissent un certain engouement depuis quelques années[50].

■ OPTIC 2000 offre une seconde paire de lunettes pour l'achat d'une paire à verres progressifs. Depuis 14 ans qu'elle existe, cette promotion vise la même cible : les presbytes, autant dire toutes les personnes de plus de 50 ans. Chaque année, l'enseigne attire ainsi 300 000 nouveaux clients qui choisissent la paire offerte dans une gamme de seconde catégorie (vendue 135 € mais coûtant environ 30 €) ; comme les verres progressifs sont générateurs d'une forte marge, le coût de l'opération est limité. En outre, de nombreux opticiens indépendants, inca-pables de faire face à cette concurrence, ont rejoint l'enseigne.

**Les techniques utilisées par les fabricants auprès de la distribution.** On dépense aujourd'hui probablement davantage en promotion réseau qu'en promotion consommateur. Un fabricant poursuit quatre objectifs vis-à-vis de son réseau : 1) *inciter la distribution à référencer la marque* ; 2) *pousser la distribu-tion à surstocker* car un distributeur est plus actif vis-à-vis d'un stock volumi-neux ; 3) *aider la distribution à promouvoir la marque* à travers des opérations de mise en avant sur le lieu de vente et des réductions de prix ; 4) *inciter les détaillants à pousser le produit en magasin* à travers des moyens de stimulation directe (concours, primes) du personnel de vente.

En même temps, il est clair que les fabricants consacrent plus d'argent en promotion réseau qu'ils ne le souhaiteraient. Le rapport de force leur est défa-vorable et, notamment, dans leurs contacts avec les grandes chaînes centrali-sées, ils doivent accepter les conditions exigées par les distributeurs[51]. Les techniques utilisées rassemblent : 1) les *réductions de prix*, qui, consenties sur une courte période, poussent les distributeurs à accroître leurs achats ; 2) les *allocations* ou *stimulations* qui récompensent une prestation spécifique (mise en avant d'un produit, animation promotionnelle) ; 3) des *bonus produit*, souvent liés à des conditions d'achat en volume ; et 4) des *cadeaux publicitaires*, qui seront remis par les détaillants à leurs clients.

**Les techniques utilisées par les fabricants auprès des vendeurs.** Les fabri-cants mettent souvent en place des actions promotionnelles auprès de leurs représentants ou de leurs agents afin de stimuler un effort de vente particu-lier. Les *primes de fin d'année, concours et voyages* sont les trois techniques les plus couramment utilisées.

**Les techniques promotionnelles en milieu industriel.** Enfin, les responsables de marketing «business to business» utilisent toute une variété de techniques

CHAPITRE 20
Gérer
la publicité,
la promotion,
les relations
publiques et le
marketing direct

633

promotionnelles pour stimuler les ventes et améliorer leurs relations avec leurs clients. Les plus utilisées sont les *primes directes* (par exemple, offre d'une imprimante lors de la vente d'un gros photocopieur ou marquage gratuit des produits au nom du client), parfois remises indépendamment de la transaction (cadeaux) ; les *primes différées* récompensant la fidélité ; *l'essai* (prêt d'une machine) et *les échantillons* ; ainsi que les *réductions de prix*, bien qu'elles soient souvent difficiles à isoler par rapport aux conditions de vente accordées[52]. Les *salons*, enfin, occupent une place à part (voir encadré 20.8).

**L'ÉLABORATION DE LA PROMOTION** ❖ Une fois la technique choisie, il faut prendre plusieurs décisions. Premièrement, on définit *l'amplitude* de la stimulation, de manière à trouver un équilibre entre incitation à l'achat et coûts supportés par l'entreprise. On choisit en deuxième lieu les *conditions de participation* afin de toucher la cible visée. Certaines conditions sont réglementées précisément : en France, par exemple, les loteries doivent être ouvertes à tous sans qu'il soit nécessaire de présenter une preuve d'achat. En troisième lieu, les responsables marketing doivent définir la *durée de l'opération*. Si elle est très inférieure à la fréquence des achats, de nombreux prospects n'auront pas l'occasion d'en profiter ; si elle dure trop longtemps, le consommateur pensera qu'il s'agit d'une offre permanente et ne verra pas l'intérêt d'une réaction immédiate[53]. La quatrième décision porte sur le *support de diffusion* : un bon de réduction d'un euro doit-il être placé sur l'emballage, à l'intérieur, distribué en magasin, envoyé par la poste ou diffusé par Internet ? Chaque support touche des

---

**20.8**

### Un must promotionnel : les salons

Biennale internationale de la distribution automatique, Eurofour, Bâtimat, Salon du cadeau d'entreprise, TopCom... Chaque profession et chaque secteur a son salon.
Une étude de l'Exhibition Industry Federation estime qu'en Allemagne, les salons représentent 22 à 25 % des dépenses de promotion des entreprises, 11 à 14 % aux États-Unis et 6 à 7 % en Grande-Bretagne. Une étude d'Expo-News montre que sur 300 entreprises interrogées (dont la moitié en France), 11 % octroient plus de 50 % de leur budget à quelque 150 salons spécialisés. Deux grandes catégories de salons coexistent : les salons généralistes, tel, en France, la Foire de Paris (plus d'un million de visiteurs), et les salons spécialisés, à l'accès souvent réservé aux professionnels. Le plus célèbre d'entre eux reste le Mondial de l'Automobile suivi de Bâtimat et du Salon de l'Agriculture. La tendance est plutôt en faveur des salons hyperspécialisés, très courts

mais étroitement ciblés. La société Blenheim en organise plus de 250 par an dans neuf pays d'Europe sur des thèmes précisément définis : Salon de l'alarme, Salon de la restauration rapide, PC Forum, etc. Le nombre de visiteurs est parfois modeste (75 000 pour PC Forum avec 850 exposants) mais ceux-ci sont triés sur le volet. Véritable incarnation spatiale du marché puisque la plupart des offreurs et des acheteurs sont présents, les salons remplissent de nombreuses fonctions : la prospection des clients et parfois la prise de commandes, la mise en valeur des innovations, la construction d'une image institutionnelle, et la veille technologique et concurrentielle. Le tout dans un contexte favorable puisque les acheteurs recherchent volontairement l'information. Pour les organisateurs, cela semble rentable puisque le chiffre d'affaires des salons spécialisés double en moyenne tous les dix ans.

---

*Sources :* adapté de Gérard Negreanu, « La potion magique des salons », *L'Entreprise*, n° 71, sept. 1991, p. 103. Voir également le numéro spécial de *Capital* de janvier 1995 consacré aux salons.

consommateurs différents et s'accompagne de coûts et d'effets distincts. La cinquième décision concerne le *moment de l'opération* et la dernière le *budget*. Le coût d'une promotion comprend les *charges administratives* (édition, routage, publicité) et le *coût de l'élément stimulant* (prime, valeur de la réduction), multipliés par le nombre d'unités que l'on envisage de vendre en promotion.

**LE PRÉ-TEST, LA MISE EN ŒUVRE ET L'ÉVALUATION *A POSTERIORI* ❖** Bien qu'une action promotionnelle soit conçue en tenant compte des expériences antérieures, un pré-test devrait en général être entrepris afin de vérifier que les techniques choisies sont appropriées, que l'amplitude de l'effort est adéquate et que le mode de présentation est efficace. Sur cet outil, il est relativement facile et peu onéreux de mener des expériences sur le terrain. Dans le cas des promotions destinées aux consommateurs, on peut également demander à des membres du groupe cible de ranger par ordre de préférence différentes sortes de promotion ou de réagir à différents types de prime.

Le plan de mise en œuvre de la promotion doit préciser le délai préparatoire et la date de clôture de l'opération. Le délai préparatoire correspond au temps nécessaire pour élaborer le programme jusqu'au lancement officiel. Il comprend la conception, la planification, l'approbation des modifications d'emballage ou du matériel, la préparation de la PLV, le briefing des vendeurs et des distributeurs, l'achat de primes, la constitution de stocks de sécurité et le transport dans les centres d'entreposage jusqu'à la date du lancement de l'opération. La date de clôture intervient lorsque 90 à 95 % de la marchandise en promotion sont entre les mains des clients.

L'évaluation des résultats d'une promotion devrait normalement tenir compte des ventes réalisées mais aussi de la rentabilité de l'opération – qui n'est pas toujours prise en compte. Quatre méthodes sont utilisées en pratique[54]. La plus courante consiste à comparer *les ventes (ou la part de marché)* avant, pendant, et après la promotion. La figure 20.7-A illustre ce type d'approche pour une marque de café en tête de gondole. Avant la promotion, la société jouissait d'une part de marché de 20 %. Pendant la période promotionnelle, cette part s'est élevée à 40 %. À l'issue de la promotion, la marque est revenue à 20 %. Pendant la période promotionnelle, cette part s'est élevée à 40 %. À l'issue de la promotion, la marque est revenue à 20 %. Les résultats ne sont pas toujours aussi clairs. La figure 20.7-B présente le cas d'une réduction de prix différée pour une marque de biscuits. Le gain de part de marché est ici plus modeste en amplitude mais beaucoup plus durable. La différence tient à une pénétration plus forte, couplée à un volume d'achat plus important.

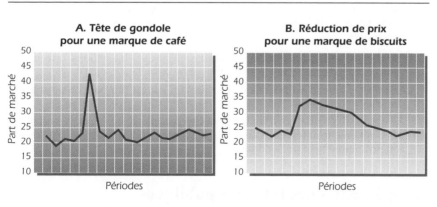

**FIGURE 20.7**
L'impact
d'une promotion

*Source :* Bruno Colin et Denis Delmas, « First Experience in France of the Nielsen Single Source Model », Nielsen Working Paper, 1990.

CHAPITRE 20
Gérer
la publicité,
la promotion,
les relations
publiques et le
marketing direct

635

Une deuxième méthode repose sur une *enquête* auprès d'un échantillon de consommateurs. Se souviennent-ils de la promotion ? Leur comportement d'achat a-t-il été affecté[55] ? Une troisième méthode consiste à mettre en place des *expériences* contrôlées dans l'espace et le temps pendant lesquelles on fait varier l'amplitude, la durée et les supports de promotion. À partir de groupes ou régions appariés, on peut mesurer l'impact de ces différents éléments.

Enfin, les *données de panel* peuvent servir à mesurer la réponse du marché[56]. Une étude a ainsi montré que les promotions destinées aux consommateurs favorisent le changement de marque, mais à un degré variable selon la nature de la promotion : les coupons diffusés dans les médias entraînent une plus forte infidélité que les offres spéciales qui devancent elles-mêmes les coupons joints à l'emballage. En outre, la plupart des consommateurs retournent à leur marque préférée sitôt la promotion terminée[57]. Plus généralement, une étude effectuée par IRI (Information Resources Inc.) à partir de son «Behaviorscan» révèle que sur 360 tests effectués aux États-Unis en dix ans, seuls 16 % des promotions étudiées étaient véritablement rentables[58].

## Les relations publiques

Les relations publiques constituent un autre outil de communication majeur. Leur essor est toutefois relativement récent et certains annonceurs continuent de les traiter comme un outil secondaire. Pourtant, les pratiques se professionnalisent et se développent parallèlement à l'ensemble de la communication hors média[59]. Aujourd'hui, les relations publiques envahissent un territoire toujours plus diversifié : communication financière, lobbying, audiovisuel, mécénat, sponsoring[60].

Bien que l'on ait déjà recensé plus de deux cents définitions, on peut identifier les relations publiques comme :

❖ Une activité de mise en place par une entreprise, un organisme public ou privé, un particulier ou un groupe, pour créer, établir, maintenir ou améliorer d'une part la confiance, la compréhension et la sympathie, et d'autre part, les relations avec des publics qui, à l'intérieur et à l'extérieur de l'institution, conditionnent son développement[61].

On englobe en fait sous le vocable « RP » cinq activités[62].

1. Les *relations-presse* visent à faire passer des informations dans les médias sous un angle positif.

2. La *publicité rédactionnelle* consiste à obtenir de l'espace rédactionnel dans les médias vus, lus ou écoutés par les clients ou prospects d'une entreprise. Toute activité qui consiste à organiser un événement entre donc dans cette catégorie[63].

3. La *communication institutionnelle* rassemble toutes les actions internes et externes centrées sur l'institution (entreprise, association, etc.)[64].

4. Le *lobbying* défend les intérêts de l'institution auprès des pouvoirs publics et des élus[65].

5. Le *conseil*. Il s'agit alors d'informer et de conseiller l'entreprise à propos de développements intervenus dans son environnement qui pourraient affecter son positionnement ou son image.

## Les spécificités des relations publiques

Les relations publiques et le marketing ne parlent pas toujours le même langage. Les premières reprochent au second son obsession de la rentabilité alors qu'elles voient l'impact de leur rôle à plus long terme. Aujourd'hui, cependant, les deux services se rapprochent, même si les relations publiques s'adressent à des interlocuteurs très diversifiés : actionnaires, employés, administration, associations de consommateurs...

De plus en plus souvent, elles voient leurs missions s'élargir aux tâches suivantes :

♦ *Aider au lancement des nouveaux produits.* Le succès spectaculaire de produits comme les poupées-chiffons ou les tamaguchis n'est pas dû à des investissements publicitaires, mais plutôt à l'intense effort rédactionnel qui a entouré leur lancement (articles, émissions de télévision, manifestations, démonstrations)[66]. Dans l'édition et le cinéma, le succès de nouveaux ouvrages ou de nouveaux films semble particulièrement tributaire de ce type d'effort.

♦ *Aider au positionnement d'un produit arrivé à la maturité.* Dans les années 1970, une ville comme New York avait une très mauvaise image. Depuis, les campagnes « *I love NY* » ont redonné envie aux touristes d'aller la visiter.

♦ *Accroître l'intérêt pour une catégorie de produit.* Certains produits de base comme le pain ou le beurre n'intéressent guère s'ils ne sont l'objet, de temps à autre, d'efforts de publicité rédactionnelle.

♦ *Influencer des cibles spécifiques.* Frigécrème a ainsi « patronné » trois écoles maternelles de la région nantaise pendant un an en leur proposant de travailler sur des thèmes liés à la crème glacée : jeux de lettres, compositions en couleurs, recherche de rimes... Les travaux ont donné lieu à un voyage de presse, une visite d'usine et des expositions à Nantes et à Paris qui ont servi à la fois l'image de l'Éducation Nationale et celle de l'entreprise.

♦ *Défendre des produits qui ont rencontré des problèmes.* En cas de crise comme l'incident de Coca-Cola en Belgique, des efforts doivent être déployés pour rassurer le public.

♦ *Construire une image institutionnelle qui rejaillira positivement sur les produits.* Dès avant sa privatisation, puis sa fusion dans Aventis, Rhône-Poulenc avait beaucoup investi dans la recherche d'une image humanitaire devant positionner favorablement les produits pharmaceutiques de l'entreprise.

Par rapport aux autres outils de communication, les relations publiques semblent particulièrement aptes à développer la notoriété et l'image de l'entreprise dans un climat affectif. Certains spécialistes indiquent que les consommateurs sont cinq fois plus influencés par un article de presse que par une annonce publicitaire. Les relations publiques permettent en outre d'ouvrir le dialogue avec les prescripteurs (enseignants, chercheurs, médecins) et les autorités administratives. Or, la gestion d'une opération de relations publiques ne s'improvise pas et certaines sociétés comme Gillette forment activement leurs chefs de produit dans cette discipline.

■ MATTEL. « Chez Mattel, explique son président, dès qu'un lancement de produit s'annonce, nos différentes agences (pub, promo, relations publiques) et nous-mêmes sommes dans l'action dès le premier jour : un brain trust s'organise, chacun apporte ses spécificités. » Les poupées mannequin Barbie sont devenues un véritable phénomène de société, témoin privilégié de nos modes et de nos mœurs. À partir de ce patrimoine unique, Mattel France organise des opérations de relations publiques extrêmement pointues : par exemple un centre de réflexion commun avec le laboratoire sur le jeu et le jouet de l'université de Paris XIII ; ou un concours réunissant des écoles de design industriel, d'architecture, de couture, de mode et de coiffure dont les thèmes consistaient, au travers des poupées mannequin Barbie, à imaginer quel serait notre environnement et nos habitudes de vie à l'aube du troisième millénaire : dans quel espace allons-nous vivre, comment nous habiller demain, comment nous déplacerons-nous ? Plus de 3 millions de poupées mannequin Barbie ont été vendues en France et plus de 25 millions dans le monde.

CHAPITRE 20
Gérer
la publicité,
la promotion,
les relations
publiques et le
marketing direct

637

■ **Microsoft et Windows.** Pour le lancement du système d'exploitation Windows 95, Microsoft dépensa 220 millions de dollars de par le monde. La campagne de relations publiques fut un grand succès : alors qu'au jour du lancement, le 24 août 1995, aucun argent n'avait encore été investi en publicité média, tout le monde était déjà au courant. Selon le *Wall Street Journal*, 3 000 titres, 6 582 articles et plus de 3 millions de mots avaient été consacrés au produit entre le 1er juillet et le 24 août. Au Canada, un drapeau Windows 95 de plus de deux cents mètres carrés flotta au mât de la célèbre tour de Toronto. Aux États-Unis, l'Empire State Building fut baigné des trois lumières rouge, jaune et verte du logo Windows. À Londres, Microsoft fit gratuitement distribuer 1,5 million d'exemplaires du quotidien *London Times*. Lorsque le produit fut enfin mis en vente, les foules se précipitèrent pour l'acheter. À la fin de la première semaine, les ventes aux États-Unis avaient dépassé les 100 millions de dollars, à 90 $ l'unité. Aucune campagne publicitaire d'un montant équivalent n'aurait eu, selon les responsables de l'entreprise, le même impact.

## L'élaboration d'une opération de relations publiques

Les professionnels des RP disposent de sept principaux moyens d'action présentés dans l'encadré 20.9. L'élaboration d'une opération exige de définir ses objectifs, de choisir les supports, de mettre en œuvre l'opération avant d'en évaluer les effets.

**LA DÉFINITION DES OBJECTIFS** ❖ Une opération de relations publiques peut construire la notoriété d'un produit, construire sa crédibilité ou stimuler la force de vente et la distribution en attirant l'attention des médias. L'économie constitue également un objectif puisque les opérations de relations publiques coûtent en général moins cher que la publicité média ou le mailing.

---

**20.9**

### Les outils des relations publiques

On en distingue sept :

♦ Les *nouvelles* sont transmises aux journalistes par des communiqués ou des conférences de presse. Elles sont parfois imposées par l'actualité (OPA, signature d'un gros contrat), parfois liées à un événement créé pour attirer l'attention des médias (anniversaire, tour du monde par des avions Airbus…).

♦ Les *discours* des dirigeants influencent l'image de leur entreprise et attirent l'attention sur les produits.

♦ Les *événements* organisés par les entreprises consistent en des compétitions sportives (le trophée Lancôme), des séminaires et conférences (les entretiens de Bichat), des prix (prix *Elle* des lectrices) ou de toute autre manifestation destinée à attirer l'attention du public.

♦ Le *mécénat culturel et le sponsoring sportif* contribuent à construire la notoriété et l'image de la marque (fondation Cartier, Adidas et l'équipe de France de football…)

♦ Les *activités à but non lucratif* consistent à soutenir des organismes à vocation humanitaire, scientifique ou médicale. La fondation Kodak, par exemple, aide la Croix-Rouge française et l'Institut Pasteur.

♦ Les *publications* incluent les rapports annuels, plaquettes, brochures, lettres d'information et films institutionnels. Les journaux d'entreprise, tant à usage interne qu'externe, se sont multipliés au cours des dernières années.

♦ Les *médias d'identité* rassemblent tous les éléments physiques transmettant un message sur l'entreprise : logos, factures, contacts téléphoniques, siège social, cartes de visite, uniformes doivent être pensés et coordonnés.

Plusieurs objectifs peuvent être poursuivis simultanément. Par exemple, une association de producteurs d'Armagnac assigne à une action rédactionnelle un double objectif : convaincre les Français que boire de l'Armagnac fait partie du bon goût et du savoir-vivre, et améliorer l'image de l'Armagnac vis-à-vis du Cognac. Elle envisage plusieurs types d'actions : 1) préparer des dossiers de presse sur l'Armagnac, son histoire et son mode de fabrication ; 2) agir auprès de la profession médicale pour la convaincre des vertus de l'Armagnac (consommé avec modération) ; 3) mettre en place des communications spéciales destinées aux jeunes, aux cadres, aux professions libérales, etc. Les buts d'une action rédactionnelle ou d'une opération de relations publiques devraient toujours être traduits sous forme d'objectifs chiffrés, de façon à permettre une évaluation des résultats obtenus.

**LE CHOIX DES MESSAGES ET DES SUPPORTS** ❖ Supposons qu'une école de gestion peu connue cherche à améliorer sa notoriété dans le public. On examine ses caractéristiques afin de voir lesquelles pourraient donner lieu à du rédactionnel : les professeurs travaillent-ils sur des projets intéressants ? A-t-on récemment développé de nouveaux cours ? Diversifié le corps enseignant ? Des activités inhabituelles sont-elles planifiées sur le campus ? Y a-t-il quelque chose d'original dans les bâtiments, l'histoire ou les objectifs de l'école ? Une recherche de cette nature révèle des dizaines de supports d'articles. Il faudra choisir ceux qui offrent le meilleur potentiel et expriment le mieux le positionnement retenu.

Si le nombre de supports reste insuffisant, le responsable des relations publiques doit *susciter* des événements plutôt que les *rechercher* : congrès, conférences faites par de prestigieuses personnalités, manifestations sportives, constituent autant d'occasions de faire parler de l'école dans la presse et les médias.

La *création d'événements* est particulièrement judicieuse pour des organisations à but non lucratif qui dépendent de cotisations volontaires. Les célébrations d'anniversaire, expositions, kermesses, loteries, concours, bals, dîners, courses cyclistes ou marathons constituent divers moyens utilisés par les partis politiques, les groupes confessionnels, les syndicats, les mouvements sociaux ou les associations culturelles. En France, la fête de l'Humanité, le bal de la RATP, les concerts de l'Armée du Salut ou le cross du Figaro sont devenus des supports d'image importants pour chacune des institutions concernées. Des sociétés spécialisées proposent l'organisation de telles opérations[67] :

■ **LU.** Les biscuits Lu ont choisi l'enfant et la mer en sponsorisant des compétitions de voile dont la course autour du monde en solitaire. Pourquoi ? « L'enfant est le premier consommateur de biscuits », répond-on chez Lu et le biscuit est le premier aliment du marin. Pour Lu, la mer symbolisait aussi un lien entre les différents pays où la marque est présente. En même temps, Lu a décidé d'intervenir dans le domaine de l'art. Après avoir créé une exposition permanente d'affiches et d'objets publicitaires qui a fait le tour du monde, la marque cherche aujourd'hui à s'attacher de nouveaux artistes pour étendre sa collection : Antonello, Folon, Savignac, Descloseaux, etc. dont les œuvres sont exposées, aux frais de Lu, au musée municipal de Vernon-sur-Eure. « Pour nous, explique-t-on chez Lu, le mécénat doit être un investissement à long terme dans le domaine culturel et artistique. C'est aussi une image de marque qui nous permet de nous distinguer par rapport aux autres fabricants de biscuits. »

■ **SPONTEX.** Les enfants sont de gros consommateurs d'éponge. Ils sont aussi très sensibles à la protection des animaux. L'agence de conseil YKA a donc proposé à Spontex une opération de mécénat en faveur du WWF (World Wildlife Fund) : le consommateur renvoie à Spontex des points dont l'équivalent monétaire est reversé au WWF. Les enfants qui participent sont récompensés par un poster représentant les espèces menacées.

CHAPITRE 20
Gérer
la publicité,
la promotion,
les relations
publiques et le
marketing direct

639

**LA MISE EN ŒUVRE ET L'ÉVALUATION** ❖ Toute opération de relations publiques doit être effectuée avec soin car la visibilité des événements exige d'éviter tous faux pas. En matière de relation presse, la mise en avant d'un rédactionnel favorable se fait à la discrétion d'un rédacteur en chef, toujours très occupé. L'entreprise prévoyante dispose donc d'un attaché de presse connaissant bien les responsables des principaux médias. Il s'agit souvent d'un ancien journaliste, devenu expert dans l'art de présenter un dossier clair, facile à utiliser et convaincant.

Il est particulièrement délicat d'évaluer l'impact des opérations de relations publiques, dans la mesure où celles-ci sont rarement entreprises isolément. Les principaux critères d'appréciation utilisés sont l'*exposition, la notoriété, la compréhension, l'attitude et l'achat*.

La mesure la plus courante et la plus facile est la comptabilisation du nombre de contacts obtenus dans les médias. Le responsable d'un rédactionnel fait l'inventaire des retombées de presse (press book), précédé d'un bref résumé, par exemple :

> *La couverture média obtenue comprend : 1) trois cent cinquante mm de texte et photos répartis dans 35 revues correspondant à une audience totale de 8 millions de personnes ; 2) vingt-cinq minutes sur dix chaînes de radio avec une audience de 6 millions de personnes ; et 3) sept minutes de télévision sur cinq chaînes avec une audience de 12 millions de personnes. Si tout cet espace avait dû être acheté aux tarifs de la publicité, il en aurait coûté x millions d'euros.*

Le nombre de contacts n'est cependant par une mesure très satisfaisante car on ne sait pas combien de personnes ont réellement vu ou entendu le message et ce qu'elles en ont retiré. Par ailleurs, il faut raisonner en termes d'audience nette, du fait que les médias peuvent avoir des publics qui se recoupent.

Une meilleure approche consiste donc à mesurer la notoriété et la compréhension du message ainsi que la modification d'attitude qu'il a éventuellement provoquée. Pour ce faire, il est indispensable, d'une part de disposer de mesures avant et après campagne afin de mettre en évidence les écarts, et, d'autre part, de pouvoir isoler l'impact du rédactionnel et des relations publiques par rapport aux autres éléments du mix marketing, ce qui est beaucoup plus difficile.

Une mesure d'impact en termes de ventes et de rentabilité est bien entendu éminemment souhaitable. Pour une fête organisée par un parti politique, on comptabilise le nombre de nouvelles adhésions et le montant de leurs cotisations. Pour du rédactionnel, l'effet est plus difficile à évaluer. Supposons qu'à la suite d'une campagne, les ventes d'un produit se soient accrues d'1 500 000 € et que le responsable marketing estime que les relations publiques y ont contribué à hauteur de 15 %. On peut évaluer la rentabilité de l'investissement de la façon suivante :

| | |
|---|---:|
| Accroissement des ventes | 1 500 000 € |
| Impact du rédactionnel (15 %) | 225 000 € |
| Contribution brute (10 %) | 22 500 € |
| Coût direct du rédactionnel | 10 000 € |
| Contribution nette | 12 500 € |
| Rentabilité de l'investissement : | 12 500/10 000 = 125 % |

# Le marketing direct

❖ Le *marketing direct* est un marketing interactif qui utilise un ou plusieurs médias en vue d'obtenir une réponse et/ou une transaction.

Ses caractéristiques sont l'absence d'intermédiaire entre l'entreprise et le client, une double fonction de communication et/ou de vente directe, et l'attente d'une réaction rapide du client (souvent une commande ou une demande d'information). Les canaux utilisés incluent le mailing postal, l'envoi de catalogues, le télémarketing (téléphone), la télévision interactive, l'envoi de messages par fax, e-mail, SMS ou WAP.

Aujourd'hui, de nombreuses entreprises utilisent le marketing direct pour construire une relation à long terme avec le client et mettre en place un *marketing relationnel*. Elles envoient des cartes d'anniversaire, des documents d'information, des invitations et autres objets pour construire une relation particulière avec certains clients. Les compagnies aériennes et les chaînes d'hôtel, se sont, entre autres, efforcées de développer de telles relations à l'aide de programmes d'identification et de sélection des clients les plus fidèles et les plus rentables.

## La croissance du marketing direct

Le marketing direct n'a cessé de se développer ces dernières années, en Europe comme aux États-Unis. En France, il représentait, en 2001 9,2 milliards d'euros d'investissements contre 4,6 en 1996, soit un doublement en cinq ans ! Il correspond aujourd'hui à 32 % des dépenses de communication et à 50 % du hors-média.

Le commerce électronique a également explosé. En 2002, on comptait plus de 35 millions de sites et 600 millions d'internautes de par le monde (soit 9,7 % de la population), dont 170 millions aux États-Unis et 150 en Europe (17 en Allemagne, 11 en France, 11 en Grande-Bretagne, 8 en Espagne et 8 en Italie)[68]. En France, 36 % des foyers sont équipés d'un micro-ordinateur et 22 % ont accès à Internet. En 2001, les ventes en ligne ont généré un chiffre d'affaires mondial de l'ordre de 500 milliards de dollars (dont les deux tiers aux États-Unis) dans les activités interentreprises (dites « *business-to-business* » ou *b-to-b*) et de 100 milliards de dollars auprès des consommateurs finaux (*b-to-c*). En France, le commerce électronique de détail (*b-to-c*) a représenté un chiffre d'affaires de 1,4 milliard d'euros en 2001 (+ 114 % par rapport à 2000), soit 2,2 fois plus que les achats sur minitel. Sa répartition par secteur est présentée dans la figure 20.8.

La croissance spectaculaire du marketing direct s'explique par de multiples raisons : la fragmentation des marchés et la recherche d'une approche personnalisée du client (« *marketing one-to-one* ») ; la richesse croissante des bases de données permettant un marketing direct plus pertinent ; l'évolution des modes de vie réduisant le temps consacré au shopping, les embouteillages, les attentes aux caisses ; la sécurisation des moyens de paiement à distance, qui a encouragé les achats à domicile ; pour les entreprises industrielles, le coût croissant des visites commerciales incitant à les réserver aux prospects les plus importants et à les préparer par du télémarketing et des mailings ; enfin, le développement des nouvelles technologies offrant une alternative aux mailings classiques à coût bas (e-mail et SMS notamment)[69].

CHAPITRE 20
Gérer
la publicité,
la promotion,
les relations
publiques et le
marketing direct

641

**FIGURE 20.8**
La répartition
du e-commerce
de détail par secteur

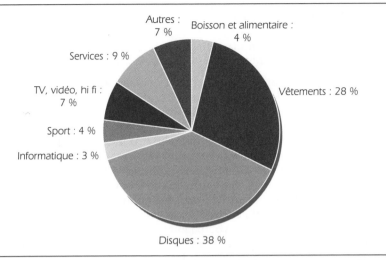

Autres : 7 %
Boisson et alimentaire : 4 %
Services : 9 %
TV, vidéo, hi fi : 7 %
Vêtements : 28 %
Sport : 4 %
Informatique : 3 %
Disques : 38 %

*Source :* INSEE, avril 2001 sur www.journaldunet.com

## Les avantages du marketing direct

Le marketing direct offre beaucoup d'avantages au client. L'achat à distance, pratique, représente un gain de temps et permet d'avoir accès à une offre large de produits. Il permet de comparer les offres et les prix à toute heure sans quitter son fauteuil. Dans les activités *business-to-business*, les entreprises peuvent se renseigner sur les produits et services en y consacrant moins de temps que si elles accueillaient des représentants.

Pour l'entreprise vendeuse, le marketing direct offre l'avantage de la sélectivité. Elle ne s'adresse qu'à la cible visée. Les joailliers peuvent contacter les futurs mariés en les identifiant par la publication des bans. L'entreprise peut également construire des relations suivies avec chaque client. Les fabricants de couches utilisent le marketing direct pour s'adresser aux parents de jeunes enfants et adapter leur message en fonction de leur âge et donc de la taille des couches utilisées. Pampers et Nestlé construisent ainsi en permanence un fichier d'adresses de jeunes mamans et leur envoient des informations sur les produits, des conseils, des bons de réduction, des échantillons et des cadeaux. Le moment des envois peut être choisi avec soin (anniversaire par exemple).

En général, le marketing direct bénéficie d'une attention plus soutenue des consommateurs que les autres outils de communication du fait de la pertinence du message pour le prospect. De multiples annonces peuvent être testées, avec une mesure empirique des résultats obtenus. Les efforts réalisés sont moins visibles pour les concurrents que d'autres actions de communication. Enfin, on peut calculer précisément les effets et la rentabilité des opérations. Cependant, le marketing direct pose également des problèmes éthiques (voir encadré 20.10).

## Le marketing direct intégré

Aujourd'hui, la plupart des entreprises reconnaissent l'importance d'une consolidation de leurs actions de communication et nomment un « DirCom », chargé à la fois de la communication interne et externe. Au lieu d'une

# La responsabilité éthique du marketing direct

Dans l'ensemble, les entreprises qui pratiquent le marketing direct entretiennent avec leurs clients de bons rapports. Toutefois, des conflits peuvent éclater lorsqu'apparaît l'une ou l'autre des situations décrites ci-dessous :

♦ *L'irritation.* Nombreux sont ceux qui se plaignent du côté insistant de certaines pratiques de marketing direct et notamment du marketing téléphonique. Environ 30 % des plaintes et des demandes de conseil reçues par la CNIL dans le secteur des télécommunications concerne l'usage des automates d'appel et la diffusion de messages préenregistrés.

♦ *L'injustice.* Il arrive que des opérateurs de marketing direct tirent parti de la crédulité ou de la position de faiblesse de certains consommateurs. Par exemple, la présentation ambiguë d'une loterie fera croire à de nombreux destinataires qu'ils ont gagné.

♦ *La tromperie et la fraude.* Certains opérateurs de marketing direct émettent des messages qui, de toute évidence, trompent les consommateurs qui les lisent. Les performances ou même les dimensions du produit ou du service sont exagérées et les prix sont parfois trompeurs. En France, la publicité «de nature à induire en erreur» est interdite par l'article L. 121-1 du code de la consommation. Pourtant, chaque année, de nombreuses «arnaques» sont débusquées.

♦ *L'invasion de vie privée.* C'est peut-être la question la plus épineuse à laquelle est aujourd'hui confronté le marketing direct en ligne. À chaque fois qu'un client prend contact avec une entreprise, que ce soit à l'occasion d'une garantie, d'une promotion, d'un abonnement, ou encore d'un paiement, son nom et ses caractéristiques sont soigneusement répertoriés dans une banque de données qui sera ultérieurement exploitée. Bien sûr, la connaissance du profil des clients permet à certains d'entre eux de bénéficier d'offres qui les intéressent réellement mais la frontière est étroite entre le souci de satisfaire un désir et l'irruption dans la vie privée des gens. Par exemple, est-il légitime d'éplucher les carnets de naissance des quotidiens nationaux et régionaux pour revendre les adresses ainsi recueillies aux fabricants de couches-culottes et de petits pots ? De même, peut-on, à l'occasion d'une prestation de SAV, interroger discrètement les consommateurs sur leurs émissions et magazines préférés pour exploiter ensuite commercialement ces informations ? En France, la Commission nationale de l'informatique et des libertés surveille de près toutes ces initiatives. La loi du 6 janvier 1978 oblige les entreprises à lui soumettre tout projet de fichier.

Les professionnels du marketing direct se sentent concernés par toutes ces questions. Plutôt que de ne rien faire et prendre ainsi le risque d'une réglementation plus contraignante, ils préfèrent en général se doter de codes de déontologie et exclure de leurs syndicats les plus indélicats. Dans leur grande majorité, ils poursuivent le même objectif que leurs clients : disposer d'offres honnêtes et bien adaptées à ceux qui ont le plus de raisons de les apprécier et d'y adhérer.

Sources : *Capital*, «Les pièges à gogos du marketing direct», 1er avril 2002, pp. 104-106 ; *La Vie française*, «Il faut moraliser le marketing direct», 28 septembre 1996, p. 73 et le *Livre blanc sur les arnaques de la consommation* (Paris : ministère de l'Économie et des Finances, 16 octobre 1996).

CHAPITRE 20
Gérer
la publicité,
la promotion,
les relations
publiques et le
marketing direct

approche au coup par coup pour prospecter, par exemple en envoyant un mailing unique à partir d'une base de données, une approche plus percutante consiste à multiplier les contacts. On entre alors dans le domaine que l'on appelle le *marketing direct intégré*[70].

Considérons la séquence : annonce publicitaire → mailing → communication téléphonique → visite commerciale → communication d'entretien. L'annonce accroît la notoriété et stimule la prise de contact. Le mailing détaille l'offre auprès du marché intéressé, la communication téléphonique sert à la prise de commande tout comme la visite commerciale, pour ceux qui l'exigent. Une communication d'entretien assure le suivi. Ernan Roman soutient que cette forme d'intégration accroît l'efficacité du message car chaque outil est utilisé au mieux de ses possibilités. Il cite l'exemple de la banque Citicorp qui, au lieu d'utiliser le seul mailing couplé à un numéro vert, a ouvert 15 % de comptes de plus en combinant un mailing avec un coupon, un programme de télémarketing et une annonce presse. Il conclut : « Lorsqu'un mailing qui engendre 2 % de réponse est couplé à un numéro vert, son rendement s'accroît de 50 à 125 %. Un télémarketing efficace démultiplie cinq fois l'impact. Le retour est alors de 13 % au minimum, au lieu de 2 % de départ. La multiplication des médias entraîne une diversification des prospects, sensibles à différents stimuli[71]. »

Rapp et Collins ont élaboré, sous le nom de *maximarketing*, un modèle efficace d'intégration des techniques de marketing direct[72]. Ce modèle recommande la création d'une banque de données client et la mise en place d'une relation directe avec la clientèle. Le maximarketing s'appuie sur une procédure en plusieurs étapes pour contacter le prospect, faire la vente et développer la relation avec le client.

## Les principaux outils du marketing direct

Les outils du marketing direct sont fort nombreux[73]. Voici les principaux.

**LA VENTE EN FACE-À-FACE** ❖ La plus ancienne forme de marketing direct est la vente en face à face. Aujourd'hui la plupart des entreprises industrielles s'appuient sur une force de vente pour identifier les prospects et en faire des clients, ainsi que pour obtenir de multiples informations sur le marché et la concurrence. Par exemple :

■ **IBM EUROPE.** « Nous nous sommes rendu compte que se procurer des études de marché n'est pas suffisant pour connaître nos concurrents et leurs pratiques, explique le responsable du service de Competitive Marketing pour l'Europe ; la question clef pour nous est moins ce qu'ils vendent que comment ils font, comment ils distribuent, avec qui ils s'allient, quelles sont leurs pratiques commerciales et tarifaires. Toutes ces informations, on les obtient du terrain[74]. »

En outre, de nombreux opérateurs de services destinés au grand public (assurance, placements financiers mais aussi encyclopédies et cosmétiques) vendent encore leurs produits en porte à porte.

**LE MAILING (OU PUBLIPOSTAGE)** ❖ Selon une enquête de La Poste effectuée en 1997, 91 % des responsables d'entreprise estiment que le courrier est le média le plus propice à la réflexion tandis que, pour 54 % des Français, le courrier est le média qui donne le plus envie de répondre (59 % d'entre eux ont d'ailleurs répondu à un courrier adressé dans les douze derniers mois et 54 % l'on fait pour un courrier non adressé). Le contenu de l'envoi peut prendre des formes très diverses : lettre, prospectus, dépliant, cassette, disquette, cédérom, etc.

Les mailings sont préparés à partir de fichiers internes ou achetés (ou loués) à l'extérieur. Le marché des fichiers est quasi illimité et pratiquement tous les critères de sélection peuvent être choisis depuis le goût pour la musique classique jusqu'à un intérêt pour le body-building. En général, un fichier est d'abord loué « à l'essai » et un test est organisé pour vérifier le taux de réponse.

Le mailing est un outil extrêmement utilisé car il permet une grande sélectivité, une personnalisation et une flexibilité maximales en même temps qu'il se prête bien aux opérations de test. Bien que le coût par mille soit supérieur aux mass-médias (en moyenne 0,75 euro par contact), l'impact est plus significatif grâce à la présélection. Pour des produits tels que les livres, les abonnements aux magazines, ou les contrats d'assurance, il peut être un outil marketing de première importance.

Au cours de ces dernières années, de nouvelles formes de mailing sont apparues :

♦ *Le mailing par télécopie*. Le fax a un avantage majeur sur le courrier ordinaire : le message est reçu instantanément. Pourtant certains prospects se plaignent de la publicité par fax qui engorge leurs machines et consomment leur papier. Par contre, pour passer une commande rapidement, il reste très apprécié. Cet outil est cependant réservé aux offres destinées aux entreprises, car peu de particuliers disposent d'un télécopieur.

♦ *La messagerie électronique* permet d'envoyer instantanément une offre commerciale ou une annonce à des utilisateurs de PC. Par rapport au fax, l'e-mail permet un envoi simultané à une multiplicité de destinataires ainsi qu'un lien avec le site Internet de l'offreur, susceptible de faciliter la prise de commande. Une difficulté réside toutefois dans l'obtention de fichiers d'adresses e-mails larges et diversifiés. En outre, le « *spamming* » (envoi d'e-mails non sollicités) est très peu apprécié, d'où l'importance d'utiliser cet outil davantage auprès de ses propres clients que des prospects.

♦ *La messagerie vocale* consiste à recevoir et stocker des messages oraux sur une adresse téléphonique. On peut par exemple appeler un grand nombre de numéros de téléphone et enregistrer l'annonce commerciale sur la messagerie.

♦ *L'envoi de SMS* (messages écrits sur des téléphones portables) répond au même principe, mais exige une grande brièveté du message.

Ces nouvelles formes se caractérisent avant tout par leur rapidité, avantage certain sur le courrier traditionnel. Pourtant, tout comme pour ce dernier, le risque de pollution est réel si trop de messages sans intérêt encombrent les réseaux. La clientèle se désintéressera alors rapidement. L'utilisation du mailing par une entreprise peut correspondre à différents niveaux de maturité dans la pratique du marketing direct. Les entreprises néophytes achètent de larges bases d'adresses et envoient le message en grand nombre, obtenant des taux de retour très bas. Celles qui ont plus d'expérience recherchent des bases de données précises permettant un tri soigneux des prospects susceptibles d'être intéressés. Les adeptes du marketing interactif favorisent à tout moment le contact téléphonique ou électronique avec le client et utilisent l'interaction pour vendre d'autres produits ou approfondir la relation. Le marketing interactif en temps réel consiste à avoir assez d'informations sur le client pour personnaliser l'offre et le message. Enfin, les entreprises les plus expertes raisonnent en terme de *valeur à vie du client* et construisent des plans d'actions tenant compte des étapes de la vie de chaque acheteur.

L'élaboration d'une campagne de mailing suppose successivement de définir ses objectifs, cibler les destinataires, choisir les supports, tester la campagne et en mesurer les résultats.

CHAPITRE 20
Gérer
la publicité,
la promotion,
les relations
publiques et le
marketing direct

645

**Les objectifs.** En général, une opération de marketing direct a pour but d'engendrer des ventes immédiates. Le taux de réponse mesure donc le succès de la campagne. Pour un mailing, on considère qu'un taux de 2 % est satisfaisant, encore que tout dépende de la catégorie de produit et du type de mailing.

En amont des ventes, la campagne peut avoir développé la notoriété ou l'intention d'achat. Par ailleurs, toutes les actions ne visent pas l'achat immédiat. Il peut s'agir de procurer des pistes à la force de vente, de renforcer l'image ou les bonnes relations (cartes de vœux ou d'anniversaire), de mesurer la satisfaction des clients et leurs éventuelles remarques. Ainsi en France, chaque concessionnaire Fiat sonde tous ses clients, à chaque date anniversaire de leur achat.

**Les cibles.** Il faut identifier précisément les caractéristiques des clients et prospects les plus désireux, et les plus capables, d'acheter. On utilise souvent la formule RFM (récence, fréquence, montant) pour les sélectionner[75] : on évalue l'attrait de chaque client en fonction du temps écoulé depuis son dernier achat, de la fréquence des achats passés et des montants dépensés depuis qu'il est devenu client.

On peut également adopter une approche de segmentation classique, fondée sur l'âge, le sexe, le revenu, l'éducation, l'historique d'achat ou les occasions de consommation. Les jeunes mères sont intéressées par la layette et les jouets éducatifs ; les lycéens par l'ordinateur personnel et les vêtements griffés ; les jeunes mariés par l'électroménager et le mobilier. Les styles de vie fournissent également une base de départ : il y a des fanas de sport, de cuisine ou d'informatique.

Une fois la cible définie, il faut obtenir les noms des prospects. On élabore souvent des listes d'acheteurs récents que l'on complète auprès des loueurs de fichiers, tarifés à l'adresse. Les fichiers externes présentent certains inconvénients : duplication des noms, données incomplètes, adresses obsolètes, etc. Les meilleurs d'entre eux contiennent, au-delà de l'adresse, un profil socio-démographique complet[76].

**Les supports.** Le taux de réponse à un mailing est affecté par plusieurs facteurs[77] :

♦ L'enveloppe externe doit attirer le regard, à l'aide par exemple d'une illustration en couleurs ou d'un slogan accrocheur. L'enveloppe est plus efficace, mais aussi plus coûteuse, si elle contient un timbre de collection, est écrite à la main, et diffère en taille du format normal (sauf pour les communications d'affaires).

♦ La lettre doit être personnalisée et commencer par un titre qui donne envie de lire la suite. Le papier doit être d'un bon grammage et le texte ponctué de remarques et d'annotations en marge. Un P.S. suggestif ainsi qu'une signature prestigieuse accroissent le taux de réponse.

♦ Un descriptif en couleur accompagnant la lettre s'auto-rembourse assez facilement.

♦ De meilleurs résultats sont également obtenus si l'on indique un numéro vert et si le bon de commande est pré-découpé.

♦ Enfin, la carte de réponse, couplée à une enveloppe T, doit être très facile à remplir.

**Les tests.** L'un des réels avantages du marketing direct est la facilité avec laquelle tous ses différents éléments peuvent être testés en vraie grandeur sur le marché[78]. On peut tester des accroches, des prix, des produits, des médias et des listes. Tout cela permet d'améliorer grandement les taux de réponse et la rentabilité.

Le taux de réponse d'une campagne sous-estime en général son impact. Supposons que la dernière campagne de Damart occasionne 2 % d'achat. La notoriété et l'intention ont progressé ainsi que le bouche à oreille. Certaines entreprises prennent maintenant en compte ces éléments pour mesurer, au-delà du taux de réponse, l'efficacité d'une campagne.

**La mesure de l'impact.** En totalisant les coûts, on peut assez facilement estimer le taux de réponse correspondant au point mort. Il faut bien sûr déduire les retours et les impayés. Les causes de retour (livraison tardive, marchandise défectueuse ou non conforme, etc.) sont toujours riches d'enseignement.

En analysant les résultats passés, on peut améliorer l'impact d'une campagne. Même si le point mort n'est pas atteint, l'impact peut quand même être positif :

> Supposons qu'une association investisse 10 000 € dans une campagne qui aboutisse à 100 membres supplémentaires cotisant chacun 70 €. Il semblerait que l'on ait perdu 3 000 € (10 000 − 7 000). Mais si 80 % des nouveaux membres renouvellent leur cotisation l'année suivante, l'association récoltera $80 \times 70 = 5 600$ € sans effort. Le revenu total est alors de 12 600 € (7 000 + 5 600) pour un investissement de 10 000 €.

Cet exemple démontre l'intérêt d'analyser *la valeur à vie d'un client* (voir chapitre 2). Cette valeur va bien au-delà de l'achat spécifique provoqué par un mailing. Le profit est en fait obtenu sur l'ensemble des transactions moins le coût d'acquisition augmenté du coût d'entretien. Les spécialistes du marketing direct s'efforcent de mesurer précisément cette valeur afin de sélectionner les clients les plus intéressants. On leur envoie alors des lettres d'information, des cadeaux, des offres spéciales ou tout autre élément de nature à maintenir une relation à long terme[79].

**LA VENTE PAR CATALOGUE** ❖ Ancêtre du marketing direct, elle représente environ 2 % du commerce total de détail (voir la vente à distance dans le chapitre 18) et plusieurs centaines de millions de catalogues distribués en France. On distingue les catalogues généraux, tels ceux de La Redoute, des 3 Suisses ou de la Camif, et les catalogues spécialisés issus des grands magasins (Galeries Lafayette, le Printemps), des détaillants (Carrefour, Auchan) ou des fabricants (cosmétique, textile, bijouterie, etc.). Dans certaines catégories de produits industriels comme les fournitures de bureau (Office Depot, JM Bruneau), des sociétés de vente par catalogue obtiennent de très bons résultats.

Le succès de la vente par correspondance dépend beaucoup de la capacité de l'entreprise à gérer ses fichiers, contrôler ses stocks, élaborer son assortiment, et entretenir son image. Certaines entreprises se distinguent par les cadeaux qu'elles offrent, leur politique de service (remboursement, garantie) ou leur rapidité de livraison (48 h chrono). Plusieurs d'entre elles ont également ouvert des magasins afin d'attirer une nouvelle clientèle tandis que d'autres proposent leur catalogue en ligne.

**LE TÉLÉMARKETING (OU MARKETING TÉLÉPHONIQUE)** ❖ Il consiste à utiliser le téléphone pour attirer des prospects, prendre des commandes et répondre aux questions des clients. Il permet aux entreprises d'accroître leur chiffre d'affaires, de réduire leurs coûts commerciaux et d'améliorer la satisfaction de la clientèle. Les call-centers peuvent être utilisés pour recevoir des appels ou en émettre (prospection).

On identifie en réalité quatre types de télémarketing : *la vente téléphonique* (appels de prospection ou prise de commande après l'envoi d'un catalogue) ; *l'entretien téléphonique de la clientèle*, visant à maintenir et resserrer les liens avec les clients-clés ; *la qualification téléphonique*, destinée à identifier les caractéristiques et le potentiel des prospects avant l'utilisation d'autres méthodes de vente ; *le service aux clients*, consistant à répondre à leurs questions et à leur

CHAPITRE 20
Gérer
la publicité,
la promotion,
les relations
publiques et le
marketing direct

647

offrir une assistance technique. Ces pratiques se sont considérablement développées. Chaque année, plusieurs dizaines de milliers d'entreprises y ont recours aussi bien dans le domaine de la grande consommation que dans celui des biens industriels. La marque de cycles Raleigh utilise ainsi le télémarketing pour contacter ses concessionnaires et effectuer les prises de commande. Les frais de route ont diminué de 50 % tandis que les ventes augmentaient de 34 %.

Dans une campagne téléphonique, les règles à respecter sont nombreuses. Les voix des standardistes doivent être agréables et enthousiastes. Une certaine improvisation autour du script de référence est souvent bienvenue. La première phrase est essentielle : elle doit être courte et se terminer par une question qui éveille l'intérêt. Il faut savoir arrêter la conversation dès que le prospect s'avère inintéressant. Le moment d'appel est également essentiel, fin de matinée ou d'après-midi pour les communications d'affaires, en soirée (entre 19 h et 21 h) pour les particuliers. Les standardistes doivent être motivées à l'aide de concours et de primes. Bien sûr, la liste des noms à appeler doit être préparée avec soin. Il faut noter que le télémarketing est de plus en plus réglementé[80].

**L'UTILISATION DES GRANDS MÉDIAS POUR LE MARKETING DIRECT** ❖ Il s'agit d'utiliser les grands médias pour proposer un achat. La presse, la radio et la télévision accueillent des publicités qui, couplées à un numéro vert, permettent la prise de commande immédiate. Disques, contrats d'assurances, produits financiers sont vendus de cette façon.

Le *téléshopping* consiste en une émission télévisée au cours de laquelle sont présentés un certain nombre de produits, dans les conditions définies par la loi, qui peuvent ensuite être commandés par téléphone (80 % des commandes), mais aussi par courrier, minitel et téléphone. En France, ce type d'émission attire chaque semaine entre 700 000 et 1,5 million de téléspectateurs. Un million de personnes ont passé commande au cours des deux dernières années : il s'agit surtout de femmes (70 % des acheteurs), souvent inactives et dont l'âge moyen est de 51 ans[81]. Les produits qui se vendent le mieux sont les articles de bien-être (soins, forme, santé).

Enfin, la *télévision interactive* permet au téléspectateur de solliciter davantage d'informations sur le produit, de demander une brochure, de prendre rendez-vous avec un vendeur ou même de passer commande, en utilisant simplement la télécommande de son téléviseur. Un décodeur transmet l'information à l'entreprise par le réseau téléphonique. Ses applications concernent aujourd'hui la publicité interactive, le marketing direct ou le téléachat.

**LES KIOSQUES** ❖ Certaines entreprises ont installé dans les aéroports ou certains magasins des bornes qui permettent de procéder à des achats. Par exemple, il est possible de souscrire un contrat complémentaire d'assurance dans la plupart des aéroports. La SNCF et Air France ont installé des bornes qui permettent aux clients d'acheter leurs tickets.

## Le marketing en ligne

La forme la plus récente et probablement la plus prometteuse de marketing direct est toutefois le marketing en ligne. Ce terme rassemble toute une série de pratiques, depuis la commande à des fournisseurs par échange de données électronique (EDI) et les négociations commerciales par e-mail, jusqu'à l'utilisation d'Internet comme source d'information et de divertissement, outil de communication ou canal de distribution. Le Web peut se substituer aux magasins, aux journaux, aux bibliothèques et au téléphone.

D'un point de vue marketing, Internet offre aux entreprises et aux consommateurs une *approche interactive et individualisée* : il permet l'échange et le dialogue entre l'entreprise et le client et même entre les clients eux-mêmes (à travers, par exemple, les forums de discussion) ; il permet également d'individualiser le contenu des offres et des informations transmises à chaque consommateur. Si la personnalisation du message en fonction des caractéristiques de l'internaute apparaît *a priori* comme un avantage déterminant, Kalika et Bourliataux-Lajoinie ont montré à partir d'une expérience sur un site de vente en ligne que l'adaptation des bannières publicitaires apparaissant lors de la navigation sur le site en fonction des caractéristiques du client n'augmente pas toujours son efficacité : le taux de clics augmente avec la personnalisation lorsque le message concerne un produit peu impliquant ; en revanche, une publicité standardisée semble paradoxalement préférable pour les produits très impliquants[82].

■ **UNILEVER** a développé en Europe une plate-forme Internet de marketing relationnel (www.pourtoutvousdire.com) complémentaire de son magazine papier. Son objectif est de mieux connaître les habitudes de consommation des 20 % de la clientèle qui engendrent 50 % du chiffre d'affaires. Pour ce faire, le site prodigue des conseils pratiques pour la vie quotidienne et propose aux visiteuses de discuter sur des forums. Mais auparavant, il faut s'inscrire et divulguer des informations personnelles (adresse, composition de la famille, goûts, talents particuliers, etc.). En fonction de leur profil, les internautes ne verront pas les mêmes pages apparaître sur leur écran ni ne recevront les mêmes *newsletters*[83].

**UN MARKETING AUTORISÉ** ❖ Selon Seth Godin[84], la grande majorité des opérations de communication repose sur un *marketing de l'interruption* : interruption d'un programme ou d'un article dans les médias, interruption du processus d'achat par les promotions, interruption d'une activité chez soi par le télémarketing, etc. Or le marketing de l'interruption est de moins en moins efficace. Au fur et à mesure que le nombre de produits se multiplie et que la communication devient de plus en plus présente, l'attention des consommateurs diminue. Les entreprises compensent cette moindre efficacité en intensifiant leur communication, ce qui réduit encore l'attention. Il s'agit donc d'un cercle vicieux.

Godin propose le concept de *marketing autorisé*, qui consiste à utiliser l'interactivité d'Internet pour demander aux consommateurs de se prononcer sur les informations qui leur seront transmises par l'entreprise. Par cette demande d'autorisation, l'entreprise construit une relation de confiance dès ses premiers contacts avec chaque client potentiel. Le consommateur peut donner différents niveaux d'autorisation :

1. *Aucune autorisation* : le consommateur ne souhaite aucun échange d'information avec l'entreprise.

2. *Niveau faible d'autorisation* : le consommateur ne connaît pas bien l'entreprise mais veut consulter ses offres et ses prix de temps à autre.

3. *Niveau moyen d'autorisation* : le consommateur connaît l'entreprise, mais il n'est pas sûr de vouloir consacrer du temps à dialoguer avec elle ; il acceptera peut-être de recevoir un catalogue ou quelques prospectus si l'entreprise le lui propose habilement.

4. *Niveau élevé d'autorisation* : le consommateur n'a jamais procédé à un achat mais pense que l'entreprise peut lui faire des offres intéressantes ; il est donc prêt à lui fournir des informations précises sur lui-même de façon à ce qu'elle ajuste ses propositions à ses besoins.

5. *Transaction* : le consommateur a déjà procédé à des achats et en a été satisfait ; il a confiance en l'entreprise et celle-ci, en retour, ne l'envahira pas de courriers et d'offres commerciales.

CHAPITRE 20
Gérer
la publicité,
la promotion,
les relations
publiques et le
marketing direct

649

**METTRE EN ŒUVRE LE MARKETING EN LIGNE** ❖ Une bonne campagne d'e-mailing permet non seulement de construire des relations de qualité avec les clients mais aussi d'engendrer des profits. Cet outil est beaucoup moins cher que le mailing classique : le routage d'un message électronique coûte environ 2 centimes d'euro contre 45 centimes pour une lettre[85]. Microsoft, par exemple, envoie aujourd'hui 20 millions de messages e-mail par mois, pour un coût sensiblement inférieur aux 70 millions d'euros autrefois dépensés en mailings postaux. En outre, l'e-mailing reste un outil efficace : alors que les taux de clics sont situés bien en deçà de 1 % pour les bannières publicitaires, ils avoisinent 80 % pour les e-mails.

Voici quelques observations faites par les utilisateurs avertis de cette technique :

♦ *Il s'agit d'un outil de fidélisation* des clients existants plus que d'un instrument de conquête de nouveaux clients[86].

♦ *Le message doit intégrer une forte incitation à réagir* ou à cliquer sur l'icône intégrée, par des jeux ou des loteries par exemple.

♦ *Le contenu du message doit être personnalisé* : IBM, par exemple, propose aux clients qui reçoivent sa lettre d'information électronique de choisir les sujets abordés.

♦ *Il faut donner une information non accessible par courrier classique* et donc variable dans le temps. Travelocity ou Nouvelles Frontières envoient des promotions de dernière minute sur les voyages disponibles.

♦ *Il est indispensable de donner aux consommateurs un moyen facile de se désabonner d'une liste de diffusion.*

À l'avenir, les entreprises qui pratiquent le marketing en ligne devront tenir compte des attentes croissantes du public en la matière. Les clients souhaitent avoir l'impression qu'ils ont accès à une information personnalisée et non à un marketing de masse. Ils doivent obtenir une réponse rapide lorsqu'ils utilisent Internet pour faire une demande à l'entreprise. Enfin, il semble essentiel de construire une véritable confiance dans le paiement en ligne.

---

## *Résumé*

1. La publicité – que l'on peut définir comme toute forme de communication non personnalisée et payante ayant pour objectif la promotion des produits ou des services d'une entreprise – est un outil commercial de toute première importance. Elle revêt de multiples formes (publicité nationale, régionale, locale ; publicité grand public, industrielle ; publicité de marque, publicité institutionnelle) pour servir de multiples objectifs (ventes immédiates, notoriété, image de marque, etc.).

2. Les décisions publicitaires s'articulent autour de six phases principales : la fixation des objectifs, la détermination du budget, l'élaboration du message, le choix des médias, la programmation de la campagne et la mesure de son efficacité. Les objectifs doivent être définis de façon claire sous forme de résultat à obtenir (connaissance, attitude, rappel) auprès de la cible choisie. L'élaboration d'un message comporte plusieurs étapes depuis sa conception initiale jusqu'à son exécution. Les choix des médias et des supports ainsi que leur programmation dans le temps se font à partir de considérations liées à la couverture, à la fréquence et à l'impact souhaités. Enfin, un effort constant doit être entrepris pour mesurer l'efficacité des dépenses en termes publicitaires et en termes de vente, avant, pendant et après la diffusion du message.

3. La promotion des ventes repose sur une grande variété de techniques – coupons, primes, échantillons, remises, concours – destinées à stimuler à court

terme la demande du marché. Elle peut être destinée au consommateur final, à la distribution ou à la force de vente. Les budgets promotionnels ont vu leur importance grandir au cours de ces dernières années.

4. La mise en œuvre d'une action promotionnelle suppose une planification précise comportant six étapes : définition d'objectifs clairs, découlant logiquement des objectifs de communication et de la stratégie marketing ; choix des techniques les plus appropriées et les plus rentables ; préparation d'un programme ; pré-test, mise en œuvre et évaluation de l'impact en vue d'en améliorer l'efficacité.

5. Les relations publiques incluent une série d'outils visant à valoriser ou à défendre l'image des produits. Souvent moins coûteuses que la publicité, les opérations réalisées s'accompagnent d'une grande crédibilité. Les principaux outils utilisés sont les nouvelles transmises aux journalistes, les discours des dirigeants, les événements, le mécénat et le sponsoring, les activités à but non lucratif, les publications et les médias d'identité. La planification d'une action de relations publiques s'opère en quatre temps : il faut définir les objectifs à atteindre, choisir les meilleurs messages et supports, obtenir la collaboration des journalistes et agents de presse qui prendront en charge la campagne, et enfin évaluer les résultats obtenus.

6. Le marketing direct est un marketing interactif qui utilise un ou plusieurs médias en vue d'obtenir une réponse et/ou une transaction. Il connaît aujourd'hui une croissance considérable dans ses formes traditionnelles mais aussi électroniques.

7. Les entreprises reconnaissent aujourd'hui l'importance d'une consolidation de leurs actions de communication dans une approche appelée « marketing direct intégré » ou « maximarketing ». L'objectif est d'utiliser chaque outil au mieux de ses possibilités et en complémentarité avec les autres actions mises en œuvre.

8. Les principaux outils du marketing direct sont la vente en face-à-face, le mailing (par courrier, télécopie, messagerie électronique, vocale ou SMS), la vente par catalogue, le télémarketing, l'utilisation des médias classiques pour la vente, les kiosques et le marketing en ligne. La réalisation d'une campagne de marketing direct passe par la définition des objectifs et des cibles, le choix des supports, les tests, la mise en œuvre et la mesure de l'impact.

CHAPITRE 20
Gérer
la publicité,
la promotion,
les relations
publiques et le
marketing direct

651

# Notes

1. *Source :* IREP. Pour une analyse de l'évolution, voir *Le Marketing Book*, publié par Sécodip chaque année.

2. *Source :* Association des agences de conseil en communication (AACC).

3. Voir Russell H. Colley, *La Publicité se définit et se mesure* (Paris : PUF, 1964).

4. Christian Dianoux, « La publicité comparative en France, quelles perspectives ? », *Décisions marketing* n° 25, janvier-mars 2002, pp. 29-36 ; Christian Dianoux et Jean-Luc Herrmann, « L'influence de la publicité comparative sur la mémorisation et les attitudes : expérimentation dans le contexte français », *Recherche et applications en marketing*, 16 décembre 2001, pp. 33-50 ; Randall L. Rose, Paul W. Miniard, Michael J. Barone, Kenneth C. Manning, et Brian D. Till, « When Persuasion Goes Undetected : The Case of Comparative Advertising », *Journal of Marketing Research*, août 1993, pp. 315-330 ; Sanjay Putrevu et Kenneth R. Lord, « Comparative and Noncomparative Advertising : Attitudinal Effects under Cognitive and Affective Involvement Conditions », *Journal of Advertising*, juin 1994, pp. 77-91 ; Dhruv Grewal, Sukumar Kavanoor, et James Barnes, « Comparative Versus Noncomparative Advertising : A Meta-Analysis », *Journal of Marketing*, octobre 1997, pp. 1-15 ; Dhruv Grewal, Kent B. Monroe, et P. Krishnan, « The Effects of Price-Comparison Advertising on Buyers' Perceptions of Acquisition Value, Transaction Value, and Behavioral Intentions », *Journal of Marketing*, avril 1998, pp. 46-59.

5. *Source :* étude de cas sur le site www.aacc.fr.

6. Donald Schultz, Dennis Martin et William P. Brown, *Strategic Advertising Campaigns* (Chicago : Crain Books, 1984), pp. 192-197.

7. M.L. Vidale et H.B. Wolfe, « An Operations-Research Study of Sales Response to Advertising » *Operations Research*, juin 1957, pp. 370-381.

8. John D.C. Little « A Model of Adaptive Control for Promotional Spending », *Operations Research*, nov. 1966, pp. 1075-1097. Pour d'autres modèles, voir Gary Lilien *et al.*, *Marketing Models* (Englewood Cliffs : N.J., 1992), chap. 6.

9. *Management*, « Pub : comment Volkswagen a trouvé la formule magique », mars 2002, pp. 20-24.

10. Voir Jacques Lendrevie et Bernard Brochand, *Le Nouveau Publicitor* (Paris : Dalloz, 2001), pp. 418-439. Voir également Henri Joannis, *De la stratégie marketing à la création publicitaire* (Paris : Dunod, 1995).

11. Dik Twedt, « How to Plan New Products, Improve Old Ones and Create Better Advertising », *Journal of Marketing*, janv. 1969, pp. 53-57. Voir également « L'Arbre de sélection » proposé par Henri Joannis, *op. cit.*

12. De nombreuses précautions doivent être prises lors de ces tests ; notamment les échantillons doivent être représentatifs et les conditions de réception du message aussi proches que possible des conditions « normales ». Voir Jean-Marc Décaudin, *La Communication marketing* (Paris : Economica, 1999), chap. 10.

13. *Advertising Age*, « Absolut Ads Sans Bottle Offer a Short-Story Series », 12 janvier 1998, p. 8 ; *Wall Street Journal*, « Absolut's Latest Ad Leaves Bottle Behind », 3 mai 2001, p. B9.

14. Pour une autre approche, voir la « Star stratégie » proposée par J. Séguéla qui repose sur trois axiomes : 1) la marque a un physique ; 2) elle a un caractère ; et 3) elle a un style. La marque doit donc être gérée comme une star et l'agence est son imprésario.

15. David Ogilvy, *La Publicité selon Ogilvy* (Paris : Dunod, 1984).

16. David Ogilvy et Joel Raphaelson « Research on Advertising Techniques That Work and Don't Work », *Harvard Business Review*, juil.-août 1982, pp. 14-18.

17. Voir Pierre Greffe et François Greffe, *La Publicité et la loi* (Paris : Litec, 1994) et Luc Bihl, *Le Droit pénal de la consommation* (Paris : Nathan, 1989).

18. Delphine Manceau et Élisabeth Tissier-Desbordes, « Female nudity in advertising : What do French women think ? », actes de la conférence de l'Association for Consumer Research (ACR), conférence sur Gender, Marketing and Consumer Behavior, Dublin, juin 2002.

19. Sur le GRP dans la publicité, voir Philippe Tassi, Nadège Verdurnen et Stéphane Simonard, « Précision du taux d'audience d'une émission et du GRP d'une campagne publicitaire télévisée », *Recherche et applications en marketing*, vol. 13, n° 4, 1998, pp. 41-52.

20. Voir Don Schultz, Dennis Martin et William P. Brown, *Strategic Advertising Campaigns* (Chicago : Crain Books, 1984), p. 340.

21. Voir Herbert E. Krugman, « What Makes Advertising Effective ? », *Harvard Business Review*, mars-avril 1975, pp. 96-103.

22. Voir le numéro spécial de *Recherche et applications en marketing* (1998, vol. 13, n° 14) consacré au média-planning et aux mesures d'audience, et dirigé par Jean-Louis Chandon ainsi que J.-C. Vartanian, *Le Média planning* (Paris : Economica, 1994).

23. Voir Roland T. Rust, *Advertising Media Models : A Practical Guide* (Lexington, Mass. : Lexington Books, 1986).

24. Voir Jay Forrester, « Advertising : A Problem in Industrial Dynamics », *Harvard Business Review*, mars-avril 1959, pp. 100-110. Voir également Amber Rao et Peter Miller, « Advertising/Sales Response Functions », *Journal of Advertising Research*, avril 1975, pp. 7-15.

25. Voir Alfred Kuehn, « How Advertising Performance Depends on Other Marketing Factors », *Journal of Advertising Research*, mars 1962, pp. 2-10.

26. Voir Armand Morgensztern, Travaux et recherches sur la fréquentation et l'efficacité publicitaire des médias, Thèse de gestion (Lille : 1984).

27. Voir Jean-Pierre Helfer, « Les Contrôles d'efficacité de la publicité », dans *Encyclopédie du management* (Paris : Vuibert, 1992) tome 2, pp. 568-573; *Mesurer l'efficacité de la publicité* (Paris : IREP, 1988); et Demetrios Vakratsas et Tim Ambler, « How Advertising Works : What Do We Really Know, » *Journal of Marketing*, 63, janvier 1991, pp. 26-43.

28. Forrester, *op. cit.* p. 102. En France, l'IREP estime que les dépenses consacrées à analyser l'efficacité des messages représentent 0,8 % du chiffre d'affaires.

29. Pour une analyse de ces différents moyens, voir Jacques Lendrevie et Bernard Brochand, *op. cit.*; voir aussi *Mesurer l'efficacité de la publicité* (Paris : Éditions d'Organisation/IREP : 1988) et notamment le chapitre IV (Françoise Roussel, « La Notoriété : sa signification et ses limites comme critère d'efficacité publicitaire »), le chapitre VI (François Embs, « Quelle réponse pour quel indicateur ? ») et le chapitre VIII (Jurgen Schwoerer, « Existe-t-il un standard international de mesures d'efficacité publicitaire ? »).

30. Russell Haley, James Stafforoni et Arthur Fox, « The Missing Measures of Copy Testing », *Journal of Advertising Research*, mai-juin 1994, pp. 46-56.

31. Voir Sylvère Piquet, *La Publicité dans l'action commerciale* (Paris : Vuibert, 1988).

32. Pour des exemples voir Pierre Grégory, « Le contrôle de l'efficacité publicitaire », *Recherche et applications en marketing*, janv. 1987, pp. 71-83.

33. « La mémorisation ne fait pas l'efficacité », *CB News*, 30 septembre 2002, pp. 34-35.

34. James O. Peckham, *The Wheel of Marketing* (Scarsdale, New York, 1975), pp. 73-77.

35. Kristian S. Palda, *The Measurement of Cumulative Advertising Effect* (Englewood Cliffs, N.J. : Prentice Hall, Inc. 1964), p. 87. Voir également Jean-Jacques Lambin, *Modèles et programmes de marketing* (Paris : PUF, 1970); David Montgomery et Alvin Silk, « Estimating Dynamic Effects of Market Communications Expenditures », *Management Science*, juin 1972, pp. 485-501; et G. Lilien, P. Kotler et K Moorthy, *Marketing Models* (Englewood cliffs : Prentice Hall, 1992).

36. Voir David Walker et Tony M. Dubitsky, « Why Liking Matters », *Journal of Advertising Research*, mai-juin 1994, pp. 9-18; Abhilasha Mehta, « How Advertising Response Modeling (ARM) Can Increase Ad Effectiveness », *Journal of Advertising Research*, mai-juin 1994, pp. 62-74; Karin Hostius, « Sales Response to Advertising », *International Journal of Advertising 9, n° 1* (1990) : 38-56; John Deighton, Caroline Henderson et Scott Neslin, « The Effects of Advertising on Brand Switching and Repeat Purchasing », Journal of Marketing Research, février 1994, pp. 28-43; Anil Kaul et Dick R. Wittink, « Empirical Generalizations About the Impact of Advertising on Price Sensitivity and Price », *Marketing Science* 14, n° 3, pt. 1 (1995) : G151-60; et Ajay Kalra et Ronald C. Goodstein, « The Impact of Advertising Positioning Strategies on Consumer Price Sensitivity », *Journal of Marketing Research*, mai 1998, pp. 210-224; Gerard Tellis, Rajesh Chandy et Pattana Thaivanich, « Which Ad Works, When, Where, an How Often ? Modeling the effects of Direct Television Advertising », *Journal of Marketing Research*, 37, février 2000, pp. 32-46.

37. Gerald J. Tellis, « Advertising Exposure, Loyalty, and Brand Purchase : A Two-Stage Model of Choice », *Journal of Marketing Research*, mai 1988, pp. 134-144; « It's Official : Some Ads Work », *The Economist*, 1er avril 1995, p. 52; Dwight R. Riskey, « How TV Advertising Works : An Industry Response », *Journal of Marketing Research*, mai 1997, pp. 292-293.

38. Voir Robert C. Blattberg et Scott A. Neslin, *Sales Promotion : Concepts, Methods and Strategies* (Englewood Cliffs, N.J. Prentice Hall, 1990). Pour une définition un peu différente, voir Pierre Desmet, *Promotion des ventes : Du 13 à la douzaine à la fidélisation* (Paris : Dunod, 2002).

39. *Source :* BIPP, 1999.

40. Voir « 15,3 % des achats en promotion », *LSA*, 6 septembre 2001 p. 12 et « Les chasseurs de promos », *LSA*, 17 octobre 2002, pp. 68-71.

41. Voir Roger Strang, « Sales Promotion : Growth, Faulty Management », *Harvard Business Review*, juil.-août 1976, pp. 115-124; Philippe Ingold, *Promotion des ventes et action commerciale* (Paris : Vuibert, 1995); Jean-Pierre Bernardet, *Comment développer la promotion des ventes* (Paris : Nathan, 1993) et Pierre Desmet, *op. cit.*

42. Pour une analyse des effets des promotions sur les consommateurs, voir Pierre Chandon, « Dix ans de recherches sur la psychologie et le comportement des consommateurs face aux promotions », *Recherche et Applications en Marketing*, 1994, vol. 9, n° 3, pp. 83-108.

43. Voir Paul W. Farris et John A. Quelch « In Defense of Price Promotion », *Sloan Management Review*, automne 1987, pp. 63-69.

44. Pierre Chandon, Brian Wansink et Gilles Laurent, « A benefit Congruency Framework of Sales Promotion Effectiveness », *Journal of Marketing*; Vol. 64, n° 4, octobre 2000, pp. 65-81 et Pierre Chandon et Brian Wansink, « When are stockpiled products consumed faster ? A convenience-salience framework of postpurchase consumption incidence and quantity », *Journal of Marketing Research*, vol. 39, n° 3, août 2002, pp. 321-335.

45. Voir cependant Gilles Laurent, « Les promotions ne dégradent pas l'image de marque », *Les Echos*, 20 octobre 1998, p. 50.

46. Voir Robert George Brown, « Sales Response to Promotions and Advertising », *Journal of Advertising Research*, août 1974, pp. 33-39; Carl F. Mela,

Sunil Gupta et Donald Lehmann, « The Long-Term Impact of Promotion and Advertising on Consumer Brand Choice », *Journal of Marketing Research,* mai 1997, pp. 248-261 ; et Purushattan Papatla et Lakshman Krishnamurthi, « Measuring the Dynamic Effects of Promotions on Brand Choice », *Journal of Marketing Research,* février 1996, pp. 20-35.

47. F. Mitchel, « Advertising/Promotion Budget : How Did We Get Here, and What Do We Do Now ? », *Journal of Consumer Marketing,* automne 1985, pp. 405-47.

48. Roger A. Strang, Robert M. Prentice et Alden G. Clayton, *The Relationship between Advertising and Promotion in Brand Strategy* (Cambridge, Mass : Marketing Science Institute, 1975).

49. *Management,* « Les leçons de quatre superpromos », juin 2001, pp. 52-54 pour cet exemple et celui de Leclerc ci-dessous.

50. Dominique Crié, « Rentabilité des programmes de fidélisation avec cartes dans la grande distribution », *Revue Française du Marketing* n° 188, 2002, pp. 23-39 ; *LSA,* « Réductions ou points : les hypers n'ont pas tranché », 10 mai 2002, p. 56 et « Les prospectus ont toujours la cote », 12 septembre 2002 p. 74. Plus généralement sur les promotions employées par les distributeurs, voir Pierre Volle, *Promotion et choix des points de vente : Marketing Promotionnel des distributeurs et choix du point de vente par les consommateurs* (Paris : Vuibert, 1999) et Sandrine Macé, « Techniques promotionnelles et développement du point de vente » dans Alain Bloch et Anne Macquin, *Encyclopédie de Vente et Distribution* (Paris : Economica, 2001, pp. 153-162).

51. Voir Paul W. Farris et Kusum L. Ailawadi, « Retail Power : Monster or Mouse ? » *Journal of Retailing,* hiver 1992, pp. 351-369. Voir aussi : « La promo de la promo est-elle efficace ? », *CB News,* 15 nov. 1995.

52. Philippe Malaval, « La promotion des ventes en marketing business – to – business », *Décisions Marketing* n° 27, juillet-août 2002, pp. 7-19.

53. Voir Laurence Froloff, « La Sensibilité du consommateur à la promotion des ventes : de la naissance à la maturité », *Recherche et Applications en Marketing,* 1992, vol. 7, n° 3, pp. 69-88.

54. Pour une comparaison, voir Jean-Pierre Indjehagopian et Sandrine Macé, « Mesures d'impact de promotion des ventes : description et comparaison de trois méthodes », *Recherche et Applications en Marketing,* 1994, vol. 9, n° 4, pp. 53-80.

55. Voir Michel Kalika, « Perception et mémorisation des campagnes promotionnelles dans la distribution », *Revue française de marketing,* n° 90, 1982-1983, pp. 67-87.

56. Voir par exemple Scott Neslin, Caroline Henderson et John Quelch, « Les Promotions des ventes et l'accélération des achats par les consommateurs », *Recherche et Applications en Marketing,* 1987, vol. 2, pp. 17-42 et Maryse Delamotte, « Les Nouveaux panels scannérisés : vers de meilleures

décisions marketing », *Décisions Marketing,* n° 7, janv.-avril 1996, pp. 53-66.

57. Voir Joe A. Doldson, Alice M. Tybout et Brian Sternthal, « Impact of Deals and Deal Retraction on Brand Switching », *Journal of Marketing Research,* févr. 1978, pp. 72-81.

58. Voir Magid M. Abraham et Leonard M. Lodish, « Getting the Most of Advertising and Promotion », *Harvard Business Review,* mai-juin 1990, pp. 50-60. Voir également, en France, l'étude réalisée par Olivier Géradon de Véra et Anne-Sophie Tourtoulou à partir de la base de données IRI-Sécodip (Paris : IRI-Sécodip, 1996).

59. *CB News,* « Dossier RP : comment gagner du galon dans les stratégies de communication », 10 juin 2002, pp. 32-42.

60. Voir par exemple Sylvère Piquet, *Sponsoring et mécénat, la communication par l'événement* (Paris : Vuibert, 1985) ; X. Delool « Le Mécénat et le parrainage », *Guide juridique et fiscal,* (Paris : Juris Service, 1990) ; et Jean-Luc Gianneloni, « L'influence de la communication par l'événement », *Recherche et Applications en Marketing,* 1993, vol. 8, n° 1, pp. 3-50.

61. Christine Lougovoy et Denis Huisman, *Traité de relations publiques* (Paris : PUF, 1980).

62. Voir Scott M. Cutlip, Allen H. Center et Glen M. Broom, *Effective Public Relations,* 8e éd. (Englewood Cliffs, N.J. : Prentice Hall, 1997) ; P.-A. Boiry, *Les Relations publiques,* 2e éd. (Paris : Eyrolles, 1989) et J. Chaumely et D. Huisman, *Les Relations publiques* (Paris : PUF, 1992). Pour une intéressante compilation d'exemples, voir Odile Proust, *Cinq cents cas concrets de relations publiques* (Paris : Relations publiques actualités, 1980).

63. Voir Jay Perlstein et Sylvère Piquet « La Communication dans l'événement : sponsoring mécénat », *Revue française de marketing,* n° 105, 1985/1, pp. 27-40 ; F. Anne, « Mesure de l'efficacité du sponsoring : une analyse des effets intermédiaires sur l'audience directe de l'événement », actes du congrès AFM, 1990 ; et Laurence Didellon, *Mode de persuasion et mesure d'efficacité du parrainage,* thèse de doctorat, 13 novembre 1997.

64. Pierre Grégory « Communication institutionnelle » dans l'*Encyclopédie du management* (Paris : Vuibert, 1992), tome 1, pp. 226-237 et Jean Daniel, « Communication institutionnelle de l'entreprise », dans L. Sfez (Éd.), *Dictionnaire critique de la communication* (Paris : PUF, 1993).

65. Jean-Marc Décaudin, « Lobbying », *Encyclopédie de Gestion,* 2e éd. (Economica, 1997).

66. Voir « Marketing : Pog, Cap's, Taps... envahissent les promotions », *LSA,* 30 août 1995. 76.

67. Voir François Benveniste et Sylvère Piquet, Stéphane Ganassali et Laurence Didellon, « Le Transfert comme principe central du parrainage », *Recherche et Applications en Marketing,* 1996, vol. 11, n° 1, pp. 37-50.

68. Source des chiffres présentés dans ce paragraphe : le journal du net (www.journal du net.com), novembre 2002. D'autres données sur le sujet ont également été présentées au chapitre 2. Pour une

analyse conceptuelle, voir Jean-Paul Aimetti, « Le commerce électronique : un état de l'art », dans A. Bloch et A. Macquin, *op. cit*, pp. 11-38.

69. *L'entreprise*, « Marketing : il n'y a pas que le mailing dans la vie », 1er janvier 2002, pp. 89-96.

70. Voir Ernan Roman, *Integrated Direct Marketing* (Lincolnwood, Ill. NTC Business Books, 1995); voir aussi Pierre-Louis Dubois et Patrick Nicholson, *Le Marketing direct intégré* (Paris : Entreprise moderne d'édition), 1989 et « Le Marketing direct », *Encyclopédie du management* (Paris : Vuibert, 1992), tome 2, pp. 43-61.

71. Roman, *op. cit.*, p. 3. Pour un autre exemple, voir Stephen A. Latour et Ajay K. Manrai, « Interactive Impact of Informational and Normative Influence on Donations », *Journal of Marketing Research*, août 1989, pp. 327-335.

72. Stan Rapp et Tom Collins, *Maximarketing* (Paris : McGraw-Hill, 1988).

73. Voir Chantal Desjardins, *Le Marketing direct en action* (Paris : Éditions d'Organisation, 1998); voir également « Que peut vous apporter le marketing direct ? », *Défis*, 1er septembre 1998, pp. 100-104.

74. « Chez IBM et PPG, les commerciaux sont devenus une mine d'informations », *Les Echos*, 2 février 1999, p. 44; voir aussi Bruno Martinet et Yves-Michel Marti, *L'Intelligence économique : les yeux et les oreilles de l'entreprise*, (Paris : Éditions d'Organisation, 1998).

75. Bob Stone, *Successful Direct Marketing Methods*, 6e éd. (Lincolnwood : NTC Business Books, 1996).

76. Voir C. Jouffroy et C. Létang, *Les Fichiers* (Paris : Dunod, 1986).

77. Edward Nash, *Direct Marketing : Strategy, Planning, Execution*, 3e éd. (New York : McGraw-Hill, 1995) et R. Hauser, *Concevoir et rédiger des mailings efficaces* (Paris : Éditions d'Organisation, 1988). Pour un exemple commenté d'un mailing de l'entreprise Damart, voir Jean-Pierre Benardet *et al.*, *Précis de marketing* (Paris : Nathan, 1996), p. 139.

78. Voir Pierre Desmet, *Marketing direct : concepts et méthodes* (Paris : Dunod, 2001).

79. George S. Day, « Instaurer des relations durables », *L'Art du marketing* (Paris : Village Mondial, 1999), pp. 66-70 et Richard Courtheoux, « Calculating the Lifetime Value of a Customer, » dans Roman, *op. cit.*, pp. 198-202. Voir également Rob Jackson et Paul Wang, *Stratégic Database Marketing* (Lincolnwood : NTC Business Books, 1994), pp. 188-201.

80. *La Tribune*, « France : une pratique commerciale sous haute surveillance », 18 août 1995; et *Le Monde*, « Le Parlement européen interdit le télémarketing », 23 nov. 1995.

81. *Le Figaro Economie*, « Teleshopping : rajeunir la ménagère de plus de 50 ans », 22 novembre 1999, p. 4.

82. Michel Kalika et Stéphane Bourliataux-Lajoinie, « L'analyse des comportements de navigation sur un site marchand », *Décisions Marketing* n° 22, janvier-avril 2001, pp. 79-86.

83. *Management*, « Ne laissez pas tomber le web, ça marche ! », septembre 2002, pp. 34-38.

84. Seth Godin, *Permission Marketing : Turning Strangers into Friends and Friends into Customers* (New York : Simon et Schuster, 1999).

85. *Décision – Micro et réseaux*, « Réduire les couts marketing », 18 février 2002, pp. 36-37.

86. *CB News*, « L'e-marketing fait saliver le marketing », 21 janvier 2002, pp. 38-44.

CHAPITRE 20
Gérer
la publicité,
la promotion,
les relations
publiques et le
marketing direct

655

CE CHAPITRE ÉTUDIE LES TROIS
PRINCIPALES QUESTIONS À SE
POSER À PROPOS DE LA FORCE
DE VENTE :

■ Comment mettre en place une force
de vente?

■ Comment gérer une force de vente?

■ Comment améliorer la productivité
d'un acte de vente?

# *Piloter la force de vente*

*« Un vendeur performant
se soucie d'abord de ses clients,
ensuite de ses produits. »*

Robert Louis Stevenson a dit que « tout le monde vit de la vente de quelque chose. » Une force de vente ne se rencontre pas seulement dans les entreprises ; le responsable des relations extérieures d'une grande école, l'attachée de presse d'un musée, le service d'information d'un ministère contribuent tous à « vendre » leur organisation.

*Vendeur* est le terme traditionnellement utilisé pour identifier une personne chargée de vendre. Pourtant, de nombreux autres mots décrivent les mêmes responsabilités : représentant, ingénieur commercial, animateur, agent ou visiteur médical. Il existe probablement davantage d'idées reçues à propos du métier de vendeur que pour n'importe quelle autre profession. Le vendeur évoque en général l'image d'un beau parleur, ayant la poignée de main facile et toujours une bonne histoire à raconter[1].

En réalité, le terme de « vendeur » regroupe tout un éventail de situations entre lesquelles les différences l'emportent souvent sur les similitudes[2]. Selon Robert McMurry et James Arnold[3], il est possible de reconnaître six catégories :

♦ Les situations dans lesquelles le rôle du « vendeur » est avant tout de livrer un produit, du fioul domestique par exemple.

♦ Les situations dans lesquelles le personnel de vente accueille le client et prend la commande sur place ; par exemple, la vendeuse en parfumerie.

♦ Les situations dans lesquelles le vendeur n'a pas pour mission de prendre une commande, mais doit simplement créer un climat favorable ou informer un client actuel ou potentiel : le visiteur médical employé par un laboratoire pharmaceutique.

♦ Les situations dans lesquelles les connaissances techniques sont primordiales : l'ingénieur technico-commercial joue un rôle d'assistance auprès de ses clients.

♦ Les situations qui exigent un effort créatif pour vendre des produits (aspirateur, encyclopédie) ou des services (assurance, publicité).

♦ Enfin, les situations dans lesquelles on demande surtout au vendeur de résoudre un problème existant chez le client, le plus souvent à l'aide d'une « solution », système complexe intégrant divers produits et services proposés par l'entreprise.

En France, l'élaboration de la norme X50-660 a donné à l'AFNOR l'occasion de distinguer vingt employés commerciaux contrastés selon deux dimensions ; 1) la mesure dans laquelle les responsabilités sont de *vendre* ou plutôt d'apporter un *soutien à la vente* (axe horizontal) ; et 2) la mesure dans laquelle il s'agit d'un *métier*, c'est-à-dire une « activité professionnelle dont l'exercice nécessite un apprentissage spécifique, scolaire, universitaire et/ou de terrain, et dans laquelle il est possible d'évoluer favorablement dans le temps », ou plutôt une *fonction* définie comme « une activité professionnelle dont l'exercice nécessite une adaptation spécifique afin de conduire à bon terme l'ensemble des missions confiées. De manière générale, le passage dans une fonction donnée permet d'accéder à d'autres fonctions à plus forte responsabilité. »

Selon les axes, les vingt emplois commerciaux ont été répartis comme indiqué à la figure 21.1.

**FIGURE 21.1**
Cartographie
des emplois
commerciaux

Métier

Directeur
des opérations ⑲   ⑱ Directeur
des ventes    Technico-commercial
③

  Chef des ventes ⑰   Représentant   Vendeur
④   ①

Animateur des ventes ⑭

Prospecteur
⑫   Délégué commercial ②

Employé commercial
**Soutien**   ⑬   **Vente**

⑧ Conseiller commercial
Visiteur commercial ⑪   ⑨ Commercialisateur
⑩ Chargé d'affaires

Assistant
commercial ⑮

Directeur
commercial ⑳   ⑯
Adjoint commercial   Ingénieur
technico-commercial ⑥   ⑤
Ingénieur commercial

⑦
Ingénieur d'affaires

**Fonction**

*Source :* AFNOR.

C'est finalement le degré d'initiative commerciale qui différencie ces situations. Dans certaines, il s'agit surtout de maintenir la clientèle et de prendre des commandes ; dans les autres, il faut partir à la recherche des clients et décrocher des contrats. Quel que soit le type de vente concerné, les entreprises sont sensibles au coût élevé et croissant de la force de vente. Elles cherchent à faire prendre en charge une partie de ses activités par des unités de vente opérant par courrier postal, par e-mail et par téléphone. Elles essaient également d'accroître sa productivité par la sélection des vendeurs, leur formation, leur supervision, leur motivation et leur évaluation[4].

## La mise en place d'une force de vente

Les représentants constituent un lien privilégié entre l'entreprise et sa clientèle. Le vendeur transmet et adapte l'offre aux besoins spécifiques des clients, en même temps qu'il fournit à l'entreprise de nombreuses informations en provenance du marché[5]. Pour la plupart de ses clients, il *est* l'entreprise. C'est pourquoi il convient de gérer avec soin les différentes phases de la mise en place d'une force de vente : elles concernent successivement la définition des objectifs, la stratégie, la structure, la taille et la rémunération (voir figure 21.2).

**FIGURE 21.2**
La mise en place
et la gestion
d'une force de vente

659

## Les objectifs et la stratégie assignés aux vendeurs

Les objectifs assignés à la force de vente doivent prendre en considération la nature des marchés visés par l'entreprise et le positionnement recherché sur chaque marché. À partir de ces éléments, l'entreprise définit le rôle de la force de vente au sein du mix marketing[6]. La force de vente est certainement le mode de contact le plus onéreux et doit donc être gérée avec doigté. L'habileté des vendeurs est une ressource précieuse lors de la prospection, de la négociation et de l'argumentation commerciale. Il est donc particulièrement important de définir quand et comment avoir recours à la force de vente pour atteindre les objectifs de l'entreprise.

L'activité de vente n'est que l'une des tâches d'un représentant. Un vendeur peut, en fait, prendre en charge de nombreuses activités[7] :

♦ *La prospection* : attirer de nouveaux clients.

♦ *La qualification* : rassembler des informations sur les prospects et définir les priorités entre les clients et les prospects à servir.

♦ *La communication* : transmettre à la clientèle des informations relatives aux produits et services de l'entreprise.

♦ *La vente* : approche du client, présentation commerciale, réponse aux objections et conclusion.

♦ *Le service* : conseil, assistance technique ou financière et livraison.

♦ *La collecte d'information* : étudier le marché, recueillir des informations utiles à la société et rédiger, à intervalles réguliers, des rapports sur ses visites et ses résultats.

Il importe donc de spécifier avec soin la façon dont les vendeurs répartiront leur temps, par exemple : 80 % avec les clients actuels, 20 % avec les prospects ; 85 % sur les produits actuels, 15 % sur les nouveaux produits. Compte tenu de leur coût, les vendeurs de terrain doivent se concentrer sur les produits les plus complexes et les plus à même d'être adaptés par chaque client, tandis que la vente de produits simples ou standardisés peut reposer davantage sur la vente à distance prise en charge par la force de vente interne qui reste au siège de l'entreprise. En outre, il importe de préparer et de faciliter le travail des vendeurs en confiant à des équipes moins qualifiées la préparation des visites, la rédaction des offres et le remplissage des bons de commandes. Il convient également de limiter le nombre de clients géré par chaque vendeur et de prévoir des primes pour tout accroissement des contrats conclus avec les comptes-clés[8]. Si de telles règles ne sont pas établies, la force de vente préfère souvent entretenir les clients actuels des produits existants, et néglige le reste :

■ **ALLIBERT.** « Les vendeurs, explique le directeur commercial, consacrent les neuf-dixièmes de leurs activités à la vente, mais ils sont aussi sensibilisés à la recherche de nouveaux produits parce qu'ils représentent leurs ventes de demain. Du reste, les meilleurs vendeurs sont ceux qui détectent le plus de nouvelles applications. »[9]

La priorité accordée aux différentes tâches varie également avec la conjoncture. En période de pénurie de produits, les vendeurs voient leur tâche facilitée et doivent décider quels clients servir en priorité. En période d'abondance, ils doivent obtenir la préférence du client.

Enfin, à mesure que l'esprit marketing se développe, le rôle de la force de vente évolue. Dans l'optique commerciale traditionnelle, les vendeurs n'ont qu'une idée en tête : vendre, vendre et encore vendre, laissant à d'autres la réflexion stratégique et le souci du profit[10]. Dans l'optique marketing, le vendeur doit prendre en compte la satisfaction du client et la rentabilité[11]. Il lui faut recueillir de l'information, estimer un potentiel, analyser ses résultats et préparer l'avenir. Dans certaines entreprises, il devient un véritable gestionnaire de compte construisant des relations sur le long terme avec la clientèle.

Aujourd'hui, la vente devient de plus en plus un travail d'équipe, le représentant jouant le rôle d'homme-orchestre vis-à-vis du client. Les autres intervenants comprennent : la *direction générale* qui participe directement à la vente pour des contrats très importants[12] ; *les ingénieurs et techniciens* qui fournissent l'information et l'assistance nécessaire au client, avant et après la vente ; *le service clientèle* qui assure l'installation, l'entretien et le service après-vente ; et *l'administration commerciale* qui prend en charge l'analyse des données de vente, la facturation et diverses tâches de secrétariat.

Une fois l'approche choisie, l'entreprise peut utiliser les services d'une force de vente interne ou contractuelle. Une *force de vente interne* se compose d'employés à plein temps ou à temps partiel qui travaillent exclusivement pour l'entreprise. Elle comporte à la fois du *personnel de bureau* qui contacte les clients par téléphone ou les reçoit dans l'entreprise et du *personnel de terrain* qui va au-devant de la clientèle. Une entreprise peut également avoir recours à *une force de vente contractuelle* composée de VRP (voyageurs-représentants-placiers), d'agents ou de courtiers, rémunérés à la commission.

## La structure de la force de vente

Le mode d'organisation d'une force de vente dépend en grande partie de la stratégie adoptée. Si l'entreprise ne vend qu'un produit à des clients homogènes, elle optera pour une structure par secteur géographique[13]. Si de nombreux produits ou marchés sont en jeu, une organisation par produit ou par client se justifie davantage.

■ BRITISH AIRWAYS a fait appel à une équipe de consultants en 2000 pour évaluer sa force de vente. Ils ont jugé que la compagnie était excellente pour la vente aux particuliers, mais devait s'intéresser davantage à la clientèle d'entreprises. British Airways n'a pas modifié la structure de sa force de vente qui distingue la vente aux agences de voyage, la vente sur le terrain et la vente aux 200 plus grosses entreprises clientes. Cependant, elle a créé une équipe de responsables des comptes-clés focalisés sur les clients les plus rentables[14].

LA STRUCTURE PAR SECTEURS ❖ Selon ce mode d'organisation, chaque représentant travaille dans un secteur géographique à l'intérieur duquel il vend la gamme complète des produits de l'entreprise. Outre sa simplicité, la structure par secteurs présente de nombreux avantages : elle permet une définition précise des responsabilités ; le représentant se sent motivé pour développer des activités locales et des liens personnels, souvent utiles dans son travail ; les frais de déplacement sont relativement limités, chaque vendeur ne se déplaçant que dans un territoire restreint.

**La taille des secteurs.** En concevant un découpage territorial, l'entreprise cherche à concilier plusieurs impératifs : les secteurs doivent être simples à gérer, leur potentiel facile à calculer, et les frais de déplacement limités ; chaque secteur doit assurer à chaque vendeur une charge de travail et un potentiel de vente suffisants et équitablement répartis[15]. Il y a deux façons de déterminer la taille des secteurs : la première vise la création de secteurs à potentiel de vente égal, tandis que la seconde cherche à égaliser la charge de travail.

En créant des secteurs à *potentiel égal* on souhaite que chaque représentant ait les mêmes possibilités de gain. Selon ce principe, pense-t-on, des différences régulières observées entre les ventes réalisées dans les différents secteurs reflètent des écarts de capacité ou de travail. On en déduit qu'une telle approche encourage les vendeurs à donner le meilleur d'eux-mêmes.

L'autre système consiste à uniformiser *la charge de travail* des représentants. Ce système doit permettre à chaque vendeur de couvrir son secteur de façon satisfaisante. En général, il conduit à des différences de potentiel importantes. Cet inconvénient n'est pas grave lorsque les représentants sont payés au fixe, mais le devient lorsqu'ils sont rémunérés, même partiellement, à la commission. On peut, pour le résorber, payer un taux de commission plus faible aux vendeurs bénéficiant des secteurs à fort potentiel, ou bien promouvoir sur ces secteurs les hommes les plus qualifiés.

**La forme des secteurs.** Leur configuration tient compte de facteurs tels que les barrières naturelles et la commodité des moyens de transport. Dans de nombreuses sociétés, la forme des secteurs, qu'elle soit régulière ou « en marguerite » (de façon à permettre un retour à domicile quotidien), est également choisie en fonction de son incidence sur les coûts, de la facilité de couverture du marché et de la satisfaction du représentant. De plus en plus d'entreprises utilisent des programmes informatiques pour concevoir des secteurs qui réduisent le coût et la durée des déplacements[16].

**LA STRUCTURE PAR PRODUITS ❖** L'exigence d'une bonne connaissance des produits par les représentants et le développement de la gestion par chefs de produits ont conduit de nombreuses entreprises à organiser leur force de vente à partir de leur gamme. La spécialisation des commerciaux par produits est particulièrement judicieuse lorsque les produits sont techniquement complexes, hétérogènes ou très nombreux. Cependant, une difficulté majeure apparaît lorsque les différents produits sont achetés par les mêmes clients. Les dépenses supplémentaires entraînées par les multiples visites doivent naturellement être comparées aux bénéfices tirés d'un meilleur service à la clientèle et d'une présentation plus experte des produits.

**LA STRUCTURE PAR MARCHÉS ❖** L'entreprise peut également organiser sa force de vente par types de clientèles. Les clients sont alors classés selon le *secteur d'activité*, la *taille*, le *volume d'achat* ou *l'ancienneté des contacts commerciaux*. Une telle structure permet au représentant de bien connaître les besoins de ses clients. La société Shell France, par exemple, a adopté une structure par marchés : réseau (stations-service), chauffage domestique, clients industriels. Une organisation de vente par clients est souvent à l'origine d'une réduction du coût global de la force de vente. Elle permet en outre de traiter les comptes-clés à part (voir encadré 21.1). L'inconvénient essentiel d'une structure par marchés apparaît lorsque les différents types de clientèles se trouvent être dispersés à travers tout le pays, entraînant une augmentation des coûts.

**LA STRUCTURE MIXTE ❖** Lorsqu'une entreprise vend une gamme diversifiée de produits à de nombreux types de clients dans une vaste région géographique, il arrive qu'elle structure sa force de vente en combinant plusieurs modes d'organisation. Les représentants peuvent être spécialisés par couple secteur/produit, secteur/client, client/produit ou même par triade secteur/produit/client. Ainsi, les 500 vendeurs de la société Xerox France sont structurés en trois échelons hiérarchiques faisant successivement apparaître les divisions (business units), la géographie (Paris/Province) et la taille des clients (grands comptes).

## La taille de la force de vente

Après avoir défini sa stratégie et sa structure, l'entreprise est en mesure de fixer la taille de sa force de vente. Celle-ci constitue un atout parmi les plus productifs, mais aussi les plus coûteux.

# La gestion des comptes-clés

Lorsqu'une société traite avec de gros clients, elle leur affecte souvent un vendeur de haut niveau appelé gestionnaire de compte-clé. La gestion des grands comptes représente une activité suffisamment spécifique pour qu'on lui donne une place autonome dans l'entreprise. Xerox traite ainsi 250 grands comptes à l'aide d'une force commerciale distincte.

La concentration industrielle, la centralisation croissante des achats, la complexité des produits sont autant de facteurs qui favorisent la gestion des ventes par comptes-clés. « Le commerce se concentre à un tel point, explique Fabienne Saligue, consultante chez Bernard Julhiet que j'ai vu un patron de PME dans le textile se demander s'il allait supprimer les vendeurs terrain pour ne garder de sa force de vente que des responsables de comptes-clés. »

Pernod a ainsi profité de sa fusion avec Cusenier en 2000 pour doubler ses effectifs de vente basés au siège. Ils atteignent 60 personnes réparties en trois équipes : l'une consacrée à Auchan et Opéra, la deuxième à Carrefour et Metro, la troisième à Leclerc, Système U et Intermarché. En parallèle, le réseau sur le terrain a été réduit de 130 à 80 personnes. Jean-François Lalu, directeur commercial de l'entreprise, indique que « cette organisation a permis d'enrichir fortement la relation avec [les] clients : nous avons une meilleure connaissance de leurs plans promotionnels à six mois ou un an. En merchandising, nous avons mieux intégré les contraintes des distributeurs [...], les référencements deviennent plus rapides, les partenariats et notre présence dans les prospectus plus nombreux. »

Le gestionnaire de comptes-clés doit pouvoir localiser les réseaux d'influence chez son client, orchestrer les réponses de l'entreprise, et entretenir une relation permanente de confiance avec son client. Par exemple, chez McCain, le leader de la frite surgelée, un super vendeur ne s'occupe que de McDonald's, premier client de la société.

Dans certaines sociétés comme Procter & Gamble, on a mis en place des équipes multifonctionnelles : les cadres de différents services se regroupent pour travailler sur des problèmes de marketing, de logistique ou de finance d'un client spécifique. « C'est une nouvelle évolution qui touche tous les rouages de la société », estime-t-on chez Procter.

La mise en place d'un système de vente par compte-clé soulève de nombreuses questions : comment les sélectionner, comment les gérer, comment évaluer ceux qui s'en occupent, où les placer dans l'organisation ? etc. La sélection des comptes-clés se fait en général en tenant compte du volume de vente et de profit, du degré de centralisation des achats, des attentes spécifiques en matière de services et du désir d'entretenir avec les fournisseurs des relations à long-terme. Les entreprises doivent donc choisir pour s'occuper des comptes-clés des responsables qui connaissent bien le secteur et le métier de leurs clients, qui comprennent les processus de décision d'achat et savent comment les exploiter à leur profit. Ils doivent aussi être capables de mobiliser en interne les équipes dont ils ont besoin – R & D, production, logistique – pour satisfaire leurs clients. Les gestionnaires de comptes-clés sont véritablement en charge d'une relation à faire fructifier entre deux entreprises.

Les entreprises commettent parfois l'erreur de nommer leurs meilleurs vendeurs pour s'occuper des comptes-clés. Mais les deux postes ne requièrent pas les mêmes compétences. Le gestionnaire de compte-clé est davantage dans le rôle d'un consultant marketing interne qui vend les compétences de son entreprise au-delà des gammes de produit.

*Sources :* Voir Michelle Bergadaà et Julien Bernard, « La Révolution vente et ses enjeux organisationnels », *Décisions Marketing*, janvier-février 1998, pp. 37-45 ; Michelle Bergadaà, *Révolution Vente* (Paris : Village Mondial, 1997) ; Catherine Pardo, « La gestion des comptes-clés », dans A. Bloch et A. Macquin, *Encyclopédie vente et distribution*, (Paris : Economica, 2001,), pp. 397-406 ; *LSA*, « L'industrie adapte son organisation commerciale », 11 avril 2002, pp. 54-60 ; Gary S. Tubridy, « Major Account Management » dans *AMA Management Handbook*, 3e éd. (New York : Amacom, 1994) ; Sanjit Sengupta, Robert E. Krapfel, et Michael A. Pusateri, « The Strategic Sales Force », *Marketing Management*, été 1997, pp. 29-34 ; Robert S. Duboff et Lori Underhill Sherer, « Customized Customer Loyalty », *Marketing Management*, été 1997, pp. 21-27 ; Tricia Campbell, « Getting Top Executives to Sell », *Sales & Marketing Management*, octobre 1998, p. 39.

La plupart des entreprises fixent le nombre de vendeurs dont elles ont besoin à partir d'une *analyse de la charge de travail*[17]. La méthode comporte cinq étapes :

1. On classe les clients par catégories de volume correspondant à leurs achats annuels (réels ou estimés).
2. On détermine la fréquence de visite souhaitable pour chaque catégorie (nombre de visites par client par an).
3. On calcule la charge de travail globale, exprimée en nombre de visites à effectuer par an (en multipliant le nombre de clients dans chaque catégorie par la fréquence de visite correspondante).
4. On fixe le nombre moyen de visites qu'un représentant peut effectuer dans une année.
5. On obtient le nombre de représentants en divisant le nombre total de visites à faire dans l'année par le nombre annuel de visites pouvant être effectuées par un représentant.

Par exemple, une entreprise estime qu'il y a 1 000 clients de type A et 2 000 clients de type B sur son marché. Un client de type A doit être visité 36 fois par an, contre 12 fois pour un client de type B. Soixante mille visites doivent donc être effectuées. Si l'on suppose qu'un vendeur fait, en moyenne, 1 000 visites par an, l'entreprise a besoin de 60 représentants à plein temps.

Aujourd'hui, de nombreuses entreprises cherchent à réduire leur force de vente, compte tenu de son coût. Ainsi :

■ **Coca-Cola Amatil,** le franchisé de Coca-Cola en Australie, employait de nombreux vendeurs afin de garder le contact avec tous les clients, même les petits bars qui, pourtant, commandaient peu. L'entreprise se rendit compte qu'il était plus économique de les joindre par téléphone ou Internet, ce qui permit d'accroître considérablement la rentabilité de ce segment.

## La rémunération des représentants

La mise en place d'une force de vente de haut niveau obéit à trois règles : 1) recruter des individus capables ; 2) savoir les motiver ; et 3) savoir les garder. Dans ces trois domaines, la politique de rémunération fait la différence.

Il n'est pas facile de mettre au point un système de rémunération qui satisfasse à la fois les représentants et la direction. Un vendeur préfère un système qui lui procure : une certaine régularité de ses revenus ; une récompense pour des performances supérieures à la moyenne ; et un sentiment de justice compte tenu de son expérience, du salaire de ses collègues et confrères, et du coût de la vie. Pour l'employeur, en revanche, un système de rémunération idéal permet un contrôle de leur activité en les motivant et en canalisant leurs efforts vers les activités prioritaires de l'entreprise, tout en restant peu coûteux et simple à gérer[18].

En général, ces objectifs sont divergents. Un système qui permet un contrôle efficace est rarement simple. Un souci d'économie est peu compatible avec la sécurité financière souhaitée par les vendeurs. À la lumière de tels conflits d'intérêts, on comprend mieux pourquoi il existe une si grande variété de systèmes de rémunération.

La direction des ventes doit en fait décider du niveau, de la composition et de la structure du système de rémunération. Le *niveau de rémunération* doit être en rapport avec le « prix du marché » pour le poste considéré et les capacités requises. Si le prix du marché est précisément défini, l'entreprise n'a guère d'autre possibilité que de s'aligner sur le taux en vigueur. Proposer un taux plus bas affecterait la quantité et la qualité des candidats. Offrir un niveau plus élevé ne se justifierait pas. Le plus souvent, cependant, le prix du marché n'est pas nettement défini. D'une part, les plans de rémunération de chaque société varient en fonction des éléments fixes et variables du salaire, des avantages annexes et des indemnités. D'autre part, les données dont on dispose sur les salaires versés aux vendeurs de la concurrence sont faussées par des disparités en matière d'ancienneté ou de niveau de capacité. Les comparaisons, branche par branche, des salaires des représentants sont rares et en général peu détaillées.

Après avoir établi le niveau de rémunération, l'entreprise doit déterminer le poids respectif des quatre éléments qui la composent : la partie fixe, la partie variable, les remboursements de frais et les avantages annexes. La *partie fixe* a pour but d'assurer au représentant une certaine stabilité de ses revenus. La *partie variable*, qui peut prendre la forme d'une commission sur le chiffre d'affaires, d'une prime ou d'un intéressement aux bénéfices, vise à stimuler et récompenser un surcroît d'activité. Les *remboursements de frais* sont destinés à permettre au représentant d'entreprendre les efforts de vente qu'il juge nécessaires. Enfin, les *avantages annexes*, telles que la voiture de fonction ou l'assurance-vie, assurent la sécurité matérielle et augmentent l'attrait du poste.

La rémunération fixe et la rémunération variable donnent naissance à trois grands systèmes de rétribution de la force de vente ; le fixe, la commission et une combinaison fixe plus commission. La grande majorité des entreprises utilise un système mixte, dans l'espoir de cumuler les avantages des deux systèmes, tout en essayant d'en éviter les inconvénients. Le système mixte est particulièrement adapté au cas où le volume dépend de l'activité du représentant et où, en même temps, l'entreprise souhaite exercer un contrôle sur les tâches des vendeurs qui ne sont pas directement liées à la vente.

La direction des ventes doit décider des éléments qui entreront dans le plan de rémunération et de l'importance de chacun d'eux[19]. Une règle souvent utilisée consiste à évaluer à 70 % la part du fixe et à allouer 30 % aux autres éléments. Mais les variantes autour de cette formule sont si nombreuses que celle-ci ne peut servir de base à l'élaboration d'un plan de rémunération. Ainsi, la part fixe est plus forte pour des postes comprenant une forte proportion de tâches autres que la vente, tandis que la partie variable est plus importante lorsque la vente dépend étroitement de l'initiative du représentant. Par ailleurs, il semble que la partie variable ait tendance à s'amenuiser au fil des ans[20].

Certaines entreprises indexent aujourd'hui la partie variable à des indicateurs tels que la satisfaction ou la fidélité du client. Chez IBM, par exemple, les représentants sont partiellement évalués à partir d'enquêtes de satisfaction réalisées auprès des clients[21]. D'autres firmes allouent une partie de la rémunération variable à la performance globale de l'équipe de vente ou même de l'entreprise dans son ensemble, dans l'objectif d'inciter les vendeurs à développer un esprit d'équipe. Certains vendeurs très efficaces peuvent toutefois se sentir pénalisés par un tel système en ayant l'impression de soutenir leurs collègues moins performants.

# La gestion d'une force de vente

Après avoir déterminé les objectifs, la stratégie, l'organisation, la taille et le système de rémunération de la force de vente, l'entreprise choisit son mode de gestion. Un directeur des ventes doit recruter, former, superviser, animer et évaluer ses représentants (voir figure 21.3).

**FIGURE 21.3**
La gestion
d'une force
de vente

## Le recrutement et la sélection des représentants

Bien choisir ses vendeurs est crucial pour la réussite d'une entreprise. L'écart de performances entre un vendeur exceptionnel et un vendeur médiocre est considérable. Une enquête portant sur plus de 500 sociétés américaines a révélé qu'en moyenne 27 % des représentants réalisaient plus de 52 % du chiffre d'affaires. En outre, il faut prendre en considération le gaspillage occasionné par le recrutement de personnes inadéquates[22]. Des 16 000 vendeurs engagés par les sociétés interrogées dans l'enquête, 68 % seulement travaillaient encore dans l'entreprise au bout d'un an. Le départ d'un représentant implique des coûts de recrutement et de formation de son remplaçant, sans négliger qu'une force de vente largement composée de nouvelles recrues est souvent moins productive.

La rémunération touchée par le vendeur ne représente que la moitié des charges totales de vente. S'il perçoit 30 000 € par an, l'entreprise doit dépenser une somme à peu près équivalente en charges sociales, frais de route, supervision, location de bureaux, fournitures et secrétariat. Un nouveau représentant doit donc vendre un volume suffisant pour que la marge brute soit supérieure aux frais de vente totaux, dans notre exemple : 60 000 €. Si cette marge est de 10 %, il doit réaliser un chiffre d'affaires d'au moins 600 000 € pour atteindre le seuil de rentabilité de la société qui l'emploie.

La sélection des représentants serait relativement aisée si l'on pouvait identifier les qualités du parfait vendeur. Si l'on savait, par exemple, que le vendeur idéal est extraverti, agressif et dynamique, ce ne serait pas très difficile de rechercher systématiquement ces qualités chez les candidats. Mais beaucoup de très bons vendeurs sont introvertis, calmes et posés. Pourtant, l'élaboration du portrait-robot du représentant idéal se poursuit sans relâche, d'innombrables traits de caractère ayant déjà été proposés (voir encadré 21.2).

Comment l'entreprise peut-elle identifier les caractéristiques que ses vendeurs devraient posséder ? La nature des tâches attachées au poste permet de découvrir des traits à privilégier. Y a-t-il beaucoup de rapports à rédiger ? Y a-t-il de nombreux déplacements à prévoir ? Les caractéristiques des représentants actuels les plus performants suggèrent également certaines qualités.

Après avoir défini les critères auxquels doit répondre le futur vendeur, l'entreprise se met à la recherche de candidats à l'aide de diverses procédures : recommandations, recours à des sociétés spécialisées, petites

# Portrait-robot d'un bon vendeur

Selon McMurry et Arnold, cinq traits de personnalité caractérisent le supervendeur : une inépuisable énergie, une grande confiance en soi, un appétit d'argent insatiable, une solide connaissance du secteur et un état d'esprit qui lui fait considérer toute objection, résistance ou obstacle comme un défi.

Mayer et Greenberg ont, de leur côté, proposé une liste limitée à deux qualités : *l'empathie*, c'est-à-dire la faculté de se mettre dans la peau de son client, et le *ressort personnel*, c'est-à-dire le besoin profond de s'imposer. Heinz Goldman, qui a une longue expérience des vendeurs, a réalisé une enquête auprès de 850 chefs de vente concernant 10 000 vendeurs. Il aboutit en France, en Grande-Bretagne et aux États-Unis au classement suivant :

1. Empathie, psychologie
2. Sens des affaires
3. Maîtrise des techniques de vente
4. Dynamisme, sens de l'initiative
5. Ambition, motivation pour vendre
6. Capacité rhétorique
7. Capacité d'organisation
8. Capacité de contact
9. Équilibre émotif
10. Discipline de travail
11. Connaissance du produit
12. Aspect général, présentation

En fait, les aptitudes demandées par chaque entreprise diffèrent selon la nature des tâches ou le rôle qui sont attribués aux vendeurs. La société Lelting, qui loue des voitures sur une longue durée aux entreprises, définit ainsi les aptitudes qu'elle attend de ses vendeurs :

♦ Aptitudes intellectuelles. Les connaissances financières et comptables doivent être solides.

♦ Aptitudes cérébrales. Réflexion, profondeur, analyse, le vendeur doit savoir aller au fond des choses en prenant en compte les prévisions de l'entreprise à moyen et long terme.

♦ Aptitudes affectives. Savoir créer un climat affectif, de préférence sympathique mais sans faiblesses.

♦ Endurance physique. Le travail est itinérant.

*Sources :* Robert McMurry et James S. Arnold, *Comment choisir vos vendeurs et vos représentants* (Paris : Entreprise moderne d'édition, 1970) ; David Mayer et Herbert M. Greenberg, « What Makes a Good Salesman ? », *Harvard Business Review*, juil.-août 1964, pp. 119-125 ; Herbert M. Greenberg et Jeanne Greenberg, « Les Vendeurs qui savent s'adapter », *Harvard l'Expansion*, printemps 1981, pp. 84-85 ; Herbert M. Greenberg et Jeanne Greenberg, « Réduire scientifiquement les erreurs de recrutement », *Harvard l'Expansion*, automne 1982, pp. 12-21 et H. Goldman, *L'Art de vendre* (Neuchâtel : Delachaux et Nieslé, 1978).

annonces et contacts avec le milieu étudiant[23]. Dans ce dernier cas, cependant, les entreprises connaissent certaines difficultés pour convaincre de l'intérêt d'un poste dans le secteur. Une étude portant sur 1 000 étudiants masculins a montré que moins de 5 % se montraient intéressés par la vente. Les sceptiques invoquaient l'insécurité du job ou la nécessité d'être loin de sa famille. Afin de contrer ces objections, les responsables du recrutement font valoir les salaires de début, les possibilités de gain et le fait que le quart des présidents-directeurs généraux des plus grandes entreprises ont commencé leur carrière dans la vente[24].

Les méthodes de recrutement ont pour objectif d'obtenir davantage de postulants que de postes à pourvoir, et l'entreprise doit donc sélectionner ensuite les meilleurs candidats. Les procédures de sélection varient en complexité, depuis la simple entrevue informelle jusqu'aux tests et entretiens psychotechniques approfondis. Certaines sociétés comme IBM, Procter & Gamble et

Gillette accordent une grande importance aux tests. Gillette, par exemple, a déclaré que leur utilisation avait permis de réduire de 42 % la rotation de son personnel et que les scores obtenus s'étaient montrés étroitement corrélés avec le succès futur des représentants. Les autres éléments d'information pris en compte sont les caractéristiques personnelles des individus, les références et l'expérience passée.

## La formation des représentants

Il y a peu de temps encore, de nombreuses sociétés envoyaient leurs représentants sur le terrain immédiatement après les avoir engagés. On donnait au vendeur un jeu d'échantillons, un carnet de commandes et des instructions pour visiter tel secteur ou tel type de clientèle. Les résultats n'étaient pas toujours concluants.

Le directeur général d'une entreprise alimentaire a, il y a quelque temps, consacré une semaine complète à observer une cinquantaine de présentations de vente faites à un acheteur très occupé, responsable d'une chaîne de supermarchés. Voici ses observations :

> « *La grande majorité des représentants étaient mal préparés, incapables de répondre à des questions simples ; parfois, même ils ne savaient pas bien ce qu'ils voulaient obtenir à l'issue de l'entretien. Ils ne concevaient pas la visite comme un acte professionnel, préparé à l'avance. Ils n'avaient pas une idée très claire des besoins et désirs de l'acheteur*[25]. »

Les clients, cependant, sont devenus beaucoup plus exigeants et ont poussé la plupart des entreprises à mettre en place des programmes de formation.

Aujourd'hui, dans presque tous les cas, tout représentant nouvellement engagé est appelé à bénéficier d'une formation pouvant durer de quelques semaines à plusieurs mois. Dans des branches telles que la métallurgie ou l'informatique, un nouveau vendeur n'est parfois pas livré à lui-même avant deux ans. IBM demande à ses technico-commerciaux de consacrer 15 % de leur temps chaque année à la formation, dont une partie à distance (ce qui a permis à l'entreprise de réduire substantiellement ses coûts). Certaines firmes mettent également en place des programmes de formation pour les vendeurs externes, qui commercialisent également des marques concurrentes[26].

En concevant son programme de formation, l'entreprise prend en considération différents aspects :

♦ *Un représentant doit connaître son entreprise et s'identifier à elle.* De nombreuses sociétés consacrent la première partie de leur programme de formation à la connaissance de l'histoire et de la vocation de l'entreprise ainsi que de ses performances et son mode d'organisation. Par exemple, Nestlé commence en général tous ses programmes de formation commerciale par une session consacrée à l'entreprise et à ses valeurs.

♦ *Un représentant doit connaître ses produits.* Le vendeur stagiaire apprend comment les produits sont fabriqués et quelles fonctions ils remplissent dans diverses utilisations.

♦ *Un représentant doit connaître les caractéristiques de ses clients et de ses concurrents.* Il apprend à discerner les différents types de clients, leurs besoins, motivations et habitudes d'achat. Il est informé des politiques des concurrents.

♦ *Un représentant doit présenter ses produits de manière efficace.* L'entreprise expose les principaux arguments de vente de chaque produit et prévoit souvent des « jeux de rôle », dans lesquels les stagiaires jouent le rôle de vendeurs ou d'acheteurs.

♦ *Un représentant doit enfin connaître l'étendue de ses propres responsabilités.* Il doit savoir comment la société entend répartir son temps entre la clientèle actuelle et la clientèle potentielle, comment gérer ses allocations de frais, rédiger les rapports et construire ses itinéraires[27].

De nouvelles méthodes de formation sont constamment élaborées afin d'accélérer le développement des compétences et l'acquisition des connaissances. Les différentes approches utilisées sont l'analyse transactionnelle[28], les exercices de sensibilisation, ou encore l'enseignement à distance. Certaines entreprises cherchent également, dans leurs formations, à favoriser les échanges d'expériences entre vendeurs, pour tenir compte du fait que le savoir commercial est en partie informel et expérientiel[29].

Un problème récurrent réside dans l'octroi de réductions de prix par les vendeurs dès que les clients le demandent. Une entreprise a identifié le problème en observant que ses ventes avaient augmenté de 25 % alors que ses profits étaient restés stables. L'entreprise a alors décidé d'encourager ses vendeurs à « vendre le prix » plutôt que de « vendre par le prix ». Elle leur a fourni plus d'informations sur l'historique des achats et des comportements de chaque client, tout en organisant des formations sur les opportunités de création de valeur. L'entreprise a ainsi réussi à développer encore son chiffre d'affaires, tout en accroissant ses marges[30].

## La supervision des représentants

On observe une grande hétérogénéité entre les entreprises dans la manière dont les vendeurs rendent compte de leur activité à leurs supérieurs, tout comme dans le degré de précision avec lequel leurs tâches sont définies[31]. Tout dépend de la nature de l'effort de vente. Les représentants payés à la commission et qui ont pour mission de « dénicher » leur propre clientèle bénéficient, en général, d'une grande indépendance. Les vendeurs salariés, à qui l'on attribue un secteur de clientèle sont, en revanche, soumis à un contrôle plus strict.

## Les normes de visite

Combien de fois par an faut-il rendre visite à un client donné ? Tout dépend du volume de commande que l'on peut attendre d'un client en fonction du nombre de visites qui lui sont rendues[32].

John Magee a réalisé une expérience au cours de laquelle il a demandé aux vendeurs de faire varier leur rythme de visite dans des proportions suffisantes pour qu'il soit possible de mesurer l'effet de cette variation sur les ventes[33]. L'expérience consista d'abord à répartir les clients en trois groupes, selon une procédure de tirage au hasard. Les vendeurs furent chargés, pendant une période de temps déterminée, de passer moins de cinq heures par mois avec les clients du premier groupe, entre cinq et neuf heures avec les clients du second, et plus de neuf heures avec les clients du troisième. Les résultats obtenus confirmèrent que le temps de visite accroît le volume des ventes, sans cependant garantir que l'augmentation soit suffisante pour justifier le coût supplémentaire. Des recherches ultérieures ont montré que le temps consacré par les vendeurs aux petits clients est trop élevé comparé à celui passé auprès des grands comptes, plus rentables[34].

**L'ÉLABORATION DES NORMES DE PROSPECTION** ❖ En général, une entreprise souhaite également déterminer le temps consacré à la prospection des nouveaux clients. Elle exige, par exemple, que ses vendeurs y allouent le quart de leur temps et qu'ils arrêtent de rendre visite à un prospect après trois tentatives infructueuses. Livré à lui-même, un représentant a en effet tendance à se consacrer à la clientèle existante : les clients actuels sont connus, et le vendeur espère obtenir une commande facile, alors qu'avec un client potentiel, l'affaire ne sera peut-être jamais conclue. Pour développer une nouvelle clientèle, certaines entreprises font d'ailleurs appel à de véritables «forces commando».

**LA GESTION EFFICACE DU TEMPS** ❖ Un représentant doit planifier ses interventions. Pour ce faire, il prépare un *planning annuel* de visites à la clientèle, actuelle et potentielle[35]. Il indique sur le planning les réunions de vente, ainsi que les salons et foires auxquels il participe. Le cas échéant, il mentionne également les études de marché qu'il doit effectuer.

En général, un vendeur répartit son temps entre six activités :

- ♦ *La préparation.* C'est-à-dire le temps consacré à la planification du travail.
- ♦ *Les voyages.* Le temps consacré aux déplacements peut représenter jusqu'à 50 % de la journée du vendeur. On peut le réduire en privilégiant les moyens de transport rapides ou les télécommunications et le rendre productif en incitant le vendeur à l'utiliser pour rédiger ses rapports et préparer ses visites.
- ♦ *Les repas et les moments de détente.* Si les déjeuners sont des repas d'affaires, il convient, bien sûr, de les considérer comme du temps de vente.
- ♦ *L'attente.* Il est rare que le vendeur rencontre tout de suite ses clients. Il peut mettre à profit le temps d'attente pour préparer ses visites et faire le compte-rendu des contacts de la journée.
- ♦ *La vente* correspond au temps passé au contact direct du client. On peut le répartir en plusieurs catégories : présentation des produits, négociation...
- ♦ *L'administration* recouvre des activités diverses : vérification des commandes, participation aux réunions de vente et contacts internes à l'entreprise.

Compte tenu de toutes ces activités, il n'est guère surprenant que le temps effectif de vente soit souvent inférieur au quart du temps total.

Pour améliorer la gestion du temps de leurs vendeurs, de plus en plus d'entreprises répartissent différemment leurs efforts entre *force de vente interne* et *force de vente externe*. La force de vente interne intègre trois fonctions : le support technique répond aux questions des clients actuels et potentiels ; l'aide à la vente prépare le travail des vendeurs sur le terrain et suit le bon déroulement des livraisons ; le télémarketing identifie et qualifie de nouveaux prospects, procède à certaines ventes, s'intéresse aux clients négligés et prolonge parfois la vente sur le terrain en proposant des produits complémentaires ou nouveaux. Selon Narus et Anderson, plus d'un vendeur sur deux relève de la force de vente interne[36].

Les nouvelles technologies de l'information facilitent également beaucoup le travail du vendeur : cédérom pour la présentation des produits, téléconférence pour les réunions commerciales, messagerie électronique pour les contacts quotidiens, ordinateur portable pour enregistrer les commandes et préparer les prévisions. Certaines entreprises ont mis en place des systèmes d'aide à la décision qui améliorent les performances du vendeur en réduisant ses déplacements et son travail administratif, en améliorant son programme de visites, et en rendant celles-ci plus efficaces.

- ■ SHELL-CHIMIE met à la disposition de ses vendeurs : 1) un logiciel de traitement de dépense qui facilite l'enregistrement et le remboursement rapide de tous les frais ; 2) un outil d'information-client qui permet à tout moment d'avoir les derniers renseignements relatifs à un client ; 3) une messagerie électronique qui garantit la permanence du contact ; 4) une gestion électronique de l'agenda ; 5) un logiciel qui permet de rappeler les choses à faire dans la journée ou dans la semaine ; 6) un tableur ; et 7) un logiciel graphique qui permet de préparer les présentations[37].

■ ALFA-LAVAL FRANCE a constitué une banque de données sur tous les clients, actuels et potentiels, de chaque division. Celle-ci est alimentée directement par les commerciaux qui la maintiennent constamment à jour. Les informations obtenues servent autant à gérer et contrôler le travail des représentants qu'à leur faciliter directement la tâche : édition de listes de clients à rappeler dans la semaine, adressage et envoi de courrier destiné, par exemple, à inviter certains d'entre eux à un salon professionnel, etc. Un autre logiciel permet, dès les spécifications d'un prospect connues, de préparer une offre-type que le vendeur vérifiera avant de la proposer à son client.

De tels systèmes ont poussé certaines entreprises à complètement reconsidérer les conditions de travail des vendeurs. Par exemple, Compaq a supprimé les bureaux et encourage les vendeurs, lorsqu'ils ne sont pas sur la route, à travailler chez eux. Tous les jours, le représentant se branche sur le réseau interne à l'entreprise et prend connaissance de l'ensemble de son travail de la journée. Le soir, il se reconnecte à son ordinateur pour intégrer les résultats obtenus[38].

Par ailleurs, de plus en plus de PME vendent directement sur Internet, ce qui modifie en profondeur le rôle des vendeurs (voir encadré 21.3).

---

**21.3**

## Les « cyber-commerciaux », fers de lance des PME

Compte tenu de l'investissement initial plus réduit qu'avec un réseau de vente classique, de plus en plus de PME font du web leur principal outil. Une telle évolution oblige des entreprises à revoir leurs structures commerciales et à redéfinir le rôle de la vente.

En fait, la cybervente permet d'opérer la jonction entre fonction commerciale et marketing, à travers la communication et la gestion du relationnel. De cette façon, les commerciaux recrutés pour s'occuper des sites web deviennent rapidement, à condition de réactualiser en permanence leurs connaissances, des directeurs de clientèle. Ainsi :

♦ À l'*OFP* (Omnium français de papeterie), un « fournituriste de bureau », la moitié des effectifs sont composés de commerciaux qui gèrent chacun un groupe de clients privés et publics. Aujourd'hui, plus de 10 000 réfé-

rences (dont 90 % livrables en 24 h) sont disponibles sur le site de l'entreprise. « Non seulement les commandes passent par Internet, explique le directeur général, mais nos commerciaux peuvent aussi nous faire remonter des flux d'informations qualitatives. Leurs comptes-rendus de visites ne sont plus faits par téléphone ou à partir de notes papier et nous pouvons prendre en compte plus aisément les soucis et souhaits de notre clientèle. »

♦ Chez *PCM* Pompes, la mise du catalogue en ligne a révolutionné la structure commerciale. Selon son président, les clients, étant déjà très informés par le site, « souhaitent obtenir des réponses très pointues. Aussi nos commerciaux sont amenés à devenir des experts capables de proposer des spécifications techniques. »

---

*Sources :* Adapté de « Les cybercommerciaux, fers de lance des PME », *La Tribune,* 17 janvier 2000, pp. 31-33. Voir aussi Gilles Fouchard, *E-Commerce : la stratégie gagnante* (Paris : Eyrolles, 1999).

# La motivation des représentants

Dans toute force de vente, il existe des individus qui travaillent au maximum de leurs possibilités sans avoir besoin d'être stimulés. Pour eux, vendre est une vocation. Mais la plupart des autres doivent être encouragés. À cela, plusieurs raisons inhérentes au travail à fournir : le vendeur travaille souvent seul ; ses horaires sont irréguliers ; il ne peut pas mener une vie familiale normale ; il doit sans cesse affronter les vendeurs de la concurrence ; et il lui arrive souvent de ne pas enlever une affaire à laquelle il avait pourtant consacré beaucoup d'efforts.

Trois chercheurs américains, Churchill, Ford et Walker, ont étudié les facteurs qui sous-tendent la motivation des vendeurs[39]. Ils ont mis en évidence la possibilité d'un cercle vertueux. Plus un vendeur est motivé, plus il s'investit dans son travail et meilleures sont ses performances. Il est alors mieux récompensé, donc satisfait et motivé pour poursuivre ses efforts. Cette analyse a plusieurs conséquences :

♦ *Un directeur des ventes doit convaincre ses troupes que des efforts accrus entraînent toujours de meilleures performances*. Cela suppose bien sûr qu'il n'y ait pas trop de variables incontrôlables affectant les résultats.

♦ *Un directeur des ventes doit démontrer que les récompenses obtenues justifient les efforts entrepris*. Il s'ensuit que le mode de rémunération doit tenir compte des résultats effectifs de vente.

Les trois experts précités ont mesuré l'impact de différents stimulants. Ils sont arrivés à la classification suivante : 1) rémunération ; 2) promotion ; 3) progression personnelle ; et 4) sens du devoir accompli (au niveau de l'équipe). D'autres facteurs (respect, sécurité, reconnaissance) jouent un rôle secondaire. Toutefois, le classement varie selon les individus. Les stimulants financiers sont plus appréciés par les représentants plus âgés, plus expérimentés ou chargés de famille. Les récompenses morales (reconnaissance, respect) sont bien accueillies par les représentants plus jeunes et mieux éduqués. Nous avons déjà étudié la rémunération. Nous considérerons dans ce qui suit les quotas et les autres stimulants.

LES QUOTAS ❖ De nombreuses sociétés imposent à leurs vendeurs des quotas qui fixent ce qui doit être vendu au cours de l'année. Souvent, le système de rémunération est lié aux quotas : un vendeur qui fait mieux que son quota perçoit une commission supplémentaire ou une prime.

Les quotas sont fixés chaque année dans le cadre du plan marketing. L'entreprise établit d'abord une prévision de vente qui devient la base de planification de la production, du personnel et des finances. Puis, pour chaque secteur, elle fixe des quotas correspondant, en général, à un total supérieur à la prévision, de façon à inciter les représentants à donner le meilleur d'eux-mêmes. Même si les quotas ne sont pas atteints, les prévisions de ventes peuvent donc quand même être respectées.

Chaque responsable d'une équipe se voit attribuer un quota, qu'il répartit entre ses vendeurs[40]. Il existe trois façons de procéder, correspondant à des philosophies différentes. La première, *la philosophie des quotas élevés*, prône des quotas fixés à un niveau théoriquement accessible à tous mais en fait supérieur à ce que la plupart des vendeurs réaliseront. Les tenants de cette école pensent que des quotas élevés stimulent l'effort. La seconde, *la philosophie des quotas réduits*, préfère des quotas qui puissent être réalisés par la majorité des représentants. Cette école soutient que les vendeurs considèrent de tels quotas comme justes, s'efforcent de les atteindre et acquièrent ainsi une certaine confiance en eux. Enfin, *la philosophie des quotas variables* recommande des quotas différenciés. Selon cette dernière approche, les quotas sont fixés pour chaque individu à partir de considérations relatives aux résultats de vente passés du représentant, à l'estimation du potentiel de son secteur et à une évaluation de son niveau d'aspiration et de réponse aux stimulants.

L'utilisation des quotas présente toutefois plusieurs inconvénients. Si l'entreprise sous-estime le potentiel de vente et permet aux représentants d'atteindre facilement leurs objectifs, elle leur verse des primes injustifiées. Si, à l'inverse, le potentiel de vente est surestimé, les vendeurs éprouvent beaucoup de difficulté à atteindre leurs quotas et sont découragés. En outre, si un représentant commercialise de nombreux produits, doit-il tout vendre ou concentrer ses efforts sur quelques produits prioritaires sans se préoccuper des quotas relatifs au reste de la gamme ? Cette question est cruciale lors du lancement de nouveaux produits, qui exigent en général un effort commercial particulier.

Certaines entreprises abandonnent aujourd'hui les quotas en considérant qu'ils focalisent l'attention des vendeurs sur les résultats à court terme, au détriment de la satisfaction du client sur le long terme[41]. De manière générale, les critères adoptés pour évaluer les vendeurs doivent avoir pour objectif de stimuler chez eux des comportements conformes à la stratégie de l'entreprise.

■ SIEBEL SYSTEMS, le leader mondial des logiciels de gestion de la relation client, n'utilise pas de quotas pour piloter sa force de vente. Les critères d'évaluation utilisés sont multiples et incluent la satisfaction des clients, le taux de renouvellement des contrats et la rentabilité générée. Chaque vendeur entre dans une base de données toutes les informations relatives à chaque visite au client, dont les conversations et les tarifs évoqués. La visite est alors évaluée par un système de scoring prenant en compte les objectifs de vente et de satisfaction de la clientèle. La prime obtenue par le vendeur est calculée en fonction des scores obtenus auprès de ses différents clients. Ainsi, Siebel parvient à obtenir de bons niveaux de satisfaction et de fidélité, puisque plus de la moitié de son chiffre d'affaires provient des renouvellements de contrats[42].

**LES AUTRES STIMULANTS** ❖ Les entreprises ont recours à une grande variété de moyens pour stimuler l'effort de leurs vendeurs. Les *réunions de vente* représentent tout à la fois une occasion de contact, une rupture avec la routine, et la possibilité pour les vendeurs de se rencontrer, d'échanger leurs impressions et de s'identifier à un groupe. Les entreprises organisent également des *concours de vente* lorsqu'elles désirent inciter leurs représentants à fournir un effort particulier. Les voyages sont également utilisés, ainsi que d'autres stimulants, comme l'intéressement aux bénéfices et divers avantages annexes.

## L'évaluation des représentants

Nous avons jusqu'ici analysé les problèmes de supervision liés à la *préparation* du travail des vendeurs. Mais pour superviser, il faut aussi *contrôler*, et un bon contrôle passe par une information régulière et à double sens sur les résultats obtenus[43].

**LES SOURCES D'INFORMATION** ❖ La direction des ventes s'informe sur ses vendeurs de multiples façons, les rapports d'activité, fournis par les représentants eux-mêmes, constituant la source de renseignement la plus importante.

Il est essentiel de distinguer très clairement les *plans d'activité future* et les *comptes-rendus d'activité passée*. Un exemple de rapport du premier type est le *plan de travail du représentant*. Ce rapport, qui indique les visites à faire et les itinéraires, a pour but d'habituer le vendeur à planifier son travail, en même temps qu'il informe ses supérieurs sur ses activités et fournit une base de comparaison entre plans et réalisations. Il permet également de juger de l'aptitude du vendeur à préparer son programme de travail et à le mettre en œuvre.

Les entreprises qui élaborent des plans marketing exigent souvent de leurs vendeurs un *plan d'action annuel* dans lequel ceux-ci exposent leur programme d'action quant à l'acquisition de nouveaux clients et à l'accroissement du chiffre d'affaires traité avec les clients actuels. Le vendeur devient alors le véritable gestionnaire de son territoire. Ses plans sont étudiés par son supérieur hiérarchique et servent de référence pour les objectifs de vente.

Plusieurs sortes de formulaires sont utilisées par les vendeurs pour rendre compte de leurs activités *a posteriori*. Le plus connu est le *rapport de visite*, dans lequel le représentant consigne les éléments importants de ses contacts avec le client, par exemple les marques concurrentes évoquées, leurs niveaux de prix, les heures de visite les plus favorables, le degré et la nature de la résistance du client et les chances de conclure l'affaire. Les rapports de visites permettent à la direction d'être tenue au courant des activités du vendeur, de faire le point de la situation avec chaque client, et de disposer de renseignements utiles pour les visites ultérieures.

Certaines sociétés exigent de leurs représentants d'autres documents complémentaires : 1) le rapport sur les nouvelles affaires traitées ou prospectées; 2) le rapport sur les clients perdus; et 3) le rapport sur les tendances du marché et les conditions économiques locales.

**L'ÉVALUATION FORMELLE DES REPRÉSENTANTS ❖** Les rapports des représentants, ainsi que les autres documents relatifs aux activités de vente constituent les éléments de base servant à évaluer les vendeurs. Une procédure d'évaluation formelle offre au moins trois avantages. D'abord, elle oblige la direction à élaborer des normes spécifiques et uniformes qui permettent de juger les résultats obtenus. Ensuite, elle l'amène à regrouper toutes les informations et impressions relatives à chaque représentant, ce qui autorise une évaluation globale. Enfin, elle contribue à améliorer la performance des représentants, dans la mesure où chaque vendeur sait qu'il lui faudra un jour rencontrer son inspecteur et rendre compte de ses itinéraires, de ses visites, de ses coûts et des raisons pour lesquelles il n'a pas réussi à attirer ou à garder certains clients.

Une méthode d'évaluation souvent rencontrée en pratique consiste à comparer les résultats des représentants entre eux. De telles comparaisons peuvent cependant être dangereuses, dans la mesure où elles supposent des secteurs identiques du point de vue de leur potentiel, de leur charge de travail, de l'intensité de la concurrence et de l'effort marketing. De plus, les ventes ne sont pas le seul critère d'appréciation des résultats. Il est intéressant, en effet, pour l'entreprise de savoir quelle a été la contribution de chaque vendeur au bénéfice. Ce renseignement ne peut être obtenu qu'après avoir examiné la nature des ventes effectuées par le représentant et le montant de ses frais.

Une seconde approche consiste à étudier l'évolution des résultats d'un vendeur dans le temps. Cette méthode offre l'avantage de fournir une image précise de sa progression. Un exemple est présenté au tableau 21.1.

Le directeur des ventes peut tirer de nombreux renseignements à partir des chiffres contenus dans ce tableau. À l'évidence, les ventes totales obtenues par Martin s'accroissent d'année en année (ligne 3). Cela ne signifie pas, toutefois, qu'il améliore ses résultats. La ventilation du chiffre d'affaires par produit révèle qu'il a poussé davantage le produit B que le produit A (lignes 1 et 2). En se référant aux quotas qui lui avaient été assignés (lignes 4 et 5), on découvre que l'accroissement des ventes de B s'est fait aux dépens du produit A. Des indications relatives à la marge brute (lignes 6 et 7), il ressort que l'entreprise gagne plus sur A que sur B. Martin pousse le produit à fort volume mais à faible marge, au détriment du produit le plus rentable. En fait, bien que ses ventes totales aient augmenté de 1 100 € entre 2001 et 2002 (ligne 3), la marge brute accuse une diminution de 580 € (ligne 8).

Les frais de vente (ligne 9) sont en constante augmentation, quoique leur montant exprimé en pourcentage du chiffre d'affaires semble stable (ligne 10). Cette augmentation ne paraît pas due à un accroissement du nombre de visites (ligne 11), bien qu'elle puisse s'expliquer, au moins en partie, par l'acquisition de nouveaux clients (ligne 14). Il semble toutefois que cette prospection se fasse au détriment de la clientèle actuelle, comme l'indique un accroissement régulier du nombre de clients perdus (ligne 15).

Les deux dernières lignes révèlent l'évolution des ventes et des bénéfices bruts réalisés par client. Ces chiffres prennent toute leur signification lorsqu'on les compare aux moyennes générales de l'entreprise. Par exemple, si son bénéfice est inférieur à la moyenne de la société, il est probable que Martin se concentre sur des clients improductifs. L'examen du nombre annuel de visites (ligne 11) peut révéler que Martin effectue moins de visites que les autres. Si les distances qu'il doit parcourir pour couvrir son secteur ne sont pas sensiblement différentes, on peut conclure qu'il ne travaille pas à pleine capacité, que ses itinéraires sont mal conçus, qu'il ne comprime pas suffisamment le temps d'attente ou qu'il passe trop de temps avec certains clients.

**TABLEAU 21.1**
Fiche d'évaluation d'un représentant

| SECTEUR/NORD-EST<br>Représentant : Pierre Martin | 1999 | 2000 | 2001 | 2002 |
|---|---|---|---|---|
| 1. Ventes nettes du produit A | 251 300 € | 253 200 € | 270 000 € | 263 100 € |
| 2. Ventes nettes du produit B | 423 200 € | 439 200 € | 553 900 € | 561 900 € |
| 3. Ventes nettes totales | 674 500 € | 692 400 € | 823 900 € | 825 000 € |
| 4. % du quota du produit A | 95,6 | 92 | 88 | 84,7 |
| 5. % du quota du produit B | 120,4 | 122,3 | 134,9 | 130,8 |
| 6. Marge brute du produit A | 50 260 € | 50 640 € | 54 000 € | 52 620 € |
| 7. Marge brute du produit B | 42 320 € | 43 920 € | 55 390 € | 56 190 € |
| 8. Marge brute totale | 92 580 € | 94 560 € | 109 390 € | 108 810 € |
| 9. Frais de vente | 10 200 € | 11 100 € | 11 600 € | 13 200 € |
| 10. Frais de vente en % des ventes totales | 1,5 | 1,6 | 1,4 | 1,6 |
| 11. Nombre de visites | 1 675 | 1 700 | 1 680 | 1 660 |
| 12. Coût par visite | 6,09 € | 6,53 € | 6,90 € | 7,95 € |
| 13. Nombre moyen de clients | 320 | 324 | 328 | 334 |
| 14. Nombre de nouveaux clients | 13 | 14 | 15 | 20 |
| 15. Nombre de clients perdus | 8 | 10 | 11 | 14 |
| 16. Ventes moyennes par client | 2 108 € | 2 137 € | 2 512 € | 2 470 € |
| 17. Bénéfice brut moyen par client | 289 € | 292 € | 334 € | 326 € |

Pierre Martin peut être très efficace mais peu apprécié des clients, par exemple si son portefeuille de clientèle se renouvelle constamment. De plus en plus d'entreprises mesurent la satisfaction des clients non seulement vis-à-vis des produits mais également du contact avec le représentant. Par exemple, en 1994, Mercedes a lancé une grande enquête auprès des récents acheteurs pour connaître leur degré d'appréciation du concessionnaire. Cela est encore plus net dans le cas des services. Chez France Telecom, la mesure de la satisfaction clientèle est devenue « le premier des objectifs majeurs[44] ».

Une évaluation qualitative, enfin, tient compte de la connaissance que le vendeur a de sa société, des produits, des clients, des concurrents, de son secteur et de ses responsabilités. Les traits de sa personnalité, son apparence générale, ses manières, son élocution, son tempérament sont également pris en considération. En outre, l'inspecteur peut apprécier la motivation, le respect de l'autorité et l'intégrité. Comme le nombre de facteurs qualitatifs pouvant être pris en compte est pratiquement illimité, chaque société doit déterminer pour elle-même ceux qu'elle juge les plus importants. Il faut alors communiquer ces critères aux représentants, afin qu'ils sachent comment leur performance sera évaluée et cherchent ainsi à l'améliorer[45].

## L'art de vendre

Vendre est un art reconnu depuis longtemps, qui a donné lieu à de nombreuses analyses. Un vendeur efficace n'est pas seulement doué ; il a acquis une méthode dans la gestion de l'interaction avec le client. L'art de vendre s'est aujourd'hui enrichi d'un grand nombre de principes et de techniques. Il existe de nombreux styles de vente dont certains s'insèrent dans l'optique marketing, tandis que d'autres s'en écartent sensiblement. Nous allons dans ce qui suit nous intéresser à trois aspects de vente : l'acte de vente, la négociation et la gestion de la relation client (voir figure 21.4).

**FIGURE 21.4**
L'amélioration
de la productivité
des vendeurs

## L'acte de vente

Chaque année, des centaines de millions d'euros sont investis en France pour former des individus à la vente. Il existe sur le marché des dizaines d'ouvrages, de séminaires, de cassettes aux titres plus alléchants les uns que les autres : *Cinquante secrets pour mieux vendre, Les cinq règles de la vente, Savoir négocier : les 10 techniques qui ont fait leurs preuves, Réussir vos réunions commerciales*[46], sans oublier le fameux *Comment se faire des amis et influencer les gens* de Dale Carnegie. Tous ces essais visent en fait à transformer un simple *preneur d'ordres* en *arracheur de commandes*.

Pour ce faire, deux approches sont possibles. La première, *orientée vers la vente*, consiste à entraîner le représentant à utiliser des techniques de persuasion réputées efficaces : valorisation systématique du produit, critique de la concurrence, argumentation sans relâche, sans oublier la petite concession qui permet de conclure. Cette approche présuppose qu'il faut exercer une pression sur le client pour que celui-ci achète, qu'un client est toujours impressionné par une présentation à effet et qu'il ne regrettera pas d'avoir signé la commande ou bien qu'il n'a pas le moyen de se rétracter.

La seconde approche met l'accent sur *l'aptitude à résoudre le problème du client*. Le vendeur est alors entraîné à étudier les besoins et désirs du prospect et à lui proposer une solution adaptée. Cette approche présuppose que le client éprouve des besoins qui représentent une opportunité pour le vendeur, qu'il apprécie les conseils et suggestions, et qu'il restera fidèle à un représentant qui a su résoudre son problème. Cette seconde approche est évidemment plus proche de l'optique marketing. Neil Rackham a ainsi élaboré la méthode de vente SPIN (situation, problèmes, implications, nécessité-valeur) pour entraîner les vendeurs à écouter les prospects et à poser les bonnes questions autour des thèmes suivants :

1. *Situation* de l'acheteur ; par exemple : « Quel système de facturation utilisez-vous ? »
2. *Problèmes* rencontrés, difficultés et insatisfactions vis-à-vis des produits et solutions utilisés à l'heure actuelle ; par exemple : « Certaines parties du système sont-elles à l'origine d'erreurs fréquentes ? »
3. *Implications* : il s'agit d'appréhender les conséquences des problèmes rencontrés par l'acheteur ; par exemple : « En quoi ce problème affecte-t-il votre manière de travailler ? »
4. *Nécessité-valeur* : on cherche à mesurer l'utilité de la solution proposée ; par exemple : « Quelles économies l'entreprise réaliserait-elle si ces erreurs étaient réduites de 80 % ? »

Rackham suggère que la vente de produits ou services complexes exige un processus en quatre étapes, composé de questions préliminaires, d'une investigation des problèmes et besoins du prospect, avant de montrer la supériorité de la solution proposée et d'obtenir un engagement de long terme. Cette approche semble à même de construire une véritable relation avec le client et s'inscrit dans une optique de marketing relationnel[47]. Sharon Drew Morgen va encore plus loin en soulignant que le premier rôle du vendeur est de faire prendre conscience à son prospect qu'il a un problème, qu'il manque de moyens pour le résoudre et que la solution proposée par le vendeur sera pour lui créatrice de valeur. Le représentant devient ainsi un véritable consultant en matière de besoins du client et non pas seulement de la solution qu'il propose[48].

On ne peut pas dire cependant qu'une approche de vente soit intrinsèquement supérieure à l'autre. Tout dépend de la situation rencontrée et des styles respectifs du vendeur et de l'acheteur (voir encadré 21.4).

Quelle que soit l'orientation choisie, la plupart des analyses décomposent l'acte de vente en plusieurs étapes requérant certaines aptitudes spécifiques. On a coutume de distinguer : la *prospection*, la *préapproche*, l'*approche*, la *démonstration*, la *réponse aux objections*, la *conclusion* et le *suivi*[49]. Ces différentes étapes, présentées à la figure 21.5, sont analysées dans les sections suivantes.

**LA PROSPECTION** ❖ La première étape est la recherche du prospect. Bien que l'entreprise puisse fournir des pistes, l'initiative du vendeur est indispensable. Elle peut prendre diverses formes :

◆ Dépouiller diverses sources telles que la presse professionnelle, les sites Internet, les annuaires sur papier ou cédérom (Kompass, Sirene...).

◆ Profiter d'événements (congrès, salons) où l'on a de bonnes chances de rencontrer des prospects.

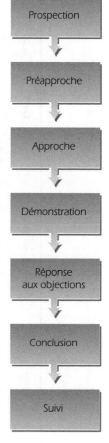

**FIGURE 21.5**
Les étapes de la vente

# Styles de vendeurs et styles d'acheteurs

Blake et Mouton conçoivent le travail du vendeur en fonction de deux dimensions, *l'intérêt porté à la vente* et *l'intérêt porté au client*. Ces deux dimensions donnent naissance à une grille (voir figure A) qui permet d'identifier cinq types de vendeur. L'indifférent (1,1) se rapproche beaucoup du preneur d'ordres tandis que l'agressif (9,1) correspond à l'arracheur de commandes.

Blake et Mouton affirment qu'il n'existe pas de vendeur idéal, car les clients sont eux-mêmes très différents. La figure B révèle cinq styles d'acheteur, repérés sur deux dimensions : *l'intérêt porté à l'achat* et *l'intérêt porté au vendeur*. On comprend mieux alors la difficulté de rencontre et de compréhension entre un acheteur et un vendeur. De telles grilles permettent de diagnostiquer avec précision une situation de vente et de découvrir la stratégie la plus appropriée.

L'idée selon laquelle une vente réussie dépend de l'harmonisation des styles d'achat et de vente, suggère que l'acheteur y joue un rôle actif, une conception différente de l'approche traditionnelle. Franklin Evans considère la vente comme une *relation symétrique* dont l'issue dépend à la fois des styles et des caractéristiques de chacun. Il a, par exemple, montré que les clients signent plus volontiers des contrats d'assurance avec des vendeurs qui leur ressemblent, tant du point de vue physique (âge, taille) qu'économique (revenu, opinions politiques) ou culturel (attitudes religieuses).

## A. Grille du vendeur

**Intérêt porté au client** (Faible 1 → Élevé 9)
**Intérêt porté à la vente** (Faible 1 → Élevé 9)

**1,9 — Vendeur philanthrope**
Le client est mon ami. Je désire le comprendre et prendre en considération ses problèmes de façon à ce qu'il m'aime. C'est l'affection personnelle qui entraîne l'achat.

**9,9 — Bon vendeur**
Je m'informe auprès du client de tous ses besoins. Nous travaillons ensemble en vue de prendre une bonne décision d'achat qui lui procure les avantages espérés.

**5,5 — Vendeur routinier**
J'ai une technique éprouvée pour inciter le client à acheter. Le client est motivé par l'importance donnée à la fois à sa personne et au produit.

**1,1 — Vendeur indifférent**
Je mets le produit devant le client et il se vend quand et comme il peut.

**9,1 — Vendeur agressif**
Je prends le client en main et mets toute la pression nécessaire pour le faire acheter.

## B. Grille du client

**Intérêt porté au vendeur** (Faible 1 → Élevé 9)
**Intérêt porté à l'achat** (Faible 1 → Élevé 9)

**1,9 — Acheteur naïf**
Un vendeur qui a de la sympathie pour moi ne peut me recommander que quelque chose de bon. Donc, j'ai tendance à l'acheter. Parfois, j'achète plus que nécessaire et certains achats ne me conviennent pas.

**9,9 — Acheteur averti**
Je connais bien mes besoins et j'ai défini les caractéristiques des produits que je souhaite acheter au meilleur prix.

**5,5 — Acheteur sur réputation**
La meilleure façon d'acheter consiste à s'en remettre à l'expérience des autres. Le prestige d'un produit peut me valoriser.

**1,1 — Acheteur indifférent**
J'évite les vendeurs comme la peste. S'il y a un risque d'erreur, je laisse le boss approuver la décision d'achat.

**9,1 — Acheteur défensif**
Aucun vendeur ne peut me rouler. Je les domine, et lorsque j'achète, j'en veux le plus possible pour mon argent.

*Sources* : Robert R. Blake et Jane S. Mouton, *Les Deux dimensions de la vente* (Paris : Éditions d'Organisation, 1984) ; voir également Franklin B. Evans, « Selling as a Dyadic Relationship : a New Approach », *The American Behavioral Scientist*, mai 1963, pp. 76-79 ; et Harry L. Davis et Alvin J. Silk, « Interaction and Influence Processes in Personal Selling », *Sloan Management Review*, hiver 1972, pp. 59-76.

- ♦ Inciter les clients satisfaits à fournir des noms d'acheteurs potentiels.
- ♦ Solliciter les fournisseurs, les détaillants, les autres vendeurs ou les banquiers.
- ♦ Contacter les associations professionnelles auxquelles appartiennent les prospects.
- ♦ Se consacrer à des activités de parole ou d'écriture qui renforcent la visibilité.
- ♦ Passer des coups de téléphone et envoyer des lettres autour de soi.
- ♦ Effectuer des visites exploratoires.

Un représentant doit également filtrer les pistes de façon à se concentrer sur les plus fertiles. Pour cela il doit considérer chez un prospect la surface financière, le chiffre d'affaires, la localisation et la probabilité de relations commerciales à long terme. Il est assez courant, en pratique, de qualifier les prospects en chauds, tièdes ou froids.

LA PRÉ-APPROCHE ❖ Le vendeur acquiert à ce stade beaucoup d'informations sur l'entreprise cliente (besoins, processus de décision d'achat) et l'acheteur (caractéristiques, style). Il consulte pour cela des sources telles que les fiches DAFSA, la Centrale des Bilans, Dun & Bradstreet ou bien se renseigne auprès de personnes compétentes. Le vendeur détermine ensuite son *objectif de visite* (qualifier le prospect, recueillir des informations complémentaires ou bien conclure la vente), son *mode de contact* (visite personnelle, téléphone, lettre) et son *timing*. Enfin, il commence à imaginer sa stratégie d'approche.

L'APPROCHE ❖ Le vendeur décide alors de la façon dont il va aborder le client au début de l'entretien de vente. Son aspect, ses premières phrases et réponses sont importants. Il faut réfléchir au vêtement que l'on portera et à la façon dont on s'exprimera. L'entrée en matière doit être positive et chaleureuse : « Bonjour M. Dupont, je suis Alain Lebrun de la société ABC. Je vous remercie d'avoir bien voulu me recevoir. Je ferai de mon mieux pour que cette visite soit fructueuse pour vous et votre entreprise. » Le vendeur peut ensuite faire davantage connaissance avec l'acheteur et l'écouter attentivement, de manière à comprendre ses besoins.

LA DÉMONSTRATION ❖ Une fois le premier contact établi, le vendeur présente ses produits en les reliant aux problèmes du client. L'important est de traduire les *caractéristiques* de l'offre en termes d'*avantages* consommateur. Une *caractéristique* correspond à une particularité du produit, par exemple sa durée de vie. Un *avantage* exprime le résultat correspondant obtenu pour le client : une plus grande sécurité, un gain de temps, etc. Une erreur classique dans un entretien de vente est de mettre en avant les caractéristiques de l'offre (optique produit) plutôt que les avantages clients (optique marketing)[50].

On distingue en général trois styles de présentation. Le plus traditionnel est la *présentation standardisée* qui recense les principaux arguments selon une séquence mémorisée par le vendeur. Cette approche s'appuie sur le modèle stimulus-réponse : l'acheteur est en position d'écoute et le vendeur déclenche son désir d'achat en ayant recours à des mots, des images ou des actes connus pour leur pouvoir de stimulation. Ainsi, un vendeur d'encyclopédies présentera le produit comme « une occasion d'achat que l'on ne rencontre qu'une fois dans sa vie », tout en montrant les plus belles pages du livre. La présentation standardisée s'emploie surtout dans la vente à domicile ou par téléphone[51].

*La présentation adaptée* s'appuie également sur le modèle stimulus-réponse, mais, à la différence de la présentation standardisée, comprend une première phase au cours de laquelle on explore les besoins et attitudes de l'acheteur. Dans un deuxième temps, les avantages du produit sont mis en relief par rapport à ce que le client a dit. La présentation adaptée ne comporte pas de script précis, mais s'inspire d'un canevas général.

*La présentation centrée sur la satisfaction des besoins* est une forme de vente qui laisse une large place au discours du client. Le rôle du vendeur est d'abord d'écouter, puis de proposer des solutions aux problèmes évoqués. Une telle approche est ainsi décrite par un ingénieur commercial d'IBM : « Je me mets à la place de mes clients. J'essaie de découvrir leurs problèmes. Je leur propose des solutions à partir de mes produits et même parfois de produits complémentaires en provenance d'autres fournisseurs. J'apporte la preuve que l'ordinateur que je préconise permettra à mon client de faire progresser son bénéfice. J'installe alors la machine et je fais une démonstration. »

**LA RÉPONSE AUX OBJECTIONS ❖** Un client est presque toujours amené à faire des objections au cours d'un entretien de vente. Sa résistance peut avoir une origine psychologique ou logique. La première trouve sa source dans de nombreux facteurs : refus d'être influencé, préférence pour le *statu quo*, apathie, désir de gagner, mauvaise relation interpersonnelle avec le vendeur, préjugés, incapacité de décision ou désir de ne pas dépenser d'argent. La résistance logique peut provenir d'un désaccord sur le prix, les délais de livraison ou les caractéristiques du produit. Pour répondre à ces objections, différentes approches sont possibles : maintenir envers et contre tout une argumentation positive, demander à l'acheteur de clarifier ses propos, inviter le client à répondre à ses propres objections, rejeter leur bien-fondé, ou bien en faire un argument d'achat.

**LA CONCLUSION ❖** C'est parfois à ce stade que le vendeur connaît une défaillance, par manque de confiance en lui, dans son entreprise, ou dans ses produits, ou bien en laissant passer le moment opportun. Un représentant doit apprendre à reconnaître les symptômes qui annoncent le « bon moment » : une attitude de l'acheteur, un commentaire de sa part ou bien une question. Plusieurs techniques de conclusion sont utilisées par les vendeurs habiles : demander à l'acheteur de passer sa commande sans tarder ; récapituler les points d'accord ; offrir son aide pour remplir le bon de commande ; demander lequel des deux produits l'acheteur préfère ; inviter l'acheteur à décider de questions mineures telles que la couleur ou la taille ou bien indiquer ce que le client va perdre s'il ne passe pas sa commande tout de suite. Le vendeur peut également avoir recours à des stimulants de dernière minute : un petit rabais, un supplément de quantités ou bien un cadeau.

**LE SUIVI ❖** Il est nécessaire qu'un vendeur suive le client afin de connaître son degré de satisfaction et, partant, sa probabilité de réachat. Dès la vente, le représentant doit fournir toute information complémentaire sur les délais de livraison, les conditions de paiement, ou le service après vente. Il est souvent recommandé de faire une visite de contrôle après réception de la marchandise, de façon à vérifier que tout est en ordre. Une telle visite permet de détecter un éventuel problème, témoigne de l'intérêt que le vendeur porte à son client et rassure ce dernier quant au bien-fondé de sa décision. Par exemple, Mercedes oblige tous ses concessionnaires à rappeler dans les quinze jours tout nouvel acquéreur afin de recueillir ses premières impressions.

## La négociation

Dès qu'on a éveillé l'intérêt du client, il faut être prêt à négocier. Un accord doit intervenir sur le prix et les autres composantes de l'achat : délais, niveau de qualité, volume échangé, financement, promotion, etc. Cet accord doit être obtenu sans faire de concessions qui remettraient en cause la rentabilité de l'opération.

Le marketing s'intéresse à l'échange et à la façon dont les échanges s'opèrent. Il existe deux types d'échange : l'*échange planifié* dans lequel les règles sont fixées à l'avance, et l'*échange négocié* dans lequel le prix et les conditions sont obtenus d'un commun accord[52].

Un responsable marketing en situation de négociation est confronté à deux décisions majeures : quand négocier et comment négocier.

**QUAND NÉGOCIER ?** ❖ Dobler a proposé une liste de situations dans lesquelles il est souhaitable pour un acheteur d'engager une négociation :

♦ Lorsque de nombreuses variables (qualité, service) autres que le prix interviennent dans la décision.

♦ Lorsque le risque ne peut être évalué à l'avance.

♦ Lorsqu'il faut beaucoup de temps pour fabriquer les produits demandés.

♦ Lorsque la production est interrompue par de fréquentes modifications de charge[53].

Une négociation est souhaitable à chaque fois qu'il existe une *zone d'accord*. Une zone d'accord comprend toutes les solutions acceptables pour les deux parties. Considérons la figure 21.6. Le vendeur a un prix plancher au-dessous duquel il ne vendra pas. Tout accord au-delà de ce prix lui permet de réaliser un gain qu'il souhaite naturellement élevé. De la même façon, l'acheteur s'est fixé un prix plafond qui représente le maximum qu'il accepte de payer. Tout accord à un prix inférieur lui procure un surplus. L'accord final dépendra de la personnalité des parties prenantes, des circonstances de la négociation et des attentes quant aux relations futures entre les partenaires.

**FIGURE 21.6**
La zone d'accord

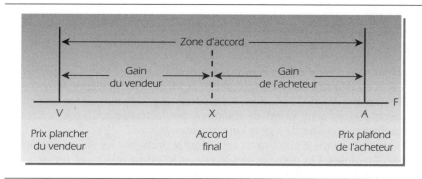

Source : Adapté de H. Raiffa, *The Art and Science of Negotiation* (Cambridge, Mass. : Harvard University Press), 1982.

**COMMENT NÉGOCIER ?** ❖ Une négociation appelle des *décisions stratégiques* à prendre *avant* que la discussion ne s'engage et des *décisions tactiques*, une fois celle-ci engagée.

❖ On appelle *stratégie de négociation* une approche globale de la discussion permettant d'atteindre les objectifs du négociateur.

Ainsi, les négociateurs peuvent choisir d'être accommodants, agressifs, coopératifs ou en retrait[54]. Ils acceptent ou non le compromis. La stratégie peut être dure ou douce. Roger Fisher et William Ury proposent une stratégie intermédiaire qui leur semble supérieure, quelle que soit la stratégie de l'adversaire, la négociation «raisonnée» qu'ils définissent ainsi : «La négociation raisonnée consiste à trancher les litiges sur le fond plutôt que de discutailler interminablement des concessions que les parties en présence sont prêtes à consentir. Chaque fois que c'est possible, on s'attache à rechercher les avantages mutuels et, quand les intérêts sont manifestement opposés, on insiste pour que les questions soient tranchées au regard d'un ensemble de critères « justes », indépendants de la volonté des parties en présence[55]. »

Une telle approche, que l'on appelle également la stratégie des deux vainqueurs ou la négociation « dure *et* douce » (dure dans les objectifs, douce dans les moyens), repose sur quatre idées force :

1. Traiter séparément les questions de personnes et le différend.
2. Se concentrer sur les intérêts en jeu et non sur les positions prises.
3. Imaginer des solutions pour un bénéfice mutuel.
4. Exiger que le résultat repose sur des critères objectifs.

Les tactiques, quant à elles, varient au cours du processus de négociation. On appelle :

❖ *Tactique de négociation* une manœuvre destinée à obtenir un résultat donné en cours de discussion.

La menace, l'« offre de la dernière chance », l'enchère initiale élevée sont autant de tactiques présentées dans les nombreux ouvrages consacrés à ce sujet. On a, par exemple, recommandé les approches suivantes :

♦ Avoir le soutien d'un allié prestigieux.
♦ Faire savoir à un moment que toutes les concessions possibles ont été faites.
♦ Diviser pour régner.
♦ Laisser entendre que l'on négocie avec d'autres.
♦ Menacer de tout laisser tomber.
♦ S'armer de patience.
♦ Jouer l'avocat du diable.
♦ Ménager des effets de surprise[56].

De leur côté, Fisher et Ury recommandent d'analyser d'abord le rapport de force et d'en déduire pour chaque partie la MESORE (meilleure solution de repli) – (en anglais BATNA, Best Alternative to a Negotiated Agreement)[57]. On dispose alors d'un point de référence pour étudier toutes les offres et éventuellement refuser de signer sous la pression.

Une autre tactique consiste à recentrer sur le problème les attaques dirigées sur les personnes. On peut aussi lancer : « Qu'est-ce que vous feriez à ma place ? » Pour déjouer les menaces, ou les déclarations du genre : « C'est à prendre ou à laisser », on peut interrompre temporairement la négociation et reprendre la question de fond. Il est en général peu productif de répondre à des menaces par d'autres menaces ou de jouer au « Rira bien qui rira le dernier. »

## Le marketing relationnel

Vendre et négocier font partie de la *relation commerciale*. Toute société a un certain nombre de clients privilégiés qui, collectivement, représentent une partie importante de son chiffre d'affaires. Entretenir de bonnes relations avec ces clients est donc crucial et va bien au-delà de la vente. Des visites fréquentes, des suggestions, des échanges d'information traduiront un souci permanent du fournisseur de bien connaître les problèmes de sa clientèle pour toujours mieux s'y adapter. De plus en plus d'entreprises créent des postes de gestionnaires de clientèle pour prendre en charge cette interaction. Ainsi, la plupart des banques françaises ont créé des responsables clients, nommément désignés, auprès de leurs différentes catégories de clientèle.

Le *gestionnaire de clientèle* représente la dernière phase d'évolution du rôle du vendeur. Au départ celui-ci était un simple preneur d'ordres. Il s'est ensuite transformé en arracheur de commandes pour enfin devenir un responsable de clientèle, chargé de l'ensemble de la relation avec ses clients.

Une telle évolution se renforce inéluctablement, au point de donner naissance à une nouvelle forme de marketing : le marketing relationnel (voir encadré 21.5). Cette approche met l'accent sur le caractère durable des relations avec chaque client traité individuellement. Elle existe de longue date dans les activités business-to-business et se développe aujourd'hui, avec maintes adaptations, dans les services et la grande consommation[58].

La mise en place d'un programme de marketing relationnel passe par les étapes suivantes[59] :

1. *Identifier les clients concernés.* L'entreprise choisit le type de clients ou le seuil au-delà duquel le système sera mis en place. Il est important de ne pas le figer mais de tenir compte de l'évolution de la demande.

---

**21.5**

## Quand et comment recourir au marketing relationnel

Les concentrations industrielles favorisent l'émergence d'un marketing relationnel dans la mesure où les acheteurs, devenus plus gros, sont également moins nombreux. Il devient alors pertinent de nommer un responsable pour chaque client important. En même temps, une telle structure se justifie surtout avec les clients ayant un horizon à long terme et des coûts de changement significatifs.

Par exemple, selon Jackson, l'acheteur d'un système informatique intégré analyse en profondeur son problème et compare les propositions qui lui sont faites. Il investit beaucoup de temps et d'argent pour choisir un fournisseur auprès de qui il espère un SAV irréprochable. Le client aura en effet beaucoup de difficulté à changer de fournisseur. Dans une telle situation, le fournisseur installé et son challenger ont des stratégies tout à fait opposées. Le premier s'efforce surtout de garder sa suprématie auprès du client : il développe des systèmes peu compatibles avec les concurrents et organise une assistance et un suivi permanents. Le challenger préfère évidemment offrir des systèmes «ouverts», faciles à installer et à opérer tout en les faisant évoluer au cours du temps.

Pour Anderson et Narus, le choix d'un marketing transactionnel ou relationnel ne dépend pas tant du secteur d'activité que des attentes du client. Certains acheteurs recherchent un fort niveau de service et gardent longtemps le même fournisseur : ils justifient une approche relationnelle. D'autres recherchent avant tout des coûts limités et sont prêts à changer de fournisseur pour cela. Il faut adopter à leur égard une optique transactionnelle en baissant les prix au coup par coup, quitte à limiter les services offerts.

---

*Sources :* adapté de Barbara Bund Jackson, *Winning and Keeping Industrial Customers : The Dynamics of Customer Relationships* (Lexington, Mass. : Heath, 1985) et James Anderson et James Narus, «Partnering as a Focused Market Strategy», *California Management Review*, printemps 1991, pp. 95-113. Pour une analyse critique, voir cependant S. Fournier, S. Dobscha et D. Glen Mick, «Preventing the Premature Death of Relationship Marketing», *Harvard Business Review*, janvier 1998; et Jean Perrien, «Le marketing relationnel : oui mais...», *Décisions Marketing*, janvier-avril 1998, pp. 85-88; Tim Ambler, «Le Marketing relationnel», *Les Echos-L'Art du management*, 21 février 1997, pp. VII-X et Gilles Marion, «Le marketing relationnel existe-t-il ?», *Décisions marketing* n° 22, janvier-avril 2001, pp. 7-16.

2. *Affecter une personne compétente à chaque client.* Il s'agit souvent du vendeur qui avait ce client en portefeuille, mais, dans la grande majorité des cas, une formation complémentaire est nécessaire.

3. *Écrire la définition de poste.* Elle devrait contenir une description de la mission, des liens hiérarchiques, des domaines d'action et des critères d'évaluation. Le responsable de clientèle est un homme orchestre, mobilisateur des énergies internes au service de son client. Il ne doit avoir qu'un nombre limité de clients en portefeuille.

4. *Choisir le chef du service des relations avec la clientèle.* Il élaborera les définitions de poste et gérera son équipe dans le souci d'une efficacité maximale.

5. *Élaborer un plan de marketing relationnel à moyen et court terme.* Le plan annuel élaboré par chaque responsable précisera les objectifs, les stratégies, les actions prévues et les ressources nécessaires.

En définitive, l'évolution d'une force de vente vers une équipe chargée de gérer les relations avec la clientèle représente l'un des indicateurs les plus significatifs de la diffusion de l'optique marketing dans l'entreprise.

## Résumé

1. La force de vente assure le lien entre l'entreprise et ses clients. Dans bien des cas, le vendeur incarne l'entreprise auprès d'eux. Il l'alimente en informations sur le marché.

2. Mettre en place une force de vente suppose que l'on définisse des objectifs, une stratégie, une structure, un niveau d'effectifs et un mode de rémunération. Les objectifs sont fixés par rapport aux nombreuses fonctions pouvant être assumées par les représentants : prospection, qualification, communication, vente, service et collecte d'informations. La stratégie revient à privilégier certains styles de vente (individuelle, par équipes) par rapport à d'autres. L'efficacité de la force de vente est liée à sa structure (par secteur, par produit ou par marchés) et à la façon dont les secteurs de vente sont conçus (taille et forme). Les décisions relatives au nombre de représentants sont prises à partir d'estimations de la charge de travail globale et de la productivité moyenne d'un vendeur. Enfin, le système de rémunération établit le niveau de rétribution financière et la répartition entre ses divers éléments : fixe, commissions, primes, remboursements de frais et avantages annexes.

3. Gérer une force de vente signifie recruter, former, superviser, motiver et évaluer une équipe. Le recrutement et la sélection se feront avec soin afin de limiter le coût élevé d'un personnel inadéquat. Les programmes de formation familiariseront les nouveaux venus avec l'entreprise, ses produits, ses marchés et ses techniques de vente. Une supervision et un système de motivation efficaces permettront de réduire les frustrations inhérentes à un travail exigeant. Enfin, une évaluation régulière permettra d'améliorer les performances.

4. La mission d'une force de vente est de vendre et l'acte de vente suppose la maîtrise successive de la prospection, de la préapproche, de l'approche, de la démonstration, de la réponse aux objections, de la conclusion et du suivi. L'optique vente est centrée sur les techniques de persuasion. L'optique marketing met l'accent sur la capacité du vendeur à écouter le client, de manière à comprendre ses besoins et à lui proposer une solution adaptée. La meilleure approche dépend à la fois de la situation rencontrée et du style du vendeur et de l'acheteur.

5. L'art de vendre consiste à savoir négocier, c'est-à-dire aboutir à un accord mutuellement satisfaisant. Certaines circonstances liées aux caractéristiques de la catégorie de produit et aux attentes du client justifient la mise en place d'un marketing relationnel couvrant la totalité de la relation entre l'entreprise et son client et mettant l'accent sur le long terme.

# Notes

1. Pour une amusante galerie de portraits des vendeurs, voir Xavier Leclercq, *Les Hommes de la vente* (Paris : Dunod, 1986) ; voir également Philippe Gabilliet, *Demain les commerciaux : la vente et les vendeurs en 2005* (Paris : Éditions d'Organisation, 1994).

2. Voir Alain d'Astous, « L'adaptation stratégique des vendeurs aux situations de vente », *Recherche et Applications en Marketing*, 1997, n° 3, pp. 65-76.

3. Robert N. McMurry et James S. Arnold, *Comment choisir vos vendeurs et vos représentants* (Paris : Entreprise Moderne d'Édition, 1970) ; voir également Dominique Xardel, « Les Vendeurs », *Encyclopédie du management* (Paris : Vuibert, 1992), tome 2, pp. 1055-1067.

4. Sur l'ensemble des thèmes abordés dans le chapitre, voir René Darmon, *Pilotage dynamique de la force de vente : une nouvelle approche pour concilier impératifs stratégiques et moyens opérationnels* (Paris : Village Mondial, 2001).

5. Voir Yves Négro, *Vente* (Paris : Vuibert, 1990).

6. Alfred Zeyl et Armand Dayan, *Force de vente* (Paris : Éditions d'Organisation, 1996).

7. Voir Éric Pétry, « Rôles et profils des vendeurs », *Recherche et Applications en Marketing*, 1987, 4, pp. 53-90 ; voir aussi Valérie Collet, *Les Métiers de la vente* (Paris : Marabout, 1994).

8. Lawrence Friedman et Timothy Furey, *The Channel Advantage : Going to Marketing with Multiple Sales Channels* (Oxford : Butterworth-Heinemann, 1999).

9. « Le marketing concret d'Allibert », *L'Usine nouvelle*, 28 août 1980, pp. 60-61. Voir également Joël Le Bon, « Contribution des vendeurs aux activités de veille marketing et commerciale », *Recherche et Applications en Marketing*, 1997, n° 3, pp. 5-24.

10. Voir Xavier Auzouy, *Supervendeurs : la fin d'un mythe* (Paris : Éditions d'Organisation, 1995).

11. Voir Philippe Gabilliet, *Les Vendeurs nouveaux sont arrivés* (Paris : Éditions d'Organisation, 1994).

12. Voir Benson Shapiro et Ronald S. Posner, « Making the Major Sale », *Harvard Business Review*, mars-avril 1976, pp. 68-78 et Harvey McKay, « Le Patron, premier vendeur », *Harvard L'Expansion*, automne 1990, n° 58, pp. 90-93.

13. Pascal Py, *Gérer son secteur de vente et son portefeuille de clients* (Paris : Éditions d'Organisation, 1995).

14. *Travel Trade Gazette UK & Ireland*, « BA Shake-up Not Due to New Scheme », 7 mai 2001.

15. Voir René-Y. Darmon, « Répartition équitable des objectifs de vente entre les commerciaux », *Recherche et Applications en Marketing*, 1995, n° 3, vol. 10, pp. 3-15.

16. Voir Hamid Aït-Ouyahia, « Modèles mathématiques de gestion de force de vente », dans A. Bloch et A. Macquin, *Encyclopédie vente et distribution* (Paris : Economica, 2001), pp. 407-421 ; P. Loriny, « Panorama des logiciels de force de vente », *Action commerciale*, mars 1994, n° 129.

17. Voir Renaud de Maricourt, « De combien de vendeurs avez-vous besoin ? », *Action commerciale*, janvier 1985, n° 29.

18. Voir René Darmon, « La rémunération des commerciaux : quelles politiques pour l'an 2000 ? » dans JM. Peretti et P. Roussel, *Les Rémunérations : politiques et pratiques pour les années 2000* (Paris : Vuibert, 2000), pp. 279-292. Pour une présentation des approches théoriques fondant les rémunérations des vendeurs, voir Dominique Rouziès, « La rémunération des vendeurs » dans A. Bloch et A. Macquin, *Encyclopédie vente et distribution* (Paris : Economica, 2001), pp. 365-375.

19 J.-E. Meret et B. Dervaux, *La Rémunération des équipes de vente* (Paris : Éditions d'Organisation, 1983).

20. Alain Bloch et Renaud de Maricourt, « La Rémunération de la force de vente à la commission : des inconvénients culturels majeurs », *Décisions Marketing*, janvier-avril 1996, pp. 7-16.

21. *Sales & Marketing Management*, « What Salespeople Are Paid », février 1995, pp. 30-31 ; William Keenan Jr. (ed.), *The Sales & Marketing Management Guide to Sales Compensation Planning : Commission, Bonuses & Beyond* (Chicago : Probus Publishing, 1994).

22. Voir George H. Lucas Jr *et al.*, « An Empirical Study of Sales Force Turnover », *Journal of Marketing*, juil. 1987, pp. 34-59.

23. Anne Bromberger, *Recruter un vendeur* (Paris : Dunod, 1993).

24. Murielle Wolski, *Débuter dans le marketing et la vente* (Paris : L'Étudiant, 1996).

25. Tiré d'une allocution de Donald K. Klough à la 27e conférence annuelle du Supermarket Institute. Voir également Judy Siguaw, Gene Brown, et Robert Widing II, « The Influence of the Market Orientation of the Firm on Sales Force Behavior and Attitudes », *Journal of Marketing Research*, février 1994, pp. 106-116, ainsi que Bülent Mengüs, « Influence de l'orientation de l'entreprise vers le marché sur le comportement et les attitudes de la force de vente : résultats empiriques supplémentaires », *Recherche et Application en Marketing*, 1997, n° 3, pp. 47-64.

26. Pour un exemple dans le luxe, voir Madeleine Besson et Patricia Gurviez, « La vente dans un contexte relationnel », *Décisions marketing* n° 20, mai-août 2000, pp. 47-56.

27. David Gourarié, « Une nécessité impérieuse pour l'entreprise : la définition de fonction », *Conquérir*, nov.-déc. 1981, n° 5.

28. Voir D. Delaunay et G. Wallaert, *Vente et analyse transactionnelle* (Paris : Garnier, 1983).

29. Bruno Camus et Bernard Cova, « Gérer le savoir commercial », *Décisions marketing* n° 26, avril-juin 2002, pp. 17-28.

30. Joel Urbany, « Justifying Profitable pricing », Working Paper Series, Marketing Science Institute, Report n° 00-117, 2000, pp. 17-18.

31. Voir René Darmon, « Le Pilotage des forces de vente », *Recherche et Applications en Marketing*, 1997, n° 3, pp. 25-38 ; et Dominique Rouziès et Madeleine Besson, « Le Pilotage des forces de vente : Effets pervers des systèmes hybrides », *Décisions Marketing*, mai-août 1998, pp. 31-44.

32. Voir Hamid Aït-Ouyahia, « Allocation de l'effort de visite : Une approche à base de connaissance issue des méthodes de portefeuille et d'optimisation », *Recherche et Applications en Marketing*, 1997, n° 3, pp. 39-45.

33. Voir John F. Magee, « Determining the Optimum Allocation of Expenditures for Promotional Effort with Operations Research Methods » dans *The Frontiers of Marketing Thought and Science*, Frank M. Bass (Éd.), (Chicago : American Marketing Association, 1958, pp. 140-186).

34. Michael R. W. Bommer *et al.*, « A Methodology for Optimizing Selling Time of Salespersons », *Journal of Marketing Theory and Practice*, printemps 1994, pp. 61-75. Voir aussi Joseph Lissan, « On the Optimality of Delegating Pricing Authority to the Sales Force », *Journal of Marketing Theory and Practice*, été 1994, pp. 106-125.

35. Voir Alfred Zeyl et Annie Zeyl, *Plans marketing et d'actions commerciales* (Paris : Vuibert, 1991).

36. James A. Narus et James C. Anderson, « Industrial Distributor Selling : the Roles of Outside and Inside Sales », *Industrial Marketing Management*, 1986, pp. 55-62.

37. « Computer-Based Sales Support : Shell Chemicals System » (New York : Conference Board), *Management Briefing : Marketing*, avril-mai 1989, pp. 4-5.

38. *Forbes*, « The Office that Never Closes », 23 mai 1994, pp. 212-213 et George Columbo, *Sales Force Automation* (New York : Mc Graw-Hill, 1994).

39. Gilbert A. Churchill Jr, Neil M. Ford et Orville Walker Jr, *Sales Force Management : Planning, Implementation and Control* (Homewood, Ill. : Irwin, 1993). Voir aussi Jhinuk Chowdhury, « The Motivational Impact of Sales Quotas on Effort », *Journal of Marketing Research*, février 1993, pp. 28-41 ; Murali K. Mantrala, Prabhakant Sinha, et Andris A. Zoltners, « Structuring a Multi-Quotas Sales Bonus Plan for a Heterogeneous Sales Force », *Marketing Science*, 1994, pp. 121-144 ; Wujin Chu, Eitan Gerstner et James D. Hess, « Costs and Benefits of Hard Sell », *Journal of Marketing Research*, février 1995, pp. 97-102 ; et Manfred Krafft, « An Empirical Investigation of the Antecedents of Sales Force Control Systems », *Journal of Marketing* 63, juillet 1999, pp. 120-34.

40. Georges Lavalette, *La Nouvelle Direction commerciale : démarche, méthodes, outils* (Paris : Dunod, 1992).

41. Eilene Zimmerman, « Quota Busters », *Sales & Marketing Management*, janvier 2001, pp. 59-63.

42. *Fortune*, « Confessions of a Control Freak », 4 septembre 2000, p. 30 ; *Business Week*, « The Era of Efficiency », 18 juin 2001, p. 92. Sur la stratégie de Siebel en Europe, voir Alain Bloch, Anne Macquin et Dominique Rouzies, « Cas Siebel Systems : le développement en Europe », *Centrale des cas et des matériels pédagogiques*, 2001.

43. Voir Alfred Zeyl et Armand Dayan, *Force de vente* (Paris : Éditions d'Organisation, 1996), chap. 16.

44. Voir « Satisfaire vos clients par la qualité de service », cassette vidéo éditée par Téléperformance, Paris : 1992. Pour une revue des différentes méthodes, voir Yves Evrard, « La Satisfaction des consommateurs : état des recherches », *Revue française de marketing*, 1993, n°s 144-145, pp. 53-65. L'ensemble de ce numéro spécial est consacré à ce thème.

45. Voir Philip M. Posdakoff et Scott B. MacKenzie, « Organizational Citizenship Behaviors and Sales Unit Effectiveness », *Journal of Marketing Research*, août 1994, pp. 351-363 ; Andrea Dixon, Rosann Spiro et Magbul Jamil, « Successful and Unsucessful Sales Calls : Measuring Salesperson Attributions and Behavioral Intentions », *Journal of Marketing* 65, juillet 2001, pp. 64-78 ; William Verbeke et Richard Bagozzi, « Sales Call Anxiety : Exploring What It Means When Fear Rules a Sales Encounter », *Journal of Marketing*, 64, juillet 2000, pp. 88-101.

46. Max Gorins, *Cinquante Secrets pour mieux vendre* (Noisiel : Presses du Management, 1993) ; Percy Whiting, *Les Cinq Règles de la vente* (Paris : Dunod, 1995) ; Louis Laurent, *Savoir négocier : les 10 techniques qui ont fait leurs preuves* (Paris : Dunod, 1995) ; Marc Coros, *Réussir les réunions commerciales* (Paris : Dunod, 1993).

47. Neil Rackham, *SPIN Selling* (New York : Mc Graw-Hill, 1988), *The SPIN Selling Fieldbook* (New York : Mc Graw-Hill, 1996) et, en collaboration avec John De Vincentis, *Rethinking the Sales Forces* (New York, Mc Graw-Hill, 1996).

48. Sharon Drew Morgen, *Selling with Integrity : Reinventing Sales Through Collaboration, Respect and Serving* (New York : Berkeley Books, 1999).

49. Anne Macquin, *Vente et négociation* (Paris : Dalloz, 1993).

50. Voir Sophie Gourau et Pascal Martin, *Les Argumentaires de vente* (Paris : Éditions d'Organisation, 1993) ; et Renée Simonet et Jean Simonet, *L'Argumentation : stratégie et tactique* (Paris : Éditions d'Organisation, 1990).

51. Voir Laurent Hermel et Jean-Paul Quioc, *Le Télémarketing* (Paris : Economica, 1996).

52. Gérald Nierenberg, *Lisez dans vos clients à livre ouvert* (Paris : First, 1989) ; Pierre Lebel, *L'Art de la négociation* (Paris : Éditions d'Organisation, 1984)

et Alain Jolibert, « La Négociation commerciale et les différences culturelles », *Encyclopédie du management* (Paris : Vuibert, 1992), tome 2, pp. 106-115.

53. Donald Dobler, *Purchasing and Materials Management* (New York : McGraw-Hill, 1990).

54. Alain Jolibert, « La négociation commerciale : Un état de l'art », dans A. Bloch et A. Macquin, *op. cit.*, 2001, pp. 269-285.

55. Roger Fisher et William Ury, *Comment réussir une négociation* (Paris : Seuil, 1982).

56. Tiré d'une liste de 200 tactiques proposées par Donald Hendon, professeur à l'Université d'Hawaï, dans ses séminaires « Négocier pour gagner » ; voir également les séminaires de Roger Launay, résumés dans Roger Launay, *La Négociation* (Paris : Entreprise Moderne d'Édition, 1982).

57. Fisher et Ury, *op. cit.*, p. 147.

58. Pour une analyse détaillée et critique du concept de marketing relationnel, voir Gilles Marion, « Le marketing relationnel existe-t-il ? » *Décisions marketing* n° 22, janvier-avril 2001, pp. 7-16.

59. Voir Christian Gronroos, « Relationship Marketing : The Strategy Continuum », *Journal of the Academy of Marketing Science*, 1995, 4, pp. 252-254 ; D. Peppers et M. Rogers, *Le One-to-One en pratique* (Paris : Édition d'Organisation, 1999).

CHAPITRE 21
Piloter la force
de vente

# Structurer et contrôler l'activité marketing

DANS CE CHAPITRE,
NOUS RÉPONDONS
AUX QUESTIONS SUIVANTES :

- Quelles tendances affectent aujourd'hui le mode d'organisation des entreprises ?

- Comment le marketing et les ventes sont-ils organisés ?

- Que peut faire une entreprise pour mettre en œuvre l'orientation marketing ?

- Quels outils permettent d'évaluer, de contrôler et d'améliorer le marketing d'une entreprise ?

> « *Le rôle du département marketing évolue : il ne s'agit plus seulement de gérer l'interface avec la clientèle mais d'intégrer toutes les occasions de contact entre l'entreprise et son marché.* »

Nous allons nous intéresser, dans ce dernier chapitre, à la dimension *organisationnelle et administrative* du marketing, en examinant notamment la façon dont les entreprises structurent et contrôlent leurs activités commerciales.

## L'organisation d'une entreprise

De plus en plus d'entreprises ressentent aujourd'hui la nécessité de repenser leur mode d'organisation. Les nouvelles technologies de l'information, la globalisation et la fragmentation des marchés constituent autant de forces menaçant les habitudes du passé. Les vagues successives de la diversification puis du recentrage sur le cœur de métier et des fusions-acquisitions ont affecté les structures adoptées. Au cours des dernières années, de nombreuses entreprises ont eu recours au *reingeneering* en confiant à certaines équipes la tâche de repenser les processus de création de valeur, à l'*outsourcing* en externalisant certaines activités, au développement de *partenariats* de long terme avec les clients et les fournisseurs, à l'*intraprenariat* pour encourager l'initiative individuelle et à la *suppression des niveaux hiérarchiques* intermédiaires pour se rapprocher du client. En outre, on a remplacé le modèle traditionnel d'autorité et de gestion départementale par la notion de réseaux dans lesquels, en fonction des projets, des équipes mobiles plurifonctionnelles se forment à partir des compétences requises[1].

Le rôle du marketing dans l'organisation a lui aussi changé. Occupant traditionnellement une position hiérarchique intermédiaire, il était chargé d'étudier le marché et de faire entendre la voix du client à tous les services de l'entreprise. Or, dans une structure en réseau, chaque service fonctionnel peut interagir directement avec le client. En conséquence, le marketing doit désormais assurer l'intégration de tous les contacts entre l'entreprise et ses clients.

En outre, les entreprises se préoccupent de plus en plus de la rentabilité des activités marketing et de sa mise en valeur auprès des actionnaires[2]. Les responsables marketing doivent répondre à cette préoccupation en développant des outils de mesure de la valeur des marques, des circuits de distribution, de la clientèle et des autres actifs marketing (voir encadré 22.1).

Nous examinons d'abord comment le département marketing a vu sa place évoluer dans l'entreprise, puis sa structure interne, avant d'analyser les relations qu'il entretient avec les autres départements.

### L'évolution du département marketing

Le département marketing suit une évolution que l'on peut décomposer en six étapes (voir figure 22.1) :

**LE SERVICE DES VENTES** ❖ La fonction commerciale est prise en charge par un chef (ou directeur) des ventes qui gère des représentants. Lorsque l'entreprise a besoin d'effectuer une étude ou de mettre en place une campagne de publicité, c'est le directeur des ventes qui en prend la responsabilité et confie cette tâche à une société extérieure (voir la figure 22.1-A).

## Le développement d'un marketing créateur de valeur pour l'actionnaire

Certains auteurs ont développé une nouvelle vision du marketing intégrant une dimension financière.

Pour Peter Doyle, le marketing fondé sur la valeur n'est pas seulement une affaire de chiffres. Il se compose de trois éléments. D'abord, un objectif : développer des stratégies qui maximisent la valeur de l'entreprise aux yeux de l'actionnaire. Ensuite, une évaluation de chaque stratégie-marketing envisagée en fonction des revenus qu'elle est susceptible de générer et de la valeur créée pour l'actionnaire. Enfin, une analyse financière, marketing et organisationnelle des facteurs créateurs de valeur : l'analyse financière repose sur les ratios qui affectent fortement la valeur de l'action, notamment la croissance des ventes, la marge opérationnelle et le niveau d'investissement ; les facteurs marketing correspondent aux plans de développement de l'orientation vers le marché qui permettent d'améliorer les ratios financiers (le choix des cibles, la construction d'un avantage concurrentiel, le développement de marques fortes, la fidélisation de la clientèle, le marketing relationnel …) ; les facteurs organisationnels, enfin, résident dans les compétences-clés et les systèmes de management nécessaires pour favoriser une orientation générale vers la création de valeur pour l'actionnaire.

Selon Roger Best, la seule source de revenu positif pour l'entreprise étant le client, celui-ci doit être au centre des préoccupations des dirigeants : « Le management d'une entreprise orientée vers la rentabilité repose sur un souci permanent des clients et des concurrents, associé à une structure en équipes plurifonctionnelles. Il se traduit par la définition de stratégies permettant d'attirer, de satisfaire et de retenir les clients. » Cette approche permet un niveau de rentabilité et une valeur pour l'actionnaire supérieurs à celui des entreprises ayant adopté une gestion par les coûts.

Tim Ambler, quant à lui, considère que les entreprises doivent en priorité analyser la performance de leurs activités marketing en ayant recours à des indicateurs chiffrés. Cette évaluation doit reposer sur deux éléments : 1) les résultats obtenus à court terme reflétés dans le chiffre d'affaires et/ou la valeur de l'action ; 2) l'évaluation du capital marque à partir de sa notoriété, sa part de marché, le nombre de clients, leur fidélité, le nombre de réclamations reçues, la qualité perçue des produits, leur prix relatif et la qualité de leur distribution. Ambler recommande d'intégrer à la mesure de la performance des indicateurs reposant sur l'interrogation du personnel de l'entreprise, en soulignant que « si les consommateurs sont les clients finaux, le personnel correspond aux premiers clients de l'entreprise : il importe donc de mesurer la santé du marché interne ». Les entreprises qui considèrent qu'elles mesurent la performance du marketing de manière adéquate doivent se poser les questions suivantes :

1. Étudions-nous systématiquement le comportement des consommateurs (fidélisation, acquisition, niveau d'utilisation des produits…) et savons-nous pourquoi ils agissent ainsi (notoriété, satisfaction, qualité perçue etc.) ?

2. Les résultats de ces études sont-ils systématiquement transmis au comité de direction et traduits sous forme d'indicateurs chiffrés ?

3. Ces rapports établissent-ils une comparaison entre les résultats obtenus et les prévisions des business-plans ? Intègrent-ils une comparaison avec nos principaux concurrents ?

4. L'évaluation de la performance à court terme est-elle réajustée en tenant compte des changements dans la valeur de nos actifs marketing, et notamment du capital marque ?

*Sources :* Peter Doyle, *Value-Based Marketing : Marketing Strategies for Corporate Growth and Shareholder Value* (Chichester : John Wiley & Sons, 2000) ; Roger Best, *Market-Based Management : Strategies for Growing Customer Value and Profitability* (Upper Saddle River : Prentice Hall, 2000) ; Tim Ambler, *Marketing and the Bottom Line : The New Methods of Corporate Wealth* (London : Financial Times/Prentice Hall, 2000).

CHAPITRE 22
Structurer
et contrôler
l'activité
marketing

**FIGURE 22.1**
L'évolution
du département
marketing

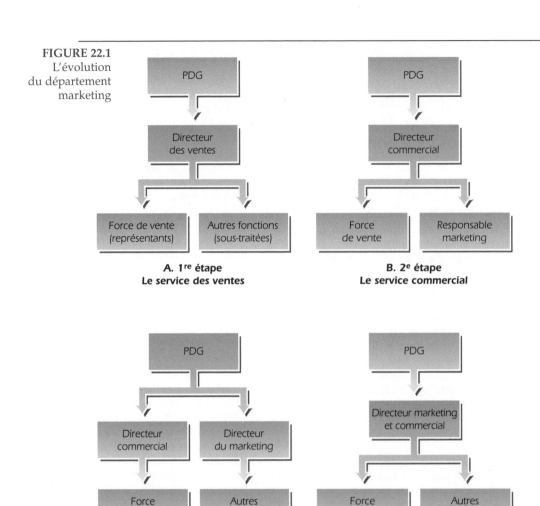

**A. 1<sup>re</sup> étape**
**Le service des ventes**

**B. 2<sup>e</sup> étape**
**Le service commercial**

**C. 3<sup>e</sup> étape**
**Le service marketing autonome**

**D. 4<sup>e</sup> et 5<sup>e</sup> étapes**
**Le département marketing**
**et l'entreprise orientée vers le marketing**

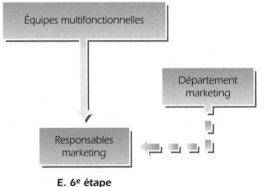

**E. 6<sup>e</sup> étape**
**Les équipes multifonctionnelles**

**LE SERVICE COMMERCIAL** ❖ À mesure que l'entreprise se développe, elle se rend compte qu'il lui faut faire des études de marché, de la publicité et assurer un service clientèle de façon plus régulière. Un directeur commercial est alors nommé qui exerce son autorité sur un ou plusieurs spécialistes remplissant ces fonctions. Le directeur commercial continue cependant à s'occuper prioritairement de la force de vente et engage un *responsable marketing* pour prendre en charge les autres activités (figure 22.1-B).

**LE SERVICE MARKETING AUTONOME** ❖ La croissance de l'entreprise renforce inévitablement l'importance de ces autres activités (études et recherches, lancement de nouveaux produits, publicité, promotion, service clients) aux dépens de l'activité de vente. Comme le directeur commercial a tendance à les négliger, le président-directeur général prend souvent l'initiative de créer un service marketing autonome. La société dispose alors d'un directeur commercial et d'un directeur du marketing (figure 22.1-C). Cette structure est peut-être la plus répandue aujourd'hui dans les entreprises françaises. Le commercial et le marketing sont considérés comme deux fonctions distinctes, généralement d'égale importance.

Une telle structure présente l'avantage d'équilibrer les réflexions à court et moyen terme. Supposons qu'une entreprise voie ses ventes baisser. Le directeur commercial recommanderait probablement de recruter des vendeurs supplémentaires, de dynamiser le système de rémunération, d'organiser un concours de vente et de réaménager les prix. Le directeur du marketing se reposera des questions de fond : la cible est-elle bien choisie ? L'offre de l'entreprise est-elle bien perçue face à sa concurrence ? Des changements doivent-ils être apportés au produit, à son emballage, aux services qui l'entourent, à sa distribution ou à sa promotion ?

**LE DÉPARTEMENT MARKETING** ❖ Bien qu'en théorie, le directeur commercial et le directeur du marketing soient censés travailler en bonne intelligence, leurs relations se caractérisent souvent par une certaine méfiance. Le directeur commercial n'accepte guère de voir l'importance de la force de vente diminuer au sein du mix marketing, et le directeur du marketing cherche à étendre son autorité à toutes les fonctions qui ont un impact sur le client.

À l'analyse, il apparaît que l'équipe commerciale et l'équipe marketing procèdent d'une culture différente : les commerciaux sont plus pragmatiques et tournés vers le « terrain », tandis que les « gens » du marketing, possèdent davantage de diplômes mais moins d'expérience pratique. De nombreuses sociétés exigent aujourd'hui que leurs responsables marketing acquièrent une solide expérience de vente de façon à améliorer leurs contacts avec les commerciaux.

Si les conflits deviennent trop évidents, le président peut supprimer le poste de directeur marketing et replacer ses attributions sous l'autorité du commercial ou bien donner au directeur du marketing la responsabilité de l'ensemble, y compris des ventes. La dernière solution, choisie en fin de compte par un nombre croissant d'entreprises donne naissance au département marketing moderne, géré par un directeur assisté de spécialistes en charge des différentes fonctions marketing et commerciales[3] (figure 22-1-D).

**L'ENTREPRISE ORIENTÉE VERS LE MARKETING** ❖ Une entreprise peut avoir un département marketing sans pourtant travailler dans une optique marketing. Tout dépend de la manière dont les autres fonctions appréhendent les clients. Si elles considèrent que seul le service marketing doit s'en préoccuper, on ne peut véritablement parler d'esprit marketing dans l'entreprise. Ce n'est que lorsqu'elles acceptent de reconnaître que tout le

CHAPITRE 22
Structurer
et contrôler
l'activité
marketing

693

monde « travaille pour le client » que le marketing devient une véritable philosophie d'entreprise[4].

**L'ENTREPRISE ORGANISÉE À PARTIR DES PROCESSUS ET CENTRES D'ACTIVITÉS** ❖ De nombreuses sociétés se réorganisent aujourd'hui autour de leurs activités et non de leurs fonctions. Les barrières départementales sont de plus en plus considérées comme des obstacles à la bonne gestion des processus et des flux (lancement de nouveaux produits, conquête et rétention de clientèle, service-client, etc.). L'entreprise crée alors des équipes multifonctionnelles dans lesquelles le marketing est représenté. Chaque équipe évalue régulièrement le travail de ses membres. Le rôle du département marketing reste essentiel dans le domaine du recrutement, de la formation et du contrôle de performance (voir figure 22.1-E).

## L'organisation interne du département marketing

L'étude des structures marketing mises en place dans les entreprises révèle un nombre infini de possibilités. Toute organisation de l'activité marketing doit prendre en considération quatre pôles de référence : *les fonctions*, *les secteurs géographiques*, *les produits et les marchés*[5].

**L'ORGANISATION FONCTIONNELLE** ❖ Dans la structure la plus ancienne et aujourd'hui encore la plus répandue, plusieurs spécialistes fonctionnels travaillent sous l'autorité d'un directeur du marketing chargé de coordonner l'ensemble.

La figure 22.2 fait apparaître cinq spécialistes. D'autres fonctions peuvent également exister, notamment le merchandising, le service clientèle, l'analyse des ventes, la logistique, la planification et l'administration commerciale.

■ **SOPRA,** qui fabrique des produits destinés à l'agriculture, dispose d'une direction commerciale chargée des ventes, d'un bureau d'études, d'un service de développement technique, d'un service publicitaire et d'un service chargé des produits.

**Figure 22.2**
L'organisation
fonctionnelle

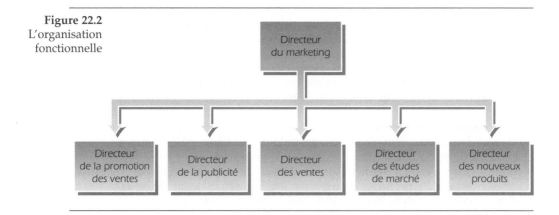

Le principal avantage d'une organisation fonctionnelle est sa simplicité administrative. En revanche, elle présente certains inconvénients lorsque la gamme de produits de l'entreprise et le nombre de ses marchés s'accroissent. Tout d'abord, la planification détaillée de chaque produit et de chaque marché devient difficile du fait que personne n'en a la responsabilité. Les produits qui n'ont pas la faveur des différents spécialistes fonctionnels ont tendance à être négligés. De plus, chaque fonction développe ses propres sous-objectifs, y compris celui de s'accroître aux dépens des autres fonctions. Le directeur du marketing doit constamment écouter les problèmes des uns et des autres et rencontre de difficiles problèmes de coordination[6].

**L'ORGANISATION GÉOGRAPHIQUE** ❖ Une entreprise s'adressant au marché national organise souvent sa structure commerciale (et souvent d'autres fonctions, dont le marketing) selon une hiérarchie pyramidale, successivement composée du directeur des ventes national, des directeurs de région, des chefs d'agences et enfin des représentants. Ainsi :

■ FIAT-FRANCE dispose d'un directeur général des ventes, de directeurs de zones, d'une quarantaine de responsables de districts et, à travers les concessionnaires et agents, de sept cents vendeurs (dont une trentaine gérés en direct dans trois succursales).

L'avantage d'une telle structure est de limiter le nombre de personnes à superviser (rarement supérieur à une dizaine) et de pouvoir ainsi leur accorder davantage de temps (assistance, stimulation, etc.).

Certaines entreprises ont également mis en place des *spécialistes marketing locaux* destinés à faciliter le développement d'un marché particulièrement prometteur. Ainsi, plusieurs agences de publicité telles que Publicis ont créé des filiales régionales dans lesquelles elles ont installé des spécialistes des marchés régionaux. Les cabinets de conseil internationaux comme KPMG ont également des structures régionales (Europe, Moyen-Orient, Afrique, Asie-Pacifique, Amérique), elles-mêmes décomposées en bureaux nationaux. Les régions choisies n'ont pas forcément besoin de correspondre exactement aux structures administratives régionales.

**L'ORGANISATION PAR CHEFS DE PRODUIT OU CHEFS DE MARQUE** ❖ Les entreprises qui fabriquent un grand nombre de produits sous plusieurs marques mettent souvent en place une organisation par chefs de produit (parfois appelés chefs de marque). L'organisation par chefs de produit ne remplace par l'organisation fonctionnelle, mais introduit un autre système de gestion : les directeurs fonctionnels deviennent des *gestionnaires de ressources* tandis que les chefs de produits, placés sous l'autorité de chefs de groupe sont des *gestionnaires de programmes*.

La décision de mettre en place une organisation par chefs de produit dépend du nombre de produits vendus et de leur degré d'hétérogénéité. Si les produits de l'entreprise doivent faire l'objet d'une planification spécifique ou si leur nombre excède la capacité de gestion d'une organisation fonctionnelle, une organisation par produits se justifie.

L'organisation par chefs de produit a fait sa première apparition chez Procter & Gamble, aux États-Unis, en 1927. Camay, l'une des nouvelles marques de la société n'obtenait pas de bonnes performances et l'on confia à un jeune cadre, Neil H. McElroy (qui devait devenir président-directeur général de P & G), la tâche exclusive de développer ce produit. Il y parvint avec succès et, peu après, la société créa d'autres postes de chefs de produit.

Depuis, un grand nombre de sociétés, tout particulièrement dans le secteur des biens alimentaires, des produits d'hygiène-beauté, et des produits d'entretien, ont mis en place des structures de chefs de produit :

■ YVES SAINT LAURENT parfums, du groupe Pinault-Printemps-Redoute, utilise ce type de structure. À côté de services fonctionnels tels que la recherche, la fabrication ou les «marchés» (ventes), on trouve plusieurs chefs de groupe (lignes féminines, lignes masculines) qui supervisent chacun une équipe de chefs de produits (par exemple, pour les produits masculins, Kouros, Jazz, etc.).

CHAPITRE 22
Structurer
et contrôler
l'activité
marketing

695

Un tel système permet une centralisation de la responsabilité pour chaque produit de l'entreprise. Le rôle du chef de produit est de développer des stratégies et plans, de veiller à leur mise en œuvre, d'en contrôler les résultats et de prendre, si besoin est, toute mesure corrective nécessaire. Sa responsabilité comporte six tâches principales :

- ♦ Développer une stratégie à long terme pour le produit.
- ♦ Préparer chaque année une prévision de chiffre d'affaires et un plan marketing.
- ♦ Travailler en collaboration avec les agences de publicité et de promotion pour développer les thèmes et plans des campagnes.
- ♦ Stimuler l'intérêt pour le produit et encourager les efforts de soutien chez les vendeurs et les distributeurs.
- ♦ Rassembler en permanence des informations sur les performances du produit, les attitudes de la clientèle et des distributeurs, de façon à déceler problèmes et opportunités.
- ♦ Prévoir les améliorations destinées à répondre à l'évolution du marché.

Pour accomplir ces tâches, il fait appel aux différents services fonctionnels de l'entreprise (figure 22.3).

**FIGURE 22.3**
Les interfaces d'un chef de produit

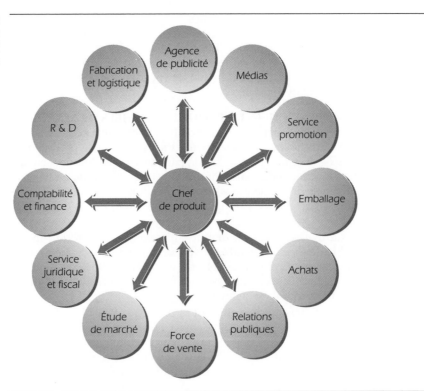

Ces attributions sont communes aux chefs de produit pour les biens de grande consommation et les biens industriels. Il existe cependant d'importantes différences dans leurs activités et priorités[7]. Dans la grande consommation, un chef de produit gère, en général, un nombre d'articles plus restreint et s'occupe davantage de publicité et de promotion. Il consacre plus de temps à travailler avec les autres services de l'entreprise et l'agence, et moins de temps au contact du client. Il est plus jeune et souvent d'un niveau de formation plus élevé. Le chef de produit industriel, en revanche, se préoccupe davantage des caractéristiques techniques de son produit et des améliorations éventuelles à apporter à sa conception. Il passe plus de temps avec les services d'engineering. Il maintient des relations étroites avec la force vente et les principaux clients.

L'organisation par chefs de produit offre plusieurs avantages. D'abord, le chef de produit peut harmoniser les différents efforts dont le produit a besoin. Ensuite, il peut réagir aux problèmes survenant sur son marché plus rapidement que ne le ferait un comité de liaison. De plus, les petites marques, bénéficiant d'un porte-parole, ne sont pas négligées.

Ces avantages ont cependant leur prix. Le système des chefs de produit est souvent à l'origine de sources de conflits et de frustrations. On ne donne pas souvent au chef de produit une autorité à la mesure de ses responsabilités. En tant que gestionnaire de programme, il doit faire appel à son seul pouvoir de persuasion pour obtenir la coopération des différents gestionnaires de ressources (publicité, ventes, production). Ses supérieurs lui ont dit qu'il était un «mini PDG», mais il est souvent traité comme un collaborateur de niveau inférieur.

En outre, le chef de produit a rarement la possibilité d'acquérir une véritable expertise dans l'une ou l'autre des fonctions dont il assure la coordination. Tantôt il joue au patron, tantôt il se fait remettre à sa place par les spécialistes. Cela est particulièrement fâcheux lorsque le produit dépend étroitement d'une activité particulière, comme la publicité.

Ensuite, l'organisation par produits se révèle onéreuse. Au départ, une seule personne est affectée à la gestion de chaque produit important. Par la suite, des chefs de produit sont nommés même pour des produits secondaires. Chaque chef de produit, généralement surchargé de travail, finit par obtenir, à force de supplications, un *assistant chef de produit.* Puis, tous deux, toujours surchargés, persuadent leurs supérieurs de leur donner un *stagiaire.* En même temps, l'entreprise continue d'accroître le nombre de ses spécialistes fonctionnels (acheteurs d'espace, spécialistes de la PLV, du packaging, etc.). Elle se retrouve bientôt prisonnière d'une double superstructure de gestionnaires de produits et de spécialistes fonctionnels.

Enfin, l'organisation par chefs de produits favorise une orientation générale de l'entreprise vers le gain de part de marché plutôt que vers la construction d'une relation clients créatrice de valeur.

Andrall Pearson et Thomas Wilson ont suggéré cinq mesures destinées à améliorer le système[8] :

1. Définir clairement le rôle du chef de produit et ses responsabilités (son rôle est essentiellement de recommander, non de décider).

2. Mettre en place une procédure d'examen périodique des stratégies de produit (business reviews) de façon à fixer le cadre dans lequel s'inscrivent ses activités.

3. Anticiper les zones de conflit potentiel entre chefs de produits et spécialistes fonctionnels à l'occasion de la définition de leurs rôles respectifs (préciser la nature des décisions qui sont du ressort de chacun, et celles qui doivent être prises conjointement).

4. Prévoir une procédure explicite de gestion de tout conflit d'intérêts entre le chef de produit et les responsables fonctionnels.

5. Établir un système d'évaluation qui soit cohérent avec les responsabilités (si le chef de produit est responsable des bénéfices, il doit avoir un certain contrôle sur les facteurs qui affectent la rentabilité).

Une deuxième solution consiste à passer d'un système de chefs de produit à une *équipe chargée d'un produit.* En fait, trois structures sont utilisées en

CHAPITRE 22
Structurer
et contrôler
l'activité
marketing

697

FIGURE 22.4
Trois systèmes
de gestion
de produits

**A. Système vertical**

**B. Système triangulaire**

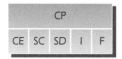

**C. Système horizontal**

CP : Chef de produit
ACP : Assistant chef
de produit
A : Assistant
CE : Chargé d'études
SC : Spécialiste de la
communication
SD : Spécialiste de la
distribution
I : Ingénieur
F : Financier

pratique. Le système le plus courant est le *système vertical* (voir figure 22.4-A) dans lequel le chef de produit a, sous son autorité, un ou plusieurs assistants chefs de produit, eux-mêmes pourvus d'assistants. C'est le système utilisé chez Nestlé, Philips ou les grands lessiviers. Une autre structure est le *système triangulaire* (voir figure 22.4-B) dans lequel le chef de produit est assisté de deux spécialistes fonctionnels : par exemple un chargé d'études et un spécialiste de la communication. Un tel système est partiellement mis en place dans une société comme L'Oréal où chaque grande division (L'Oréal parfumerie, LaScad, etc.) dispose de son propre service d'études et de promotion. Enfin, certaines sociétés ont adopté un *système horizontal* (figure 22.4-C) composé d'un chef de produit assisté de plusieurs spécialistes commerciaux et non commerciaux. Ainsi, la société 3M a scindé sa division des bandes et rubans adhésifs en neuf équipes, chacune composée d'un chef de groupe assisté de spécialistes appartenant aux ventes, au marketing, au laboratoire, à l'engineering, à la comptabilité et aux études et recherches. Les systèmes triangulaire et horizontal sont cohérents avec les stratégies de développement du capital marque : chaque marque est gérée par une équipe incluant des spécialistes de chaque fonction affectant la performance de la marque.

Une troisième solution consiste à supprimer les chefs de produit des marques secondaires et à affecter plusieurs marques aux chefs de produit déjà en place. Cette solution est surtout envisageable lorsque les produits de l'entreprise répondent à des besoins similaires. Une société de cosmétiques par exemple, n'a pas forcément besoin de plusieurs chefs de produit, car tous les cosmétiques concernent un seul besoin : la beauté ; en revanche, un laboratoire pharmaceutique a besoin d'un chef de produit pour l'aspirine, pour les pâtes dentifrices, pour les savons et pour les shampooings, du fait que ces produits sont très différents dans leur destination et leur utilisation.

Une quatrième option consiste à structurer le service marketing par *catégories de produit.* C'est la solution souvent préférée par les distributeurs mais aussi par certains fabricants :

■ **Kraft** a abandonné le système des chefs de marque au profit des responsables de catégories de produit (intégrateurs de produits) en charge d'équipes plurifonctionnelles représentant le marketing, la R & D, la promotion et la finance. Leurs tâches ne relèvent plus seulement du marketing ; elles incluent également la gestion de la chaîne d'approvisionnement et les aspects financiers. Les directeurs de catégorie travaillent en étroite collaboration avec des équipes de processus, en charge de la production, et des équipes de clientèle en charge des comptes-clés[9] (voir figure 22.5).

FIGURE 22.5
La gestion
par équipe
chez Kraft
General
Foods

Qualité — Financement des opérations — Engineering — Leader d'un process — Directeur approvisionnement — Directeur d'usine

R & D — Information marketing — Directeur de catégorie — Finance — Chef de marque — Resp. ventes de la catégorie — Promotion consommateur

Resp. clients — Resp. catégorie — Directeur de clientèle — Resp. ventes détail — Spécialiste des chaînes d'appr. — Spécialiste info-commerciale — Spécialiste de gestion d'espace

**Équipes process** — **Équipes catégories** — **Équipes clientèle**

*Source :* Michael George *et al.*, « Reinventing the Marketing Organization », *The McKinsey Quarterly*, 1994, pp. 43-62.

Lorsqu'on dispose de marques ombrelles ou cautions qui couvrent plusieurs catégories de produit, on peut également fonder sur elles la structure de département marketing. Le groupe Danone a ainsi complètement réorganisé son marketing autour de ses marques, chaque marque étant prise en charge, tous produits confondus, par un gestionnaire de haut niveau[10]. À noter que l'on assiste aujourd'hui, dans la grande consommation, à une nette tendance en faveur de la réduction du nombre de marques (voir encadré 22.2).

**L'ORGANISATION PAR CHEFS DE MARCHÉ** ❖ De nombreuses entreprises vendent leurs produits sur une grande diversité de marchés. Avi vend des peintures aux consommateurs, à l'industrie et à l'administration. Pernod Ricard vend ses boissons aux détaillants, aux CHR (cafés, hôtels, restaurants) et aux collectivités. Lorsqu'une entreprise s'adresse à des clients distincts du point de vue de leurs habitudes d'achat et de leurs préférences, il est souhaitable d'inclure une certaine spécialisation par marchés dans l'organisation marketing.

La structure générale d'une organisation par chefs de marché est similaire à la structure par produits, à la différence que les chefs de produits sont rem-

---

**22.2**

# Y a-t-il trop de marques ?

Le 21 septembre 1999, la société Unilever annonçait qu'elle allait réduire le nombre de ses marques de 1 600 à 400. Quelque temps plus tôt, Danone avait décidé de supprimer des marques aussi connues que l'Alsacienne. Lafuma avait également éliminé six de ses neuf marques...

La réduction d'un portefeuille de marques permet à l'évidence de bénéficier d'économies d'échelle. Danone estime ainsi que la suppression de l'Alsacienne au profit de Belin lui a fait gagner 12 millions d'euros par an (packaging, frais de référencement, coûts commerciaux). De plus, les marques restantes qui, de ce fait s'étendent, bénéficient en même temps d'un budget plus important. « En divisant par deux notre portefeuille de marques, explique le président des produits capillaires Eugène Perma, nous avons fait bénéficier chaque marque d'un budget publicitaire de 7 millions d'euros contre 1 million auparavant. » Enfin, jouir d'un nom puissant permet de mieux négocier avec la distribution.

En même temps, il y a quelques risques à réduire le nombre de marques. D'abord, on n'est jamais certain de retrouver la part de marché d'origine. Ainsi, lorsque Arthur Martin et Electrolux ont été fusionnés, la part de marché de l'ensemble est restée inférieure à la somme des deux parts séparées. Par ailleurs, un grand nombre de marques permet de « verrouiller » le marché. Procter & Gamble détient ainsi 30 % du marché des lessives avec quatre marques (Ariel, Dash, Vizir et Bonux).

Bien sûr, une solution intermédiaire consiste à utiliser une marque « caution » qui en chapeaute plusieurs autres. Par exemple, les biscuits Prince, Taillefine et Petit Écolier vivent tous sous l'ombrelle de Lu. Dans ce cas, il est prudent de fédérer sous une seule direction les équipes marketing et commerciales afin de résoudre, le cas échéant, tout conflit. C'est ce qu'a fait le groupe Electrolux avec ses deux marques Faure et Arthur Martin, rivales sur le segment des appareils électroménagers de milieu de gamme.

*Source :* adapté de « *Vous faut-il une ou plusieurs marques ? La tendance est à en diminuer le nombre...* », *Management*, novembre 1999, pp. 78-99. Voir également Georges Lewi, *La Marque*, (Paris : Vuibert, 1999) et George S. Low et Ronald A. Fullerton, « Brands, Brand Management and the Brand Manager System : A Critical-Historical Evaluation », *Journal of Marketing Research*, mai 1994, pp. 173-190.

placés par des *chefs de marché*. Chaque chef de marché, supervisé par un *directeur de clientèle,* fait appel aux différents services fonctionnels, selon ses besoins. Éventuellement, le responsable d'un marché important peut avoir des spécialistes fonctionnels sous son autorité, notamment sa propre force de vente.

Les responsabilités d'un chef de marché sont semblables à celles d'un chef de produit. Il doit développer des plans à long terme et des plans annuels de chiffre d'affaires et de bénéfice pour son marché. L'avantage essentiel de ce système est que l'activité marketing s'organise en fonction des besoins des différents segments, plutôt qu'à partir des fonctions, produits, marques, ou secteurs géographiques en tant que tels[11].

Un nombre croissant d'entreprises réorganisent leur département marketing par marchés. La société Xerox est ainsi passée d'une organisation des ventes par secteurs géographiques à une organisation par secteurs industriels. En France, un certain nombre de banques se spécialisent par marchés (particuliers, clientèle épargnante, entreprises)[12]. Par exemple, à la Société générale, il existe un directeur de la clientèle individuelle, un directeur du marché des PME, etc. Dans un groupe comme L'Oréal, pourtant habitué au système des chefs de produit, le critère essentiel de répartition des activités commerciales reste le type de clientèle à laquelle on s'adresse : coiffeurs, grandes surfaces, parfumeries, pharmacies. Ainsi, les produits offerts de même que les zones de prix et les positionnements publicitaires sont distincts pour chaque circuit de distribution.

**L'ORGANISATION PAR COUPLES PRODUIT/MARCHÉ (ORGANISATION MATRICIELLE)** ❖ Les entreprises qui fabriquent de multiples produits destinés à de multiples marchés sont confrontées à un dilemme : elles peuvent adopter une organisation par chefs de produit, ce qui oblige ceux-ci à bien connaître des marchés très différents ; ou bien une organisation par chefs de marché, chaque chef de marché devant alors maîtriser tous les produits achetés par son marché ; elles peuvent aussi mettre en place simultanément des chefs de produit et des chefs de marché, c'est-à-dire adopter une organisation par couples produit/marché (encore appelée *structure matricielle*).

■ DuPont de Nemours a choisi une structure matricielle (voir figure 22.6). Des chefs de produits distincts s'occupent des grands produits textiles de l'entreprise (rayonne, acétate, nylon, orlon et dacron) tandis que des chefs de marché planifient les lignes homme, femme, tissu d'ameublement/décoration et les marchés industriels. Les chefs de produit élaborent les prévisions et les plans pour les fibres dont ils ont la charge à partir des estimations de vente fournies par les chefs de marché. Ces derniers étudient les besoins de la clientèle et préparent des plans par marché en interrogeant les chefs de produit sur les évolutions en cours, les prix envisagés et les disponibilités des produits. Les prévisions établies par les chefs de produit et les chefs de marché se recoupent au niveau du plan marketing.

Une organisation matricielle semble bien adaptée au cas d'une société multiproduits multimarchés. Un tel système est cependant coûteux et générateur de conflits. Ceux-ci surgissent à l'occasion de nombreux problèmes. Par exemple :

♦ *Comment doit-on organiser la force de vente ?* Dans le cas de DuPont, doit-on avoir une force de vente spécialisée par produits, par marchés, ou bien polyvalente ?

♦ *Qui doit décider des prix ?* Le responsable du nylon doit-il fixer le prix sur tous les marchés ? Qu'arrive-t-il si le responsable d'un marché estime que le nylon est trop cher pour être compétitif auprès des clients dont il a la charge ?

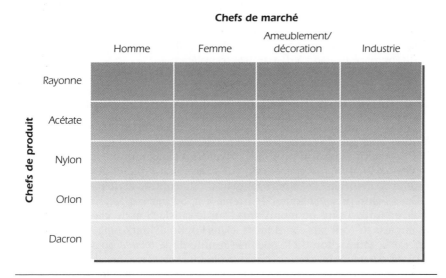

**FIGURE 22.6**
L'organisation
marketing chez
DuPont de Nemours

**Chefs de marché**

|  | Homme | Femme | Ameublement/décoration | Industrie |
|---|---|---|---|---|
| Rayonne | | | | |
| Acétate | | | | |
| Nylon | | | | |
| Orlon | | | | |
| Dacron | | | | |

**Chefs de produit**

La plupart des sociétés admettent aujourd'hui que seuls les produits et marchés les plus importants nécessitent des gestionnaires distincts. Certains observateurs ne sont pas choqués par les conflits inhérents au système et soutiennent qu'il permet à l'entreprise d'avoir une vue dynamique des choses à la fois à court et à long terme.

Beaucoup d'entreprises qui avaient abandonné la structure matricielle dans les années 1980 y sont revenues à travers les équipes multifonctionnelles. La différence tient essentiellement à l'esprit de ces nouvelles structures, fondées sur les processus plus que sur les fonctions[13].

L'ORGANISATION PAR DIVISIONS ❖ À mesure qu'elle se développe, une société multiproduits a tendance à regrouper ses produits les plus importants au sein de divisions autonomes. Les plus grandes divisions mettent souvent en place leur propre département marketing. Cela pose le problème des activités marketing qu'il faut garder au niveau du siège. Trois solutions sont envisageables :

1. *Pas de service marketing au siège.* Dans ce cas, chaque division a son propre département.

2. *Services marketing centraux limités.* Certaines entreprises ont des services marketing réduits à quelques fonctions : 1) aider la direction générale à évaluer les opportunités majeures ; 2) assister les divisions lorsque celles-ci en éprouvent le besoin ; 3) aider les divisions qui mettent en place leur structure marketing ; et 4) s'efforcer de promouvoir l'esprit marketing au niveau de l'entreprise.

3. *Services marketing centraux développés.* D'autres sociétés ont des services centraux qui, outre les activités précitées, prennent en charge de nombreuses opérations pour le compte des divisions ; il peut s'agir : 1) de services publicitaires (centralisation des achats d'espace, publicité institutionnelle, audit des budgets) ; 2) de services promotionnels (achat de matériel promotionnel, promotions institutionnelles) ; 3) d'études et recherches commerciales (études de marché à caractère général, études d'image) ; 4) de services d'administration des ventes (élaboration des politiques de vente, conception des systèmes de contrôle, gestion des grands comptes) ; et 5) de services divers (assistance à la planification marketing, recrutement des cadres commerciaux, etc.). Chez Air Liquide, il existe ainsi un département central de marketing fortement impliqué dans la planification, le conseil et le contrôle des stratégies marketing élaborées au niveau des divisions.

CHAPITRE 22
Structurer
et contrôler
l'activité
marketing

701

En fait, l'amplitude et le poids des services centraux évoluent avec l'entreprise. Au début, les sociétés ont des départements marketing limités au niveau des divisions et des services centraux étendus. À mesure que le marketing à l'intérieur de chaque division se renforce, les services du siège se réduisent, parfois jusqu'à disparaître complètement[14].

## Le département marketing face aux autres départements

En principe, toutes les fonctions devraient contribuer de façon harmonieuse aux objectifs généraux de l'entreprise. En réalité, les rapports interdépartementaux sont caractérisés par de profondes rivalités et incompréhensions. Certains conflits naissent de divergences de vue concernant l'intérêt des départements ou celui de la société. D'autres sont issus de stéréotypes et de préjugés[15].

Dans l'entreprise, chaque département a, de par ses activités et ses décisions, un impact plus ou moins direct sur la satisfaction du client. En général, ces impacts ne sont pas coordonnés. Dans l'optique marketing, il faut les intégrer car la satisfaction de la clientèle résulte de la *totalité* de son expérience.

Le département marketing accepte volontiers cette responsabilité de coordination. Il a en réalité un double rôle : 1) coordonner toutes les activités ayant une incidence commerciale et 2) collaborer avec les responsables de la production, des finances et des autres services fonctionnels, afin de développer une sensibilité commune aux problèmes du client.

Cependant, il n'y a pas de consensus quant à l'autorité que le marketing devrait avoir sur les autres départements. Ceux-ci sont naturellement réticents à subordonner leurs efforts à son bon vouloir. Tout comme le marketing met en relief le point de vue du client, les autres départements font ressortir l'importance de leurs activités. Les conflits sont souvent inévitables. Une solution réside parfois dans des réunions régulières entre le marketing et chaque fonction afin de mieux comprendre les préoccupations et les doléances de chacun, en vue de rendre la collaboration plus constructive. Examinons la logique propre à chaque service.

**LA RECHERCHE-DÉVELOPPEMENT** ❖ Le désir de l'entreprise de lancer de nouveaux produits se trouve souvent contrecarré par le manque de collaboration entre la recherche-développement et le marketing[16]. Pour une large part, cela tient à une différence de culture[17]. Les chercheurs de laboratoire mettent en avant leur curiosité scientifique et leur indépendance d'esprit et aiment à travailler sur des projets techniques sans trop se soucier des débouchés commerciaux immédiats. Les gens du marketing au contraire tirent orgueil de leur compréhension de l'environnement externe, aiment voir les implications commerciales des nouveaux produits élaborés dans l'entreprise, et se soucient modérément des détails techniques. De plus, chaque groupe entretient une image peu valorisée de l'autre. Le marketing considère la recherche-développement « dans les nuages » et inconsciente des réalités du monde des affaires. Les chercheurs considèrent le marketing comme des « faiseurs de vent », plus soucieux d'ajouter un gadget que de la qualité intrinsèque au produit.

Une société équilibrée est une entreprise dans laquelle les relations entre recherche et marketing ont été définies sur la base d'un partage de responsabilités concernant l'innovation. La recherche prend en charge l'élaboration des produits, tandis que le marketing examine l'évolution de l'univers des besoins. La coopération entre marketing et recherche peut être encouragée de plusieurs façons[18] :

♦ Participation à des séminaires communs favorisant les échanges de points de vue.

♦ Constitution d'équipes mixtes Marketing-Recherche prenant en charge les nouveaux projets.

♦ Échange de personnel entre les deux départements.

♦ Mise en place d'un comité de liaison chargé de gérer les conflits éventuels.

Merck est un laboratoire pharmaceutique qui a bien compris ces divers aspects :

■ **MERCK.** Une analyse du site web de la firme révèle les liens étroits entre les différents départements de l'entreprise. La recherche se focalise sur les médicaments vendus sur ordonnance, et l'essentiel du marketing est donc dirigé vers les médecins et les pharmaciens. Il s'agit pour l'essentiel d'information à caractère médical, publiées dans les journaux de l'entreprise (*The Merck Index, The Merck Manual, The Merck Veterinary Manual,* etc.), mais aussi dans la presse professionnelle, en vue de mettre en valeur les efforts de recherche réalisés. Des brochures et des cassettes vidéo informent également les médecins et les professionnels de santé sur les avantages des médicaments développés[19].

**L'INGÉNIERIE** ❖ L'ingénierie a pour mission de découvrir de nouveaux processus d'élaboration de produits et de nouveaux procédés de fabrication. Les ingénieurs sont intéressés par la performance technique, l'économie des coûts et la simplicité de fabrication. Ils entrent en conflit avec les commerciaux lorsque ceux-ci exigent une multiplicité de modèles fabriqués à l'aide de pièces non standards. Naturellement, le problème se pose avec moins d'acuité lorsque les responsables marketing ont une formation technique et peuvent discuter des aspects techniques avec les ingénieurs[20].

**LES ACHATS** ❖ Un acheteur est avant tout soucieux d'obtenir les matières et les pièces dont il a besoin au moindre coût et en quantité suffisante. Il reproche au marketing de multiplier les produits, ce qui a pour effet de diminuer les quantités unitaires achetées et d'accroître les stocks. Il pense parfois que la qualité des produits exigée par le commercial est trop forte. Il regrette enfin l'incapacité du marketing à fournir des prévisions de vente exactes, ce qui le force tantôt à passer des commandes d'urgence, tantôt à accumuler des stocks improductifs.

**LA PRODUCTION** ❖ Les occasions de friction entre le marketing et la production sont nombreuses. La production s'efforce de fabriquer de façon continue les produits adéquats, en quantité adéquate, au moment adéquat et au moindre coût. Les responsables de la production passent leur vie à l'usine, au milieu des problèmes de pannes, de ruptures de stock et de main-d'œuvre. Ils considèrent en général que le marketing ne comprend rien aux problèmes de fabrication. Le marketing, pour sa part, regrette les cadences de production insuffisantes, les retards, le faible niveau de service et le contrôle de qualité limité. Parfois, il est pourtant lui-même à l'origine de prévisions de vente inexactes, de spécifications de produit multiples et trop complexes et de promesses au client impossibles à tenir.

Le responsable marketing, qui vit loin de l'usine, est surtout attentif aux exigences de ses clients en matière de délais, de qualité et de service. Il ne se rend pas compte des implications industrielles de ce qu'il promet au client. Le problème n'est pas seulement une difficulté de communication mais également un conflit d'intérêt. Pour le résoudre, certaines entreprises, dominées par la production, préfèrent s'en tenir à des gammes courtes, de conception simple et produites en grande quantité. Les promotions spéciales augmentent les volumes à produire sont rares et les clients en surnombre inscrits sur des listes d'attente. Les entreprises où le marketing est dominant s'efforcent avant tout de satisfaire le client. La production doit s'ajuster, avoir recours aux

CHAPITRE 22
Structurer
et contrôler
l'activité
marketing

703

heures supplémentaires et aux petites séries. Il s'ensuit souvent des coûts de production élevés et une qualité fluctuante.

Dans l'idéal, l'entreprise devrait équilibrer la place du marketing et de la production et favoriser la coopération au nom de l'intérêt de la firme. Des comités mixtes, des projets gérés en commun, des programmes d'échange de personnel peuvent faciliter la convergence des points de vue[21].

Aujourd'hui, la rentabilité de l'entreprise est très affectée par l'interface marketing-production. Les responsables marketing doivent comprendre les nouveaux développements intervenus en production (usines flexibles, robotisation, production « juste à temps », cercles de qualité, etc.), les potentiels qu'ils offrent au marketing et les contraintes qui les accompagnent. Les stratégies de production dépendent de leur côté des objectifs de l'entreprise : fournir des produits de grande qualité, d'une grande diversité, à moindre coût ou avec des services rapides. En outre, il arrive que le personnel de production soit investi d'un rôle de marketing, notamment lorsque le client demande à visiter l'usine ou recherche une assistance technique.

**LES OPÉRATIONS** ❖ Les opérations sont aux services ce que la production est au monde industriel. Pour un hôtel, elles concernent l'accueil, le service de chambre, le restaurant, etc. Du fait que le marketing exprime des promesses relatives au niveau de qualité du service, une bonne coopération avec l'opérationnel est indispensable. Si les performances ne sont pas à la hauteur des attentes, il s'ensuivra un mécontentement, source de bouche-à-oreille très négatif. Il est donc essentiel que les responsables marketing comprennent bien l'état d'esprit des opérationnels et les sensibilisent à l'importance d'un client satisfait.

**LA FINANCE** ❖ Les financiers tirent avantage de leur capacité à calculer les implications monétaires de toute décision managériale. Lorsqu'il s'agit du marketing cependant, ils éprouvent un sentiment de frustration. Le marketing exige des budgets publi-promotionnels élevés sans pouvoir préciser combien ces dépenses supplémentaires rapporteront. Les financiers mettent en doute les chiffres avancés par le marketing qui leur semblent davantage relever d'une auto-justification que d'une approche rigoureuse. Plus généralement, ils estiment que le marketing ne passe pas assez de temps à examiner l'impact financier de ses décisions. Cela leur semble particulièrement évident dans la fixation des prix de vente.

Le marketing, quant à lui, considère souvent les financiers comme trop près de leurs deniers et peu enclins à investir à long terme dans le développement de l'entreprise sur son marché. Leur image est celle de conservateurs qui, par excès de prudence, laissent passer des opportunités. Le marketing regrette d'être vu par les financiers comme une source de dépenses plutôt qu'un investissement. En fait, il serait souhaitable de former l'équipe marketing à l'analyse financière et de sensibiliser les financiers au mode de fonctionnement d'un marché.

**LA COMPTABILITÉ** ❖ Les comptables reprochent souvent aux commerciaux de leur fournir les relevés de vente avec beaucoup de retard. Ils leur reprochent aussi de trop nombreuses promotions et ristournes qui nécessitent des procédures comptables spéciales. De leur côté, les responsables marketing n'aiment guère les procédures rigides d'imputation qui réduisent arbitrairement la rentabilité de certaines marques ou lignes de produit. Ils apprécieraient en revanche davantage de données sur la rentabilité par circuit de distribution, par secteur et par taille de commande.

**LE SERVICE CRÉDIT** ❖ Le service crédit étudie la situation financière des clients et refuse des délais de paiement aux plus douteux. À ses yeux, le marketing est trop soucieux de vendre quelles que soient les difficultés d'encaissement. Le responsable marketing, pour sa part, pense que les conditions d'octroi de crédit sont trop restrictives et occasionnent de nombreuses ventes perdues. Il a l'impression de consacrer beaucoup d'effort à vendre, pour se voir ensuite refuser des clients par le service crédit.

## Implanter l'état d'esprit marketing dans l'entreprise

Seul un tout petit nombre de sociétés françaises, L'Oréal, Danone, Renault, Carrefour et quelques autres, ont véritablement adopté l'optique marketing. Un tel état d'esprit suppose que : 1) l'entreprise tout entière développe un réel intérêt pour ses clients ; 2) qu'elle soit structurée autour des segments de marché et non plus des produits ; 3) qu'elle développe une compréhension approfondie des clients grâce aux études de marché. Ce profil est payant, mais il reste rare. La plupart des entreprises restent orientées vers la fabrication et la vente.

Un jour, au détour d'un problème, elles découvrent leur manque d'esprit marketing : la perte d'un marché important, une lente érosion des bénéfices, le succès d'un concurrent plus dynamique sont autant de révélateurs, parfois cruels. Une fois qu'elles ont pris conscience de leurs faiblesses, ces entreprises doivent s'efforcer de mieux diffuser l'esprit marketing chez elles. L'encadré 22.3 détaille les caractéristiques d'une entreprise véritablement orientée vers le client. Comment y parvenir ? En dix étapes :

1. *Le soutien de la direction générale* est un préalable indispensable à la réorientation marketing de l'entreprise. Le directeur du marketing ne peut, en effet, espérer à lui seul convaincre les autres responsables fonctionnels de modifier leurs activités pour satisfaire le marché. Le PDG doit être personnellement convaincu de l'intérêt d'une approche marketing et voir en elle un tremplin de croissance et de prospérité. Ainsi, on raconte que le PDG d'IBM passe cent jours par an chez des clients, malgré ses nombreuses responsabilités.

2. *Le comité marketing.* Une fois acquis à l'idée, le PDG doit instaurer un comité chargé de convertir l'ensemble de l'entreprise à l'esprit marketing. Un tel comité comprendra, outre le PDG, le directeur général, les directeurs des ventes, du marketing, de la production, des ressources humaines et de la finance. Il se réunira périodiquement pour mesurer le chemin parcouru et relancer son action à travers de nouvelles initiatives. De tels comités existent par exemple dans les caisses régionales du Crédit agricole.

3. *Le conseil extérieur en marketing.* Le comité marketing tirerait probablement parti d'une assistance extérieure dans l'élaboration de ses plans et stratégies. Il aura donc avantage à s'adjoindre de façon régulière un consultant externe.

4. *La modification des modalités d'évaluation de performances.* Tant que le département des achats ou celui de la production seront évalués sur des critères qui n'intègrent pas la satisfaction du client, peu de choses évolueront. Il en va de même pour la finance, la recherche et développement, et l'ingénierie.

5. *Un département marketing de haut niveau.* Il s'agit probablement de l'étape la plus importante du processus. Un tel département, souvent dirigé par une personne venue de l'extérieur, procédera à l'examen des ressources et des besoins de chaque division. Ultérieurement, chaque division aura cependant besoin d'un directeur marketing.

6. *Les séminaires internes de marketing.* Le département marketing devra créer un programme intensif de séminaires internes destinés à la direction générale, aux directeurs de divisions et aux directeurs fonctionnels de chaque division. Il est souhaitable de commencer par le niveau supérieur de la hiérarchie. Les séminaires auront pour objectif de provoquer des changements d'attitude et de comportement auprès des groupes concernés.

CHAPITRE 22
Structurer
et contrôler
l'activité
marketing

705

# À quoi reconnaît-on une entreprise « orientée client » ?

**R & D**

– La R & D passe beaucoup de temps au contact des clients, à l'écoute de leurs problèmes.

– Elle accueille favorablement une implication du marketing, de la production et des autres départements dans tout nouveau projet.

– Elle pratique le benchmarking concurrentiel et connaît les meilleures solutions disponibles sur le marché.

– Elle sollicite les commentaires et suggestions de la clientèle au fur et à mesure de l'avancement des projets.

– Elle améliore sans relâche les produits à partir des réactions du marché.

**Achats**

– Les achats recherchent activement les meilleurs fournisseurs sans se limiter à ceux d'entre eux qui les contactent.

– Ils entretiennent des relations à long terme avec les fournisseurs les plus fiables.

– Ils ne compromettent jamais la qualité pour bénéficier de réductions de prix.

**Production**

– La production ouvre ses portes et invite la clientèle à visiter les usines.

– Elle visite elle-même les usines de ses clients afin de comprendre comment ses produits sont utilisés.

– Elle ne rechigne pas aux heures supplémentaires lorsqu'il s'agit de respecter les délais promis.

– Elle cherche continuellement à produire plus vite et moins cher.

– Elle cherche continuellement à améliorer la qualité, en se rapprochant du zéro défaut.

– Elle accepte d'adapter ses produits aux souhaits des clients lorsque cela reste rentable.

**Marketing**

– Le marketing étudie et comprend les désirs et les besoins des clients.

– Il répartit ses efforts en fonction de la rentabilité à long terme des segments choisis.

– Il développe une offre attrayante pour chaque segment.

– Il mesure en continu l'image de l'entreprise et la satisfaction de la clientèle.

– Il collecte sans cesse des idées de nouveaux produits, et améliore les produits et services existants.

– Il sensibilise les autres départements à l'importance de l'orientation-client.

**Commercial**

– Le commercial a une connaissance précise des secteurs de clientèle.

– Il s'efforce de toujours présenter au client la « meilleure solution ».

– Il ne promet que ce qu'il peut tenir.

– Il répercute auprès de la R & D le feedback des clients.

**Logistique**

– La logistique se donne des standards élevés en matière de délais et les respecte toujours.

– Elle gère le service clientèle de façon compétente et bienveillante, répondant à toutes les questions et traitant tous les problèmes avec efficacité et célérité.

**Comptabilité**

– La comptabilité mesure la rentabilité par produits, par segments, par zones géographiques, par taille de commande et par clients.

– Elle transmet des factures adaptées aux besoins des clients et répond à toute interrogation les concernant de façon rapide et professionnelle.

**Finance**

– La finance comprend et soutient les projets d'investissement marketing qui engendrent la préférence et la fidélité de la clientèle de manière durable.

– Elle adapte ses offres de financement aux désirs des clients.

– Elle décide rapidement sur les dossiers de crédit.

**Relations publiques**

– Les relations publiques émettent des messages favorables à l'entreprise et contrôlent les rumeurs négatives.

– Elles représentent efficacement le point de vue du client en interne.

**Autres services en contact avec la clientèle**

– Ils agissent avec compétence, courtoisie, empressement, confiance et efficacité.

7. *La mise en place d'un système de planification marketing.* Un excellent moyen d'habituer l'entreprise à «penser client» consiste à mettre en place un système de plans marketing. Cela permet en effet à chaque responsable de raisonner en termes d'opportunités commerciales et de lier l'élaboration des stratégies à l'analyse de ces opportunités. Les différents départements de l'entreprise élaborent leurs plans marketing autour des prévisions et stratégies de marché.

8. *L'adoption d'un système de promotion cohérent.* L'entreprise devra reconnaître les performances des cadres qui ont orienté leurs activités dans une optique marketing, notamment lorsqu'il s'agit de procéder à la nomination des directeurs de division. Ainsi, Accenture et DuPont ont mis en place un programme de reconnaissance de l'excellence marketing.

9. *L'orientation «process».* La société définira ses processus managériaux-clés et formera des équipes multifonctionnelles chargées de les gérer. On s'assurera que le marketing participe effectivement à ces travaux.

10. *La valorisation des employés.* L'entreprise encouragera les employés à proposer de nouvelles idées et à trouver des solutions aux insatisfactions des clients, quitte à leur donner un budget spécifique.

La diffusion de l'esprit marketing dans une société est une entreprise ardue et de longue haleine. Certaines sociétés comme Hewlett-Packard, DuPont, British Airways ont su y parvenir avec succès. Le propos n'est pas d'asservir toute décision au bon vouloir du client, quel qu'en soit le coût, mais plutôt de rappeler à chacun que l'existence d'une clientèle est la raison d'être d'une entreprise[22].

## Insuffler plus de créativité dans l'organisation

Bien qu'elle soit nécessaire, l'optique marketing ne suffit pas. Une organisation doit également être créative. Les entreprises copient les atouts et les stratégies de leurs concurrents à une vitesse croissante. La différenciation est difficile à obtenir, *a fortiori* à maintenir. Les marges diminuent lorsque les entreprises se ressemblent. La seule réponse consiste à construire une grande capacité d'innovation et d'imagination, de manière à faire émerger plus d'idées nouvelles que les concurrents[23]. Certains considèrent même que les responsables marketing ne devraient pas tant se préoccuper de satisfaire les clients, si c'est au détriment de leur imagination stratégique (voir encadré 22.4).

Il est donc essentiel pour les entreprises d'observer les tendances et d'en tirer parti. Motorola est passé des téléphones analogiques aux appareils digitaux avec 18 mois de retard et a ainsi laissé un véritable avantage à Nokia et Ericsson. Coca-Cola a mis du temps à identifier les tendances en faveur des boissons fruitées, des boissons de l'effort et des eaux minérales nature et aromatisées. Les entreprises leaders sur leurs marchés sont souvent lentes à détecter les tendances. Elles ont une forte aversion pour le risque. Elles cherchent avant tout à protéger leurs marchés existants et à capitaliser sur leurs ressources. Elles sont plus préoccupées d'efficacité que d'innovation. Si elles s'y intéressent, c'est en périphérie et non au cœur de leur activité.

Comment une entreprise peut-elle développer sa capacité d'innovation? Elle peut embaucher quelques responsables marketing caractérisés par une créativité exceptionnelle afin de bousculer les pratiques dans l'organisation, même s'ils sont parfois difficiles à gérer; former le personnel à l'utilisation de techniques de créativité individuelle ou collective[24]; identifier les tendances actuelles de la société (35 heures, nouveaux styles de vie etc.) et analyser leurs implications pour l'entreprise; établir la liste des besoins non satisfaits et

CHAPITRE 22
Structurer
et contrôler
l'activité
marketing

707

## Les responsables marketing sont-ils trop soucieux de l'approche marketing ?

Stephen Brown considère que les responsables marketing consacrent trop d'efforts aux études de marché et à la satisfaction du client, au détriment de leur imagination et de leur efficacité :

♦ Si l'on accorde trop d'attention à ce que les consommateurs disent souhaiter, on crée des produits très proches des produits existants. Les consommateurs proposent des améliorations de produits existants, mais ne sont pas visionnaires. Ils ne savent pas ce qui serait possible techniquement. Pour un téléphone portable, ils peuvent demander de réduire sa taille ou son poids, mais non d'y intégrer les services d'un agenda électronique ou la reconnaissance vocale. Les responsables marketing doivent donc aller au-delà des souhaits déclarés du marché.

♦ L'approche marketing suppose que les clients ont des objectifs clairs et une approche rationnelle. C'est loin d'être exact. Les consommateurs sont sensibles aux effets de mode, aux histoires qui entourent les produits, à la rareté organisée de certains articles, aux événements… Aux responsables marketing de créer de tels effets.

*Source :* Stephen Brown, *Marketing – the Retro Revolution* (Thousand Oaks : Sage Publications, 2001)

imaginer de nouvelles offres et solutions (comment aider les gens à perdre du poids, à se rencontrer, à être moins stressés ?…) ; mettre en place des systèmes de récompense des nouvelles idées (concours de la meilleure idée du mois, prime, cadeau) ; sortir régulièrement les employés de leur cadre habituel en organisant des visites de magasins, de centres de loisirs, de quartiers atypiques ; organiser des rencontres au cours desquelles les cadres dirigeants soumettent leurs idées à un petit groupe d'employés ; constituer des groupes d'employés chargés de critiquer les produits et services de l'entreprise et de ses concurrents ; embaucher occasionnellement des consultants en créativité pour insuffler de nouvelles idées.

## *La mise en œuvre du marketing*

Après avoir étudié la façon dont les entreprises structurent leurs équipes, il nous faut examiner la manière dont les décisions marketing sont mises en œuvre. Une stratégie, aussi brillante soit-elle, ne vaut que ce que vaut sa mise en œuvre.

❖ On appelle *mise en œuvre* le processus selon lequel les plans marketing sont traduits sous forme de directives permettant d'atteindre les objectifs que l'on s'est fixés.

Alors que la stratégie s'intéresse au *contenu* et au *pourquoi* des activités marketing, la mise en œuvre concerne le *qui,* le *où,* le *quand* et le *comment.* La stratégie et sa mise en œuvre sont donc étroitement liées, la seconde constituant le prolongement tactique de la première. Ainsi, une décision de relancement de produit se traduit par des budgets accrus, des consignes à destination de la force de vente, une modification éventuelle des tarifs ou encore une réactivation publicitaire.

Thomas Bonoma a étudié les problèmes de mise en œuvre du marketing dans une quinzaine d'entreprises. Il estime que quatre facteurs conditionnent son bon déroulement[25] :

♦ *La capacité de diagnostic* dès que les résultats ne correspondent pas aux objectifs : doit-on remettre en cause la stratégie ou son exécution ?

♦ *L'aptitude à bien localiser le problème dans l'entreprise.* Un problème de mise en œuvre peut apparaître à trois niveaux : la *fonction* (distribution, vente, communication, etc. Par exemple, pour lancer une nouvelle marque, était-ce un bon choix de favoriser les surstockages chez les détaillants ou aurait-il été préférable d'obtenir un référencement progressif ?) ; le *programme d'actions* (c'est-à-dire l'intégration des décisions au sein du plan d'ensemble) ; ou les *tactiques* (c'est-à-dire les directives données au personnel dans l'organisation des tâches et l'orientation de ses activités).

♦ *Le talent de mise en application* qui exige tout à la fois une bonne *répartition des ressources* entre les différentes fonctions, programmes et tactiques ; une *organisation efficace* entre les différents services marketing ; et une *interaction* de qualité liée à la capacité du responsable marketing à faire exécuter par autrui les décisions prises.

♦ *La capacité d'évaluation*, enfin, correspond à la mise en place d'un processus de suivi des résultats obtenus.

Les entreprises cherchent de plus en plus à améliorer l'efficacité de leurs actions et à mesurer le retour sur les investissements marketing. La fonction marketing représente en général 20 à 40 % du budget total des firmes. Des gains de productivité pourraient sûrement être réalisés. Les réunions sont souvent nombreuses, les délais de prise de décisions longs, les documents surabondants, la coordination avec les services commerciaux délicate. Les outils technologiques utilisés, comme les bases de données, les logiciels de gestion de projets ou les outils d'analyses budgétaires, améliorent les choses mais sont rarement reliés entre eux. Certaines entreprises ont aujourd'hui recours à des systèmes intégrés du type Marketing Resource Management (MRM), Enterprise Marketing Management (EMM) ou encore Marketing Automation Systems (MAS). Ils aident à l'élaboration des plans-marketing, à la mise en œuvre et au contrôle. Les systèmes de MRM proposent des applications Internet qui intègrent des activités telles que la gestion de projets ou de campagnes, le management de la relation clients ou du capital marque, ou encore le suivi de budgets.

## Le contrôle de l'activité marketing

Malgré la nécessité de suivre et d'évaluer en permanence les opérations engagées, de nombreuses entreprises se contentent encore d'un système de contrôle rudimentaire[26]. Telle est en tout cas la conclusion d'une étude portant sur 75 entreprises appartenant à différents secteurs d'activité. Les résultats révèlent que :

♦ Les PME ont des procédures de contrôle moins élaborées que les grandes entreprises. Elles définissent leurs objectifs de façon moins précise et mesurent moins systématiquement leurs performances.

♦ Seule une minorité d'entreprises connaît la rentabilité de ses produits. Une société sur trois ne dispose d'aucune procédure permettant d'identifier et d'éliminer les produits les moins rentables.

♦ Moins de la moitié des entreprises interrogées contrôlent régulièrement les prix de leurs concurrents, suivent l'évolution de leurs coûts de stockage et de

CHAPITRE 22
Structurer
et contrôler
l'activité
marketing

709

distribution, analysent les retours de marchandise et entreprennent des évaluations systématiques de l'efficacité de leur publicité et de leur force de vente.

♦ Dans un grand nombre d'entreprises, les rapports d'audit, quand ils existent, sont souvent élaborés avec plusieurs mois de retard et entachés de nombreuses erreurs.

En fait, le contrôle de l'activité marketing est loin d'être un processus uniforme.

■ BULL a testé un système de contrôle marketing s'appuyant sur 39 mesures : 2 mesures de satisfaction de la clientèle, 3 mesures de qualité, 6 mesures de part de marché, 3 mesures de performance des produits, 7 mesures des capacités commerciales, 3 mesures de l'environnement économique et concurrentiel, 7 mesures liées aux résultats commerciaux, 6 mesures à la contribution de marge et 2 mesures d'image.

Quatre niveaux méritent en fait d'être distingués (tableau 22.1) : le contrôle du plan annuel, le contrôle de la rentabilité, le contrôle de la productivité et le contrôle stratégique. Chacun d'entre eux fait l'objet d'une partie dans cette section.

**TABLEAU 22.1**
Les différents types de contrôle en marketing

| Nature du contrôle | Principale responsabilité | Objectif | Outils |
|---|---|---|---|
| 1. Contrôle du plan annuel | Direction générale, directions fonctionnelles | Analyser dans quelle mesure les objectifs ont été atteints et identifier des actions correctives | • Analyse des ventes, de la part de marché<br>• Ratios de dépenses par rapport au chiffre d'affaires<br>• Analyse financière<br>• Baromètres de clientèle |
| 2. Contrôle de rentabilité | Contrôleur marketing | Analyser dans quelle mesure l'entreprise gagne ou perd de l'argent | Étude de rentabilité par :<br>• produit,<br>• secteur géographique,<br>• segment de marché,<br>• circuit de distribution<br>• taille de commande |
| 3. Contrôle de productivité | Responsables fonctionnels et opérationnels, contrôleur marketing | Évaluer et améliorer la productivité des moyens commerciaux et l'impact du niveau de dépenses | Analyse de :<br>• la productivité<br>• la force de vente,<br>• la publicité,<br>• la promotion des ventes<br>• la distribution |
| 4. Contrôle stratégique | Direction générale, auditeur marketing | Analyser dans quelle mesure l'entreprise saisit les opportunités liées à l'environnement, notamment en matière de marchés, de produits et de circuits de distribution | • Analyse de l'efficacité du marketing de l'entreprise<br>• Audit marketing<br>• Bilan de ses responsabilités sociales et de l'éthique de ses comportements |

# Le contrôle du plan annuel

Le contrôle du plan annuel consiste à analyser dans quelle mesure l'entreprise atteint ses objectifs en matière de ventes, de rentabilité et d'autres éléments définis dans le plan. En pratique, il s'articule autour de quatre questions fondamentales (voir figure 22.7).

Tout comme la direction générale, les chefs de produit et de marque ainsi que les responsables de régions et de secteurs ont des objectifs commerciaux et financiers à respecter pour l'année en cours. Chacun reçoit périodiquement des informations lui permettant d'évaluer les résultats de son activité. Cinq outils de mesure de performance sont à la disposition d'un gestionnaire pour suivre l'évolution de ses activités : l'analyse des ventes, l'analyse de la part de marché, les ratios de dépense par rapport au CA, l'analyse financière et les baromètres de clientèle.

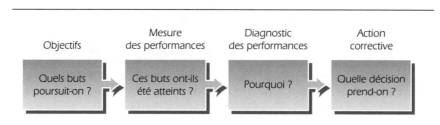

**FIGURE 22.7**
Les étapes du contrôle marketing

**L'ANALYSE DES VENTES** ❖ Elle consiste en un examen du chiffre d'affaires réalisé par rapport aux objectifs préétablis. Deux outils sont utilisés : *l'analyse de la variation des ventes* s'efforce d'identifier la contribution relative de différents facteurs à un écart de chiffre d'affaires. Supposons que le plan annuel prévoit la vente, au 1er trimestre, de 4 000 produits à 1 € l'unité, soit un chiffre d'affaires de 4 000 €. À la fin du trimestre, on constate que seulement 3 000 unités ont été vendues au prix moyen de 80 centimes, soit un chiffre d'affaires de 2 400 €. L'écart est de 1 600 €, c'est-à-dire de 40 % par rapport aux prévisions. Quelle proportion de cet écart est due à la diminution de prix et quelle proportion est due au volume ? Le calcul suivant permet de répondre à cette question :

| | | | |
|---|---|---|---|
| *Variation due au prix* | = | $(1 - 0,8) \times (3\,000)$ = | 600 €, soit 37,5 % |
| *Variation due au volume* | = | $(1) \times (4\,000 - 3\,000)$ = | 1 000 €, soit 62,5 % |
| *Total* | | = | 1 600 €, soit 100 % |

Pratiquement les deux tiers de la variation du chiffre d'affaires sont dus à l'insuffisance de volume. Il faut donc examiner de près l'origine de cet écart.

*L'analyse détaillée des ventes* peut fournir la réponse. Elle a pour objectif d'identifier les produits ou secteurs spécifiques qui n'ont pas réussi à atteindre leurs objectifs commerciaux. Supposons que l'entreprise vende dans trois régions et que le volume de vente prévu ait été respectivement de 1 500, 500 et 2 000 unités, soit un total de 4 000. Les ventes effectives se sont élevées à 1 400, 525 et 1 075 unités. Le premier secteur a donc réalisé 7 % de moins qu'il n'était prévu, le second 5 % de plus et le troisième 46 % de moins. À l'évidence, c'est ce dernier secteur qui pose le plus de problèmes. La direction des ventes doit analyser ce secteur de façon à identifier l'origine des mauvais résultats : 1) le représentant ne travaille-t-il pas suffisamment ? 2) un concurrent important vient-il de s'implanter ? et 3) l'activité économique de la région s'est-elle ralentie ?

L'ANALYSE DE LA PART DE MARCHÉ ❖ Le simple examen du chiffre d'affaires de l'entreprise ne permet pas de savoir si elle a gagné ou perdu du terrain par rapport à ses concurrents. La réponse à cette question passe par l'étude de la part de marché. Pour cela, il faut d'abord choisir la mesure que l'on va privilégier. Trois approches sont envisageables :

1. *La part de marché globale.* C'est le rapport des ventes de l'entreprise sur les ventes totales du secteur. On peut l'exprimer en unités ou en valeur. Par ailleurs, il faut définir les frontières du secteur. La part de marché des yaourts à boire de Yoplait doit-elle être rapportée au marché des yaourts à boire ? Des yaourts ? Des produits frais ? Des fromages ? Des desserts ? En fait, c'est la perception du consommateur qui définit les limites d'un marché.

2. *La part de marché «servi».* C'est le rapport des ventes de l'entreprise sur le marché effectivement visé par elle. La société Estée Lauder ne propose que des parfums haut de gamme et les commercialise en France auprès de 500 points de vente. Il serait donc de peu d'utilité de comparer ses ventes au marché total. La part du marché «servi» est toujours supérieure à la part de marché globale.

3. *La part de marché relative.* Elle exprime les ventes de l'entreprise rapportées au chiffre d'affaires du concurrent le plus important et traduit donc les rapports de force. Ainsi, une part de marché relative supérieure à 100 % révèle une position de leadership. Une part de 50 % indique que l'entreprise vend la moitié de ce que vend son concurrent le plus important.

Une fois choisie la part de marché que l'on souhaite mesurer, il faut recueillir les données correspondantes. Le calcul de la part de marché global est le plus aisé car il ne requiert que la connaissance des ventes totales de la branche. Or, dans certains secteurs, ces données sont recueillies par l'intermédiaire de syndicats professionnels ou d'organismes publics. En France, par exemple, les ventes des constructeurs automobiles sont connues grâce aux statistiques d'immatriculation publiées d'après le fichier central des cartes grises. Le marché servi est plus difficile à définir car il fait intervenir des considérations subjectives ou locales. Enfin, le calcul de la part de marché relative suppose que l'on connaisse les ventes des concurrents.

En France, pour les produits de grande consommation, les parts de marché sont calculées à partir des panels de détaillants ou de consommateurs tels que ceux gérés par les sociétés Nielsen (détaillants) ou Sécodip (consommateurs). Dans d'autres secteurs, il faut avoir recours à des indicateurs indirects (achats de matières premières, rotation des équipes de production, etc.).

L'analyse de la part de marché doit cependant se faire avec prudence[27]. En effet :

♦ *Les facteurs externes n'exercent pas une influence identique sur toutes les entreprises.* Par exemple, un rapport du ministère de la Santé sur les conséquences néfastes du tabac peut avoir pour conséquence une baisse des ventes de cigarettes ; mais toutes les marques ne seront pas affectées de la même façon. Celles qui ont construit leur réputation sur la qualité de leur filtre seront peut-être moins durement touchées.

♦ *Les performances d'une entreprise ne doivent pas toujours être comparées à la moyenne du secteur.* Une entreprise qui intervient sur un seul segment du marché doit comparer ses résultats uniquement aux sociétés présentes sur le même créneau.

♦ *Si une nouvelle entreprise fait son apparition sur un marché stagnant, la part de marché de chacune des sociétés en place diminue.* Une baisse de part de marché ne signifie donc pas forcément que l'entreprise obtient des résultats inférieurs à la moyenne.

♦ *Une baisse de la part de marché peut résulter d'une politique délibérée de rentabilité.* Lorsque l'on abandonne des clients ou des produits non rentables, la part de marché diminue automatiquement.

♦ *La part de marché peut enfin fluctuer pour des raisons n'ayant rien à voir avec la gestion de l'entreprise.* Mesurée à un instant donné, elle peut être erronée si une vente importante est intervenue juste avant la mesure.

Comme pour les ventes, l'analyse de la part de marché est d'autant plus utile que les données sont désagrégées. Dans ce cas, l'entreprise peut contrôler l'évolution de sa part de marché pour chaque type de produit, segment de clientèle, région ou tout autre critère de son choix. Une décomposition classique se fait à l'aide de la formule :

*Part de marché en valeur = Taux de pénétration × Taux de nourriture × Coefficient de sélectivité × Coefficient d'ajustement prix*

où :

♦ Le *taux de pénétration* est le pourcentage d'acheteurs qui achètent la marque considérée au moins une fois au cours de la période.

♦ Le *taux de nourriture* correspond aux achats de la marque exprimés en pourcentage de l'ensemble des achats de la catégorie de produit effectués par les acheteurs de la marque.

♦ Le *coefficient de sélectivité* mesure, en pourcentage, le volume de l'achat moyen de la marque comparée à l'achat moyen d'une marque concurrente.

♦ Le *coefficient d'ajustement de prix* mesure, enfin, le rapport du prix de la marque sur le prix moyen pratiqué dans le secteur.

Ainsi, une société qui voit sa part de marché baisser (en valeur) peut, à l'aide de cette équation, identifier au moins quatre facteurs explicatifs distincts : 1) l'entreprise a perdu certains clients (baisse de pénétration) ; 2) ses clients effectuent une moins grande part de leurs achats auprès de l'entreprise (baisse du taux de nourriture) ; 3) l'achat moyen est plus faible en quantité (baisse de sélectivité) ; et 4) le prix a baissé par rapport à la concurrence (écart de prix).

### LES RATIOS DE DÉPENSES PAR RAPPORT AU CHIFFRE D'AFFAIRES

❖ Le contrôle du plan annuel comporte également l'analyse des dépenses engagées par rapport au chiffre d'affaires réalisé. L'un des ratios les plus importants est *le ratio du budget marketing sur le chiffre d'affaires* (par exemple 30 %), que l'on peut décomposer en *ratio des dépenses publicitaires* (5 %), *ratio des dépenses promotionnelles* (6 %), *ratio des dépenses de force de vente* (15 %), *ratio des dépenses en études de marché* (1 %) et *ratio des dépenses d'administration commerciale* (3 %).

Tous ces ratios peuvent connaître des fluctuations plus ou moins significatives dans le temps ; celles qui sortent d'une zone de tolérance doivent faire l'objet d'une analyse : il est utile à cet effet de reporter les fluctuations de chaque ratio sur un *diagramme de contrôle* (voir figure 22.8). Ce graphique indique la zone de tolérance du ratio des dépenses publicitaires (ici entre 8 et 12 % du chiffre d'affaires). On observe qu'au cours de la quinzième période, le ratio a dépassé la limite supérieure. Deux hypothèses sont envisageables : 1) l'entreprise continue de contrôler ses dépenses publicitaires, et il faut considérer le phénomène comme aléatoire ; 2) l'entreprise a perdu ce contrôle, et il faut en rechercher la cause.

Si l'on accepte la première, aucune étude ne sera entreprise et l'on court le risque d'ignorer des changements significatifs. Si l'on admet la seconde, on procède à une analyse approfondie du problème qui peut ne déboucher sur rien.

CHAPITRE 22
Structurer
et contrôler
l'activité
marketing

713

Pour prendre position, il est utile d'étudier la configuration des observations successives. Sur la figure 22.8, on note à partir de la neuvième période une progression régulière du ratio. Or, la probabilité d'obtenir six accroissements successifs dans ce qui devait être un cheminement aléatoire n'est que $1/64$[28]. Une telle configuration aurait dû attirer l'attention de l'analyste bien avant la quinzième période.

**FIGURE 22.8**
Diagramme de contrôle

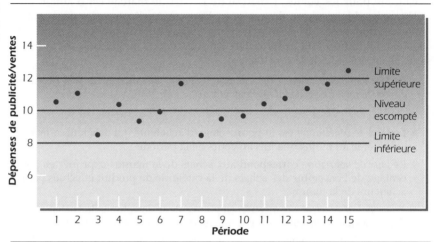

**L'ANALYSE FINANCIÈRE** ❖ Les ratios de dépenses s'interprètent dans le contexte plus général de l'analyse financière afin de déboucher sur un diagnostic de rentabilité. Un nombre croissant de responsables marketing reçoivent une formation en contrôle de gestion et sont évalués sur leur capacité à dégager des bénéfices plutôt que du chiffre d'affaires.

L'analyse financière a pour objet de mettre en évidence les facteurs qui affectent la *rentabilité des investissements* de l'entreprise[29]. Ceux-ci sont illustrés à la figure 22.9 dans le cas d'une chaîne de supermarchés. Le niveau de rentabilité s'établit à 12,5 % ; il résulte de deux éléments : la *rentabilité des actifs et l'effet de levier*. Afin d'améliorer sa rentabilité finale, l'entreprise devra examiner les différents éléments d'actif (disponibilités, effets à recevoir, stocks, immobilisations) en vue d'assurer un meilleur équilibre.

**FIGURE 22.9**
Modèle financier de la rentabilité des investissements

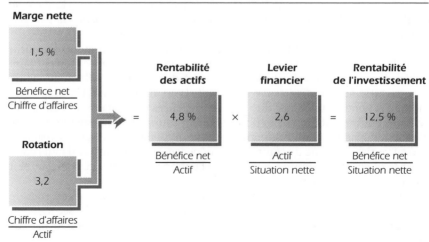

La rentabilité des actifs résulte elle-même de la marge nette multipliée par son taux de rotation. Dans notre exemple, on peut noter que la marge de la chaîne est réduite alors que la rotation est satisfaisante. Il convient donc de rechercher les moyens d'augmenter le chiffre d'affaires et/ou de réduire les dépenses[30].

Pour évaluer le taux de retour sur les investissements marketing, Matanovich[31] suggère la formule suivante :

$$ROMI = \frac{CMN}{DM}$$

où ROMI désigne le retour sur investissements marketing (Return On Marketing Investment), CMN la contribution marketing nette égale au chiffre d'affaires moins les coûts variables, et DM les dépenses marketing. Matanovich espère qu'un tel indicateur incitera les dirigeants des entreprises à considérer le marketing comme un investissement à part entière, et non plus comme une source de dépenses.

**LES BAROMÈTRES DE CLIENTÈLE** ❖ Les outils de mesure du plan annuel qui ont été présentés jusqu'ici étaient surtout quantitatifs et financiers. Ils sont nécessaires mais insuffisants. Il convient en effet d'analyser régulièrement les attitudes des consommateurs, distributeurs et autres parties prenantes de l'environnement commercial. S'il est vrai qu'une modification d'attitude précède souvent un changement de comportement, alors l'entreprise peut gagner un temps considérable en analysant les opinions entretenues à son égard[32].

Les résultats peuvent être synthétisés dans des tableaux de bord annuels. Par exemple un tableau de bord clientèle comprendra les éléments suivants :

♦ % de nouveaux clients.

♦ % de clients perdus.

♦ % de clients reconquis.

♦ % de clients très insatisfaits/ insatisfaits/satisfaits/ très satisfaits.

♦ % de clients disant qu'ils recommanderont le produit à leurs proches.

♦ Taux de notoriété au sein de la cible.

♦ % de clients qui affichent une préférence pour le produit au sein de la catégorie.

♦ % de clients capables d'identifier le positionnement souhaité.

♦ Qualité perçue des produits et services par rapport aux concurrents.

D'autres tableaux de bord peuvent concerner les autres parties prenantes : employés, fournisseurs, distributeurs, banques, actionnaires, etc. Hewlett-Packard a récemment mis en place un système de ce type[33].

## Le contrôle de rentabilité

Au-delà du contrôle du plan annuel, l'entreprise entreprend périodiquement des analyses destinées à mesurer la rentabilité de ses différents produits, secteurs géographiques, segments de clientèle, circuits de distribution et niveaux de commande. À condition de savoir imputer les coûts marketing, il devient alors possible de déterminer s'il faut développer, réduire ou maintenir tel ou tel aspect de l'activité commerciale.

**L'ANALYSE DES COÛTS MARKETING** ❖ Considérons, afin d'illustrer les différentes étapes d'une analyse de rentabilité, l'exemple suivant : Le directeur du marketing d'une entreprise de tondeuses à gazon désire connaître les coûts et bénéfices associés aux ventes réalisées dans trois circuits de distribution : les quincailleries, les garden centers et les magasins de bricolage. L'entreprise ne fabrique qu'un seul modèle de tondeuse. Le tableau 22.2 reproduit son compte de résultat.

CHAPITRE 22
Structurer
et contrôler
l'activité
marketing

715

TABLEAU 22.2
Un compte
de résultat
simplifié

| Charges | | Produits | |
|---|---|---|---|
| Charges directement liées aux marchandises vendues | 39 000 € | Ventes | 60 000 € |
| Autres charges | | | |
| – salaires | 9 300 € | | |
| – loyers | 3 000 € | | |
| – fournitures | 3 500 € | | |
| Total autres charges | 15 800 € | | |
| Total des charges | 54 800 € | Total des produits | 60 000 € |
| Bénéfices | 5 200 € | | |

**1<sup>re</sup> étape : identification des dépenses par fonctions.** Supposons que les « autres charges » figurant au tableau 22.2 soient engagées en vue d'exercer des activités de vente, de publicité, d'emballage, de livraison, de facturation et d'encaissement. La première étape consiste à déterminer quelle part des dépenses par nature doit être imputée à chacune de ces activités.

Supposons que la majeure partie des salaires (9 300 €) ait été versée aux représentants (5 100 €), le reste servant à rémunérer la publicité (1 200 €), le personnel d'emballage et de livraison (1 400 €), et un comptable de bureau (1 600 €). Le tableau 22.3 indique l'imputation des dépenses salariales correspondantes ainsi que celle des autres frais (loyers et fournitures).

TABLEAU 22.3
Redistribution
des dépenses
« par nature »
en dépenses
« par fonction »

| Poste par nature | Montant | Vente | Publicité | Emballage et livraison | Facturation et encaissement |
|---|---|---|---|---|---|
| Salaires | 9 300 | 5 100 | 1 200 | 1 400 | 1 600 |
| Loyers | 3 000 | – | 400 | 2 000 | 600 |
| Fournitures | 3 500 | 400 | 500 | 1 400 | 200 |
| Total | 15 800 | 5 500 | 3 100 | 4 800 | 2 400 |

**2<sup>e</sup> étape : imputation des dépenses fonctionnelles aux entités marketing.** L'étape suivante consiste à déterminer quelle part de chacune de ces activités doit être imputée à chaque circuit de distribution. Prenons le cas de la force de vente. L'effort de vente réalisé auprès de chaque circuit peut être estimé à partir du nombre de visites effectuées. Dans notre exemple, il apparaît (deuxième colonne du tableau 22.4) que 275 visites ont été faites au cours de la période. Puisque les dépenses totales de vente se sont élevées à 5 500 € (d'après le tableau 22.3), le coût d'une visite s'établit en moyenne à 20 €. De même, on peut répartir les dépenses publicitaires en fonction du nombre de messages envoyés aux différents circuits, et les frais d'emballage et de facturation en fonction du nombre de commandes passées.

| | Vente | Publicité | Emballage et livraison | Facturation et encaissement |
|---|---|---|---|---|
| Circuit distribution | Nombre de visites à la clientèle | Nombre de messages | Nombre de commandes | Nombre de commandes |
| Quincailleries | 200 | 50 | 50 | 50 |
| Garden centers | 65 | 20 | 21 | 21 |
| Magasins de bricolage | 10 | 30 | 9 | 9 |
| Total | 275 | 100 | 80 | 80 |
| Dépenses par fonction | 5 500 | 3 100 | 4 800 | 2 400 |
| Nombre d'unités | 275 | 100 | 80 | 80 |
| Coût unitaire | 20 € | 31 € | 60 € | 30 € |

TABLEAU 22.4
Clés de répartition
des dépenses
fonctionnelles

**3e étape : établissement du compte de résultat pour chaque circuit.** Le tableau 22.5 présente les comptes de résultat obtenus pour chaque circuit. Étant donné que la moitié du chiffre d'affaires a été réalisé dans les quincailleries (30 000 € sur 60 000 €), ce circuit se voit imputer 50 % du coût des marchandises vendues (19 500 € sur 39 000 €), d'où une marge brute de 10 500 €. Il faut alors soustraire de cette marge la part des dépenses fonctionnelles engagées pour ce circuit. Selon le tableau 22.4 les quincailleries ont reçu 200 des 275 visites effectuées au total. Chaque visite ayant coûté 20 €, les quincailleries doivent supporter des frais de vente s'élevant à 4 000 €. Le même raisonnement s'applique pour calculer la part des autres dépenses fonctionnelles à imputer aux quincailleries. Il apparaît, en définitif, que les dépenses totales concernant ce circuit s'élèvent à 10 050 €. En déduisant cette somme de la marge brute, on obtient le bénéfice réalisé (450 €). Si l'on applique la même analyse aux autres canaux de distribution, on découvre que l'entreprise perd de l'argent sur les ventes réalisées dans les garden centers et tire à peu près tout son bénéfice des ventes aux magasins de bricolage. Il est clair que le chiffre d'affaires n'est pas un bon indicateur des bénéfices réalisés dans chaque circuit de distribution.

| | Quincailleries | Garden centers | Magasins de bricolage | Total |
|---|---|---|---|---|
| Chiffre d'affaires | 30 000 € | 10 000 € | 20 000 € | 60 000 € |
| Coût des marchandises vendues | 19 500 € | 6 500 € | 13 000 € | 39 000 € |
| Marge brute | 10 500 € | 3 500 € | 7 000 € | 21 000 € |
| Dépenses : | | | | |
| Vente (20 € la visite) | 4 000 € | 1 300 € | 200 € | 5 500 € |
| Publicité | 1 550 € | 620 € | 930 € | 3 100 € |
| Emballage et livraison | 3 000 € | 1 260 € | 540 € | 4 800 € |
| Fact. et encaissement | 1 500 € | 630 € | 270 € | 2 400 € |
| Total dépenses | 10 050 € | 3 810 € | 1 940 € | 15 800 € |
| Bénéfices (ou pertes) | 450 € | (310) € | 5 060 € | 5 200 € |

TABLEAU 22.5
Comptes
de résultat
des différents
circuits

CHAPITRE 22
Structurer
et contrôler
l'activité
marketing

717

**L'IDENTIFICATION DES ACTIONS CORRECTIVES** ❖ Une analyse des coûts marketing ne suffit pas pour décider des actions correctives à entreprendre. Dans notre exemple, il serait dangereux de conclure que les garden centers (et peut-être aussi les quincailleries) doivent être éliminés, au profit des seuls magasins de bricolage. Il faudrait d'abord apporter une réponse aux questions suivantes :

- ♦ Dans quelle mesure les acheteurs accordent-ils de l'importance au choix du point de vente (iraient-ils chercher ailleurs une marque qui ne se trouverait plus dans leur magasin habituel) ?
- ♦ Quelles sont les perspectives d'évolution des trois circuits de distribution ?
- ♦ La stratégie marketing utilisée pour chacun de ces circuits a-t-elle été la bonne ?

En fonction des réponses obtenues, le responsable marketing retiendra une hypothèse et engagera l'action corrective correspondante :

- ♦ *Instaurer une tarification spéciale pour les petites commandes.* Hypothèse : ce sont les petites commandes qui sont responsables de la faible rentabilité des garden centers et des quincailleries.
- ♦ *Aider les garden centers et les quincailleries.* Hypothèse : les responsables de ces magasins peuvent accroître leur chiffre si on les forme et si on leur accorde un soutien promotionnel.
- ♦ *Diminuer le nombre de visites et la publicité faite auprès des garden centers et des quincailleries.* Hypothèse : certaines de ces dépenses peuvent être réduites sans affecter dans la même proportion le niveau de chiffre d'affaires réalisé dans ces circuits.
- ♦ *Ne pas abandonner un circuit en tant que tel, mais seulement les points de vente les plus faibles.* Hypothèse : une étude approfondie des coûts permettrait d'identifier les garden centers et les quincailleries les moins rentables.
- ♦ *Ne rien faire.* Hypothèse : les efforts marketing actuels se situent à un niveau satisfaisant ; d'autre part, les perspectives d'évolution du marché conduisent à une amélioration de la rentabilité des circuits les plus faibles ; l'abandon d'un circuit aurait pour effet de réduire, et non d'augmenter, les bénéfices, du fait de son incidence sur les coûts de production et sur la demande.

Pour évaluer ces différentes solutions, il faudra les étudier en détail. En général, l'analyse des coûts marketing fournit des informations sur la rentabilité respective des différents canaux de distribution, produits, secteurs géographiques ou segments de clientèle, mais n'indique pas si la solution consiste à abandonner les entités marketing non rentables, pas plus qu'elle ne mesure l'accroissement de bénéfice qui résulterait de l'abandon de ces entités.

**COÛTS DIRECTS ET COÛTS COMPLETS** ❖ Comme tout autre outil, l'analyse des coûts peut éclairer ou, au contraire, induire en erreur le responsable marketing, selon l'utilisation qu'il en fait. L'exemple présenté ci-dessus montre qu'un certain arbitraire préside au choix des critères d'imputation des dépenses fonctionnelles entre les différentes entités marketing. On a ainsi choisi le nombre de « visites » pour répartir les frais de vente, alors que le nombre « d'heures de représentant » aurait été plus exact. De telles approximations sont monnaie courante dans la pratique, mais le responsable marketing doit en prendre conscience lorsqu'il répartit ses coûts.

Beaucoup plus préoccupant est le dilemme entre coûts complets et coûts directs. Notre exemple esquive ce problème en ne présentant que des coûts qui correspondent à des activités commerciales spécifiques, mais il peut en aller différemment dans la réalité. On doit en fait distinguer trois sortes de coûts :

1. *Les coûts directs.* Ce sont les coûts que l'on peut imputer directement aux entités qui les engendrent. Il en va ainsi des commissions versées aux représentants dans une analyse des coûts par secteur de vente. Les dépenses de

publicité sont des frais directs dans une analyse de prix de revient des produits lorsque les campagnes portent sur un produit spécifique. D'autres charges sont également souvent assimilées à des coûts directs : les salaires des chefs de produit, les fournitures, les frais de voyage.

2. *Les coûts communs imputables*. Ce sont des coûts qui ne peuvent être imputés qu'indirectement, mais de façon plausible, aux entités marketing. Dans notre exemple, les loyers ont été traités de cette façon. La surface occupée par l'entreprise traduisait la nécessité de mener trois activités commerciales distinctes et il était possible d'évaluer l'espace utilisé pour chaque activité. Si l'une des activités était supprimée, des locaux plus petits seraient suffisants, ou bien l'entreprise pourrait sous-louer cet espace. Par conséquent, bien que les frais de location soient une charge commune et fixe à court terme, elle peut être imputée à des activités spécifiques.

3. *Les coûts communs non imputables*. Ce sont des coûts dont l'imputation est nécessairement arbitraire. Considérons les dépenses occasionnées par les campagnes de communication institutionnelle. Il serait arbitraire de les répartir également entre tous les produits, car ils ne bénéficient pas tous au même degré de l'image de l'entreprise. Il serait tout aussi malaisé de les répartir proportionnellement aux ventes, car le chiffre d'affaires de chaque produit dépend de nombreux autres facteurs. Les salaires des dirigeants, les impôts, les frais financiers sont également des charges communes difficilement imputables.

Personne ne discute la prise en compte des coûts directs dans l'analyse des coûts marketing. Quelques-uns contestent la prise en compte des coûts communs imputables, car ils englobent à la fois des charges variables et des charges fixes à court terme : si le fabricant de tondeuses à gazon abandonne les garden centers, sans doute continuera-t-il à payer le même loyer, de sorte que ses profits n'augmenteront pas immédiatement du montant correspondant à la perte qu'il supporte en vendant dans ce circuit (310 €).

Les analystes sont beaucoup plus nombreux, en revanche, à refuser la méthode des coûts complets, c'est-à-dire l'affectation des coûts communs non imputables. Les tenants de cette méthode estiment que toutes les charges sans exception doivent être imputées pour calculer la rentabilité réelle. Mais un tel raisonnement tend à confondre la comptabilité générale avec la comptabilité analytique, dont l'objet est de faciliter la prise de décision et la planification. La méthode des coûts complets présente trois grandes faiblesses :

♦ La rentabilité relative des différentes entités marketing peut changer du tout au tout en substituant une imputation à une autre, ce qui tend à réduire la confiance dans les chiffres obtenus.

♦ L'arbitraire conduit à la contestation et à la démoralisation, notamment chez ceux qui ont le sentiment que leurs résultats sont mal jugés.

♦ La prise en compte de charges non imputables risque d'affaiblir le contrôle des coûts réels. Les responsables d'exploitation sont plus efficaces lorsqu'il s'agit de contrôler les coûts directs et les coûts imputables. L'affectation arbitraire de charges non imputables risque de les décourager dans leur responsabilité de contrôle des coûts.

De plus en plus d'entreprises s'intéressent à une approche comptable fondée sur le *coût des activités* (en anglais ABC, Activity-Based Costing). Selon ses adeptes, cette méthode donne aux managers une « vision précise de la façon dont les produits, les marques, les clients, les actifs, les régions et les circuits de distribution engendrent des revenus et consomment des ressources[34] ». On peut alors chercher à accroître la productivité de chacune des activités correspondantes, par exemple en réduisant les ressources qui leur sont allouées ou bien en cherchant à les acquérir à un moindre coût. On peut aussi accroître les prix de vente des activités gourmandes en moyens.

CHAPITRE 22
Structurer
et contrôler
l'activité
marketing

719

# Le contrôle de productivité

Dans la mesure où les dépenses marketing et commerciales arrivent au deuxième rang des dépenses des groupes de la grande consommation, juste derrière les matières premières, l'analyse et l'amélioration de leur rentabilité sont devenues un sujet de préoccupation croissante pour les industriels[35]. Certaines entreprises ont créé un poste de *contrôleur marketing* pour surveiller l'évolution des activités et des dépenses commerciales. Un contrôleur marketing travaille sous l'autorité du contrôle de gestion, mais s'est spécialisé en marketing.

Des sociétés comme General Foods, DuPont, Johnson & Johnson, ou en Europe, Danone, demandent à leurs contrôleurs marketing de vérifier les dépenses publicitaires, de s'assurer que les barèmes d'agence obtenus sont les plus avantageux possibles, d'examiner les contrats et de procéder à l'audit des prestataires de service. Plus généralement, ils doivent sensibiliser les responsables marketing aux implications financières de leurs décisions[36].

**LA PRODUCTIVITÉ DE LA FORCE DE VENTE** ❖ Un responsable des ventes, au niveau local, régional ou national doit mettre en place une batterie d'indicateurs pour mesurer la productivité de ses vendeurs. Les plus importants sont :

- Le nombre moyen de visites par représentant et par jour.
- La durée moyenne d'une visite.
- Les ventes réalisées en moyenne par visite.
- Le coût moyen d'une visite.
- Le montant de frais de déplacement par visite.

- Le nombre moyen de commandes obtenues pour 100 visites (taux de conversion).
- Le nombre de clients gagnés au cours de la période.
- Le nombre de clients perdus au cours de la période.
- Le coût de la force de vente rapporté au chiffre d'affaires.

Une analyse de ces différents éléments apportera des réponses à de nombreuses questions : les vendeurs effectuent-ils trop ou trop peu de visites ? Leurs frais sont-ils trop élevés ? Concrétisent-ils suffisamment leurs visites en commandes ? Gagnent-ils de nouveaux clients ? Conservent-ils leurs clients actuels[37] ? Certaines études ont révélé que la force de vente est un domaine dont on peut considérablement accroître la rentabilité en mettant en place une politique de gestion efficace. Par exemple, le développement du marketing téléphonique a permis à des entreprises comme Peugeot ou Kodak d'améliorer l'efficacité de leurs contacts commerciaux.

**LA PRODUCTIVITÉ DE LA PUBLICITÉ** ❖ Nombreux sont ceux qui pensent qu'il est pratiquement impossible de mesurer le rendement d'une action publicitaire. Il est cependant utile de contrôler régulièrement les éléments suivants :

- Le coût par mille lecteurs touchés par média et par support.
- Le pourcentage de l'audience qui a vu/lu/compris le message.
- Les réactions au contenu de l'annonce.
- Les changements d'attitude consécutifs à l'exposition au message.
- Le nombre de demandes de renseignements suscitées par une annonce.
- Le coût de chaque demande de renseignements.

Une entreprise peut améliorer l'efficacité de sa publicité de nombreuses façons : positionnement plus approprié du produit, définition claire des objectifs, prétest des messages, choix de médias effectué sur des bases plus scientifiques, recherche des meilleures conditions d'achat d'espace et post-tests systématiques.

**LA PRODUCTIVITÉ DE LA PROMOTION DES VENTES** ❖ La promotion des ventes rassemble un vaste ensemble de techniques destinées à stimuler l'intérêt et à encourager l'essai du produit. Afin d'améliorer son rendement, il convient de mesurer le plus régulièrement possible :

♦ Le pourcentage de ventes réalisées en promotion.

♦ Le coût du matériel PLV en pourcentage du chiffre d'affaires.

♦ Le pourcentage de coupons retournés.

♦ Le nombre de demandes de renseignements consécutives à une démonstration.

En créant un poste de responsable des promotions, une entreprise facilite l'accumulation d'expérience dans ce domaine.

**LA PRODUCTIVITÉ DE LA DISTRIBUTION** ❖ La distribution est un domaine dans lequel de nombreuses entreprises cherchent à accroître leur productivité. Nestlé, par exemple, a lancé aux débuts des années 2000 un programme mondial baptisé IC Puissance 3, afin d'analyser plus précisément les frais commerciaux pour chaque grande enseigne et chaque circuit de distribution. De nombreuses entreprises ont déjà réalisé des progrès considérables dans la gestion des stocks, la localisation des entrepôts et le choix des modes de transport. Pourtant, on observe souvent que lorsque les ventes s'accroissent fortement, la productivité de la distribution se détériore, notamment du fait que les délais de livraison ne sont plus respectés. Cela entraîne un mécontentement de la clientèle et finalement, une chute des ventes. On décide alors souvent d'accroître la force de vente ; les ventes repartent et le problème réapparaît. Le vrai problème (voir figure 22.10) est celui de la capacité de production et de distribution. Les indicateurs relatifs à la distribution qu'il semble judicieux de contrôler sont :

♦ Le pourcentage des ventes et des bénéfices réalisés dans chaque circuit de distribution.

♦ Le coût logistique exprimé en pourcentage du chiffre d'affaires.

♦ La répartition du coût logistique entre ses différentes composantes (stockage, transport, manutention, etc.).

♦ Le pourcentage des ventes traitées correctement.

♦ Le pourcentage des livraisons effectuées dans les délais prévus.

♦ Le nombre d'erreurs de facturation.

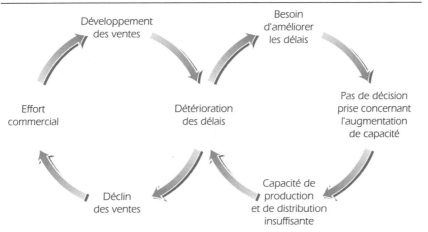

**FIGURE 22.10**
Les interactions entre les ventes et la distribution

*Source :* Adapté de Peter M. Senge, *La Cinquième discipline* (Paris : First, 1991) chap. 7.

Un suivi régulier de ces indicateurs permet souvent d'améliorer la politique de distribution comme en témoigne l'exemple suivant :

■ **UCPA.** L'Union nationale des centres sportifs de plein air (UCPA) est un organisme à but non lucratif qui propose des stages sportifs destinés en priorité aux 18-35 ans. Deux circuits de distribution coexistent pour la commercialisation de ces stages : les bureaux régionaux qui dépendent directement du siège et un réseau de correspondants rémunérés à la commission. Une étude de rentabilité des points de vente a permis de conclure qu'au-delà d'un certain niveau d'activité (mesuré par le nombre de stages vendus en dehors des périodes de pointe et des activités les plus demandées), il était plus rentable de remplacer un correspondant par un bureau régional.

## Le contrôle stratégique

Au-delà du contrôle de rentabilité et de productivité, toute organisation a besoin de réexaminer périodiquement ses objectifs et sa stratégie. Le marketing est un domaine où l'obsolescence des politiques et des plans d'action est une menace constante. Pour réévaluer sa position sur ses marchés, l'entreprise dispose de deux outils : la grille de mesure d'efficacité et l'audit marketing. Elle doit également se préoccuper de sa responsabilité éthique et sociale.

### La mesure de l'efficacité du marketing

Examinons la situation suivante (réelle) : Il y a peu de temps, le PDG d'une grande société industrielle analysait les plans des différentes divisions de son entreprise et s'inquiétait de la faiblesse de leur assise marketing. Il convoqua le directeur du marketing et lui dit :

> « Je ne suis pas satisfait du marketing de nos divisions. Il varie beaucoup trop en qualité. Je souhaiterais que vous classiez les divisions en fortes, moyennes et faibles du point de vue de leur compétence marketing. Pour les divisions faibles, je voudrais avoir un plan destiné à améliorer leur efficacité au cours des années à venir. »

Le directeur du marketing accepta cette responsabilité, bien qu'elle lui parût écrasante. Sa première idée fut d'évaluer l'efficacité marketing de chaque division à partir de ses performances en matière de chiffre d'affaires, part de marché, et rentabilité. Il se disait en effet que les divisions les plus performantes devaient pratiquer le meilleur marketing et inversement.

Pourtant, l'efficacité marketing est un phénomène complexe[38]. De bons résultats peuvent être dus à la chance, par exemple se trouver au bon endroit au bon moment, plutôt qu'à une gestion efficace. En fait, cinq critères sont à considérer : la philosophie de gestion, le mode d'organisation, le système d'information, les orientations stratégiques et les moyens opérationnels. L'encadré 22.5 en présente une grille d'évaluation. La décomposition du score total révèle les zones de faiblesse. Chaque entreprise peut ensuite établir un plan destiné à combler les déficiences les plus criantes.

# Que vaut votre marketing ?
# Une grille d'évaluation en 15 questions

**Philosophie de gestion**

A. *L'entreprise a-t-elle pris conscience de l'importance de s'organiser en vue de satisfaire les besoins et désirs des marchés visés ?*

    0 L'entreprise pense d'abord à vendre ses produits à qui voudra bien les acheter.

    1 L'entreprise s'efforce de satisfaire, sur un pied d'égalité, un vaste ensemble de marchés et de besoins.

    2 L'entreprise se soucie de satisfaire en priorité les besoins et désirs de cibles bien définies, choisies en fonction de leur potentiel de croissance et de rentabilité.

B. *L'entreprise dispose-t-elle de produits et/ou de plans d'action différents pour chaque segment de marché visé ?*

    0 Non.     1 En partie.     2 Oui.

C. *L'entreprise développe-t-elle ses activités en tenant compte des différents acteurs de son système marketing (fournisseurs, distributeurs, concurrents, consommateurs, environnement) ?*

    0 Non. Elle se concentre sur la vente à sa clientèle immédiate.

    1 En partie. Elle se soucie des circuits de distribution même si l'essentiel de l'effort commercial s'adresse à la clientèle immédiate.

    2 Oui. L'entreprise prend en considération l'ensemble du système marketing en s'efforçant d'y déceler les menaces et opportunités significatives pour elle.

**Le mode d'organisation**

D. *Existe-t-il une forte synergie entre les différentes activités marketing ?*

    0 Non. Le commercial et le marketing ne sont pas coordonnés et il se produit souvent des conflits.

    1 En partie. Il existe une synergie de principe, mais la coordination et la coopération laissent à désirer.

    2 Oui. Toutes les fonctions marketing sont bien intégrées.

E. *Est-ce que le marketing collabore efficacement avec la recherche, la production, les achats, la logistique et la finance ?*

    0 Non. On reproche souvent au marketing ses exigences inconsidérées et les coûts qu'elles entraînent pour les autres départements.

    1 En partie. Les relations sont cordiales, mais chaque département continue à agir selon son intérêt.

    2 Oui. La coopération est efficace et les problèmes sont toujours résolus dans l'intérêt supérieur de l'entreprise.

F. *Le processus de développement des nouveaux produits est-il bien géré ?*

    0 Non. Il est mal défini et mal géré.

    1 Il existe un ensemble de procédures, encore rudimentaires.

    2 Le système est bien structuré et géré de façon professionnelle.

**Le système d'information**

G. *À quand remontent les dernières études sur la clientèle, le comportement d'achat, la distribution et la concurrence ?*

    0 À de nombreuses années.

    1 À quelques années.

    2 Elles ont été réalisées ou mises à jour récemment.

H. *L'entreprise connaît-elle le potentiel et la rentabilité de ses différents segments, clients, territoires, produits, circuits de distribution et niveaux de commande ?*

    0 Non.     1 Partiellement.     2 Oui.

I. *Se préoccupe-t-on de mesurer la productivité des dépenses marketing ?*

    0 Très peu.     1 Un peu.     2 Systématiquement.

**Les orientations stratégiques**

J. *Dispose-t-on d'un plan marketing formel ?*

    0 Non.

    1 Il existe un plan annuel.

    2 Il existe un plan annuel détaillé ainsi qu'un plan à long terme réévalué tous les ans.

CHAPITRE 22
Structurer
et contrôler
l'activité
marketing

723

*K. La stratégie marketing de l'entreprise est-elle claire ?*
   0 Non.
   1 Elle est claire et s'inscrit dans la poursuite des activités actuelles.
   2 La stratégie est claire, innovatrice, bien documentée et réfléchie.

*L. A-t-on élaboré des plans de secours ?*
   0 Non, ou pratiquement pas.
   1 On y réfléchit, mais il n'y a pas de plan à proprement parler.
   2 Oui, il existe un plan pour chaque situation d'urgence.

**Les moyens opérationnels**

*M. La réflexion marketing de la direction générale est-elle diffusée et appliquée dans l'entreprise ?*
   0 Mal.     1 Oui.     2 Très bien.

*N. La gestion des ressources commerciales est-elle efficace ?*
   0 Non. Les ressources sont inadéquates par rapport aux objectifs poursuivis.
   1 Relativement. Les ressources existent mais pourraient être mieux gérées.
   2 Oui. Les ressources sont suffisantes et bien utilisées.

*O. L'entreprise réagit-elle rapidement et avec à propos aux événements inattendus ?*
   0 Non, les données commerciales sont toujours en retard et le temps de réaction est long.
   1 Relativement. Les données sont à jour. La capacité de réaction est variable.
   2 Oui. L'entreprise a un système d'information très au point et réagit rapidement.

**Note finale :**

La note finale est obtenue en additionnant les notes correspondant à chaque question. Elle s'interprète de la façon suivante :

Efficacité marketing :

| | | |
|---|---|---|
| 0-5    =Nulle | 11-15 =Moyenne | 21-25 =Très bonne |
| 6-10   =Faible | 16-20 =Bonne | 26-30 =Excellente |

*Source :* adapté de Philip Kotler, «From Sales Obsession to Marketing Effectiveness», *Harvard Business Review,* nov.-déc. 1977, pp. 67-75.

## L'audit marketing

Une entreprise qui a découvert que sa pratique marketing laissait à désirer devrait procéder à une analyse beaucoup plus systématique connue sous le nom d'*audit marketing*[39].

❖ Un *audit marketing* est un examen *complet, systématique, indépendant* et *périodique* de l'environnement, des objectifs, stratégies et activités d'une entreprise, en vue de détecter les domaines posant problème et de recommander des actions correctives destinées à améliorer son efficacité marketing.

Examinons les quatre éléments-clés de cette définition :

♦ *Le champ couvert.* L'audit marketing doit porter sur toutes les activités, et pas seulement celles qui connaissent des difficultés, car, si c'était le cas, le responsable, n'ayant pas une vue d'ensemble, pourrait ignorer les véritables causes des défaillances ; par exemple, la rotation de la force de vente peut être due non pas à une mauvaise formation des vendeurs, mais à des produits ou à une promotion inadéquats. Seul un audit complet permettra d'identifier les véritables poches d'inefficacité.

♦ *La systématicité.* Un audit marketing doit comporter une succession ordonnée de diagnostics portant sur l'environnement, le système marketing interne et les différentes activités. Les diagnostics doivent déboucher sur l'élaboration d'un programme d'actions correctives à court et à long terme, susceptibles d'améliorer le niveau global de performance.

♦ *L'indépendance.* Un audit marketing doit être conduit par un service indépendant du département marketing, afin d'avoir toute l'objectivité nécessaire. Le recours à un intervenant extérieur ayant une large expérience d'audit et une bonne connaissance du secteur concerné est particulièrement recommandé.

♦ *La périodicité.* L'audit marketing doit être conduit sur une base périodique et pas seulement en situation de crise. Il est source d'enrichissement pour toute entreprise, qu'elle soit florissante ou en difficulté. «Toute activité marketing peut, en effet, être rendue plus efficace, étant donné qu'il n'y a pas d'action commerciale qui puisse connaître indéfiniment le succès.»

Un audit marketing débute par un entretien approfondi entre la direction générale et l'auditeur de façon à préciser les objectifs, le contenu, le niveau de détail, les sources d'information, le format du rapport et les délais de l'audit. Ensuite, on procède au recueil des informations. L'auditeur élabore un plan d'étude, sélectionne les personnes à interroger et définit ses questions. Les interlocuteurs choisis ne se limitent pas au personnel de l'entreprise mais peuvent comprendre des fournisseurs, des clients, des distributeurs ou des consultants externes (l'agence de publicité par exemple). L'auditeur prépare ensuite un rapport qui fait l'objet d'une discussion approfondie avec les personnes concernées en vue d'élaborer des recommandations.

Un audit marketing examine les six éléments fondamentaux du marketing d'une entreprise. Ces six éléments ainsi que les questions correspondantes sont présentés dans l'encadré 22.6[40].

## La responsabilité éthique et sociale de l'entreprise

Plusieurs facteurs incitent aujourd'hui les entreprises à se préoccuper de leurs responsabilité éthique et sociale : les exigences croissantes des clients et des employés, les réglementations publiques, la prise en compte des critères sociaux par les investisseurs et l'évolution des pratiques d'achat et de sous-traitance font évoluer les mentalités et les comportements. Les entreprises les plus admirées pour leurs performances sont aussi celles qui ont su mettre en place un code de conduite qui leur interdit de nuire à l'environnement sociétal.

Les pratiques managériales sont souvent critiquées car elles exposent les responsables d'entreprise, y compris, bien sûr les responsables marketing, à des dilemmes posant de véritables cas de conscience. Il n'est pas toujours facile d'identifier clairement quel comportement est contraire à l'éthique. Les cas clairs relèvent de l'illégalité, comme la publicité mensongère, les garanties fictives ou la contre-façon. Cependant, certaines pratiques sont légales tout en étant perçues comme contraires à l'éthique par un grand nombre de consommateurs.

■ **NIKE.** En 1996, la société Nike a été montrée du doigt pour les conditions de travail insalubres et les salaires dérisoires adoptés dans ses usines vietnamiennes. En réaction, Nike a annoncé en 1998 la mise en place de nouvelles conditions de travail et la création d'une division interne en charge de la responsabilité sociale et environnementale. Face à certaines attaques persistantes, elle a élaboré une nouvelle politique de transparence, qui a commencé par l'envoi, en 2000, de 16 étudiants pour visiter 32 usines implantées dans différents pays du monde et la diffusion de leurs rapports sur Internet[41].

CHAPITRE 22
Structurer
et contrôler
l'activité
marketing

725

# L'audit marketing

## 1re partie : L'environnement marketing

### *Le macroenvironnement*

#### A. La sociodémographie

Dans quelle mesure les principales évolutions sociodémographiques représentent-elles une menace ou une opportunité pour l'entreprise ? Quelles actions l'entreprise envisage-t-elle face à ces évolutions ?

#### B. L'économie

Quels facteurs liés au revenu, à l'emploi, à l'inflation, à l'épargne ou au crédit affectent l'activité de l'entreprise ? Quelles actions l'entreprise envisage-t-elle qui prennent en compte ces éléments ?

#### C. L'écologie

Les matières premières et l'énergie dont a besoin l'entreprise continuent-elles à être disponibles à un coût acceptable ? L'entreprise se soucie-t-elle de la pollution qu'elle occasionne et de la conservation de ses déchets ?

#### D. La technologie

Quels sont les principaux développements intervenus dans la technologie des produits et des procédés de fabrication ? Quel rôle y a joué l'entreprise ? Quels substituts pourraient remplacer les produits actuels ?

#### E. Le contexte politico-légal

Quelles lois (en vigueur ou en préparation) affectent la stratégie et la tactique marketing de l'entreprise ? Quelles actions du Gouvernement, des collectivités locales, des administrations doivent faire l'objet d'une attention particulière ? Quelles sont les évolutions en matière de contrôle de qualité, de droit social, et de réglementation des produits, des prix, de la distribution, de la publicité et de la promotion ?

#### F. Le contexte culturel

Quelles sont les attitudes du public à l'égard du secteur, de l'entreprise et de ses produits ? Y a-t-il des changements dans les styles de vie et les systèmes de valeurs susceptibles d'affecter les marchés-cibles et les moyens commerciaux ?

### *Le secteur d'activité*

#### A. Les marchés

Quelle est l'évolution du marché (taille, croissance, répartition géographique, rentabilité) ? Quels sont les principaux segments et comment évoluent-ils ?

#### B. La clientèle

Quels sont les besoins des clients ? Comment se déroule leur processus d'achat ? Comment les clients actuels et potentiels évaluent-ils l'entreprise par rapport à la concurrence (réputation, produit, prix, service, force de vente) ?

#### C. La concurrence

Qui sont les principaux concurrents ? Quels sont leurs objectifs et stratégies ? Forces et faiblesses ? Comment leur part de marché évolue-t-elle ? À quoi ressemblera la concurrence à l'avenir, notamment pour les substituts ?

#### D. Les intermédiaires

Quels sont les principaux circuits de distribution empruntés par les produits ? Quelle est leur efficacité ? Quel est leur potentiel de développement ?

#### E. Les fournisseurs

Comment la conjoncture évolue-t-elle pour les matériaux nécessaires à la production ? Y a-t-il des modifications à attendre dans les conditions de vente des fournisseurs ?

*F. Les partenaires*
Quelle évolution peut-on prévoir en matière de transport (coût, disponibilité)? En matière de stockage (coût, disponibilité)? Et en matière de ressources financières (coût, disponibilité)? Quelle est l'efficacité des agences de communication et des sociétés d'étude?

*G. Le public*
Quels publics représentent pour l'entreprise une opportunité ou une menace particulière? Comment l'entreprise réagit-elle face à ces publics?

### 2ᵉ partie : La stratégie marketing

*A. La mission*
L'entreprise a-t-elle défini sa mission en termes de marchés à atteindre? Cette définition est-elle claire et réaliste?

*B. Les objectifs*
Les objectifs de la direction générale et du marketing sont-ils définis de façon précise et sous une forme qui facilite la planification et la mesure des performances? Les objectifs marketing sont-ils réalistes, compte tenu de la position concurrentielle de l'entreprise, de ses ressources et de ses opportunités?

*C. La stratégie*
La direction a-t-elle articulé une stratégie explicite face aux objectifs poursuivis? La stratégie est-elle appropriée, compte tenu du cycle de vie des produits, de la concurrence et de l'environnement? Les critères de segmentation sont-ils bien choisis? Les cibles sont-elles judicieusement sélectionnées? L'entreprise a-t-elle élaboré un positionnement précis pour chaque cible? Les ressources sont-elles bien réparties entre les différents éléments du mix marketing (rapport qualité/prix, services offerts, force de vente, publicité, promotion, distribution)? Les budgets sont-ils adéquats pour atteindre les objectifs?

### 3ᵉ partie : Le mode d'organisation

*A. Structure*
Existe-t-il un directeur du marketing de rang hiérarchique élevé coordonnant toutes les activités ayant un impact sur la clientèle? Les activités sont-elles bien définies par fonction, produit, segment de marché et zone géographique?

*B. Son efficacité*
Y a-t-il de bonnes relations de travail entre le marketing et le commercial? La structure fonctionne-t-elle bien? Les chefs de produit, lorsqu'il y en a, sont-ils responsables des bénéfices ou simplement des volumes de vente? Y a-t-il des services ou des équipes marketing qu'il faudrait davantage former, motiver, ou mieux superviser?

*C. Les relations avec les autres services*
Les relations sont-elles fructueuses entre le marketing et la production, la recherche, la finance, les achats, la comptabilité et le service juridique?

### 4ᵉ partie : Les systèmes et procédures

*A. Le système d'information*
Le système d'information fournit-il des informations exactes, suffisantes et à jour sur les différentes évolutions du marché (clientèle, prospects, distributeurs et revendeurs, concurrents, fournisseurs, grand public)? Entreprend-on des études de marché chaque fois que cela est nécessaire? Leurs résultats sont-ils exploités? Utilise-t-on les méthodes les plus appropriées pour prévoir les ventes?

*B. Le système de planification*
Le système de planification est-il bien conçu et efficace? La prévision des ventes et la mesure du marché potentiel sont-elles bien conduites? Les objectifs de vente sont-ils établis sur des critères appropriés?

*C. Le système de contrôle*
Les procédures de contrôle (mensuelles, trimestrielles) permettent-elles de mesurer le degré de réalisation des objectifs? Procède-t-on à des réexamens périodiques de la rentabilité des

CHAPITRE 22
Structurer
et contrôler
l'activité
marketing

727

différents produits, marchés, zones géographiques et circuits de distribution? Procède-t-on régulièrement à une analyse des coûts marketing?

*D. Le processus d'innovation*

L'entreprise est-elle organisée de façon à recueillir, engendrer et évaluer les idées de nouveaux produits? Entreprend-elle des tests de concepts et des analyses économiques avant de lancer un nouveau produit? Procède-t-elle à des tests de produit et de marché?

**5ᵉ partie : La productivité**

*A. L'analyse de rentabilité*

La rentabilité des différents produits, marchés, zones géographiques et circuits de distribution est-elle connue? L'entreprise devrait-elle pénétrer, élargir, restreindre ou abandonner certains segments? Quelles en seraient les conséquences financières à court et long terme?

*B. L'analyse de productivité*

Y a-t-il des activités marketing qui coûtent trop cher? Pourquoi? Peut-on en réduire le coût?

**6ᵉ partie : Les fonctions marketing**

*A. Les produits*

Quels sont les objectifs de chaque ligne de produit? Sont-ils appropriés? Sont-ils atteints? La gamme de produits devrait-elle être élargie, vers le haut, vers le bas ou au contraire réduite? Quels produits devrait-on éliminer? Quels produits devrait-on ajouter? Quelles sont, face à la concurrence, les attitudes de la clientèle à l'égard de la qualité des produits de l'entreprise, de leur composition, de leur design, du conditionnement, des marques? Sur quels aspects de la politique de produit doit-on faire porter les efforts?

*B. Les niveaux de prix*

Quels sont les objectifs, stratégies et procédures en matière de tarification? Dans quelle mesure les prix tiennent-ils compte des coûts, de la demande, de la concurrence? Comment les consommateurs perçoivent-ils les prix par rapport à la qualité? Que sait-on de l'élasticité de la demande par rapport au prix, des effets de courbe d'expérience, de la politique de prix des concurrents? Dans quelle mesure les prix tiennent-ils compte des caractéristiques des distributeurs et revendeurs, des fournisseurs, du cadre réglementaire?

*C. La distribution*

Quels sont les objectifs et stratégies en matière de distribution? La couverture du marché et le niveau de service sont-ils satisfaisants? Quelle est la productivité des différents intermédiaires? L'entreprise devrait-elle envisager de modifier ses circuits de distribution?

*D. La publicité, la promotion des ventes, les relations publiques et le marketing direct*

L'entreprise définit-elle de façon adéquate ses objectifs publicitaires? Dépense-t-on assez (ou trop) en publicité? Comment le budget est-il déterminé? Les thèmes et axes choisis sont-ils appropriés? Comment le public accueille-t-il la publicité? Les médias sont-ils bien choisis? Le service de publicité de l'entreprise est-il compétent? Le budget de promotion des ventes est-il approprié? Les techniques promotionnelles (échantillons, coupons, concours, offres spéciales) sont-elles maîtrisées? Le budget des opérations de relations publiques est-il adéquat? Est-il bien géré? L'entreprise tire-t-elle suffisamment parti de ses banques de données et ses opérations de marketing direct ou en ligne portent-elles leurs fruits?

*E. La force de vente*

Quels objectifs sont assignés à la force de vente? La taille de la force de vente est-elle adéquate compte tenu des objectifs? La force de vente est-elle organisée selon le meilleur critère possible (produit, secteur géographique, marché)? Est-elle bien encadrée? Les systèmes de rémunération sont-ils performants (niveau, structure)? La force de vente est-elle enthousiaste, compétente, dynamique? Sa formation est-elle suffisante? Les procédures de fixation des quotas et d'évaluation des performances sont-elles appropriées? Comment les représentants de l'entreprise sont-ils perçus par rapport à ceux de la concurrence?

Il y a plus de cinquante ans, Howard Bowen avait déjà cherché à identifier les problèmes éthiques les plus courants :

> « *Jusqu'où un vendeur en porte-à-porte peut-il s'immiscer dans la vie privée ? Devrait-il avoir recours à des flatteries, menaces, dissimulations, cadeaux ou tout autre technique d'une moralité douteuse ? Devrait-il travailler « au forcing » afin d'arracher un contrat ? Une entreprise qui pratique l'obsolescence planifiée en lançant sans cesse de nouveaux produits ou de nouveaux styles, pas forcément meilleurs que ceux qu'ils remplacent, agit-elle dans le sens du bien commun ? La publicité ne renforce-t-elle pas les valeurs du matérialisme en attisant l'envie et le désir d'impressionner ses voisins[42] ?* »

Les questions sont nombreuses et concernent la plupart des sujets traités tout au long de ce livre. Ainsi, le développement des bases de données individualisées et d'Internet pose aujourd'hui de nouveaux problèmes éthiques liés à la quantité d'informations à caractère privatif dont disposent les entreprises. En même temps, le durcissement de la réglementation, associé à une sensibilité croissante des consommateurs, doit inciter les firmes à une extrême prudence. Internet favorise la diffusion à grande échelle des informations relatives aux pratiques douteuses, allant parfois jusqu'à l'appel au boycott.

Sensibiliser un responsable marketing à la dimension éthique de son travail suppose une démarche en trois temps. D'abord, la puissance publique doit définir ce qui est illégal, antisocial ou contraire à l'exercice d'une saine concurrence. Ensuite, c'est à chaque entreprise qu'il appartient d'élaborer et de diffuser son propre code d'éthique. Enfin, les managers eux-mêmes doivent définir et respecter les frontières éthiques liées à l'exercice de leurs fonctions.

Le futur est plein de promesses pour les entreprises qui ont le sens de leur responsabilité. Le développement technologique sous toutes ses formes s'accélère, riche en opportunités. En même temps, les forces naturelles, économiques et socioculturelles imposent de nouvelles limites à l'exercice de l'activité marketing. Les entreprises qui sauront proposer de nouvelles solutions, créatrices de valeurs pour la société toute entière, peuvent regarder l'avenir avec confiance.

## *Résumé*

1. Le département marketing que l'on connaît aujourd'hui est le résultat d'une évolution en plusieurs étapes. Au départ, il n'est qu'un service commercial qui ne comprend que des représentants ; par la suite, il s'étoffe grâce à l'adjonction de plusieurs fonctions comme la publicité et les études de marché. À mesure que ces fonctions prennent de l'importance, de nombreuses entreprises créent un service marketing autonome. Mais les directeurs des ventes et du marketing s'opposent souvent sur la stratégie, et les deux services finissent par être regroupés au sein d'un véritable département marketing. Un tel département n'engendre cependant une entreprise orientée vers le marketing que si les dirigeants des autres services acceptent de considérer le client comme un point de référence primordial. Cela se manifeste notamment à l'occasion de la gestion des projets par des équipes multifonctionnelles.

2. Un département marketing peut être organisé de multiples façons. La structure la plus classique est l'organisation fonctionnelle, dans laquelle les différentes fonctions sont gérées par des directeurs distincts qui travaillent sous l'autorité du directeur marketing. L'organisation par chefs de produit ou de marque qui, en collaboration avec les différents spécialistes fonctionnels de l'entreprise, développent et exécutent les plans relatifs aux produits ou aux marques dont ils sont responsables, est aujourd'hui très répandue. Une autre forme d'organisation, plus rare, est l'organisation par chefs de marchés, responsables de l'élaboration et

CHAPITRE 22
Structurer
et contrôler
l'activité
marketing

729

de la mise en œuvre des plans concernant les différents segments. Quelques grandes entreprises ont une organisation par couples produit/marché, ce qui représente une combinaison des deux systèmes précédents. Enfin, les sociétés organisées en divisions mettent en place un service marketing central et des départements marketing dans chaque division, avec quelques variantes quant à la répartition et à l'autorité des différents services.

3. Le marketing doit travailler en étroite collaboration avec les autres départements de l'entreprise. Le développement d'un état d'esprit marketing dans l'entreprise suppose le soutien de la direction générale, la constitution d'un comité *ad hoc*, le recours à des consultants extérieurs, la modification des modalités d'évaluation des performances, la mise en place d'un département marketing de haut niveau, des séminaires internes de formation, l'élaboration d'un système de planification marketing, un système de promotion cohérent, une définition claire des processus managériaux et une réelle valorisation des employés en contact avec les clients.

4. Il ne suffit pas d'élaborer des plans efficaces, encore faut-il les mettre en œuvre avec succès, c'est-à-dire les traduire sous forme de directives identifiant qui fait quoi, où, quand et comment. La mise en œuvre effective du marketing suppose des capacités de suivi, d'organisation et de communication indispensables pour animer les fonctions, les programmes et les tactiques marketing.

5. Le *contrôle marketing* est le prolongement naturel de la planification. Dans une entreprise, plusieurs niveaux de contrôle sont nécessaires. Le *contrôle du plan annuel* porte sur l'action marketing en cours et ses résultats, et vise à s'assurer de la bonne réalisation des objectifs de chiffres d'affaires et de profit.

6. *Le contrôle de rentabilité* consiste à mesurer la profitabilité des produits, secteurs géographiques, segments de clientèle et circuits de distribution.

7. *Le contrôle de productivité* s'efforce d'apprécier la productivité des différentes activités commerciales : vente, publicité, promotion et distribution.

8. *Le contrôle stratégique*, enfin, vise à vérifier que les objectifs, stratégies et procédures de l'entreprise sont adaptés à son environnement actuel et futur.

9. Enfin, un nombre croissant d'entreprises comprennent aujourd'hui la nécessité d'assumer leurs responsabilités éthiques et sociales et de les intégrer dans leur logique de développement.

# Notes

1. Voir Bernard Cova, « Le Marketing de projets : de la réaction à l'anticipation », *Recherche et Applications en Marketing,* 1992, n° 4, pp. 83-104.

2. Voir Alain Ollivier, « Le marketing écartelé entre le client, le gestionnaire et l'actionnaire », *Décisions marketing* n° 25, janvier-mars 2002, pp. 83-85.

3. « Les directeurs marketing ont le vent en poupe », *LSA,* 7 nov. 1995.

4. Voir Frederick E. Webster Jr., « The Changing Role of Marketing in the Corporation », *Journal of Marketing,* oct. 1992, pp. 1-17 et John P. Workman Jr., Christian Homburg, Kjell Gruner, « Marketing Organization : An Integrative Framework of Dimensions and Determinants », *Journal of Marketing,* juillet 1998, pp. 21-41.

5. Voir François Marticotte et Jean Perrien, « Les Déterminants de la structure du département marketing », *Recherche et Applications en Marketing,* 1995, vol. 10, n° 1, pp. 3-20 ; et A. Valleray « Structure et efficacité de la fonction marketing », *Recherche et Applications en Marketing,* 1988, n° 2, pp. 55-75.

6. Voir Frank V. Cespedes, *Concurrent Marketing : Integrating Product, Sales and Service* (Boston : Harvard Business School Press, 1995) et *Managing Marketing Linkages* (Upper Saddle River : Prentice Hall, 1996).

7. Voir Jean-Claude Rico, « Structures et organisation de la fonction marketing en milieu industriel : composantes, déterminants et évolution », *Actes du Xe congrès de l'Association française du Marketing,* 10-11 mai 1994, pp. 879-905.

8. Andrall E. Pearson et Thomas W. Wilson, Jr., *Making Your Organisation Work,* (New York : Association of National Advertisers, 1967), pp. 8-13. Voir également William H. Davidson et Philippe Haspeslagh « Structure par produits, ma non troppo », *Harvard l'Expansion,* hiver 1982-1983, pp. 99-110.

9. Voir Michael George, Anthony Freeling, et David Court, « Reinventing the Marketing Organization », *The McKinsey Quarterly,* 1994, n° 4, pp. 43-62.

10. Voir David Aaker, *Le Management du capital-marque,* (Paris : Dalloz, 1994).

11. Voir « Les entreprises plus attentives au capital client », *CB News,* 22 janvier 1996.

12. Voir par exemple A. Marty, « Marketing et nouvelles structures bancaires », *Hommes et Techniques,* n° 302. Voir également Christian Gronroos « Innovative Marketing Strategies and Organization Structures for Service Firms », *American Marketing Association Proceedings,* 1987, pp. 3-21.

13. Richard E. Anderson, « Matrix Redux », *Business Horizons,* nov.-déc. 1994, pp. 6-10.

14. Pour d'autres détails, voir Nigel Piercy, *Marketing Organization ; An Analysis of Information Processing, Power and Politics* (London : George Allen et Unwin, 1985) ; Robert Ruekert, Orville Walker et Kenneth Roening, « The Organization of Marketing Activities : A Contingency Theory of Structure and Performance », *Journal of Marketing,* hiver 1985, pp. 13-25 ; et Tyzoon Tyebjee, Albert Bruno et Shelby McIntyre, « Growing Ventures Can Anticipate Marketing Changes », *Harvard Business Review,* janv.-févr. 1983, pp. 2-4 ; et *New York Times,* « Revamping said to be set at Microsoft », 9 février 1999, p. C1.

15. A. Desreumaux, *Structures d'entreprise* (Paris : Vuibert, 1992).

16. Voir Alain Cadix « Le Face à face recherche-marketing », *Revue française de gestion,* janv.-févr. 1980.

17. Gary L. Frankwick, Beth A. Walker, et James C. Ward, « Belief Structures in Conflict : Mapping a Strategic Marketing Decision », *Journal of Business Research,* oct.-nov. 1994, pp. 183-195.

18. Pour une analyse plus détaillée, voir Alain Cadix, « Recherche-développement et marketing : déterminants organisationnels d'une interface innovatrice » (Paris : Université de Paris IX Dauphine – CNAM, 1979). Voir également William Souder, *Managing New Product Innovations* (Lexington : D.C. Health, 1987), chapitres 10 et 11 ; William Shanklin et John Ryans Jr., « Organizing for High-Tech Marketing », *Harvard Business Review,* novembre-décembre 1984, pp. 164-71 ; Robert Fisher, Elliot Maltz et Bernard Jaworski, « Enhancing Communication between Marketing and Engineering : The Moderating Role of Relative Functional Identification », *Journal of Marketing,* juillet 1997, pp. 54-70.

19. *New York Times,* « Struggling to Spell R-E-L-I-E-F », 29 décembre 1998, pp. C1, C18 ; *Business Wire,* « JAMA Study Shows Merck-Medco's Partners for Healthy Aging Program Significantly Reduces the Use of Potentially Harmful Medication by Seniors », 12 octobre 1998 ; *Wall Street Journal,* « The Cure : With Big Drugs Dying, Merck Didn't Merge », 10 janvier 2001, p. A1.

20. Robert Fisher, Elliot Maltz et Bernard Jaworski, « Enchancing Communication Between Marketing and Engineering », *Journal of Engineering,* juillet 1997, pp. 54-70.

21. Benson Shapiro : « Marketing et production : pour une coexistence pacifique », *Harvard l'Expansion,* printemps 1978, pp. 27-39 ; Robert Ruekert et Orville Walker Jr., « Marketing's Interraction with Other Functional Units : A Conceptual Framework with Other Empirical Evidence », *Journal of Marketing,* janvier 1987, pp. 1-19.

22. George Day, *The Market-Driven Organization : Aligning Culture. Capabilities and Configuration to the Market* (New York : Free Press, 1999).

23. Gary Hamel, *Leading the Revolution* (Boston : Harvard University Press, 2000).

24. Voir encadré 12.6 dans le chapitre 12.

25. Voir Thomas Bonoma, « La Stratégie : quelle mise en œuvre ? », *Harvard L'Expansion,* hiver 1984-1985, pp. 45-55.

26. Voir Alain Ollivier, «Comment contrôler le marketing?» *Les Echos - L'Art du management*, 11 avril 2001, pp. 2-5 et, du même auteur, «Le contrôle en marketing», *Encyclopédie du management* (Paris : Vuibert, 1992), tome 1, pp. 352-365.

27. Voir Alfred Oxenfeldt, «How to Use Market Share Measurement», *Harvard Business Review*, janv.-févr. 1969, pp. 59-68.

28. Il y a en effet une chance sur deux pour qu'une observation enregistrée au cours de n'importe quelle période soit supérieure à celle qui la précède. La probabilité d'avoir six accroissements successifs est donc de $(1/2)^6 = 1/64$.

29. On peut aussi chercher à améliorer la *valeur pour l'actionnaire*, qui suppose une prise en compte des flux financiers sur plusieurs années. Voir Alfred Rapoport, *Creating Shareholder Value*, (New York : Free Press, 1997).

30. Voir Peter L. Mullins, *Measuring Customer and Product Line Profitability* (Washington, D.C. : Distribution Research and Education Foundation, 1984).

31. Thimothy Matanovich, «Value Measures in the Executive Suite», *Marketing Management*, printemps 2000, pp. 35-40.

32. Voir Robert S. Kaplan et David P. Norton, *The Balanced Scorecard* (Boston : Harvard Business School Press, 1996).

33. Richard Whiteley et Diane Hessan, *Customer Centered Growth* (Reading MA : Addison Wesley, 1996), pp. 87-90 et Adrian J. Slywotzky, *La Migration de la valeur* (Paris : Village Mondial, 1998).

34. Voir Robin Cooper et Robert S. Kaplan, «Profit Priorities, from Activity-Based Costing», *Harvard Business Review*, mai-juin 1991, pp. 130-135.

35. *LSA*, «Industrie : les nouvelles voies de la rentabilité», 30 mai 2002, pp. 23-23.

36. Voir Sam R. Goodman, *Increasing Corporate Profitability* (New York : Ronald Press, 1982), chap. 1.

Voir aussi Bernard J. Jaworski *et al.*, «Control Combinations in Marketing : Conceptual Framework and Empirical Evidence», *Journal of Marketing*, janv. 1993, pp. 57-69.

37. Pour un exemple de la façon dont ces indicateurs sont utilisés, voir le cas Dulato dans Bernard Dubois, *Dix Cas européens de marketing management*, 2e édition (Paris : Publi-Union, 1995).

38. Voir Tim Ambler et Flora Kokkinaki, «Comment évaluer le marketing?», *L'Art du marketing* (Paris : Village Mondial, 1999), pp. 26-30.

39. Voir Philip Kotler *et al.*, «*The Marketing Audit Comes of Age*», Sloan Management Review, hiver 1989, pp. 49-62. Voir également Jacques Habib, «L'Audit marketing», *Revue française de marketing*, mai-juin 1975, pp. 41-54; et Guy Serraf, «L'Audit Marketing», *Management France*, déc. 1976-janv. 1977, pp. 1-9.

40. Voir également M. Lévy, «L'audit marketing : une méthode d'auto-évaluation» *Direction et gestion des entreprises*, juil.-août 1982, pp. 33-46 et Bruno Camus, *Audit marketing* (Paris : Éditions d'Organisation, 1988).

41. *Sources : Chronicle*, «Earnshow's Infants' Toddlers', and Girls' and Boys' Wear Rewiew», Octobre 1996, p. 36; *New York Times*, «Voluntary Rules on Apparel Labor Prove Hard to Set», 1er février 1997, pp. A1, A7; *Solidarity*, «No Sweat? Sweatshop Code is Just a First to End Worker Abuse», juin-juillet 1997, p. 9; *BusinessWeek*, «Nike Opens Its Books on Sweatshop Audits», 27 avril 2000; DowJones.com, «Nike Offers Students Chance to See Conditions in Third-World Factories», 11 novembre 1999, ainsi que les sites www.wrapaparrel.com et www.nikebiz.com.

42. Howard Bowen, *Social Responsibilities of the Businessman* (New York : Harper & Row, 1953), p. 215.

# Glossaire

**Achat institutionnel.** Processus de décision par lequel une organisation spécifie ses besoins en produits et services et découvre, évalue et choisit les marques et les fournisseurs.

**Analyse de la valeur.** Technique de réduction des coûts qui consiste à examiner en détail tous les composants susceptibles d'être modifiés, standardisés, ou fabriqués à moindres frais.

**Apprentissage.** On appelle apprentissage les modifications intervenues dans le comportement d'une personne à la suite de ses expériences passées.

**Assortiment.** On appelle assortiment (ou *mix*) de produits l'ensemble des gammes et articles proposés à la vente par une entreprise.

**Attitude.** Une attitude résume les évaluations (positives ou négatives), les réactions émotionnelles et les prédispositions à agir vis-à-vis d'un objet ou d'une idée.

**Audit marketing.** Examen *complet, systématique, indépendant* et *périodique* de l'environnement, des objectifs, stratégies et activités d'une entreprise, en vue de détecter les domaines posant problème et de recommander des actions correctives destinées à améliorer son efficacité marketing.

**Base de données client.** Ensemble structuré d'informations accessibles et opérationnelles sur la clientèle et les prospects, que l'on utilise pour obtenir ou qualifier des pistes, vendre un produit ou un service, ou encore maintenir une relation commerciale. Un *marketing de base de données* consiste à construire, consolider et utiliser des bases de données à des fins de prospection, de transaction, et de construction de la relation client.

**Capital client.** Somme des valeurs à vie actualisées des clients de l'entreprise. Plus la fidélité de la clientèle est forte, plus la valeur du capital client est élevée.

**Capital-marque.** Ensemble des associations et des comportements des consommateurs de la marque, des circuits de distribution et de l'entreprise, qui permettent aux produits marqués de réaliser des volumes et des marges plus importants qu'ils ne le feraient sans le nom de marque et qui lui donnent un avantage fort et distinctif par rapport à ses concurrents.

**Centre d'achat.** On désigne ainsi l'unité de prise de décision d'une entreprise, qui rassemble l'« ensemble des individus et groupes qui interviennent dans le processus de prise de décision d'achat, et en partagent les objectifs ainsi que les risques ».

**Circuit de distribution.** Ensemble des intervenants qui font passer un produit de son état de production à son état de consommation.

**Classes sociales.** Groupes relativement homogènes et permanents, ordonnés les uns par rapport aux autres, et dont les membres partagent le système de valeurs, le mode de vie, les intérêts et le comportement.

**Client rentable.** Individu, ménage ou entreprise qui rapporte au fil des années davantage qu'il ne coûte à attirer, convaincre et satisfaire.

**Conditionnement.** Ensemble des activités liées à la conception et à la fabrication de l'emballage du produit.

**Croyance.** Élément de connaissance descriptive qu'une personne entretient à l'égard d'un objet.

**Demande de l'entreprise.** Part de la demande du marché détenue par l'entreprise.

**Désintermédiation.** La *désintermédiation* correspond à la disparition des intermédiaires, tandis que la *réintermédiation* correspond à l'apparition de nouveaux intermédiaires.

**Différenciation.** On appelle ainsi la mise en évidence de spécificités porteuses de valeur pour le client et destinées à distinguer l'offre d'une entreprise de celle de ses concurrents.

**E-business.** Ce terme désigne l'ensemble des pratiques des entreprises, qui reposent sur des moyens et des plates-formes électroniques.

**Élaboration d'une politique marketing.** Processus consistant à analyser les opportunités existant sur le marché et à choisir une cible, un positionnement, des plans d'action et un système de contrôle.

**Étude ou recherche marketing.** Préparation, recueil, analyse et exploitation de données et informations relatives à une situation marketing.

**Gamme.** Ensemble de produits commercialisés par une entreprise et liés entre eux du fait qu'ils fonctionnent de la même manière, s'adressent aux mêmes clients, ou sont vendus dans les mêmes types de points de vente ou zones de prix.

**Image.** Ensemble des perceptions qu'un individu entretient à l'égard d'un objet.

**Marché.** Un marché est constitué par l'ensemble des personnes susceptibles d'acquérir un produit ou un service.

**Marketing.** Le marketing consiste à planifier et mettre en œuvre l'élaboration, la tarification, la communication, et la distribution d'une idée, d'un produit, ou d'un service en vue d'un échange mutuellement satisfaisant pour les organisations comme les individus.

**Marketing direct.** Marketing interactif qui utilise un ou plusieurs médias en vue d'obtenir une réponse et/ou une transaction.

**Marketing management.** C'est la science et l'art de choisir ses marchés-cibles et d'attirer, de conserver, et de développer une clientèle en créant, délivrant et communiquant de la valeur.

**Marketing relationnel.** Il consiste à offrir d'excellents services aux clients grâce à l'utilisation d'informations individualisées, avec pour objectif la construction d'une relation durable avec chacun d'entre eux.

**Marque.** Un nom, un terme, un signe, un symbole, un dessin ou toute combinaison de ces éléments servant à identifier les biens ou services d'un vendeur ou d'un groupe de vendeurs et à les différencier des concurrents.

**Mégamarketing.** Coordination stratégique de l'ensemble des compétences économiques, intellectuelles, politiques ou relationnelles nécessaires à l'obtention de la coopération de tous les acteurs impliqués dans la conquête d'un marché.

**Menace.** Problème posé par une tendance défavorable ou une perturbation de l'environnement qui, en l'absence d'une réponse marketing appropriée, conduirait à une détérioration de la position de l'entreprise.

**Merchandising.** On désigne sous ce nom l'ensemble des techniques destinées à améliorer la présentation des produits dans un espace de vente.

**Mise en œuvre.** Processus selon lequel les plans marketing sont traduits sous forme de directives permettant d'atteindre les objectifs que l'on s'est fixés.

**Mix marketing.** Ensemble des outils dont l'entreprise dispose pour atteindre ses objectifs auprès du marché-cible.

**Opportunité.** Une opportunité, pour une entreprise, correspond à un besoin d'achat qu'elle peut satisfaire rentablement.

**Optique marketing.** L'optique marketing considère que, pour réussir, une entreprise doit, plus efficacement que la concurrence, créer, délivrer et communiquer de la valeur auprès des clients qu'elle a choisi de servir.

**Optique du marketing sociétal.** Cette optique considère que la tâche prioritaire de l'entreprise est d'étudier les besoins et les désirs des marchés visés et de faire en sorte de les satisfaire de manière plus efficace que la concurrence, mais aussi d'une façon qui préserve ou améliore le bien-être des consommateurs et de la collectivité.

**Optique production.** L'optique production suppose que le consommateur choisit les produits en fonction de leur prix et de leur disponibilité.

**Optique produit.** Elle repose sur l'idée que le consommateur préfère le produit qui offre les meilleures performances.

**Optique vente.** Selon cette optique le consommateur n'achètera pas de lui-même suffisamment à l'entreprise à moins que celle-ci ne consacre beaucoup d'efforts à stimuler son intérêt pour le produit.

**Perception.** Processus par lequel un individu choisit, organise et interprète des éléments d'information externe pour construire une image cohérente du monde qui l'entoure.

**Personnalisation.** La personnalisation combine l'adaptation opérationnelle des produits aux souhaits des clients et la construction d'une relation individualisée avec eux par l'adaptation des outils marketing employés.

**Personnalité.** Ensemble de caractéristiques psychologiques distinctives qui engendrent un mode de réponse stable et cohérent à l'environnement.

**Positionnement.** On appelle ainsi la conception d'un produit et de son image dans le but de lui donner une place déterminée dans l'esprit des clients visés.

**Potentiel du marché.** Limite vers laquelle tend la demande lorsque l'effort marketing du secteur s'accroît dans des conditions d'environnement données.

**Prévision des ventes de l'entreprise.** Niveau de vente attendu correspondant à un plan d'action marketing donné dans des conditions marketing supposées.

**Produit.** On appelle produit tout ce qui peut être offert sur un marché de façon à y satisfaire un besoin.

**Promotion des ventes.** Ensemble de techniques destinées à stimuler la demande à court terme, en augmentant le rythme ou le niveau des achats d'un produit ou d'un service effectué par les consommateurs ou les intermédiaires commerciaux.

**Publicité.** Toute forme de communication non personnalisée utilisant un support payant, mise en place pour le compte d'un émetteur identifié en tant que tel.

**Qualité Totale.** Effort entrepris au niveau de l'ensemble de l'entreprise pour sans cesse améliorer produits, services, et procédures.

**Qualité.** Elle englobe l'ensemble des caractéristiques d'un produit ou d'un service qui affectent sa capacité à satisfaire des besoins, exprimés ou implicites.

**Quota.** Objectif de vente fixé pour une gamme de produits, une division de l'entreprise ou un représentant. C'est essentiellement un outil de gestion permettant de stimuler l'effort de vente.

**Relations publiques.** Activité mise en place par une entreprise, un organisme public ou privé, un particulier ou un groupe, pour créer, établir, maintenir ou améliorer d'une part la confiance, la compréhension et la sympathie, et d'autre part, les relations avec des publics qui, à l'intérieur et à l'extérieur de l'institution, conditionnent son développement.

**Réintermédiation.** La *réintermédiation* correspond à l'apparition de nouveaux intermédiaires, tandis que la *désintermédiation* correspond à la disparition des intermédiaires.

**Réseau.** Système de partenariats et d'alliances créé par une entreprise pour approvisionner, enrichir et distribuer son offre.

**Satisfaction.** Jugement d'un client vis-à-vis d'une expérience de consommation ou d'utilisation donnée et résultant d'une comparaison entre ses attentes à l'égard du produit et ses performances perçues.

**Secteur.** Il est constitué par l'ensemble des entreprises qui offrent des produits correspondant à de proches substituts.

**Service.** Activité ou prestation soumise à un échange, essentiellement intangible et qui ne donne lieu à aucun transfert de propriété. Un service peut être associé ou non à un produit physique.

**Style de vie.** Système de repérage d'un individu à partir de ses activités, ses centres d'intérêt et ses opinions.

**Système d'information marketing (SIM).** Réseau complexe de relations structurées où interviennent des hommes, des machines et des procédures, qui a pour objet d'engendrer un flux ordonné d'informations pertinentes, provenant de sources internes et externes à l'entreprise et destinées à servir de base aux décisions marketing.

**Tendance.** Ligne d'évolution majeure et durable de la société.

**Valeur à vie d'un client.** Elle correspond à la valeur actualisée des profits réalisés sur ce client lors des achats qu'il effectuera auprès de l'entreprise tout au long de sa vie. On l'évalue en actualisant les revenus futurs espérés, déduits des coûts de conquête, de vente et de service à ce client.

# Index

## Index thématique

741

# Index des noms cités

# Index des entreprises et des marques

759

760

# Les auteurs

PHILIP KOTLER est l'une des plus grandes autorités mondiales dans le domaine du marketing. Il est *Distinguished Professor* de marketing international à la Kellogg Graduate School of Management (Northwestern University) de Chicago. Après avoir obtenu une maîtrise en économie à l'université de Chicago et un doctorat en économie au MIT, il a effectué des travaux post-doctoraux en mathématiques à Harvard et en sciences du comportement à l'université de Chicago.

Son livre *Strategic Marketing for Nonprofit Organizations*, qui en est actuellement à sa cinquième édition, est l'ouvrage de référence dans ce domaine du marketing. Parmi ses autres ouvrages, on citera : *Le Marketing selon Kotler ou Comment créer, conquérir et dominer un marché* ; *Le Marketing en mouvement* ; *Le Marketing : de la théorie à la pratique* ; *Les clés du marketing* ; *Principles of Marketing* ; *Marketing : An Introduction* ; *Marketing Models* ; *The New Competition* ; *Marketing Professional Services* ; *Strategic Marketing for Educational Institutions* ; *Marketing for Health Care Organizations* ; *Marketing for Congregations* ; *High Visibility* ; *Social Marketing* ; *Marketing Places* ; *The Marketing of Nations* ; *Marketing for Hospitality and Tourism* ; *Standing Room Only : Strategies for Marketing the Performing Arts* et *Marketing Moves*.

Il a en outre publié plus de cent articles dans des revues de premier plan, notamment la *Harvard Business Review*, la *Sloan Management Review*, le *Journal of Marketing*, le *Journal of Marketing Research*, *Management Science*, le *Journal of Business Strategy*, *Business Horizons* et *Futurist*. Il est le seul auteur à avoir obtenu par trois fois le très envié prix *Alpha Kappa Psi*, qui récompense le meilleur article de l'année paru dans le *Journal of Marketing*.

Il a été le premier récipiendaire du prix de l'American Marketing Association, qui distingue un enseignant en marketing (1985). Il a été élu comme le leader de la pensée en marketing par les membres de l'American Marketing Association en 1975. Il a également reçu le prix d'excellence en marketing décerné par l'European Association of Marketing Consultants and Salers Trainers, le prix Paul Converse de l'AMA (1978) pour sa contribution originale au marketing, le prix du meilleur formateur au marketing de l'année de Sales and Marketing Executives International (1995) et le Distinguished Educator Award de l'Academy of Marketing Science en 2002. Il est par ailleurs docteur *honoris causa* des universités de Zurich, d'Athènes, de Stockholm, de Cracovie, de Vienne, de Budapest, et du groupe HEC.

Il a conseillé de nombreuses grandes entreprises américaines et étrangères (entre autres AT&T, Bank of America, Ford, General Electric, Honeywell, IBM, Marriott, Merck, Michelin, Montedison et SAS) dans leur stratégie marketing, leur organisation ou leur marketing international.

Philip Kotler a été président du Collège Marketing de l'Institute of Management Sciences (TIMS), directeur de l'American Marketing Association, administrateur du Marketing Science Institute, directeur du MAC Group (Gemini), membre du Yankelovich Advisory Board et du Copernicus Advisory Board. Il est membre du bureau des administrateurs de la School of the Art Institute de Chicago et du comité consultatif de la fondation Peter Drucker.

BERNARD DUBOIS (1946-2001) était professeur de marketing au Groupe HEC. Diplômé lui-même d'HEC, il avait également obtenu une maîtrise de sociologie à la Sorbonne, puis un M. S. et un Ph. D. (doctorat) en management à l'université américaine de Northwestern, où il enseignait régulièrement en tant que professeur invité.

Outre le présent ouvrage, Bernard Dubois a également publié *Comprendre le consommateur,* lauréat du prix de l'Académie des sciences commerciales qui récompense le meilleur livre de marketing publié dans l'année. Cet ouvrage a fait l'objet de traductions dans plusieurs langues, notamment en anglais en 2000 sous le titre *Understanding the Consumer : A European Perspective.* Bernard Dubois a également publié *Dix Cas européens de marketing management ; Marketing em Portugal* et *Échec à la science : la survivance des mythes chez les Français.* Sous forme de chapitres, il a aussi apporté sa collaboration à de nombreux ouvrages collectifs, tels que *L'Encyclopédie du marketing ; Marketing Classics ; Perspectives on Marketing Management ; Marketing Management and Strategy ; Values, Lifestyles and Psychographics ; Marketing Analysis for Societal Problems* et *Marketing in Europe.*

Bernard Dubois a écrit plus d'une trentaine d'articles pour de nombreuses revues académiques et professionnelles telles que *Harvard-L'Expansion,* la *Revue française de gestion, Recherche et Applications en marketing,* la *Revue française du marketing, Décisions Marketing* et, en langue anglaise, *European Journal of Marketing, Marketing and Research Today, Columbia Journal of World Business, Journal of Advertising Research,* ou encore *Educational and Psychological Measurement.* Il présentait aussi régulièrement le fruit de ses recherches dans des congrès, tant en France qu'à l'étranger.

Expert reconnu dans le domaine de la consommation et de l'analyse du comportement des consommateurs, il était souvent sollicité pour des interviews. Il a notamment donné son point de vue dans des journaux aussi divers que *Le Monde, L'Expansion, Les Echos, Management, Communication-CB News, Marketing Magazine,* ainsi que sur plusieurs chaînes de radio et de télévision.

Au-delà de ses activités d'enseignement et de recherche, Bernard Dubois a longtemps été administrateur de *l'Association française de marketing* et membre du comité éditorial de *Recherche et Applications en marketing.* Il a aussi fait partie du comité de pilotage des *Ateliers de la consommation,* mis en place à l'initiative du ministère de l'Économie et des Finances. Enfin, il assurait des missions de conseil et de formation auprès de nombreuses entreprises françaises et étrangères, notamment dans les secteurs de l'agro-alimentaire, des produits de technologie, et des produits de luxe.

DELPHINE MANCEAU est professeur associé de marketing à l'ESCP-EAP. Diplômée de l'ESCP, elle a obtenu un doctorat ès sciences de gestion au groupe HEC, avant de séjourner à la Wharton School de l'Université de Pennsylvanie (États-Unis) comme *visiting fellow*.

Ses principaux domaines d'expertise portent sur le marketing management, l'innovation et le lancement de nouveaux produits, la stratégie marketing et la politique de produit. Elle intervient sur ces sujets auprès d'entreprises de divers secteurs, de celles de la grande consommation à celles de la haute technologie.

Membre du bureau et trésorière de l'Association française du marketing, elle participe au comité de lecture de la revue *Recherche et Applications en marketing* et au bureau de rédaction de *Décisions Marketing*. Elle est représentante pour la France au bureau de l'European Marketing Academy (EMAC).

Delphine Manceau a coordonné l'ouvrage collectif *De l'idée au marché : innovation et lancement de produits*, en collaboration avec Alain Bloch. Elle a également participé à plusieurs ouvrages collectifs : l'*Encyclopédie de l'innovation* ; *Le Marketing de A à Z* et le *Manuel de gestion*. Elle a écrit plus d'une dizaine de cas pédagogiques utilisés par de nombreuses écoles de commerce et universités. Elle assure d'ailleurs des formations à la méthode des cas pour le compte de la Centrale des cas et des médias pédagogiques.

Ses recherches portent sur les nouveaux produits, l'ordre d'entrée sur un marché, l'utilisation des tabous dans la publicité, la satisfaction des clients et la fixation des prix. Elles ont été publiées dans des revues académiques telles que *International Journal of Research in Marketing*, *International Journal of Industrial Organization*, *Recherche et Applications en marketing*, *Décisions Marketing* ou la *Revue française du marketing*. Les travaux de Delphine Manceau ont également donné lieu à des présentations dans de nombreux colloques en Europe et aux États-Unis. Enfin, Delphine Manceau a exprimé son point de vue sur des sujets d'actualité dans le domaine du marketing dans des journaux comme *CB News*, *Les Echos*, *L'Expansion* et *L'Entreprise*.

Imprimé en France par I.M.E. 25110 Baume-les-Dames